TEXTOS COMUNS

I

Antes do Ofício, quando rezado a sós, pode-se dizer a seguinte oração:

Abri, Senhor, os meus lábios para bendizer o vosso santo nome. Purificai o meu coração de todos os pensamentos vãos, desordenados e estranhos. Iluminai o meu entendimento e inflamai minha vontade, para que eu possa rezar digna, atenta e devotamente este Ofício, e mereça ser atendido na presença da vossa divina Majestade. Por Cristo, nosso Senhor. Amém.

Invitatório

V. **Abri** os meus **lábios**, ó **Senhor**.
R. E minha **boca** anunciará vosso louvor.

Salmo 94(95)

Convite ao louvor de Deus

(Propõe-se e se repete a antífona)

– ¹ Vinde, exultemos de alegria no **Senhor**, *
aclamemos o rochedo que nos salva!
– ² Ao seu encontro caminhemos com louvores, *
e com **cantos** de alegria o celebremos!

(Repete-se a antífona)

– ³ Na verdade, o Senhor é o grande Deus, *
o grande **Rei**, muito maior que os deuses todos.
– ⁴ Tem nas **mãos** as profundezas dos abismos, *
e as alturas das montanhas lhe pertencem;
– ⁵ o mar é **de**le, pois foi ele quem o fez, *
e a terra **fir**me suas mãos a modelaram.

(Repete-se a antífona)

– ⁶ Vinde adoremos e prostremo-nos por terra, *
e ajoelhemos ante o Deus que nos criou!
= ⁷ Porque ele é o nosso Deus, nosso Pastor,†
e nós somos o seu povo e seu rebanho, *
as ovelhas que conduz com sua mão.

(Repete-se a antífona)

= ⁸ Oxalá ouvísseis hoje a sua voz: †
"Não fecheis os corações como em Meriba, *
⁹ como em Massa, no deserto, aquele dia,
– em que outrora vossos pais me provocaram, *
apesar de terem visto as minhas obras".

(Repete-se a antífona)

= ¹⁰Quarenta anos desgostou-me aquela raça †
e eu disse: "Eis um povo transviado, *
¹¹ seu coração não conheceu os meus caminhos!"
– E por isso lhes jurei na minha ira: *
"Não entrarão no meu repouso prometido!"

(Repete-se a antífona)

- Glória ao Pai e ao Filho e ao Espírito Santo. *
Como era no princípio, agora e sempre. Amém.

(Repete-se a antífona)

———————————

Ou:

Salmo 23(24)

Entrada do Senhor no templo

(Propõe-se e se repete a antífona)

– ¹ Ao Senhor pertence a terra e o que ela encerra, *
o mundo inteiro com os seres que o povoam;
– ² porque ele a tornou firme sobre os mares, *
e sobre as águas a mantém inabalável. R.

– ^{3}"Quem subi**rá** até o monte do Senhor, *
quem fica**rá** em sua santa habitação?"
= ^{4}"Quem tem mãos **pu**ras e inocente coração, †
quem não di**ri**ge sua mente para o crime, *
nem jura **fal**so para o dano de seu próximo. R.
– ^{5}Sobre **es**te desce a bênção do Senhor *
e a recom**pen**sa de seu Deus e Salvador".
– ^{6}"É as**sim** a geração dos que o procuram, *
e do **Deus** de Israel buscam a face". R.
= ^{7}"Ó **por**tas, levantai vossos frontões! †
Ele**vai**-vos bem mais alto, antigas portas, *
a fim de **que** o Rei da glória possa entrar!" R.
= ^{8}Di**zei**-nos: "Quem é este Rei da glória?" †
"É o Se**nhor**, o valoroso, o onipotente; *
o Se**nhor**, o poderoso nas batalhas!" R.
= ^{9}"Ó **por**tas, levantai vossos frontões! †
Ele**vai**-vos bem mais alto, antigas portas, *
a fim de **que** o Rei da glória possa entrar!" R.
= ^{10}Di**zei**-nos: "Quem é este Rei da glória?" †
"O Rei da **gló**ria é o Senhor onipotente, *
o Rei da **gló**ria é o Senhor Deus do universo!" R.
– Glória ao **Pai** e ao **Fi**lho e ao Es**pí**rito **San**to. *
Como **e**ra no prin**cí**pio, a**go**ra e sempre. A**mém**. R.

Ou:

Salmo 66(67)
Todos os povos celebrem o Senhor
(Propõe-se e se repete a antífona)

– ^{2}Que Deus nos **dê** a sua **gra**ça e sua **bên**ção, *
e sua **fa**ce resplandeça sobre nós!
– ^{3}Que na **ter**ra se conheça o seu caminho *
e a **su**a salvação por entre os povos. R.

– ⁴Que as **nações** vos glorifiquem, ó Senhor, *
que **to**das as nações vos glorifiquem! R.

– ⁵**Exul**te de alegria a terra inteira, *
pois jul**gais** o universo com justiça;
– os **po**vos governais com retidão, *
e gui**ais**, em toda a terra, as nações. R.

– ⁶Que as **nações** vos glorifiquem, ó Senhor, *
que **to**das as nações vos glorifiquem! R.

– ⁷A **ter**ra produziu sua colheita: *
o S**enhor** e nosso Deus nos abençoa.

– ⁸Que o S**enhor** e nosso Deus nos abençoe, *
e o res**pei**tem os confins de toda a terra! R.

– Glória ao **Pai** e ao **Fi**lho e ao Espírito **San**to. *
Como **era** no prin**cí**pio, a**go**ra e sempre. A**mém**. R.

――――――――

Ou:

Salmo 99(100)

Alegria dos que entram no templo

(Propõe-se e se repete a antífona)

= ²**Aclamai** o S**enhor**, ó terra in**teira**, †
ser**vi** ao Senhor com alegria, *
ide a **ele** cantando jubilosos! R.

= ³**Sabei** que o Senhor, só ele, é Deus! †
Ele **mes**mo nos fez, e somos seus, *
nós **so**mos seu povo e seu rebanho. R.

= ⁴**Entrai** por suas portas dando graças, †
e em seus **átrios** com hinos de louvor; *
dai-lhe **graças**, seu nome bendizei! R.

= ⁵Sim, é **bom** o Senhor e nosso Deus, †
sua **bonda**de perdura para sempre, *
seu **amor** é fiel eternamente! R.

– Glória ao **Pai** e ao **Fi**lho, e ao Espírito **San**to. *
Como **era** no prin**cí**pio, a**go**ra e sempre. A**mém**. R.

Modalidades de "Glória ao Pai"

1º **Comum** (e para o canto com 2 ou 4 acentos):

V. Glória ao **Pai** e ao **Fi**lho e ao Espírito **San**to.

R. Como **e**ra no prin**cí**pio, a**go**ra e sempre. A**mém**.

2º **Para o Canto** (com 3 acentos e estrofes de 2 versos) :

– Glória ao **Pai** e ao **Fi**lho e ao Espírito **San**to. *
Como **e**ra no prin**cí**pio, agora e **sem**pre.

3º (Com 3 acentos e estrofes de 3 versos):

= Glória ao **Pai** e ao **Fi**lho e ao Espírito **San**to, †
ao Deus que **é**, que **e**ra e que **vem**, *
pelos **sé**culos dos **sé**culos. A**mém**.

4º (Com 3 acentos e estrofes de 4 versos):

= Demos **gló**ria a Deus **Pai** onipo**ten**te
e a seu **Fi**lho, Jesus **Cris**to, Senhor **no**sso, †
e ao Es**pí**rito que ha**bi**ta em nosso **pei**to, *
pelos **sé**culos dos **sé**culos. A**mém**.

5º (Com 3 + 2 acentos):

= Glória ao **Pai** e ao **Fi**lho e ao Espírito **San**to
desde a**go**ra e para **sem**pre, †
ao Deus que **é**, que **e**ra e que **vem**, *
pelos **sé**culos. A**mém**.

Início e conclusão das horas

Início

V. Vinde, ó **Deus**, em meu auxílio.

R. Soco**rrei**-me sem de**mo**ra.

Glória ao **Pai** e ao **Fi**lho e ao Espírito **San**to.*
Como **e**ra no prin**cí**pio, a**go**ra e sempre. A**mém**. Ale**lui**a.

Na Quaresma, omite-se o Aleluia.

Omite-se a introdução acima no Ofício das Leituras e nas Laudes, quando o Invitatório precede imediatamente.

E segue-se o hino.

No fim das Laudes e Vésperas

Após a oração conclusiva, se um sacerdote ou diácono preside o Ofício, é ele quem despede o povo, dizendo:

O Senhor esteja convosco.
R. Ele está no meio de nós.
Abençoe-vos Deus todo-poderoso, Pai e Filho e Espírito Santo.
R. Amém.

Pode usar também outra fórmula de bênção, como no Apêndice.

Havendo despedida, acrescenta-se:

Ide em **paz** e o Se**nhor** vos acom**pa**nhe.
R. **Gra**ças a **Deus.**

Não havendo sacerdote, ou diácono, e na recitação individual, conclui-se assim:

O **Senhor** nos aben**çoe**, nos **li**vre de todo **mal**
e nos con**du**za à vida e**ter**na.
R. Amém.

No fim do Ofício das Leituras e da Hora Média

Após a oração conclusiva, pelo menos na celebração comunitária, acrescenta-se a aclamação:

Bendigamos ao **Senhor**.
R. **Gra**ças a **Deus**.

No fim das Completas

Após a oração conclusiva, segue-se a bênção, inclusive quando se reza sozinho:

O Senhor todo-poderoso nos conceda uma noite tranquila e, no fim da vida, uma morte santa.
R. Amém.

E acrescenta-se uma das antífonas de Nossa Senhora.

ORAÇÃO DAS HORAS

ORAÇÃO DAS HORAS

OFÍCIO DIVINO

**RENOVADO CONFORME O DECRETO
DO CONCÍLIO VATICANO II
E PROMULGADO PELO PAPA PAULO VI**

Tradução para o BRASIL
da
segunda edição típica

ORAÇÃO DAS HORAS

LAUDES
ORAÇÃO DAS DOZE HORAS
(HORA MÉDIA)

VÉSPERAS

COMPLETAS

Editora Vozes
Paulinas
Paulus
Editora Ave-Maria
Edições CNBB

APROVAÇÃO

O texto da Oração das Horas, apresentado por Editora Vozes, Paulinas, Paulus e Editora Ave-Maria, concorda com os originais aprovados pela Comissão Episcopal de Textos Litúrgicos (CETEL) e confirmados pela Congregação do Culto Divino e Disciplina dos Sacramentos.

Rio de Janeiro, 25 de abril de 1995.

Frei Alberto Beckhäuser, OFM
Coordenador de Traduções e Edições
de Textos Litúrgicos da CNBB

Impressão e acabamento
PAULUS

1ª edição, 1995 (encadernada)
17ª reimpressão, 2025
2ª edição, 1995 (zíper)
14ª reimpressão, 2025

© PAULUS – 1995

Rua Francisco Cruz, 229 • 04117-091– São Paulo (Brasil)
Tel.: (11) 5087-3700
paulus.com.br • editorial@paulus.com.br

ISBN 978-85-349-0759-0 (encadernada)
ISBN 978-85-349-0857-3 (zíper)

SUMÁRIO

Promulgação 6

Apresentação 7

Decreto da Sagrada Congregação para o Culto Divino
(11 de abril de 1971) 9

Decreto da Congregação para o Culto Divino
(7 de abril de 1985) 10

Instrução geral sobre a Liturgia das Horas. 13

Calendário Romano Geral. 59

Próprio do Tempo. 71

Ordinário 737

Saltério distribuído em Quatro Semanas 757

Completas. 1116

Salmodia complementar. 1135

Próprio dos Santos 1137

Comuns 1445

Ofício dos fiéis defuntos 1575

PROMULGAÇÃO

Na qualidade de Presidente da Conferência Nacional dos Bispos do Brasil, tendo em vista a nova versão brasileira da Liturgia das Horas, aprovada pela Comissão Episcopal de Textos Litúrgicos (CE-TEL) e confirmada pela Congregação do Culto Divino e Disciplina dos Sacramentos mediante o Protocolo nº CD 1223/92, levamos ao conhecimento de todos e promulgamos os referidos atos para que produzam todos os seus efeitos a partir do dia 16 de abril e 1995, Páscoa do Senhor.

Brasília, Páscoa do Senhor, 11 de abril de 1993.

Luciano Pedro Mendes de Almeida, SJ
Presidente da Conferência Nacional dos Bispos do Brasil

APRESENTAÇÃO

A Liturgia das Horas, reformada pelo Concílio Vaticano II, não é apenas a oração dos membros da hierarquia e de religiosos professos de votos solenes, que a ela estão obrigados, mas de todo o Povo de Deus. A Constituição "Sacrosanctum Concilium" recomenda que os leigos rezem o Ofício Divino com os sacerdotes ou reunidos entre si, inclusive em particular (SC 100).

Neste ano em que está sendo publicada a Liturgia das Horas em português, era preciso que também fosse feita uma edição resumida da mesma para uso dos leigos e dos diáconos permanentes. Esta edição servirá também para as religiosas e os religiosos que não costumam rezar toda a Liturgia das Horas, mas apenas uma parte.

Evidentemente a presente edição não se destina àqueles que estão obrigados à celebração integral da Liturgia das Horas. Por esta razão só está sendo publicada depois dos quatro volumes da edição típica.

Não é sem tristeza para mim deixar fora do presente volume o Ofício das Leituras, pois este contém o tesouro da Palavra de Deus, distribuído por todos os dias do ano, e os escritos dos Santos Padres, que não se encontram facilmente. No entanto, era preciso pensar no aspecto prático de ter um único volume para atender aos que procuram celebrar pelo menos alguma parte da Liturgia das Horas (cf. Instr. Geral, n. 25).

Repito, esta edição não é para os padres, mas para os diáconos permanentes, certas congregações religiosas e para os leigos. Que estes saibam aproveitar do tesouro que é posto à sua disposição, "introduzindo neste exílio terrestre aquele hino que se canta perpetuamente nas moradas celestiais" (SC 83).

Brasília, 25 de abril de 1995

D. Clemente José Carlos Isnard OSB
Responsável pela Liturgia na CNBB

CONGREGAÇÃO DO CULTO DIVINO
E DISCIPLINA DOS SACRAMENTOS

Prot. n. CD 1223/92

PARA AS DIOCESES DO BRASIL

Por solicitação do Exmo. Sr. Dom Clemente José Carlos Isnard, OSB, Bispo de Nova Friburgo, Presidente da Comissão Episcopal Brasileira de Liturgia, feita em requerimento datado de 23 de junho de 1992, em virtude das faculdades concedidas a esta Congregação pelo Sumo Pontífice JOÃO PAULO II, de bom grado confirmamos a tradução portuguesa da Liturgia das Horas conforme consta em exemplar a nós enviado.

No texto a ser impresso, inclua-se integralmente este Decreto pelo qual se concede a confirmação pedida à Sé Apostólica.

Além disso, sejam enviados a esta Congregação dois exemplares do texto impresso.

Revogam-se as disposições em contrário.

Dado na Sede da Congregação do Culto Divino e Disciplina dos Sacramentos, a 8 de julho de 1992.

ANTÔNIO M. Card. JAVIERRE
Prefeito

† Geraldo M. Agnelo
Arcebispo Secretário

SAGRADA CONGREGAÇÃO
PARA O CULTO DIVINO

Prot. n. 1000/71

DECRETO

A Igreja celebra a Liturgia das Horas no decorrer do dia, conforme antiga tradição. Assim, ela cumpre o mandato do Senhor de orar sem cessar e, ao mesmo tempo, canta os louvores a Deus Pai e interpela pela salvação do mundo.

Por isso, o Concílio Vaticano II valorizou o costume que a Igreja conservava. No desejo de renová-lo, ela procurou rever esta oração, a fim de que os padres e os outros membros da Igreja pudessem rezá-la melhor e mais perfeitamente, nas condições da vida de hoje (cf. Constituição sobre a Sagrada Liturgia *Sacrosanctum Concilium*, n. 84).

O trabalho de renovação está agora terminado e foi aprovado pelo Papa Paulo VI através da Constituição Apostólica *Laudis Canticum* de 1º de novembro de 1970. Esta Congregação para o Culto Divino elaborou, em latim, o livro para a celebração da Liturgia das Horas, conforme o rito romano, agora o publica e o declara edição típica.

Revogam-se as disposições em contrário.

Da sede da Sagrada Congregação para o Culto Divino, no Domingo da Páscoa da Ressurreição do Senhor, 11 de abril de 1971.

ARTURUS Card. TABERA
Prefeito

A. BUGNINI
Secretário

CONGREGAÇÃO PARA O CULTO DIVINO

Prot. n. 1814/84

DECRETO

A Liturgia das Horas, restaurada no ano de 1971 em conformidade com o decreto do Sacrossanto Concílio Vaticano II, é a oração da Igreja, pela qual são santificados, por cânticos de louvor, ações de graças e orações, tanto o curso completo das horas do dia, como a totalidade das atividades humanas (cf. *Instrução geral da Liturgia das Horas*, n°s. 2 e 11). Essa forma de oração requer que suas riquezas espirituais sejam mais profundamente penetradas por uma compreensão interior dos textos utilizados tradicionalmente na oração comunitária da Igreja de Rito Romano.

Para melhor alcançar tal finalidade, uma segunda edição da Liturgia das Horas, que sai catorze anos depois da primeira, apresenta como característica própria o texto da edição da "Nova Vulgata Bibliorum Sacrorum", a qual, em virtude de norma prescrita pela Constituição Apostólica *Scripturarum Thesaurus* do Papa João Paulo II, do dia 25 de abril de 1979, substitui obrigatoriamente o texto da versão Vulgata até então utilizada.

As particularidades próprias à presente edição serão expressamente descritas a seguir:

1) A tradução da Nova Vulgata foi usada nas leituras bíblicas do Ofício das Leituras, ou seja, das Vigílias, e também nas leituras breves de Laudes, Vésperas, nas Orações das Nove, das Doze e das Quinze Horas e Completas, assim como em todos os Cânticos do Antigo e do Novo Testamento.

2) Alguns textos bíblicos existentes na primeira edição não se encontram na tradução da Nova Vulgata, ou nela se revestem de um novo significado de modo a não mais corresponderem ao fim para o qual foram outrora escolhidos. Esses textos não são mais apresentados, mas em seu lugar foram escolhidos outros mais apropriados.

Decreto

3) O texto dos Salmos, mais uma vez revisto na edição da Nova Vulgata, é reproduzido na mesma forma nesta Liturgia das Horas.

4) Os Responsórios do Ofício das Leituras foram revistos tendo em conta o texto da Nova Vulgata, a não ser que por acaso razões peculiares de composição, tradição, melodia musical ou rubricas litúrgicas excluam mudanças do texto.

5) Foram reintroduzidas, nos Domingos e Solenidades, novas antífonas para o *Benedictus* e o *Magnificat* em conformidade com o texto dos Evangelhos de onde foram extraídas.

6) A redação dos hinos mereceu muito cuidado e polimento.

7) Tanto as leituras bíblicas mais longas como os Salmos e os Cânticos do Antigo e do Novo Testamento trazem, em cada versículo, a numeração bíblica comum.

8) Na presente edição, os salmos vêm designados por dois números. O primeiro é o que sempre usaram tanto a tradução grega, denominada Septuaginta, como a antiga Vulgata, e também os Santos Padres e a Liturgia. Em segundo lugar, colocado entre parênteses, vem o número próprio ao texto hebraico e que muitas vezes é usado, em nossos dias, nas edições dos textos e trabalhos bíblicos.

9) Em apêndice foram acrescentados outros textos, como sejam fórmulas de bênçãos solenes e de atos penitenciais, tirados do Missal Romano.

As notas acima indicadas e algumas pequenas mudanças que foram introduzidas tiveram ainda por finalidade favorecer àquela delicada e proveitosa compreensão das ligações existentes entre a celebração da Liturgia das Horas e a da Sagrada Eucaristia, e também entre ambas e o ano litúrgico, o qual "encerra força peculiar e eficácia sacramental. Através dele, o próprio Cristo, quer nos seus ministros quer na memória dos Santos, e principalmente nas de sua Mãe, continua a sua via de imensa misericórdia, de tal modo que os fiéis de Cristo, não só comemoram e meditam os mistérios da Redenção, mas entram mesmo em contato com eles, comungam neles e por eles vivem" (*Cerimonial dos Bispos*, n. 231).

O Sumo Pontífice João Paulo II aprovou com sua Autoridade Apostólica esta segunda edição da Liturgia das Horas, e a Congregação do Culto Divino agora a promulga, bem como declara ser ela a edição típica. Por conseguinte, essa mesma edição, feita em latim, entra em vigor logo ao sair. Quanto às edições em língua vernácula, feitas sobre essa segunda edição, passarão a vigorar no dia determinado pelas respectivas Conferências Episcopais.

Decreto

Nada havendo em contrário.

Dado na sede da Congregação do Culto Divino, no dia 7 de abril de 1985, Domingo da Páscoa na Ressurreição do Senhor.

† Agostinho Mayer, OSB
Arcebispo titular de Satriano
pró-prefeito

† Vergílio Noè
Arcebispo titular de Voncaria
secretário

INSTRUÇÃO GERAL
SOBRE A LITURGIA DAS HORAS

Nesta Instrução Geral omitem-se os números que não são de interesse da Liturgia das Horas Abreviada.

CAPÍTULO I

IMPORTÂNCIA DA LITURGIA DAS HORAS OU O OFÍCIO DIVINO NA VIDA DA IGREJA

1. A oração pública e comum do povo de Deus é considerada com razão entre as principais funções da Igreja. Nos primórdios, já os batizados "eram perseverantes em ouvir o ensinamento dos apóstolos, na comunhão fraterna, na fração do pão e nas orações" (At 2,42). Várias vezes atestam os Atos dos Apóstolos que a comunidade cristã orava em comum[1].

Os documentos da Igreja primitiva testemunham também que os fiéis, cada um em particular, se entregavam à oração em determinadas horas. Assim, muito cedo prevaleceu, em diversas regiões, o costume de reservar para a prece comum tempos fixos, como a última hora do dia, ao anoitecer, quando se acendiam as luzes, ou a primeira, quando, saindo o sol, a noite finda.

Com o decorrer do tempo, chegaram a santificar com uma prece comum também as demais horas, que os Padres viam insinuadas nos Atos dos Apóstolos. Aí, de fato, aparecem os discípulos reunidos às nove horas[2]. O príncipe dos Apóstolos "subiu ao terraço para orar pelas doze horas" (10,9). "Pedro e João subiam ao templo à hora da oração, às quinze horas" (3,1). "Por volta de meia-noite, Paulo e Silas, em oração, louvavam a Deus" (16,25).

2. Essas orações, celebradas em comum, foram pouco a pouco aperfeiçoadas e organizadas como o ciclo completo das Horas. Enriquecida com leituras, essa Liturgia das Horas ou Ofício Divino, é antes de tudo oração de louvor e petição, e é oração da Igreja com Cristo e a Cristo.

---

1. Cf. At 1,14; 4,24; 12,5.12; cf. Ef 5,19-21.
2. Cf. At 2,1-15.

I. A ORAÇÃO DE CRISTO

Cristo, orante do Pai

3. Vindo ao mundo para comunicar a vida de Deus aos seres humanos, o Verbo que procede do Pai, como esplendor de sua glória, "Sumo Sacerdote da Nova e Eterna Aliança, Cristo Jesus, ao assumir a natureza humana, trouxe para este exílio terreno aquele hino que é cantado por todo o sempre nas habitações celestes"[3]. A partir daí, o louvor a Deus ressoa no coração de Cristo com palavras humanas de adoração, propiciação e intercessão. Tudo isso, ele dirige ao Pai, como Cabeça que é da humanidade renovada e Mediador entre Deus e os homens, em nome de todos e para o bem de todos.

4. O próprio Filho de Deus, porém, "é um com o Pai" (cf. Jo 10,30) e ao entrar no mundo disse: "Eu vim para fazer a tua vontade" (Hb 10,9; cf. Jo 6,38). Ele se dignou deixar-nos também exemplos de oração. Os evangelhos muitas vezes o apresentam orando: quando o Pai revela sua missão[4], antes de chamar os apóstolos[5], ao bendizer a Deus na multiplicação dos pães[6], ao se transfigurar no monte[7], quando cura o surdo-mudo[8] e ressuscita Lázaro[9], antes de solicitar a confissão de Pedro[10], antes de ensinar aos discípulos como devem orar[11], quando os discípulos voltam da missão[12], ao abençoar as crianças[13], e quando roga por Pedro[14].

Sua atividade cotidiana está muito ligada à oração. Mais ainda, como que brotava dela, retirando-se ao deserto e ao monte para orar[15], levantando-se muito cedo[16] ou permanecendo até a quarta vigília[17] e passando a noite em oração a Deus[18].

---

3. Constituição do Vaticano II sobre a Liturgia, *Sacrosanctum Concilium*, n. 83.
4. Lc 3,21-22
5. Lc 6,12.
6. Mt 14,19; 15,36; Me 6,41; 8,7; Lc 9,16; Jo 6,11.
7. Lc 9,28-29.
8. Mc 7,34.
9. Jo 11,41s.
10. Lc 9,18.
11. Lc 11,1.
12. Mt 11,25s; Lc 10,21s.
13. Mt 19,13.
14. Lc 22,32.
15. Mc 1,35; 6,46; Lc 5,16; cf. Mt 4.1 par.; Mt 14,23.
16. Mc 1,35.
17. Mt 14,23.25; Mc 6,46.48.
18. Lc 6,12.

Importância da Liturgia das Horas

Além disso, fundadamente se supõe que ele mesmo tenha tomado parte nas preces que publicamente se faziam nas sinagogas, aonde entrou em dia de sábado, "segundo seu costume"[19], e nas preces do templo, que ele chamou casa de oração[20]. Não só, mas também nas preces que os israelitas piedosos costumavam fazer individualmente todos os dias. Proferiu também as tradicionais ações de graças a Deus sobre os alimentos como é referido expressamente na multiplicação dos pães[21], em sua última ceia[22] e na ceia de Emaús[23]. Também cantou com seus discípulos o hino[24].

Até o fim da vida, já próximo da Paixão[25], na última ceia[26], em sua agonia[27] e na cruz[28], o divino Mestre nos ensina que a oração foi sempre a alma de seu ministério messiânico e do termo pascal da sua vida. Ele de fato, "nos dias de sua vida terrestre, dirigiu preces e súplicas, com forte clamor e lágrimas, Àquele que era capaz de salvá-lo da morte. Foi atendido por causa de sua entrega a Deus" (Hb 5,7). Com sua oblação perfeita no altar da cruz, "levou à perfeição definitiva os que ele santifica" (Hb 10, 14). Finalmente, ressuscitado dentre os mortos, vive e ora constantemente por nós[29].

II. A ORAÇÃO DA IGREJA

O preceito da Oração

5. Jesus mandou que também fizéssemos o que ele mesmo fez: "Orai", disse muitas vezes, "rogai", "pedi"[30] "em meu nome"[31]. Deixou-nos também uma forma de rezar: a oração dominical[32]. Insistiu na necessidade da oração[33], que deve ser humilde[34], vigilante[35], perseverante e

19. Lc 4,16.
20. Mt 21,13 par.
21. Mt 14, 19 par.; Mt 15,36 par.
22. Mt 26,26 par.
23. Lc 24,30.
24. Mt 26,30 par.
25. Jo 12,27s.
26. Jo 17,1-26.
27. Mt 26,36-44 par.
28. Lc 23,34-46; Mt 27,46; Mc 15,34.
29. Cf. Hb 7,25.
30. Mt 5,44; 7,7; 26,41; Mc 13,33; 14,38; Lc 6,28; 10,2; 11,9; 22,40.46.
31. Jo 14,13s; 15,16; 16,23s.26.
32. Mt 6,9-13; Lc 11,2-4.
33. Lc 18,1.
34. Lc 18,9-14.
35. Lc 21,36; Me 13,33.

Instrução Geral sobre a Liturgia das Horas

confiante na bondade do Pai[36], com intenção pura e conforme a vontade de Deus[37].

Os Apóstolos, por sua vez, que em suas cartas nos transmitiram muitas orações, sobretudo de louvor e ação de graças, exortam-nos a respeito da oração no Espírito Santo[38], por Cristo[39], oferecida a Deus[40] com insistência e assiduidade[41] acerca de sua eficácia santificadora[42] bem como sobre a oração de louvor[43], ação de graças[44], petição[45] e intercessão em favor de todos[46].

A Igreja continua a oração de Cristo

6. Tudo o que o ser humano tem, deve a Deus, e por isso precisa reconhecer e confessar essa dependência diante do seu Criador. Assim homens piedosos de todos os tempos o fizeram por meio da oração.

Mas, por ser dirigida a Deus, a oração deve necessariamente ser vinculada a Cristo, Senhor de todos e único Mediador[47]. Unicamente por Ele temos acesso a Deus[48]. De tal maneira ele incorpora a si toda a comunidade humana[49] que existe íntima relação entre a oração de Cristo e a oração de todo o gênero humano. Em Cristo, e só nele, é que a religião humana alcança seu valor salvífico e sua finalidade.

7. Especial e estreitíssima relação existe entre Cristo e aquelas pessoas que ele assume como membros do seu Corpo, que é a Igreja, através do sacramento da regeneração. Com efeito, da Cabeça se difundem por todo o corpo as riquezas do Filho: a comunhão no Espírito, a verdade, a vida e a participação em sua filiação divina, que se manifestava em toda a sua oração, enquanto ele vivia neste mundo.

O corpo todo da Igreja participa também do sacerdócio de Cristo, de sorte que os batizados, pela regeneração e unção do Espírito Santo,

36. Lc 11,5-13; 18,1-8; Jo 14,13; 16,23.
37. Mt 6,5-8; 23,14; Lc 20,47; Jo 4,23.
38. Rm 8,15.26; 1Cor 12,3; Gl 4,6; Jd 20.
39. 2Cor 1,20; Cl 3,17.
40. Hb 13,15.
41. Rm 12,12; 1Cor 7,5; Ef 6,18; Cl 4,2; 1Ts 5,17; 1Tm 5,5; 1Pd 4,7.
42. 1Tm 4,5; Tg 5,15s; 1Jo 3,22; 5,14s.
43. Ef 5,19s; Hb 13,15; Ap 19,5.
44. Cl 3,17; Fl 4,6; 1Ts 5,17; 1Tm 2,1.
45. Rm 8,26; Fl 4,6.
46. Rm 15,30; 1Tm 2,1s; Ef 6,18; 1Ts 5,25; Tg 5,14.16.
47. 1Tm 2,5; Hb 8,6; 9,15; 12,24.
48. Rm 5,2; Ef 2,18; 3,12.
49. Cf. SC., n. 83.

são consagrados como casa espiritual e sacerdócio santo[50], e se tomam aptos para exercer o culto da Nova Aliança, culto que não provém de nossas forças, mas dos méritos e dom de Cristo.

"Deus não podia outorgar à humanidade dom maior que o de lhe dar por cabeça o seu Verbo, pelo qual criou todas as coisas, e de a incorporar ao Verbo como membro, de modo que ele fosse ao mesmo tempo Filho de Deus e Filho do Homem, um só Deus com o Pai e um só homem com os seres humanos. Assim, quando na oração falamos a Deus, não separemos dele o Filho. Quando o Corpo do Filho está orando, não separe de si sua cabeça. O mesmo e único Salvador do seu Corpo, Nosso Senhor Jesus Cristo, o Filho de Deus, ore também por nós, ore em nós, e nós oremos a ele. Ele reza por nós como nosso sacerdote, reza em nós como nossa cabeça, e nós rezamos a ele como nosso Deus. Reconheçamos, pois, nele a nossa voz e sua voz em nós."[51].

Portanto, a dignidade da oração cristã tem sua raiz na participação da mesma piedade do Unigênito para com o Pai e daquela oração que lhe dirigiu durante sua vida terrena e que agora continua, sem interrupção, em toda a Igreja e em cada um de seus membros, em nome e pela salvação de todo gênero humano.

Ação do Espírito Santo

8. O Espírito Santo, que está em Cristo[52], em toda a Igreja e em cada um dos batizados, é quem realiza a unidade da Igreja orante. O mesmo "Espírito vem em socorro de nossa fraqueza" e "intercede em nosso favor com gemidos inefáveis" (Rm 8,26). Com o Espírito do Filho, ele infunde em nós "o espírito de adoção filial, no qual clamamos: Abba, Pai" (cf. Rm 8,15; Gl 4,6; 1Cor 12,3; Ef 5,18; Jd 20). Por conseguinte, não pode haver oração cristã sem a ação do Espírito Santo, que unifica a Igreja inteira, levando-a pelo Filho ao Pai.

Índole comunitária da Oração

9. O exemplo e o preceito do Senhor e dos Apóstolos de orar sempre e com insistência não devem ser considerados como regra meramente legal, mas derivam da essência íntima da própria Igreja, que é co-

---

50. Constituição dogmática do Vaticano II, *Lumem Gentium*, n. 10.
51. S. Agostinho, *Enarrat in psalm.* 85,1: CCL 39. 1176.
52 Cf. Lc 10,21, quando Jesus "exultou no Espírito Santo, e exclamou: 'Eu te dou graças, Pai!'".

18 Instrução Geral sobre a Liturgia das Horas

munidade e deve expressar seu caráter comunitário também ao orar. Por isso, nos Atos dos Apóstolos, quando pela primeira vez se fala da comunidade dos fiéis, esta aparece reunida em atitude de oração, 'junto com algumas mulheres, entre as quais Maria, mãe de Jesus e com os irmãos de Jesus" (At 1,14). "A multidão dos fiéis era um só coração e uma só alma" (At 4,32). Sua unanimidade se apoiava na palavra de Deus, na comunhão fraterna, na oração e na Eucaristia[53].

Mesmo a oração no quarto, a portas fechadas[54], sempre necessária e recomendável[55], os membros da Igreja a fazem por Cristo no Espírito Santo. Mas a oração da comunidade tem dignidade especial, já que o próprio Cristo disse: "Onde dois ou três estiverem reunidos em meu nome, eu estou ali, no meio deles" (Mt 18,20).

III. A LITURGIA DAS HORAS

Consagração do tempo

10. Cristo estabeleceu que "é preciso orar sempre e nunca desistir" (Lc 18, 1). Por isso a Igreja, atendendo fielmente a essa exortação, jamais cessa de elevar suas preces, e nos exorta com estas palavras: "Por meio de Jesus, ofereçamos a Deus um perene sacrifício de louvor" (Hb 13,15). Esse preceito se cumpre, não apenas pela celebração da Eucaristia, mas também por outras formas, de modo particular a Liturgia das Horas.

Segundo antiga tradição cristã, ela tem a característica, entre as demais ações litúrgicas, de consagrar todo o curso do dia e da noite[56].

11. Como a santificação do dia e de toda a atividade humana é finalidade da Liturgia das Horas, o seu curso foi de tal modo reformado que cada Hora voltou tanto quanto possível ao seu verdadeiro momento, levando-se em conta as condições da vida moderna[57].

Por isso, "tanto para realmente santificar o dia, quanto para recitar com fruto espiritual as mesmas Horas, é bom que na recitação se observe o tempo que mais se aproxime do momento verdadeiro de cada Hora canônica"[58].

53 Cf. At 2,42.
54 Cf. Mt 6,6..
55 Cf. SC, n. 12.
56. Cf. SC, n. 83-84.
57. Cf. *ibid.*, n 88.
58. *Ibid.*, n. 94.

Relação da Liturgia das Horas com a Eucaristia

12. A Liturgia das Horas[59] estende pelas diversas horas do dia os louvores e ações de graças, como também a memória dos mistérios da salvação, as petições e aquele antegozo da glória celeste, contidos no mistério eucarístico, "centro e ápice de toda a vida da comunidade cristã"[60].

A própria celebração da Eucaristia tem por sua vez, na Liturgia das Horas, a sua melhor preparação; porquanto esta desperta e alimenta da melhor maneira as disposições necessárias para celebrar com proveito a Eucaristia, quais são a fé, a esperança, a caridade, a devoção e o espírito de sacrifício.

Exercício da função sacerdotal de Cristo na Liturgia das Horas

13. Por meio de sua Igreja, Cristo exerce "a obra da redenção humana e da perfeita glorificação de Deus"[61] no Espírito Santo. E isso, não somente na celebração da Eucaristia e na administração dos sacramentos, mas também, e de preferência a outras formas, na celebração da Liturgia das Horas[62]. Nela Cristo está presente quando a assembleia está reunida, quando é proclamada a Palavra de Deus e quando a Igreja ora e salmodia"[63].

Santificação do homem

14. Na Liturgia das Horas efetua-se[64] a santificação do homem e presta-se culto a Deus, de tal maneira que nela se estabelece uma espécie de intercâmbio ou diálogo entre Deus e os homens, pelo qual "Deus fala ao seu povo... e o povo responde a Deus, com cantos e orações"[65].

Os participantes na Liturgia das Horas dela hão de haurir, sem dúvida, copiosíssima santificação por meio da salutar palavra de Deus, que tanta importância tem nela. As leituras são tiradas da

---

59.Cf. o Decreto do Vaticano II sobre o ministério e a vida dos presbíteros, *Presbyterorum Ordinis*, n. 5.

60.Cf. o Decreto do Vaticano II sobre o múnus pastoral dos Bispos na Igreja, *Christus Dominus*, n. 30.

61.C, n. 5.

62.Cf. *ibid.*, n. 83 e 89.

63.*Ibid.*, n. 7.

64.Cf. *ibid.*, n. 10.

65.*Ibid.*, n. 33.

20 Instrução Geral sobre a Liturgia das Horas

Sagrada Escritura, as palavras de Deus transmitidas nos salmos são cantadas em sua presença, e por sua inspiração e impulso elevam-se outras preces, orações e hinos[66].

Portanto, não somente quando se lê "tudo que outrora foi escrito para nossa instrução" (Rm 15,4), mas também quando a Igreja ora ou canta, alimenta-se a fé dos participantes, e seus pensamentos se dirigem a Deus, para lhe prestarem um culto espiritual e receberem copiosamente sua graça"[67].

Louvor tributado a Deus em união com a Igreja celeste

15. Na Liturgia das Horas, a Igreja, exercendo "sem cessar"[68] a função sacerdotal de sua Cabeça, oferece a Deus um sacrifício de louvor, isto é, o fruto dos lábios que glorificam o seu nome[69].

Esta oração é "a voz da Esposa que fala ao Esposo, e também a oração que o próprio Cristo, unido ao seu Corpo, eleva ao Pai"[70]. "Por conseguinte, todos os que desempenham esta função, não somente satisfazem ao ofício da Igreja, mas também participam da honra suprema da Esposa de Cristo, pois estão, em nome da Mãe Igreja, diante do trono de Deus, cantando os louvores divinos"[71].

16. Mediante o louvor tributado a Deus nas Horas, a Igreja se associa àquele hino de louvor que se canta por todo o sempre nas habitações celestes[72]. Ao mesmo tempo antegoza daquele louvor celeste descrito por João no Apocalipse e que ressoa ininterruptamente diante do trono de Deus e do Cordeiro. Nossa íntima união com a Igreja celeste realiza-se efetivamente quando, "em comum exultação, cantamos os louvores à divina majestade, e todos, redimidos no sangue de Cristo, vindo de toda tribo, língua, povo e nação (cf. Ap 5,9), congregados numa só Igreja, num só cântico de louvor, engrandecemos ao Deus Uno e Trino"[73].

Essa Liturgia celeste foi anunciada pelos profetas como vitória do dia sem noite, da luz sem trevas: "Para ti, o sol não mais será para

---

66. Cf. *ibid.*, n. 24.
67. Cf. SC. n. 33.
68. 1Ts 5,17.
69. Cf. Hb 13,15.
70. SC, n. 84.
71. *Ibid.*, n. 85.
72. Cf. *ibid.*, n. 83.
73. LG, n. 50; cf. SC, n. 8 e 104.

Importância da Liturgia das Horas

21

luzir de dia, nem a luz da lua para iluminar, mas o próprio Senhor será tua luz eterna" (Is 60,19; cf. Ap 21,23.25). "Será um só dia contínuo, só conhecido do Senhor, sem divisão de dia e noite; ao cair da tarde, haverá luz" (Zc 14,7). Contudo, "a era final do mundo já chegou até nós (cf. 1 Cor 10,11) e a renovação do mundo foi irrevogavelmente decretada e, de certo modo real, já antecipada no tempo presente"[74]. Pela fé, somos de tal maneira instruídos sobre o sentido da nossa vida temporal, que junto com toda a criação aguardamos a revelação dos filhos de Deus[75]. Na Liturgia das Horas proclamamos essa fé, expressamos e alimentamos essa esperança, e, em certo sentido, já participamos daquela alegria do louvor perene e do dia que não conhece ocaso.

Súplica e intercessão

17. Na liturgia, além de louvar a Deus, a Igreja transmite a ele os sentimentos e desejos de todos os fiéis cristãos. Mais ainda: pede a Cristo, e por ele ao Pai, pela salvação do mundo inteiro[76]. Essa voz não é somente da Igreja, mas também do próprio Cristo, já que as petições se fazem em nome de Cristo, ou seja, "por nosso Senhor Jesus Cristo". Assim a Igreja prolonga aquelas preces e súplicas que Cristo expressou nos dias de sua vida mortal[77]. Daí sua eficácia sem par. Desse modo, a comunidade eclesial exerce verdadeira maternidade para com as pessoas que deve conduzir a Cristo, não apenas pela caridade, o exemplo e as obras de penitência, mas também pela oração[78].

Isso aplica-se principalmente a todos aqueles a quem de modo especial se confiou a celebração da Liturgia das Horas, a saber: os bispos, presbíteros e diáconos, que por força do próprio ministério são constituídos como orantes em prol de sua grei e de todo o povo de Deus[79], como também os religiosos[80].

Ápice e fonte da atividade pastoral

18. Portanto, aqueles que tomam parte na Liturgia das Hora fazem crescer o povo do Senhor, através de misteriosa fecundidade apostó-

74. LG, n. 48.
75. Cf. Rm 8,19.
76. Cf. SC, n. 83.
77. Cf. Hb 5,7.
78. Cf. PO, n. 6.
79. Cf. LG, n. 41.
80. Cf. infra, n. 24.

lica[81]. Pois, o objetivo da atividade apostólica é "que todos os que se tornaram filhos de Deus pela fé e pelo Batismo, se reúnam, louvem a Deus no meio da Igreja, participem do sacrifício e se alimentem da ceia do Senhor"[82].

Desse modo, os fiéis expressam pela vida e manifestam aos demais "o mistério de Cristo e a genuína natureza da verdadeira Igreja, que se caracteriza por ser visível, mas ornada de dons invisíveis, operosa na ação e devotada à contemplação, presente no mundo e, no entanto, peregrina"[83].

Por sua vez, as leituras e preces da Liturgia das Horas são fonte de vida cristã. Essa se alimenta na mesa da Sagrada Escritura e com as palavras dos Santos, e se fortalece com as preces. Porque somente o Senhor, sem o qual nada podemos fazer[84], é quem pode, a nosso pedido, dar eficácia e incremento às nossas obras[85], para que nos edifiquemos cada dia como templos de Deus no Espírito[86], até alcançarmos a estatura de Cristo em sua plenitude[87] e ao mesmo tempo robustecermos nossas forças, a fim de anunciarmos Cristo aos que se encontram de fora[88].

Que a mente concorde com a voz

19. Para que essa oração seja algo próprio de cada um dos que nela participam e se tome fonte da piedade e da multiforme graça divina, e alimento da oração individual e da ação apostólica, é preciso que nela a mente concorde com a voz, celebrando-a com dignidade, atenção e devoção[89]. Todos cooperem diligentemente com a graça divina, para não a receberem em vão. Buscando a Cristo e penetrando cada vez mais intimamente em seu mistério mediante a oração[90], louvem a Deus e façam súplicas com a mesma intenção com que o divino Redentor orava.

---

81. Cf. o decreto do Vaticano II sobre a atualização dos Religiosos, *Perfectae Caritatis*, n. 7.
82. SC, n. 10.
83. *Ibid.*, n. 2.
84. Cf. Jo 15,5.
85. Cf. SC, n. 86.
86. Cf. Ef 2,21-22.
87. Cf. Ef 4,13.
88. Cf. SC, n. 2.
89. Cf. *ibid.*, n. 90; S. Bento, *Regula Monasteriorum*, c. 19.
90. Cf. PO, n. 14, Decreto sobre a formação sacerdotal, *Optatam totius*, n. 8.

IV QUEM CELEBRA A LITURGIA DAS HORAS

a) Celebração em comum

20. A Liturgia das Horas, como as demais ações litúrgicas, não é ação particular, mas algo que pertence a todo o corpo da Igreja e o manifesta e atinge[91]. O caráter eclesial de sua celebração aparece principalmente quando é realizado pela Igreja particular, o que aliás se recomenda de modo especial. É de fato na Igreja particular, com seu bispo, rodeado por seus presbíteros e ministros[92], que "está verdadeiramente e opera a Una, Santa, Católica e Apostólica Igreja de Cristo"[93]. Embora não estando presente o bispo, o cabido de cônegos ou outros presbíteros, tal celebração deve sempre ser feita, considerando a realidade das horas e, quanto possível, com participação do povo. Isso vale também para os cabidos colegiados.

21. Celebrem as Horas principais, se possível comunitariamente na igreja, os demais grupos de fiéis. Entre eles se destacam as paróquias, por serem células da diocese, governadas localmente por um pastor que faz as vezes do bispo e que "de algum modo representam a Igreja visível estabelecida por toda a terra"[94]

22. Portanto, quando os fiéis são chamados à Liturgia das Horas, e se reúnem, unindo seus corações e vozes, manifestam a Igreja que celebra o mistério de Cristo[95].

23. É função dos que receberam a ordem sagrada ou que foram investidos de particular missão canônica[96], convocar e dirigir a oração da comunidade: "Trabalhem para que todos os que se encontram sob seus cuidados vivam unânimes na oração"[97]. Cuidem, pois, de convidar os fiéis e formá-los com a devida catequese para a celebração comunitária das principais partes da Liturgia das Horas[98], sobretudo nos domingos e festas. Ensinem-lhes a dela participarem de modo a fazerem autêntica oração[99]. Por isso, ajudem-nos com a devida instru-

---

91. Cf. SC, n. 26.
92. Cf. *ibid.*, n. 41.
93. Cf. CD, n. 11.
94. SC, n. 42, cf. Decreto sobre o apostolado dos leigos, *Apostolicam actuositatem,* n. 10.
95. Cf. SC, 26 e 84.
96. Cf. Decreto do Vaticano II sobre a atividade missionária, *Ad gentes,* n. 17.
97. CD, n. 15.
98. Cf. SC, n. 100.
99. Cf. PO, n. 5.

Instrução Geral sobre a Liturgia das Horas

ção a entenderem o sentido cristão dos salmos, de sorte que, pouco a pouco, sejam levados a maior gosto e prática na oração da Igreja[100].

24. As comunidades de cônegos, monges, monjas e outros religiosos que, em virtude da Regra ou das Constituições, recitam a Liturgia das Horas na íntegra ou em parte, quer em comum quer em rito particular, representam de modo especial a Igreja orante. Com efeito, mostram mais plenamente a imagem da Igreja que, sem cessar e em uníssono, louva ao Senhor. Elas cumprem, particularmente mediante a oração, o dever de "colaborar na edificação e progresso de todo o Corpo Místico de Cristo e no bem das Igrejas particulares"[101]. Isso vale sobretudo para os que se dedicam à vida contemplativa.

25. Os ministros sagrados e todos os clérigos, que não estejam obrigados por outros motivos à celebração comunitária, quando vivem em comunidade ou se reúnem, procurem celebrar em comum pelo menos alguma parte da Liturgia das Horas, sobretudo Laudes e Vésperas[102].

26. Aos religiosos de ambos os sexos e aos membros de qualquer Instituto de perfeição não obrigados à celebração comunitária, recomenda-se encarecidamente que se reúnam' entre si ou com o povo, para celebrarem juntos essa Liturgia, ao menos em parte.

27. Os grupos de leigos, em qualquer lugar em que se encontrem reunidos, são convidados a cumprir essa função da Igreja[103], celebrando parte da Liturgia das Horas, seja qual for o motivo pelo qual se reuniram: oração, apostolado ou qualquer outra razão. Convém que aprendam a adorar a Deus Pai em espírito e verdade[104], antes de tudo na ação litúrgica, e tenham presente que, mediante o culto público e a oração, atingem toda a humanidade e podem fazer muito pela salvação de todo o mundo[105].

Finalmente, convém que a família, qual santuário doméstico da Igreja, não apenas reze a Deus em comum, mas celebre além disso algumas partes da Liturgia das Horas segundo pareça oportuno, inserindo-se com isso mais intimamente na Igreja[106].

---

100. Cf. *infra*, n. 100-109.
101. CD, n. 33; cf. PC, n. 6. 7 e 15; cf. AG, n. 15.
102. Cf. SC, n. 99.
103. Cf. *ibid.*, n. 100..
104. Cf. Jo 4,23.
105. Cf. Declaração do Vaticano II sobre a educação cristã, *Gravissimum educationis*, n. 2; AA, n. 16.
106. Cf. AA, n. 11.

b) Mandato de celebrar a Liturgia das Horas

28. Aos ministros sagrados se confia de maneira tão especial a Liturgia das Horas que, embora não havendo povo, deverão celebrá-la fazendo, obviamente, as necessárias adaptações. A Igreja os encarrega da Liturgia das Horas, para que esta missão da comunidade seja desempenhada, ao menos por eles de maneira certa e constante, e a oração de Cristo continue sem cessar na Igreja[107].

Representando a Cristo de modo eminente e visível, o bispo é o grande sacerdote de sua grei. Dele, de certo modo, deriva e depende a vida de seus fiéis em Cristo[108]. Por isso, entre os membros de sua Igreja, o bispo deve ser o primeiro na oração. E sua oração, ao recitar a Liturgia das Horas, se faz sempre em nome da Igreja e pela Igreja que lhe foi confiada[109].

Unidos ao bispo e a todo o presbitério, os presbíteros, representantes especiais, também eles, de Cristo sacerdote[110], participam da mesma função, rogando a Deus por todo o povo que lhes foi confiado e mesmo pelo mundo inteiro[111].

Todos esses desempenham o serviço do Bom Pastor, que roga pelos seus, para que tenham vida e sejam perfeitos na unidade[112]. Na Liturgia das Horas, que a Igreja lhes oferece, não só encontrem uma fonte de piedade e alimento de sua oração pessoal[113], mas nutram e incentivem, através de intensa contemplação, sua atividade pastoral e missionária para proveito de toda a Igreja de Deus[114].

29. Portanto, os bispos, os presbíteros e os diáconos que se preparam para o presbiterato e que receberam da Igreja (cf. n. 17) o encargo de celebrar a Liturgia das Horas, cumpram cada dia integralmente o seu curso[115], observando a realidade das Horas, na medida do possível.

Antes de tudo, dispensem a devida importância às Horas, que são como o eixo dessa Liturgia, ou seja, Laudes e Vésperas. Tenham o cuidado de não omiti-las a não ser por razões graves.

---

107. Cf. PO. n. 13.
108. Cf. SC, n. 41; LG, n. 21.
109. Cf. LG, n. 26; CD, n. 15.
110. Cf. PO, n. 13.
111. Cf. *ibid.*, n. 5.
112. Cf. Jo 10,11; 17,20-23.
113. Cf. SC, n. 90.
114. Cf. LG, n. 41.
115. Cf. C.I.C., cân. 276 – 2, 3° e 1174 – 1.

26 Instrução Geral sobre a Liturgia das Horas

Além disso, recitem fielmente o Ofício das Leituras, que acima de tudo é uma celebração litúrgica da palavra de Deus. Dessa forma, cumprem diariamente o ministério que lhes é próprio, pela razão peculiar de acolher a palavra de Deus, mediante a qual se tornarão mais perfeitos discípulos do Senhor e hão de saborear mais profundamente as insondáveis riquezas de Cristo[116].

Para melhor santificar o dia todo, colocarão também todo o seu interesse em recitar a Hora média e as Completas. Com estas concluem a "obra de Deus" antes de se deitarem, e a Deus se confiam.

30. Os diáconos permanentes, que também receberam o mandato da Igreja, rezem todos os dias, ao menos a parte da Liturgia das Horas, que a Conferência Episcopal tiver estabelecido[117].

31. a) Os cabidos catedrais e as colegiadas devem recitar em coro as partes da Liturgia das Horas que lhes são fixadas pelo direito comum ou particular.

Cada membro desses cabidos, além das Horas que todos os ministros sagrados devem recitar, são obrigados a rezar em particular as Horas não recitadas em cabido[118].

As comunidades religiosas obrigadas à Liturgia das Horas e cada um de seus membros celebrem as Horas, segundo a norma de seu direito particular, salvo o que prescreve o n. 29 a respeito daqueles que receberam a Ordem Sagrada.

Contudo, as comunidades obrigadas ao coro celebrem diariamente o curso integral das Horas em coro[119]; fora do coro, porém, os membros recitem as Horas, segundo o direito particular, ressalvado sempre o prescrito no n. 29.

32. Às demais comunidades religiosas e a cada um de seus membros recomenda-se que, tanto quanto permitirem as condições em que se encontram, celebrem algumas partes da Liturgia das Horas, que é a oração da Igreja e que faz todos os que estão dispersos terem um só coração e uma só alma[120]. O mesmo se recomenda aos leigos[121].

---

116. Cf. Constituição dogmática do Vaticano II sobre a revelação divina, *Dei verbum,* n. 25; PO, n. 13.
117. Cf. C.I.C., cân. 276 – 2, 3° ; Paulo VI, Motu proprio, *Sacrum Diaconatus Ordinem,* 18.6.1967, n. 27: AAS 59 (1967), p. 703.
118. Cf. Instrução da S.C. dos Ritos, *Inter Oecumenici,* 26.9.1964, n. 78b: AAS 56 (1964), p. 895.
119. Cf. SC, n. 95.
120. Cf. At 4,32.
121. Cf. SC, n. 100.

A santificação do dia

c) Estrutura da celebração

33. A Liturgia das Horas rege-se por leis próprias, que organizam de modo peculiar os elementos encontrados em outras celebrações cristãs. Sua estrutura é tal que, começando com o hino, tenha sempre a salmodia, uma leitura longa ou breve das Sagradas Escrituras, e finalmente as preces.

Tanto na celebração comunitária como na recitação individual permanece a estrutura essencial dessa Liturgia: o diálogo entre Deus e o homem. No entanto, a celebração comunitária manifesta ainda mais claramente a natureza eclesial da Liturgia das Horas, favorece a participação ativa de todos, segundo a condição de cada um, por meio das aclamações, do diálogo, da salmodia alternada e de outros meios, e oferece mais ampla margem aos diversos gêneros de expressão[122]. Por isso, sempre que a celebração possa ser feita comunitariamente com assistência e participação ativa dos fiéis, deve ser preferida à celebração individual ou particular[123]. Além disso, na celebração coral e comunitária, convém que o Ofício, se for oportuno, seja cantado; tendo em conta a natureza e importância de cada uma de suas partes.

Assim, se cumprirá a exortação do Apóstolo: "Que a palavra de Cristo, com toda a sua riqueza habite em vós. Ensinai e admoestai-vos uns aos outros com toda sabedoria. Do fundo dos vossos corações, cantai a Deus salmos, hinos e cânticos que o Espírito inspira, pois estais na graça de Deus" (Cl 3,16;· cf. Ef 5,19-20).

CAPÍTULO II

A SANTIFICAÇÃO DO DIA
OU AS DIVERSAS HORAS DO OFÍCIO DIVINO

II. LAUDES E VÉSPERAS

37. "Segundo uma venerável tradição de toda a Igreja, as Laudes, como oração da manhã e as Vésperas, como oração da tarde, constituem como que os dois pólos do Ofício cotidiano. Sejam consideradas como as horas principais e como tais sejam celebradas"[2].

---

122. Cf. SC, n. 26. 28-30.
123. Cf. *ibid.*, n.27.
2. SC, n. 89a; cf. *ibid.*, n. 100.

Instrução Geral sobre a Liturgia das Horas

38. As Laudes se destinam e se ordenam à santificação do período da manhã, conforme se depreende de muitos de seus elementos. Esse caráter matutino está muito bem expresso nas palavras de São Basílio Magno: "O louvor da manhã tem por finalidade consagrar a Deus os primeiros movimentos de nossa alma e de nossa mente, e, antes de nos ocuparmos com qualquer outra coisa, deixar que nosso coração se regozije pensando em Deus, conforme está escrito: "Quando me lembro do Senhor, minha alma desfalece" (Sl 76(77),4). Pois o corpo não se deve entregar ao trabalho, sem antes termos cumprido o que disse a Escritura: "É a vós que eu dirijo a minha prece; de manhã já me escutais! Desde cedo eu me preparo para vós, e permaneço à vossa espera" (Sl 5,4-5)[3].

Por outro lado, essa Hora é celebrada ao despontar a luz do novo dia e evoca a ressurreição do Senhor Jesus, que é "a luz de verdade, que ilumina todo ser humano" (cf. Jo 1,9); é o "sol da justiça" (Ml 3,20) "que nasce do alto" (Lc 1,78). É neste sentido que bem se entende a admoestação de São Cipriano: "Deve-se orar logo de manhã, para celebrar na oração matinal a ressurreição do Senhor"[4].

39. As Vésperas são celebradas à tarde, ao declinar do dia, para "agradecer o que nele temos recebido ou o bem que nele fizemos"[5]. Relembramos também nossa redenção por meio da oração, que elevamos "como incenso na presença do Senhor", e na qual o "levantar nossas mãos" é como "sacrifício vespertino"[6]. Isso pode também "entender-se no sentido mais sagrado daquele verdadeiro sacrifício vespertino que nosso Senhor e Salvador entregou aos Apóstolos, enquanto ceavam juntos, ao instituir os sacrossantos mistérios da Igreja. Ou também daquele outro sacrifício vespertino, isto é, na plenitude dos tempos, pelo qual ele mesmo, no dia seguinte estendendo as mãos, se entregou ao Pai pela salvação do mundo inteiro"[7]. E para que nossa esperança se focalize afinal naquela luz que não conhece ocaso, "oramos e pedimos que a luz venha de novo a nós, rogamos pela vinda gloriosa de Cristo, o qual nos trará a graça da luz eterna"[8]. Finalmente, nessa Hora fazemos nossos os sentimentos das Igrejas orientais, invocando a "Luz radiante, da santa glória do eterno

---

3. S. Basílio Magno, *Regulae Jusius tractatae*, Resp. 37,3: PG 31,1014.
4. S. Cipriano, *De oratione dominica*, 35: PL 4, 561.
5. S. Basílio M., *op. cit.*: PG 31, 1015.
6. Cf. Sl 140(141),2.
7. Cassiano, *De institutione coenob.*, lib. 3. c. 3: PL 49, 124, 125.
8. S. Cipriano, *De oratione dominica*, 35: PL 4,560.

A santificação do dia

Pai celeste, Jesus Cristo. Chegados ao fim do dia, e contemplando a luz da tarde, cantamos o Pai e o Filho e o Espírito Santo de Deus..."

40. Por conseguinte, deve-se dar a maior importância às Laudes e às Vésperas, como orações da comunidade cristã. De maneira particular, entre os que levam vida comum, seja incentivada sua celebração pública ou comunitária. Recomende-se mesmo a sua recitação a todos os fiéis que não podem tomar parte na celebração comum.

41. As Laudes e as Vésperas começam com o Versículo introdutório: Vinde, ó Deus, em meu auxílio. Socorrei-me sem demora, ao qual segue Glória ao Pai... e Como era no princípio... com Aleluia (Este se omite no tempo da quaresma). Tudo isso, porém, se suprime nas Laudes, quando precedidas do Invitatório.

42. Imediatamente depois, se diz o hino correspondente, que foi disposto de maneira a dar colorido próprio a cada Hora ou a cada festa e, sobretudo na celebração com o povo, a fazer com que a oração comece com mais facilidade e encanto.

43. Depois do hino, segue-se a salmodia, tal como determinam os n. 121-125. A salmodia das Laudes consta de um salmo matutino, seguido de um cântico do Antigo Testamento, e de outro salmo de louvor, segundo a tradição da Igreja.

A salmodia das Vésperas consta de dois salmos, ou de duas partes de um salmo mais longo, adequados a esta Hora e à sua celebração com o povo, e de um cântico tirado das Cartas dos Apóstolos ou do Apocalipse.

44. Terminada a salmodia, faz-se a leitura, breve ou longa.

45. A Leitura breve muda de acordo com o dia, o tempo ou a festa. Deve ser lida e ouvida como verdadeira proclamação da palavra de Deus, frisando algum pensamento bíblico. Ajudará a destacar alguns pensamentos breves que na leitura contínua da Sagrada Escritura poderiam passar despercebidos.

As leituras breves variam a cada dia, conforme a distribuição dos salmos.

46. Contudo, a critério de quem reza, especialmente na celebração com o povo, pode-se escolher uma leitura bíblica mais longa, quer a do Ofício das Leituras, quer uma das que são lidas na Missa, particularmente de textos que por alguma razão não puderam ser lidos. Além do mais, não há inconveniente algum, também se escolha, às vezes, outra leitura mais adequada, observando-se o que é dito nos n. 248, 249 e 251.

Instrução Geral sobre a Liturgia das Horas

47. Na celebração com o povo, se parecer oportuno, poderá ser acrescentada breve homilia para explicar a leitura.

48. Depois da leitura ou da homilia, julgando-se conveniente, poderá também ser observado certo tempo de silêncio.

49. Como resposta à palavra de Deus, se oferece um canto responsorial ou responsório breve, que poderá ser omitido, caso se julgue oportuno.

Todavia, pode ser substituído por outros cantos da mesma função e gênero, contanto que tenham sido devidamente aprovados pela Conferência Episcopal para esse fim.

50. Em seguida, se diz solenemente, com sua antífona, o cântico evangélico, a saber: para as Laudes, o cântico de Zacarias (Benedictus); e para as Vésperas, o cântico da Virgem Maria (Magnificat). Esses cânticos, ratificados pelo costume secular e popular da Igreja Romana, expressam louvor e ação de graças pela redenção. A antífona do Benedictus e do Magnificat é indicada conforme o dia, o tempo ou a festa.

51. Nas Laudes, terminado o cântico, seguem-se preces para consagrar a Deus o dia e o trabalho. Nas Vésperas, seguem-se as intercessões (cf. n. 179-193).

52. Depois das mencionadas preces ou intercessões, todos dizem o Pai-nosso.

53. Recitado o Pai-nosso, reza-se imediatamente a oração conclusiva, que se encontra no Saltério para os dias de semana e no Próprio para os outros dias.

54. Por fim, o sacerdote ou o diácono, caso presida, despede o povo com a saudação: O Senhor esteja convosco e com a bênção, como na Missa, seguindo-se o Ide em paz e a resposta: Graças a Deus. Noutros casos, a celebração termina com O Senhor nos abençoe...

V. ORAÇÃO DAS NOVE, DAS DOZE E DAS QUINZE HORAS: HORA MÉDIA

74. Segundo antiquíssima tradição, os cristãos costumavam, por devoção pessoal, orar em diversos momentos do dia e no meio do trabalho, imitando a Igreja apostólica. No decurso dos tempos, essa tradição, de diversas maneiras, foi sendo dotada de celebrações litúrgicas.

75. O costume litúrgico, tanto no Oriente como no Ocidente, adotou a Oração das Nove (Terça), das Doze (Sexta) e das Quinze Horas (Noa), sobretudo porque essas Horas se relacionavam com alguns acontecimentos da Paixão do Senhor e da pregação inicial do Evangelho.

76. O Concílio Vaticano II estabeleceu que se conservasse a recitação em coro dessas Horas Menores, ou seja, da Oração das Nove, das Doze e das Quinze Horas[9]. Seja mantido o costume litúrgico de dizer essas três Horas, salvo direito particular, para os que professam vida contemplativa. É também recomendada a todos, especialmente àqueles que fazem retiro espiritual ou participam de reuniões pastorais.

77. Todavia, fora do coro, salvo direito particular, é permitido escolher, entre as três Horas, a que mais corresponde ao tempo do dia, para que se conserve a tradição de orar durante o dia, em meio aos trabalhos.

78. O rito da celebração da Oração das Nove, das Doze e das Quinze Horas é estruturado, levando-se em conta tanto aqueles que dizem uma única Hora, a "Hora média", como também aqueles que devem ou querem recitar as três Horas.

79. A Oração das Nove, das Doze e das Quinze Horas, ou a Hora Média, começam com o versículo introdutório: Vinde, ó Deus, em meu auxílio, com Glória, Como era e Aleluia (Este se omite no Tempo da Quaresma). Depois se diz o hino correspondente a cada hora. Em continuação, seguem-se a salmodia, a leitura breve, e depois desta, o versículo. Conclui-se a Hora com a oração e, ao menos na recitação em comum, com a aclamação: Bendigamos ao Senhor. Graças a Deus.

80. Vários hinos e orações são propostos para cada Hora: segundo a tradição, devem corresponder à realidade do tempo e servir melhor para a santificação dos momentos do dia. Portanto, quem recita apenas uma das Horas deve tomar os elementos que correspondem a essa mesma Hora.

Por outro lado, também a Leitura breve e as orações variam de acordo com o dia, o tempo e a festa.

81. Propõem-se duas salmodias: uma corrente e outra complementar. Quem recita apenas uma Hora, tomará a salmodia corrente. Quem recita várias Horas, numa delas tomará a corrente e nas outras, a complementar.

14.Cf. SC, n. 89e.

Instrução Geral sobre a Liturgia das Horas

82. A salmodia corrente consta de três salmos do saltério (ou três partes de salmos, caso se trate de salmos mais longos), que se tomam com suas antífonas, quando não se indica outra coisa no devido lugar.

Nas solenidades, no Tríduo pascal e nos dias da oitava da Páscoa, recitam-se as antífonas próprias com três salmos tomados da salmodia complementar, a não ser que se tenham previsto salmos especiais, ou que a celebração da solenidade caia em domingo. Neste caso, tomam-se os salmos do domingo da primeira semana.

83. A salmodia complementar consta de três salmos, escolhidos em geral dentre os denominados salmos graduais.

VI. COMPLETAS

84. As Completas são a última oração do dia, e se rezam antes do descanso noturno, mesmo passada a meia-noite, se for o caso.

85. As Completas começam, como as demais Horas, com o versículo Vinde, ó Deus, em meu auxílio, Glória, como era e Aleluia (Este se omite no tempo da Quaresma).

86. Em seguida, é louvável a prática do exame de consciência, que na celebração comunitária se faz em silêncio ou se insere no Ato penitencial, de acordo com as fórmulas do Missal Romano.

87. A seguir se diz o hino correspondente.

88. No domingo, depois das I Vésperas, a salmodia consta dos salmos 4 e 133(134), e após as II Vésperas constado salmo 90(91).

Para os outros dias, escolheram-se salmos que de preferência movam à confiança no Senhor. Deixa-se, contudo, a liberdade para substituí-los pelos salmos do domingo, o que traz maior comodidade, sobretudo para quem talvez queira rezar de cor as Completas.

89. Depois da salmodia, vem a leitura breve, seguindo-se o responsório Senhor, em vossas mãos. Logo após, recita-se com sua antífona o Cântico evangélico, Deixai, agora, qual ápice da Hora inteira.

90. Reza-se a oração conclusiva, como se encontra no Saltério.

91. Depois da oração se diz, mesmo em particular, a bênção: O Senhor todo-poderoso nos conceda...

92. Em seguida, reza-se uma das antífonas da Virgem Maria. No Tempo pascal, é sempre a antífona: Rainha do céu. Além das antífonas que se encontram no livro da Liturgia das Horas, as Conferências Episcopais podem aprovar outras[15].

---

15. Cf. SC, n. 38.

CAPÍTULO III

OS DIVERSOS ELEMENTOS
DA LITURGIA DAS HORAS

I. OS SALMOS E SUA FUNÇÃO NA ORAÇÃO CRISTÃ

100. Na Liturgia das Horas, a Igreja, para rezar, serve-se em grande parte daqueles esplêndidos poemas que os autores sagrados do Antigo Testamento compuseram sob inspiração do Espírito Santo. Em razão dessa sua origem, os salmos têm a virtude de elevar até Deus a mente das pessoas, despertar nelas piedosos e santos afetos, ajudá-las maravilhosamente a agradecer na prosperidade e dar-lhes, na adversidade, consolo e fortaleza de ânimo.

101. Contudo, os salmos não encerram mais que uma sombra daquela plenitude dos tempos que se revelou em Cristo, Nosso Senhor e da qual se alimenta a oração da Igreja. Por isso, embora todos os fiéis cristãos estejam de acordo em terem elevada estima aos salmos, não é de estranhar que surja, por vezes, alguma dificuldade, quando alguém na oração procura fazer seus aqueles poemas venerandos.

102. O Espírito Santo, sob cuja inspiração os salmistas cantaram, assiste sempre com sua graça aqueles que de boa vontade, salmodiando com fé, proferem esses poemas. Mas, por outro lado, é necessário que "adquiram formação bíblica, a mais rica possível, sobretudo quanto aos salmos"[1], cada qual segundo suas possibilidades, e assim compreendam de que modo e com que método poderá orar corretamente quem se serve dos salmos.

103. Não são leituras nem orações compostas em prosa; os salmos são poemas de louvor. Por conseguinte, embora às vezes tenham sido proclamados em forma de leitura, contudo, atendendo ao seu gênero literário, chamam-se com razão, em hebraico, *tehillim*, ou seja, "cânticos de louvor", e em grego *psalmói*, isto é, "cânticos para entoar ao som do saltério". De fato, todos os salmos têm caráter musical que determina a maneira conveniente de dizê-los. Por isso, mesmo quando o salmo é recitado sem canto, ou individualmente e em silêncio, a pessoa se deixa levar por seu caráter musical. Ainda que oferecendo um texto à nossa mente, tendem mais a mover os corações de quem salmodia e escuta, e mesmo dos que os acompanham ao som do "saltério e da cítara".

1.SC., n. 90.

34   Instrução Geral sobre a Liturgia das Horas

104. Portanto, quem salmodia sabiamente, irá percorrendo versículo por versículo, meditando um após outro, sempre disposto em seu coração a responder como exige o Espírito que inspirou o salmista e assistirá igualmente as pessoas devotas, dispostas a receber a sua graça. Por isso, ainda que exigindo a reverência devida à majestade de Deus, a salmodia deve desenvolver-se com júbilo espiritual e com doçura de caridade, tal como corresponde à poesia sagrada e ao canto divino, e, mais ainda, à liberdade dos filhos de Deus.

105. Com as palavras do salmo podemos muitas vezes orar com mais facilidade e fervor,.seja dando graças e louvando a Deus com alegria, seja suplicando-o desde as profundezas de nossas angústias. Mas pode também, por vezes, surgir alguma dificuldade sobretudo quando o salmo não se dirige diretamente a Deus. O salmista é poeta e com frequência se dirige ao povo, relembrando a história de Israel. Às vezes, interpela outros seres, até mesmo criaturas irracionais. Faz, inclusive, o próprio Deus falar, e até os seres humanos, ou ainda, como no salmo 2, até mesmo os inimigos. Por isso, torna-se evidente que o salmo não é uma oração do mesmo estilo que as preces ou uma oração, que são compostas pela Igreja. Além disso, com sua índole poética e musical, enquadra-se no fato de que não fala necessariamente a Deus, mas canta simplesmente diante de Deus, como lembra São Bento: "Consideremos de que modo convém estar na presença de Deus e de seus anjos, e, ao salmodiarmos, que nos mantenhamos em tal atitude que nossa mente concorde com nossa voz"[2].

106. Quem salmodia abre o coração aos sentimentos que brotam dos salmos, de acordo com o gênero literário de cada um, gênero de lamentação, confiança e ação de graças, ou gêneros outros que os exegetas com razão realçam.

107. Procurando permanecer fiel ao sentido literal, quem salmodia se fixa na importância que o texto contém para a vida humana dos que creem.

Com efeito, é sabido que cada salmo foi composto em circunstâncias determinadas, que os títulos colocados no início procuram insinuar, segundo o saltério hebraico. Todavia, qualquer que seja sua origem histórica; cada salmo tem um sentido próprio que nem mesmo em nossa época podemos negligenciar. Embora esses poemas tenham sido compostos, há muitos séculos, por orientais, expressam muito bem as dores e esperanças, a miséria e a confiança dos seres humanos de qualquer época ou nação, sobretudo a fé em Deus, e cantam a revelação e a redenção.

---

2. *Regula monasteriorum*, c. 19.

Os diversos elementos da Liturgia das Horas

108. Na Liturgia das Horas, quem salmodia não o faz tanto em seu próprio nome, como em nome de todo o Corpo de Cristo, e ainda na pessoa mesma do próprio Cristo. Aquele que tem isso bem presente, resolve as dificuldades que possam surgir, ao perceber que os sentimentos de seu coração, enquanto salmodia, discordam dos afetos que o salmo expressa. Por exemplo, estando triste e cheio da amargura, canta um salmo de júbilo, ou, estando feliz, canta um salmo de lamentação. Na oração meramente particular, isto facilmente se evita, porque nela há liberdade para escolher um salmo adequado ao próprio estado de alma. Contudo, no Ofício divino, os salmos em sua sequência oficial não se cantam em particular, mas em nome da Igreja, mesmo quando alguém recita sozinho alguma das Horas. Quem salmodia em nome da Igreja, poderá sempre encontrar motivos de alegria ou tristeza, porque também a isso se aplica a passagem do Apóstolo: "Alegrar-se com os que se alegram e chorar com os que choram" (Rm 12,15).

Assim, a fraqueza humana, ferida pelo amor de si própria, é curada na medida do amor com que a mente acompanha a voz de quem salmodia[3].

109. Quem salmodia em nome da Igreja deve prestar atenção ao sentido pleno dos salmos, especialmente ao sentido messiânico, em virtude do qual a Igreja adotou o saltério. Este sentido messiânico tornou-se plenamente manifesto no Novo Testamento e foi enfatizado pelo próprio Cristo Senhor, que disse aos Apóstolos: "Era preciso que se cumprisse tudo o que está escrito sobre mim na Lei de Moisés, nos Profetas e nos Salmos" (Lc 24,44). O exemplo mais conhecido dessa interpretação messiânica é o diálogo no evangelho de São Mateus sobre o Messias, que é Filho de Davi e ao mesmo tempo Senhor de Davi[4]: nesse diálogo, o salmo 109(110) se aplica ao Messias.

Seguindo esse método, os santos Padres entenderam e comentaram todo o saltério como profecia a respeito de Cristo e da Igreja. Com esse mesmo critério, escolheram-se os salmos na Sagrada Liturgia, Embora, por vezes, se tenham admitido algumas interpretações algo forçadas, tanto os Padres em geral como a Liturgia, com pleno direito, ouviram nos salmos Cristo clamando ao Pai, ou o Pai falando com o Filho, ou, inclusive, descobriram a voz da Igreja, dos Apóstolos ou dos mártires. Esse método de interpretação floresceu também durante a Idade Média: em muitos códices medievais do saltério, sugeria-se aos que salmodiavam algum sentido cristológico, por meio de um título anteposto a cada

3. Cf. S. Bento, *ibid.*
4. Mt 22,44s

36 Instrução Geral sobre a Liturgia das Horas

salmo. A interpretação cristológica não se limitou, de modo algum, aos salmos tidos como messiânicos, mas, se estendeu à muitos outros casos em que, sem dúvida, são meras apropriações, embora aceitas pela tradição da Igreja.

Particularmente na salmodia dos dias festivos, escolheram-se os salmos por alguma razão cristológica,· e para sugeri-la se antepõem geralmente antífonas tiradas dos próprios salmos.

II ANTÍFONAS E OUTROS ELEMENTOS QUE AJUDAM A ORAÇÃO DOS SALMOS

110. Três elementos, na tradição latina, muito contribuíram para a compreensão dos salmos ou para fazer deles oração cristã: os títulos, as orações sálmicas e, principalmente, as antífonas.

111. No saltério da Liturgia das Horas, cada salmo é precedido de um título que indica seu sentido e sua importância para a vida humana de quem crê. Esses títulos, inseridos no livro da Liturgia das Horas, são propostos unicamente para utilidade dos que salmodiam. Contudo, para fomentar a oração à luz da nova revelação, acrescenta-se uma expressão do Novo Testamento ou dos Padres, que serve como um convite à reza em sentido cristológico.

112. No suplemento do livro da Liturgia das Horas, para cada salmo se propõem orações sálmicas, a fim de ajudar quem os recita a interpretá-los sobretudo em sentido cristão. Podem ser usadas livremente, conforme antiga tradição: concluído o salmo e após certa pausa de silêncio, a oração resuma e conclua os sentimentos dos participantes.

113. Ainda quando se celebra sem canto a Liturgia das Horas, cada salmo tem sua antífona, que deve ser dita também por aqueles que rezam a sós. Com efeito, as antífonas ajudam a ilustrar o gênero literário do salmo; fazem do salmo uma oração pessoal; acentuam algum pensamento especialmente digno de atenção e que poderia passar despercebido; conferem matiz particular a determinado salmo em certas circunstâncias; e ainda são de grande ajuda para a interpretação tipológica ou festiva, contanto que se excluam acomodações arbitrárias; podem tornar mais agradável e variada a recitação dos salmos.

114. No Saltério, as antífonas foram *estruturadas* de tal modo que possam ser *traduzidas para* o vernáculo, ou inclusive ser repetidas *depois* de cada estrofe, conforme diz o n. 125. Contudo, no ofício do Tempo comum, sem canto, em lugar dessas antífonas podem ser usadas, se oportuno, as frases que se antepõem a cada salmo (cf. n. 111).

Os diversos elementos da Liturgia das Horas

115. Quando um salmo, por sua extensão, é dividido em várias partes dentro da mesma Hora, cada parte terá sua antífona própria, para maior variedade, sobretudo na celebração com canto, e também para serem mais apreciadas as riquezas do salmo. Todavia, pode-se rezar o salmo todo sem interrupção, apenas com a primeira antífona.

116. Para cada salmo da oração das Laudes e das Vésperas, existem antífonas próprias no Tríduo pascal, nos dias da oitava da Páscoa e do Natal, nos domingos do Tempo do Advento, do Natal, da Quaresma e da Páscoa, como também nos dias da Semana Santa, do Tempo pascal e nos dias 17 a 24 de dezembro.

117. Para o Ofício das Leituras, Laudes, Oração das Nove, das Doze e das Quinze Horas e Vésperas propõem-se antífonas próprias nas solenidades; caso não haja próprias, são tomadas do Comum. Nas festas se faz exatamente a mesma coisa no Ofício das Leituras, nas Laudes e nas Vésperas.

118. Na memória dos Santos, quando há antífonas próprias, devem ser conservadas (cf. 235).

119. As antífonas do **Benedictus** e do **Magnificat,** no ofício do Tempo, são tomadas do Próprio do Tempo, se as houver, ou do saltério corrente noutros casos. Nas solenidades e festas, tomam-se do Próprio, se houver; caso contrário, do Comum. Nas memórias que não possuem antífonas próprias é facultativo dizer a antífona do Comum ou do dia da semana corrente.

120. No tempo pascal acrescenta-se **Aleluia** a todas antífonas, exceto quando não se enquadra com o sentido da antífona.

V. CÂNTICOS DO ANTIGO E DO NOVO TESTAMENTO

136. Nas Laudes, entre o primeiro salmo e o último, intercala-se como de costume um cântico do Antigo Testamento. Além da série aceita na antiga tradição romana e da outra que São Pio X introduziu no Breviário, acrescentaram-se ao Saltério vários cânticos tirados de alguns livros do Antigo Testamento; assim, cada dia da semana tem seu cântico próprio nas quatro semanas. Nos domingos alternam-se as duas partes em que se divide o cântico dos três jovens.

137. Nas Vésperas, após os dois salmos, intercala-se um cântico do Novo Testamento, tirado das Cartas ou do Apocalipse. São indicados sete cânticos, um para cada dia da semana. Nos domingos da Quaresma, porém, em lugar do cântico aleluiático do Apocalipse, reza-se o cântico da Primeira Carta de Pedro. Além disso, na solenidade da

Epifania e na festa da Transfiguração do Senhor, diz-se o cântico da Primeira Carta a Timóteo, como vem indicado no respectivo lugar.

138. Os cânticos evangélicos "Benedictus", "Magnificat" e "Nunc dimittis" serão acompanhados com a mesma solenidade e dignidade com que se costuma ouvir o Evangelho.

VI. LEITURA DA SAGRADA ESCRITURA

a) Leitura da Sagrada Escritura em geral

140. Segundo a antiga tradição, a leitura da Sagrada Escritura na liturgia se faz publicamente, não apenas na celebração eucarística, mas também no Ofício divino. Essa leitura deve ser tida em grande estima por todos os cristãos, porque a própria Igreja a propõe, não conforme escolha ou preferências de particulares, mas em função do mistério que a Esposa de Cristo "revela no decorrer do ano, desde a Encarnação e Natal até a Ascensão, Pentecostes e a Expectação da feliz esperança e vinda do Senhor"[6]. Além disso, na celebração litúrgica, a oração acompanha sempre a leitura da Sagrada Escritura, para que essa leitura produza fruto mais abundante, e a oração, por sua vez, particularmente os salmos, na força da leitura, seja compreendida mais plenamente e se torne mais fervorosa.

141. Na Liturgia das Horas, propõem-se uma leitura mais longa da Sagrada Escritura ou uma leitura mais breve.

142. Mais acima, o n. 46 trata, para as Laudes e Vésperas, da leitura mais longa, que é facultativa.

c) As leituras breves

156. As leituras breves ou "capítulos", cuja importância na Liturgia das Horas é explicitada no n. 45, foram selecionadas de modo que expressem um pensamento ou admoestação de maneira breve, porém clara. Além do mais, procurou-se a variedade.

157. Desse modo, organizaram-se quatro séries semanais de leituras breves para o Tempo comum, que são inseridas no Saltério, de modo que cada dia, durante as quatro semanas, a leitura é diferente. Além disso, existem séries semanais para os tempos do Advento, Natal, Quaresma e Páscoa. Há também leituras breves próprias para as solenidades e festas, e para algumas memórias, como também a série de uma semana para as Completas.

6. SC, n. 102.

Os diversos elementos da Liturgia das Horas

158. Para selecionar leituras breves observaram-se os seguintes critérios:

a) segundo a tradição, excluíram-se os Evangelhos;

b) na medida do possível, também se levou em conta o caráter peculiar do domingo, da sexta-feira e das próprias Horas;

c) as leituras das Vésperas, como vêm após um cântico do Novo Testamento, foram tiradas apenas do Novo Testamento.

IX. RESPONSÓRIOS

172. O responsório breve, das Laudes, Vésperas e Completas, do qual tratam os n. 48 e 89, e o versículo para a Oração das Nove, das Doze e das Quinze Horas, respondem à leitura breve como aclamação, a fim de que a Palavra de Deus penetre mais intimamente no ânimo de quem a escuta ou lê.

X. HINOS E OUTROS CANTOS NÃO BÍBLICOS

173. Os hinos que, segundo antiquíssima tradição, fazem parte do Ofício Divino, continuarão ocupando nele seu lugar[12]. De fato, estão especificamente destinados ao louvor de Deus, não apenas por sua natureza lírica, mas porque constituem elemento popular que quase sempre expressa, mais claramente do que as outras partes do Ofício divino, o sentido peculiar de cada Hora ou das várias festas, e movem poderosamente os ânimos a uma celebração piedosa. Essa eficácia, muitas vezes, cresce devido à beleza literária. Por outro lado, no Ofício, os hinos são o principal elemento poético de criação eclesiástica.

174. Segundo a tradição, o hino termina com a doxologia, geralmente, dirigida à mesma Pessoa divina, a quem se dirige o hino todo.

175. No Ofício do Tempo comum, para maior variedade, previu-se dupla série de hinos para todas as Horas, que serão usados em semanas alternadas.

177. Os novos hinos introduzidos podem ser acompanhados com as tradicionais melodias da mesma extensão e metro.

178. Para a celebração em vernáculo, concede-se às Conferências Episcopais a faculdade de adaptar os hinos latinos ao espírito da própria língua, como também introduzir novas criações de hinos[13], contanto que condigam estritamente com o sentido da hora, do tempo

12.Cf. SC, n. 93.
13. Cf. *ibid.*, n. 38.

Instrução Geral sobre a Liturgia das Horas

ou da festa. Deve-se, contudo, ter muito cuidado para evitar que se admitam canções populares carentes de valor artístico e que não estejam verdadeiramente em conformidade com a dignidade da Liturgia.

XI. PRECES, ORAÇÃO DO SENHOR E ORAÇÃO CONCLUSIVA

a) Preces ou intercessões nas Laudes e Vésperas

179. A Liturgia das Horas celebra, na verdade, o louvor divino. Mas a tradição, tanto judaica como cristã, não separa do louvor divino a oração de petição, e com frequência faz esta derivar daquele. O apóstolo Paulo exorta a fazer "preces e orações, súplicas e ações de graças, por todos os seres humanos; pelos que governam e por todos que ocupam altos cargos, a fim de que possamos levar uma vida tranquila e serena, com toda piedade e dignidade. Isto é bom e agradável a Deus, nosso Salvador; ele quer que todos os seres humanos sejam salvos e cheguem ao conhecimento da verdade" (1Tm 2,1-4). Essas recomendações foram frequentemente interpretadas pelos Padres no sentido de fazer intercessões pela manhã e pela tarde[14].

180. Restabelecidas na Missa de rito romano, as intercessões ocorrem também nas Vésperas, embora de maneira diferente, como adiante se explica.

181. Além disso, existe a tradição de ao amanhecer se recomendar o dia todo a Deus; assim, fazem-se invocações nas Laudes, exatamente para recomendar ou consagrar o dia ao Senhor.

182. Dá-se o nome de preces tanto às intercessões que se fazem nas Vésperas, como às invocações que, para consagrar o dia a Deus, são feitas nas Laudes.

183. Para maior variedade, mas principalmente para melhor expressar as diversas necessidades da Igreja e dos seres humanos, segundo os diferentes estados, grupos, pessoas, condições e tempos, propõem-se fórmulas diferentes de preces para cada dia no ciclo do Saltério, e para os vários tempos sagrados do ano litúrgico, como ainda para certas celebrações festivas.

184. Além disso, as Conferências Episcopais poderão adaptar as fórmulas propostas no livro da Liturgia das Horas e também aprovar outras novas[15], observando as normas que se seguem.

---

14. Assim, por ex., S. João Crisóstomo, *In Epist. ad. Tim l, Homilia 6:* PG 62,530.
15. Cf. SC, n. 38.

185. Como no Pai-nosso, convém que às petições se una também o louvor a Deus, a proclamação de sua glória ou a memória da História da Salvação.

186. Nas preces das Vésperas, a última intenção será sempre pelos defuntos.

187. Sendo a Liturgia das Horas, de modo especial, a oração de toda a Igreja por toda a Igreja e ainda para a salvação do mundo inteiro[16], convém que, nas preces, as intenções universais ocupem absolutamente o primeiro lugar, quer se reze pela Igreja com suas diversas ordens, quer pelas autoridades civis, pelos que vivem na pobreza, pelos que padecem enfermidade ou tristeza, e pelas necessidades do mundo todo, tais como a paz e outras intenções semelhantes.

188. Todavia, tanto nas Laudes como nas Vésperas, poderão ser acrescentadas algumas intenções particulares.

189. As preces do Ofício foram estruturadas de tal maneira que possam adaptar-se, tanto para a celebração com o povo como para a celebração de uma pequena comunidade ou para a recitação individual.

190. Por isso, na recitação com o povo ou comunitária, as preces se introduzem com breve convite do sacerdote ou de outro ministro, em que se propõe um modelo de resposta, que a assembleia repetirá todas as vezes de modo invariável.

191. Além disso, as intenções são dirigidas diretamente a Deus, para que sejam convenientes tanto à celebração comunitária como à recitação individual.

192. Todas as fórmulas de intenções constam de duas partes, podendo a segunda ser empregada como resposta variável.

193. Assim, podem usar-se diferentes modos: o sacerdote ou ministro dirá as duas partes, e a assembleia dirá a resposta invariável ou fará uma pausa de silêncio; ou então, o sacerdote ou ministro dirá só a primeira parte, e a assembleia dirá a segunda.

b) Oração do Senhor

194. Nas Laudes e nas Vésperas, por serem as Horas mais frequentadas pelo povo, após as preces em razão de sua dignidade, segue a Oração do Senhor, conforme venerável tradição.

16.Cf. *ibid.*, n. 83 e 89.

42 Instrução Geral sobre a Liturgia das Horas

195. Portanto, daqui por diante, a Oração do Senhor será rezada solenemente três vezes ao dia: na Missa, nas Laudes e nas Vésperas.

196. O Pai-nosso é dito por todos, precedido de breve exortação, se oportuno.

c) Oração conclusiva

197. No final de cada Hora, para terminar, se diz a oração conclusiva, que na celebração pública e com o povo compete ao sacerdote ou diácono, segundo a tradição[17].

198. No Ofício das Leituras, essa oração, como de costume, será a mesma da Missa. Nas Completas, será sempre a do Saltério.

199. Nas Laudes e nas Vésperas, toma-se a oração do Próprio, nos domingos, dias de semana do Tempo do Advento, Natal, Quaresma e Páscoa, bem como nas solenidades, festas e memórias. Mas, no dias de semana do Tempo comum, diz-se a oração indicada no ciclo do Saltério, a fim de expressar o caráter próprio dessas Horas.

200. Na Oração das Nove, das Doze e das Quinze Horas, ou na Hora média, toma-se a oração do Próprio, nos domingos e nos dias de semana do Tempo do Advento, Natal, Quaresma e Páscoa bem como nas solenidades e festas. Nos demais dias, dizem-se as orações que expressam o sentido da Hora correspondente e que se encontram no Saltério.

XII. SILÊNCIO SAGRADO

201. Nas ações litúrgicas deve-se procurar, em geral, que "se guarde também, a seu tempo, um silêncio sagrado"[18]; por isso, haja ocasião de silêncio também na celebração da Liturgia das Horas.

202. Por conseguinte, se parecer oportuno e prudente, para facilitar a plena ressonância da voz do Espírito Santo nos corações e unir mais estreitamente a oração pessoal com a palavra de Deus e com a voz pública da Igreja, pode-se fazer uma pausa de silêncio após cada salmo, depois de repetida sua antífona, de acordo com a antiga tradição, sobretudo se depois do silêncio se acrescentar a oração sálmica (cf. n. 112); ou também após as leituras, tanto breves como longas, antes ou depois do responsório.

Contudo, evite-se introduzir um silêncio tal que deforme a estrutura do Ofício, ou que ocasione aos participantes mal-estar ou tédio.

17. Cf. *infra*, n. 256.
18. SC. n. 30.

As várias celebrações

203. Na recitação a sós, haverá maior liberdade para demorar na meditação de alguma fórmula, que incentive a elevação espiritual, sem que com isso o Ofício perca sua natureza pública.

CAPÍTULO IV
AS VÁRIAS CELEBRAÇÕES
AO LONGO DO ANO LITÚRGICO

I. CELEBRAÇÃO DOS MISTÉRIOS DO SENHOR

a) Domingo

204. O Ofício do domingo começa com as I Vésperas. Nessas, diz-se tudo do Saltério, exceto as partes indicadas como próprias.
205. Quando se celebra no domingo uma festa do Senhor, as I Vésperas são próprias.
206. Mais acima, o n. 73 falou a respeito da maneira como celebrar as vigílias, quando parecerem oportunas.
207. É de suma conveniência, conforme antiquíssimo costume celebrar ao menos as Vésperas com o povo, quando possível[1].

b) Tríduo pascal

208. No Tríduo pascal, celebra-se o Ofício como está indicado no Próprio do Tempo.
209. Quem participa da Missa vespertina na Ceia do Senhor, ou da celebração da Paixão do Senhor na Sexta-feira Santa não recita as Vésperas dos respectivos dias.
210. Na Sexta-feira da Paixão do Senhor e no Sábado Santo, antes das Laudes, na medida do possível, faça-se uma celebração pública do Ofício das Leituras, juntamente com o povo.
211. Apenas aqueles que não participam da Vigília Pascal é que recitam as Completas do Sábado Santo.
213. Todos dizem as Laudes do Domingo da Ressurreição. Convém que as Vésperas sejam celebradas de modo particularmente solene, para festejar a tarde deste dia tão sagrado e comemorar as aparições do Senhor a seus discípulos. Conserve-se com o maior empenho, onde estiver vigorando, a tradição de celebrar no dia da Páscoa as Vésperas batismais, em que se caminha em procissão até a fonte batismal, ao canto de salmos.

1. Cf. se, n. 100.

Instrução Geral sobre a Liturgia das Horas

c) Tempo pascal

214. A aclamação Aleluia, com que termina a maioria das antífonas (cf. n. 120), confere caráter pascal à Liturgia das Horas. O mesmo papel desempenham os hinos, antífonas e preces especiais, como também as leituras próprias marcadas para cada hora.

d) Natal do Senhor

216. As Laudes do dia de Natal são ditas como de costume, antes da Missa da aurora.

e) Outras solenidades e festas do Senhor

217. Para organizar o Ofício nas solenidades e festas do Senhor, considere-se o que dizem, mais abaixo, os n. 225-233, com as devidas mudanças.

II. CELEBRAÇÃO DOS SANTOS

218. As celebrações dos Santos estão organizadas de modo que não se sobreponham às festas e tempos sagrados em que se comemoram os mistérios da salvação[2], nem alterem, com frequência excessiva, a sequência da salmodia e da leitura nem causem repetições indevidas. Ao contrário, fomentem a legítima devoção de cada um. Nestes princípios se fundamentou a reforma do calendário, realizada por ordem do Concílio Vaticano II, como também a maneira de celebrar os Santos na Liturgia das Horas, conforme se indica nos números seguintes.

219. As celebrações dos Santos são solenidades, festas ou memórias.

220. As memórias, por sua vez, são obrigatórias ou, se nada for dito, facultativas. Para decidir se convém ou não celebrar uma memória facultativa na celebração do Ofício com o povo ou em comum, leve-se em conta o bem comum ou a devoção autêntica da própria assembleia, e não apenas de quem a preside.

221. Se no mesmo dia ocorrem várias memórias facultativas, pode-se celebrar apenas uma, omitindo-se as demais.

222. As solenidades, e somente elas, são transferidas na forma estabelecida pelas rubricas.

2. Cf. SC, n. 111.

As várias celebrações

223. As normas seguintes valem tanto para os Santos inscritos no Calendário romano universal, como para os inscritos nos calendários particulares.

224. As partes próprias, que por acaso faltarem, são substituídas pelos respectivos Comuns dos Santos.

1. Como se organiza o Ofício nas solenidades

225. As solenidades têm, no dia anterior, I Vésperas.

226. Tanto nas I como nas II Vésperas são próprios: o hino, as antífonas, a leitura breve com o seu responsório e a oração conclusiva. No caso de faltarem, tomam-se do Comum.

Os dois salmos nas I Vésperas são geralmente tomados da série Laudate, ou seja, dos salmos 112(113), 116(117), 134(135), 145(146), 146(147, 1-11) e 147, de acordo com antiga tradição. O cântico do Novo Testamento é indicado no devido lugar. Nas II Vésperas, os salmos e o cântico são próprios; as preces são próprias ou do Comum.

227. Nas Laudes são próprios: o hino, as antífonas, a leitura breve com seu responsório e a oração conclusiva. Em sua falta, tomam-se do Comum. Mas os salmos são tirados do I Domingo do Saltério. As preces são próprias ou do Comum.

229. Na Hora média ou Oração das Nove, das Doze e das Quinze Horas, salvo indicação em contrário, diz-se o hino cotidiano. Os salmos são escolhidos entre os graduais com antífona própria, mas no domingo tomam-se os salmos do I Domingo do Saltério. A Leitura breve e a oração conclusiva são próprias. Contudo, para certas solenidades do Senhor se preveem salmos especiais.

230. Nas Completas, tudo é do domingo, tanto após as I como as II Vésperas.

2. Como se organiza o Ofício das Festas

231. As festas não têm I Vésperas, exceto nas festas do Senhor que caiam em domingo. No Ofício das Leituras, nas Laudes e Vésperas, tudo é feito como nas solenidades.

232. Na Hora média ou na Oração das Nove, das Doze e das Quinze Horas, dize-se o hino cotidiano. Os salmos com suas antífonas são do dia de semana, a não ser que, para a Hora média, haja razão especial ou a tradição exija que se diga a antífona própria, o que será indicado no respectivo lugar. A leitura breve e a oração conclusiva são próprias.

233. As Completas dizem-se como nos dias comuns.

3. Como se organiza o Ofício nas memórias dos Santos

234. Entre a memória obrigatória e a facultativa, se esta é realmente celebrada, não existe diferença alguma quanto à maneira de se organizar o Ofício, a não ser que se trate de memórias facultativas, que ocorram em tempos privilegiados.

a) Memórias que ocorrem em dias comuns

235. No Ofício das Leituras, nas Laudes e Vésperas:

a) os salmos com suas antífonas são tomados do dia da semana corrente, a não ser que haja antífonas próprias ou salmos próprios que são indicados em cada caso;

b) a antífona do Invitatório, o hino, a leitura breve, a antífona do Benedictus e do Magnificat e as preces, sendo próprios, se dizem do Santo; caso contrário, se dizem do Comum ou do dia da semana corrente;

c) a oração conclusiva se diz do Santo;

236. Na Hora média ou Oração das Nove, das Doze e das Quinze Horas e nas Completas reza-se tudo do dia de semana, e nada do Santo.

b) Memórias que ocorrem nos tempos privilegiados

237. Nada se faz das memórias que ocorrem nos domingos, solenidades e festas, bem como na Quarta-feira de Cinzas, Semana Santa e oitava da Páscoa.

238. Nos dias de semana de 17 a 24 de dezembro, na oitava de Natal e nos dias de semana da Quaresma, não se celebra nenhuma memória obrigatória, nem sequer nos calendários particulares. As memórias que acidentalmente ocorram no Tempo da Quaresma, nesse ano, são consideradas memórias facultativas.

239. Durante os referidos tempos, quem quer celebrar um Santo que ocorra nesse dia como memória:

b) Nas Laudes e nas Vésperas, após a oração conclusiva, omitindo a conclusão, pode acrescentar a antífona (própria ou do Comum) e *a oração do Santo.*

c) Memória de Nossa Senhora no Sábado

240. Nos sábados do Tempo comum, em que se permitem memórias facultativas, pode-se celebrar com o mesmo rito a memória de Nossa Senhora, com leitura própria.

As várias celebrações

III. CALENDÁRIO QUE SE DEVE SEGUIR E POSSIBILIDADE DE ESCOLHER DETERMINADO OFÍCIO OU ALGUMA DE SUAS PARTES

b) Faculdade de escolher determinado Ofício

244. Nos dias de semana que permitem a celebração de memória facultativa, pode-se por justa causa celebrar com o mesmo rito (cf. n. 234-239) o Ofício de algum Santo inscrito no Martirológio Romano do dia ou em suplemento devidamente aprovado.

245. Fora das solenidades, domingos do Advento, Quaresma e Páscoa, Quarta-feira de Cinzas, Semana Santa, oitava da Páscoa e 2 de novembro, por motivo público ou por devoção, pode-se celebrar completa ou parcialmente algum Ofício votivo, por exemplo, em ocasião de uma peregrinação, de uma festa local ou da solenidade externa de um Santo.

c) Faculdade de escolher alguns formulários

246. Em casos particulares, podem-se escolher no Ofício formulários diferentes dos previstos, contanto que não se altere a estrutura geral de cada Hora e se observem as normas que seguem.

247. No Ofício dos domingos, solenidades e festas do Senhor, inscritas no calendário universal, nos dias de semana da Quaresma e Semana Santa, nos dias da oitava da Páscoa e do Natal, e ainda nos dias de semana de 17 a 24 de dezembro inclusive, não é lícito mudar os formulários próprios ou apropriados a essas celebrações, quais são as antífonas, hinos, leituras, responsórios, orações, e também, com muita frequência, os salmos.

Todavia, os salmos dominicais da semana corrente podem, se for oportuno, ser substituídos pelos salmos dominicais de outra semana, ou também, tratando-se de Ofício celebrado com o povo, por outros salmos, escolhidos de tal modo que se leve gradualmente o povo a compreendê-los melhor.

251. As leituras breves, e também as orações, cantos e preces propostos para os dias de semana de um tempo especial, podem ser rezadas nos outros dias de semana do mesmo tempo.

252. Embora se deva ter em grande apreço a observância de todo o ciclo do Saltério distribuído em semanas[7], em lugar dos salmos correspondentes a determinado dia, podem ser recitados, por motivo

7.Cf. supra, n. 100-109.

Instrução Geral sobre a Liturgia das Horas

espiritual ou pastoral, outros salmos propostos para a mesma hora de outro dia. Há também circunstâncias ocasionais em que se podem escolher salmos e outros elementos adequados, na forma de Ofício votivo.

CAPÍTULO V
RITOS DA CELEBRAÇÃO COMUNITÁRIA
I. EXERCÍCIO DAS DIVERSAS FUNÇÕES

253. Na celebração da Liturgia das Horas, como nas demais ações litúrgicas, "cada qual, ministro ou fiel, ao desempenhar a própria função, faça tudo e somente aquilo que lhe compete pela natureza da coisa ou pelas normas litúrgicas"[1].

254. Quando o bispo preside, sobretudo na igreja catedral, esteja rodeado de seu presbitério, e haja participação plena e ativa do povo. Normalmente, em todas as celebrações com o povo, um presbítero ou diácono presida e haja também outros ministros.

255. O presbítero ou diácono que preside o Ofício pode usar a estola sobre a alva ou a sobrepeliz; o presbítero pode usar também o pluvial. Aliás, nada impede que, em solenidades maiores, vários presbíteros vistam pluvial e os diáconos, a dalmática.

256. Cabe ao sacerdote ou diácono que preside dar início, de sua cadeira, ao Ofício, com o versículo introdutório, começar a Oração do Senhor, proferir a oração conclusiva, saudar o povo, abençoá-lo e despedi-lo.

257. As preces podem ser recitadas pelo sacerdote ou pelo ministro.

258. Na falta de presbítero ou diácono, quem preside o Ofício é apenas um dentre os demais; não entra no presbitério nem saúda ou abençoa o povo.

259. Quem desempenha o ofício de leitor, proclamará, em pé, no lugar apropriado, as leituras longas ou breves.

260. Cabe ao cantor ou cantores iniciar as antífonas, salmos e demais cantos. Quanto à salmodia, observe-se o que dizem, acima, os n. *121-125*.

261. Durante o cântico evangélico nas Laudes e Vésperas, pode ser incensado o altar e, em seguida, também o sacerdote e o povo.

1. SC, n. 28.

Ritos da celebração comunitária

262. A obrigação coral atinge a comunidade e não o lugar da celebração, que não é necessariamente a igreja, de modo especial, em se tratando das horas celebradas sem solenidade.

263. Todos os participantes ficam de pé:

a) enquanto se dizem a introdução do Ofício e os versículos introdutórios de cada hora;

b) enquanto se diz o hino;

c) enquanto se diz o cântico evangélico;

d) enquanto se dizem as preces, o Pai-nosso e a oração conclusiva.

264. Todos escutam, sentados, as leituras, exceto o Evangelho (que se ouve de pé).

265. Enquanto se recitam os salmos e demais cânticos com suas antífonas, a assembleia permanece sentada ou de pé, segundo o costume.

266. Todos fazem o sinal-da-cruz, da fronte ao peito e do ombro esquerdo ao direito:

a) no início das Horas, quando se diz: Vinde, ó Deus, em meu auxílio;

b) no início dos cânticos evangélicos Benedictus, Magnificat e Nunc dimittis.

O sinal-da-cruz sobre os lábios se faz no princípio do Invitatório, às palavras: Abri os meus lábios, ó Senhor.

II. O CANTO NO OFÍCIO

267. Nas rubricas e normas desta Instrução, as palavras "dizer" ou "proferir" (proclamar) devem ser entendidas, seja do canto, seja da recitação, conforme os princípios que se expõem a seguir.

268. "A celebração do Ofício Divino mediante o canto, por ser mais conforme à natureza desta oração e sinal de maior solenidade e mais profunda união dos corações no louvor a Deus, é vivamente recomendada aos que o celebram em coro ou comunitariamente"[2].

269. Por isso, tudo o que foi dito pelo Concílio Vaticano II[3] a respeito do canto litúrgico nas ações litúrgicas em geral, vale de modo especial para a Liturgia das Horas. Ainda que todas e cada uma das partes do

---

2. SC. dos Ritos, Instrução Musicam Sacram, 5.3.1967, n. 37: AAS 59 (1967), p. 310; cf. SC., n. 99

3. Cf. SC, n. 113.

Ofício tenham sido reformadas de tal modo que possam com fruto ser recitadas mesmo individualmente, muitas delas pertencem ao gênero lírico e, por isso, apenas mediante o canto podem expressar plenamente seu sentido, em particular os salmos, cânticos, hinos e responsórios.

270. Assim, na celebração da Liturgia das Horas não se deve considerar o canto como adorno acrescentado extrinsecamente à oração, mas como algo que brota do mais profundo da alma em oração e louvor a Deus e manifesta plena e perfeitamente o caráter comunitário do culto cristão.

São pois dignas de louvor as comunidades cristãs quaisquer que sejam, que se esforçam por rezar dessa maneira o mais frequentemente possível. Para isso, tanto os clérigos e religiosos como os fiéis devem ser instruídos com a necessária catequese e exercícios, para que possam cantar as Horas com alegria, principalmente nos dias festivos. Contudo, não é fácil cantar integralmente o Ofício; além do mais, o louvor da Igreja, nem por sua origem nem por sua natureza, pode ser considerado como algo próprio do clero ou dos monges, mas pertence à comunidade cristã inteira; por isso, devem-se levar em conta, ao mesmo tempo, vários princípios, a fim de que a celebração cantada da Liturgia das Horas não se faça apenas de modo correto, mas se caracterize igualmente por sua autenticidade e esplendor.

271. Antes de tudo, convém que haja canto ao menos nos domingos e dias festivos, e nisso se distingam os vários graus de solenidade.

272. Além disso, nem todas as horas têm a mesma importância. Portanto, convém destacar das outras, também através do canto, as horas que na verdade são os dois pólos do Ofício, isto é, Laudes e Vésperas.

273. Por outro lado, mesmo recomendando-se a celebração inteiramente cantada, contanto que se destaque pela arte e pelo espírito, pode-se, às vezes, aplicar, com fruto, o princípio de uma solenização "progressiva", seja por razões práticas, seja para não equiparar indiscriminadamente os diversos elementos da celebração litúrgica, fazendo com que voltem a ter seu sentido primitivo e sua verdadeira função. Desse modo, a Liturgia das Horas não se apresenta como belo monumento de tempos passados, que se deva conservar quase imutável para despertar admiração; ao contrário, pode reviver com *novo sentido* e progredir, tornando-se novamente a expressão autêntica de uma comunidade viva e alegre.

Este princípio da solenização "progressiva" admite vários graus intermediários, entre o Ofício integralmente cantado e a simples recitação de todas as partes. Esta solução permite uma gran-

Ritos da celebração comunitária

de e agradável variedade, cuja medida precisa ser avaliada em função do colorido do dia ou da hora que se celebra, da natureza de cada um dos elementos constitutivos do Ofício, do tamanho ou natureza da comunidade e também do número de cantores com que se pode contar em cada caso.

Através dessa flexibilidade maior, o louvor público da Igreja poderá celebrar-se com canto mais frequentemente do que até agora, e poderá ser adaptado de vários modos às· diferentes circunstâncias. Desponta, com isso, fundada esperança de que se descobrirão novos caminhos e novas formas para nossa época, como sempre sucedeu na vida da Igreja.

274. Nas ações litúrgicas com canto, celebradas em latim, o canto gregoriano, por ser próprio da Liturgia Romana, tem o primeiro lugar, em igualdade de condições[4]. Contudo, "a Igreja não afasta das ações litúrgicas nenhum gênero de música sacra, contanto que seja de acordo com o espírito da própria ação litúrgica e com a natureza de cada uma de suas partes e não impeça a devida participação ativa do povo"[5]. No Ofício cantado, quando não existe melodia para a antífona proposta, tome-se outra antífona das que constam do repertório, contanto que seja apropriada, conforme os n. 113, 121-125.

275. Dado que a Liturgia das Horas pode ser celebrada em vernáculo, "tenha-se o cuidado de preparar melodias que se possam empregar para o canto do Ofício Divino em vernáculo"[6].

276. Na mesma celebração, não há inconveniente que umas partes sejam cantadas numa língua, e outras partes noutra[7].

277. Quais os elementos que de preferência devem ser cantados, isso é determinado pela autêntica ordem da celebração litúrgica, que pede sejam respeitados integralmente o sentido e a natureza de cada parte e do canto, pois algumas por si mesmas pedem o canto[8]. E são as seguintes, antes de tudo: as aclamações, as respostas às saudações do sacerdote e dos ministros, as respostas nas preces litânicas, as antífonas e salmos, os versículos intercalares ou refrões e os hinos e cânticos[9].

278. É evidente que os salmos têm relação íntima com a música (cf. n. 103-120). Isto é comprovado pela tradição tanto judaica como

---

4. Cf. SC, n. 116.

5. SC. dos Ritos, Instrução *Musicam Sacram*, 5.3.1967, n. 9: AAS 59 (1967), p. 303; cf. se, n. 166.

6. SC. dos Ritos, Instrução *Musicam Sacram*, 5.3.1967, n. 41, cf. n. 54-61: AAS 59 (1967), p. 312, 316-317.

7. Cf. *ibid.*, n. 51, p. 315.

8. Cf. *ibid.*, n. 6, p. 302.

9. Cf. *ibid.*, n. 16a, 38, p. 305,311.

Instrução Geral sobre a Liturgia das Horas

cristã. Realmente, cantar é de grande ajuda para a plena compreensão de muitos salmos, ou pelo menos para considerá-los a partir do ponto de vista poético e musical. Por conseguinte, sendo possível, essa forma parece preferível, nos dias e horas principais, e de acordo com a índole própria dos salmos.

279. Os diversos modos de salmodiar foram explicados acima, nos n. 121-123. E variam, não apenas de acordo com as circunstâncias externas, mas em função também dos diferentes gêneros de salmos que ocorrem na mesma celebração. Assim, será talvez melhor escutar os salmos sapienciais ou históricos, ao passo que os hinos e ações de graças pedem o canto comum. O que sobretudo interessa é não fazer uma celebração rígida ou artificial, preocupada apenas com a execução de normas formais; ao contrário, que responda a uma autêntica realidade. Portanto, deve-se atender a isso, para despertar nas mentes o desejo da oração da Igreja e para que seja agradável celebrar o louvor de Deus (cf. Sl 146 [147], 1-11).

280. Também os hinos poderão ser alimento de oração para quem reza as horas, quando possuem autêntico valor doutrinal e artístico. De per si, destinam-se a ser cantados. Por isso recomenda-se que na celebração comunitária se dê preferência a esta forma de execução, na medida do possível.

281. O responsório breve que, nas Laudes e Vésperas, segue a leitura, de que trata o n. 49, por si mesmo destina-se ao canto, e concretamente ao canto do povo.

282. Também os responsórios que no Ofício das Leituras seguem cada leitura, segundo sua índole e função, pedem o canto. Contudo, foram dispostos no Ofício de tal modo que conservam seu sentido, mesmo na recitação individual e particular. Os responsórios, acompanhados de melodias simples e fáceis, poderão ser cantados com mais frequência do que os encontrados em fontes litúrgicas tradicionais.

283. As leituras, longas ou breves, não são de per si destinadas ao canto. Mas, ao serem proclamadas, procure-se com todo cuidado que sejam lidas com dignidade, clareza e distinção, e que todos possam ouvi-las e entendê-las perfeitamente. Por isso, o único tipo de música que se pode aceitar nas leituras é aquele com o qual se consegue melhor audição e compreensão das palavras.

284. Os textos lidos pelo presidente sozinho, como as orações, podem muito bem ser cantados, com arte e beleza, sobretudo em latim, todavia, isto ocorrerá mais dificilmente em certas línguas vernáculas, a não ser que pelo canto todos possam entender mais claramente as palavras do texto.

TABELA DOS DIAS LITÚRGICOS

Segundo as normas universais
sobre o ano litúrgico e o calendário, n. 59-61

A precedência entre os dias litúrgicos, no que se refere à sua celebração, rege-se unicamente pela tabela seguinte:

I

1. Tríduo Pascal da Paixão e Ressurreição do Senhor.
2. Natal do Senhor, Epifania, Ascensão e Pentecostes.
   Domingos do Advento, da Quaresma e da Páscoa.
   Quarta-feira de Cinzas.
   Dias da Semana Santa, de Segunda a Quinta-feira inclusive.
   Dias dentro da oitava da Páscoa.
3. Solenidades do Senhor, da Bem-aventurada Virgem Maria
   e dos Santos inscritos no Calendário geral.
   Comemoração de todos os fiéis defuntos.
4. Solenidades próprias, a saber:
   a) Solenidade do Padroeiro principal do lugar ou da cidade.
   b) Solenidade da Dedicação e do aniversário de Dedicação
      da igreja própria.
   c) Solenidade do Titular da igreja própria.
   d) Solenidade do Titular, do Fundador, ou do Padroeiro principal
      da Ordem ou Congregação.

II

5. Festas do Senhor inscritas no Calendário geral.
6. Domingos do Tempo do Natal e domingos do Tempo comum.
7. Festas da Bem-aventurada Virgem Maria
8. e dos Santos do Calendário geral.
9. Festas próprias, a saber:
   a) Festa do Padroeiro principal da diocese.
   b) Festa do aniversário de Dedicação da igreja catedral.
   c) Festa do Padroeiro principal da região ou província, da nação
      ou de um território mais amplo.

Tabela dos dias litúrgicos

d) Festa do Titular, do Fundador, do Padroeiro principal da Ordem ou Congregação e da província religiosa, salvo o prescrito no n. 4.
e) Outras festas próprias de uma Igreja.
f) Outras festas inscritas no Calendário de alguma diocese ou Ordem ou Congregação.

9. Os dias de semana do Advento, de 17 a 24 de dezembro inclusive.
Dias dentro da oitava do Natal.
Dias de semana da Quaresma.

III

10. Memórias obrigatórias do calendário geral.

11. Memórias obrigatórias próprias, a saber:
a) Memórias do Padroeiro secundário do lugar, da diocese, da região ou província, da nação, de um território mais amplo, da Ordem ou Congregação e da província religiosa.
b) Outras memórias obrigatórias próprias de uma Igreja.
c) Outras memórias obrigatórias inscritas no Calendário de uma Diocese, Ordem ou Congregação.

12. Memórias facultativas, que podem contudo ser celebradas também nos dias de que fala o n. 9, segundo o modo descrito nas Instruções sobre a Missa e o Ofício. Do mesmo modo, as memórias obrigatórias, que costumam ocorrer nos dias de semana da Quaresma, poderão ser celebradas como memórias facultativas.

13. Os dias de semana do Advento até 16 de dezembro inclusive. Os dias de semana do Tempo do Natal, de 2 de janeiro até o sábado depois da Epifania.
Os dias de semana do Tempo Pascal, de segunda-feira depois da oitava da Páscoa até o sábado antes de Pentecostes inclusive.
Os dias de semana do Tempo comum.

A OCORRÊNCIA E A CONCORRÊNCIA
DAS CELEBRAÇÕES.

Se várias celebrações ocorrem no mesmo dia, celebra-se aquela que ocupa lugar superior na tabela dos dias litúrgicos.

Entretanto, a solenidade impedida por um dia litúrgico que goze de precedência seja transferida para o dia livre mais próximo, fora dos dias fixados na tabela de precedência, nos n. 1-8, observado o que se prescreve no n. 5 das Normas do Ano Litúrgico. Omitem-se nesse ano as outras celebrações.

Se no mesmo dia devem celebrar-se as Vésperas do Ofício corrente e as Vésperas do dia seguinte, prevalecem as Vésperas da celebração que ocupa lugar superior na tabela dos dias litúrgicos; em caso de igualdade, porém, celebram-se as Vésperas do dia corrente.

TABELA DOS TEMPOS
e das principais festas móveis do ano litúrgico

Ano do Senhor	Ciclo Anual	Ciclo Ferial	Quarta-feira de Cinzas	Páscoa	Ascensão (no Brasil)	Pentecostes	SS. Sacramento do Corpo e Sangue de Cristo	Semanas do Tempo Comum				Primeiro domingo do Advento
								Antes da Quaresma		Depois do Tempo Pascal		
								Até o dia	Até a semana	Do dia	Da semana	
2018	B	II	14 fev.	1 abril	13 maio	20 maio	31 maio	13 fev.	6	21 maio	7	2 dez.
2019	C	I	6 março	21 abril	2 jun.	9 junho	20 junho	5 março	8	10 junho	10	1 dez.
2020*	A	II	26 fev.	12 abril	24 maio	31 maio	11 junho	24 fev.	7	1 junho	9	29 nov.
2021	B	I	17 fev.	4 abril	16 maio	23 maio	3 junho	16 fev.	6	24 maio	8	28 nov.
2022	C	II	2 março	17 abril	29 maio	5 junho	16 junho	1 março	8	6 junho	10	27 nov.
2023	A	I	22 fev.	9 abril	21 maio	28 maio	8 junho	21 fev.	7	29 maio	8	3 dez.
2024*	B	II	14 fev.	31 março	12 maio	19 maio	30 maio	13 fev.	6	20 maio	7	1 dez.
2025	C	I	5 março	20 abril	1 jun.	8 junho	19 junho	4 março	8	9 junho	10	30 nov.
2026	A	II	18 fev.	5 abril	17 maio	24 maio	4 junho	17 fev.	6	25 maio	8	29 nov.
2027	B	I	10 fev.	28 março	9 maio	16 maio	27 maio	9 fev.	5	17 maio	7	28 nov.
2028*	C	II	1 março	16 abril	28 maio	4 junho	15 junho	29 fev.	8	5 junho	9	3 dez.
2029	A	I	14 fev.	1 abril	13 maio	20 maio	31 maio	13 fev.	6	21 maio	7	2 dez.
2030	B	II	6 março	21 abril	2 jun.	9 junho	20 junho	5 março	8	10 junho	10	1 dez.
2031	C	I	26 fev.	13 abril	25 maio	1 junho	12 junho	25 fev.	7	2 junho	9	30 nov.
2032*	A	II	11 fev.	28 março	9 maio	16 maio	27 maio	10 fev.	5	17 maio	7	28 nov.
2033	B	I	2 março	17 abril	29 maio	5 junho	16 junho	1 março	8	6 junho	10	27 nov.

*Ano bissexto.

LETRA DOMINICAL

Cada um dos dias do ano é precedido de uma destas letras: **A,b,c,d,e,f,g,** que representam os sete dias da semana (cf. Calendário Geral, nas páginas seguintes, col. I). Entre essas letras, chama-se dominical aquela que em cada ano indica o domingo.

Por exemplo, ao ano de 2009 corresponde a letra dominical **d** (cf. Tabela dos tempos, col. II); portanto, todos os dias assinalados com esta letra são domingos: 4,11,18,25 de janeiro etc.

No ano bissexto, porém, há duas letras dominicais: a primeira indica os domingos até dia 24 de fevereiro, e a segunda desde 25 de fevereiro até ao fim do ano.

Por exemplo, no ano 2008, correspondem-lhe as letras **f** e **e**. A letra **f** indica os domingos até 24 de fevereiro: 6,13,20,27 de janeiro etc. A segunda letra dominical indica os domingos depois de 25 de fevereiro: 2,9,16.23,30 de março etc.

LETRA DO CICLO DOMINICAL

Na Tabela dos tempos e das principais festas móveis do ano litúrgico (cf. col. III) coloca-se também a letra do Ciclo das leituras bíblicas para os domingos e festas que indicam quais as antífonas do Cântico evangélico (Benedictus, Magnificat) a serem tomadas.

A primeira letra refere-se ao ano civil, por exemplo: 2009 é ano B; a segunda letra refere-se ao ano litúrgico que começa com o 1º Domingo do Advento. Por exemplo: 29 de novembro de 2009 é Ano C.

Calendário Romano Geral – Com o próprio do Brasil

JANEIRO

A	1	Oitava do Natal: SANTA MARIA, MÃE DE DEUS	Solenidade
b	2	S. Basílio e S. Gregório de Nazianzo, bispos e doutores da Igreja	Memória
c	3		
d	4		
e	5		
f	6		
g	7	*S. Raimundo de Penyafort, presb.* *	
A	8		
b	9		
c	10		
d	11		
e	12		
f	13	*Sto. Hilário, bispo e doutor da Igreja*	
g	14		
A	15		
b	16		
c	17	Sto. Antão, abade	Memória
d	18		
e	19		
f	20	*S. Fabiano, papa e mártir* *S. Sebastião, mártir*	
g	21	Sta. Inês, virgem e mártir	Memória
A	22	*S. Vicente, diácono e mártir*	
b	23		
c	24	S. Francisco de Sales, bispo e doutor da Igreja	Memória
d	25	CONVERSÃO DE SÃO PAULO, APÓSTOLO	Festa
e	26	S. Timóteo e S. Tito, bispos	Memória
f	27	*Sta. Ângela Meríci, virgem*	
g	28	Sto. Tomás de Aquino, presb. e doutor da Igreja	Memória
A	29		
b	30		
c	31	S. João Bosco, presb.	Memória

Domingo entre os dias 2 e 8 inclusive:
EPIFANIA DO SENHOR — Solenidade

Domingo entre os dias 9 e 13 inclusive:
BATISMO DO SENHOR — Festa

* Quando não se indica o grau da celebração, é Memória facultativa.

Calendário Romano geral

FEVEREIRO

d	1		
e	2	APRESENTAÇÃO DO SENHOR	Festa
f	3	*S. Brás, bispo e mártir*	
		Sto. Oscar, bispo	
g	4		
A	5	Sta. Águeda, virgem e mártir	Memória
b	6	Stos. Paulo Miki, e companheiros, mártires	Memória
c	7		
d	8	*S. Jerônimo Emiliani*	
e	9		
f	10	S. Escolástica, virgem	Memória
g	11	*Nossa Senhora de Lourdes*	
A	12		
b	13		
c	14	S. Cirilo, monge, e S. Metódio, bispo	Memória
d	15		
e	16		
f	17	*Os Sete Santos Fundadores dos Servitas*	
g	18		
A	19		
b	20		
c	21	*S. Pedro Damião, bispo e doutor da Igreja*	
d	22	CÁTEDRA DE SÃO PEDRO, APÓSTOLO	Festa
e	23	S. Policarpo, bispo e mártir	Memória
f	24		
g	25		
A	26		
b	27		
c	28		

MARÇO

d	1		
e	2		
f	3		
g	4	S. Casimiro	Memória
A	5		
b	6		
c	7	Sta. Perpétua e Sta. Felicidade, mártires	Memória
d	8	*S. João de Deus, religioso*	
e	9	*Sta. Francisca Romana, religiosa*	
f	10		
g	11		
A	12		
b	13		
c	14		
d	15		
e	16		
f	17	*S. Patrício, bispo*	
g	18	*S. Cirilo de Jerusalém, bispo e doutor da Igreja*	
A	19	S. JOSÉ, ESPOSO DE NOSSA SENHOR	Solenidade
b	20		
c	21		
d	22		
e	23	*S. Turíbio de Mogrovejo, bispo*	
f	24		
g	25	ANUNCIAÇÃO DO SENHOR	Solenidade
A	26		
b	27		
c	28		
d	29		
e	30		
f	31		

ABRIL

g	1		
A	2	*S. Francisco de Paula, eremita*	
b	3		
c	4	*Sto. Isidoro, bispo e doutor da Igreja*	
d	5	*S. Vicente Ferrer, presb.*	
e	6		
f	7	S. João Batista de la Salle, presb.	Memória
g	8		
A	9		
b	10		
c	11	Sto. Estanislau, bispo e mártir	Memória
d	12		
e	13	*S. Martinho I, papa e mártir*	
f	14		
g	15		
A	16		
b	17		
c	18		
d	19		
e	20		
f	21	*Sto. Anselmo, bispo e doutor da Igreja*	
g	22		
A	23	*S. Jorge, mártir*	
		Sto. Adalberto, bispo e mártir	
b	24	*S. Fidélis de Sigmaringa, presb. e mártir*	
c	25	S. MARCOS, EVANGELISTA	Festa
d	26		
e	27		
f	28	*S. Pedro Chanel, presb. e mártir*	
		S. Luís Grignon de Montfort, presb.	
g	29	Sta. Catarina de Sena, virgem e doutora da Igreja	Memória
A	30	*S. Pio V, papa*	

Calendário Romano geral

MAIO

b	1	*S. José Operário*	
c	2	Sto Atanásio, bispo e doutor da igreja	Memória
d	3	S. FILIPE E S. TIAGO, APÓSTOLOS	Festa
e	4		
f	5		
g	6		
A	7		
b	8		
c	9		
d	10		
e	11		
f	12	*S. Nereu e Sto. Aquiles, mártires*	
g	13	*S. Pancrácio, mártir*	
A	14	S. MATIAS, APÓSTOLO	Festa
b	15		
c	16		
d	17		
e	18	*S. João I, papa e mártir*	
f	19		
g	20	*S. Bernardino de Sena, presb.*	
A	21		
b	22		
c	23		
d	24		
e	25	*S. Beda, o Venerável, presb. e doutor da Igreja*	
		S. Gregório VII, papa	
		Sta. Maria Madalena de Pazzi, virgem	
f	26	S. Filipe Néri, presb.	Memória
g	27	*Sto. Agostinho de Cantuária, bispo*	
A	28		
b	29		
c	30		
d	31	VISITAÇÃO DE NOSSA SENHORA	Festa

7ª Domingo da Páscoa: ASCENSÃO DO SENHOR — Solenidade

1º Domingo depois de Pentecostes: SS. TRINDADE — Solenidade

Quinta-feira depois do domingo da SS. TRINDADE:
SS. CORPO E SANGUE DE CRISTO — Solenidade

JUNHO

e	1	S. Justino, mártir	Memória
f	2	*S. Marcelino e S. Pedro, mártires*	
g	3	Stos. Carlos Lwanga, e seus companheiros, mártires	Memória
A	4		
b	5	S. Bonifácio, bispo e mártir	Memória
c	6	*S. Norberto, bispo*	
d	7		
e	8	*Sto. Efrém, diác. e doutor da Igreja*	
f	9	Bv. José de Anchieta, presb.	Memória
g	10		
A	11	S. Barnabé, apóstolo	Memória
b	12		
c	13	Sto. Antônio de Pádua (de Lisboa), presb. e doutor da Igreja	Memória
d	14		
e	15		
f	16		
g	17		
A	18		
b	19	*S. Romualdo, abade*	
c	20		
d	21	*S. Luís Gonzaga, religioso*	
e	22	*S. Paulino de Nola, bispo*	
		S. João Fisher, bispo, e São Tomás More, mártires	
f	23		
g	24	NASCIMENTO DE S. JOÃO BATISTA	Solenidade
A	25		
b	26		
c	27	*S. Cirilo de Alexandria, bispo e doutor da Igreja*	
d	28	Sto. Irineu, bispo e mártir	Memória
e	29	S. PEDRO E S. PAULO, APÓSTOLOS	Solenidade
f	30	*Santos Protomártires da Igreja de Roma*	

Sexta-feira depois do 2º Domingo depois de Pentecostes:
    SAGRADO CORAÇÃO DE JESUS   Solenidade

Sábado depois do 2º Domingo depois de Pentecostes:
    Imaculado Coração da Virgem Maria   Memória

Calendário Romano geral

JULHO

g	1		
A	2		
b	3	S. TOMÉ, APÓSTOLO	Festa
c	4	*Sta. Isabel de Portugal*	
d	5	*Sto. Antônio Maria Zacaria, presb.*	
e	6	*Sta. Maria Goretti, virgem e mártir*	
f	7		
g	8		
A	9		
b	10		
c	11	S. Bento, abade	Memória
d	12		
e	13	*Sto. Henrique*	
f	14	*S. Camilo de Lellis, presb.*	
g	15	S. Boaventura, bispo e doutor da Igreja	Memória
A	16	*Nossa Senhora do Carmo*	
b	17	Bv. Inácio de Azevedo, presb., e seus companheiros, mártires	Memória
c	18		
d	19		
e	20		
f	21	*S. Lourenço de Bríndisi, presb. e doutor da Igreja*	
g	22	Sta. Maria Madalena	Memória
A	23	*Sta. Brígida, religiosa*	
b	24		
c	25	S. TIAGO, APÓSTOLO	Festa
d	26	S. Joaquim e Sant'Ana, pais de Nossa Senhora	Memória
e	27		
f	28		
g	29	Sta. Marta	Memória
A	30	*S. Pedro Crisólogo, bispo e doutor da Igreja*	
b	31	Sto. Inácio de Loiola, presb.	Memória

AGOSTO

c	1	Sto. Afonso Maria de Ligório, bispo e doutor da Igreja	Memória
d	2	*Sto. Eusébio de Vercelli, bispo*	
e	3	*S. Pedro Juliano Eymard, presbítero*	
f	4	S. João Maria Vianney, presb.	Memória
g	5	*Dedicação da Basílica de Santa Maria Maior*	
A	6	TRANSFIGURAÇÃO DO SENHOR	Festa
b	7	*S. Sisto II, papa, e seus companheiros, mártires*	
		S. Caetano, presb.	
c	8	S. Domingos, presb.	Memória
d	9		
e	10	S. LOURENÇO, DIÁCONE E MÁRTIR	Festa
f	11	Sta. Clara, virgem	Memória
g	12		
A	13	*S. Ponciano, papa, e Sto. Hipólito,*	
		presb., mártires	
b	14	S. Maximiliano Maria Kolbe, presb. e mártir	Memória
c	15	ASSUNÇÃO DE NOSSA SENHORA	Solenidade
d	16	*Sto. Estêvão da Hungria*	
e	17		
f	18		
g	19	*S. João Eudes, presb.*	
A	20	S. Bernardo, abade e doutor da Igreja	Memória
b	21	S. Pio X, papa	Memória
c	22	Nossa Senhora, Rainha	Memória
d	23	STA. ROSA DE LIMA, VIRGEM	Festa
e	24	S. BARTOLOMEU, APÓSTOLO	Festa
f	25	*S. Luís de França*	
		S. José de Calasanz, presb.	
g	26		
A	27	Sta. Mônica	Memória
b	28	Sto. Agostinho, bispo e doutor da Igreja	Memória
c	29	Martírio de S. João Batista	Memória
d	30		
e	31		

Calendário Romano geral

SETEMBRO

f	1		
g	2		
A	3	S. Gregório Magno, papa e doutor da Igreja	Memória
b	4		
c	5		
d	6		
e	7		
f	8	NATIVIDADE DE NOSSA SENHORA	Festa
g	9	*S. Pedro Claver, presbítero*	
A	10		
b	11		
c	12		
d	13	S. João Crisóstomo, bispo e doutor da Igreja	Memória
e	14	EXALTAÇÃO DA SANTA CRUZ	Festa
f	15	Nossa Senhora das Dores	Memória
g	16	S. Cornélio, papa, e S. Cipriano, bispo, mártires	Memória
A	17	*S. Roberto Belarmino, bispo e doutor da Igreja*	
b	18		
c	19	*S. Januário, bispo e mártir*	
d	20	Sto. André Kim Taegón, presb., e S. Paulo Chóng Hasang, e seus companheiros, mártires	Memória
e	21	S. MATEUS, APÓSTOLO E EVANGELISTA	Festa
f	22		
g	23		
A	24		
b	25		
c	26	*S. Cosme e S. Damião, mártires*	
d	27	S. Vicente de Paulo, presb.	Memória
e	28	*S. Venceslau, mártir*	
		S. Lourenço Ruiz, e seus companheiros, mártires	
f	29	S. MIGUEL, S. GABRIEL E S. RAFAEL ARCANJOS	Festa
g	30	S. Jerônimo, presb. e doutor da Igreja	Memória

OUTUBRO

A	1	Sta. Teresa do Menino Jesus, virgem	Memória
b	2	Stos. Anjos da Guarda	Memória
c	3		
d	4	S. Francisco de Assis	Memória
e	5	*S. Benedito, o Negro, religioso*	
f	6	*S. Bruno, Presb.*	
g	7	Nossa Senhora do Rosário	Memória
A	8		
b	9	*S. Dionísio, bispo, e seus companheiros, mártires*	
		S. João Leonardi, presb.	
c	10		
d	11		
e	12	NOSSA SENHORA DA CONCEIÇÃO APARECIDA	Solenidade
f	13		
g	14	*S. Calisto I, papa e mártir*	
A	15	Sta. Teresa de Jesus, virgem e doutora da Igreja	Memória
b	16	*Sta. Edviges, religiosa*	
		Sta. Margarida Maria Alacoque, virgem	
c	17	Sto. Inácio de Antioquia, bispo e mártir	Memória
d	18	S. LUCAS, EVANGELISTA	Festa
e	19	*S. João de Brébeuf e Sto. Isaac Jogues,*	
		presbíteros, e seus companheiros, mártires	
		S. Paulo da Cruz, presb.	
f	20		
g	21		
A	22		
b	23	*S. João de Capistrano, presb.*	
c	24	*Sto. Antônio Maria Claret, bispo*	
d	25		
e	26		
f	27		
g	28	S. SIMÃO E S. JUDAS, APÓSTOLOS	Festa
A	29		
b	30		
c	31		

Calendário Romano geral

NOVEMBRO

d	1	TODOS OS SANTOS	Solenidade
e	2	COMEMORAÇÃO DE TODOS OS FIÉIS DEFUNTOS	
f	3	*S. Martinho de Lima, religioso*	
g	4	S. Carlos Borromeu, bispo	Memória
A	5		
b	6		
c	7		
d	8		
e	9	DEDICAÇÃO DA BASÍLICA DO LATRÃO	Festa
f	10	S. Leão Magno, papa e doutor da Igreja	Memória
g	11	S. Martinho de Tours, bispo	Memória
A	12	S. Josafá, bispo e mártir	Memória
b	13		
c	14		
d	15	*Sto. Alberto Magno, bispo e doutor da Igreja*	
e	16	*Sta. Margarida da Escócia*	
		Sta. Gertrudes, virgem	
f	17	Sta. Isabel da Hungria	Memória
g	18	*Dedicação das Basílicas de S. Pedro e de S. Paulo, Apóstolos*	
A	19	S. Roque González, St. Afonso Rodríguez e S. João Del Castillo, presb. e mártires	Memória
b	20		
c	21	Apresentação de Nossa Senhora	Memória
d	22	Sta. Cecília, virgem e mártir	Memória
e	23	*S. Clemente I, papa e mártir*	
		S. Columbano, abade	
f	24	S. André Dung-Lac, presb. e seus companheiros, mártires	Memória
g	25		
A	26		
b	27		
c	28		
d	29		
e	30	STO. ANDRÉ, APÓSTOLO	Festa

Último domingo do Tempo comum:
NOSSO SENHOR JESUS CRISTO, REI DO UNIVERSO   Solenidade

70 Calendário Romano geral

DEZEMBRO

f	1		
g	2		
A	3	S. Francisco Xavier, presb.	Memória
b	4	*S. João Damasceno, presb. e doutor da Igreja*	
c	5		
d	6	S. Nicolau, bispo	
e	7	Sto. Ambrósio, bispo e doutor da Igreja	Memória
f	8	IMACULADA CONCEIÇÃO DE N. SENHORA	Solenidade
g	9		
A	10	*Sta. Joana Francisca de Chantal, religiosa*	
b	11	*S. Dâmaso, papa*	
c	12	NOSSA SENHORA DE GUADALUPE	Festa
d	13	Sta. Luzia, virgem e mártir	Memória
e	14	S. João da Cruz, presb. e doutor da Igreja	Memória
f	15		
g	16		
A	17		
b	18		
c	19		
d	20		
e	21	*S. Pedro Canísio, presb. e doutor da Igreja*	
f	22		
g	23	*S. João Câncio, presb.*	
A	24		
b	25	NATAL DO SENHOR	Solenidade
c	26	STO. ESTEVÃO, O PRIMEIRO MÁRTIR	Festa
d	27	S. JOÃO, APÓSTOLO E EVANGELISTA	Festa
e	28	STOS. INOCENTES, MÁRTIRES	Festa
f	29	*S. Tomás Becket, bispo e mártir*	
g	30		
A	31	*S. Silvestre I, papa*	

Domingo dentro da oitava do Natal, ou
na sua falta, dia 30: SAGRADA FAMÍLIA   Festa

PRÓPRIO DO TEMPO

PRÓPRIO DO TEMPO

TEMPO DO ADVENTO

I. ATÉ 16 DE DEZEMBRO

No Ofício do domingo e dos dias de semana, das I Vésperas
do 1º Domingo do Advento até 16 de dezembro inclusive:

Vésperas

Hino

Eterna luz dos homens,
dos astros Criador,
ouvi as nossas preces,
de todos Redentor.

Ao ver compadecido
do mundo a perdição,
em vosso amor viestes
trazer-lhe a salvação.

Se a sombra do pecado
a tudo escurecia,
Esposo, vós saístes
do seio de Maria.

Ao simples ecoar
do vosso nome eterno,
joelhos vão dobrando
o céu, a terra, o inferno.

Um dia voltareis,
Juiz e Rei de tudo.
Oh dai-nos hoje a graça,
na tentação escudo.

Ao Pai e ao Filho glória,
ao Espírito também,
louvor, honra e vitória,
agora e sempre. Amém.

Completas

HINO Agora, que o clarão, como no Ordinário, p. 751.

Laudes

Hino

Em meio à treva escura,
ressoa clara voz.
Os sonhos maus se afastem,
refulja o Cristo em nós.

Despertem os que dormem
feridos de pecado.
Um novo sol já brilha,
o mal vai ser tirado.

Do Céu desce o Cordeiro
que traz a salvação.
Choremos e imploremos
das culpas o perdão.

E ao vir julgar o mundo
no dia do terror,
não puna tantas culpas,
mas venha com amor.

Ao Pai e ao seu Filho
poder e majestade,
e glória ao Santo Espírito
por toda a eternidade.

Hora Média

Hino

Ó Deus, verdade e força
que o mundo governais,
da aurora ao meio-dia,
a terra iluminais.

De nós se afaste a ira,
discórdia e divisão.
Ao corpo dai saúde,
e paz ao *coração*.

Ouvi-nos, Pai bondoso,
por Cristo Salvador,
que vive com o Espírito
convosco pelo amor.

1º DOMINGO DO ADVENTO

I Semana do Saltério

I Vésperas

Hino, p. 73.

Ant. 1 Anunciai entre **todos** os **povos**:
Eis que **vem** nosso **Deus**, Salvador.

Salmos e cântico do domingo da I Semana, p. 759.

Ant. 2 Eis que **vem** o Senhor com seus **santos**,
e haverá grande **luz** nesse **dia**. Ale**luia**.

Ant. 3 O Senhor há de **vir** com po**der**,
todo **homem** ve**rá** sua **glória**.

Leitura breve
1Ts 5,23-24

Que o próprio Deus da paz vos santifique totalmente, e que tudo aquilo que sois – espírito, alma, corpo – seja conservado sem mancha alguma para a vinda de nosso Senhor Jesus Cristo! Aquele, que vos chamou é fiel; ele mesmo realizará isso.

Responsório breve

R. Que o universo rejubile e dê **gri**tos de ale**gria**:
 * Pois o Se**nhor** há de chegar! R. Que o universo.
V. Eu **vi** um novo **céu**, eu **vi** uma nova **terra**;
nunca **mais** haverá cho**ro** nem clamor nem afli**ção**.
 * Pois o Se**nhor**. Glória ao **Pai**. R. Que o universo.

Cântico evangélico, ant.

Ano A Vigi**ai**, diz Je**sus**, vigi**ai**,
pois no **dia** em que **não** espe**rais**,
o **vosso** Se**nhor** há de **vir**.

Ano B Eis, de **lon**ge está **vin**do o Se**nhor**,
seu ful**gor** enche **todo** o universo.

Ano C Have**rá** sinais no **sol**, na **lua** e nas es**trelas**;
e na **terra**, as nações ficarão angusti**a**das;
verão, então, o Filho do **Ho**mem,
des**cen**do numa **nu**vem, com po**der** e grande **glória**.

Preces

Invoquemos a Cristo Jesus, felicidade e alegria de todos os que o esperam; e digamos:

R. **Vinde, Senhor, e não tardeis!**

Esperado das nações, cheios de alegria, aguardamos vossa vinda;
— vinde, Senhor Jesus. R.

Vós, que existis eternamente, antes da criação do mundo,
— vinde salvar os que vivem neste mundo. R.

Vós, que criastes o universo e tudo o que nele existe,
— vinde renovar a obra de vossas mãos. R.

Vós, que não recusastes assumir nossa natureza mortal,
— vinde libertar-nos do poder da morte. R.

Vós, que viestes à terra para nos dar uma vida nova,
— vinde e dai-nos a vida eterna. R.

(intenções livres)

Vós, que quisestes reunir no vosso reino toda a humanidade,
— vinde congregar na unidade todos, os que esperam a visão da vossa face. R.

Pai nosso...

Oração

Ó Deus todo-poderoso, concedei a vossos fiéis o ardente desejo de possuir o reino celeste, para que, acorrendo com as nossas boas obras ao encontro do Cristo que vem, sejamos reunidos à sua direita na comunidade dos justos. Por nosso Senhor Jesus Cristo, vosso Filho, na unidade do Espírito Santo.

Laudes

Hino, p. 74.

Ant. 1 Naquele **dia** escorre**rá** vinho **no**vo das mon**ta**nhas
e as co**li**nas leite e **mel** destila**rão**, ale**lui**a.

Salmos e cântico do domingo da I Semana, p. 764.

Ant. 2 As mon**ta**nhas e as co**li**nas canta**rão**,
as flo**res**tas e as **ma**tas sauda**rão** ao **Se**nhor,
o Rei su**pre**mo, que vi**rá**
e reina**rá** eterna**men**te. Ale**lui**a.

Ant. 3
Eis que o **gran**de Profeta vi**rá**,
e Si**ão** reno**va**da será. Ale**lu**ia.

Leitura breve
Rm 13,11-12

Já é hora de despertar. Com efeito, agora a salvação está mais perto de nós do que quando abraçamos a fé. A noite já vai adiantada, o dia vem chegando: despojemo-nos das ações das trevas e vistamos as armas da luz.

Responsório breve
R. Mesmo as **tre**vas para **vós** não são es**cu**ras,
  * Vós **sois** a luz do **mun**do, ale**lu**ia! R. Mesmo as **tre**vas.
V. Senhor, son**dai**-me, conhe**cei** meu cora**ção**!
  * Vós **sois**. Glória ao **Pai**. R. Mesmo as **tre**vas.

Cântico evangélico, ant.
Ano A Se o **do**no da **ca**sa sou**be**sse
        em que **ho**ra vi**ri**a o la**drão**,
        fica**ri**a, de **cer**to, acor**da**do,
        e **não** deixa**ri**a arrom**bar**
        sua **ca**sa, nos **diz** o Se**nhor**.

Ano B Vigi**ai**, diz Je**sus**, pois não sa**beis**
        quando o **do**no da **ca**sa volta**rá**:
        pode **ser** à tardi**nha**, à meia-**noite** ou ao canto do galo
        ou de ma**nhã**.

Ano C Levan**tai** vossa ca**be**ça e o**lhai**,
        pois a **vos**sa reden**ção** se apro**xi**ma.

Preces
Rezemos a Deus, Pai de bondade, que nos concede a graça de esperarmos a manifestação de nosso Senhor Jesus Cristo; e digamos confiantes:

R. **Mostrai-nos, Senhor, a vossa misericórdia!**

Santificai, Senhor, nosso espírito, nossa alma e nosso corpo,
– e guardai-nos irrepreensíveis para a vinda de vosso Filho.   R.

Ajudai-nos a passar santamente este dia,
– e fazei-nos viver neste mundo com justiça e piedade.   R.

Revesti-nos de nosso Senhor Jesus Cristo,
– e seremos repletos do Espírito Santo.   R.

Tempo do Advento

Concedei-nos, Senhor, permanecer sempre vigilantes,
– até o dia da gloriosa manifestação de vosso Filho.
R. Mostrai-nos, Senhor, a vossa misericórdia!

(intenções livres)

Pai nosso...

Oração

Ó Deus todo-poderoso, concedei a vossos fiéis o ardente desejo de possuir o reino celeste, para que, acorrendo com as nossas boas obras ao encontro do Cristo que vem, sejamos reunidos à sua direita na comunidade dos justos. Por nosso Senhor Jesus Cristo, vosso Filho, na unidade do Espírito Santo.

Hora Média

Hino, p. 74.

Ant. Disse o **an**jo à **Vir**gem:
   Maria, alegra-te, ó **cheia** de **graça**,
   o Senhor é contigo;
   és bendita entre todas as mulheres da terra.

Leitura breve   1Ts 3,12-13

O Senhor vos conceda que o amor entre vós e· para com todos aumente e transborde sempre mais, a exemplo do amor que temos por vós. Que assim ele confirme os vossos ·corações numa santidade sem defeito aos olhos de Deus, nosso Pai, no dia da Vinda de nosso Senhor Jesus, com todos os seus santos.

V. Lem**brai**-vos, ó Se**nhor**, de mim, lem**brai**-vos,
   pelo a**mor** que demons**trais** ao vosso **po**vo!
R. Visit**ai**-me com a **vos**sa salva**ção**!
Oração como nas Laudes.

II Vésperas

Hino, p. 73.

Ant. 1 Alegra-te, ó **fi**lha de Si**ão**,
   Jerusa**lém**, exulta e **can**ta de ale**gri**a! Aleluia.

Salmos e cântico do domingo da I Semana, p. 772.

Ant. 2 Virá ao nosso **mei**o Jesus **Cris**to, nosso **Rei**,
   o Cordeiro que João nos havia anunciado.

1º Domingo do Advento

Ant. 3 Eis que **v**enho sem de**m**ora e tra**rei** a recom**pen**sa:
pa**ga**rei a cada **um** o que me**rec**em suas **ob**ras.

Leitura breve
Fl 4,4-5·

Alegrai-vos sempre no Senhor; eu repito, alegrai-vos. Que a vossa bondade seja conhecida de todos os homens! O Senhor está próximo!

Responsório breve

R. A**le**g**re**mo-nos, **to**dos, no Se**nh**or!
* A**le**g**re**mo-nos, **po**is **e**le está bem **per**to!
R. A**le**g**re**mo-nos.
V. Favo**re**ces**tes**, ó Se**nh**or, a vossa **ter**ra,
liber**ta**stes os **ca**ti**v**os de Ja**có**.
* A**le**g**re**mo-nos. Gló**ri**a ao **Pai.** **R.** A**le**g**re**mo-nos.

Cântico evangélico, ant.

Ano A O Es**p**í**ri**to **San**to vi**rá** sobre **ti**,
não **te**mas, **Ma**ria:
tra**rás** em teu **se**io o **Fi**lho de **Deus**. Ale**lu**ia.

Ano B Não **te**mas, ó **Ma**ria, por **Deus** agra**ci**ada:
have**rás** de conce**ber** um **Me**nino e dar à **luz**! Ale**lu**ia!

Ano C És fe**liz** porque **cre**ste, **Ma**ria,
pois em **ti** a Pa**la**vra de **Deus**
vai cum**prir**-se, ale**lu**ia.

Preces

Oremos a Cristo Jesus, nosso Redentor, caminho, verdade e vida; e digamos humildemente:

R. **Vinde, Senhor, ficai conosco!**

Jesus, Filho do Altíssimo, anunciado por Gabriel à Virgem Maria,
– vinde reinar para sempre sobre o vosso povo. **R.**

Santo de Deus, com vossa chegada fizestes o Precursor exultar no seio de Isabel,
– vinde trazer ao mundo inteiro a alegria da salvação. **R.**

Jesus Salvador, cujo nome foi revelado pelo anjo a José, homem justo,
– vinde libertar vosso povo de seus pecados. **R.**

Luz do mundo, esperado por Simeão e por todos os justos,
– vinde consolar-nos.
R. Vinde, Senhor, ficai conosco!

(intenções livres)

Sol nascente, predito por Zacarias, que das alturas vireis visitar-
-nos,
– vinde iluminar aqueles que estão sentados à sombra da morte. **R.**

Pai nosso....

Oração

Ó Deus todo-poderoso, concedei a vossos fiéis o ardente desejo
de possuir o reino celeste, para que, acorrendo com as nossas
boas obras ao encontro do Cristo que vem, sejamos reunidos à
sua direita na comunidade dos justos. Por nosso Senhor Jesus
Cristo, vosso Filho, na unidade do Espírito Santo.

SEGUNDA-FEIRA

Laudes

Leitura breve Is 2,3
Vamos subir ao monte do Senhor, à casa do Deus de Jacó, para
que ele nos mostre seus caminhos e nos ensine a cumprir seus
preceitos; porque de Sião provém a lei e de Jerusalém, a palavra
do Senhor.

Responsório breve
R. Eis que **vem** vosso **Deus** Salvador!
 * Eis vosso **Deus** e Senhor! R. Eis que **vem**.
V. O Se**nhor** vem com **força** e po**der**.
 * *Eis vosso **Deus**. Glória ao Pai.* R. *Eis que **vem**.*

Cântico evangélico, ant.
Jerusalém, levanta os teus olhos
e contempla o poder do teu **Rei**:
o Salvador vem que**brar**-te as cadeias.

Segunda-feira

Preces

Cristo Senhor, Filho do Deus vivo e esplendor da luz eterna, vem iluminar as nossas trevas para podermos contemplar a sua glória. Peçamos-lhe com toda confiança:

R. **Vinde, Senhor Jesus!**

Cristo, luz sem ocaso, que vindes como sol nascente iluminar nossas trevas,
– despertai nossa fé vacilante. R.

Fazei-nos caminhar com segurança ao longo deste dia,
– guiados pela claridade de vossa luz. R.

Dai-nos um coração generoso, humilde e confiante,
– para que todos os homens vejam a razão da nossa esperança. R.

Vinde criar a nova terra prometida,
– para que nela habitem a justiça e a paz. R.

(intenções livres)

Pai nosso...

Oração

Senhor nosso Deus, dai-nos esperar solícitos a vinda do Cristo, vosso Filho. Que ele, ao chegar, nos encontre vigilantes na oração e proclamando o seu louvor. Por nosso Senhor Jesus Cristo, vosso Filho, na unidade do Espírito Santo.

Hora Média

Ant. Disse o **an**jo à **Vir**gem:
  Ma**ri**a, a**le**gra-te, ó **chei**a de **gra**ça,
  o Se**nhor** é con**ti**go;
  és ben**di**ta entre **to**das as mu**lhe**res da **ter**ra.

Leitura breve cf. Is 10,24.27

Diz o Senhor Deus dos exércitos: Não tenhas medo, povo meu, que habitas em Sião. Acontecerá naquele dia que o teu ombro se livrará do peso dele, teu pescoço, do seu jugo.

V. Lem**brai**-vos, ó Se**nhor**, de mim, lem**brai** -vos,
  pelo a**mor** que demons**trais** ao vosso **po**vo!
R. Visi**tai**-me com a **vos**sa salva**ção**!

Oração como nas Laudes.

Vésperas

Leitura breve   Fl 3,20b-21

Aguardamos o nosso Salvador, o Senhor, Jesus Cristo. Ele transformará o nosso corpo humilhado e o tornará semelhante ao seu corpo glorioso, com o poder que tem de sujeitar a si todas as coisas.

Responsório breve

R. A **vós**, ó Deus, a **nos**sa grati**dão**:
 * Vosso **no**me está **per**to. R. A **vós**, ó Deus.
V. De **vós**, Senhor, vi**rá** a renova**ção**.
 * Vosso **no**me. Glória ao **Pai**. R. A **vós**, ó Deus.

Cântico evangélico, ant.

O **an**jo do S**e**nhor anunci**ou** a Maria.
E **e**la conce**beu** do Es**pí**rito **San**to. Ale**lui**a.

Preces

Oremos humildemente ao Senhor que vem para nos salvar; e aclamemos dizendo:

R. **Vinde, Senhor, salvar-nos!**

Senhor Jesus, Ungido do Pai como salvador de toda a humanidade,
 – vinde depressa e salvai-nos.   R.

Vós, que viestes a este mundo,
 – livrai-nos do pecado do mundo.   R.

Vós, que viestes do Pai,
 – ensinai-nos o caminho da salvação que conduz ao Pai,   R.

Vós, que fostes concebido pelo poder do Espírito Santo,
 – renovai os nossos corações, no mesmo Espírito, com a vossa palavra.   R.

Vós, que vos encarnastes no seio da Virgem Maria,
 – libertai-nos da corrupção da carne.   R.

(intenções livres)

Lembrai-vos, Senhor, de todos os homens,
 – que existiram desde o princípio do mundo e esperaram em vós.
                                                     R.

Pai nosso...

Terça-feira

Oração

Senhor nosso Deus, dai-nos esperar solícitos a vinda de Cristo, vosso Filho. Que ele, ao chegar, nos encontre vigilantes na oração e proclamando o seu louvor. Por nosso Senhor Jesus Cristo, vosso Filho, na unidade do Espírito Santo.

TERÇA-FEIRA

Laudes

Leitura breve   Gn 49,10

O cetro não será tirado de Judá, nem o bastão de comando dentre seus pés, até que venha Aquele a quem pertencem, e a quem obedecerão os povos.

Responsório breve

R. Que o universo rejubile e dê gritos de alegria:
  * Pois o Senhor há de chegar! R. Que o universo.
V. Justiça e paz se abraçarão:
  * Pois o Senhor. Glória ao Pai. R. Que o universo.

Cântico evangélico, ant.

A raiz de Jessé haverá de brotar
e a glória de Deus encherá toda a terra,
toda a carne verá a salvação do Senhor.

Preces

Deus Pai onipotente estenderá de novo a sua mão para resgatar os sobreviventes do seu povo. Peçamos-lhe, pois, cheios de confiança:

R. **Venha a nós, Senhor, o vosso reino!**

Concedei, Senhor, que possamos dar frutos dignos de conversão,
– para recebermos o vosso reino que se aproxima.   R.

Preparai, Senhor, em nossos corações o caminho para acolhermos vossa Palavra que vai chegar,
– para que sua glória possa revelar-se em nós.   R.

Abatei os montes e colinas do nosso orgulho,
– e levantai os vales da nossa fragilidade.   R.

84 1ª Semana do Advento

Derrubai as barreiras de ódio que dividem os povos,
– e tornai planos os caminhos da concórdia entre os povos.
R. Venha a nós, Senhor, o vosso reino!

(intenções livres)

Pai nosso...

Oração

Sede propício, ó Deus, às nossas súplicas, e auxiliai-nos em nossa tribulação. Consolados pela vinda do vosso Filho, sejamos purificados da antiga culpa. Por nosso Senhor Jesus Cristo, vosso Filho, na unidade do Espírito Santo.

Hora Média

Ant. Disse o anjo à Virgem:
Maria, alegra-te, ó cheia de graça,
o Senhor é contigo;
és bendita entre todas as mulheres da terra.

Leitura breve Jr 23,6

Naqueles dias, Judá será salvo e Israel viverá tranquilo; este é o nome com que o chamarão: "Senhor, nossa Justiça".

V. Lembrai-vos, ó Senhor, de mim, lembrai-vos,
pelo amor que demonstrais ao vosso povo!
R. Visitai-me com a vossa salvação!

Oração como nas Laudes.

Vésperas

Leitura breve cf. 1Cor 1,7b-9

Aguardamos a revelação do Senhor nosso, Jesus Cristo. É ele também que vos dará perseverança em vosso procedimento irrepreensível até ao fim, até ao dia de nosso Senhor, Jesus Cristo. Deus é fiel; por ele fostes chamados à comunhão com seu Filho.

Responsório breve

R. Nossa alma espera no Senhor,
 * Nele se alegra o nosso coração. **R.** Nossa alma.
V. Está perto a salvação dos que o respeitam.
 * Nele se alegra. Glória ao Pai. **R.** Nossa alma.

Cântico evangélico, ant.

Buscai **ho**je o Se**nhor**, que se **dei**xa encon**trar**;
invo**cai**-o a**gor**a que está **pert**o, ale**lui**a.

Preces

Invoquemos a Cristo, Palavra eterna, que inaugurou na terra, através de sua humanidade, um caminho novo e vivo para subir ao santuário celeste; e supliquemos humildemente:

R. **Vinde, Senhor, salvar-nos!**

Deus, em quem vivemos, nos movemos e somos,
– vinde e revelai-nos que somos vosso povo.   R.

Vós, que não estais longe de nenhum de nós,
– mostrai-vos sem demora a todos os que vos procuram. R.

Pai dos pobres e consolador dos aflitos,
– dai liberdade aos cativos e alegria aos tristes.   R.

(intenções livres)

Vós, que destruís a morte e amais a vida,
– livrai-nos da morte eterna, a nós e a todos os que em vós adormeceram.   R.

Pai nosso...

Oração

Sede propício, ó Deus, às nossas súplicas, e auxiliai-nos em nossa tribulação. Consolados pela vinda do vosso Filho, sejamos purificados da antiga culpa. Por nosso Senhor Jesus Cristo, vosso
Filho, na unidade do Espírito Santo.

QUARTA-FEIRA

Laudes

Leitura breve   Is 7,14b-15

Eis que uma virgem conceberá e dará à luz um filho, e lhe porá
o nome de Emanuel; ele se alimentará de manteiga e de mel até
quando aprender a fugir do mal e a procurar o bem.

Responsório breve

R. O Senhor é contigo, ó Maria,
 * Alegra-te, cheia de graça! R. O Senhor.
V. Ele voltou seu olhar para ti:
   realizou toda a sua esperança.
 * Alegra-te. Glória ao Pai. R. O Senhor.

Cântico evangélico, ant.

Virá alguém depois de mim que é mais forte do que eu:
não sou digno de servi-lo e desatar suas sandálias.

Preces

Cristo, Palavra de Deus, quis habitar no meio de nós e revelar-
-nos a sua glória. Felizes com esta esperança, aclamemos:

R. **Ficai conosco, Emanuel!**

Príncipe justo e reto,
– fazei justiça aos pobres e aos oprimidos. ·   R.

Rei pacífico, que das espadas fazeis arados e das lanças, foices,
– ensinai-nos a transformar as invejas em amor e as ofensas em
perdão.   R.

Vós que não julgais pela aparência,
– confirmai na fidelidade perfeita aqueles que são vossos.   R.

Quando vierdes sobre as nuvens do céu com grande poder e glória,
– fazei-nos comparecer sem temor na vossa presença.   R.

(intenções livres)

Pai nosso...

Oração

Senhor Deus, preparai os nossos corações com a força da vossa
graça, para que, ao chegar o Cristo, vosso Filho, nos encontre
dignos do banquete da vida eterna e ele mesmo nos sirva o alimento celeste. Por nosso Senhor Jesus Cristo, vosso Filho, na
unidade do Espírito Santo.

Hora Média

Ant. Disse o anjo à Virgem:
   Maria, alegra-te, ó cheia de graça,
   o Senhor é contigo;
   és bendita entre todas as mulheres da terra.

Quarta-feira

Leitura breve Is 12,2

É Deus que me salva; posso viver confiante e sem medo, porque o Senhor é a razão da minha força e do meu canto, ele se fez meu Salvador.

V. Lembrai-vos, ó Senhor, de mim, lembrai-vos,
pelo amor que demonstrais ao vosso povo!
R. Visitai-me com a vossa salvação!
Oração como nas Laudes.

Vésperas

Leitura breve 1Cor 4,5

Não queirais julgar antes do tempo. Aguardai que o Senhor venha. Ele iluminará o que estiver escondido nas trevas e manifestará os projetos dos corações. Então, cada um receberá de Deus o louvor que tiver merecido.

Responsório breve

R. Eis o tempo favorável,
 * Eis o dia da salvação! R. Eis o tempo.
V. O Reino de Deus está bem perto.
 *Eis o dia. Glória ao Pai. R. Eis o tempo.

Cântico evangélico, ant.

De Sião a sua lei há de sair.
Jerusalém espalhará sua Palavra.

Preces

Supliquemos humildemente a Deus Pai, que enviou seu Filho para trazer-nos a paz sem fim; e digamos:
R. **Venha a nós, Senhor, o vosso reino!**

Pai santo, olhai com bondade para a vossa Igreja,
– e vinde visitar esta vinha que vossa mão plantou. R.

Deus fiel, lembrai-vos de todos os filhos de Abraão,
– e cumpri as promessas feitas a seus pais. R.

Deus clementíssimo, compadecei-vos dos povos que ainda não vos conhecem,
– para que vos glorifiquem por vossa misericórdia. R.

Pastor eterno, visitai as ovelhas do vosso rebanho,
– e reuni-as todas no único aprisco de Cristo.
R. **Venha a nós, Senhor, o vosso reino!**

(intenções livres)

Lembrai-vos também de todos os que partiram deste mundo na vossa paz,
– recebei-os na glória com vosso Filho. R.

Pai nosso...

Oração

Senhor Deus, preparai os nossos corações com a força da vossa graça, para que, ao chegar o Cristo, vosso Filho, nos encontre dignos do banquete da vida eterna, e ele mesmo nos sirva o alimento celeste. Por nosso Senhor Jesus Cristo, vosso Filho, na unidade do Espírito Santo.

QUINTA-FEIRA

Laudes

Leitura breve Is 45,8
Céus, deixai cair orvalho das alturas, e que as nuvens façam chover justiça; abra-se a terra e germine a salvação; brote igualmente a salvação.

Responsório breve
R. Eis que **vem** vosso **Deus** Salvador!
* Eis vosso **Deus** e Se**nhor**. R. Eis que **vem**.
V. Toda a **carne** ve**rá** sua **glória**.
* Eis vosso **Deus**. Glória ao **Pai**. R. Eis que **vem**.

Cântico evangélico, ant.
Espero confi**ante** o meu **Deus** e Salva**dor**,
e o a**guar**do ansioso, pois es**tá** para che**gar**. Ale**luia**.

Preces
Peçamos confiantes a Cristo sabedoria e poder de Deus, que encontra suas delícias em estar com os filhos dos homens; e digamos:
R. **Jesus, ficai conosco!**

Senhor Jesus Cristo, que nos chamastes para o reino da vossa luz admirável,
– fazei que caminhemos de modo digno de Deus, agradando-lhe em tudo! **R.**

Vós, que, ignorado pelo mundo, estais no meio de nós,
– manifestai vossa face a todos os homens. **R.**

Vós, que estais mais perto de nós do que nós mesmos,
– confirmai em nossos corações a confiança e a esperança da salvação. **R.**

Vós, que sois a fonte da santidade,
– guardai-nos santos e irrepreensíveis para o dia de vossa vinda. **R.**

(intenções livres)

Pai nosso...

Oração

Despertai, ó Deus, o vosso poder e socorrei-nos com a vossa força, para que vossa misericórdia apresse a salvação que nossos pecados retardam. Por nosso Senhor Jesus Cristo, vosso Filho, na unidade do Espírito Santo.

Hora Média

Ant. Disse o **an**jo à **Vir**gem:
   Ma**ri**a, alegra-te, ó **chei**a de **gra**ça,
   o Se**nhor** é con**ti**go;
   és ben**di**ta entre **to**das as mu**lhe**res da **ter**ra.

Leitura breve Ag 2,6b.9

Ainda um momento, e eu hei de mover o céu e a terra, o mar e a terra firme. O esplendor desta nova casa será maior que o da primeira, e, neste lugar, estabelecerei a paz, diz o Senhor dos exércitos.

V. Lem**brai**-vos, ó Se**nhor**, de mim, lem**brai**-vos,
   pelo a**mor** que demons**trais** ao vosso **po**vo!
R. Visi**tai**-me com a **vos**sa salva**ção**!

Oração como nas Laudes.

1ª Semana do Advento

Vésperas

Leitura breve   Tg 5,7-8.9b

Irmãos, ficai firmes até à vinda do Senhor. Vede o agricultor: ele espera o precioso fruto da terra e fica firme até cair a chuva do outono ou da primavera. Também vós, ficai firmes e fortalecei vossos corações, porque a vinda do Senhor está próxima. Eis que o juiz está às portas.

Responsório breve

R. A **vós**, ó Deus, a **nos**sa grati**dão**:
   * Vosso **no**me está **per**to. R. A **vós**, ó Deus.
V. De **vós**, Senhor, vi**rá** a renova**ção**.
   * Vosso **no**me. Glória ao **Pai**. R. A **vós**, ó Deus.

Cântico evangélico, ant.

És ben**di**ta entre **to**das as mu**lhe**res da **ter**ra,
e ben**di**to é o **fru**to que nas**ceu** do teu **ven**tre!

Preces

Irmãos e irmãs, imploremos a Cristo, a grande luz anunciada pelos profetas aos que viviam na sombra da morte; e digamos:
R. **Vinde, Senhor Jesus!**

Cristo, Palavra de Deus, que no princípio criastes todas as coisas e nos últimos tempos assumistes a nossa natureza humana,
– vinde salvar-nos do pecado e da morte.   R.

Luz verdadeira, que iluminais todo homem que vem a este mundo,
– vinde dissipar as trevas de nossa ignorância.   R.

Filho unigênito, que estais no seio do Pai,
– vinde revelar a todos as maravilhas do amor de Deus.   R.

Cristo Jesus, que viestes para nós como Filho do Homem,
– tornai filhos de Deus todos aqueles que vos receberam.   R.

                                        (intenções livres)

Vós, que abris as portas de todas as prisões,
– admiti ao banquete das núpcias eternas aqueles que esperam a entrada na vossa glória.   R.
Pai nosso...

Oração

Despertai, ó Deus, o vosso poder e socorrei-nos com a vossa força, para que vossa misericórdia apresse a salvação que nossos pecados retardam. Por posso Senhor Jesus Cristo, vosso Filho, na unidade do Espírito Santo.

SEXTA-FEIRA

Laudes

Leitura breve
Jr 30,21a.22

Eis o que diz o Senhor: Para chefe será escolhido um dos seus, e o soberano sairá do seu meio; eu o incitarei, e ele se aproximará de mim. Sereis meu povo e eu serei vosso Deus.

Responsório breve

R. Que o universo rejubile e dê gritos de alegria:
  * Pois o Senhor há de chegar! R. Que o universo.
V. Justiça e paz se abraçarão:
  * Pois o Senhor. Glória ao Pai. R. Que o universo.

Cântico evangélico, ant.

Eis que vem o Deus e homem da casa de Davi,
e será o nosso Rei. Aleluia.

Preces

Aclamemos com alegria Deus, nosso Pai, que por meio de seu Filho revelou aos seres humanos a sua glória; e digamos:

R. Senhor, glorificado seja o vosso nome!

Fazei, Senhor, que aprendamos a nos acolher uns aos outros,
– como Cristo nos acolheu para a glória de Deus. R.

Cumulai-nos de toda alegria e paz em nossa fé,
– para caminharmos na esperança e na força do Espírito Santo.
R.

Ajudai a todos, Senhor, segundo a imensidade de vossa compaixão;
– ide ao encontro daqueles que, mesmo sem saber, vos esperam.
R.

92 1ª Semana do Advento

Vós chamais e santificais os eleitos;
– perdoai as nossas culpas e admiti-nos no reino da eterna bem-aventurança.
R. **Senhor, glorificado seja o vosso nome!**

(intenções livres)

Pai nosso...

Oração

Despertai, Senhor, vosso poder e vinde, para que vossa proteção afaste os perigos a que nossos pecados nos expõem, e a vossa salvação nos liberte. Vós, que sois Deus com o Pai, na unidade do Espírito Santo.

Hora Média

Ant. Disse o **an**jo à **Vir**gem:
Ma**ri**a, a**le**gra-te, ó **chei**a de **gra**ça,
o Se**nhor** é con**ti**go;
és ben**di**ta entre **to**das as mul**he**res da **ter**ra.

Leitura breve Jr 30,18a
Isto diz o Senhor: Eis que eu mudarei a sorte das tendas de Jacó e terei compaixão de suas moradias.

V. Lem**brai**-vos, ó Se**nhor**, de mim, lem**brai**-vos;
pelo a**mor** que demons**trais** ao vosso **po**vo!
R. Visi**tai**-me com a **vos**sa salva**ção**!
Oração como nas Laudes.

Vésperas

Leitura breve 2Pd 3,8b-9
Para o Senhor, um dia é como mil anos e mil anos como um dia. O Senhor não tarda a cumprir sua promessa, como pensam alguns, achando que demora. Ele está usando de paciência para convosco. Pois não deseja que alguém se perca. Ao contrário, quer que todos venham a converter-se.

Responsório breve
R. Nossa **al**ma espera no Se**nhor**,
* Nele se a**le**gra o **nos**so cora**ção**. R. Nossa **al**ma.

Sexta-feira 93

V. Sua **glória** habita**rá** em nossa **ter**ra.
  * **Nele** se a**legra**. Glória ao **Pai**. R. Nossa **alma**.

Cântico evangélico, ant.
Do E**gito** cha**mei** o meu **Filho**,
que vi**rá** e salva**rá** o seu **po**vo.

Preces
Invoquemos com toda confiança a Cristo, pastor e guarda de nossas almas; e digamos:
R. **Sede bondoso, Senhor, sede clemente!**

Bom Pastor do rebanho de Deus,
– vinde congregar a todos em vossa Igreja. R.

Auxiliai, Senhor, os pastores de vosso povo peregrino,
– para que apascentem com dedicação o rebanho que lhes foi confiado, até a vossa vinda. R.

Escolhei dentre nós mensageiros da vossa palavra,
– que anunciem vosso Evangelho até os confins da terra. R.

Tende piedade de todos os que sofrem e desfalecem no caminho,
– fazei que encontrem um amigo que lhes traga conforto e alegria.
R.
(intenções livres)

Mostrai a vossa glória nos prados celestes,
– aos que já foram chamados deste mundo. R.
Pai nosso...

Oração
Despertai, Senhor, vosso poder e vinde, para que vossa proteção *afaste os perigos* a que nossos pecados nos expõem e a vossa salvação nos liberte. Vós, que sois Deus com o Pai, na unidade do Espírito Santo.

94 1ª Semana do Advento

SÁBADO

Laudes

Leitura breve Is 11,1-3a

Nascerá uma haste do tronco de Jessé e, a partir da raiz, surgirá
o rebento de uma flor; sobre ele repousará o espírito do Senhor:
espírito de sabedoria e discernimento, espírito de conselho e fortaleza, espírito de ciência e temor de Deus; no temor do Senhor
encontra ele seu prazer.

Responsório breve

R. O Se**nhor** é con**ti**go, ó Ma**ri**a,
* Alegra-te, **cheia** de **graça**! R. O Se**nhor**.
V. Ele **chega**, o **dia** já **nasce**; a **terra** in**tei**ra e**xul**ta.
* Alegra-te. Glória ao **Pai**. R. O Se**nhor** é con**ti**go.

Cântico evangélico, ant.

Não **temas**, ó **povo** de **Deus**
eis que **vem** o Se**nhor**, ale**lu**ia.

Preces

Oremos a Deus Pai, que na sua eterna providência decidiu salvar
seu povo; e digamos:

R. **Protegei, Senhor, o vosso povo!**

Senhor Deus, que prometestes enviar ao vosso povo o germe da
justiça,
– velai pela santidade de vossa. Igreja. R.

Inclinai, Senhor, o coração das pessoas para a verdade de vossa
palavra,
– e fortalecei na santidade todos os fiéis. R.

Conservai-nos no amor de vosso Espírito Santo,
– para recebermos a misericórdia do vosso Filho que vai chegar.
R.

Concedei, Deus clementíssimo, que permaneçamos firmes e fiéis
até o fim,
– para o dia da vinda de nosso Senhor Jesus Cristo. R.

(intenções livres)

Pai nosso...

2º Domingo do Advento

95

Oração

Ó Deus, que enviastes a este mundo o vosso Unigênito para libertar da antiga escravidão o gênero humano, concedei aos que esperam vossa misericórdia chegar à verdadeira liberdade. Por nosso Senhor Jesus Cristo, vosso Filho, na unidade do Espírito Santo.

Hora Média

Ant. Disse o anjo à Virgem:
Maria, alegra-te, ó cheia de graça,
o Senhor é contigo;
és bendita entre todas as mulheres da terra.

Leitura breve   Is 4,3
Os que forem deixados em Sião, os sobreviventes de Jerusalém, serão chamados santos, a saber, todos os destinados à vida em Jerusalém.

V. Lembrai-vos, ó Senhor, de mim, lembrai-vos;
pelo amor que demonstrais ao vosso povo!
R. Visitai-me com a vossa salvação!
Oração como nas Laudes.

2º DOMINGO DO ADVENTO

II Semana do Saltério

I Vésperas

Hino, p. 73.
Ant. 1 De alegria exulta, ó nova Sião:
eis que vem na humildade o teu Rei, Salvador!

Salmos e cântico do domingo da II Semana, p. 849.
Ant. 2 Fortalecei-vos, mãos cansadas,
tomai ânimo e dizei:
Eis que vem o nosso Deus!
Ele vem para salvar. Aleluia.

Ant. 3 A **lei** foi-nos **da**da por **meio** de Moi**sés**,
mas a **graça** e a ver**da**de nos vieram por **Je**sus.

Leitura breve 1Ts 5,23-24

Que o próprio Deus da paz vos santifique totalmente, e que tudo aquilo que sois – espírito, alma, corpo – seja conservado sem mancha alguma para a vinda de nosso Senhor Jesus Cristo! Aquele que vos chamou é fiel; ele mesmo realizará isso.

Responsório breve

R. Que o uni**ver**so reju**bi**le e dê **gri**tos de ale**gria**:
* Pois o Se**nhor** há de che**gar**! R. Que o uni**ver**so.
V. Eu **vi** um novo **céu**, eu **vi** uma nova **terra**;
nunca **mais** haverá **cho**ro nem cla**mor** nem afli**ção**.
* Pois o Se**nhor**. Glória ao **Pai**. R. Que o uni**ver**so.

Cântico evangélico, ant.

Ano A Naqueles **dias**, João Ba**tis**ta apare**ceu**,
pre**gan**do no de**ser**to e di**zen**do:
Conver**tei**-vos e mu**dai** a vossa **vi**da,
pois o **Rei**no dos **Céus** está che**gan**do.

Ano B Vou man**dar** meu mensa**gei**ro
pre**pa**rar o meu ca**mi**nho à tua **fren**te. Ale**lu**ia.

Ano C **Vin**de, ó Se**nhor**, visi**tai**-nos com a **paz**,
para em **vós** nos ale**grar**mos de **to**do o cora**ção**.

Preces

Oremos, irmãos caríssimos, a Cristo nosso Senhor que nasceu da Virgem Maria; e digamos com humildade e alegria:

R. **Vinde, Senhor Jesus!**

Filho Unigênito de Deus, que haveis de vir como o verdadeiro mensageiro da Aliança,
– fazei que o mundo vos acolha e reconheça. R.

Filho Unigênito de Deus, que vos fizestes filho do homem no seio da Virgem Maria,
– livrai-nos de toda a corrupção da condição humana. R.

Filho Unigênito de Deus, que sois fonte de vida e quisestes experimentar a morte,
– livrai-nos da sentença de morte que merecemos. R.

2º Domingo do Advento

Filho Unigênito de Deus, que vindes julgar o mundo e trazeis convosco a recompensa,
– aumentai a nossa esperança para que sejamos dignos das vossas promessas. **R.**

(intenções livres)

Senhor Jesus Cristo, que viestes socorrer os mortos com a vossa morte,
– escutai as súplicas que vos dirigimos pelos nossos defuntos. **R.**

Pai nosso...

Oração

Ó Deus todo-poderoso e cheio de misericórdia, nós vos pedimos que nenhuma atividade terrena nos impeça de correr ao encontro do vosso Filho, mas, instruídos pela vossa sabedoria, participemos da plenitude de sua vida. Por nosso Senhor Jesus Cristo, vosso Filho, na unidade do Espírito Santo.

Laudes

Hino, p. 74.

Ant. 1 Nossa ci**da**de inven**cí**vel é Si**ão,**
    sua mu**ra**lha e sua trin**chei**ra é o Sal**va**dor.
    Abri as **por**tas: o Se**nhor** está co**nos**co. Ale**lu**ia.

Salmos e cântico do domingo da II Semana, p. 853.

Ant. 2 Quem tem **se**de, venha à **fon**te!
    Buscai **ho**je o Se**nhor,**
    que se **dei**xa encon**trar**. Ale**lu**ia.

Ant. 3 Nosso **Deus** há de **vir** com po**der**
    ilumi**nar** nosso o**lhar**, ale**lu**ia.

Leitura breve   **Rm 13,11-12**
Já é hora de despertar. Com efeito, agora a salvação está mais perto de nós do que quando abraçamos a fé. A noite já vai adiantada, o dia vem chegando: despojemo-nos das ações das trevas e vistamos as armas da luz.

R. Mesmo as **tre**vas para **vós** não são es**cu**ras,
    * **Vós sois** a luz do **mun**do, ale**lu**ia! **R.** Mesmo as **tre**vas.
V. Senhor, son**dai**-me, conhe**cei** meu cora**ção!**
    * Vós **sois**. Glória ao **Pai. R.** Mesmo as **tre**vas.

98 Tempo do Advento

Cântico evangélico, ant.

Ano A No deserto ressoa uma **voz:**
Preparai o caminho do Senhor.
Aplainai as estradas de **Deus**.

Ano B João Batista apareceu no deserto
batizando e pregando um batismo
de conversão para o perdão dos pecados.

Ano C A palavra de **Deus** veio a **João,**
filho **de Zacarias,** no deserto.
E ele veio pregando um batismo
de conversão para o perdão dos pecados.

Preces

Rezemos, irmãos e irmãs caríssimos, a nosso Senhor Jesus Cristo, Juiz dos vivos e dos mortos; e digamos:

R. **Vinde, Senhor Jesus!**

Senhor Jesus Cristo, que viestes salvar os pecadores,
– defendei-nos de toda tentação.   R.

Senhor Jesus Cristo, que vireis cheio de glória para julgar o mundo,
– manifestai em nós o poder da vossa salvação.   R.

Ajudai-nos a cumprir, na força do Espírito, os mandamentos de vossa lei,
– para que possamos acolher com amor o dia de vossa vinda. R.

Senhor Jesus Cristo, que sois eternamente glorificado pelos anjos e santos, ensinai-nos por vossa misericórdia a viver neste mundo com equilíbrio, justiça e piedade,
– aguardando a feliz esperança da vossa vinda gloriosa.   R.

(intenções livres)

Pai nosso...

Oração

Ó Deus todo-poderoso e cheio de misericórdia, nós vos pedimos que nenhuma atividade terrena nos impeça de correr ao encontro do vosso Filho, mas, instruídos pela vossa sabedoria, participemos da plenitude de sua vida. Por nosso Senhor Jesus Cristo, vosso Filho, na unidade do Espírito Santo.

2º Domingo do Advento

Hora Média

Hino, p. 74.

Ant. Disse o **an**jo à **Vir**gem:
Maria, alegra-te, ó **chei**a de **graça**,
o **Se**nhor é contigo;
és ben**di**ta entre **to**das as **mul**heres da **terra**.

Leitura breve   1Ts 3,12-13

O Senhor vos conceda que o amor entre vós e para com todos aumente e transborde sempre mais, a exemplo do amor que temos por vós. Que assim ele confirme os vossos corações numa santidade sem defeito aos olhos de Deus, nosso Pai, no dia da vinda de nosso Senhor Jesus, com todos os seus santos.

V. Lembrai-vos, ó **Se**nhor, de mim, lem**brai**-vos,
pelo a**mor** que demons**trais** ao vosso **po**vo!
R. Visi**tai**-me com a **vos**sa sal**va**ção!
Oração como nas Laudes.

II Vésperas

Hino, p. 73.

Ant. 1 O **Se**nhor há de **vir** sobre as **nu**vens do **céu**
com **gran**de po**der**. Ale**lui**a.

Salmos e cântico do domingo da II Semana, p. 860.

Ant. 2 Eis que **vem** o **Se**nhor com certeza;
se ele **tar**da, espera e confia,
pois vi**rá** sem de**mo**ra, ale**lui**a.

Ant. 3 O **Se**nhor Legisla**dor,** o **Se**nhor e nosso **Rei**
há de **vir** para sal**var**-nos.

Leitura breve   Fl 4,4-5

Alegrai-vos sempre no Senhor; eu repito, alegrai-vos. Que a vossa bondade seja conhecida de todos os homens! O Senhor está próximo!

Responsório breve

R. Alegremo-nos, todos, no Senhor!
* Alegremo-nos, pois ele está bem perto!
R. Alegremo-nos.
V. Favorecestes, ó Senhor, a vossa terra,
libertastes os cativos de Jacó.
* Alegremo-nos. Glória ao Pai. R. Alegremo-nos.

Cântico evangélico, ant.

Ano A Dizia João Batista:
Com água eu vos batizo em sinal de conversão.
O que vem depois de mim, é mais forte do que eu;
ele, sim, é que haverá de batizar-vos com o fogo
e com o Espírito de Deus.

Ano B João pregava e dizia:
Virá alguém depois de mim,
que é mais forte do que eu;
não sou digno de servi-lo e desatar suas sandálias.

Ano C Todo vale será aterrado e aplainado,
todo monte e colina serão abaixados,
e todo homem há de ver a salvação do nosso Deus.

Preces

Imploremos, irmãos e irmãs caríssimos, a Cristo Redentor, que
veio salvar a humanidade; e digamos confiantes:

R. **Vinde, Senhor Jesus!**

Senhor Jesus Cristo, que pelo mistério da encarnação revelastes
aos seres humanos a glória da vossa divindade,
– dai vida ao mundo com a vossa vinda. R.

Vós, que assumistes a fragilidade, da natureza humana,
– concedei-nos a vossa misericórdia. R.

Vós, que, na primeira vez, viestes humilde, para remir o mundo
de seus pecados,
– quando vierdes novamente, absolvei-nos de toda culpa. R.

Vós, que viveis eternamente e tudo governais com justiça,
– por vossa bondade, fazei-nos alcançar a herança prometida. R.

(intenções livres)

2ª Semana do Advento

Vós, que estais sentado à direita do Pai,
– alegrai as almas dos nossos defuntos com a luz da vossa face.

R.

Pai nosso...

Oração

Ó Deus todo-poderoso e cheio de misericórdia, nós vos pedimos que nenhuma atividade terrena nos impeça de correr ao encontro do vosso Filho, mas, instruídos pela vossa sabedoria, participemos da plenitude de sua vida. Por nosso Senhor Jesus Cristo, vosso Filho, na unidade do Espírito Santo.

SEGUNDA-FEIRA

Laudes

Leitura breve

Is 2,3

Vamos subir ao monte do Senhor, à casa do Deus de Jacó, para que ele nos mostre seus caminhos e nos ensine a cumprir seus preceitos; porque de Sião provém a lei e de Jerusalém, a palavra do Senhor.

Responsório breve

R. Eis que **vem** vosso **Deus** Salva**dor!**
Eis vosso **Deus** e Se**nhor!** R. Eis que **vem**.
V. O Se**nhor** vem com **força** e po**der.**
 * Eis vosso **Deus**. Glória ao **Pai.** R. Eis que **vem.**

Cântico evangélico, ant.

Conver**tei**-vos, nos **diz** o Se**nhor!**
Está **próx**imo o **reino** de **Deus**. Ale**lui**a.

Preces

Oremos, irmãos caríssimos, a Cristo, nosso Redentor, que vem para libertar do poder da morte todos os que se voltam para ele; e supliquemos com humilde confiança:

R. **Vinde, Senhor Jesus!**

Quando anunciarmos, Senhor, a vossa vinda,
– purificai o nosso coração de todo espírito de vaidade. R.

102   2ª Semana do Advento

Santificai, Senhor, a Igreja que fundastes,
— para que glorifique o vosso nome por toda a terra.
R. **Vinde, Senhor Jesus!**

Concedei, Senhor, que a vossa lei ilumine os olhos do nosso coração,
— e proteja os povos que em vós confiam.   R.

Vós que, por meio da Igreja, anunciais ao mundo a alegria da vossa vinda,
— fazei que estejamos preparados para vos receber dignamente. R.

(intenções livres)

Pai nosso...

Oração

Cheguem à vossa presença, ó Deus, as nossas orações suplicantes, e possamos celebrar de coração puro o grande mistério da encarnação do vosso Filho. Que convosco vive e reina, na unidade do Espírito Santo.

Hora Média

Ant. Disse o **an**jo à **Vir**gem:
Ma**ri**a, a**le**gra-te, ó **chei**a de **gra**ça,
o Se**nhor** é con**ti**go;
és ben**di**ta entre **to**das as mu**lhe**res da **ter**ra.

Leitura breve   cf. Is 10,24.27
Diz o Senhor Deus dos exércitos: Não tenhas medo, povo meu, que habitas em Sião. Acontecerá naquele dia, que o teu ombro se livrará do peso dele, o teu pescoço, do seu jugo.

V. Lem**brai**-vos, ó Se**nhor,** de mim, lem**brai**-vos,
pelo **amor** que demons**trais** ao vosso **po**vo!
R. Visi**tai**-me com a **vos**sa salva**ção!**

Oração como nas Laudes.

Vésperas

Leitura breve   Fl 3,20b-21
Aguardamos o nosso Salvador, o Senhor, Jesus Cristo. Ele transformará o nosso corpo humilhado e o tornará semelhante ao seu corpo glorioso, com o poder que tem de sujeitar a si todas as coisas.

Segunda-feira

Responsório breve

R. A **vós**, ó Deus, a **nos**sa grati**dão**:
 * Vosso **no**me está **per**to. R. A **vós**, ó Deus.
V. De **vós,** Senhor, vi**rá** a renova**ção**.
 * Vosso **no**me. Glória ao **Pai**. R. A **vós**, ó Deus.

Cântico evangélico, ant.

Eis que **vem** o Se**nhor,** grande **Rei** do univer**so**;
quebra**rá** os gri**lhões** de seu **po**vo ca**ti**vo.

Preces

Supliquemos, irmãos caríssimos, a Cristo nosso Senhor, Juiz dos
vivos e dos mortos; e digamos com toda a confiança:
R. **Vinde, Senhor Jesus.**

Fazei, Senhor, que o mundo reconheça a vossa justiça que os
céus proclamam,
– para que a vossa glória habite nossa terra. R.

Senhor, que quisestes experimentar a fraqueza de nossa humanidade,
– revigorai os seres humanos com o poder de vossa divindade. R.

Vinde, Senhor, iluminar com o esplendor da vossa sabedoria,
– os que vivem oprimidos nas trevas da ignorância. R.

Senhor, que pela vossa humilhação nos libertastes de toda a
iniquidade,
– pela vossa glorificação, conduzi-nos à felicidade eterna. R.

(intenções livres)

Senhor, que haveis de vir com grande poder e glória para julgar
o mundo,
– levai os nossos irmãos e irmãs falecidos para o reino dos céus.
R.

Pai nosso...

Oração

Cheguem à vossa presença, ó Deus, as nossas orações suplicantes, e possamos celebrar de coração puro o grande mistério da
encarnação do vosso Filho. Que convosco vive e reina, na unidade do Espírito Santo.

2ª Semana do Advento

TERÇA-FEIRA

Laudes

Leitura breve,   Gn 49,10

O cetro não será tirado de Judá, nem o bastão de comando dentre seus pés, até que venha Aquele a quem pertencem, e a quem obedecerão os povos.

Responsório breve

R. Que o universo rejubile e dê gritos de alegria:
* Pois o Senhor há de chegar! R. Que o universo.
V. Justiça e paz se abraçarão:
* Pois o Senhor. Glória ao Pai. R. Que o universo.

Cântico evangélico, ant.

Exulta de alegria, ó filha de Sião,
porque eu, o Senhor, vou morar em teu meio.

Preces

Oremos, irmãos caríssimos, ao Cristo Senhor, luz que ilumina todo homem; e aclamemos com alegria:

R. **Vinde, Senhor Jesus!**

Dissipai, Senhor, as nossas trevas com a luz da vossa presença,
– e tornai-nos dignos de receber os vossos dons.   R.

Salvai-nos, Senhor nosso Deus,
– e bendiremos todo o dia o vosso santo nome.   R.

Inflamai nossos corações para que tenham ardente sede de vós,
– e com todo o desejo busquem a união convosco.   R.

Vós, que assumistes todas as nossas enfermidades, exceto o pecado,
– socorrei hoje os enfermos e agonizantes.   R.

(intenções livres)

Pai nosso...

Oração

Ó Deus, que manifestastes o vosso Salvador até os confins da terra, dai-nos esperar com alegria a glória do seu natal. Por nosso Senhor Jesus Cristo, vosso Filho, na unidade do Espírito Santo.

Terça-feira 105

Hora Média

Ant. Disse o anjo à **Vir**gem:
Ma**ri**a, alegra-te, ó **chei**a de graça,
o S**en**hor é con**ti**go;
és ben**di**ta entre **to**das as **mul**heres da **terra**.

Leitura breve Jr 23,6
Naqueles dias, Judá será salvo e Israel viverá tranquilo; este é o nome com que o chamarão: "Senhor, nossa Justiça".

V. Lem**brai**-vos, ó S**en**hor, de mim, lem**brai**-vos,
pelo **amor** que demons**trais** ao vosso **po**vo!
R. Visi**tai**-me com a **vos**sa salva**ção**!
Oração como nas Laudes.

Vésperas

Leitura breve cf. 1Cor l,7b-9
Aguardamos a revelação do Senhor nosso, Jesus Cristo. É ele também que vos dará perseverança em vosso procedimento irrepreensível, até ao dia de nosso Senhor, Jesus Cristo. Deus é fiel; por ele fostes chamados à comunhão com seu Filho.

Responsório breve
R. Nossa **al**ma espera no S**en**hor,
 * Nele se a**le**gra o **nos**so coração. **R.** Nossa **al**ma.
V. Está **per**to a salva**ção** dos que o respeitam.
 * Nele se a**le**gra. Glória ao **Pai**. **R.** Nossa **al**ma.

Cântico evangélico, ant.
No de**ser**to res**soa** uma **voz**:
Prepa**rai** o ca**mi**nho do S**en**hor.
Aplai**nai** as es**tra**das de **Deus**.

Preces
Invoquemos, irmãos diletos, a Cristo nosso Senhor e Redentor, que virá em sua glória nos últimos tempos; e peçamos com alegria:
R. Vinde, Senhor Jesus!

Senhor e Redentor do gênero humano, que, nascendo segundo a carne, viestes nos libertar do jugo da lei,
– multiplicai em nós os benefícios da vossa bondade. **R.**

106   **2ª Semana do Advento**

Vós, que tomastes da nossa natureza o que podia unir-se à vossa divindade,
– fortalecei a fragilidade humana com os dons da natureza divina.
R. **Vinde, Senhor Jesus!**

Cumulai nossos desejos com a manifestação da vossa presença,
– e acendei em nossos corações o fogo do vosso amor.   R.

Concedei que se alegrem um dia convosco na glória,
– os que neste mundo vos invocam na sinceridade da fé.   R.

(intenções livres)

Derramai sobre as almas de todos os fiéis defuntos,
– as riquezas da vossa infinita misericórdia.   R.

Pai nosso...

Oração

Ó Deus, que manifestastes o vosso Salvador até os confins da terra, dai-nos esperar com alegria a glória do seu natal. Por nosso Senhor Jesus Cristo, vosso Filho, na unidade do Espírito Santo.

QUARTA-FEIRA

Laudes

Leitura breve   Is 7,14b-15
Eis que uma virgem conceberá e dará à luz um filho, e lhe porá o nome de Emanuel; ele se alimentará de manteiga e de mel até quando aprender a fugir do mal e a procurar o bem.

Responsório breve
R. O Se**nhor** é con**tigo**, ó Ma**ria**,
    * Ale**gra-te**, **cheia** de **graça**! R. O Se**nhor**.
V. Ele vol**tou** seu o**lhar** para **ti**:
      reali**zou** toda a **sua** espe**ran**ça.
    * Ale**gra-te**. Glória ao **Pai**. R. O Se**nhor.**

Cântico evangélico, ant.
Sobre o **tro**no de Da**vi**
o Mes**si**as rei**nará** eterna**men**te, ale**luia**.

Preces

Supliquemos, irmãos caríssimos, a nosso Senhor Jesus Cristo, que em sua misericórdia vem nos visitar; e alegres repitamos:

R. **Vinde, Senhor Jesus!**

Vós, que viestes do seio do Pai para vos revestirdes da nossa carne mortal,
—livrai de toda mancha do pecado a nossa natureza enfraquecida.
R.

Vós, que, quando vierdes, havereis de manifestar vossa glória nos eleitos,
—mostrai agora, neste advento, a vossa clemência e bondade para com os pecadores.
R.

Senhor Jesus Cristo, a alegria de nossa alma é vos louvar;
—visitai-nos com a vossa salvação.
R.

Vós, que iluminastes os caminhos de nossa vida com a luz da fé,
—fazei que sempre vos agrademos pelas obras de justiça e fidelidade.
R.

(intenções livres)

Pai nosso...

Oração

Ó Deus todo-poderoso, que nos mandais preparar o caminho do Cristo Senhor, fazei que, confortados pela presença do divino médico, nenhuma fraqueza possa abater-nos. Por nosso Senhor Jesus Cristo, vosso Filho, na unidade do Espírito Santo.

Hora Média

Ant. Disse o **anjo** à **Vir**gem:
   Ma**ri**a, a**le**gra-te, ó **chei**a de **gra**ça,
   o Se**nhor** é con**ti**go;
   és ben**di**ta entre **to**das as mul**he**res da **ter**ra.

Leitura breve
Is 12,2

É Deus que me salva; posso viver confiante e sem medo, porque o Senhor é a razão da minha força e do meu canto, ele se fez meu Salvador.

108   2ª Semana do Advento

V. Lembrai-vos, ó Senhor, de mim, lembrai-vos,
    pelo amor que demonstrais ao vosso povo!
R. Visitai-me com a vossa salvação!

Oração como nas Laudes.

Vésperas

Leitura breve   1Cor 4,5

Não queirais julgar antes do tempo. Aguardai que o Senhor venha. Ele iluminará o que estiver escondido nas trevas e manifestará os projetos dos corações. Então, cada um receberá de Deus o
louvor que tiver merecido.

Responsório breve
R. Eis o tempo favorável,
    * Eis o dia da salvação! R. Eis o tempo.
V. O Reino de Deus está bem perto.* Eis o dia.
     Glória ao Pai. R. Eis o tempo.

Cântico evangélico, ant.
Cidade de Deus, hás de ser renovada
e verás o teu Justo no meio de ti.

Preces

Roguemos humildemente, irmãos caríssimos, a Jesus Cristo que
nos libertou das trevas do pecado; e o invoquemos com toda confiança:

R. **Vinde, Senhor Jesus!**

Reuni, Senhor, numa só fé todos os povos da terra,
 — e confirmai para com eles vossa aliança eterna.   R.

Cordeiro de Deus, que viestes tirar o pecado do mundo,
 — purificai-nos de toda mancha de pecado.   R.

Vós, que viestes salvar o que estava perdido,
 — vinde novamente para que não se percam os que remistes com
o vosso sangue.   R.

Concedei a vossa alegria eterna, quando vierdes no último dia,
 — àqueles que vos procuram na fé e na esperança.   R.

                            (intenções livres)

Quinta-feira

109

Vós, que haveis de vir para julgar os vivos e os mortos,
– admiti com bondade entre os eleitos os nossos irmãos e irmãs
falecidos.
R.

Pai nosso...

Oração

Ó Deus todo-poderoso, que nos mandais preparar o caminho do
Cristo Senhor, fazei que, confortados pela presença do divino
médico, nenhuma fraqueza possa abater-nos. Por nosso Senhor
Jesus Cristo, vosso Filho, na unidade do Espírito Santo.

QUINTA-FEIRA

Laudes

Leitura breve
Is 45,8

Céus, deixai cair orvalho das alturas, e que as nuvens façam chover justiça; abra-se a terra e germine a salvação; brote igualmente
a salvação.

Responsório breve

R. Eis que **vem** vosso **Deus** Salvador!
* Eis vosso **Deus** e Se**nhor**! R. Eis que **vem**.
V. Toda **carne** ve**rá** sua **glória**. * Eis vosso **Deus**.
Glória ao **Pai**. R. Eis que **vem**.

Cântico evangélico, ant.

Eu **v**enho em teu au**xí**lio, as**sim** diz o Se**nhor**,
eu **sou** teu Reden**tor**, o San**to** de Israel.

Preces

Invoquemos, irmãos caríssimos, a Deus Pai que enviou seu Filho
para salvar a humanidade; e supliquemos:

R. **Mostrai-nos, Senhor, a vossa misericórdia!**

Pai de bondade, com a mais sincera fé, nós proclamamos Jesus
Cristo verdadeiro Deus e verdadeiro homem;
– fazei que por nosso modo de viver sejamos dignos de acolhê-lo.
R.

2ª Semana do Advento

Vós, que enviastes vosso Filho para nos salvar,
– afastai todo sofrimento da face da terra e desta cidade.
R. Mostrai-nos, Senhor, a vossa misericórdia!

Que nossa terra transborde de alegria pela vinda do vosso Filho,
– para que experimente cada vez mais a plenitude da alegria que nos dais. **R.**

Por vossa misericórdia, fazei-nos viver neste mundo com sobriedade, justiça e piedade,
– enquanto vivendo a bem-aventurada esperança, aguardamos a vinda gloriosa do Cristo Salvador. **R.**

(intenções livres)

Pai nosso...

Oração

Despertai, ó Deus, os nossos corações, a fim de prepararmos os caminhos do vosso Filho, para que possamos, pelo seu advento, vos servir de coração purificado. Por nosso Senhor Jesus Cristo, vosso Filho, na unidade do Espírito Santo.

Hora Média

Ant. Disse o anjo à Virgem:
Maria, alegra-te, ó cheia de graça,
o Senhor é contigo;
és bendita entre todas as mulheres da terra.

Leitura breve   Ag 2,6b.9
Ainda um momento, e eu hei de mover o céu e a terra, o mar e a terra firme. O esplendor desta nova casa será maior que o da primeira, e, neste lugar, estabelecerei a paz, diz o Senhor dos exércitos.

V. Lembrai-vos, ó Senhor, de mim, lembrai-vos,
pelo **amor** que demonstrais ao vosso **povo**!
R. Visitai-me com a vossa salvação!
Oração como nas Laudes.

Quinta-feira

111

Vésperas

Leitura breve   Tg 5,7-8.9b

Irmãos, ficai firmes até à vinda do Senhor. Vede o agricultor: ele espera o precioso fruto da terra e fica firme até cair a chuva do outono ou da primavera. Também vós ficai firmes e fortalecei vossos corações, porque a vinda do Senhor está próxima. Eis que o juiz está às portas.

Responsório breve

R. A **vós**, ó Deus, a **nos**sa grati**dão**:
* Vosso **no**me está **per**to. R. A **vós**, ó Deus.
V. De **vós**, Senhor, vi**rá** a renova**ção.** * Vosso **no**me.
Glória ao **Pai**. R. A **vós**, ó Deus.

Cântico evangélico, ant.

O que vi**rá** depois de **mim**, já exis**tia** antes de **mim**;
não sou **dig**no de ser**vi**-lo e desa**tar** suas san**dá**lias.

Preces

Oremos, irmãos caríssimos, a Cristo nosso Senhor, que por nossa causa se humilhou; e digamos cheios de alegria:

R. **Vinde, Senhor Jesus!**

Senhor Jesus, que viestes ao mundo para socorrer a humanidade,
—purificai de todo pecado as nossas almas e os nossos corpos. R.

Não deixeis que se separem de vós,
—aqueles que pelo mistério da encarnação vos dignastes chamar de irmãos.   R.

Não castigueis eternamente os que remistes,
— quando vierdes para julgar o mundo.   R.

Vós, que nesta vida nos cumulais com as riquezas infinitas da vossa bondade,
—fazei que alcancemos no céu a coroa imperecível da glória. R.

(intenções livres)

Nós vos recomendamos, Senhor, as almas daqueles que já se separaram do corpo;
—mortos para este mundo, vivam eternamente para vós.   R.

Pai nosso...

Oração

Despertai, ó Deus, os nossos corações, a fim de prepararmos os caminhos do vosso Filho, para que possamos, pelo seu advento, vos servir de coração purificado. Por nosso Senhor Jesus Cristo, vosso Filho, na unidade do Espírito Santo.

SEXTA-FEIRA

Laudes

Leitura breve
Jr 30,21a.22

Eis o que diz o Senhor: Para chefe será escolhido um dos seus, e o soberano sairá do seu meio; eu o incitarei, e ele se aproximará de mim. Sereis meu povo e eu serei vosso Deus.

Responsório breve

R. Que o universo rejubile e dê gritos de alegria:
 * Pois o Senhor há de chegar! R. Que o universo.
V. Justiça e paz se abraçarão.
 * Pois o Senhor. Glória ao Pai. R. Que o universo.

Cântico evangélico, ant.

Dizei: Vós que estais desanimados, tende ânimo, coragem! Não temais! Eis que vem o Senhor e nosso Deus!

Preces

Oremos, irmãos diletos, a Cristo nosso Redentor, que veio ao mundo para nossa justificação; e digamos com alegria:

R. Vinde, Senhor Jesus!

Senhor Jesus Cristo, cujo nascimento segundo a carne foi anunciado pelos antigos profetas,
— dai novo vigor às virtudes que fizestes nascer em nosso coração.
R.

A nós que anunciamos ao mundo vossa redenção,
— concedei a salvação e a paz.
R.

Vós, que viestes salvar os corações atribulados,
— curai as enfermidades do vosso povo.
R.

Sexta-feira

Vós, que viestes reconciliar o mundo com o Pai,
– livrai-nos de toda condenação quando voltardes como juiz no último dia. **R.**

(intenções livres)

Pai nosso...

Oração

Ó Deus onipotente, dai ao vosso povo esperar vigilante a chegada do vosso Filho, para que, instruídos pelo próprio Salvador, corramos ao seu encontro com nossas lâmpadas acesas. Por nosso Senhor Jesus Cristo, vosso Filho, na unidade do Espírito Santo.

Hora Média

Ant. Disse o anjo à Virgem:
Maria, alegra-te, ó cheia de graça,
o Senhor é contigo;
és bendita entre todas as mulheres da terra.

Leitura breve — Jr 30,18a
Isto diz o Senhor: Eis que eu mudarei a sorte das tendas de Jacó e terei compaixão de suas moradias.

V. Lembrai-vos, ó Senhor, de mim, lembrai-vos,
pelo amor que demonstrais ao vosso povo!
R. Visitai-me com a vossa salvação!
Oração como nas Laudes.

Vésperas

Leitura breve — 2Pd 3,8b-9
Para o Senhor, um dia é como mil anos e mil anos como um dia. O senhor não tarda a cumprir sua promessa, como pensam alguns, achando que demora. Ele está usando de paciência para convosco. Pois não deseja que alguém se perca. Ao contrário, quer que todos venham a converter-se.

Responsório breve
R. Nossa alma espera no Senhor,
  * Nele se alegra o nosso coração. **R.** Nossa alma.
V. Sua glória habitará em nossa terra. * Nele se alegra.
  Glória ao Pai. **R.** Nossa alma.

Cântico evangélico, ant.

Com alegria bebereis das águas abundantes
do manancial do Salvador.

Preces

Roguemos, irmãos e irmãs, a Cristo nosso Redentor, que veio à
terra para anunciar a Boa-nova aos pobres; e lhe digamos com
fervor:

R. **Manifestai, Senhor, a todos a vossa glória!**

Manifestai-vos, Senhor, a todos que ainda não vos conhecem,
– para que também eles vejam vossa salvação. R.

Seja o vosso nome anunciado até os confins da terra,
– para que todos encontrem vosso caminho. R.

Vós, que viestes, a primeira vez, para remir o mundo de seus
pecados,
– vinde novamente para que não se percam os que creem em vós.
R.

Conservai e protegei, com o poder da vossa graça,
– a liberdade que nos destes com a vossa redenção. R.

(intenções livres)

Vós, que viestes do céu à terra para nascer segundo a carne, e de
novo haveis de vir para julgar os vivos e os mortos,
– dai aos defuntos a recompensa eterna, quando vierdes no último dia. R.

Pai nosso...

Oração

Ó Deus onipotente, dai ao vosso povo esperar vigilante a chegada
do vosso Filho, para que, instruídos pelo próprio Salvador, corramos ao seu encontro com nossas lâmpadas acesas. Por nosso
Senhor Jesus Cristo, vosso Filho, na unidade do Espírito Santo.

SÁBADO

Laudes

Leitura breve — Is 11,1-3a

Nascerá uma haste do tronco de Jessé e, a partir da raiz, surgirá o rebento de uma flor; sobre ele repousará o espírito do Senhor: espírito de sabedoria e discernimento, espírito de conselho e fortaleza, espírito de ciência e temor de Deus; no temor do Senhor encontra ele seu prazer.

Responsório breve

R. O Senhor é contigo, ó Maria,
* Alegra-te, cheia de graça! R. O Senhor.
V. Ele chega, o dia já nasce; a terra inteira exulta.
* Alegra-te. Glória ao Pai. R. O Senhor.

Cântico evangélico, ant.

O Senhor levantará um sinal entre as nações
e os dispersos de seu povo de Israel reunirá.

Preces

Oremos, com espírito de fé, irmãos caríssimos, a Cristo Redentor, que virá ao mundo com grande poder e glória; e supliquemos:

R. **Vinde, Senhor Jesus!**

Senhor Jesus Cristo, que, haveis de vir cheio de poder e majestade,
– olhai benigno para a nossa humildade e fazei-nos dignos de vossos dons. R.

Vós, que viestes proclamar a Boa nova à humanidade,
– dai-nos anunciar sempre a vossa salvação. R.

Vós, que viveis eternamente na glória celeste, e tudo governais com poder e sabedoria,
– concedei-nos aguardar com alegria a bem-aventurada esperança, enquanto aguardamos a vossa vinda gloriosa. R.

E a nós, que desejamos a graça da vossa vinda,
– confortai-nos com a assistência do vosso poder divino. R.

(intenções livres)

Pai nosso...

Tempo do Advento

Oração

Concedei-nos, ó Deus todo-poderoso, que desponte em nossos corações o esplendor da vossa glória, para que, vencidas as trevas do pecado, a vinda do vosso Unigênito revele que somos filhos da luz. Por nosso Senhor Jesus Cristo, vosso Filho, na unidade do Espírito Santo.

Hora Média

Ant. Disse o **an**jo à **Vir**gem:
Maria, a**le**gra-te, ó **chei**a de **gra**ça,
o Se**nhor** é con**ti**go;
és ben**di**ta entre **to**das as **mu**lhe**res** da **ter**ra.

Leitura breve   Is 4,3

Os que forem deixados em Sião, os sobreviventes de Jerusalém, serão chamados santos, a saber, todos os destinados à vida em Jerusalém.

V. Lem**brai**-vos, ó Se**nhor**, de mim, lem**brai**-vos,
pelo **amor** que demons**trais** ao vosso **po**vo!
R. Visi**tai**-me com a **vos**sa salva**ção**!
Oração como nas Laudes.

3º DOMINGO DO ADVENTO

III Semana do Saltério

Se este domingo cair no dia 17 de dezembro, dizem-se os hinos que se encontram adiante, p.141-143. As leituras breves e as antífonas do Cântico evangélico (Benedictus e Magnificat), como as Preces, se encontram adiante, p.145-148, assinaladas, para cada dia, omitindo-se aquelas próprias do 3º Domingo.

I Vésperas

Hino, p.73 ou 141.

Ant. 1 **Exul**ta de alegria, ó Si**ão**,
porque **che**ga em teu **mei**o o Salva**dor**! Ale**lui**a.

Salmos e cântico do domingo da III Semana, p.941.

3º Domingo do Advento

Ant. 2 Sou **eu**, o **Se**nhor, que me apro**xi**mo,
a **mi**nha jus**ti**ça já está **per**to,
a **mi**nha salva**ção** já não de**mo**ra.

Ant. 3 Envi**ai** o Cor**dei**ro que do**mi**na toda a **ter**ra:
de Se**lá**, no de**ser**to, até o **mon**te de Si**ão**.

Leitura breve
1Ts 5,23-24

Que o próprio Deus da paz vos santifique totalmente, e que tudo aquilo que sois – espírito, alma, corpo – seja conservado sem mancha alguma para a vinda de nosso Senhor Jesus Cristo! Aquele que vos chamou é fiel; ele mesmo realizará isso.

Responsório breve

R. Que o uni**ver**so rejubile e dê **gri**tos de ale**gri**a:
* Pois o **Se**nhor há de che**gar**! R. Que o uni**ver**so
V. Eu **vi** um novo **céu**, eu **vi** uma nova **ter**ra;
nunca **mais** haverá **cho**ro nem cla**mor** nem afli**ção.**
* Pois o **Se**nhor. Glória ao **Pai.** R. Que o uni**ver**so.

Cântico evangélico, ant.

Ano A Não exis**ti**a nenhum **Deus** antes de **mim**,
e nem de**pois** eterna**men**te há de existir
diante de **mim** se dobra**rá** todo joelho
e toda **lín**gua have**rá** de me dar **gló**ria.

Ano B Houve um **ho**mem enviado por **Deus**,
seu **no**me era João, o Ba**tis**ta;
veio **dar** teste**mu**nho da **Luz**.

Ano C As multi**dões** pergun**ta**vam a **João, o Ba**tis**ta:
Que de**ve**mos fa**zer**? E João respon**di**a:
Quem ti**ver** duas **tú**nicas, dê **u**ma a quem não **tem**;
quem ti**ver** o que co**mer**,
que ele **fa**ça a mesma **coi**sa.

Preces

Invoquemos a Cristo Jesus, felicidade e alegria de todos os que o esperam; e digamos:

R. **Vinde, Senhor, e não tardeis!**

Esperado das nações, cheios de alegria, aguardamos vossa vinda;
– vinde, Senhor Jesus.
R.

Vós, que existis eternamente, antes da criação do mundo,
_vinde salvar todos os que vivem neste mundo.

R. Vinde, Senhor, e não tardeis!

Vós, que criastes o universo e tudo o que nele existe,
_vinde renovar a obra de vossas mãos. **R.**

Vós, que não recusastes assumir nossa natureza mortal,
_vinde libertar-nos do poder da morte. **R.**

Vós, que viestes à terra para nos dar uma vida nova,
_vinde e dai-nos a vida eterna. **R.**

(intenções livres)

Vós, que quisestes reunir no vosso reino toda a humanidade,
_vinde congregar na unidade todos os que esperam a visão da
vossa face. **R.**

Pai nosso...

Oração

Ó Deus de bondade, que vedes o vosso povo esperando fervoroso
o natal do Senhor, dai-nos chegar às alegrias da Salvação e celebrá-las sempre com intenso júbilo na solene liturgia. Por nosso
Senhor Jesus Cristo, vosso Filho, na unidade do Espírito Santo.

Laudes

Hino, p 74 ou 142.

Ant. 1 O **Senhor** vai che**gar** sem de**mo**ra:
trará à **luz** o o**cul**to nas **tre**vas,
vai reve**lar**-se a **to**dos os **po**vos. Ale**lu**ia.

Salmos e cântico do domingo da III Semana, p. 945.

Ant. 2 Todo **mon**te e colina se**rão** abai**xa**dos,
será **pla**no o ca**mi**nho e **re**to o que é **tor**to.
Vinde a **nós**, ó Se**nhor**, sem tar**dar, a**le**lu**ia.

Ant. 3 Em Si**ão** eu da**rei** salva**ção**,
minha **gló**ria em Jerusa**lém**. Ale**lu**ia.

Leitura breve Rm 13,11-12

Já é hora de despertar. Com efeito, agora a salvação está mais
perto de nós do que quando abraçamos a fé. A noite já vai adiantada, o dia vem chegando: despojemo-nos das ações das trevas e
vistamos as armas da luz.

Responsório breve

R. Mesmo as **tre**vas para **vós** não são es**cu**ras,
  * Vós **sois** a luz do **mun**do, ale**lui**a! R. Mesmo as **tre**vas.
V. Senhor, son**dai**-me, conhe**cei** meu cora**ção!** * Vós **sois**.
  Glória ao **Pai**. R. Mesmo as **tre**vas.

Cântico evangélico, ant.

Ano A Do **cár**cere, João,
        tendo ou**vi**do fa**lar** das **o**bras de **Cris**to,
        man**dou** pergun**tar**-lhe:
        És **tu** o Messias que **de**ve che**gar**,
        ou é **ou**tro o Espe**ra**do?

Ano B João respon**deu** aos enviados:
        Sou a **voz** do que **cla**ma no de**ser**to:
        Endirei**tai** o ca**mi**nho do Se**nhor!**

Ano C João di**zi**a a todo o **po**vo: Com **á**gua eu vos ba**ti**zo.
        Vi**rá** depois de **mim** um mais **for**te do que **eu**.
        Ele **vos** bati**za**rá com o Es**pí**rito e com o **fo**go.

Sendo 17 de dezembro, a antífona é Sabei que está próximo, p. 145.

Preces

Rezemos a Deus, Pai de bondade, que nos concede a graça de esperarmos a manifestação de nosso Senhor Jesus Cristo; e digamos confiantes:

R. **Mostrai-nos, Senhor, a vossa misericórdia!**

Santificai, Senhor, nosso espírito, nossa alma e nosso corpo,
– e guardai-nos irrepreensíveis para a vinda de vosso Filho. R.

Ajudai-nos a passar santamente este dia,
– e fazei-nos viver neste mundo com justiça e piedade.   R.

Revesti-nos de nosso Senhor Jesus Cristo,
– e seremos repletos do Espírito Santo.   R.

Concedei-nos, Senhor, permanecer sempre vigilantes,
– até o dia da gloriosa manifestação de vosso Filho.   R.

(intenções livres)

Pai nosso...

Oração

Ó Deus de bondade, que vedes o vosso povo esperando fervoroso o natal do Senhor, dai-nos chegar às alegrias da Salvação e celebrá-las sempre com intenso júbilo na solene liturgia. Por nosso Senhor Jesus Cristo, vosso Filho, na unidade do Espírito Santo.

Hora Média

Hino, p. 74 ou 143.

Ant. Disse o anjo à Virgem:
Maria, alegra-te, ó cheia de graça,
o Senhor é contigo;
és bendita entre todas as mulheres da terra.

Leitura breve
cf. 1Ts 3,12-13

O Senhor vos conceda que o amor entre vós e para com todos aumente e transborde sempre mais, a exemplo do amor que temos por vós. Que assim ele confirme os vossos corações numa santidade sem defeito aos olhos de Deus, nosso Pai, no dia da vinda de nosso Senhor Jesus, com todos os seus santos.

V. Lembrai-vos, ó Senhor, de mim, lembrai-vos,
pelo amor que demonstrais ao vosso povo!
R. Visitai-me com a vossa salvação!

Oração como nas Laudes.

II Vésperas

Hino, p. 73 ou 141.

Ant. 1 Eis que vem o Senhor junto a nós,
para estar em seu trono de glória
e assentar-se entre os chefes do povo.

Salmos e cântico do domingo da III Semana, p. 953.

Ant. 2 Que os montes irrompam justiça e alegria:
o Senhor, luz do mundo, com glória virá.

Ant. 3 *Na justiça e piedade vivamos,*
aguardando a bendita esperança
e a vinda do Cristo Senhor.

3º Domingo do Advento

Leitura breve — Fl 4,4-5

Alegrai-vos sempre no Senhor; eu repito, alegrai-vos. Que a vossa bondade seja conhecida de todos os homens! O Senhor está próximo!

Responsório breve

R. Alegremo-nos, **to**dos, no Se**nhor**!
 * Alegremo-nos, pois **e**le está bem **per**to!
 R. Alegremo-nos.
V. Favore**ces**tes, ó Se**nhor**, a vossa **ter**ra,
 liber**tas**tes os cativos de Jacó. * Ale**gre**mo-nos.
 Glória ao **Pai**. R. Alegremo-nos.

Cântico evangélico, ant.

Ano A   És **tu** o Mess**i**as que **de**ve che**gar**,
 ou é **ou**tro o Espe**ra**do?
 Di**zei** a Jo**ão** o que **vis**tes e ou**vis**tes:
 os **ce**gos en**xer**gam, os **mor**tos ressu**r**gem
 e os **po**bres re**ce**bem a Boa-**no**va, ale**lu**ia.

Ano B   Com **á**gua eu vos ba**ti**zo;
 mas es**tá** em vosso **mei**o quem **vós** não conhe**ceis**,
 o que **vem** depois de **mim**.

Ano C   João Ba**tis**ta afir**ma**va:
 Vi**rá** depois de **mim** um mais **for**te do que **eu**;
 ele **tem** a pá na **mão** e limpa**rá** a sua **ei**ra;
 e have**rá** de reco**lher** o **tri**go em seu ce**lei**ro.

Sendo 17 de dezembro, a antífona é Ó Sabedoria, **p.** 147.

Preces

Oremos a Cristo Jesus, nosso Redentor, caminho, verdade e vida; e digamos humildemente:

R. **Vinde, Senhor, ficai conosco!**

Jesus, Filho do Altíssimo, anunciado por Gabriel à Virgem Maria,
– vinde reinar para sempre sobre o vosso povo.   R.

Santo de Deus, com vossa chegada fizestes o Precursor exultar no seio de Isabel,
– vinde trazer ao mundo inteiro a alegria da salvação.   R.

Jesus Salvador, cujo nome foi revelado pelo anjo a José, homem justo,
– vinde libertar vosso povo de seus pecados.   R.

Luz do mundo, esperado por Simeão e por todos os justos,
– vinde consolar-nos.
R. Vinde, Senhor, ficai conosco!

(intenções livres)

Sol nascente, predito por Zacarias, que das alturas vireis visitar-
-nos,
– vinde iluminar aqueles que estão sentados à sombra da morte.
R.

Pai nosso...

Oração

Ó Deus de bondade, que vedes o vosso povo esperando fervoroso
o natal do Senhor, dai-nos chegar às alegrias da Salvação e celebrá-las sempre com intenso júbilo na solene liturgia. Por nosso
Senhor Jesus Cristo, vosso Filho, na unidade do Espírito Santo.

De 17 a 23 de dezembro inclusive, nos dias de semana omite-se o que
está indicado para a 31 Semana; hinos, leituras, responsórios, versículos,
oração, antífonas e preces nas Laudes e Vésperas se dizem como abaixo,
p. 145s.

SEGUNDA-FEIRA

Laudes

Leitura breve Is 2,3
Vamos subir ao monte do Senhor, à casa do Deus de Jacó, para
que ele nos mostre seus caminhos e nos ensine a cumprir seus
preceitos; porque de Sião provém a lei e de Jerusalém, a palavra
do Senhor.

Responsório breve
R. Eis que **vem** vosso **Deus** Salva**dor**!
　　*Eis vosso **Deus** e Senhor! R. Eis que **vem**.
V. Toda **car**ne ve**rá** sua *glória. *Eis vosso **Deus***.
　　Glória ao **Pai**. R. Eis que **vem**.

Cântico evangélico, ant.
Lá do **céu** o Se**nhor** pode**roso** vi**rá**:
tem nas **mãos** o do**mí**nio, o po**der** e a **gló**ria.

Segunda-feira 123

Preces

Cristo Senhor, Filho do Deus vivo e esplendor da luz eterna, vem iluminar as nossas trevas para podermos contemplar a sua glória. Peçamos-lhe com toda confiança:

R. **Vinde, Senhor Jesus!**

Cristo, luz sem ocaso, que vindes como sol nascente iluminar nossas trevas,
— despertai nossa fé vacilante. R.

Fazei-nos caminhar com segurança ao longo deste dia,
— guiados pela claridade de vossa luz. R.

Dai-nos um coração generoso, humilde e confiante,
— para que todos vejam a razão de nossa esperança. R.

Vinde criar a nova terra prometida,
— para que nela habitem a justiça e a paz. R.

(intenções livres)

Pai nosso...

Oração

Inclinai, ó Deus, o vosso ouvido de Pai à voz da nossa súplica, e iluminai as trevas do nosso coração com a visita do vosso Filho. Que convosco vive e reina, na unidade do Espírito Santo.

Hora Média

Ant. Disse o **an**jo à **Vir**gem:
Maria, a**le**gra-te, ó **chei**a de **gra**ça,
o Se**nhor** é con**ti**go;
és ben**di**ta entre **to**das as **mul**he**res** da **ter**ra.

Leitura breve
cf. Is 10,24.27

Diz o Senhor Deus dos exércitos: Não tenhas medo, povo meu, que habitas em Sião. Acontecerá naquele dia, que o teu ombro se livrará do peso dele, teu pescoço, do seu jugo.

V. Lem**brai**-vos, ó Se**nhor**, de mim, lem**brai**-vos,
pelo **amor** que demons**trais** ao vosso **po**vo!

R. Visi**tai**-me com a **vos**sa sal**va**ção!

Oração como nas Laudes.

124 3ª Semana do Advento

Vésperas

Leitura breve Fl 3,20b-21

Aguardamos o nosso Salvador, o Senhor, Jesus Cristo. Ele transformará o nosso corpo humilhado e o tornará semelhante ao seu corpo glorioso, com o poder que tem de sujeitar a si todas as coisas.

Responsório breve

R. A **vós**, ó Deus, a **nos**sa grati**dão**:
 * Vosso **no**me está **per**to. R. A **vós**, ó Deus.
V. De **vós**, Senhor, vi**rá** a renova**ção**. * Vosso **no**me.
 Glória ao **Pai**. R. A **vós**, ó Deus.

Cântico evangélico, ant.

Dora**van**te as gera**ções** hão de cha**mar**-me de ben**di**ta,
porque o Se**nhor** voltou os **o**lhos
para a humil**da**de de sua **ser**va.

Preces

Oremos humildemente ao Senhor que vem para nos salvar; e aclamemos dizendo:

R. **Vinde, Senhor, salvar-nos!**

Senhor Jesus, Ungido do Pai como salvador de toda a humanidade,
_ vinde depressa e salvai-nos. R.

Vós, que viestes a este mundo,
_ livrai-nos do pecado do mundo. R.

Vós, que viestes do Pai,
_ ensinai-nos o caminho da salvação que conduz ao Pai. R.

Vós, que fostes concebido pelo poder do Espírito Santo,
_ renovai os nossos corações, no mesmo Espírito, com a vossa palavra. R.

Vós, que vos encarnastes no seio da Virgem Maria,
_ libertai-nos da corrupção da carne. R.

(intenções livres)

Lembrai-vos, Senhor, de todos os seres humanos,
_ que existiram desde o princípio do mundo e esperaram em vós.
R.

Pai nosso...

Oração

Inclinai, ó Deus, o vosso ouvido de Pai à voz da nossa súplica, e iluminai as trevas do nosso coração com a visita do vosso Filho. Que convosco vive e reina, na unidade do Espírito Santo.

TERÇA-FEIRA

Se ocorrer após 16 de dezembro, tudo se diz como no dia corrente, p. 145s.

Laudes

Leitura breve

Gn 49,10

O cetro não será tirado de Judá, nem o bastão de comando dentre seus pés, até que venha Aquele a quem pertencem, e a quem obedecerão os povos.

Responsório breve

R. Que o universo rejubile e dê gritos de alegria:
* Pois o Senhor há de chegar! R. Que o universo.
V. Justiça e paz se abraçarão.
* Pois o Senhor. Glória ao Pai. R. Que o universo.

Cântico evangélico, ant.

Desperta, levanta, Cidade de Deus
e quebra as correntes e o jugo opressor!
Ó filha cativa, sê livre, Sião!

Preces

Deus Pai onipotente estenderá de novo a sua mão para resgatar os sobreviventes do seu povo. Peçamos-lhe, pois, cheios de confiança:
R. Venha a nós, Senhor, o vosso reino!

Concedei, Senhor, que possamos dar frutos dignos de conversão,
– para recebermos o vosso reino que se aproxima. R.

Preparai, Senhor, em nossos corações o caminho para acolhermos vossa Palavra que vai chegar,
– para que sua glória possa revelar-se em nós. R.

3ª Semana do Advento

Abatei os montes e colinas do nosso orgulho,
– e levantai os vales da nossa fragilidade.
R. Venha a nós, Senhor, o vosso reino!

Derrubai as barreiras de ódio que dividem os povos,
– e tornai planos os caminhos da concórdia entre os povos. **R.**

(intenções livres)

Pai nosso...

Oração

O Deus, que por meio do vosso Unigênito nos transfigurastes em nova criatura, considerai a obra do vosso amor, e purificai-nos das manchas da antiga culpa no advento do vosso Filho. Que convosco vive e reina, na unidade do Espírito Santo.

Hora Média

Ant. Disse o **anjo** à **Vir**gem:
Maria, alegra-te, ó **chei**a de **graça**,
o Se**nhor** é con**tigo**;
és ben**dita** entre **todas** as mu**lheres** da **terra**.

Leitura breve   Jr 23,6

Naqueles dias, Judá será salvo e Israel viverá tranquilo; este é o nome com que o chamarão: "Senhor, nossa Justiça".

V. Lem**brai**-vos, ó Se**nhor**, de mim, lem**brai**-vos,
pelo **amor** que demons**trais** ao vosso **povo**!
R. Visi**tai**-me com a vos**sa** salva**ção**!
Oração como nas Laudes.

Vésperas

Leitura breve   cf. 1Cor 1,7b-9

Aguardamos a revelação do Senhor nosso, Jesus Cristo. É ele também que vos dará perseverança em vosso procedimento irrepreensível até ao fim, até ao dia de nosso Senhor, Jesus Cristo. Deus é fiel; por ele fostes chamados à comunhão com seu Filho.

Responsório breve

R. Nossa **alma** espera no Se**nhor**,
* Nele se alegra o **nos**so cora**ção**. **R.** Nossa **alma**.

Quarta-feira

℣. Está **per**to a salva**ção** dos que o res**pei**tam.
* Nele se a**le**gra. Glória ao **Pai**. ℞. Nossa a**l**ma.

Cântico evangélico, ant.
E **an**tes de vi**ve**rem junta**men**te como es**po**sos,
Ma**ri**a conce**beu** do Espírito **San**to. Ale**lui**a.

Preces

Invoquemos a Cristo, Palavra eterna, que inaugurou ria terra, através de sua humanidade; um caminho novo e vivo para subir ao santuário celeste; e supliquemos humildemente:

℞. **Vinde, Senhor, salvar-nos!**

Deus, em quem vivemos, nos movemos e somos,
– vinde e revelai-nos que somos vosso povo. ℞.

Vós, que não estais longe de nenhum de nós,
– mostrai-vos sem demora a todos os que vos procuram. ℞.

Pai dos pobres e consolador dos aflitos,
– dai liberdade aos cativos e alegria aos tristes. ℞.

(intenções livres)

Vós, que destruís a morte e amais a vida,
– livrai-nos da morte eterna, a nós e a todos os que em vós adormeceram. ℞.

Pai nosso...

Oração

Ó Deus, que por meio do vosso Unigênito nos transfigurastes em nova criatura, considerai a obra do vosso amor, e purificai-nos das manchas da antiga culpa no advento do vosso Filho. Que convosco vive e reina, na unidade do Espírito Santo.

QUARTA-FEIRA

Se ocorrer após 16 de dezembro, tudo se diz como no dia corrente, p. 145s.

3ª Semana do Advento

Laudes

Leitura breve
Is 7,14b-15

Eis que uma virgem conceberá e dará à luz um filho, e lhe porá o nome de Emanuel; ele se alimentará de manteiga e de mel até quando aprender a fugir do mal e a procurar o bem.

Responsório breve
R. O **Senhor** é con**tigo**, ó **Maria**,
* **Alegra-te, cheia de graça!** R. O **Senhor**.
V. Ele vol**tou** seu o**lhar** para **ti**:
realizou toda a sua esperança.
* **Alegra-te. Glória ao Pai.** R. O **Senhor**.

Cântico evangélico, ant.
Consola-te, consola-te, meu **povo**,
é o **Senhor** e o teu **Deus** quem te consola!

Preces
Cristo, Palavra de Deus, quis habitar no meio de nós e revelar-nos a sua glória. Felizes com esta esperança, aclamemos:
R. **Ficai conosco, Emanuel!**

Príncipe justo e reto,
– fazei justiça aos pobres e oprimidos. R.

Rei pacífico, que das espadas fazeis arados e das lanças, foices,
– ensinai-nos a transformar as invejas em amor e as ofensas em perdão. R.

Vós que não julgais pela aparência,
– confirmai na fidelidade perfeita aqueles que são vossos. R.

Quando vierdes sobre as nuvens do céu com grande poder e glória,
– fazei-nos comparecer sem temor na vossa presença.. R.

(intenções livres)

Pai nosso...

Oração
Concedei-nos, ó Deus onipotente, que as próximas festas do vosso Filho nos sejam remédio nesta vida e prêmio na vida eterna. Por nosso Senhor Jesus Cristo, vosso Filho, na unidade do Espírito Santo.

Quarta-feira

Hora Média

Ant. Disse o **an**jo à **Vir**gem:
    Maria, ale**gra**-te, ó **chei**a de **graça,**
    o **Se**nhor é con**ti**go;
    és ben**di**ta entre **to**das as **mu**lheres da **terra.**

Leitura breve
Is 12,2

É Deus que me salva; posso viver confiante e sem medo, porque o Senhor é a razão da minha força e do meu canto, ele se fez meu Salvador.

V. Lem**brai**-vos, ó **Se**nhor, de mim, lem**brai**-vos,
    pelo **amor** que demons**trais** ao vosso **po**vo!
R. Visi**tai**-me com a **vos**sa salva**ção!**

Oração como nas Laudes.

Vésperas

Leitura breve
1Cor 4,5

Não queirais julgar antes do tempo. Aguardai que o Senhor venha. Ele iluminará o que estiver escondido nas trevas e manifestará os projetos dos corações. Então, cada um receberá de Deus o louvor que tiver merecido.

Responsório breve

R. Eis o **tem**po favo**rá**vel,
  * Eis o **dia** da salva**ção!** R. Eis o **tem**po.
V. O Reino de **Deus** está bem **per**to. * Eis o **dia.**
  Glória ao **Pai.** R. Eis o **tem**po.

Cântico evangélico, ant.

Sois **vós** o Espe**ra**do, ó **Se**nhor,
que vi**reis** para· sal**var** o vosso **po**vo.

Preces

Supliquemos humildemente a Deus Pai, que enviou seu Filho para trazer-nos a paz sem fim; e digamos:

R. **Venha a nós, Senhor, o vosso reino!**

Pai santo, olhai com bondade para a vossa Igreja,
– e vinde visitar esta vinha que vossa mão plantou.   R.

Deus fiel, lembrai-vos de todos os filhos de Abraão,
– e cumpri as promessas feitas a seus pais.   R.

130 3ª Semana do Advento

Deus clementíssimo, compadecei-vos dos povos que ainda não vos conhecem,
–para que vos glorifiquem por vossa misericórdia. R.

Pastor eterno, visitai as ovelhas do vosso rebanho,
–e reuni-as todas no único aprisco de Cristo. R.

(intenções livres)

Lembrai-vos também de todos os que partiram deste mundo na vossa paz,
–e recebei-os na glória com vosso Filho. R.

Pai nosso...

Oração

Concedei-nos, ó Deus onipotente, que as próximas festas do vosso Filho nos sejam remédio nesta vida e prêmio na vida eterna. Por nosso Senhor Jesus Cristo, vosso Filho, na unidade do Espírito Santo.

QUINTA-FEIRA

Se ocorrer após 16 de dezembro, tudo se diz como no dia corrente, p. 145s.

Laudes

Leitura breve
Is 45,8

Céus, deixai cair orvalho das alturas, e que as nuvens façam chover justiça; abra-se a terra e germine a salvação; brote igualmente a salvação.

Responsório breve
R. Eis que **vem** vosso **Deus** Sal**vador**!
 *Eis vosso **Deus** e Senhor. R. Eis que **vem**.
V. *Toda a **carne verá** sua **glória**. *Eis vosso **Deus**.
 Glória ao **Pai**. R. Eis que **vem**.

Cântico evangélico, ant.
Des**per**ta, le**van**ta-te, ó **braço** do Se**nhor**,
recobra o teu po**der** e tua **força** inven**cível**!

Quinta-feira

Preces

Peçamos confiantes a Cristo, sabedoria e poder de Deus, que encontra suas delícias em estar com os filhos dos homens; e digamos:

R. Jesus, ficai conosco!

Senhor Jesus Cristo, que nos chamastes para o reino da vossa luz admirável,
– fazei que caminhemos de modo digno de Deus, agradando-lhe em tudo! **R.**

Vós, que, ignorado pelo mundo, estais no meio de nós,
– manifestai vossa face a todos os homens. **R.**

Vós que estais mais perto de nós do que nós mesmos,
– confirmai em nossos corações a confiança e a esperança da salvação. **R.**

Vós que sois a fonte da santidade,
– guardai-nos santos e irrepreensíveis para o dia de vossa vinda. **R.**

(intenções livres)

Pai nosso...

Oração

Senhor nosso Deus, somos servos indignos e reconhecemos com tristeza as nossas faltas. Dai-nos a alegria do advento do vosso Filho que vem para nos salvar. Por nosso Senhor Jesus Cristo, vosso Filho, na unidade do Espírito Santo.

Hora Média

Ant. Disse o **an**jo à **Vir**gem:
     Ma**ri**a, **a**legra-te, ó **che**ia de **gra**ça,
     o **Se**nhor é contigo;
     és ben**di**ta entre **to**das as **mu**lhe**r**es da **ter**ra.

Leitura breve
Ag 2,6b.9

Ainda um momento, e eu hei de mover o céu e a terra, o mar e a terra firme. O esplendor desta nova casa será maior que o da primeira, e, neste lugar, estabelecerei a paz, diz o Senhor dos exércitos.

132 — 3ª Semana do Advento

V. Lembrai-vos, ó Senhor, de mim, lembrai-vos,
pelo amor que demonstrais ao vosso povo!
R. Visitai-me com a vossa salvação!

Oração como nas Laudes.

Vésperas

Leitura breve   Tg 5,7-8.9b

Irmãos, ficai firmes até à vinda do Senhor. Vede o agricultor: ele
espera o precioso fruto da terra e fica firme até cair a chuva do
outono ou da primavera. Também vós ficai firmes e fortalecei
vossos corações, porque a vinda do Senhor está próxima. Eis que
o juiz está às portas.

Responsório breve

R. A vós, ó Deus, a nossa gratidão:
  * Vosso nome está perto. R. A vós, ó Deus.
V. De vós, Senhor, virá a renovação. * Vosso nome.
  Glória ao Pai. R. A vós, ó Deus.

Cântico evangélico, ant.

Alegrai-vos com Sião e exultai por sua causa,
todos vós que a amais.
Exultai eternamente!

Preces

Irmãos e irmãs, imploremos a Cristo, a grande luz anunciada pelos profetas aos que viviam na sombra da morte; e digamos:

R. **Vinde, Senhor Jesus!**

Cristo, Palavra de Deus, que no princípio criastes todas as coisas
e nos últimos tempos assumistes a nossa natureza humana,
—vinde salvar-nos do pecado e da morte.   R.

Luz verdadeira, que iluminais todo homem que vem a este mundo,
—vinde dissipar as trevas da nossa ignorância.   R.

Filho unigênito, que estais no seio do Pai,
—vinde revelar a todos as maravilhas do amor de Deus.   R.

Cristo Jesus, que viestes para nós como Filho do Homem,
—tornai filhos de Deus todos aqueles que vos receberam.   R.

(intenções livres)

Vós que abris as portas de todas as prisões,
– admiti ao banquete das núpcias eternas aqueles que esperam a entrada na vossa glória. **R.**

Pai nosso...

Oração

Senhor nosso Deus, somos servos indignos e reconhecemos com tristeza as nossas faltas. Dai-nos a alegria do advento do vosso Filho que vem para nos salvar. Por nosso Senhor Jesus Cristo, vosso Filho, na unidade do Espírito Santo.

SEXTA-FEIRA

Se ocorrer após 16 de dezembro, tudo se diz como no dia corrente, p. 145s.

Laudes

Leitura breve Jr 30,21a.22

Eis o que diz o Senhor: Para chefe será escolhido um dos seus, e o soberano sairá do seu meio; eu o incitarei, e ele se aproximará de mim. Sereis meu povo e eu serei vosso Deus.

Responsório breve

R. Que o universo rejubile e dê gritos de alegria:
  * Pois o Senhor há de chegar! R. Que o universo.
V. Justiça e paz se abraçarão:
  * Pois o Senhor. Glória ao Pai. R. Que o universo.

Cântico evangélico, ant.

Respeitai o direito, praticai a justiça,
pois a minha salvação já não tarda e vai chegar.

Preces

Aclamemos com alegria Deus nosso Pai, que por meio de seu Filho revelou aos seres humanos a sua glória; e digamos:

R. **Senhor, glorificado seja o vosso nome!**

Fazei, Senhor, que aprendamos a nos acolher uns aos outros,
– como Cristo nos acolheu para a glória de Deus Pai. **R.**

Cumulai-nos de toda alegria e paz em nossa fé,
– para caminharmos na esperança e na força do Espírito Santo. **R.**

Ajudai a todos, Senhor, segundo a imensidade de vossa compaixão;
– ide ao encontro daqueles que, mesmo sem saber, vos esperam.
R. **Senhor, glorificado seja o vosso nome!**

Vós chamais e santificais os eleitos;
– perdoai as nossas culpas e admiti-nos no reino da eterna bem aventurança. **R.**

(intenções livres)

Pai nosso...

Oração

Nós vos pedimos, ó Deus todo-poderoso, que a vossa graça sempre nos preceda e acompanhe, para que, esperando ansiosamente a vinda do vosso Filho, possamos obter a vossa ajuda nesta vida e na outra. Por nosso Senhor Jesus Cristo, vosso Filho, na unidade do Espírito Santo.

Hora Média

Ant. Disse o **an**jo à **V**irgem:
Maria, a**le**gra-te, ó **chei**a de **gra**ça,
o S**e**nhor é con**ti**go;
és ben**di**ta entre **to**das as mu**lhe**res da **ter**ra.

Leitura breve Jr 30,18a

Isto diz o Senhor: Eis que eu mudarei a sorte das tendas de Jacó e terei compaixão de suas moradias.

V. Lem**brai**-vos, ó S**e**nhor, de mim, lem**brai**-vos,
pelo **amor** que demons**trais** ao vosso **po**vo!
R. Visi**tai**-me com a **vos**sa salva**ção**!

Oração como nas Laudes.

Vésperas

Leitura breve 2Pd 3,8b-9

Para o Senhor, um dia é como mil anos e mil anos como um dia. O Senhor não tarda a cumprir sua promessa, como pensam alguns, achando que demora. Ele está usando de paciência para conosco. Pois não deseja que alguém se perca. Ao contrário, quer que todos venham a converter-se.

Sexta-feira

Responsório breve

R. Nossa **al**ma es**pe**ra no Se**nhor**,
  * Nele se a**le**gra o **nos**so cora**ção**. R. Nossa **al**ma.
V. Sua **gló**ria habita**rá** em nossa **ter**ra.* Nele se a**le**gra.
    Glória ao **Pai**. R. Nossa **al**ma.

Cântico evangélico, ant.

É **es**te o teste**mu**nho que **deu** João Ba**tis**ta:
o que vi**rá** depois de **mim**, já exis**ti**a antes de **mim**.

Preces

Invoquemos com toda confiança a Cristo, pastor e guarda de nossas almas; e digamos:

R. **Sede bondoso, Senhor, sede clemente!**

Bom Pastor do rebanho de Deus,
– vinde para congregar a todos em vossa Igreja.   R.

Auxiliai, Senhor, os pastores de vosso povo peregrino,
– para que apascentem com dedicação o rebanho que lhes foi
confiado, até a vossa vinda.   R.

Escolhei dentre nós mensageiros de vossa palavra,
– que anunciem vosso Evangelho até os confins da terra.   R.

Tende piedade de todos os que sofrem e desfalecem no caminho,
– fazei que encontrem um amigo que lhes traga conforto e alegria.
                                                                  R.
Mostrai a vossa glória nos prados celestes,
– aos que já foram chamados deste mundo.   R.

(intenções livres)

Pai nosso...

Oração

Nós vos pedimos, ó Deus todo-poderoso, que a vossa graça sempre nos preceda e acompanhe, para que, esperando ansiosamente a vinda do vosso Filho, possamos obter a vossa ajuda nesta vida e na outra. Por nosso Senhor Jesus Cristo, vosso Filho, na unidade do Espírito Santo.

No sábado seguinte, diz-se tudo como no dia correspondente do mês, p. 145s.

136   Tempo do Advento

4º DOMINGO DO ADVENTO

IV Semana do Saltério

I Vésperas

Hino, p. 141.

Ant. 1 Eis que **vem** sem mais de**mo**ra o Dese**ja**do das na**ções**,
e a **ca**sa do Se**nhor** se enche**rá** de sua **gló**ria. Ale**lu**ia.

Salmos e cântico do domingo da IV Semana, p. 1029.

Ant. 2 Oh **vin**de, Se**nhor**, não tardeis **mais**!
Liber**tai** vosso **po**vo do pe**ca**do!

Ant. 3 A pleni**tu**de dos **tem**pos já che**gou**:
Deus en**viou** o seu **Fi**lho à nossa **ter**ra.

Leitura breve   1Ts 5,23-24

Que o próprio Deus da paz vos santifique totalmente, e que tudo aquilo que sois – espírito, alma, corpo – seja conservado sem mancha alguma para a vinda de nosso Senhor Jesus Cristo! Aquele que vos chamou é fiel; ele mesmo realizará isso.

Responsório breve

R. Que o uni**ver**so re**ju**bile e dê **gri**tos de ale**gri**a:
  * Pois o Se**nhor** há de che**gar**! R. Que o uni**ver**so.
V. Nunca **mais** haverá **noi**te
    e eles **não** precisa**rão** da luz da **lâm**pada ou do **sol**.
    O Se**nhor** será sua **luz**.
  * Pois o Se**nhor**. Glória ao **Pai**. R. Que o uni**ver**so.

Cântico evangélico

Antífona do dia correspondente do mês de dezembro, p. 147s.

Preces

Oremos, irmãos e irmãs caríssimos, a Cristo nosso Senhor que nasceu da *Virgem Maria; e digamos* com humildade e alegria:
R. **Vinde, Senhor Jesus!**

Filho Unigênito de Deus, que haveis de vir como o verdadeiro mensageiro da Aliança,
– fazei que o mundo vos acolha e reconheça.   **R.**

4º Domingo do Advento

Filho Unigênito de Deus, que sois fonte de vida e quisestes experimentar a morte
– livrai-nos da sentença de morte que merecemos. R.

Filho Unigênito de Deus, que vindes julgar o mundo e trazeis convosco a recompensa,
– aumentai a nossa esperança para que sejamos dignos das vossas promessas. R.

(intenções livres)

Senhor Jesus Cristo, que viestes socorrer os mortos com a vossa morte,
– escutai as súplicas que vos dirigimos pelos nossos defuntos. R.

Pai nosso...

Oração

Derramai, ó Deus, a vossa graça em nosso corações, para que, conhecendo pela mensagem do Anjo a encarnação do vosso Filho, cheguemos, por sua paixão e cruz, à glória da ressurreição. Por nosso Senhor Jesus Cristo, vosso Filho, na unidade do Espírito Santo.

Laudes

Hino, p. 142.

Sendo 24 de dezembro, este domingo tem textos próprios, p. 165. Se não:

Ant. 1 Tocai a trombeta em Sião:
o dia de Deus está perto;
Ele vem nos salvar, aleluia.

Salmos e cântico do domingo da IV Semana, p. 1033.

Ant. 2 O Senhor está chegando: Povos todos, exultai;
acorrei ao seu encontro aclamando em alta voz:
É imenso o seu poder, o seu reino não tem fim!
É o Deus forte, o Poderoso,
é o Príncipe da paz. Aleluia.

Ant. 3 Vossa Palavra onipotente, ó Senhor,
virá a nós de vosso trono glorioso. Aleluia.

Leitura breve   Rm 13,11-12

Já é hora de despertar. Com efeito, agora a salvação está mais perto de nós do que quando abraçamos a fé. A noite já vai adiantada, o

Tempo do Advento

dia vem chegando: despojemo-nos das ações das trevas e vista-mos as armas da luz.

Responsório breve.

R. Mesmo as **tre**vas para **vós** não são es**cu**ras,
* Vós **sois** a luz do **mun**do, ale**lui**a! R. Mesmo as **tre**vas.

V. No ca**mi**nho da **vi**da condu**zi**-me! * Vós **sois**.
Glória ao **Pai**. R. Mesmo as **tre**vas.

Cântico evangélico, ant.

Não sendo as antífonas Confiai (21 de dezembro) ou Eis que agora (23 de dezembro), diz-se uma das seguintes:

Ano A   José, **fi**lho de Da**vi**, não re**cei**es
receber tua es**po**sa Ma**ri**a,
pois o **fi**lho que **e**la ge**rou**
é **fru**to do Es**pí**rito **San**to.

Ano B   O **an**jo Gabri**el** foi envi**a**do
à es**po**sa de Jo**sé**, Virgem Ma**ri**a.
Jo**sé** era da **ca**sa de Da**vi**,
e o **no**me da **vir**gem era Ma**ri**a.

Ano C   Levan**tou**-se Ma**ri**a e diri**giu**-se de**pres**sa
a uma ci**da**de de Ju**dá**, na regi**ão** monta**nho**sa;
e en**tran**do na **ca**sa de Zacari**as**,
sau**dou** a sua **pri**ma Isa**bel**.

Preces

Rezemos, irmãos e irmãs caríssimos, a nosso Senhor Jesus Cris-to, Juiz dos vivos e dos mortos; e digamos:

R. **Vinde, Senhor Jesus!**

Senhor Jesus Cristo, que viestes salvar os pecadores,
– defendei-nos de toda tentação.   R.

Senhor Jesus Cristo, que vireis cheio de glória para julgar o mundo,
– manifestai em nós o poder da vossa salvação.   R.

Ajudai-nos a cumprir, na força do Espírito, os mandamentos de vossa lei,
– para que possamos acolher com amor o dia de vossa vinda. R.

4º Domingo do Advento

Senhor Jesus Cristo, que sois eternamente glorificado pelos anjos e santos, ensinai-nos por vossa misericórdia a viver neste mundo com equilíbrio, justiça e piedade,
– aguardando a feliz esperança da Vossa vinda gloriosa. **R.**

(intenções livres)

Pai nosso...

Oração

Derramai, ó Deus, a vossa graça em nossos corações, para que, conhecendo pela mensagem do Anjo a encarnação do vosso Filho, cheguemos, por sua paixão e cruz, à glória da ressurreição. Por nosso Senhor Jesus Cristo, vosso Filho, na unidade do Espírito Santo.

Hora Média

Se este domingo ocorrer no dia 24 de dezembro, tomam-se os textos próprios deste dia, p. 166. Se não:

Hino, p. 143.

Ant. Disse o **an**jo à **Vir**gem:
Ma**ria**, a**leg**ra-te, ó **chei**a de **gra**ça,
o **Se**nhor é con**ti**go;
és ben**di**ta entre **to**das as mu**lhe**res da **ter**ra.

Leitura breve   cf. 1Ts 3,12-13

O Senhor vos conceda que o amor entre vós e para com todos aumente e transborde sempre mais, a exemplo do amor que temos por vós. Que assim ele confirme os vossos corações numa santidade sem defeito aos olhos de Deus, nosso Pai, no dia da vinda de nosso Senhor Jesus, com todos os seus santos.

V. Lem**brai**-vos, ó **Se**nhor, de mim, lem**brai**-vos,
pelo **amor** que demons**trais** ao vosso **po**vo!
R. Visi**tai**-me com a **vos**sa salva**ção**!
Oração como nas Laudes.

II Vésperas

Hino, p. 141.

Ant. 1 Contem**plai** o **Se**nhor! Quão glorioso ele **vem**!
Para os **po**vos sal**var** ele en**tra** no **mun**do.

140 Tempo do Advento

Salmos e cântico do domingo da IV Semana, p. 912

Ant. 2 Será **pla**no o ca**mi**nho e **re**to o que é **tor**to.
Vinde a **nós**, ó Se**nhor**, sem tar**dar**, ale**lui**a.

Ant. 3 Será **gran**de o seu po**der**,|
e a **paz** não terá **fim**. Ale**lui**a.

Leitura breve Fl 4,4-5

Alegrai-vos sempre no Senhor; eu repito, alegrai-vos. Que a vos-sa bondade seja conhecida de todos os homens! O Senhor está próximo!

Responsório breve

R. Ale**gre**mos-nos, **todos**, no Se**nhor**!
   * Ale**gre**mos-nos, pois ele está bem **per**to!
   R. Ale**gre**mos-nos.
V. A jus**ti**ça anda**rá** na sua **fren**te,
   e a salva**ção** no ves**tí**gio de seus **pas**sos. * Ale**gre**mos-nos.
   Glória ao **Pai**. R. Ale**gre**mos-nos.

Cântico evangélico

Antífona do dia corrente, p. 147s.

Preces

Imploremos, irmãos e irmãs caríssimos, a Cristo Redentor, que veio salvar a humanidade; e digamos confiantes:

R. **Vinde, Senhor Jesus!**

Senhor Jesus Cristo, que pelo mistério da encarnação revelastes aos seres humanos a glória da vossa divindade,
– dai vida ao mundo com a vossa vinda.   R.

Vós, que assumistes a fragilidade da natureza humana,
– concedei-nos a vossa misericórdia.   R.

Vós, que, na primeira vez, viestes humilde, para remir o mundo de seus pecados,
– quando vierdes novamente, absolvei-nos de toda culpa.   R.

Vós, que viveis eternamente e tudo governais com justiça,
– por vossa bondade, fazei-nos alcançar a herança prometida. R.

(intenções livres)

Tempo do Advento

Vós, que estais sentado à direita do Pai,
– alegrai as almas dos nossos defuntos com a luz da vossa face.

R.

Pai nosso...

Oração

Derramai, ó Deus, a vossa graça em nossos corações, para que, conhecendo pela mensagem do Anjo a encarnação do vosso Filho, cheguemos, por sua paixão e cruz, à glória da ressurreição. Por nosso Senhor Jesus Cristo, vosso Filho, na unidade do Espírito Santo.

TEMPO DO ADVENTO

II. APÓS 16 DE DEZEMBRO

No Ofício do domingo e dias de semana a partir de 17 de dezembro, até às I Vésperas do Natal, exclusive:

Vésperas

Hino

Recebe, Virgem Maria,
no casto seio materno,
dos céus, o Verbo Divino
vindo da boca do Eterno.

Fecunda, a sombra do Espírito
do alto céu te ilumina,
para gerares um Filho
de natureza divina.

A porta santa do templo
eternamente fechado,
feliz e pronta se abre.
somente ao Rei esperado.

Desceu à terra o Senhor,
por Gabriel anunciado;
promessa antiga aos profetas,
antes da aurora gerado.

142 Tempo do Advento

Exulta o coro dos anjos,
a terra canta louvor:
Para salvar os perdidos,
humilde, vem o Senhor.

Ó Cristo, Rei piedoso,
a vós e ao Pai toda a glória,
com o Espírito Santo:
eterna honra e vitória.

Completas

HINO ó Cristo, dia e esplendor, como no Ordinário, p. 751.

Laudes

Hino

Os profetas, com voz poderosa,
anunciam a vinda de Cristo,
proclamando a feliz salvação,
que liberta no tempo previsto.

Ao fulgor da manhã radiosa,
arde em fogo o fiel coração,
quando a voz, portadora de glória,
faz no mundo soar seu pregão.

Não foi para punir este mundo
que Ele veio na vinda primeira.
Ele veio sarar toda chaga
e salvar quem no mal perecera.

Mas a vinda segunda anuncia
que o Cristo Senhor vai chegar,
para abrir-nos as portas do reino
e os eleitos no céu coroar.

Luz eterna nos é prometida
e se eleva o astro-rei salvador,
que nos chama à grandeza celeste
com a luz do divino esplendor.

Ó Jesus, só a vós desejamos
para sempre no céu contemplar,
e por vossa visão saciados,
glória eterna sem fim vos cantar.

Tempo do Advento

Hora Média

Hino

O louvor de Deus cantemos
com fervor no coração,
pois agora a hora sexta
nos convida à oração.

Nesta hora foi-nos dada
gloriosa salvação
pela morte do Cordeiro,
que na cruz trouxe o perdão.

Ante o brilho de tal luz
se faz sombra o meio-dia.
Tanta graça e tanto brilho
vinde haurir, com alegria.

Seja dada a glória ao Pai
e ao seu Único também,
com o Espírito Paráclito,
pelos séculos. Amém.

Ant. Disse o **an**jo à **Vir**gem:
Ma**ri**a, a**le**gra-te, ó **chei**a de **gra**ça,
o Se**nhor** é con**ti**go;
és ben**di**ta entre **to**das as mu**lhe**res da **ter**ra.

ANTÍFONAS DAS LAUDES E VÉSPERAS
de 17 a 23 de dezembro

As antífonas seguintes das Laudes e Vésperas se dizem nos dias de semana que ocorrem de 17 a 23 de dezembro. Começam a 17 de dezembro (ou 18, se 17 cair em domingo), pelas antífonas assinaladas para o dia de semana do respectivo dia do mês.

Segunda-feira

Ant. 1 Eis que **vem** o Se**nhor**, Rei do **reis** do uni**ver**so.
Fe**liz** quem está **pron**to para **ir**-lhe ao en**con**tro!

Antífona das Laudes e Vésperas

Ant. 2 **Cantai** ao Senhor **Deus** um canto **no**vo,
louvor a **E**le dos con**fins** de toda a **ter**ra.

Ant. 3 Quando o **Fi**lho do **ho**mem **vi**er,
encontrará ainda **fé** sobre a **ter**ra?

Terça-feira

Ant. 1 O Se**nhor** sai do **seu** santu**á**rio nos **céus.**
Ele **vem** liber**tar** e sal**var** o seu **po**vo.

Ant. 2 Nossa ci**da**de inven**cí**vel é Si**ão,**
sua mu**ra**lha e sua trin**chei**ra é o Sal**va**dor.
Abri as **por**tas pois co**nos**co está o Se**nhor**. Ale**lui**a.

Ant. 3 Que na **ter**ra se co**nhe**ça o seu ca**mi**nho,
e a **su**a salva**ção** por entre os **po**vos.

Quarta-feira

Ant. 1 De Si**ão** vem o **Deus** oni**po**tente,
vem sal**var** o seu **po**vo e libertá-**lo.**

Ant. 2 Por ti, Si**ão**, não have**rei** de me ca**lar,**
nem por **ti**, Jerusa**lém**, terei sos**se**go,
até que **bri**lhe tua justiça como a au**ro**ra.

Ant. 3 O Es**pí**rito do Se**nhor** repousa sobre **mim**
e me en**vi**a a anunci**ar** aos **po**bres o Evan**ge**lho.

Quinta-feira

Ant. 1 Senhor, meu **Deus**, a **vós** e**le**vo a minha **al**ma,
vinde e sal**vai**-me, pois em **vós** me re**fú**gio!

Ant. 2 Recompen**sai**, Senhor, a**que**les que es**pe**ram vossa **vin**da,
para que **to**dos reco**nhe**çam a ver**da**de dos pro**fe**tas.

Ant. 3 Vol**tai**-vos, Se**nhor**, para **nós** por um **pou**co.
Não tar**deis** mais em **vir** até **nós**, vossos **ser**vos!

Sexta-feira

Ant. 1 A**que**le que **rei**na há de **vir** de Si**ão**.
É **gran**de o seu **no**me: Senhor, Deus-co**nos**co.

Ant. 2 Sede **fir**mes na espe**ran**ça,
e ve**reis** vir sobre **vós** o au**xí**lio do Se**nhor**.

17 de dezembro

Ant. 3 Eu **volto** os **o**lhos ao Se**nhor**
e a**guar**do a **Deus,** meu Salvador.

Sábado

Laudes:

Ant. 1 Das alturas Deus virá! O Seu brilho é como o **Sol**.

Ant. 2 Que os **céus**, lá do **alto**, derramem o orvalho,
que chova das nuvens o **Justo** esperado.
Que a **terra** se abra e germine o Senhor!

Ant. 3 Estai preparados, ó filhos de **Deus**,
e ide ao encontro do **Deus** que virá.

17 DE DEZEMBRO

Semana do saltério que corresponda segundo os anos. Salmos do dia correspondente da semana, com as antífonas próprias para as Laudes e as Vésperas, p. 143s.

Laudes

Antífonas próprias, p.143s, Salmos do dia corrente da semana.

Leitura breve   Is 11,1-3a
Nascerá uma haste do tronco de Jessé e, a partir da raiz, surgirá o rebento de uma flor; sobre ele repousará o espírito do Senhor: espírito de sabedoria e discernimento, espírito de conselho e fortaleza, espírito de ciência e temor de Deus; no temor do Senhor encontra ele seu poder.

Responsório breve
R. O Se**nhor** é contigo, ó Maria
  * Alegra-te, **cheia** de graça! R. O Senhor.
V. Ele vol**tou** seu **o**lhar para **ti**:
  realizou toda a sua esperança.
  * Alegra-te. Glória ao **Pai**. R. O Senhor.

Cântico evangélico, ant.
Sabei que está **próximo** o reino de **Deus**.
Eu vos **digo** e confirmo que **não** tardará.

146   17 de dezembro

Preces

Oremos a Deus Pai, que na sua eterna providência decidiu salvar seu povo; e digamos:

R. Protegei, Senhor, o vosso povo!

Senhor Deus, que prometestes enviar ao vosso povo o germe da justiça,
—velai pela santidade de vossa Igreja.   R.

Inclinai, Senhor, o coração das pessoas para a verdade de vossa palavra,
—e fortalecei na santidade todos os fiéis.   R.

Conservai-nos no amor de vosso Espírito Santo,
—para recebermos a misericórdia do vosso Filho que vai chegar.   R.

Concedei, Deus clementíssimo, que permaneçamos firmes e fiéis até o fim,
—para o dia da vinda de nosso Senhor Jesus Cristo.   R.

          (intenções livres)

Pai nosso...

Oração

Ó Deus, criador e redentor do gênero humano, quisestes que o vosso Verbo se encarnasse no seio da Virgem. Sede favorável à nossa súplica, para que o vosso Filho Unigênito, tendo recebido nossa humanidade, nos faça participar da sua vida divina. Por nosso Senhor Jesus Cristo, vosso Filho, na unidade do Espírito Santo.

Hora Média

Ant. Disse o **an**jo à **Vir**gem:
      Maria, a**le**gra-te, ó **chei**a de **gra**ça,
      o **Se**nhor é con**ti**go;
      és **ben**dita entre **to**das as **mu**lheres da **ter**ra.

Leitura breve   Is 4,3

Os que forem deixados em Sião, os sobreviventes de Jerusalém, serão chamados santos, a saber, todos os destinados à vida em Jerusalém.

17 de dezembro

V. Lembrai-vos, ó Senhor, de mim, lembrai-vos,
pelo **amor** que demons**trais** ao vosso **povo**!
R. Visi**tai**-me com a vo**ssa** salva**ção**!
Oração como nas Laudes.

Vésperas

Antífonas próprias, p. 143s. Salmos do dia corrente da semana

Leitura breve
1Ts 5,23-24

Que o próprio Deus da paz vos santifique totalmente, e que
tudo aquilo que sois – espírito, alma, corpo – seja conservado
sem mancha alguma para a vinda de nosso Senhor Jesus Cristo!
Aquele que vos chamou é fiel; ele mesmo realizará isso.

Responsório breve

R. Que o uni**ver**so rejubile e dê gritos de alegria:
  * Pois o Se**nhor** há de chegar! R. Que o universo.
V. Eis **aqui** a habita**ção** de **Deus** no meio de **nós**,
  nós se**remos** o seu **povo**, e ele, o Deus co**nosco**!
    * Pois o Se**nhor**. Glória ao **Pai**. R. Que o universo.

Cântico evangélico, ant.

Ó Sabedoria, que saístes da **bo**ca do Al**tíssi**mo;
e atin**gis** até os con**fins** de **to**do o universo
e com **força** e suavi**da**de gover**nais** o mundo inteiro:
oh **vinde** ensi**nar**-nos o ca**mi**nho da prudência!

Preces

Invoquemos a Cristo Jesus, felicidade e alegria de todos os que o
esperam; e digamos:

R. Vinde, Senhor, e não tardeis!

Esperado das nações, cheios de alegria, aguardamos vossa vinda;
– vinde, Senhor Jesus.   R.

Vós, que existis eternamente, antes da criação do mundo,
– vinde salvar os que vivem no mundo.   R.

Vós, que criastes o universo e tudo o que nele existe,
– vinde renovar a obra de vossas mãos.   R.

Vós, que não recusastes assumir nossa natureza mortal,
– vinde libertar-nos do poder da morte.   R.

Vós, que viestes à terra para nos dar uma vida nova,
– vinde e dai-nos a vida eterna.
R. **Vinde, Senhor, e não tardeis!**

(intenções livres)

Vós, que quisestes reunir no vosso reino toda a humanidade,
– vinde congregar na unidade todos os que esperam a visão de
vossa face. R.
Pai nosso...

Oração

Ó Deus, criador e redentor do gênero humano, quisestes que o
vosso Verbo se encarnasse no seio da Virgem. Sede favorável à
nossa súplica, para que o vosso Filho Unigênito, tendo recebido
nossa humanidade, nos faça participar da sua vida divina. Por
nosso Senhor Jesus Cristo, vosso Filho, na unidade do Espírito
Santo.

18 DE DEZEMBRO

Laudes

Antífonas próprias, p. 143s. Salmos do dia corrente da semana.

Leitura breve   Rm 13,11-12
Já é hora de despertar. Com efeito, agora a salvação está mais
perto de nós do que quando abraçamos a fé. A noite já vai adiantada, o dia vem chegando: despojemo-nos das ações das trevas e
vistamos as armas da luz.

Responsório breve
R. Mesmo as **tre**vas para **vós** não são es**cu**ras,
  * Vós **sois** a luz do **mun**do, ale**lui**a! R. Mesmo as **tre**vas.
V. Senhor, son**dai**-me, *conhe***cei** *meu cora***ção**! * Vós **sois**.
  Glória ao **Pai**. R. Mesmo as **tre**vas.

Cântico evangélico, ant.
Vig**iai** e es**tai** prepa**ra**dos:
o Se**nhor** nosso **Deus** está **per**to.

Preces

Rezemos, irmãos e irmãs caríssimos, a nosso Senhor Jesus Cristo, Juiz dos vivos e dos mortos; e digamos:
R. Vinde, Senhor Jesus!

Senhor Jesus Cristo, que viestes salvar os pecadores,
– defendei-nos contra toda tentação. **R.**

Senhor Jesus Cristo, que vireis cheio de glória para julgar o mundo,
– manifestai em nós o poder da vossa salvação. **R.**

Ajudai-nos a cumprir, na força do Espírito, os mandamentos da vossa lei,
– para que possamos acolher com amor o dia de vossa vinda. **R.**

Senhor Jesus Cristo, que sois eternamente glorificado pelos anjos e santos, ensinai-nos por vossa misericórdia a viver neste mundo com equilíbrio, justiça e piedade,
– aguardando a feliz esperança da vossa vinda gloriosa. **R.**

(intenções livres)

Pai nosso...

Oração

Ó Deus todo-poderoso, concedei aos que gememos na antiga escravidão, sob o jugo do pecado, a graça de ser libertados pelo novo natal do vosso Filho, que tão ansiosamente esperamos. Por nosso Senhor Jesus Cristo, vosso Filho, na unidade do Espírito Santo.

Hora Média

Ant. Disse o anjo à Virgem:
Maria, alegra-te, ó cheia de graça,
o Senhor é contigo;
és bendita entre todas as mulheres da terra.

Leitura breve cf. 1Ts 3,12-13

O Senhor vos conceda que o amor entre vós e para com todos aumente e transborde sempre mais, a exemplo do amor que temos por vós. Que assim ele confirme os vossos corações numa santidade sem defeito aos olhos de Deus, nosso Pai, no dia da vinda de nosso Senhor Jesus, com todos os seus santos.

150   18 de dezembro

V. Lembrai-vos, ó Senhor, de mim, lembrai-vos,
    pelo amor que demonstrais ao vosso povo!
R. Visitai-me com a vossa salvação!
Oração como nas Laudes.

Vésperas

Antífonas próprias, p. 143s. Salmos do dia corrente da semana

Leitura breve   Fl 4,4-5
Alegrai-vos sempre no Senhor; eu repito, alegrai-vos. Que a vossa bondade seja conhecida de todos os homens! O Senhor está próximo!

Responsório breve
R. Alegremo-nos, todos, no Senhor!
  * Alegremo-nos, pois ele está bem perto!
    R. Alegremo-nos.
V. Favorecestes, ó Senhor, a vossa terra,
    libertastes os cativos de Jacó. * Alegremo-nos.
    Glória ao Pai. R. Alegremo-nos.

Cântico evangélico, ant.
Ó Adonai, guia da casa de Israel,
que aparecestes a Moisés na sarça ardente
e lhe destes vossa lei sobre o Sinai:
vinde salvar-nos com o braço poderoso!

Preces
Imploremos, irmãos e irmãs caríssimos, a Cristo Redentor, que veio salvar a humanidade; e digamos confiantes:
R. Vinde, Senhor Jesus!
Senhor Jesus Cristo, que pelo mistério da encarnação revelastes aos seres humanos a glória da vossa divindade,
– dai vida ao mundo com a vossa vinda.   R.

Vós, que assumistes a fragilidade da natureza humana,
– concedei-nos vossa misericórdia.   R.

Vós, que, na primeira vez, viestes humilde, para remir o mundo de seus pecados,
– quando vierdes novamente, absolvei-nos de toda culpa.   R.

19 de dezembro 151

Vós, que viveis eternamente e tudo governais com justiça,
– por vossa bondade, fazei-nos alcançar a herança prometida. R.

(intenções livres)

Vós, que estais sentado à direita do Pai,
– alegrai as almas dos nossos defuntos com a luz da vossa face.
R.

Pai nosso...

Oração

Ó Deus todo-poderoso, concedei aos que gememos na antiga escravidão, sob o jugo do pecado, a graça de ser libertados pelo
novo natal do vosso Filho, que tão ansiosamente esperamos. Por
nosso Senhor Jesus Cristo, vosso Filho, na unidade do Espírito
Santo.

19 DE DEZEMBRO

Laudes

Antífonas próprias, p. 143s. Salmos do dia corrente da semana.

Leitura breve   Is 2,3

Vamos subir ao monte do Senhor, à casa do Deus de Jacó, para
que ele nos mostre seus caminhos e nos ensine a cumprir seus
preceitos; porque de Sião provém a lei e de Jerusalém, a palavra
do Senhor.

Responsório breve

R. Eis que **vem** vosso **Deus** Salva**dor**!
 * Eis vosso **Deus** e Se**nhor**! R. Eis que **vem**.
V. Toda **car**ne ve**rá** sua **gló**ria. * Eis vosso **Deus**.
 Glória ao **Pai**. R. Eis que **vem**.

Cântico evangélico, ant.

Despontar**á**, como o **sol**, o Salva**dor**,
e desce**rá** como o or**va**lho sobre a **rel**va,
para o **seio** virgi**nal**, ale**lui**a.

Preces

Oremos, irmãos e irmãs caríssimos, a Cristo, nosso Redentor,
que vem para libertar do poder da morte todos os que se voltam
para ele; e supliquemos com humilde confiança:

R. Vinde, Senhor Jesus!

Quando anunciarmos, Senhor, a vossa vinda,
– purificai o nosso coração de todo espírito de vaidade. R.

Santificai, Senhor, a Igreja que fundastes,
– para que glorifique o vosso nome por toda a terra. R.

Concedei, Senhor, que a vossa lei ilumine os olhos do nosso coração,
– e proteja os povos que em vós confiam. R.

Vós que, por meio da Igreja, anunciais ao mundo a alegria da vossa vinda,
– fazei que estejamos preparados para vos receber dignamente. R.

(intenções livres)

Pai nosso...

Oração

Ó Deus, que revelastes ao mundo o esplendor de vossa glória pelo parto virginal de Maria, dai-nos venerar com fé pura e celebrar sempre com amor sincero o mistério tão profundo da encarnação. Por nosso Senhor Jesus Cristo, vosso Filho, na unidade do Espírito Santo.

Hora Média

Ant. Disse o **an**jo à **Vir**gem:
Maria, a**le**gra-te, ó **chei**a de **gra**ça,
o Se**nhor** é con**ti**go;
és ben**di**ta entre **to**das as mu**lhe**res da **ter**ra.

Leitura breve cf. Is 10,24.27

Diz o Senhor Deus dos exércitos: Não tenhas medo, povo meu, que habitas em Sião. Acontecerá naquele dia que o teu ombro se livrará do peso dele, o teu pescoço, do seu jugo.

V. Lembrai-vos, ó Se**nhor**, de mim, lem**brai**-vos,
pelo **amor** que demons**trais** ao vosso **po**vo!

R. Visi**tai**-me com a **vos**sa salvação!

Oração como nas Laudes.

19 de dezembro

Vésperas

Antífonas próprias, p. 143s. Salmos do dia corrente da semana.

Leitura breve Fl 3,20b-21

Aguardamos o nosso Salvador, o Senhor, Jesus Cristo. Ele transformará o nosso corpo humilhado e o tornará semelhante ao seu corpo glorioso, com o poder que tem de sujeitar a si todas as coisas.

Responsório breve

R. A **vós**, ó Deus, a **nos**sa grati**dão**:
* Vosso **no**me está **per**to. R. A **vós**, ó Deus.
V. De **vós**, Senhor, vi**rá** a renova**ção**.* Vosso **no**me.
Glória ao **Pai**. R. A **vós**, ó Deus.

Cântico evangélico, ant.

Ó Ra**iz** de Jes**sé,** ó estan**dar**te,
levan**ta**do em si**nal** para as na**ções**!
Ante **vós** se cala**rão** os reis da **ter**ra,
e as na**ções** implora**rão** miseri**cór**dia:
Vinde sal**var**-nos! Liber**tai**-nos sem de**mo**ra!

Preces

Supliquemos, irmãos e irmãs caríssimos, a Cristo nosso Senhor, Juiz dos vivos e dos mortos; e digamos com toda a confiança:

R. **Vinde, Senhor Jesus.**

Fazei, Senhor, que o mundo reconheça a vossa justiça que os céus proclamam,
– para que a vossa glória habite nossa terra. R.

Senhor, que quisestes experimentar a fraqueza de nossa humanidade.
– revigorai os seres humanos com o poder da vossa divindade. R.

Vinde, Senhor, iluminar, com o esplendor da vossa sabedoria,
– os que vivem oprimidos nas trevas da ignorância. R.

Senhor, que pela vossa humilhação nos libertastes de toda a iniquidade,
– pela vossa glorificação, conduzi-nos à felicidade eterna. R.

(intenções livres)

Senhor, que haveis de vir com grande poder e glória para julgar
o mundo,
– levai os nossos irmãos e irmãs falecidos para o reino dos céus.
R. **Vinde, Senhor Jesus.**
Pai nosso...

Oração

Ó Deus, que revelastes ao mundo o esplendor da vossa glória
pelo parto virginal de Maria, dai-nos venerar com fé pura e celebrar sempre com amor sincero o mistério tão profundo da encarnação. Por nosso Senhor Jesus Cristo, vosso Filho, na unidade do
Espírito Santo.

20 DE DEZEMBRO

Laudes

Antífonas próprias, p. 143s. Salmos do dia corrente da semana.

Leitura breve   Gn 49,10

O cetro não será tirado de Judá, nem o bastão de comando dentre
seus pés, até que venha Aquele a quem pertencem, e a quem
obedecerão os povos.

Responsório breve

R. Que o universo rejubile e dê gritos de alegria:
  * Pois o Senhor há de chegar! R. Que o universo.
V. Justiça e **paz** se abraçarão.
  * Pois o Senhor. Glória ao **Pai**. R. Que o universo.

Cântico evangélico, ant.

O **anjo** Gabriel foi enviado
à esposa de José, Virgem Maria.

Preces

Oremos, irmãos e irmãs caríssimos, ao Cristo Senhor, luz que
ilumina todo homem; e aclamemos com alegria:
R. **Vinde, Senhor Jesus!**
Dissipai, Senhor, as nossas trevas com a luz da vossa presença,
– e tornai-nos dignos de receber os vossos dons.   R.

20 de dezembro

Salvai-nos, Senhor nosso Deus,
– e bendiremos todo o dia o vosso santo nome. R.

Inflamai nossos corações para que tenham ardente sede de vós,
– e com todo o desejo busquem a união convosco. R.

Vós, que assumistes todas as nossas enfermidades, exceto o pecado,
– socorrei hoje os enfermos e agonizantes. R.

(intenções livres)

Pai nosso...

Oração

Senhor Deus, ao anúncio do Anjo, a Virgem imaculada acolheu vosso Verbo inefável e, como habitação da divindade, foi inundada pela luz do Espírito Santo. Concedei que, a seu exemplo, abracemos humildemente a vossa vontade. Por nosso Senhor Jesus Cristo, vosso Filho, na unidade do Espírito Santo.

Hora Média

Ant. Disse o **an**jo à **Vir**gem:
Ma**ri**a, a**le**gra-te, ó **chei**a de **gra**ça,
o Se**nhor** é con**ti**go;
és ben**di**ta entre **to**das as mul**he**res da **ter**ra.

Leitura Breve
Jr 23,6

Naqueles dias, Judá será salvo e Israel viverá tranquilo; este é o nome com que o chamarão: "Senhor, nossa Justiça".

V. Lem**brai**-vos, ó Se**nhor**, de mim, lem**brai**-vos,
pelo **amor** que demons**trais** ao vosso **po**vo!
R. Visi**tai**-me com a **vos**sa salva**ção**!
Oração como nas Laudes.

Vésperas

Antífonas próprias, p. 143s. Salmos do dia corrente da semana.

Leitura breve
cf. 1Cor 1,7b-9

Aguardamos a revelação do Senhor nosso, Jesus Cristo. É ele também que vos dará perseverança em vosso procedimento irrepreensível até ao fim, até ao dia de nosso Senhor, Jesus Cristo. Deus é fiel; por ele fostes chamados à comunhão com seu Filho.

Responsório breve

R. Nossa alma espera no Senhor,
* Nele se alegra o nosso coração. R. Nossa alma.
V. Está perto a salvação dos que respeitam.
* Nele se alegra. Glória ao Pai. R. Nossa alma.

Cântico evangélico, ant.

Ó Chave de Davi, Cetro da casa de Israel,
que abris e ninguém fecha, que fechais e ninguém abre:
vinde logo e libertai o homem prisioneiro,
que, nas trevas e na sombra da morte, está sentado.

Preces

Invoquemos, irmãos e irmãs diletos, a Cristo nosso Senhor e Redentor, que virá em sua glória nos últimos tempos; e peçamos
com alegria:
R. **Vinde, Senhor Jesus!**

Senhor e Redentor do gênero humano, que, nascendo segundo a
carne, viestes nos libertar do jugo da lei,
– multiplicai em nós os benefícios da vossa bondade.   R.

Vós, que tomastes da nossa natureza o que podia unir-se à vossa
divindade,
– fortalecei a fragilidade humana com os dons da natureza divina.
R.

Cumulai nossos desejos com a manifestação da vossa presença,
– e acendei em nossos corações o fogo do vosso amor.   R.

Concedei que se alegrem um dia convosco na glória,
– os que neste mundo vos invocam na sinceridade da fé.   R.

(intenções livres)

Derramai sobre as almas de todos os fiéis defuntos,
– as riquezas da vossa infinita misericórdia.   R.

Pai nosso...

Oração

Senhor Deus, ao anúncio do Anjo, a Virgem imaculada acolheu
vosso Verbo inefável e, como habitação da divindade, foi inundada pela luz do Espírito Santo. Concedei que, a seu exemplo,
abracemos humildemente a vossa vontade. Por nosso Senhor Jesus Cristo, vosso Filho, na unidade do Espírito Santo.

21 de dezembro

21 DE DEZEMBRO

Laudes

Antífonas próprias, p. 143s. Salmos do dia corrente da semana.

Leitura breve
Is 7,14b-15

Eis que uma virgem conceberá e dará à luz um filho, e lhe porá o nome de Emanuel; ele se alimentará de manteiga e de mel até quando aprender a fugir do mal e a procurar o bem.

Responsório breve

R. O Senhor é contigo, ó Maria,
 * Alegra-te, cheia de graça! R. O Senhor.
V. Ele chega, o dia já nasce;
 a terra inteira exulta.
 * Alegra-te. Glória ao Pai. R. O Senhor.

Cântico evangélico, ant.

Confiai e não temais:
pois daqui a cinco dias o Senhor virá a vós.

Preces

Supliquemos, irmãos e irmãs caríssimos, a nosso Senhor Jesus Cristo, que em sua misericórdia vem nos visitar; e alegres repitamos:

R. Vinde, Senhor Jesus!

Vós, que viestes do seio do Pai para vos revestirdes da nossa carne mortal,
– livrai de toda mancha do pecado a nossa natureza enfraquecida.
R.

Vós, que, quando vierdes, havereis de manifestar vossa glória nos eleitos,
– mostrai agora, neste advento, a vossa clemência bondade para com os pecadores.
R.

Senhor Jesus Cristo, a alegria de nossa alma é vos louvar;
– visitai-nos com a vossa salvação.
R.

Vós, que iluminastes os caminhos de nossa vida com a luz da fé,
– fazei que sempre vos agrademos pelas obras de justiça e fidelidade.
R.

(intenções livres)

Pai nosso...

158   21 de dezembro

Oração

Ouvi com bondade, ó Deus, as preces do vosso povo, para que, alegrando-nos hoje com a vinda do vosso Filho em nossa carne, alcancemos o prêmio da vida eterna, quando ele vier na sua glória. Por nosso Senhor Jesus Cristo, vosso Filho, na unidade do Espírito Santo.

Hora Média

Ant. Disse o anjo à Virgem:
    Maria, alegra-te, ó cheia de graça,
    o Senhor é contigo;
    és bendita entre todas as mulheres da terra.

Leitura breve   Is 12,2
É Deus que me salva; posso viver confiante e sem medo, porque o Senhor é a razão da minha força e do meu canto, ele se fez meu Salvador.

V. Lembrai-vos, ó Senhor, de mim, lembrai-vos,
    pelo amor que demonstrais ao vosso povo!
R. Visitai-me com a vossa salvação!
Oração como nas Laudes.

Vésperas

Antífonas próprias, p. 143s. Salmos do dia corrente da semana.

Leitura breve   1Cor 4,5
Não queirais julgar antes do tempo. Aguardai que o Senhor venha. Ele iluminará o que estiver escondido nas trevas e manifestará os projetos dos corações. Então, cada um receberá de Deus o louvor que tiver merecido.

Responsório breve
R. Eis o tempo favorável,
  * Eis o dia da salvação! R. Eis o tempo.
V. O Reino de Deus está bem perto.* Eis o dia.
    Glória ao Pai. R. Eis o tempo.

Cântico evangélico, ant.
Ó Sol nascente justiceiro, resplendor da Luz eterna:
Oh, vinde e iluminai os que jazem entre as trevas
e, na sombra do pecado e da morte, estão sentados.

Preces

Roguemos humildemente, irmãos e irmãs caríssimos, a Jesus Cristo que nos libertou das trevas do pecado; e o invoquemos com toda confiança:

R. **Vinde, Senhor Jesus!**

Reuni, Senhor, numa só fé todos os povos da terra,
—confirmai para com eles vossa aliança eterna. R.

Cordeiro de Deus, que viestes tirar o pecado do mundo,
—purificai-nos de toda mancha de pecado. R.

Vós, que viestes salvar o que estava perdido,
—vinde novamente para que não se percam os que remistes com o vosso sangue. R.

Concedei a vossa alegria eterna, quando vierdes no último dia.
—àqueles que vos procuram na fé e na esperança. R.

(intenções livres)

Vós, que haveis de vir para julgar os vivos e os mortos,
—admiti com bondade entre os eleitos os nossos irmãos e irmãs falecidos. R.

Pai nosso...

Oração

Ouvi com bondade, ó Deus, as preces do vosso povo, para que, alegrando-nos hoje com a vinda do vosso Filho em nossa carne, alcancemos o prêmio da vida eterna, quando ele vier na sua glória. Por nosso Senhor Jesus Cristo, vosso Filho, na unidade do Espírito Santo.

22 DE DEZEMBRO

Laudes

Antífonas próprias, p. 143s. Salmos do dia corrente da semana.

Leitura breve
Is 45,8

Céus, deixai cair orvalho das alturas, e que as nuvens façam chover justiça; abra-se a terra e germine a salvação; brote igualmente a salvação.

160 22 de dezembro

Responsório breve

R. Eis que **vem** vosso **Deus** Salvador!
* Eis vosso **Deus** e Senhor. R. Eis que **vem**.
V. Toda a **carne** verá sua **glória**. * Eis vosso **Deus**.
Glória ao **Pai**. R. Eis que **vem**.

Cântico evangélico, ant.

Quando a **tua** saudação ressoou aos meus ouvidos,
a criança estremeceu de alegria no meu ventre. Aleluia.

Preces

Oremos, irmãos e irmãs diletos, a Cristo nosso Redentor, que
veio ao mundo para nossa justificação; e digamos com alegria:
R. **Vinde, Senhor Jesus!**

Senhor Jesus Cristo, cujo nascimento segundo a carne foi anunciado pelos antigos profetas,
— dai novo vigor às virtudes que fizestes nascer em nosso coração.
R.

A nós que anunciamos ao mundo vossa redenção,
— concedei a salvação e a paz. R.

Vós, que viestes salvar os corações atribulados,
— curai as enfermidades do vosso povo. R.

Vós, que viestes reconciliar o mundo com o Pai,
— livrai-nos de toda condenação quando voltardes como juiz no
último dia. R.

(intenções livres)

Pai nosso...

Oração

Deus de misericórdia, vendo o homem entregue à morte, quisestes salvá-lo pela vinda do vosso Filho; fazei que, ao proclamar
humildemente o mistério da encarnação, entremos em comunhão
com o Redentor. Que convosco vive e reina na unidade do Espírito Santo.

Hora Média

Ant. Disse o anjo à Virgem:
Maria, alegra-te, ó cheia de graça,
o Senhor é contigo;
és bendita entre todas as mulheres da terra.

22 de dezembro

Leitura breve
Ag 2,6b.9

Ainda um momento, e eu hei de mover o céu e a terra, o mar e a terra firme. O esplendor desta nova casa será maior que o da primeira, e, neste lugar, estabelecerei a paz, diz o Senhor dos exércitos.

V. Lem**brai**-vos, ó Se**nhor**, de mim, lem**brai**-vos,
pelo a**mor** que demons**trais** ao vosso **po**vo!
R. Visi**tai**-me com a **vos**sa salva**ção**!

Oração como nas Laudes.

Vésperas

Antífonas próprias, p. 143s. Salmos do dia corrente da semana

Leitura breve
Tg 5,7-8.9b

Irmãos, ficai firmes até à vinda do Senhor. Vede o agricultor: ele espera o precioso fruto da terra e fica firme até cair a chuva do outono ou da primavera. Também vós ficai firmes e fortalecei vossos corações, porque a vinda do Senhor está próxima. Eis que o juiz está às portas.

Responsório breve
R. A **vós**, ó Deus, a **nos**sa grati**dão**:
  * Vosso **no**me está **per**to. R. A **vós**, ó Deus.
V. De **vós**, Senhor, vi**rá** a renova**ção**. * Vosso **no**me.
  Glória ao **Pai**. R. A **vós**, ó Deus.

Cântico evangélico, ant.
Ó **Rei** das nações. Desejado dos **po**vos;
O **Pe**dra angular, que os o**pos**tos u**nis**:
Oh, **vin**de e sal**vai** este **ho**mem tão **frá**gil,
que um **di**a cri**as**tes do **bar**ro da **ter**ra!

Preces
Oremos, irmãos e irmãs caríssimos, a Cristo nosso Senhor, que por nossa causa se humilhou; e digamos cheios de alegria:
R. **Vinde, Senhor Jesus!**

Senhor Jesus, que viestes ao mundo para socorrer a humanidade,
– Purificai de todo pecado as nossas almas e os nossos corpos. R.

Não deixeis que se separem de vós,
– aqueles que pelo mistério da encarnação vos dignastes chamar de irmãos. R.

Não castigueis eternamente os que remistes,
– quando vierdes para julgar o mundo.
R. Vinde, Senhor Jesus!

Vós, que nesta vida nos cumulais com as riquezas infinitas da vossa bondade,
– fazei que alcancemos no céu a coroa imperecível da glória. R.

(intenções livres)

Nós vos recomendamos, Senhor, as almas daqueles que já se separaram do corpo;
– mortos para este mundo, vivam eternamente para vós. R.

Pai nosso...

Oração

Deus de misericórdia, vendo o homem entregue à morte, quisestes salvá-lo pela vinda do vosso Filho; fazei que, ao proclamar humildemente o mistério da encarnação, entremos em comunhão com o Redentor. Que convosco vive e reina na unidade do Espírito Santo.

23 DE DEZEMBRO

Laudes

Antífonas próprias, p. 143s. Salmos do dia corrente da semana.

Leitura breve   Jr 30,21a.22
Eis o que diz o Senhor: Para chefe será escolhido um dos seus, e o soberano sairá do seu meio; eu o incitarei, e ele se aproximará de mim. Sereis meu povo e eu serei vosso Deus.

Responsório breve
R. Que o universo rejubile e dê **gritos de alegria:**
  * Pois o Se**nhor** há de che**gar!** R. Que o uni**verso.**
V. Ver**da**de e a**mor** *encontrarão:*
  * Pois o Se**nhor.** Glória ao **Pai.** R. Que o uni**ver**so.

Cântico evangélico, ant.
Eis que a**gora** já se **cum**prem plena**men**te as pa**lavras,**
pelo **anjo** anuncia**das** sobre a **Vir**gem Mãe de **Deus.**

23 de dezembro

Preces

Invoquemos, irmãos e irmãs caríssimos, a Deus Pai que enviou seu Filho para salvar a humanidade; e supliquemos:
R. **Mostrai-nos, Senhor, a vossa misericórdia!**

Pai de bondade, com a mais sincera fé, nós proclamamos Jesus Cristo verdadeiro Deus e verdadeiro homem;
– fazei que por nosso modo de viver sejamos dignos de acolhê-lo. R.

Vós, que enviastes vosso Filho para nos salvar,
– afastai todo sofrimento da face da terra e desta cidade. R.

Que nossa terra transborde de alegria pela vinda do vosso Filho,
– para que experimente cada vez mais a plenitude da alegria que nos dais. R.

Por vossa misericórdia, fazei-nos viver neste mundo com sobriedade, justiça e piedade,
– enquanto, vivendo a bem-aventurada esperança, aguardamos a vinda gloriosa do Cristo Salvador. R.

(intenções livres)

Pai nosso...

Oração

Deus eterno e todo-poderoso, ao aproximar-nos do natal do vosso Filho, concedei-nos obter a misericórdia do Verbo, que se encarnou no seio da Virgem e quis viver entre nós. Por nosso Senhor Jesus Cristo, vosso Filho, na unidade do Espírito Santo.

Hora Média

Ant. Disse o **an**jo à **Vir**gem:
Ma**ria, a**le**gra**-te, ó **cheia** de **graça**,
o Se**nhor** é con**ti**go;
és ben**dita** entre **to**das as **mulhe**res da **terra**.

Leitura breve   Jr 30,18a
Isto diz o Senhor: Eis que eu mudarei a sorte das tendas de Jacó e terei compaixão de suas moradias.

V. Lem**brai**-vos, ó Se**nhor**, de mim, lem**brai**-vos,
pelo **amor** que demons**trais** ao vosso **po**vo!
R. Visi**tai**-me com a **vos**sa salva**ção**!
Oração como nas Laudes.

164   23 de dezembro

Vésperas

Antífonas próprias, p.143s. Salmos do dia corrente da semana.

Leitura breve   2Pd 3,8b-9
Para o Senhor, um dia é como mil anos e mil anos como um dia. O Senhor não tarda a cumprir sua promessa, como pensam alguns, achando que demora. Ele está usando de paciência para conosco. Pois não deseja que alguém se perca. Ao contrário, quer que todos venham a converter-se.

Responsório breve
R. Nossa **alma** espera no Se**nhor**,
   *Nele se a**legra** o **nos**so cora**ção**. R.Nossa **alma**.
V.Está **per**to a salva**ção** dos que o res**pei**tam.
    *Nele se a**legra**. Glória ao **Pai**. R.Nossa **alma**.

Cântico evangélico, ant.
Ó Emanu**el**: Deus-co**nos**co, nosso **Rei** Legisla**dor**,
Espe**ran**ça das na**ções** e dos **po**vos Salva**dor**:
Vinde en**fim** para sal**var**-nos, ó Se**nhor** e nosso **Deus**!

Preces
Roguemos, irmãos, e irmãs, a Cristo nosso Redentor, que veio à terra para anunciar a Boa-nova aos pobres; e lhe digamos com fervor:
R.**Manifestai, Senhor, a todos a vossa glória!**

Manifestai-vos, Senhor, a todos que ainda não vos conhecem,
  –para que também eles vejam vossa salvação.   R.

Seja o vosso nome anunciado até os confins da terra,
  –para que todos encontrem vosso caminho.   R.

Vós, que viestes, a primeira vez, para remir o mundo de seus pecados,
  –vinde novamente *para que não se percam* os que creem em vós.
                                                  R.

Conservai e protegei, com o poder da vossa graça,
  –a liberdade que nos destes com a vossa redenção.   R.

(intenções livres)

24 de dezembro

Vós, que viestes do céu à terra para nascer segundo a carne, e de novo haveis de vir para julgar os vivos e os mortos,
– dai aos defuntos a recompensa eterna, quando vierdes no último dia. R.

Pai nosso...

Oração

Deus eterno e todo-poderoso, ao aproximar-nos do natal do vosso Filho, concedei-nos obter a misericórdia do Verbo, que se encarnou no seio da Virgem e quis viver entre nós. Por nosso Senhor Jesus Cristo, vosso Filho, na unidade do Espírito Santo.

24 DE DEZEMBRO

Laudes

Hino, p. 142.

Ant. 1 Tu, Belém, não és a última das cidades de Judá,
pois de ti virá o Guia do meu povo, Israel.

Salmos e cântico do Saltério, do dia correspondente.

Ant. 2 Levantai vossa cabeça e olhai,
pois a vossa redenção se aproxima.

Ant. 3 Amanhã virá a vossa salvação:
é o que diz o Senhor Deus do universo.

Leitura breve
Is 11,1-3a

Nascerá uma haste do tronco de Jessé e, a partir da raiz, surgirá o rebento de uma flor; sobre ele repousará o espírito do Senhor: espírito de sabedoria e discernimento, espírito de conselho e fortaleza, espírito de ciência e temor de Deus; no temor do Senhor encontra ele seu prazer.

Responsório breve

R. Amanhã será varrida da terra a iniquidade. R. Amanhã.
V. E sobre nós há de reinar o Salvador do mundo.
R. Amanhã. Glória ao Pai. R. Amanhã.

Cântico evangélico, ant.

Completaram-se os dias de Maria dar à luz
o seu Filho primogênito.

166   24 de dezembro

Preces

Oremos, com espírito de fé, irmãos e irmãs caríssimos, a Cristo Redentor, que virá ao mundo com grande poder e glória; e supliquemos:

R. **Vinde, Senhor Jesus!**

Senhor Jesus Cristo, que haveis de vir cheio de poder e majestade,
— olhai benigno para a nossa humildade e fazei-nos dignos de vossos dons.   R.

Vós, que viestes proclamar a Boa-nova à humanidade,
— dai-nos anunciar sempre a vossa salvação.   R.

Vós, que viveis eternamente na glória celeste, e tudo governais com poder e sabedoria,
— concedei-nos aguardar com alegria a bem-aventurada esperança, enquanto aguardamos a vossa vinda gloriosa.   R.

E a nós, que desejamos a graça da vossa vinda,
— confortai-nos com a assistência do vosso poder divino.   R.

(intenções livres)

Pai nosso...

Oração

Apressai-vos e não tardeis, Senhor Jesus, para que a vossa chegada renove as forças dos que confiam em vosso amor. Vós, que sois Deus com o Pai, na unidade do Espírito Santo.

Hora Média

Ant. Disse o **an**jo à **Vir**gem:
    Ma**ria**, ale**gra**-te, ó **chei**a de **gra**ça,
    o Se**nhor** é con**ti**go;
    és ben**di**ta entre **to**das as mu**lhe**res da **ter**ra.

Leitura breve   Is 4,3
Os que forem deixados em Sião, os sobreviventes de Jerusalém, serão chamados santos, a saber, todos os destinados à vida em Jerusalém.

V. Lembrai-vos, ó Se**nhor,** de mim, lem**brai**-vos,
    pelo **amor** que demons**trais** ao vosso **po**vo!

R. Visi**tai**-me com a **vos**sa sal**va**ção!

Oração como nas Laudes.

TEMPO DO NATAL

I. ATÉ A SOLENIDADE DA EPIFANIA

No Ofício do domingo e dias de semana, desde as I Vésperas do Natal até as I Vésperas da Epifania exclusive, a não ser que haja hinos próprios:

Vésperas

Hino

Ó Redentor do mundo,
do eterno Pai gerado
já antes do universo,
qual Filho bem-amado.

Do Pai luz e esplendor,
nossa esperança eterna,
ouvi dos vossos servos
a prece humilde e terna.

Lembrai, autor da vida,
nascido de Maria,
que nossa forma humana
tomastes, neste dia.

A glória deste dia
atesta um fato novo,
que vós, do Pai descendo,
salvastes vosso povo.

Saúdam vossa vinda
o céu, a terra, o mar,
e todo ser que vive
entoa o seu cantar.

E nós, por vosso sangue
remidos como povo,
vos celebramos hoje,
cantando um canto novo.

A glória a vós, Jesus,
nascido de Maria
com vosso Pai e o Espírito
louvores cada dia.

168 Tempo de Natal

Completas

HINO Agora que o clarão, p. 751.

Laudes

Hino

Do sol nascente ao poente
cantai, fiéis, neste dia,
ao Cristo Rei que, por nós,
nasceu da Virgem Maria.

Autor feliz deste mundo,
tomou um corpo mortal.
A nossa carne assumindo,
livrou a carne do mal.

No seio puro da Virgem
entrou a graça dos céus.
Em si carrega um segredo
sabido apenas por Deus.

O casto seio da Virgem
se faz o templo de Deus.
Gerou sem homem um Filho,
o Autor da terra e dos céus.

Nasceu da Virgem o Filho
que Gabriel anunciou,
em quem no seio materno
João, o Batista, exultou.

Não recusou o presépio,
foi sobre o feno deitado;
quem mesmo as aves sustenta
com leite foi sustentado.

Do céu os coros se alegram,
os anjos louvam a Deus.
Pastor se mostra aos pastores
quem fez a terra e os céus.

Louvor a vós, ó Jesus,
que duma Virgem nascestes.
Louvor ao Pai e ao Espírito
no azul dos paços celestes.

Natal do Senhor

Hora Média

Hino

Ó Deus, verdade e força
que o mundo governais,
da aurora ao meio-dia,
a terra iluminais.

De nós se afaste a ira,
discórdia e divisão.
Ao corpo dai saúde,
e paz ao coração.

Ouvi-nos, Pai bondoso,
por Cristo Salvador,
que vive com o Espírito
convosco pelo amor.

Ant. Maria guardava no **seu coração**
as palavras e os **fatos**, e **n**eles pensava.

25 de dezembro

NATAL DO SENHOR

Solenidade

I Vésperas

Hino

Ó Redentor do mundo,
do eterno Pai gerado
já antes do universo,
qual Filho bem-amado.

Do Pai luz e esplendor,
nossa esperança eterna,
ouvi dos vossos servos
a prece humilde eterna.

Lembrai, autor da vida,
nascido de Maria,
que nossa forma humana
tomastes, neste dia.

Tempo de Natal

A glória deste dia
atesta um fato novo,
que vós, do Pai descendo,
salvastes vosso povo.

Saúdam vossa vinda
o céu, a terra, o mar,
e todo ser que vive
entoa o seu cantar.

E nós, por vosso sangue
remidos como povo,
vos celebramos hoje,
cantando um canto novo.

A glória a vós, Jesus,
nascido de Maria
com vosso Pai e o Espírito
louvores cada dia.

Salmodia

Ant. 1 O **Prín**cipe da **paz** foi exal**ta**do:
deseja toda a **ter**ra a sua **fa**ce.

Salmo 112(113)

— ¹Lou**vai**, louvai, ó **ser**vos do Se**nhor**, *
lou**vai**, louvai o nome do Senhor!

— ²Ben**di**to seja o nome do Senhor, *
a**go**ra e por toda a eternidade!

— ³Do nas**cer** do sol até o seu ocaso, *
louva**do** seja o nome do Senhor!

— ⁴O Se**nhor** está acima das nações, *
sua **gló**ria vai além dos altos céus.

= ⁵Quem **po**de comparar-se ao nosso Deus, †
ao Se**nhor**, que no alto céu tem o seu trono *
⁶e se in**cli**na para olhar o céu e a terra?

— ⁷Le**van**ta da poeira o indigente *
e do **li**xo ele retira o pobrezinho,

— ⁸para fa**zê**-lo assentar-se com os nobres, *
assen**tar**-se com os nobres do seu povo.

Natal do Senhor

– [9]Faz a estéril, mãe feliz em sua casa, *
vivendo *rodeada de seus filhos.*

Ant. O **Príncipe** da **paz** foi exaltado:
deseja toda a **terra** a sua **face**.

Ant. 2 Deus envia suas **or**dens para a **terra**,
e a Palavra que ele **diz** corre **veloz**.

Salmo 147(147B)

– [12]Glorifica o Se**nhor**, Jerusa**lém**! *
Ó Sião, canta louvores ao teu Deus!

– [13]Pois refor**çou** com segurança as tuas portas, *
e os teus **fi**lhos em teu seio aben**ço**ou;

– [14]a **paz** em teus limites garantiu *
e te **dá** como alimento a flor do trigo

– [15]Ele en**vi**a suas ordens para a **terra**, *
e a pa**la**vra que ele diz corre veloz;

– [16]Ele **faz** cair a neve como lã *
e es**pa**lha a geada como cinza.

– [17]Como de **pão** lança as migalhas do granizo, *
a seu **fri**o as águas ficam congeladas.

– [18]Ele en**vi**a sua palavra e as derrete, *
sopra o **ven**to e de novo as águas correm.

– [19]Anuncia a Jacó sua palavra, *
seus pre**cei**tos e suas leis a Israel.

– [20]Ne**n**hum **po**vo recebeu tanto carinho, *
a ne**n**hum **ou**tro revelou os seus preceitos.

Ant. Deus en**vi**a suas **or**dens para a **terra**,
e a Palavra que ele **diz** corre **veloz**.

Ant. 3 Hoje o **Ver**bo Divino, ge**ra**do pelo **Pai**
já bem **an**tes dos **tem**pos,
humi**l**hou-se a si **mes**mo e, por **nós**, se fez **ho**mem.

Cântico   Fl 2,6-11

= [6]Embora **fos**se de divina condi**ção**, †
Cristo Jesus não se apegou ciosamente *
a ser i**gual** em natureza a Deus Pai.

172   Tempo de Natal

(R. Jesus **Cristo** é **Senhor** para a **glória** de Deus **Pai!**)
= 7 **Porém** esvaziou-se de sua glória †
    e assu**miu** a condição de um escravo, *
    fa**zen**do-se aos homens semelhante.   (R.)
= Reconhe**cido** exteriormente como homem, †
  8 humi**lhou**-se, obedecendo até à morte, *
    até à **mor**te humilhante numa cruz.   (R.)
= 9 Por isso **Deus** o exaltou sobremaneira †
    e deu-lhe o **no**me mais excelso, mais sublime, *
    e eleva**do** muito acima de outro nome.   (R.)
=10 Para **que** perante o nome de Jesus †
    se **do**bre reverente todo joelho, *
    seja nos **céus**, seja na terra ou nos abismos.   (R.)
=11 E toda **lín**gua reconheça, confessando, †
    para a **gló**ria de Deus Pai e seu louvor: *
    "Na ver**da**de Jesus Cristo é o Senhor!"   (R.)

Ant. Hoje o **Ver**bo Divino, ge**ra**do pelo **Pai**
    já bem **an**tes dos **tem**pos,
    humi**lhou**-se a si **mes**mo e, por **nós,** se fez **ho**mem.

Leitura breve   Gl 4,4-5

Quando se completou o tempo previsto, Deus enviou o seu Filho,
nascido de uma mulher, nascido sujeito à Lei, a fim de resgatar os
que eram sujeitos à Lei e para que todos recebêssemos a filiação
adotiva.

Responsório breve
R. **Ho**je sabe**reis**:
  * O Se**nhor** mesmo vi**rá**. R. **Ho**je.
V. E ama**nhã** haveis de **ver** sua **gló**ria em nosso **mei**o.
  * O Se**nhor**. Glória ao **Pai**. R. **Ho**je.

Cântico evangélico, ant.
Quando o **sol** apare**cer** no horizon**te**,
contempla**reis** o Rei dos **reis** sair do **Pai**
como o espo**so** de seu **quar**to nupci**al**.

Natal do Senhor

Preces

Adoremos a Cristo, que se aniquilou a si mesmo, assumindo a condição de servo, e foi igual a nós em tudo, exceto no pecado. Com toda a nossa fé, peçamos:

R.**Pelo vosso natal, socorrei os que remistes!**

Ao entrardes no mundo, inaugurastes os novos tempos anunciados pelos profetas;
–fazei que de geração em geração a Igreja se rejuvenesça. R.

Vós, que assumistes a fragilidade da natureza humana,
–sede a luz dos cegos, a força dos fracos, o auxílio de todos os que padecem. R

Vós, que nascestes pobre e humilde,
–olhai para os pobres e confortai-os com bondade. R

Vós, que, nascendo na terra, anunciais a todos a alegria da eternidade prometida,
–confortai os corações dos agonizantes com a esperança do nascimento para o céu. R

(intenções livres)

Vós, que descestes à terra para levar todos para o céu,
–associai a vós na glória os nossos irmãos e irmãs que morreram. R.

Pai nosso...

Oração

Ó Deus, que reacendeis em nós cada ano a jubilosa esperança da salvação, dai-nos contemplar com toda confiança, quando vier como Juiz, o Redentor que recebemos com alegria. Por nosso Senhor Jesus Cristo, vosso Filho, na unidade do Espírito Santo.

Rezam as Completas somente os que não participam do Ofício das Leituras e da Missa da Noite

Laudes

Hino

Do sol nascente ao poente
cantai, fiéis, neste dia,
ao Cristo Rei que, por nós,
nasceu da Virgem Maria.

Autor feliz deste mundo,
tomou um corpo mortal.
A nossa carne assumindo,
livrou a carne do mal.

No seio puro da Virgem
entrou a graça dos céus.
Em si carrega um segredo
sabido apenas por Deus.

O casto seio da Virgem
se faz o templo de Deus.
Gerou sem homem um Filho,
o Autor da terra e dos céus.

Nasceu da Virgem o Filho
que Gabriel anunciou,
em quem no seio materno
João, o Batista, exultou.

Não recusou o presépio,
foi sobre o feno deitado;
quem mesmo as aves sustenta
com leite foi sustentado.

Do céu os coros se alegram,
os anjos louvam a Deus.
Pastor se mostra aos pastores
quem fez a terra e os céus.

Louvor a vós, ó Jesus,
que duma Virgem nascestes.
Louvor ao Pai e ao Espírito
no azul dos paços celestes.

Ant. 1 A quem vistes, ó pastores?
Anunciai e nos dizei quem na terra apareceu?
Nós vimos um menino e os anjos a cantar
e a louvar Nosso Senhor. Aleluia.

Salmos e cântico do domingo da I Semana, p. 764.

Ant. 2 Disse o anjo aos pastores:
Eu vos trago a boa-nova de uma grande alegria:
nasceu hoje para vós o Salvador do universo. Aleluia.

Natal do Senhor

Ant. 3 Um menino nasceu **hoje** para **nós**:
o seu **no**me é Deus **for**te, alelu**i**a.

Leitura breve
Hb 1,1-2

Muitas vezes e de muitos modos falou Deus outrora aos nossos pais, pelos profetas; nestes dias, que são os últimos, ele nos falou por meio do Filho, a quem ele constituiu herdeiro de todas as coisas e pelo qual também ele criou o universo.

Responsório breve

R. O Se**nhor** fez conhe**cer**
 * Aleluia, aleluia. R. O Se**nhor**.
V. A sua salvação * Aleluia, aleluia. Glória ao **Pai**.
 R. O Se**nhor**.

Cântico evangélico, ant.

Glória a **Deus** nos altos **céus**,
e na **ter**ra paz aos **ho**mens que Ele **a**ma. Alelu**i**a.

Preces

Celebremos dignamente o Verbo de Deus, que existe antes dos séculos e quis, por nosso amor, nascer no tempo; e aclamemos jubilosos:

R. **Alegre-se a terra porque viestes!**

Cristo, Verbo eterno, que, descendo à terra, a enchestes de exultação,
– alegrai o nosso coração com a graça da vossa visita. R.

Salvador do mundo, que pelo vosso natal nos revelastes a fidelidade de Deus à sua aliança,
– fazei-nos cumprir com fidelidade as promessas do nosso batismo. R.

Rei do céu e da terra, que enviastes os anjos para anunciar a paz aos homens,
– conservai na vossa paz os nossos dias. R.

Senhor, que viestes para ser a videira que nos dá os frutos da vida,
– fazei-nos permanecer unidos a vós e dar frutos de santidade. R.

(intenções livres)

Pai nosso...

176 Tempo de Natal

Oração

Ó Deus onipotente, agora que a nova luz do vosso Verbo Encarnado invade o nosso coração, fazei que manifestemos em ações o que brilha pela fé em nossas mentes. Por nosso Senhor Jesus Cristo, vosso Filho, na unidade do Espírito Santo.

Hora Média

Salmodia

Ant. **Maria** guardava no **seu** coração
   as pa**la**vras e os **fa**tos, e **ne**les pen**sa**va.

Salmo 18(19)B

— [8] A **lei** do Senhor **Deus** é per**fei**ta, *
   con**for**to para a **al**ma!
— O teste**mu**nho do Senhor é fiel, *
   sabedo**ri**a dos humildes.
— [9] Os pre**cei**tos do Senhor são precisos, *
   ale**gri**a ao coração.
— O manda**men**to do Senhor é brilhante, *
   para os **o**lhos é uma luz.
— [10] É **pu**ro o temor do Senhor, *
   imu**tá**vel para sempre.
— Os julga**men**tos do Senhor são corretos *
   e **jus**tos igualmente.
— [11] Mais dese**já**veis do que o ouro são eles, *
   do que o **ou**ro refinado.
— Suas pa**la**vras são mais doces que o mel, *
   que o **mel** que sai dos favos.
— [12] E vosso **ser**vo, instruído por elas, *
   se em**pe**nha em guardá-las.
— [13] Mas quem **po**de perceber suas faltas?*
   Per**do**ai as que não vejo!
— [14] E preser**vai** o vosso servo do orgulho: *
   não do**mi**ne sobre mim!
— E assim **pu**ro, eu serei preservado *
   dos delitos mais perversos. —

Natal do Senhor

- ¹⁵Que vos agrade o cantar dos meus lábios *
  e a **voz** da minha alma;
- que ela **che**gue até vós, ó Senhor,*
  meu Ro**che**do e Redentor!

Salmo 46(47)

- ²Povos **to**dos do uni**ver**so, batei **pal**mas, *
  gritai a **Deus** aclamações de alegria!
- ³Porque su**bli**me é o Senhor, o Deus Altíssimo, *
  o sobe**ra**no que domina toda a terra.
- ⁴Os **po**vos sujeitou ao nosso jugo *
  e colo**cou** muitas nações aos nossos pés.
- ⁵Foi **ele** que escolheu a nossa herança, *
  a **gló**ria de Jacó, seu bem-amado.
- ⁶Por **en**tre aclamações Deus se elevou, *
  o S**e**nhor subiu ao toque da trombeta.
- ⁷Salmodi**ai** ao nosso Deus ao som da harpa, *
  salmodi**ai** ao som da harpa ao nosso Rei!
- ⁸Porque **Deus** é o grande Rei de toda a terra, *
  ao som da **har**pa acompanhai os seus louvores!
- ⁹Deus **rei**na sobre todas as nações, *
  está sen**ta**do no seu trono glorioso.
- ¹⁰Os **che**fes das nações se reuniram *
  com o **po**vo do Deus santo de Abraão,
- pois só **Deus** é realmente o Altíssimo, *
  e os pode**ro**sos desta terra lhe pertencem!

Salmo 47(48)

- ²Grande é o S**e**nhor e muito **dig**no de louv**o**res *
  na ci**da**de onde ele **mo**ra;
- ³seu monte **san**to, esta colina encantadora *
  é a ale**gri**a do universo.
- Monte Sião, no extremo norte situado, *
  és a man**são** do grande Rei!
- ⁴Deus reve**lou**-se em suas fortes cidadelas *
  um re**fú**gio poderoso.–

178   Tempo de Natal

– ⁵ Pois **eis** que os reis da terra se aliaram, *
    e todos **jun**tos avançaram;
– ⁶ mal a **vi**ram, de pavor estremeceram, *
    deban**dar**am perturbados.
– ⁷ Como as **do**res da mulher sofrendo parto, *
    uma ang**ús**tia os invadiu,
– ⁸ seme**lhan**te ao vento leste impetuoso, *
    que despe**da**ça as naus de Társis.
– ⁹ Como ou**vi**mos dos antigos, contemplamos: *
    Deus ha**bi**ta esta cidade,
– a ci**da**de do Senhor onipotente, *
    que ele a **guar**de eternamente!
– ¹⁰ Recor**da**mos, Senhor Deus, vossa bondade *
    em **mei**o ao vosso templo;
– ¹¹ com vosso **no**me vai também vosso louvor *
    aos con**fins** de toda a terra.
– ¹² Vossa di**rei**ta está repleta de justiça, *
    exulte o **mon**te de Sião!
– A**le**grem-se as cidades de Judá *
    com os **vos**sos julgamentos!
– ¹³ Vinde a Sião, fazei a volta ao seu redor *
    e con**tai** as suas torres;
– ¹⁴ obser**vai** com atenção suas muralhas, *
    visi**tai** os seus palácios,
– ¹⁵ para con**tar** às gerações que hão de vir *
    como é **gran**de o nosso Deus!
– O nosso **Deus** é desde sempre e para sempre: *
    será **e**le o nosso guia!

Ant. Maria guar**da**va no **seu** cora**ção**
       as pa**la**vras e os **fa**tos, e **ne**les pen**sa**va.

Leitura breve   1Jo 4,9
Foi assim que o amor de Deus se manifestou entre nós: Deus
enviou o seu Filho único ao mundo, para que tenhamos vida por
meio dele.

Natal do Senhor

V. Os confins do universo contemplaram, aleluia,
R. A salvação de nosso **Deus**. Aleluia.
Oração como nas II Vésperas, p. 183.

II Vésperas

Hino

Ó Redentor do mundo,
do eterno Pai gerado
já antes do universo,
qual Filho bem-amado.

Do Pai luz e esplendor,
nossa esperança eterna,
ouvi dos vossos servos
a prece humilde e tema.

Lembrai, autor da vida,
nascido de Maria,
que nossa forma humana
tomastes, neste dia.

A glória deste dia
atesta um fato novo,
que vós, do Pai descendo,
salvastes vosso povo.

Saúdam vossa vinda
o céu, a terra, o mar,
e todo ser que vive
entoa o seu cantar.

E nós, por vosso sangue
remidos como povo,
vos celebramos hoje,
cantando um canto novo.

A glória a vós, Jesus,
nascido de Maria,
com vosso Pai e o Espírito
louvores cada dia.

Tempo de Natal

Salmodia

Ant. 1 Tu és **prín**cipe desde o **di**a em que nas**ce**ste;
na **gló**ria e esplen**dor** da santi**da**de,
como o or**va**lho, antes da au**ro**ra, eu te ge**rei**.

Salmo 109(110),1-5.7

— ¹**Pa**lavra do Se**nhor** ao meu Se**nhor**: *
"As**sen**ta-te ao lado meu direito,

— a**té** que eu ponha os inimigos teus *
como esca**be**lo por debaixo de teus pés!"

= ²O Se**nhor** estenderá desde Sião †
vosso **ce**tro de poder, pois ele diz: *
"**Do**mina com vigor teus inimigos;

= ³Tu és **prín**cipe desde o dia em que nasceste; †
na **gló**ria e esplendor da santidade, *
como o or**va**lho, antes da aurora, eu te gerei!"

= ⁴Jurou o Se**nhor** e manterá sua palavra: †
"Tu **és** sacerdote eternamente, *
segundo a **or**dem do rei Melquisedec!"

— ⁵À vossa **des**tra está o Senhor, ele vos diz: *
"No dia da **i**ra esmagarás os reis da terra!

— ⁷Bebe**rás** água corrente no caminho, *
por **is**so seguirás de fronte erguida!"

Ant. Tu és **prín**cipe desde o **di**a em que nas**ce**ste;
na **gló**ria e esplen**dor** da santi**da**de,
como o or**va**lho, antes da au**ro**ra, eu te ge**rei**.

Ant. 2 No Se**nhor** se en**con**tra toda **gra**ça
e copi**o**sa reden**ção**.

Salmo 129(130)

— ¹**Das** profun**de**zas eu **cla**mo a vós, Se**nhor**, *
²escu**tai** a *minha voz!*

— **Vos**sos ouvidos estejam bem atentos *
ao cla**mor** da minha prece!

— ³Se le**var**des em conta nossas faltas, *
quem have**rá** de subsistir?

Natal do Senhor

— [4] Mas em **vós** se encontra o perdão, *
eu vos **te**mo e em vós espero.

— [5] No Se**nhor** ponho a minha esperança, *
es**pe**ro em sua palavra.

— [6] A minh'**al**ma espera no Senhor *
mais que o vi**gi**a pela aurora.

— [7] Es**pe**re Israel pelo Senhor *
mais que o vi**gi**a pela aurora!

— Pois no Se**nhor** se encontra toda graça *
e copi**o**sa redenção.

— [8] Ele **vem** libertar a Israel *
de **to**da a sua culpa.

Ant. No Se**nhor** se en**con**tra toda **gra**ça e copiosa reden**ção**.

Ant. 3 No princípio, antes dos **tem**pos, o **Ver**bo era **Deus**.
E o **Ver**bo hoje nas**ceu** como **nos**so Salva**dor**.

Cântico — cf. Cl 1,12-20

=[12] Demos **gra**ças a Deus **Pai** onipo**ten**te, †
que nos **cha**ma a partilhar, na sua luz, *
da he**ran**ça a seus santos reservada!

(R. Glória a **vós**, Primogênito dentre os **mor**tos!)

=[13] Do im**pé**rio das trevas arrancou-nos †
e transpor**tou**-nos para o reino de seu Filho, *
para o **rei**no de seu Filho bem-amado,

—[14] no **qual** nós encontramos redenção, *
dos pe**ca**dos remissão pelo seu sangue. (R.)

—[15] Do **Deus**, o Invisível, é a imagem, *
o Primogênito de toda criatura;

=[16] porque **ne**le é que tudo foi criado: †
o que há nos **céus** e o que existe sobre a terra, *
o vi**sí**vel e também o invisível. (R.)

= Sejam Tro**nos** e Poderes que há nos céus, †
sejam **e**les Principados, Potestades: *
por **e**le e para ele foram feitos;

—[17] antes de **to**da criatura ele existe, *
e é por **e**le que subsiste o universo. (R.)

182 — Tempo de Natal

= **18**Ele é a **Cabeça** da Igreja, que é seu Corpo, †
é o prin**cí**pio; o Primogênito dentre os mortos, *
a **fim** de ter em tudo a primazia.
– **19**Pois foi do **agra**do de Deus Pai que a plenitude *
habi**tas**se no seu Cristo inteiramente. **(R.)**

– **20**A**prou**ve-lhe também, por meio dele, *
reconcili**ar** consigo mesmo as criaturas,
= pacifi**can**do pelo sangue de sua cruz †
tudo a**qui**lo que por ele foi criado, *
o que há nos **céus** e o que exi**s**te sobre a terra. **(R.)**

Ant. No prin**cí**pio, antes dos **tem**pos, o **Verbo** era **Deus**.
E o **Ver**bo hoje nas**ceu** como **nos**so Salva**dor**.

Leitura breve 1Jo 1,1-3
O que era desde o princípio, o que nós ouvimos, o que vimos
com os nossos olhos, o que contemplamos e as nossas mãos tocaram da Palavra da Vida, – de fato, a Vida manifestou-se e nós
a vimos, e somos testemunhas, e a vós anunciamos a Vida eterna,
que estava junto do Pai e que se tomou visível para nós – isso
que vimos e ouvimos, nós vos anunciamos, para que estejais em
comunhão conosco. E a nossa comunhão é com o Pai e com seu
Filho, Jesus Cristo.

Responsório breve
R. A Pala**vra** se fez **carne**.
* Ale**luia**, ale**luia**. **R.** A Pala**vra**.
V. E habi**tou** entre **nós**. *Ale**luia**, ale**luia**.
Gló**ria** ao **Pai**. **R.** A Pala**vra**.

Cântico evangélico, ant.
O **Senhor**, Rei dos **céus**, quis nas**cer** duma **Virgem**
e, de **no**vo, le**var** para o **Reino** ce**les**te
o **ho**mem que es**ta**va há **mui**to perdido.

Preces
Celebremos com alegria a Jesus Cristo, em cujo natal os anjos
anunciaram a paz ao mundo; e peçamos:
R. Vosso natal traga a paz para todos!

Natal do Senhor

Senhor, que confortais a Igreja com o mistério do vosso nascimento,
—enriquecei-a de todos os bens. R.

Príncipe dos pastores e Guarda de nossas almas,
—tornai o Papa e nossos bispos fiéis ministros de vossa graça multiforme. R.

Rei da eternidade, que nascendo quisestes sujeitar-vos à brevidade da vida e experimentar as dificuldades humanas,
—fazei-nos viver de tal modo que possamos participar um dia da vossa glória eterna. R.

Esperado das nações, que viestes na plenitude dos tempos,
—manifestai vossa presença àqueles que ainda estão à vossa espera. R.

(intenções livres)

Verbo encarnado, que viestes renovar a natureza humana corrompida pelo pecado,
—concedei a plenitude da redenção aos nossos irmãos defuntos. R.

Pai nosso...

Oração

O Deus, que admiravelmente criastes o ser humano e mais admiravelmente restabelecestes a sua dignidade, dai-nos participar da divindade do vosso Filho, que se dignou assumir a nossa humanidade. Por nosso Senhor Jesus Cristo, vosso Filho, na unidade do Espírito Santo.

Durante a oitava do Natal, as Vésperas são sempre do dia da oitava, como vem indicado, ainda que nas outras Horas se tomem os textos da festa, com exceção das solenidades e do domingo da Sagrada Família.

Cada dia se dizem as Completas do Domingo alternadamente, p. 1116 ou p. 1119.

Tempo de Natal

Domingo dentro da Oitava de Natal

I Semana do Saltério

SAGRADA FAMÍLIA,
JESUS, MARIA E JOSÉ

Festa

Quando o Natal do Senhor ocorrer no Domingo, a Festa da Sagrada Família se celebra dia 30 de dezembro e não tem I Vésperas.

I Vésperas

Hino

Ó luz bendita dos céus,
dos homens suma esperança.
Jesus, o amor da família
sorriu a vós em criança.

Maria, cheia de graça,
só vós podeis apertar
Jesus ao peito e, com beijos,
materno leite lhe dar.

E vós, ó guarda da Virgem,
feliz eleito dos céus,
o doce nome de Pai
vos deu o Filho de Deus.

Da nobre raiz de Jessé,
para salvar-nos nascidos,
ouvi as preces humildes
dos corações redimidos.

A flor da graça e virtude
em vossa casa nascida,
se reproduza nas nossas,
para enfeitar nossa vida.

Jesus, quisestes ser filho
obediente a seus pais.
A vós, ao Pai e ao Espírito
louvor e glória eternais.

Ant. 1 Jacó foi o **pai** de José, o es**po**so da **Vir**gem Maria, da **qual** Jesus **Cris**to nasceu.

Sagrada Família

Salmos e cântico do Comum de Nossa Senhora, p. 1459.

Ant. 2 José, filho de Davi, não receies
receber tua esposa Maria,
pois o filho que ela gerou é fruto do Espírito Santo.

Ant. 3 Os pastores vieram depressa
e encontraram Maria e José
e, no presépio, o Menino deitado.

Leitura breve
2Cor 8,9

Conheceis a generosidade de nosso Senhor Jesus Cristo: de rico
que era, tornou-se pobre por causa de vós, para que vos torneis
ricos, por sua pobreza.

Responsório breve

R. A Palavra se fez carne.
* Aleluia, aleluia. R. A Palavra.
V. Todos nós recebemos de sua plenitude. * E habitou.
Glória ao Pai. R. A Palavra.

Cântico evangélico, ant.

Ano A O anjo do Senhor apareceu
em sonho a José e lhe falou:
Levanta-te e toma o Menino
e a mãe dele, e foge para o Egito,
e fica lá até quando eu te avisar.

Ano B Passados os dias da purificação,
segundo a lei de Moisés,
levaram o Menino a Jerusalém,
a fim de que fosse apresentado ao Senhor.

Ano C Ao voltarem ficou o Menino
na cidade de Jerusalém,
sem que seus pais o soubessem.
E, pensando estar ele a caminho,
procuraram-no entre os parentes
e entre os seus conhecidos.

Preces

Adoremos o Filho do Deus vivo, que se dignou tornar-se filho de
uma família humana; e digamos:

R. Senhor, sois nosso modelo e salvador!

Tempo de Natal

Cristo Jesus, pelo mistério de vossa submissão a Maria e a José,
—ensinai-nos a respeitar e a obedecer os que legitimamente nos governam.
R. **Senhor, sois nosso modelo e salvador!**

Vós, que amastes vossos pais e por eles fostes amado;
—confirmai todas as famílias na paz e no amor recíproco. R.

Vós que sempre vos consagrastes generosamente às coisas do vosso Pai celeste,
—fazei que Deus seja glorificado em todas as famílias. R.

Senhor Jesus Cristo, a quem vossos pais, depois de três dias de angustiosa procura, encontraram na casa do Pai celeste,
—ensinai-nos a procurar antes de tudo o Reino de Deus. R.

(intenções livres)

Cristo Jesus, que associastes Maria e José à vossa glória no reino dos céus,
—recebei os nossos irmãos falecidos na família dos santos. R.
Pai nosso...

Oração

Ó Deus de bondade, que nos destes a Sagrada Família como exemplo, concedei-nos imitar em nossos lares as suas virtudes, para que, unidos pelos laços do amor, possamos chegar um dia às alegrias da vossa casa. Por nosso Senhor Jesus Cristo, vosso Filho, na unidade do Espírito Santo.

Laudes

Hino

Ó Cristo, luz do Pai,
ó Mãe de Deus, Maria,
José, que protegeis
o lar, com alegria.

Com flores de virtude
refulge o vosso lar.
Da graça a própria fonte
aí se vê jorrar.

Sagrada Família

Os anjos ficam pasmos
ao ver de Deus o Verbo,
vestido em carne humana,
servindo os próprios servos.

Embora sendo o último,
José, vós presidis.
Dais ordens a Maria,
aos dois, porém, servis.

Mais nobre que os palácios,
refulge esta mansão,
pois nela teve origem
do mundo a salvação.

Jesus, Maria, José,
do céu, onde reinais,
fazei que nossos lares
recebam vossa paz.

Por vós, ó Jesus Cristo,
cheguemos nós também,
com vossos pais, à glória
no lar dos céus. Amém.

Ant. 1 **Todos** os anos, na **festa da Páscoa,**
os **pais** de Jesus iam a **Jerusalém**.

Salmos e cântico do domingo da I Semana, p. 764.

Ant. 2 Jesus cres**cen**do se **for**tale**cia,** re**ple**to de **sabedoria,**
e a **graça** de **Deus** nele esta**va**.

Ant. 3 Seu **pai** e sua **mãe** se admi**ra**vam
do **que** se di**zia** do **Menino**.

Leitura breve   Dt 5,16
Honra teu pai e tua mãe, como o Senhor teu Deus te ordenou,
para que vivas por longo tempo e sejas feliz na terra que o Senhor
teu Deus te vai dar.

Responsório breve
R. Cristo, **Filho** do Deus **vivo,**
 * Tende **pena** e compai**xão**. **R.** Cristo.
V. Vós que **fostes** obedi**en**te a Maria e a José. * Tende **pena**. Gló-
ria ao **Pai**. **R.** Cristo.

Cântico evangélico, ant.

Ano A O anjo do Senhor, no Egito, apareceu
em sonho a José e lhe deu este aviso:
Levanta-te e toma o Menino e a Mãe dele
e volta a Israel;
porque já morreram os que procuravam
matar o Menino.

Ano B Seu pai e sua mãe se admiravam das coisas
que dele eram ditas.

Ano C Meu filho, por que agiste assim conosco?
Eu e teu pai te procurávamos aflitos.
E por que me procuráveis?
Não sabíeis que eu devia estar na casa de meu pai?

Preces

Adoremos o Filho do Deus vivo, que se dignou tornar-se filho de
uma família humana; e digamos:

R. Jesus, pela vossa obediência, santificai-nos!

Jesus, Verbo eterno do Pai, que vos submetestes à autoridade de
Maria e de José,
– ensinai-nos a viver na humildade e obediência.   **R.**

Jesus, nosso Mestre, cujas palavras e ações vossa Mãe conservava e meditava no coração,
– ensinai-nos a escutar e guardar fielmente a vossa Palavra.   **R.**

Jesus Cristo, que criastes o universo e quisestes ser chamado filho do carpinteiro,
– ensinai-nos a amar o trabalho.   **R.**

Jesus, que na Sagrada Família de Nazaré crescestes em sabedoria, idade e graça diante de Deus e dos homens,
– ajudai-nos a crescer sempre em santidade e justiça.   **R.**

(intenções livres)

Pai nosso...

Oração

Ó Deus de bondade, que nos destes a *Sagrada* Família como
exemplo, concedei-nos imitar em nossos lares as suas virtudes,
para que, unidos pelos laços do amor, possamos chegar um dia
às alegrias da vossa casa. Por nosso Senhor Jesus Cristo, vosso
Filho, na unidade do Espírito Santo.

Sagrada Família

Hora Média

Salmos do Domingo da I Semana do Saltério, p.768. Se esta festa não for celebrada em Domingo, se dizem os salmos do dia de semana corrente.

Ant.**Mari**a guar**da**va no **seu cora**ç**ão**
as pa**la**vras e os **fa**tos, e **ne**les pen**sa**va.

Leitura breve

Cl 3,14-15

Sobretudo, amai-vos uns aos outros, pois o amor é O vínculo da perfeição. Que a paz de Cristo reine em vossos corações, à qual fostes chamados como membros de um só corpo. E sede agradecidos.

V.Cresci **po**bre e em tra**ba**lhos desde o **tem**po da in**fân**cia.
R.Exal**ta**do, eu vi**vi** na humilha**ção** e sofri**men**to.

Oração como nas Laudes.

II Vésperas

Hino

Ó luz bendita dos céus,
dos homens suma esperança.
Jesus, o amor da família
sorriu a vós em criança.

Maria, cheia de graça,
só vós podeis apertar
Jesus ao peito e, com beijos,
materno leite lhe dar.

E vós, ó guarda da Virgem,
feliz eleito dos céus,
o doce nome de Pai
vos deu o Filho de Deus.

Da nobre raiz de Jessé,
para salvar-nos nascidos,
ouvi as preces humildes
dos corações redimidos.

A flor da graça e virtude
em vossa casa nascida,
se reproduza nas nossas,
para enfeitar nossa vida.

Jesus, quisestes ser filho
obediente a seus pais.
A vós, ao Pai e ao Espírito
louvor e glória eternais.

Ant. 1 Após três **di**as, encon**tr**aram no **tem**plo o Me**ni**no,
sen**ta**do entre os dou**to**res,
ou**vin**do e interro**gan**do-os.

Salmos e cântico do Comum de Nossa Senhora, p. 1164.

Ant. 2 Jesus vol**tou** a Naza**ré** com os seus **pais**
e era-lhes sub**miss**o.

Ant. 3 Cres**cia** Je**sus** em **sa**bedoria, i**da**de e **graça**
di**an**te de **Deus** e di**an**te dos **ho**mens.

Leitura breve Fl 2,6-7

Jesus Cristo, existindo em condição divina, não fez do ser igual
a Deus uma usurpação, mas ele esvaziou-se a si mesmo, assumindo a condição de escravo e tornando-se igual aos homens.
Encontrado com aspecto humano, humilhou-se a si mesmo.

Responsório breve

R. Convinha que em **tu**do fosse i**gual** a seus ir**mãos**,
* Para po**der** ter pena **de**les. R. Convinha.
V. Deus foi **vis**to em nossa **ter**ra convi**ven**do com seu **povo**.
* Para po**der**. Glória ao **Pai**. R. Convinha.

Cântico evangélico, ant.

Ano A Jo**sé** veio mo**rar** na ci**da**de de Naza**ré**,
para cum**prir**-se o que foi **dito**
por **mei**o dos profetas:
Será cha**ma**do Nazareno.

Ano B Cres**cia** o Me**ni**no e se **for**talecia,
fi**can**do re**ple**to de **sa**bedoria:
sobre **ele** estava a **graça** de **Deus**.

Ano C Jesus vol**tou** a Naza**ré** com os seus **pais**
e era-lhes sub**miss**o.
Sua **Mãe**, porém, guar**da**va estas **coi**sas
no **seu** cora**ção**.

Sagrada Família

Preces

Adoremos o Filho do Deus vivo, que se dignou tornar-se filho de uma família humana; e digamos:

R. **Senhor, sois nosso modelo e salvador!**

Cristo Jesus, pelo mistério de vossa submissão a Maria e a José,
– ensinai-nos a respeitar e a obedecer os que legitimamente nos governam. R.

Vós, que amastes vossos pais e por eles fostes amado;
– confirmai todas as famílias na paz e no amor recíproco. R.

Vós, que sempre vos consagrastes generosamente às coisas do vosso Pai celeste,
– fazei que Deus seja glorificado em todas as famílias. R.

Senhor Jesus Cristo, a quem vossos pais, depois de três dias de angustiosa procura, encontraram na casa do Pai celeste,
– ensinai-nos a procurar antes de tudo o Reino de Deus. R.

(intenções livres)

Cristo Jesus, que associastes Maria e José à vossa glória no reino dos céus,
– recebei os nossos irmãos e irmãs falecidos na família dos santos.
R.

Pai nosso...

Oração

Ó Deus de bondade, que nos destes a Sagrada Família como exemplo, concedei-nos imitar em nossos lares as suas virtudes, para que, unidos pelos laços do amor, possamos chegar um dia às alegrias da vossa casa. Por nosso Senhor Jesus Cristo, vosso Filho, na unidade do Espírito Santo.

DIA 26 DE DEZEMBRO

Nas Laudes e na Hora Média, tudo é da festa de Santo Estêvão, proto-mártir, p. 1161.

Vésperas

Hino, antífonas, salmos e cântico, como nas II Vésperas do Natal, p. 179.

Tempo de Natal

Leitura breve
1Jo 1,5b.7

Deus é luz e nele não há trevas. Se andamos na luz, como ele está na luz, então estamos em comunhão uns com os outros, e o sangue de seu Filho Jesus nos purifica de todo o pecado.

Responsório breve

R. A Palavra se fez **carne**.
* Aleluia, aleluia. R. A Palavra.
V. E habi**tou** entre **nós**.*Aleluia, aleluia.
    Glória ao **Pai**. R. A Palavra.

Cântico evangélico, ant.

En**quan**to o silêncio envol**via** a **terra**
e a **noite** estava em **meio** ao seu **cur**so,
a vossa divina Palavra, Se**nhor**,
veio a **nós** do seu **trono real**. Aleluia.

Preces

Roguemos ao Verbo de Deus que, vindo habitar entre nós, abriu o caminho da eterna salvação; e com sincera humildade digamos:

R. **Livrai-nos, Senhor, de todo mal!**

Pelo mistério de vossa encarnação, por vosso nascimento e infância,
– por vossa vida inteira dedicada ao Pai,   R.

Por vosso trabalho, vossas pregações e caminhadas,
– por vosso convívio com os pecadores,   R.

Por vossa agonia e paixão, pela vossa cruz e solidão,
– por vossas angústias, morte e sepultura,   R.
(intenções livres)

Por vossa ressurreição e ascensão, pelo dom do Espírito Santo, por vossa alegria e glória eterna,
– libertai, Senhor, nossos irmãos já falecidos.   R.

Pai nosso...

Oração

Concedei, ó Deus todo-poderoso, que o novo nascimento de vosso Filho como homem nos liberte da antiga escravidão do pecado. Por nosso Senhor Jesus Cristo, vosso Filho, na unidade do Espírito Santo.

DIA 27 DE DEZEMBRO

Nas Laudes e na Hora Média, tudo é da festa de São João, apóstolo e evangelista, p. 1163.

Vésperas

Hino, antífonas, salmos e cântico, como nas II Vésperas do Natal, p. 179.

Leitura breve   Rm 8,3b-4

Tendo Deus enviado seu próprio Filho numa condição seme-lhante àquela da humanidade pecadora, e por causa justamente do pecado, condenou o pecado em nossa condição humana, para que toda a justiça exigida pela Lei seja cumprida em nós que não procedemos segundo a carne, mas segundo o Espírito.

Responsório breve

R. A **Pala**vra se fez **car**ne.
  * Ale**lu**ia, ale**lu**ia. R. A **Pala**vra.
V. E habi**tou** entre **nós**. *Ale**lu**ia, ale**lu**ia.
  Glória ao **Pai**. R. A **Pala**vra.

Cântico evangélico, ant.

Por **vós**, Santa **Vir**gem Ma**ri**a,
cum**pri**u-se a Palavra de **Deus**
que os pro**fe**tas disseram do **Cris**to.
Sendo **vir**gem, conce**bes**tes e ge**ras**tes o Se**nhor**.

Preces

Rezemos, irmãos, a Deus Pai que por seu grande amor para co-nosco nos enviou seu Filho; e digamos:

R. **A graça de Cristo esteja sempre conosco!**

Deus de amor, Pai de nosso Senhor Jesus Cristo, que vos compa-decestes daqueles que vivem nas trevas,
– acolhei as preces que vos apresentamos pela salvação de todos.
                                                              R.

Lembrai-vos, Senhor, da vossa Igreja que se faz presente pelo mundo inteiro,
– abençoai o povo cristão e concedei-lhe a paz.   R.

Pai de todos os homens, estabelecei também a paz entre as na-ções, e dirigi todos os povos para o conhecimento de vosso Filho,
– e dai aos governantes das nações o espírito da paz.   R.

(intenções livres)

194   Tempo de Natal

Vós que, com a chegada de vosso Filho, quisestes que a paz fosse anunciada ao mundo inteiro,
– dai a paz eterna aos que adormeceram na esperança.
R. **A graça de Cristo esteja sempre conosco!**

Pai nosso...

Oração

O Deus onipotente, agora que a nova luz do vosso Verbo Encarnado invade o nosso coração, fazei que manifestemos em ações o que brilha pela fé em nossas mentes. Por nosso Senhor Jesus Cristo, vosso Filho, na unidade do Espírito Santo.

DIA 28 DE DEZEMBRO

Nas Laudes e na Hora Média, tudo é da festa dos Santos Inocentes, p. 1166.

Vésperas

Hino, antífonas, salmos e cântico, como nas II Vésperas do Natal, p. 179.

Leitura breve   Ef 2,3b-5

Éramos por natureza, como os demais, filhos da ira. Mas Deus é rico em misericórdia. Por causa do grande amor com que nos amou, quando estávamos mortos por causa das nossas faltas, ele nos deu a vida com Cristo. É por graça que vós sois salvos!

Responsório breve

R. A **Pala**vra se fez **car**ne.
    * Ale**lui**a, ale**lui**a. R. A **Pala**vra.
   V. E habi**tou** entre **nós**. *Ale**lui**a, ale**lui**a.
     Glória ao **Pai**. R. A **Pala**vra.

Cântico evangélico, ant.

A **Vir**gem **san**ta e sem **man**cha, Maria,
ge**rou**-nos o **Fi**lho de **Deus**;
reves**tiu**-o de **mem**bros tão **frá**geis,
com seu **lei**te ma**ter**no nu**triu**-o:
ado**re**mos **Je**sus Salva**dor**.

29 de dezembro

Preces

Deus enviou seu Filho, nascido de uma mulher, nascido sob a lei, para remir aqueles que estavam sob a lei. Firmes nesta esperança, rezemos:

R. **A graça de Cristo esteja sempre conosco!**

Deus de amor e de paz; renovai em todos os cristãos a fé na encarnação de vosso Filho,
– para que vivam sempre em ação de graças. R.

Aumentai a esperança dos enfermos, dos pobres e dos velhos;
– dai conforto aos oprimidos, confiança aos desesperados, consolo aos que choram. R.

Não vos esqueçais dos encarcerados,
– e dos que vivem longe de sua pátria. R.

(intenções livres)

Vós, que no nascimento de vosso Filho nos fizestes ouvir os anjos cantando a vossa glória,
– fazei que os nossos irmãos falecidos vos louvem eternamente na companhia dos anjos. R.

Pai nosso...

Oração

Ó Deus, que admiravelmente criastes o ser humano e mais admiravelmente restabelecestes a sua dignidade, dai-nos participar da divindade do vosso Filho, que se dignou assumir a nossa humanidade. Por nosso Senhor Jesus Cristo, vosso Filho, na unidade do Espírito Santo.

29 de dezembro

QUINTO DIA NA OITAVA DO NATAL

Laudes

Hino, antífonas, salmos e cântico, como nas Laudes do Natal do Senhor, p. 173.

Leitura breve
Hb 1,1-2

Muitas vezes e de muitos modos falou Deus outrora aos nossos pais, pelos profetas; nestes dias, que são os últimos, ele nos falou

196 — Tempo de Natal

por meio do Filho, a quem ele constituiu herdeiro de todas as coisas e pelo qual também ele criou o universo.

Responsório breve
R. O **Senhor** fez conhe**cer**
 * Ale**lui**a, ale**lui**a. R. O **Senhor**.
V. A **sua** sal**vação** * Ale**lui**a, ale**lui**a. Glória ao **Pai**.
 R. O **Senhor**.

Cântico evangélico, ant.
Os pastores fa**lav**am entre **si**: Vamos **to**dos a Be**lém**,
vamos **ver** o grande e**ven**to que o **Senhor** nos reve**lou**.

Preces
Demos graças a Deus Pai, que na sua misericórdia nos enviou Jesus Cristo, Príncipe da paz; e digamos cheios de confiança:
R. **Dai a paz, Senhor, a todos os homens!**

Deus onipotente, Pai de nosso Senhor Jesus Cristo, nestes dias em que a Igreja celebra vosso amor salvador,
– aceitai com bondade os nossos louvores. R.

Vós, que, desde o início, prometestes dar aos seres humanos a vitória por meio de Cristo, Salvador do mundo,
– iluminai todos os povos com a luz do Evangelho. R.

Para a glória de vosso Filho, que Abraão contemplou com alegria, os patriarcas esperaram, os profetas anunciaram e os povos desejaram,
– fazei que o povo de Israel também seja salvo. R.

Vós, que mandastes os anjos proclamar o nascimento de vosso Filho, e os apóstolos, mártires e fiéis o louvarem por todos os séculos,
– concedei à terra a vossa paz. R.

(intenções livres)

Pai nosso...

Oração
Ó Deus invisível e todo-poderoso, que dissipastes as trevas do mundo com a vinda da vossa luz, volvei para nós o vosso olhar, a fim de que proclamemos dignamente a maravilhosa natividade de

29 de dezembro
197

vosso Filho Unigênito. Que convosco vive e reina, na unidade do Espírito Santo.

Hora Média

Salmos do dia de semana correspondente.

Ant. Maria guardava no **seu** coração
as palavras e os **fatos**, e **n**eles pensava.

Leitura breve   1 Jo 4,9
Foi assim que o amor de Deus se manifestou entre nós: Deus enviou o seu Filho único ao mundo, para que tenhamos vida por meio dele.

V. Os con**fins** do univer**so** contem**pl**aram, ale**lui**a,
R. A salva**ção** do nosso **Deus**. Ale**lui**a.
Oração como nas Laudes.

Vésperas

Hino, antífonas, salmos e cântico, como nas II Vésperas do Natal, p. 179.

Leitura breve   1Jo 1,1-3
O que era desde o princípio, o que nós ouvimos, o que vimos com os nossos olhos, o que contemplamos e as nossas mãos tocaram da Palavra da Vida, – de fato, a Vida manifestou-se e nós a vimos, e somos testemunhas, e a vós anunciamos a Vida eterna, que estava junto do Pai e que se tornou visível para nós – isso que vimos e ouvimos, nós vos anunciamos, para que estejais em comunhão conosco. E a nossa comunhão é com o Pai e com seu Filho, Jesus Cristo.

Responsório breve
R. A Pala**v**ra se fez **car**ne.
  * Ale**lui**a, ale**lui**a. R. A Pala**v**ra.
V. E habi**tou** entre **nós**. *Ale**lui**a, ale**lui**a.
  Glória ao **Pai**. R. A Pala**v**ra.

Cântico evangélico, ant.
O Se**nhor**, Rei dos **céus**, quis nas**cer** duma **Virg**em
e, de no**vo**, le**var** para o **Reino** celes**te**
o **ho**mem que esta**v**a há **mui**to perdi**do**.

Tempo de Natal

Preces

Invoquemos a infinita misericórdia de Deus Pai, que ungiu no Espírito Santo o seu Filho Unigênito para anunciar aos pobres a alegria da salvação; e digamos:

R. **Deus de misericórdia, tende piedade de nós.**

Deus eterno e cheio de misericórdia, que enviastes vosso Filho ao mundo para que todos os homens se salvem e cheguem ao conhecimento da verdade,
– fazei que o Natal de Cristo encha de alegria todos os povos da terra. R.

Vós que enviastes Cristo ao mundo para anunciar aos pobres a salvação, libertar os oprimidos e proclamar o tempo da graça,
– concedei a todos a liberdade e a paz. R.

Vós que encaminhastes os sábios do Oriente para virem adorar o vosso Filho,
– iluminai a nossa fé e aceitai nossa oração. R.

Vós que atraís todos os homens, chamando-os das trevas à vossa luz admirável, para que ao nome de Jesus todo joelho se dobre,
– fazei de nós fiéis testemunhas do Evangelho. R.

(intenções livres)

Vós que em Jesus Cristo, nascido em Belém, fizestes brilhar a luz que ilumina as nações,
– mostrai a glória de vossa face aos nossos irmãos e irmãs faleci-dos. R.

Pai nosso...

Oração

Ó Deus invisível e todo-poderoso, que dissipastes às trevas do mundo com a vinda da vossa luz, volvei para nós o vosso olhar, a fim de que proclamemos dignamente a maravilhosa natividade de vosso Filho Unigênito. *Que convosco vive e reina, na unidade do Espírito Santo.*

30 de dezembro

SEXTO DIA NA OITAVA DO NATAL

Não havendo domingo dentro da Oitava do Natal, celebra-se hoje a festa da Sagrada Família, p.186, omitindo-se as I Vésperas.

Laudes

Hino, antífonas, salmos e cântico, como nas Laudes do Natal do Senhor, p.173.

Leitura breve Is 9,5
Nasceu para nós um menino, foi-nos dado um filho; ele traz aos ombros a marca da realeza; o nome que lhe foi dado é: Conselheiro admirável, Deus forte, Pai dos tempos futuros, Príncipe da Paz.

Responsório breve
R. O Senhor fez conhecer
  * Aleluia, aleluia. R. O Senhor.
V. A sua salvação * Aleluia, aleluia.
  Glória ao Pai. R. O Senhor.

Cântico evangélico, ant.
Ao nascer o Senhor em Belém,
os coros dos anjos cantavam:
Glória a Deus em seu trono e ao Cordeiro!

Preces
Supliquemos a Cristo nosso Senhor, em quem o Pai quis renovar todas as coisas; e digamos:
R. Filho de Deus muito amado, ouvi-nos!

Filho de Deus, que desde o princípio estáveis junto do
Pai e, ao chegar a plenitude dos tempos, vos fizestes homem,
– fazei que nos amemos todos como irmãos e irmãs. R.

Cristo, Filho de Deus, que vos fizestes pobre para nos enriquecer com vossa pobreza, e vos humilhastes para nos fazerdes participantes da vossa glória,
– tornai-nos fiéis ministros do vosso Evangelho. R.

Vós, que viestes iluminar os que viviam nas trevas e na sombra da morte,
– guiai nossos passos no caminho da santidade, da justiça e da paz.
R.

Dai-nos um coração puro e sincero para escutar fielmente a vossa Palavra,
– e multiplicai em nós e em todos os homens os frutos da salvação para vossa maior glória.
R. **Filho de Deus muito amado, ouvi-nos!**

(intenções livres)

Pai nosso...

Oração

Concedei, ó Deus todo-poderoso, que o novo nascimento de vosso Filho como homem nos liberte da antiga escravidão do pecado. Por nosso Senhor Jesus Cristo, vosso Filho, na unidade do Espírito Santo.

Hora Média

Salmos do dia de semana correspondente.

Ant. Maria guardava no seu coração
    as palavras e os fatos, e neles pensava.

Leitura breve Is 12,5-6

Cantai ao Senhor as grandes coisas que fez; é preciso que isto seja conhecido em toda parte. Exulta de alegria entre louvores, Cidade de Sião, pois no meio de ti se manifesta a grandeza do Santo de Israel.

V. Os confins do universo contemplaram, aleluia,
R. A salvação do nosso **Deus**. Aleluia.
Oração como nas Laudes.

Vésperas

Hino, antífonas e cântico, como nas II Vésperas do Natal do Senhor, p. 179.

Leitura breve cf. 2Pd 1,3-4

Cristo, por seu divino poder, nos deu todas as coisas necessárias para a vida e para a piedade, mediante o conhecimento daquele que, pela sua própria glória e virtude, nos chamou. Por meio de tudo isso nos foram dadas as preciosas promessas, as maiores que há, a fim de que vos tornásseis participantes da natureza divina, depois de libertos da corrupção da concupiscência no mundo.

Responsório breve

R. A Palavra se fez **carne**.
 * Aleluia, aleluia. R. A Palavra.
V. E habitou entre **nós**. *Aleluia, aleluia.
  Glória ao **Pai**. R. A Palavra.

Cântico evangélico, ant.

Nós vos louvamos, Santa **Mãe** do nosso **Deus**,
pois de **vós** nasceu o **Cristo** Salva**dor**.
Interce**dei** por todos **nós** que vos louvamos!

Preces

Glorifiquemos a Cristo, rei nascido em Belém de Judá para dirigir seu povo santo; e aclamemos com alegria:
R. **Ajudai-nos, Senhor, com a vossa graça!**

Cristo, nosso Salvador, desejado das nações, iluminai com a luz do Evangelho aqueles que ainda não reconheceram a Palavra da vida,·
– e atraí para vós todos os homens. R.

Cristo, Senhor do universo, fazei que a vossa Igreja se estenda até aos confins da terra,
– e congregai nela os homens e as mulheres de todas as línguas e nações. R.

Cristo, Rei dos reis, dirigi o coração e o pensamento dos governantes,
– para que promovam fielmente a justiça, a paz e a liberdade de todos os povos. R.

Cristo, Senhor dos senhores e fortaleza dos humildes, ajudai os que são tentados, reanimai os deprimidos, protegei os que vivem em perigo,
– revigorai os desiludidos e desesperados, firmai a esperança dos perseguidos. R.

(intenções livres)

Cristo, Consolador dos aflitos, confortai os agonizantes,
– e conduzi-os para as fontes de água viva. R.

Pai nosso...

Oração

Concedei, ó Deus todo-poderoso, que o novo nascimento de vosso Filho como homem nos liberte da antiga escravidão do pecado. Por nosso Senhor Jesus Cristo, vosso Filho, na unidade do Espírito Santo.

31 de dezembro

SÉTIMO DIA NA OITAVA DO NATAL

Laudes

Hino, antífonas, salmos e cântico, como nas Laudes do Natal do Senhor, p. 173.

Leitura breve   Is 4,2-3

Naquele dia, o povo do Senhor terá esplendor e glória, e o fruto da terra será de grande alegria para os sobreviventes de Israel. Então, os que forem deixados em Sião, os sobreviventes de Jerusalém, serão chamados santos, a saber, todos os destinados à vida em Jerusalém.

Responsório breve

R. O Senhor fez conhecer
    * Aleluia, aleluia. R. O Senhor.
V. A sua salvação * Aleluia, aleluia. Glória ao Pai.
    R. O Senhor.

Cântico evangélico, ant.

O coro dos anjos louvava cantando:
Glória a Deus nas alturas dos céus, aleluia.
Paz na terra aos homens que Ele ama, aleluia.

Preces

Com humilde confiança imploremos ao Cristo Senhor, que em sua graça apareceu a todos; e digamos:
R. Senhor, tende piedade de nós!

Cristo, nascido do Pai antes de todos os séculos, esplendor de sua glória, imagem de sua substância, que tudo firmais na vossa palavra,
    – que este dia seja vivificado por vosso Evangelho.   R.

31 de dezembro

Cristo, nascido neste mundo quando veio a plenitude dos tempos, para salvar o gênero humano e libertar toda criatura,
– dai a todos a liberdade. **R.**

Cristo, Filho consubstancial ao Pai, gerado antes da aurora, nascido em Belém para que se cumprisse a Escritura,
– fazei brilhar na Igreja a probreza evangélica. **R.**

Cristo; Deus e homem, Senhor e Filho de Davi, segundo as Escrituras,
– que Israel vos reconheça como seu Messias. **R.**

(intenções livres)

Pai nosso...

Oração

Deus eterno e todo-poderoso, que estabelecestes o princípio e a plenitude de toda a religião na encarnação do vosso Filho, concedei que sejamos contados entre os discípulos daquele que é toda a salvação da humanidade. Por nosso Senhor Jesus Cristo, vosso Filho, na unidade do Espírito Santo.

Hora Média

Salmos do dia de semana correspondente.

Ant. Maria guardava no **seu** coração
as palavras e os **fatos**, e **ne**les pensava.

Leitura breve   Is 48,20
Proclamai isto com gritos de alegria; fazei-vos ouvir até às extremidades da terra, dizei: O Senhor resgatou seu servo Jacó.

V. Os con**fins** do univer**so** contem**plaram, ale**luia,
R. A salva**ção** do nosso **Deus.** Ale**luia.**

Oração como nas Laudes.

1º de janeiro

Oitava do Natal do Senhor

SOLENIDADE DE SANTA MARIA, MÃE DE DEUS

I Vésperas

Hino

Quem nos deu todas as coisas
que foram, são e hão de ser:
no amor do Pai foi gerado,
mas quis na terra nascer.

Um corpo humano assumindo,
eis que o Filho é nosso irmão:
vem libertar-nos da morte,
salvar os filhos de Adão.

A luz do Espírito Santo
sobre uma virgem desceu:
ungido rei e profeta,
Jesus menino nasceu.

O que os profetas cantaram,
o prometido a Israel,
vem salvar todos os povos,
Deus-conosco, Emanuel.

Glória ao Espírito Santo,
por quem nos veio Jesus:
vida, caminho e verdade,
que ao Pai eterno conduz.

Ant. 1 Admirável intercâmbio!
O Criador da humanidade,
assumindo corpo e alma,
quis nascer de uma Virgem.
Feito homem, nos doou
sua própria divindade!

Salmos e cântico, do Comum de Nossa Senhora, p. 1459.

Ant. 2 Ao nascerdes da **Virgem** de **modo** inefável,
a palavra de **Deus** se cumpriu plenamente:
como **chuva** na relva descestes dos **céus**
e viestes salvar-nos!
Glória a **vós**, nosso **Deus!**

Ant. 3 Como a **sarça**, que Moisés viu arder sem se queimar,
assim intacta é a vossa admirável virgindade.
Maria, Mãe de **Deus**, por **nós** intercedei!

Leitura breve
Gl 4,4-5

Quando se completou o tempo previsto, Deus enviou o seu Filho, nascido de uma mulher, nascido sujeito à Lei, a fim de resgatar os que eram sujeitos à Lei e para que todos recebêssemos a filiação adotiva.

Responsório breve
R. A Palavra se fez **carne**.
* Aleluia, aleluia. R. A Palavra.
V. E habitou entre **nós**. *Aleluia, aleluia.
Glória ao **Pai**. R. A Palavra.

Cântico evangélico, ant.
Pelo amor infinito com que **Deus** nos amou,
enviou-nos seu **Filho** nascido da mulher,
numa carne semelhante à carne do pecado,
nascido sob a lei. Aleluia, aleluia.

Preces
Bendigamos a Jesus Cristo, nossa paz, que veio reunir todos os seres humanos num só povo; e peçamos humildemente:
R. **Senhor, dai ao mundo a vossa paz!**

Vós, que nascestes em Belém para manifestar aos homens a bondade e o amor de Deus,
– dai-nos viver em contínua ação de graças por todos os vossos benefícios. R.

Vós, que destes a Maria, vossa Mãe, a plenitude da graça,
– concedei a todos a riqueza dos vossos dons. R.

Vós, que viestes anunciar ao mundo o Evangelho de Deus,
– multiplicai os pregadores e ouvintes da vossa palavra. R.

206 Tempo de Natal

Vós, que, ao nascer da Virgem Maria, vos tornastes nosso irmão,
ensinai os homens a se amarem fraternalmente.
R. **Senhor, dai ao mundo a vossa paz!**

(intenções livres)

Vós que aparecestes como sol que ilumina o mundo,
– mostrai a luz da vossa face aos que partiram desta vida.   R.

Pai nosso...

Oração

Ó Deus, que pela virgindade fecunda de Maria destes à humanidade a salvação eterna, dai-nos contar sempre com a sua intercessão, pois ela nos trouxe o autor da vida. Por nosso Senhor Jesus
Cristo, vosso Filho, na unidade do Espírito Santo.

Laudes

Hino

Eis do Senhor a porta aberta,
de toda a graça portadora.
Passou o Rei, e permanece
fechada, como sempre fora.

Filho do Pai supremo, o Esposo
e Redentor sai, triunfante,
do seio virgem de Maria,
numa corrida de gigante.

Da Mãe sois honra e alegria,
nossa esperança verdadeira,
pedra que desce da montanha,
de graça enchendo a terra inteira.

Exulte toda a criatura,
porque nos veio o Salvador.
Para remir os que criara,
nasceu do mundo o Criador.

Do Pai gerado como Deus,
louvor a vós, Cristo Jesus,
a quem, fecunda pelo Espírito,
a Virgem Mãe tem dado à luz.

Ant. 1 A raiz de Jessé germinou,
a estrela de Jacó despontou.
Da Virgem nasceu o Salvador:
Ao Senhor nosso Deus, o louvor!

Salmos e cântico do I Domingo do Saltério, p. 764.

Ant. 2 Maria deu à luz o Salvador
que João, reconhecendo, exclamou:
Eis aqui o Cordeiro de Deus
que tira o pecado do mundo. Aleluia.

Ant. 3 A mulher deu à luz o Rei eterno:
tendo ela a alegria de ser Mãe,
também teve a honra de ser Virgem.
Ninguém antes tinha visto coisa igual,
nem depois, semelhante, alguém verá. Aleluia.

Leitura breve   Mq 5,2-3a.4a

Deus deixará seu povo ao abandono, até ao tempo em que uma
mãe der à luz; e o resto de seus irmãos se voltará para os filhos
de Israel. Ele não recuará, apascentará com a força do Senhor e
com a majestade do nome do Senhor seu Deus; e ele será a paz.

Responsório breve

R. O Senhor fez conhecer
 * Aleluia, aleluia. R. O Senhor.
V. A sua salvação * Aleluia, aleluia.
 Glória ao Pai. R. O Senhor.

Cântico evangélico, ant.

Mistério admirável é hoje anunciado:
Eis que tudo se renova:
Fez-se homem o próprio Deus;
conservando a divindade, assumiu a humanidade.

Preces

Glorifiquemos a Cristo, que nasceu da Virgem Maria pelo poder
do Espírito Santo; e peçamos:
R. **Filho da Virgem Maria, tende piedade de nós!**

Cristo, nascido da Virgem Maria, criança admirável e príncipe
da paz,
– dai a paz ao mundo inteiro.   R.

208   Tempo de Natal

Nosso Rei e nosso Deus, que pelo vosso nascimento elevastes a natureza humana,

— dai-nos a graça de vos honrar todos os dias de nossa vida pela fé e pelas obras.

R. **Filho da Virgem Maria, tende piedade de nós!**

Vós, que vos tornastes semelhante a nós,

— concedei que nos assemelhemos a vós.   R.

Vós, que vos tornastes cidadão do nosso mundo,

— tornai-nos cidadãos do vosso reino celeste.   R.

(intenções livres)

Pai nosso...

Oração

Ó Deus, que pela virgindade fecunda de Maria destes à humanidade a salvação eterna, dai-nos contar sempre com a sua intercessão, pois ela nos trouxe o autor da vida. Por nosso Senhor Jesus Cristo, vosso Filho, na unidade do Espírito Santo.

Hora Média

Salmodia complementar, à p. 1135, a não ser que seja domingo.

Ant. Maria guardava no seu coração as palavras e os fatos, e neles pensava.

Leitura breve   Zc 9,9

Exulta, cidade de Sião! Rejubila, cidade de Jerusalém. Eis que vem teu rei ao teu encontro, ele é justo, ele salva.

V. Os confins do universo contemplaram, aleluia,

R. A salvação do nosso Deus. Aleluia.

Oração como nas Laudes.

II Vésperas

Hino

Quem nos deu todas as coisas
que foram, são e hão de ser:
no amor do Pai foi gerado,
mas quis na terra nascer.

Um corpo humano assumindo,
eis que o Filho é nosso irmão:
vem libertar-nos da morte,
salvar os filhos de Adão.

A luz do Espírito Santo
sobre uma virgem desceu:
ungido rei e profeta,
Jesus menino nasceu.

O que os profetas cantaram,
o prometido a Israel,
vem salvar todos os povos,
Deus-conosco, Emanuel.

Glória ao Espírito Santo,
por quem nos veio Jesus:
vida, caminho e verdade,
que ao Pai eterno conduz.

Ant. 1 Admirável intercâmbio! O Criador da humanidade,
assumindo corpo e alma, quis nascer de uma Virgem.
Feito homem, nos doou sua própria divindade!

Salmos e cântico, do Comum de Nossa Senhora, p. 1468.

Ant. 2 Ao nascerdes da Virgem de modo inefável,
a palavra de Deus se cumpriu plenamente:
como chuva na relva descestes dos céus
e viestes salvar-nos!
Glória a vós, nosso Deus!

Ant. 3 Como a sarça, que Moisés viu arder sem se queimar,
assim intacta é a vossa admirável virgindade.
Maria, Mãe de Deus, por nós intercedei!

Leitura breve   Gl 4,4-5
Quando se completou o tempo previsto, Deus enviou o seu Filho,
nascido de uma mulher, nascido sujeito à Lei, a fim de resgatar os
que eram sujeitos à Lei e para que todos recebêssemos a filiação
adotiva.

Responsório breve
R. A Palavra se fez carne.
  * Aleluia, aleluia. R. A Palavra.
V. E habitou entre nós. *Aleluia, aleluia.
    Glória ao Pai. R. A Palavra.

Tempo de Natal

Cântico evangélico, ant.
Bendito o **ven**tre que vos **trou**xe, e os **sei**os que sugastes,
ó Se**nhor** e Sal**va**dor! Ale**lui**a, ale**lui**a.

Preces

Bendigamos a Cristo, o Emanuel, a quem a Virgem concebeu e
deu à luz. E peçamos humildemente:
R. **Filho da Virgem Maria, atendei-nos!**

Vós concedestes a Maria as alegrias da maternidade;
– fazei que todos os pais possam alegrar-se pelo dom dos filhos.
R.

Rei pacífico, vosso reino é justiça e paz;
– dai-nos a graça de seguirmos o caminho da paz. R.

Viestes fazer da humanidade o povo santo de Deus;
– congregai todos os povos na unidade. R.

Pelo vosso nascimento santificastes a vida familiar;
– promovei a paz e a união em todas as famílias. R.

(intenções livres)

Quisestes nascer no tempo;
– concedei aos falecidos nascerem para a vossa eternidade. R.

Pai nosso...

Oração

Ó Deus, que pela virgindade fecunda de Maria destes à humanidade a salvação eterna, dai-nos contar sempre com a sua intercessão, pois ela nos trouxe o autor da vida. Por nosso Senhor Jesus
Cristo, vosso Filho, na unidade do Espírito Santo.

Nas regiões onde a solenidade da Epifania é celebrada no Domingo entre 2 e 8 de janeiro, nada se diz do 2º Domingo depois do Natal. O Ofício
da Epifania é celebrado como está indicado mais adiante (p. 234-246).
Depois da Epifania seguem os Ofícios próprios como estão indicados
(p. 247s), a não ser que o dia 7 ou 8 seja domingo. Neste caso, a festa do
Batismo do Senhor (p. 263) é transferida para a segunda-feira seguinte:
os salmos da Hora média são os da segunda-feira da I Semana com a
antífona da festa. A leitura breve, o versículo e a oração também são da
festa; nas Completas, rezam-se os salmos de segunda-feira.

O Tempo comum começa, então, na terça-feira que segue.

SEGUNDO DOMINGO DEPOIS DO NATAL

entre 2 e 5 de janeiro

Nas regiões onde a Epifania do Senhor é celebrada a 6 de janeiro·

II Semana do Saltério

I Vésperas

Hino, p. 167.

Ant. 1 A **Vir**gem conce**beu** pela Pa**la**vra,
a **Vir**gem deu à **luz** o Rei do **reis**,
e **vir**gem para **sem**pre ela fi**cou**.

Salmos e cântico do domingo da II Semana, p. 849.

Ant. 2 Ale**grai**-vos com Si**ão**,
pois Deus **fez** correr a **paz** para ela como um **rio**.

Ant. 3 Nas**ceu** para **nós** Deus de **Deus**,
Luz da **Luz**, desde **sem**pre exis**ten**te.

Leitura breve   1Jo 5,20

Nós sabemos que veio o Filho de Deus e nos deu inteligência para conhecermos aquele que é o Verdadeiro. E nós estamos com o Verdadeiro, no seu Filho Jesus Cristo. Este é o Deus verdadeiro e a Vida eterna.

Responsório breve

R. A Pa**la**vra se fez **car**ne.
  * Ale**lui**a, ale**lui**a. R. A Pa**la**vra.
V. E habi**tou** entre **nós**. *Ale**lui**a, ale**lui**a.
  Gló**ria** ao **Pai**. R. A Pa**la**vra.

Cântico evangélico, ant.

A **gra**ça ce**les**te en**trou** nas en**tra**nhas
da **Mãe**, Virgem **pu**ra.
O **ven**tre da **jo**vem en**cer**ra mis**té**rios
que **não** compre**en**de.

Preces

Adoremos a Cristo, que se aniquilou a si mesmo, assumindo a condição de servo, e foi igual a nós em tudo, exceto no pecado. Com toda a nossa fé, peçamos:

R. **Pelo vosso natal, socorrei os que remistes!**

Ao entrardes no mundo, inaugurastes os novos tempos anunciados pelos profetas;
– fazei que de geração em geração a Igreja se rejuvenesça.
R. **Pelo vosso natal, socorrei os que remistes!**

Vós, que assumistes a fragilidade da natureza humana,
– sede a luz dos cegos, a força dos fracos, o auxílio de todos os que padecem. R.

Vós, que nascestes pobre e humilde,
– olhai para os pobres e confortai-nos com bondade. R.

Vós, que, nascendo na terra, anunciais a todos a alegria da eternidade prometida,
– confortai os corações dos agonizantes com a esperança do nascimento para o céu. R.

(intenções livres)

Vós, que descestes à terra para levar todos para o céu,
– associai a vós na glória os nossos irmãos e irmãs que morreram. R.

Pai nosso...

Oração

Deus eterno e todo-poderoso, esplendor dos vossos fiéis, irradiai por todo o mundo a vossa glória, e manifestai-vos a todos os povos no fulgor da vossa luz. Por nosso Senhor Jesus Cristo, vosso Filho, na unidade do Espírito Santo.

Laudes

Hino, p. 168.

Ant. 1 Uma **luz** já se le**van**ta para os **jus**tos,
pois nas**ceu** o Salva**dor** da humani**da**de. Ale**lui**a.

Salmos e cântico do domingo da II Semana, p. 853.

Ant. 2 Entoemos um **hi**no ao Se**nhor** nosso **Deus**.

Ant. 3 Ao **po**vo pa**gão**, que **ja**zia nas **tre**vas,
bri**lhou** grande **luz**.

Leitura breve   Hb 1,1-2
Muitas vezes e de muitos modos falou Deus outrora aos nossos pais, pelos profetas; nestes dias, que são os últimos, ele nos falou

2º Domingo 213

por meio do Filho, a quem ele constituiu herdeiro de todas as coisas e pelo qual também ele criou o universo.

Responsório breve

R. Cristo, **Filho** do Deus vivo,
  * Tende **pena** e compai**xão**! R. Cristo.
V. Que por **nós** nascer quisestes de Maria sempre **Virgem**
  * Tende. Glória ao **Pai**. R. Cristo, **Filho**.

Cântico evangélico, ant.

A **Virgem** fiel
ge**rou** a Palavra de **Deus** feita carne,
e **virgem ficou de**pois de seu **parto**.
Louvemos Maria, dizendo contentes:
Bendita entre todas as mulheres da terra!

Preces

Celebremos dignamente o Verbo de Deus, que existe antes dos séculos e quis, por nosso amor, nascer no tempo; e aclamemos jubilosos:

R. **Alegre-se a terra porque viestes!**

Cristo, Verbo eterno, que, descendo à terra, a enchestes de exultação,
– alegrai o nosso coração com a graça da vossa visita.   R.

Salvador do mundo, que pelo vosso natal nos revelastes a fidelidade de Deus à sua aliança,
– fazei-nos cumprir com fidelidade, as promessas do nosso batismo   R.

Rei do céu e da terra, que enviastes os anjos para anunciar a paz aos homens,
– conservai na vossa paz os nossos dias.   R.

Senhor, que viestes para ser a videira que nos dá os frutos da vida,
– fazei-nos permanecer unidos a vós, e dar frutos de santidade.   R.

(intenções livres)

Pai nosso...

Tempo do Natal

Oração

Deus eterno e todo-poderoso, esplendor dos vossos fiéis, irradiai por todo o mundo a vossa glória, e manifestai-vos a todos os povos no fulgor da vossa luz. Por nosso Senhor Jesus Cristo, vosso Filho, na unidade do Espírito Santo.

Hora Média

Ant. Maria guardava no seu coração
as palavras e os fatos, e neles pensava.

Leitura breve 1 Jo 4,9

Foi assim que o amor de Deus se manifestou entre nós: Deus enviou o seu Filho único ao mundo, para que tenhamos vida por meio dele.

V. Os confins do universo contemplaram, aleluia,
R. A salvação do nosso **Deus**. Aleluia.
Oração como nas Laudes.

II Vésperas

Hino, p. 167.

Ant. 1 Para **nós** raiou o **dia** duma **nova** redenção,
da felicidade eterna preparada há tanto tempo.

Salmos e cântico do domingo da II Semana, p. 860.

Ant. 2 O Senhor nos enviou sua Graça e sua Verdade.

Ant. 3 Para **nós** nasceu na terra o Rei dos reis.
Eis que veio para o mundo a salvação,
é chegada para nós a redenção. Aleluia.

Leitura breve 1 Jo 1,1-3

O que era desde o princípio, o que nós ouvimos, o que vimos com os nossos olhos, o que contemplamos e as nossas mãos tocaram da Palavra da Vida, – de fato, a Vida manifestou-se e nós a vimos, e somos testemunhas, e a vós anunciamos a Vida eterna, que estava junto do Pai e que se tornou visível para nós – isso que vimos e ouvimos, nós vos anunciamos, para que estejais em comunhão conosco. E a nossa comunhão é com o Pai e com seu Filho, Jesus Cristo.

Responsório breve

R. A Palavra se fez **carne**.
  * Aleluia, aleluia. R. A Palavra.
V. E habi**tou** entre **nós**. *Aleluia, aleluia.
  Glória ao **Pai**. R. A Palavra.

Cântico evangélico, ant.

Felizes entranhas da **Vir**gem Maria:
Trouxeram o **Filho** de **Deus**, Pai eterno!
Felizes os **seios** que alimentaram o **Cris**to Se**nhor**!

Preces

Celebremos com alegria a Jesus Cristo, em cujo natal os anjos
anunciaram a paz ao mundo; e peçamos:

R. **Vosso natal traga a paz para todos!**

Senhor, que confortais a Igreja com o mistério do vosso nascimento,
– enriquecei-a de todos os bens.   R.

Príncipe dos pastores e Guarda de nossas almas,
– tornai o Papa e nossos bispos fiéis ministros de vossa graça
multiforme.   R.

Rei da eternidade, que nascendo quisestes sujeitar-vos à brevidade da vida e experimentar as dificuldades humanas,
– fazei-nos viver de tal modo que possamos participar um dia da
vossa glória eterna.   R.

Esperado das nações, que viestes na plenitude dos tempos;
– manifestai vossa presença àqueles que ainda estão à vossa espera.   R.

(intenções livres)

Verbo encarnado, que viestes renovar a natureza humana corrompida pelo pecado,
– concedei a plenitude da redenção aos nossos irmãos e irmãs
defuntos.   R.

Pai nosso...

Oração

Deus eterno e todo-poderoso, esplendor dos vossos fiéis, irradiai
por todo o mundo a vossa glória, e manifestai-vos a todos os povos

216   Tempo do Natal

no fulgor da vossa luz. Por nosso Senhor Jesus Cristo, vosso Filho, na unidade do Espírito Santo.

DIA 2 DE JANEIRO

Laudes

Leitura breve   Is 49,8b-9a

Eu te preservei para seres elo de aliança entre os povos, para restaurar a terra, para distribuir a herança dispersa; para dizer aos que estão presos: "Saí!" e aos que estão nas trevas: "Mostrai-vos!"

Responsório breve

R. O Senhor fez conhecer
  * Aleluia, aleluia. R. O Senhor.
V. A sua salvação. * Aleluia, aleluia.
  Glória ao Pai. R. O Senhor.

Cântico evangélico, ant.

Deitado no presépio, no céu resplandecia;
feito homem, veio a nós, e junto ao Pai permanecia.

Preces

Elevemos as nossas súplicas a Cristo, o homem novo que desceu do céu como segundo Adão para nos restituir a vida verdadeira; e digamos:

R. Kyrie eleison! ou: Senhor, tende piedade de nós!

Cristo, sol da justiça, que manifestastes a glória de Deus em nossa natureza, para levar a antiga aliança à sua realização perfeita, ·
– derramai vossa luz sobre nós.   R.

Cristo, glorificado pelos anjos e anunciado pelos pastores, reconhecido e louvado por Simeão e Ana:
– que vossa Boa-Nova seja acolhida pelo povo da promessa. R.

Cristo, em vosso nascimento os anjos cantaram "glória nas alturas e paz na terra";
– que vossa paz se irradie pelo mundo inteiro.   R.

Cristo, novo Adão, vós renovastes a velhice do homem e preparastes para nós um lugar em vosso reino;
– fortalecei a esperança dos oprimidos. **R.**

(intenções livres)

Pai nosso...

Oração

Concedei ó Deus, ao vosso povo uma fé inabalável, para que, ao proclamarmos que o vosso Filho Unigênito, Deus eterno e glorioso como vós, se fez homem no seio da Virgem Mãe, sejamos livres dos males que nos cercam e introduzidos nas eternas alegrias. Por, nosso Senhor Jesus Cristo, vosso Filho, na unidade do Espírito Santo.

Hora Média

Ant. Maria guardava no **seu** coração
as palavras e os fatos, e neles pensava.

Leitura breve
Ap 21,23-24

A cidade não precisa de sol, nem de lua que a iluminem, pois a glória de Deus é a sua luz e a sua lâmpada é o Cordeiro. As nações caminharão à sua luz e os reis da terra levarão a ela a sua glória.

V. Os confins do universo contemplaram, aleluia,
R. A salvação do nosso **Deus**. Aleluia.
Oração como nas Laudes.

Vésperas

Leitura breve
Cl 1,13-15

Deus nos libertou do poder das trevas e nos recebeu no reino de seu Filho amado, por quem temos a redenção, o perdão dos pecados. Ele é a imagem do Deus invisível, o primogênito de toda a criação.

Responsório breve
R. A Palavra se fez **carne**.
  * Aleluia, aleluia. **R.** A Palavra.
V. E habitou entre **nós**. *Aleluia, aleluia.
  Glória ao **Pai**. **R.** A Palavra.

Cântico evangélico, ant.

Infância ditosa do Filho de Deus,
renovastes a vida do gênero humano!
Como esposo exultante que **sai** do seu **tálamo,**
saístes do **ventre** da **Virgem Maria.**

Preces

Deus, que falou outrora a nossos antepassados por meio dos profetas, agora nos fala por meio de seu Filho. Imploremos a sua misericórdia:

R. **Kyrie eleison!** ou: **Senhor, tende piedade de nós!**

Por vossa santa Igreja:
– que vossos filhos com fé e coragem proclamem o nome do Salvador. R.

Pelos que anunciam o Evangelho:
– que os colaboradores por vós enviados preguem com coragem a todos os povos o nome do Salvador. R.

Por nossos irmãos enfermos:
– que obtenham a saúde pela invocação do nome do Salvador. R.

Pelos cristãos perseguidos:
– que suportem com paciência as injúrias por causa do nome do Salvador. R.

(intenções livres)

Por nossos irmãos e irmãs que morreram por culpa dos homens:
– que por vossa misericórdia alcancem a vida. R.

Pai nosso...

Oração

Concedei, ó Deus, ao vosso povo uma fé inabalável, para que, ao proclamarmos que o vosso Filho Unigênito, Deus eterno e glorioso como vós, se fez homem no seio da Virgem Mãe, sejamos livres dos males que nos cercam e introduzidos nas eternas alegrias. Por nosso Senhor Jesus Cristo, vosso Filho, na unidade do Espírito Santo.

DIA 3 DE JANEIRO

Laudes

Leitura breve   Is 62,11-12a

Dizei à cidade de Sião: Eis que está chegando o teu salvador, com a recompensa já em suas mãos e o prêmio à sua disposição. O povo será chamado Povo santo, os Resgatados do Senhor.

Responsório breve

R. O **Senhor** fez conhe**cer**
   * Ale**luia**, aleluia. R. O **Se**nhor.
V. A **sua** salva**ção**. * Ale**luia**, aleluia.
    Glória ao **Pai**. R. O Se**nhor**.

Cântico evangélico, ant.

O **Ver**bo se fez **carne** e habi**tou** entre **nós,**
cheio de **graça** e de verdade.
Todos **nós** recebemos, de **sua** plenitude,
graça após **graça.**

Preces

Com alegria invoquemos o nosso Redentor, o Filho de Deus, que se fez homem para renovar o homem; e digamos:
R. **Ficai conosco, Emanuel!**

Jesus, Filho do Deus vivo, esplendor do Pai, luz eterna, rei da glória, sol da justiça, filho da Virgem Maria,
– iluminai este dia com a glória de vossa encarnação.   R.

Jesus, conselheiro admirável, Deus forte, pai da eternidade, príncipe da paz,
– dirigi nossa caminhada com a luz da vossa santa humanidade. R.

Jesus todo-poderoso, paciente, obediente, manso e humilde de coração,
– manifestai a todos o poder da mansidão.   R.

Jesus, pai dos pobres, glória de vossos fiéis, bom pastor, luz verdadeira, sabedoria infinita, imensa bondade, nosso caminho e nossa vida,
– concedei à vossa Igreja o espírito da pobreza evangélica.   R.

(intenções livres)

Pai nosso...

Oração

Ó Deus, quisestes que a humanidade do vosso Filho, nascendo da Virgem Maria, não fosse submetida à humilhação do homem decaído. Concedei que, participando desta nova criação, sejamos libertados da antiga culpa. Por nosso Senhor Jesus Cristo, vosso Filho, na unidade do Espírito Santo.

Hora Média

Ant. Maria guardava no seu coração
    as palavras e os fatos, e neles pensava.

Leitura breve   Is 9,1

O povo, que andava na escuridão, viu uma grande luz para os que habitavam nas sombras da morte, uma luz resplandeceu.

V. Os confins do universo contemplaram, aleluia,
R. A salvação do nosso Deus. Aleluia.

Oração como nas Laudes.

Vésperas

Leitura breve   1Jo 1,5b.7

Deus é luz e nele não há trevas. Se andamos na luz, como ele está na luz, então estamos em comunhão uns com os outros, e o sangue de seu Filho Jesus nos purifica de todo o pecado.

Responsório breve
R. A Palavra se fez carne.
    * Aleluia, aleluia. R. A Palavra.
V. E habitou entre nós. *Aleluia, aleluia.
    Glória ao Pai. R. A Palavra.

Cântico evangélico, ant.
Exultemos no Senhor e cantemos de alegria,
pois no mundo apareceu a eterna salvação! Aleluia.

Preces

Com a vinda de Cristo ao mundo, o povo santo de Deus floresceu e produziu o seu fruto mais excelente. Por isso, cheios de alegria e gratidão, digamos a nosso Salvador:
R. **Exulte o mundo de alegria com o vosso Natal!**

Cristo, nossa vida, que viestes ao mundo para ser a Cabeça da Igreja,
– multiplicai na terra os membros do vosso Corpo místico e santificai-os na caridade. R.

Vós, que sois adorado como verdadeiro Deus e verdadeiro homem,
– fazei-nos participantes da vossa divindade. R.

Vós, que pela encarnação vos tornastes o Mediador entre Deus e os homens,
– fazei que os ministros da Igreja se associem cada vez mais eficazmente à vossa missão reconciliadora pela santidade da sua vida. R.

Vós, que pelo vosso nascimento estabelecestes um mundo novo,
– conduzi todos os povos pelos caminhos da salvação. R.

(intenções livres)

Vós, que ao nascerdes destruístes os laços da morte,
– livrai nossos irmãos e irmãs falecidos de todo vínculo do pecado.
R.

Pai nosso...

Oração

Ó Deus, quisestes que a humanidade do vosso Filho, nascendo da Virgem Maria, não fosse submetida à humilhação do homem decaído. Concedei que, participando desta nova criação, sejamos libertados da antiga culpa. Por nosso Senhor Jesus Cristo, vosso Filho, na unidade do Espírito Santo.

DIA 4 DE JANEIRO

Laudes

Leitura breve   Is 45,22-23

Povos de todos os confins da terra, voltai-vos para mim e sereis salvos, eu sou Deus e não há outro. Juro por mim mesmo: de minha boca sai o que é justo, a palavra que não volta atrás; todo joelho há de dobrar-se para mim, por mim há de jurar toda língua.

Responsório breve

R. O Senhor fez conhecer
* Aleluia, aleluia. R. O Senhor.
V. A sua salvação. * Aleluia, aleluia. Glória ao Pai.
R. O Senhor.

Cântico evangélico, ant.

Jesus Cristo, nosso Deus e Salvador,
em vós está a divindade em plenitude!
Assumindo nossa frágil natureza,
vos tornastes o homem novo, o Primogênito.

Preces

Glorifiquemos o Verbo de Deus, manifestado na carne, contemplado pelos anjos e anunciado aos povos. Louvando-o com devoção, digamos:

R. **Filho unigênito de Deus, nós vos adoramos!**

Libertador do gênero humano que, nascendo da Virgem Maria,
viestes renovar-nos;
— por sua intercessão, livrai-nos da antiga corrupção do pecado.
R.

Vós, que descestes do céu para irradiar sobre a terra a luz da
justiça divina,
— iluminai este dia e toda a nossa vida com a luz da vossa presença.
R.

Filho de Deus, que viestes nos revelar o amor do Pai,
— fazei que nós o revelemos aos outros homens pelo testemunho
de nossa caridade. R.

Vós, que viestes morar no meio de nós,
— tornai-nos dignos de vossa companhia. R.

(intenções livres)

Pai nosso...

Oração

Deus eterno e todo-poderoso, nós vos pedimos que o Salvador, qual nova luz dos céus para a redenção do mundo, se levante cada dia para renovar os nossos corações. Por nosso Senhor Jesus Cristo, vosso Filho, na unidade do Espírito Santo.

4 de janeiro

Hora Média

Ant. Maria guardava no **seu** coração
as palavras e os fatos, e **n**eles pensava.

Leitura breve — Jr 31,11-12a
O Senhor resgatou Jacó e libertou-o das mãos dos poderosos. Virão cantar louvores no monte Sião e participar dos bens do Senhor.

V. Os con**fins** do uni**ver**so contem**pl**aram, ale**l**uia,
R. A sal**va**ção do nosso **Deus**. Ale**l**uia.
Oração como nas Laudes.

Vésperas

Leitura breve — Rm 8,3b-4
Tendo Deus enviado seu próprio Filho numa condição seme-lhante àquela da humanidade pecadora, e por causa justamente do pecado, condenou o pecado em nossa condição humana, para que toda a justiça exigida pela Lei seja cumprida em nós que não procedemos segundo a carne, mas segundo o Espírito.

Responsório breve
R. A **Pa**lavra se fez **carne**.
 * Ale**l**uia, ale**l**uia. R. A **Pa**lavra.
V. E habi**tou** entre **nós**. *Ale**l**uia, ale**l**uia.
 Glória ao **Pai**. R. A **Pa**lavra.

Cântico evangélico, ant.
Eu **venho** de **Deus**, de Deus eu **saí**.
Não **vim** de mim **mes**mo, o **Pai** me enviou.

Preces
Cristo veio ao mundo, e entregou-se a si mesmo a fim de purificar e preparar para si um povo perfeito, santificado pelas boas obras. Com fervor o invoquemos:

R. **Kyrie eleison!** ou: **Senhor, tende piedade de nós.**

Por vossa santa Igreja:
– que todos os seus filhos e filhas renasçam para uma vida nova.
 R.

224

Tempo do Natal

Pelos pobres, prisioneiros e fugitivos:
– que eles vos encontrem, ó Filho de Deus encarnado, pelo nosso testemunho de caridade.
R. **Kyrie eleison!** ou: **Senhor, tende piedade de nós.**

Para que nossa alegria seja completa;
– e nos maravilhemos com o dom que em vós o Pai nos concedeu.
R.

Pelos vossos servos e servas falecidos, a fim de que iluminado pela luz do vosso natal contemplem vossa face;
– que jamais haja noite para eles.
R.

(intenções livres)

Pai nosso...

Oração

Deus eterno e todo-poderoso, nós vos pedimos que o Salvador, qual nova luz dos céus para a redenção do mundo, se levante cada dia para renovar os nossos corações. Por nosso Senhor Jesus Cristo, vosso Filho, na unidade do Espírito Santo.

DIA 5 DE JANEIRO

Laudes

Leitura breve   Sb 7,26-27
A Sabedoria é um reflexo da luz eterna, espelho sem mancha da atividade de Deus e imagem da sua bondade. Sendo única, tudo pode: permanecendo imutável, renova tudo; e comunicando-se às almas santas de geração em geração, forma os amigos de Deus e os profetas.

Responsório breve
R. O Se**nhor** fez conhe**cer**
 * Ale**luia**, aleluia. R. O Se**nhor**.
V. A **sua** salva**ção**. * Ale**luia**, ale**luia**.
  Glória ao **Pai**. R. O Se**nhor**.

Cântico evangélico, ant.
O Se**nhor** visi**tou** o seu **po**vo e o liber**tou**.

Preces

Louvemos a Cristo, que para nós se fez sabedoria de Deus, justiça, santificação e redenção. Confiantes lhe peçamos:

R. **Pelo vosso Natal, Senhor, salvai-nos!**

Rei do universo, que os pastores encontraram no presépio envolto em panos,

– ajudai-nos a imitar vossa pobreza e simplicidade. R.

Senhor do céu, que descestes humilde de vosso trono real,

– ensinai-nos a respeitar nossos irmãos de condição mais humilde. R.

Cristo, luz eterna, que assumistes a nossa natureza humana sem perder a glória da santidade divina,

– que os vossos fiéis, usando os bens da terra, não se deixem seduzir pelas suas enganosas aparências. R.

Divino Esposo da Igreja, vossa presença é para ela torre invencível;

– fazei que os vossos fiéis perseverem sempre unidos a ela, e nela encontrem a salvação. R.

(intenções livres)

Pai nosso...

Oração

Ó Deus, pelo nascimento do vosso Filho, iniciastes maravilhosamente a redenção do vosso povo. Concedei a vossos servos uma fé tão firme, que nos deixemos conduzir por ele e cheguemos à glória prometida. Por nosso Senhor Jesus Cristo, vosso Filho, na unidade do Espírito Santo.

Hora Média

Ant. Maria guardava no seu coração
as palavras e os fatos, e neles pensava.

Leitura breve Ez 34,11-12

Vede! Eu mesmo vou procurar minhas ovelhas e tomar conta delas. Como o pastor toma conta do rebanho de dia, quando se encontra no meio das ovelhas dispersas, assim vou cuidar de minhas ovelhas e vou resgatá-las de todos os lugares em que forem dispersadas.

226 Tempo do Natal

V. Os confins do universo contemplaram, aleluia,
R. A salvação do nosso **Deus**. Aleluia.
Oração como nas Laudes.

Vésperas

Onde a solenidade da Epifania se celebra no domingo, 7 ou 8 de janeiro:

Leitura breve 1Jo 5,20

Nós sabemos que veio o Filho de Deus e nos deu a inteligência para conhecermos aquele que é o Verdadeiro. E nós estamos com o Verdadeiro, no seu Filho Jesus Cristo. Este é o Deus verdadeiro e a Vida eterna.

Responsório breve

R. A Pala**v**ra se fez **carne**.
  * **Aleluia, aleluia**. R. A Palavra.
V. E habi**tou** entre **nós**. * Aleluia, aleluia.
  Glória ao **Pai**. R. A Palavra.

Cântico evangélico, ant.

Encontramos o Messias, que Moisés previu na **Lei**
e os profetas predisseram:
o filho de José, Jesus de Nazaré.

Preces

Bendigamos a Cristo, o Emanuel, a quem a Virgem concebeu e deu à luz. E peçamos humildemente:
R. **Filho da Virgem Maria, atendei-nos!**

Vós concedestes a Maria as alegrias da maternidade;
– fazei que todos os pais possam alegrar-se pelo dom dos filhos.

R.

Vós que vos tornastes criança,
– fazei que todas as crianças cresçam em sabedoria e graça. R.

Viestes fazer da humanidade o povo santo de Deus;
– congregai todos os povos na unidade. R.

Pelo vosso nascimento santificastes a vida familiar,
– promovei a paz e a união em todas as famílias. R.

(intenções livres)

Quisestes nascer no tempo;
– concedei aos falecidos nascerem para a vossa eternidade. R.
Pai nosso...

Oração

Ó Deus, pelo nascimento do vosso Filho, iniciastes maravilhosamente a redenção do vosso povo. Concedei a vossos servos uma fé tão firme, que nos deixemos conduzir por ele e cheguemos à glória prometida. Por nosso Senhor Jesus Cristo, vosso Filho, na unidade do Espírito Santo.

DIA 6 DE JANEIRO

Onde a solenidade da Epifania se celebra no domingo, 7 ou 8 de janeiro:

Laudes

Leitura breve Is 61,1-2a

O espírito do Senhor Deus está sobre mim, porque o Senhor me ungiu; enviou-me para dar a boa-nova aos humildes, curar as feridas da alma, pregar a redenção para os cativos e a liberdade para os que estão presos; para proclamar o tempo da graça do Senhor.

Responsório breve

R. O Se**nhor** fez conhe**cer**
  * Ale**luia**, ale**luia**. R. O Se**nhor**.
V. A **sua** salva**ção** * Ale**luia**, ale**luia**.
  Glória ao **Pai**. R. O Senhor.

Cântico evangélico, ant.

É **este** o que **vei**o pela **água** e pelo **sangue**,
Jesus **Cris**to, Senhor **nosso**.

Preces

Celebremos dignamente o Verbo de Deus, que existe antes dos séculos e quis, por nosso amor, nascer no tempo; e aclamemos jubilosos:

R. **Alegre-se a terra porque viestes!**

228   Tempo do Natal

Cristo, Verbo eterno, que, descendo à terra, a enchestes de exultação,
– alegrai o nosso coração com a graça da vossa visita.
R. **Alegre-se a terra porque viestes!**

Salvador do mundo, que pelo vosso natal nos revelastes a fidelidade de Deus à sua aliança,
– fazei-nos cumprir com fidelidade as promessas do nosso batismo.   R.

Rei do céu e da terra, que enviastes os anjos para anunciar a paz
aos homens.
– conservai na vossa paz os nossos dias.   R.

Senhor, que viestes para ser a videira que nos dá os frutos da
vida,
– fazei-nos permanecer unidos a vós, e dar frutos de santidade. R.

(intenções livres)

Pai nosso....

Oração

Ó Deus, sede a luz dos vossos fiéis e abrasai seus corações com o
esplendor da vossa glória, para reconhecerem sempre o Salvador
e a ele aderirem totalmente. Por nosso Senhor Jesus Cristo, vosso
Filho, na unidade do Espírito Santo.

Hora Média

Ant. Maria guardava no seu coração
      as palavras e os fatos, e neles pensava.

Leitura breve   Is 42,1
Eis o meu servo – eu o recebo; eis o meu eleito – nele se compraz
minh'alma; pus meu espírito sobre ele, ele promoverá o julga-
mento das nações.
V. Os confins do universo contemplaram, aleluia,
R. A salvação do nosso **Deus**. Aleluia.
Oração como nas Laudes.

Vésperas

Leitura breve   At 10,37-38
Vós sabeis o que aconteceu em toda a Judeia, a começar pela
Galileia, depois do batismo pregado por João: como Jesus de

6 de janeiro

Nazaré foi ungido por Deus com o Espírito Santo e com poder. Ele andou por toda parte, fazendo o bem e curando a todos os que estavam dominados pelo demônio; porque Deus estava com ele.

Responsório breve

R. A Palavra se fez carne.
* Aleluia, aleluia. R. A Palavra.
V. E habitou entre nós. *Aleluia, aleluia.
Glória ao Pai. R. A Palavra.

Cântico evangélico, ant.

Do céu fez-se ouvir uma voz:
Tu és o meu Filho querido,
em ti ponho a minha afeição.

Preces

Celebremos com alegria a Jesus Cristo, em cujo natal os anjos anunciaram a paz ao mundo; e peçamos:
R. **Vosso natal traga a paz para todos!**

Senhor, que confortais a Igreja com o mistério do vosso nascimento,
– enriquecei-a de todos os bens. R.

Vós, que viestes ao mundo para inaugurar a era dos novos tempos,
– atraí para vós todas as gerações. R.

Esperado das nações, que viestes na plenitude dos tempos,
– manifestai vossa presença àqueles que ainda estão à vossa espera. R.

Viestes para salvar toda a humanidade;
– conduzi os recém-nascidos à graça do batismo. R.

(intenções livres)

Verbo encarnado, que viestes renovar a natureza humana corrompida pelo pecado;
– concedei a plenitude da redenção aos nossos irmãos e irmãs defuntos. R.

Pai nosso...

Oração

Ó Deus, sede a luz dos vossos fiéis e abrasai seus corações com o esplendor da vossa glória, para reconhecerem sempre o Salvador e a ele aderirem totalmente. Por nosso Senhor Jesus Cristo, vosso Filho, na unidade do Espírito Santo.

DIA 7 DE JANEIRO

Onde a solenidade da Epifania se celebra no domingo, 8 de janeiro:

Laudes

Leitura breve Is 9,5

Nasceu para nós um menino, foi-nos dado um filho; ele traz aos ombros a marca da realeza; o nome que lhe foi dado é: Conselheiro admirável, Deus forte, Pai dos tempos futuros, Príncipe da Paz.

Responsório breve

R. O **Se**nhor fez conhe**cer**
   * Aleluia, aleluia. R. O Senhor.
V. A **sua** salva**ção** * Aleluia, aleluia.
   Glória ao **Pai**. R. O Senhor.

Cântico evangélico, ant.

Eis **A**quele de **quem** foi es**cri**to:
Jesus **Cri**sto nasce**rá** em Israel,
e seu **Reino** ja**mais** terá **fim.**

Preces

Aclamemos com alegria a Cristo, nosso Senhor, por quem Deus manifestou a sua salvação até os confins da terra; e o louvemos dizendo:

R. **Glória a vós, Cristo Senhor!**

Redentor de todos, por vossa vinda derrubastes o muro de separação entre judeus e gentios;
– fazei que desapareçam do mundo as discriminações que ofendem a dignidade humana. R.

Por vossa encarnação e natividade, quisestes habitar entre nós;
– ensinai-nos a reconhecer vossa multiforme presença na Igreja e no meio da humanidade. R.

Revelastes plenamente Deus aos homens;
– ensinai-nos como harmonizar com vossa palavra nossa fé e nossa vida. R.

Emanuel, que maravilhosamente tudo criastes de novo,
– fazei que também em nós tudo seja novo: coração, palavras e
gestos.   R.

(intenções livres)

Pai nosso...

Oração

Deus eterno e todo-poderoso, pela vinda do vosso Filho vos manifestastes em nova luz. Assim como ele quis participar da nossa
humanidade, nascendo da Virgem, dai-nos participar de sua vida
no Reino. Por nosso Senhor Jesus Cristo, vosso Filho, na unidade
do Espírito Santo.

Hora Média

Ant. Maria guardava no seu coração
as palavras e os fatos, e neles pensava.

Leitura breve   Is 12,5-6
Cantai ao Senhor as grandes coisas que fez; é preciso que isto
seja conhecido em toda parte. Exulta de alegria entre louvores,
Cidade de Sião, pois no meio de ti se manifesta a grandeza do
Santo de Israel.

V. Os confins do universo contemplaram, aleluia,
R. A salvação do nosso Deus. Aleluia.

Oração como nas Laudes.

TEMPO DO NATAL

II. A PARTIR DA EPIFANIA

Ofício do Tempo a partir da Epifania do Senhor até a festa do Batismo
do Senhor, exclusive:

Vésperas

Hino

Por que, Herodes, temes
chegar o Rei que é Deus?
Não rouba aos reis da terra
quem reinos dá nos céus.

Os Magos, ei-los vindo,
buscar na Luz a luz;
a estrela vão seguindo
que ao Rei dos reis conduz.

Nas águas é lavado
o celestial Cordeiro;
O que não tem pecado
nos lava em si primeiro.

As águas, ó prodígio,
já ficam cor d'aurora,
não deixam mais vestígio,
pois jorram vinho agora.

Louvor ao que aparece
aos povos em Belém,
unido ao Pai e ao Espírito
eternamente. Amém.

Completas

HINO Ó Cristo, dia e esplendor, p. 751.

Laudes

Hino

Elevai o olhar aos céus
vós que a Cristo procurais.
E da sua eterna glória
podereis ver os sinais.

Essa estrela vence o sol
em fulgor e em beleza,
e nos diz ter vindo à terra
Deus, em nossa natureza.

Da região do mundo persa,
onde o sol tem seu portal,
sábios Magos reconhecem
do Rei novo o sinal.

Quem será tão grande Rei,
a quem astros obedecem,
a quem servem luz e céus
e suas forças estremecem?

A partir da Epifania 233

Percebemos algo novo,
imortal, superior,
que domina céus e caos
e lhes é anterior.

Rei do povo de Israel,
este é o Rei das gentes,
prometido a Abraão
e à sua raça eternamente.

Ó Jesus, louvor a vós
que às nações vos revelais.
Glória ao Pai e ao Espírito
pelos tempos eternais.

Hora Média

Hino

O louvor de Deus cantemos
com fervor no coração,
pois agora a hora sexta
nos convida à oração.

Nesta hora foi-nos dada
gloriosa salvação
pela morte do Cordeiro,
que na cruz trouxe o perdão.

Ante o brilho de tal luz
se faz sombra o meio-dia.
Tanta graça e tanto brilho
vinde haurir, com alegria.

Seja dada a glória ao Pai
e ao seu Único também,
com o Espírito Paráclito,
pelos séculos. Amém.

Ant. Cristo **veio** trazer a boa-**nova** para **todos**:
a **paz** para os de **per**to, a **paz** para os de **lon**ge.

Dia 6 de janeiro
ou
Domingo entre 2 e 8 de janeiro

EPIFANIA DO SENHOR

Solenidade

I Vésperas

Hino

Elevai o olhar aos céus
vós que a Cristo procurais.
E da sua eterna glória
podereis ver os sinais.

Essa estrela vence o sol
em fulgor e em beleza,
e nos diz ter vindo à terra
Deus, em nossa natureza.

Da região do mundo persa,
onde o sol tem seu portal,
sábios Magos reconhecem
do Rei novo o sinal.

Quem será tão grande Rei,
a quem astros obedecem,
a quem servem luz e céus
e suas forças estremecem?

Percebemos algo novo,
imortal, superior,
que domina céus e caos
e lhes é anterior.

Rei do povo de Israel,
este é o Rei das gentes,
prometido a Abraão
e à sua raça eternamente.

Ó Jesus, louvor a vós
que às nações vos revelais;
glória ao Pai e ao Espírito
pelos tempos eternais.

Epifania do Senhor

Salmodia

Ant. 1 Gerado antes da aurora, antes dos tempos,
manifestou-se neste dia o Salvador.

Salmo 134(135)

I

– ¹Louvai o Senhor, bendizei-o; *
louvai o Senhor, servos seus,
– ²que celebrais o louvor em seu templo *
e habitais junto aos átrios de Deus!
– ³Louvai o Senhor, porque é bom; *
cantai ao seu nome suave!
– ⁴Escolheu para si a Jacó, *
preferiu Israel por herança.

– ⁵Eu bem sei que o Senhor é tão grande, *
que é maior do que todos os deuses.
= ⁶Ele faz tudo quanto lhe agrada, †
nas alturas dos céus e na terra, *
no oceano e nos fundos abismos.

= ⁷Traz as nuvens do extremo da terra, †
transforma os raios em chuva, *
das cavernas libera os ventos.

– ⁸No Egito feriu primogênitos, *
desde homens até animais.
– ⁹Fez milagres, prodígios, portentos, *
perante Faraó e seus servos.
– ¹⁰Abateu numerosas nações *
e matou muitos reis poderosos:
= ¹¹a Seon que foi rei amorreu, †
e a Og que foi rei de Basã, *
como a todos os reis cananeus.
– ¹²Ele deu sua terra em herança, *
em herança a seu povo, Israel.

Ant. Gerado antes da aurora, antes dos tempos,
manifestou-se neste dia o Salvador.

Ant. 2 O Se**nhor** nosso **Deus** é tão **gran**de,
é mai**or** do que **to**dos os **deu**ses.

II

– ¹³ Ó Se**nhor**, vosso **no**me é e**ter**no; *
para **sem**pre é a vossa lembrança!
– ¹⁴ O Se**nhor** faz justiça a seu povo *
e é bon**do**so com aqueles que o servem.

– ¹⁵ São os **deu**ses pagãos ouro e prata, *
todos **e**les são obras humanas.
– ¹⁶ Têm **bo**ca e não podem falar, *
têm **o**lhos e não podem ver;

– ¹⁷ tendo ou**vi**dos, não podem ouvir, *
nem e**xis**te respiro em sua boca.
– ¹⁸ Como **e**les serão seus autores, *
que os fa**bri**cam e neles confiam!

– ¹⁹ Isra**el**, bendizei o Senhor; *
sacer**do**tes, louvai o Senhor;
– ²⁰ le**vi**tas, cantai ao Senhor; *
fi**éis**, bendizei o Senhor!

– ²¹ Ben**di**to o Senhor de Sião, *
que ha**bi**ta em Jerusalém!

Ant. O Se**nhor** nosso **Deus** é tão **gran**de,
é mai**or** do que **to**dos os **deu**ses.

Ant. 3 A es**tre**la resplan**de**ce como **fo**go
e **mos**tra o Se**nhor**, o Rei dos **reis**.
Os **ma**gos, conduzidos pela es**tre**la,
trou**xe**ram os seus **dons** ao grande **Rei**.

Cântico   cf. 1Tm 3,16

O mistério e a glória de Cristo

R. **Louvai** o Senhor **Deus**, todos os **po**vos.

– O **senhor** manifestado em nossa carne, *
justifi**ca**do pelo Espírito de Deus. **R.**

– Jesus **Cris**to contemplado pelos anjos,*
anunci**a**do aos povos todos e às nações. **R.**

Epifania do Senhor

– Foi **aceito** pela fé no mundo inteiro *
e, na **glória** de Deus Pai, foi exaltado. R.

Ant. A **estrela** resplandece como **fogo**
e **mostra** o **Senhor**, o Rei dos **reis**.
Os **magos**, conduzidos pela **estrela**,
trouxeram os seus **dons** ao grande **Rei**.

Leitura breve
2Tm 1,9-10

Deus nos salvou e nos chamou com uma vocação santa, não devido às nossas obras, mas em virtude do seu desígnio e da sua graça, que nos foi dada em Cristo Jesus, desde toda a eternidade. Esta graça foi revelada agora, pela manifestação de nosso Salvador, Jesus Cristo. Ele não só destruiu a morte, como também fez brilhar a vida e a imortalidade por meio do Evangelho.

Responsório breve

R. **Todos** os **povos**
* Serão **nele** abençoados. R. **Todos** os **povos**.
V. Todas as **gentes** cantar**ão** o seu louv**or**. * Serão **nele**.
Glória ao **Pai**. R. **Todos** os **povos**.

Cântico evangélico, ant.

Vendo a **estrela**, os **Magos** excla**maram**:
Eis **aqui** o sinal do grande **Rei**!
Vamos, **pois**, procur**á-**lo e oferecer-lhe
ouro, in**cen**so e **mir**ra, nossos **dons**.

Preces

Com grande alegria, celebremos nosso Salvador, adorado hoje pelos Magos; e supliquemos:

R. **Salvai, Senhor, o vosso povo!**

Rei das nações, que chamastes os Magos como primícias para vos adorar,
– concedei-nos o espírito de adoração e de serviço. R.

Rei da glória, que governais os povos com justiça,
– dai à humanidade a plenitude da paz. R.

Rei da eternidade, que permaneceis de geração em geração,
– enviai vossa palavra aos nossos corações como a água que fecunda a terra. R.

238   Tempo do Natal

Rei de justiça, que viestes libertar o pobre sem defesa,
– socorrei os infelizes e os aflitos.
R. **Salvai, Senhor, o vosso povo!**

(intenções livres)

Senhor, vosso nome é bendito pelos séculos;

– tornai os nossos irmãos falecidos participantes das maravilhas
de vossa salvação.   R.

Pai nosso...

Oração

Ó Deus, que hoje revelastes o vosso Filho às nações, guiando-as
pela estrela, concedei aos vossos servos, que já vos conhecem
pela fé, contemplar-vos um dia face a face no céu. Por nosso
Senhor Jesus Cristo, vosso Filho, na unidade do Espírito Santo.

Laudes

Hino

Elevai o olhar aos céus
vós que a Cristo procurais.
E da sua eterna glória
podereis ver os sinais.

Essa estrela vence o sol
em fulgor e em beleza,

e nos diz ter vindo à terra
Deus, em nossa natureza.

Da região do mundo persa,
onde o sol tem seu portal,
sábios Magos reconhecem
do Rei novo o sinal.

Quem será tão grande Rei,
a quem astros obedecem,
a quem servem luz e céus
e suas forças estremecem?

Epifania do Senhor

Percebemos algo novo,
imortal, superior,
que domina céus e caos
e lhes é anterior.

Rei do povo de Israel,
este é o Rei das gentes,
prometido a Abraão
e à sua raça eternamente.

Ó Jesus, louvor a vós
que às nações vos revelais.
Glória ao Pai e ao Espírito
pelos tempos eternais.

Ant. 1 Os **Magos, abrin**do seus te**souros,**
ofe**rec**em ao Se**nhor** os seus pre**sen**tes:
ouro, incen**so e mir**ra, ale**lui**a.

Salmos e cântico do domingo da I Semana do Saltério, p. 764.

Ant. 2 Mares e rios, bendi**zei** ao Se**nhor,**
águas das **fon**tes, can**tai** ao Se**nhor**. Aleluia.

Ant. 3 Despon**tou** a tua **luz,** Jerusa**lém,**
e a **gló**ria do Se**nhor** te ilumi**nou.**
E os **po**vos anda**rão** na tua **luz.** Ale**lui**a.

Leitura breve

Is 52,7-10

Como são belos, andando sobre os montes, os pés de quem anuncia a paz, de quem anuncia o bem e prega a salvação, e diz a Sião: "Reina teu Deus!" Ouve-se a voz de teus vigias, eles levantam a voz, estão exultantes de alegria, sabem que verão com os próprios olhos o Senhor voltar a Sião. Alegrai-vos e exultai ao mesmo tempo, ó ruínas de Jerusalém, o Senhor consolou seu povo e resgatou Jerusalém. O Senhor desnudou seu santo braço aos olhos de todas as nações; todos os confins da terra hão de ver a salvação que vem do nosso Deus.

Responsório breve

R. Os **reis** de toda a **terra.**
* **Hão** de ado**rá**-lo. R. Os **reis.**
V. E **to**das as nações **hão** de servi-lo. * **Hão** de ado**rá**-lo.
Glória ao **Pai.** R. Os **reis.**

Cântico evangélico, ant.

Hoje a **Igreja** se u**niu** a **seu** celeste Es**poso,**
porque **Cristo** la**vou** no **Jordão** o pe**ca**do;
para as **núp**cias re**ais** correm **Magos** com pre**sentes;**
e os con**vivas** se a**legram** com a **água** feita **vinho.** A**le**lu**ia.**

Preces

Com grande alegria, celebremos nosso Salvador, adorado hoje
pelos Magos; e o aclamemos:

R. **Cristo, luz da luz, iluminai este dia!**

Cristo, manifestado na carne,
– santificai-nos pela palavra de Deus e pela oração. R.

Cristo, justificado pelo Espírito,
– libertai nossa vida do espírito do erro. R.

Cristo, contemplado pelos anjos;
– fazei-nos experimentar na terra as alegrias do céu. R.

Cristo, proclamado às nações,
– abri o coração dos homens pelo poder do Espírito Santo. R.

Cristo, acreditado no mundo,
– renovai a fé de todos os que creem. R.

Cristo, exaltado na glória,
– acendei em nós o desejo de vosso Reino. R.

(intenções livres)

Pai nosso...

Oração

Ó Deus, que hoje revelastes ó vosso Filho às nações, guiando-as
pela estrela, concedei aos vossos servos, que já vos conhecem
pela fé, contemplar-vos um dia face a face no céu. Por nosso
Senhor Jesus Cristo, vosso Filho, na unidade do Espírito Santo.

Hora Média

Salmodia

Ant. Cristo **veio** trazer a boa-**nova** para **todos:**
a **paz** para os de **per**to, a **paz** para os de **lon**ge.

Epifania do Senhor

Salmo 46(47)

– [2]Povos todos do universo, batei palmas, *
gritai a Deus aclamações de alegria!
– [3]Porque sublime é o Senhor, o Deus Altíssimo, *
o soberano que domina toda a terra.
– [4]Os povos sujeitou ao nosso jugo *
e colocou muitas nações aos nossos pés.
– [5]Foi ele que escolheu a nossa herança, *
a glória de Jacó, seu bem-amado.
– [6]Por entre aclamações Deus se elevou, *
o Senhor subiu ao toque da trombeta.
– [7]Salmodiai ao nosso Deus ao som da harpa, *
salmodiai ao som da harpa ao nosso Rei!
– [8]Porque Deus é o grande Rei de toda a terra, *
ao som da harpa acompanhai os seus louvores!
– [9]Deus reina sobre todas as nações, *
está sentado no seu trono glorioso.
– [10]Os chefes das nações se reuniram *
com o povo do Deus santo de Abraão,
– pois só Deus é realmente o Altíssimo, *
e os poderosos desta terra lhe pertencem!

Salmo 85(86),1-10

– [1]Inclinai, ó Senhor, vosso ouvido, *
escutai, pois sou pobre e infeliz!
= [2]Protegei-me, que sou vosso amigo, †
e salvai vosso servo, meu Deus, *
que espera e confia em vós!
– [3]Piedade de mim, ó Senhor, *
porque clamo por vós todo o dia!
– [4]Animai e alegrai vosso servo, *
pois a vós eu elevo a minh'alma.
– [5]Ó Senhor, vós sois bom e clemente, *
sois perdão para quem vos invoca.
– [6]Escutai, ó Senhor, minha prece, *
o lamento da minha oração!–

242 Tempo de Natal

– [7] No meu **dia** de angústia eu vos chamo, *
porque **sei** que me haveis de escutar.
– [8] Não **existe** entre os deuses nenhum *
que con**vos**co se possa igualar;
– não **existe** outra obra no mundo *
com**pará**vel às vossas, Senhor!
– [9] As **nações** que criastes virão *
ado**rar** e louvar vosso nome.
– [10] Sois tão **grande** e fazeis maravilhas: *
vós so**men**te sois Deus e Senhor!

Salmo 97(98)

– [1] Can**tai** ao Senhor **Deus** um canto **novo**, *
porque **ele** fez pro**dígios**!
– Sua **mão** e o seu braço forte e santo *
alcan**ça**ram-lhe a vitória.
– [2] O Se**nhor** fez conhecer a salvação, *
e às na**ções**, sua justiça;
– [3] recor**dou** o seu amor sempre fiel *
pela **ca**sa de Israel.
– Os con**fins** do universo contemplaram *
a salva**ção** do nosso Deus.
– [4] Acla**mai** o Senhor Deus, ó terra inteira, *
ale**grai**-vos e exultai!
– [5] Cantai **sal**mos ao Senhor ao som da harpa *
e da **cí**tara suave!
– [6] Acla**mai**, com os clarins e as trombetas, *
ao Se**nhor**, o nosso Rei!
– [7] Aplauda o **mar** com todo ser que nele vive, *
o mundo in**tei**ro e toda gente!
– [8] As mon**ta**nhas e os rios batam palmas *
e e**xul**tem de alegria,
– [9] na pre**sen**ça do Senhor, pois ele vem, *
vem jul**gar** a terra inteira.
– [10] Julga**rá** o universo com justiça *
e as na**ções** com equidade.

Epifania do Senhor

Ant. Cristo **veio** tra**zer** a boa-**no**va para **to**dos:
a **paz** para os de **per**to, a **paz** para os de **lon**ge.

Leitura breve   Is 49,6

O Senhor me disse: Não basta seres meu servo para restaurar as tribos de Jacó e reconduzir os remanescentes de Israel: eu te farei luz das nações, para que minha salvação chegue até os confins da terra.

V. As na**ções** hão de **ver** vossa jus**ti**ça.

R. E os **reis** contempla**rão** a vossa **gló**ria.

Oração como nas Laudes.

II Vésperas

Hino

Por que, Herodes, temes
chegar o Rei que é Deus?
Não rouba aos reis da terra
quem reinos dá nos céus.

Os Magos, ei-los vindo,
buscar na Luz a luz;
a estrela vão seguindo
que ao Rei dos reis conduz.

Nas águas é lavado
o celestial Cordeiro;
O que não tem pecado
nos lava em si primeiro.

As águas, ó prodígio,
já ficam cor d'aurora,
não deixam mais vestígio,
pois jorram vinho agora.

Louvor ao que aparece
aos povos em Belém,

unido ao Pai e ao Espírito
eternamente. Amém.

Salmodia

Ant. 1 O **Prín**cipe da **paz** foi exal**ta**do
muito a**ci**ma dos **reis** de toda a **ter**ra.

Salmo 109(110),1-5.7

– [1]Palavra do Senhor ao meu Senhor: *
  "Assenta-te ao lado meu direito,
– até que eu ponha os inimigos teus *
  como escabelo por debaixo de teus pés!"

= [2]O Senhor estenderá desde Sião †
  vosso cetro de poder, pois ele diz: *
  "Domina com vigor teus inimigos; –

= [3]Tu és príncipe desde o dia em que nasceste; †
  na glória e esplendor da santidade, *
  como o orvalho, antes da aurora, eu te gerei!"

= [4]Jurou o Senhor e manterá sua palavra: †
  "Tu és sacerdote eternamente, *
  segundo a ordem do rei Melquisedec!"

– [5]À vossa destra está o Senhor, ele vos diz: *
  "No dia da ira esmagarás os reis da terra!
– [7]Beberás água corrente no caminho, *
  por isso seguirás de fronte erguida!"

Ant. O Príncipe da paz foi exaltado
  muito acima dos reis de toda a terra.

Ant. 2 Uma luz brilha nas trevas para os justos:
  o Deus justo, compassivo e generoso.

Salmo 111(112)

– [1]Feliz o homem que respeita o Senhor *
  e que ama com carinho a sua lei!
– [2]Sua descendência será forte sobre a terra, *
  abençoada a geração dos homens retos!

– [3]Haverá glória e riqueza em sua casa, *
  e permanece para sempre o bem que fez.
– [4]Ele é correto, generoso e compassivo, *
  como luz brilha nas trevas para os justos.

– [5]Feliz o homem caridoso e prestativo, *
  que resolve seus negócios com justiça.
– [6]Porque jamais vacilará o homem reto, *
  sua lembrança permanece eternamente! –

Epifania do Senhor

— [7] Ele não **teme** receber notícias más: *
  confiando em **Deus**, seu coração está seguro.
— [8] Seu cora**ção** está tranquilo e nada teme, *
  e con**fu**sos há de ver seus inimigos.
= [9] Ele re**par**te com os pobres os seus bens, †
  perma**ne**ce para sempre o bem que fez, *
  e cres**cerão** a sua glória e seu poder.
=[10] O ímpio, vendo isso, se enfurece, †
  range os **den**tes e de inveja se consome; *
  mas os de**se**jos do malvado dão em nada.

Ant. Uma **luz** brilha nas **tre**vas para os **jus**tos:
  o Deus **jus**to, compassivo e gene**ro**so.

Ant. 3 As nações **to**das hão de **vir** perante **vós**,
  e, pros**tra**das, have**rão** de ado**rar**-vos.

Cântico   Ap 15,3-4

— [3] Como são **gran**des e admi**rá**veis vossas **o**bras, *
  ó Se**nhor** e nosso Deus onipotente!
— Vossos ca**mi**nhos são verdade, são jus**ti**ça, *
  ó **Rei** dos povos todos do universo!

(R. São **gran**des vossas **o**bras, ó Se**nhor**!)

= [4] Quem, Se**nhor**, não haveria de temer-vos, †
  e **quem** não honraria o vosso nome? *
  Pois so**men**te vós, Senhor, é que sois santo!   (R.)
= As nações **to**das hão de vir perante vós †
  e, pros**tra**das, haverão de adorar-vos, *
  pois vossas **jus**tas decisões são manifestas.   (R.)

Ant. As nações **to**das hão de **vir** perante **vós**,
  e, pros**tra**das, have**rão** de ado**rar**-vos.

Leitura breve   Tt 3,4-5
Manifestou-se a bondade de Deus, nosso Salvador, e o seu amor
pelos homens! Ele salvou-nos não por causa dos atos de justiça
que tivéssemos praticado, mas por sua misericórdia, quando renascemos e fomos renovados no batismo pelo Espírito Santo.

246 Tempo do Natal

Responsório breve

R. **To**dos os **po**vos
 * Serão **ne**le abençoados. R. **To**dos os **po**vos.
V. Todas as **ge**ntes cantar**ão** o seu lou**vor**. * Serão **ne**le.
 Glória ao **Pai**. R. **To**dos os **po**vos.

Cântico evangélico, ant.

Recor**da**mos neste **dia** três mistérios:
Hoje a est**re**la guia os **Ma**gos ao presépio.
Hoje a **á**gua se faz **vi**nho para as **bo**das.
Hoje **Cris**to no Jor**dão** é batiza**do**
para sal**var**-nos. Ale**lui**a, ale**lui**a.

Preces

Com grande alegria, celebremos nosso Salvador, adorado hoje
pelos Magos; e supliquemos:
R. **Salvai, Senhor, o vosso povo!**

Rei das nações, que chamastes os Magos como primícias para
vos adorarem,
– concedei-nos o espírito de adoração e de serviço. R.

Rei da glória, que governais os povos com justiça,
– dai à humanidade a plenitude da paz. R.

Rei da eternidade, que permaneceis de geração em geração,
– enviai vossa palavra aos nossos corações como a água que fecunda a terra. R.

Rei de justiça, que viestes libertar o pobre sem defesa,
– socorrei os infelizes e os aflitos. R.

(intenções livres)

Senhor, vosso nome é bendito pelos séculos;
– tornai os nossos irmãos falecidos participantes das maravilhas
de vossa salvação. R.

Pai nosso...

Oração

Ó Deus, que hoje revelastes o vosso Filho às nações, guiando-as
pela estrela, concedei aos vossos servos e servas, que já vos conhecem pela fé, contemplar-vos um dia face a face no céu. Por
nosso Senhor Jesus Cristo, vosso Filho, na unidade do Espírito
Santo.

7 de janeiro

Nos dias seguintes, até o Domingo do Batismo do Senhor, tomam-se as partes próprias como estão indicadas a partir desta página. Depois do Domingo do Batismo do Senhor, começa o Tempo comum, também denominado "Tempo durante o ano".

Nas regiões onde a solenidade da Epifania do Senhor é celebrada no domingo entre 2 e 8 de janeiro, nos dias que seguem tomam-se as partes próprias do Ofício como estão indicadas abaixo, a não ser que o referido domingo ocorra no dia 7 ou 8 de janeiro. Então, no dia seguinte, celebra-se a festa do Batismo do Senhor, cujo Ofício encontra-se nas páginas 263-270; os salmos da Hora Média são os da segunda-feira da I Semana com a antífona da festa; a leitura breve, o versículo e a oração também são da festa; nas Completas, rezam-se os salmos de segunda-feira. O Tempo comum começa, então, na terça-feira que segue.

DIA 7 DE JANEIRO
ou
SEGUNDA-FEIRA DEPOIS DO DOMINGO DA EPIFANIA

II Semana do Saltério

Laudes

Leitura breve   Is 9,5

Nasceu para nós um menino, foi-nos dado um filho; ele traz aos ombros a marca da realeza; o nome que lhe foi dado é: Conselheiro admirável, Deus forte, Pai dos tempos futuros, Príncipe da Paz.

Responsório breve
R. Os **reis** de toda a **ter**ra.
    * **Hão** de ado**rá**-lo. R. Os **reis.**
V. E **to**das as na**ções hão** de ser**vi**-lo. * **Hão** de ado**rá**-lo.
    Glória ao **Pai**. R. Os **reis**.

Cântico evangélico, ant.
Os **Ma**gos do Ori**en**te vieram a Be**lém**
ado**rar** Nosso Se**nhor**;
e a**brin**do seus te**sou**ros,
ofe**re**cem seus pre**sen**tes preci**o**sos a Je**sus**;
o **ou**ro ao grande **Rei**, o in**cen**so ao sumo **Deus**
e a **mir**ra ao ser hu**ma**no para a **su**a sepul**tura**.

Preces

Aclamemos com alegria a Cristo nosso Senhor, por quem Deus fez conhecer a sua salvação até os confins da terra; e o louvemos dizendo:

R. **Glória a vós, Cristo Senhor!**

Redentor de todos, por vossa vinda derrubastes o muro de separação entre judeus e pagãos,
– fazei desaparecer do mundo as discriminações que ofendem a dignidade humana. R.

Filho Unigênito de Deus, que por vossa encarnação e nascimento quisestes habitar entre nós,
– ensinai-nos a reconhecer vossa multiforme presença na Igreja e no mundo. R.

Imagem do Deus invisível, que viestes nos revelar o pleno conhecimento do Pai,
– ajudai-nos a caminhar de acordo com a vossa palavra, cheios de fé e santidade de vida. R.

Emanuel, que maravilhosamente renovastes toda a criação,
– concedei que em nós tudo também se renove: coração, palavras e atos. R.

(intenções livres)

Pai nosso...

Oração

Nós vos pedimos, ó Deus, que o esplendor da vossa glória ilumine os nossos corações, para que, passando pelas trevas deste mundo, cheguemos à pátria da luz que não se extingue. Por nosso Senhor Jesus Cristo, vosso Filho, na unidade do Espírito Santo.

Hora Média

Ant. Cristo **veio** trazer a boa-**nova** para **to**dos:
a **paz** para os de **per**to, a **paz** para os de **lon**ge.

Leitura breve
Is 12,5-6

Cantai ao Senhor as grandes coisas que fez; é preciso que isto seja conhecido em toda parte. Exulta de alegria entre louvores, Cidade de Sião, pois no meio de ti se manifesta a grandeza do Santo de Israel.

7 de janeiro

V. As nações hão de ver vossa justiça.
R. E os **reis** contemplarão a vossa **glória**.
Oração como nas Laudes.

Vésperas

Leitura breve cf. 2Pd 1,3-4

Cristo, por seu divino poder, nos deu tudo o que contribui para a vida e para a piedade, mediante o conhecimento daquele que, pela sua própria glória e virtude, nos chamou. Por meio de tudo isso nos foram dadas as preciosas promessas, as maiores que há, a fim de que vos tomásseis participantes da natureza divina, depois de libertos da corrupção da concupiscência no mundo.

Responsório breve
R. **To**dos os **po**vos
 * Serão **ne**le abençoados. R. **To**dos os **po**vos.
V. Todas as **gen**tes canta**rão** o seu lou**vor**. * Serão **ne**le.
 Glória ao **Pai**. R. **To**dos os **po**vos.

Cântico evangélico, ant.
Os **Ma**gos exul**ta**ram de ale**gri**a ao ver a es**tre**la;
e, na **ca**sa, tendo en**tra**do,
ofere**ce**ram ao Se**nhor** seus pre**sen**tes preciosos:
o **ou**ro, o incenso e a **mir**ra.

Preces
Bendigamos a Cristo nosso Senhor, que veio iluminar aqueles que viviam nas trevas e na sombra da morte. Peçamos com fervor:
R. **Cristo, sol nascente, mostrai-nos vossa luz!**

Cristo Senhor, que pelo mistério da encarnação formastes a Igreja, vosso corpo místico,
– fazei que ela cresça e se edifique na caridade. R.

Vós, que governais o céu e a terra,
– manifestai vosso poder divino a todos os povos e governantes da terra. R.

Vós, que pela encarnação, vos tornastes sacerdote eterno segundo a ordem de Melquisedec,
– dai a todos os sacerdotes serem fiéis ministros da vossa redenção. R.

250 Tempo do Natal

Vós, que no seio da Virgem Maria realizastes a admirável união da humanidade com a divindade,
– abençoai as virgens consagradas, de quem sois o Esposo celeste.
R. **Cristo, sol nascente, mostrai-nos vossa luz!**

(intenções livres)

Vós, que, assumindo a nossa natureza mortal, destruístes a morte, introduzida pelo pecado,
– transformai em vida eterna a morte dos nossos defuntos. R.

Pai nosso...

Oração

Nós vos pedimos, ó Deus, que o esplendor da vossa glória ilumine os nossos corações, para que, passando pelas trevas deste mundo, cheguemos à pátria da luz que não se extingue. Por nosso Senhor Jesus Cristo, vosso Filho, na unidade do Espírito Santo.

DIA 8 DE JANEIRO
ou
TERÇA-FEIRA DEPOIS DO DOMINGO DA EPIFANIA

Laudes

Leitura breve   Is 4,2-3
Naquele dia, o povo do Senhor terá esplendor e glória, e o fruto da terra será de grande alegria para os sobreviventes de Israel. Então, os que forem deixados em Sião, os sobreviventes de Jerusalém, serão chamados santos, a saber, todos os destinados à vida em Jerusalém.

Responsório breve
R. Os **reis** de toda a **ter**ra.
  * **Hão** de ado**rá**-lo. R. Os **reis**.
V. E **to**das as na**ções hão** de ser**vi**-lo. * **Hão** de ado**rá**-lo.
   Glória ao **Pai**. R. Os **reis**.

Cântico evangélico, ant.
São **três** os pre**sen**tes que os **Ma**gos trou**xe**ram ao **Filho** de **Deus**, ao Se**nhor**, grande **Rei**:
o **ouro**, o in**cen**so e a mir**ra**, ale**lui**a.

Preces

Celebremos a misericórdia de Cristo, que veio ao mundo para libertar-nos da escravidão do pecado e dar-nos a gloriosa liberdade dos filhos de Deus. Confiantes na sua bondade, peçamos:

R. **Pelo vosso nascimento, Senhor, livrai-nos do mal!**

Senhor, que existis eternamente e, pela encarnação, assumistes uma vida nova,
– renovai-nos pelo mistério do vosso nascimento. R.

Vós, que, sem deixar de ser Deus, quisestes vos tornar homem como nós,
– fazei que nossa vida alcance sua plenitude na participação da vossa divindade. R.

Vós, que viestes ao mundo como luz das nações e mestre da santidade,
– concedei que vossa palavra seja lâmpada para nossos passos. R.

Verbo de Deus, que vos fizestes homem no seio da Virgem Maria e quisestes viver no meio de nós,
– dignai-vos morar sempre, pela fé, em nossos corações. R.

(intenções livres)

Pai nosso...

Oração

Ó Deus, cujo Filho Unigênito se manifestou na realidade da nossa carne, concedei que, reconhecendo sua humanidade semelhante à nossa, sejamos interiormente transformados por ele. Por nosso Senhor Jesus Cristo, vosso Filho, na unidade do Espírito Santo.

Hora Média

Ant. Cristo **veio** trazer a boa-**no**va para **to**dos:
a **paz** para os de **per**to, a **paz** para os de **lon**ge.

Leitura breve   Is 48,20
Proclamai isto com gritos de alegria; fazei-vos ouvir até às extremidades da terra, dizei: O Senhor resgatou seu servo Jacó.

V. As nações hão de ver vossa justiça.
R. E os reis contemplarão a vossa glória.

Oração como nas Laudes.

Tempo do Natal

Vésperas

Leitura breve Ef 2,3b-5

Nós éramos por natureza, como os demais, filhos da ira. Mas Deus é rico em misericórdia. Por causa do grande amor com que nos amou, quando estávamos mortos por causa das nossas faltas, ele nos deu a vida com Cristo. É por graça que vós sois salvos!

Responsório breve

R. **Todos** os **povos**
  * Serão **nele** abençoados. R. **Todos** os **povos**.
V. Todas as **gentes** cantarão o seu louvor. * Serão **nele**.
  Glória ao **Pai**. R. **Todos** os **povos**.

Cântico evangélico, ant.

Ó **Cristo**, Luz da **luz**, aparecestes,
e dos **Magos** os presentes recebestes.

Preces

Unidos com todos os cristãos na oração, glorifiquemos o senhor; e digamos:
R. **Pai santo, escutai a oração de vossos filhos!**

Vinde, Senhor, em auxílio daqueles que ainda vos procuram como um Deus escondido nas sombras ou nas imagens,
– e orientai-os para a luz do Evangelho de Cristo. R.

Olhai sobre todos aqueles que vos adoram como único Deus verdadeiro e vos esperam como Juiz universal do último dia,
– para que, juntamente conosco, sejam acolhidos benignamente na vossa presença. R.

Lembrai-vos daqueles a quem dais continuamente vida, luz e todos os bens,
– para que jamais se afastem de vós. R.

Mandai vossos santos anjos para que protejam os viajantes,
– e preservai-os da morte repentina e dos acidentes. R.

(intenções livres)

A todos os nossos irmãos e irmãs falecidos que nesta vida conheceram vossa verdade,
– dai-lhes contemplar a vossa face na eterna felicidade. R.

Pai nosso...

Oração

Ó Deus, cujo Filho Unigênito se manifestou na realidade da nossa carne, concedei que, reconhecendo sua humanidade semelhante à nossa, sejamos interiormente transformados por ele. Por nosso Senhor Jesus Cristo, vosso Filho, na unidade do Espírito Santo.

DIA 9 DE JANEIRO
ou
QUARTA-FEIRA DEPOIS DO DOMINGO DA EPIFANIA

Laudes

Leitura breve — Is 49,8b-9a

Eu te preservei para seres elo de aliança entre os povos, para restaurar a terra, para distribuir a herança dispersa; para dizer aos que estão presos: "Saí!" e aos que estão nas trevas: "Mostrai-vos!"

Responsório breve

R. Os **reis** de toda a **ter**ra.
* **Hão** de ado**rá**-lo. R. Os **reis**.
V. E **to**das as na**ções** hão de ser**vi**-lo. * **Hão** de ado**rá**-lo.
Glória ao **Pai**. R. Os **reis**.

Cântico evangélico, ant.

Nós **vi**mos a es**tre**la do **Se**nhor no Ori**en**te.
e **vi**emos com pre**sen**tes ado**rar** o nosso **Deus**.

Preces

O Verbo eterno, gerado pelo Pai, nasceu para nós como criança, na plenitude dos tempos, e nos foi dado como um filho. Por isso, o aclamemos com alegria:

R. **Senhor, vós sois bendito eternamente!**

Filho de Deus vivo, que existis antes da criação do mundo e viestes à terra para salvar a humanidade,
– fazei de nós testemunhas fiéis do vosso Evangelho. R.

Sol de justiça, que fizestes brilhar sobre nós a luz eterna de Deus Pai e resplandeceis no mundo inteiro,
– iluminai a todos os que vivem nas trevas da morte. R.

254 Tempo do Natal

Vós, que vos fizestes criança, e fostes colocado num presépio,
— renovai em nós a simplicidade das crianças. R.
R. Senhor, vós sois bendito eternamente!
Vós, que vos tornastes para nós o pão vivo que dá a vida eterna,
— alegrai nossos corações pelo sacramento de vosso altar. R.

(intenções livres)

Pai nosso...

Oração

Ó Deus, luz de todas as nações, concedei aos povos da terra viver
em perene paz, e fazei resplandecer em nossos corações aquela
luz admirável que vimos despontar no povo da antiga aliança.
Por nosso Senhor Jesus Cristo, vosso Filho, na unidade do Espírito Santo.

Hora Média

Ant. Cristo **veio** trazer a boa-**no**va para **to**dos:
a **paz** para os de **per**to, a **paz** para os de **lon**ge.

Leitura breve   Ap 21,23-24
A cidade não precisa de sol, nem de lua que a iluminem, pois
a glória de Deus é a sua luz e a sua lâmpada é o Cordeiro. As
nações caminharão à sua luz e os reis da terra levarão a ela a sua
glória.

V. As na**ções** hão de **ver** vossa jus**ti**ça.
R. E os **reis** contempla**rão** a vossa **gló**ria.
Oração como nas Laudes.

Vésperas

Leitura breve   Cl 1,13-15
Deus nos libertou do poder das trevas e nos recebeu no reino de
seu Filho amado, por quem temos a redenção, o perdão dos pecados. Ele é a imagem do Deus invisível, o primogênito de toda
a criação.

Responsório breve

R. **To**dos os **po**vos
* Serão **ne**le abençoados. R. **To**dos os **po**vos.
V. Todas as **gen**tes canta**rão** o seu lou**vor**. * Serão **ne**le.
Glória ao **Pai**. R. **To**dos os **po**vos.

Cântico evangélico, ant.

Herodes aos Magos perguntou:
Que sinal vistes vós do Rei nascido?
Nós vimos a estrela refulgente
e seu brilho que ilumina o mundo inteiro.

Preces

Louvemos o Verbo de Deus que veio ao mundo para destruir o poder do pecado; e digamos cheios de confiança:

R. **Mostrai-nos, Senhor, a vossa misericórdia!**

Sacerdote eterno, que viestes ao mundo para restaurar a plenitude do culto divino;
– fazei que, por meio da Igreja, nele possam participar todas as gentes. R.

Médico das almas e dos corpos, que viestes visitar os que estavam enfermos,
– curai e fortalecei todos os doentes. R.

Senhor, que encheis de alegria a santa Igreja com o mistério do vosso nascimento,
– ajudai os pobres e compadecei-vos dos pecadores, para que todos participem das alegrias do Natal. R.

Rei poderoso, que destruístes os grilhões da antiga escravidão,
– libertai os prisioneiros e confortai os encarcerados. R.

(intenções livres)

Vós que viestes ao mundo para abrir as portas do céu,
– recebei na vossa glória os nossos irmãos e irmãs falecidos. R.

Pai nosso...

Oração

Ó Deus, luz de todas as nações, concedei aos povos da terra viver em perene paz, e fazei resplandecer em nossos corações aquela luz admirável que vimos despontar no povo da antiga aliança. Por nosso Senhor Jesus Cristo, vosso Filho, na unidade do Espírito Santo.

256   Tempo do Natal

DIA 10 DE JANEIRO
ou
QUINTA-FEIRA DEPOIS DO DOMINGO DA EPIFANIA

Laudes

Leitura breve   Is 62,11-12a
Dizei à cidade de Sião: Eis que está chegando o teu salvador, com a recompensa já em suas mãos e o prêmio à sua disposição. O povo será chamado Povo santo, os Resgatados do Senhor.

Responsório breve
R. **Os reis** de toda a **terra.**
  * **Hão** de adorá-lo. R. Os **reis.**
V. E **to**das as **nações** hão de servi-lo. * **Hão** de adorá-lo.
  Glória ao **Pai**. R. Os **reis**.

Cântico evangélico, ant.
Os **po**vos de longe virão
oferecer ao Senhor seus presentes.

Preces
Celebremos as maravilhas do Senhor, que veio consolar seu povo com o nascimento de Cristo nosso Salvador; e aclamemos cheios de confiança:
R. **Glória a Deus nas alturas!**

Com os anjos, patriarcas e profetas,
– nós vos louvamos, Senhor.   R.

Com a Virgem Maria, Mãe de Deus,
– nossa alma vos engrandece, Senhor.   R.

Com os apóstolos e evangelistas,
– nós vos damos graças, Senhor.   R.

Com todos os santos mártires de Cristo,
– nós vos oferecemos, Senhor, os nossos corpos como sacrifício de louvor.   R.

Com todos os santos e santas que foram na terra testemunhas da Igreja,
– nós vos consagramos, Senhor, toda a nossa vida.   R.

                                        (intenções livres)

Pai nosso...

Oração

Ó Deus, pelo nascimento do vosso Filho, a aurora do vosso dia eterno despontou sobre todas as nações. Concedei ao vosso povo conhecer a fulgurante glória do seu Redentor e por ele chegar à luz que não se extingue. Por nosso Senhor Jesus Cristo, vosso Filho, na unidade do Espírito Santo.

Hora Média

Ant. Cristo **veio** trazer a boa-**no**va para **to**dos:
a **paz** para os de **per**to, a **paz** para os de **lon**ge.

Leitura breve   Is 9,1

O povo, que andava na escuridão, viu uma grande luz; para os que habitavam nas sombras da morte, uma luz resplandeceu.

V. As na**ções** hão de **ver** vossa jus**ti**ça.
R. E os **reis** contempla**rão** a vossa **gló**ria.

Oração como nas Laudes.

Vésperas

Leitura breve   1Jo 1,5b.7

Deus é luz e nele não há trevas. Se andamos na luz, como ele está na luz, então estamos em comunhão uns com os outros, e o sangue de seu Filho Jesus nos purifica de todo o pecado.

Responsório breve

R. **To**dos os **po**vos

* Serão **ne**le abençoados. R. **To**dos os **po**vos.

V. Todas as **gen**tes canta**rão** o seu lou**vor**. * Serão **ne**le. Glória ao **Pai**. R. **To**dos os **po**vos.

Cântico evangélico, ant.

Virão **to**dos de Sa**bá** a trazer incenso e **ou**ro
e a can**tar** os seus louvores. Ale**lu**ia.

Preces

Unidos na oração com todos os nossos irmãos e irmãs, bendiga-mos a Deus; e peçamos:

R. **Mostrai-nos, Senhor, a vossa misericórdia!**

Pai santo, nós vos pedimos por aqueles que vos conhecem apenas pela luz da razão,
– para que sejam também enriquecidos com a luz do Evangelho.
R. **Mostrai-nos, Senhor, a vossa misericórdia!**

Olhai com bondade para todos aqueles que, fora da Igreja, procuram libertar-se das angústias da condição humana,
– para que encontrem em Cristo o caminho, a verdade e a vida.
R.

Vinde ajudar aqueles que praticam com sinceridade sua própria religião,
– e conduzi-os à admirável luz de Cristo, vosso Filho. R.

Purificai continuamente os corações de vossos fiéis,
– para que vos conheçam cada vez melhor. R.
(intenções livres)

Manifestai a vossa misericórdia para com nossos irmãos e irmãs falecidos,
– e recebei-os na glória de vossos eleitos. R.

Pai nosso...

Oração

Ó Deus, pelo nascimento do vosso Filho, a aurora do vosso dia eterno despontou sobre todas as nações. Concedei ao vosso povo conhecer a fulgurante glória do seu Redentor e por ele chegar à luz que não se extingue. Por nosso Senhor Jesus Cristo, vosso Filho, na unidade do Espírito Santo.

DIA 11 DE JANEIRO
ou
SEXTA-FEIRA DEPOIS DO DOMINGO DA EPIFANIA

Laudes

Leitura breve   Is 45,22-23

Povos de todos os confins da terra, voltai-vos para mim e sereis salvos, eu sou Deus e não há outro. Juro por mim mesmo: de minha

11 de janeiro

boca sai o que é justo, a palavra que não volta atrás; todo joelho há de dobrar-se para mim, por mim há de jurar toda língua.

Responsório breve

R. Os **reis** de toda a **ter**ra.
  * **Hão** de ado**rá**-lo. R. Os **reis**.
V. E **to**das as na**ções** hão de ser**vi**-lo. * **Hão** de ado**rá**-lo.
    Glória ao **Pai**. R. Os **reis**.

Cântico evangélico, ant.

Todos a**que**les que vos **ti**nham despre**za**do,
virão pros**trar**-se a vossos **pés** para ado**rar**-vos.

Preces

Demos glória a Cristo, que veio renovar o coração e o espírito do homem; e o invoquemos:

R. **Renovai-nos, Senhor, pelo vosso natal!**

Vós, que assumindo a natureza humana vos tornastes para nós sacramento da divindade,
– fazei que, por meio da Igreja, vos reconheçamos no mistério da vossa Palavra e do vosso Corpo.

Criador do gênero humano, pela Virgem Imaculada vos fizestes homem entre os homens,
– concedei-nos, por intercessão de Maria, participar da vossa divindade para nossa salvação. R.

Redentor nosso, que descestes à terra como chuva sobre a relva,
– derramai em nossas almas a água viva que brota para a vida eterna. R.

A nós que celebramos nestes dias o início de vossa vida no mundo,
– fazei-nos chegar à maturidade do ser humano perfeito, segundo a imagem da vossa estatura em sua plenitude. R.

(intenções livres)

Pai nosso...

Oração

Ó Deus todo-poderoso, que o natal do Salvador do mundo, manifestado pela luz da estrela, sempre refulja e cresça em nossas vidas. Por nosso Senhor Jesus Cristo, vosso Filho, na unidade do Espírito Santo.

260 Tempo do Natal

Hora Média

Ant. Cristo **veio** trazer a boa-**no**va para **to**dos:
a **paz** para os de **per**to, a **paz** para os de **lon**ge.

Leitura breve   Jr 31,11-12
O Senhor resgatou Jacó e libertou-o das mãos dos poderosos.
Virão cantar louvores no monte Sião e participar dos bens do
Senhor.

V. As **na**ções hão de **ver** vossa jus**ti**ça.
R. E os **reis** contemplarão a vossa **gló**ria.
Oração como nas Laudes.

Vésperas

Leitura breve   Rm 8,3b-4
Tendo Deus enviado seu próprio Filho numa condição semelhante àquela da humanidade pecadora, e por causa justamente
do pecado, condenou o pecado em nossa condição humana, para
que toda a justiça exigida pela Lei seja cumprida em nós que não
procedemos segundo a carne, mas segundo o Espírito.

Responsório breve
R. **To**dos os **po**vos
   * Serão **ne**le abençoados. R. **To**dos os **po**vos.
V. Todas as **gen**tes canta**rão** o seu lou**vor**. * Serão **ne**le.
   Glória ao **Pai**. R. **To**dos os **po**vos.

Cântico evangélico, ant.
Os **Ma**gos, avi**sa**dos em **so**nho pelo **an**jo,
vol**ta**ram ao seu pa**ís** por um ca**mi**nho dife**ren**te.

Preces
Rezemos a Deus Pai, que enviou seu Filho ao mundo para ser a
luz das nações; e digamos:
R. **Pai nosso, ouvi-nos!**

Dilatai a santa Igreja por toda a terra,
– para que se revele à humanidade a glória do vosso Filho.   R.

Pai eterno, que conduzistes os sábios do Oriente à presença de vosso Filho na gruta de Belém,
– revelai-o a todos aqueles que procuram a verdade de coração sincero. **R.**

Atraí todos os povos para a vossa luz admirável,
– a fim de que ao nome de Jesus se dobre todo joelho. **R.**

Enviai operários para a vossa messe,
– afim de que os pobres sejam evangelizados e se anuncie a toda a humanidade o tempo da salvação. **R.**

(intenções livres)

Concedei a todos os defuntos a plenitude da redenção,
– para que eles se alegrem na vitória de Cristo sobre a morte. **R.**

Pai nosso...

Oração

Ó Deus, todo-poderoso, que o natal do Salvador do mundo, manifestado pela luz da estrela, sempre refulja e cresça em nossas vidas. Por nosso Senhor Jesus Cristo, vosso Filho, na unidade do Espírito Santo.

DIA 12 DE JANEIRO
ou
SÁBADO DEPOIS DO DOMINGO DA EPIFANIA

Laudes

Leitura breve   Sb 7,26-27

A Sabedoria é um reflexo da luz eterna, espelho sem mancha da atividade de Deus e imagem da sua bondade. Sendo única, tudo pode: permanecendo imutável, renova tudo; e comunicando-se às almas santas de geração em geração, forma os amigos de Deus e os profetas.

Responsório breve

R. Os **reis** de toda a terra.
* **Hão** de adorá-lo. R. Os **reis**.
V. E **todas** as nações hão de servi-lo. * **Hão** de adorá-lo.
Glória ao **Pai**. R. Os **reis**.

262 Tempo do Natal

Cântico evangélico, ant.
Jesus deu **início** a seus mi**la**gres,
e mos**trou** a sua **glória** em Ca**ná** da Galileia.

Preces
Glorifiquemos a Cristo, imagem de Deus invisível; e peçamos cheios de fé:
R. **Cristo, Filho de Deus vivo, ouvi nossa oração!**

Filho de Deus, que nos revelastes o amor do Pai,
— tornai-o conhecido a toda a humanidade por meio do nosso amor fraterno. R.

Vós, que aparecestes no meio de nós como Senhor da vida,
— dai-nos a plenitude de vossa vida. R.

Concedei que manifestemos em nós a vossa vida,
— trazendo em nosso corpo os sinais de vossa paixão. R.

Iluminai os nossos corações,
— para que se encham da vossa ciência e claridade. R.

(intenções livres)
Pai nosso...

Oração
Deus eterno e todo-poderoso, pelo vosso Filho nos fizestes nova criatura para vós. Dai-nos, pela graça, participar da divindade daquele que uniu a vós a nossa humanidade. Por nosso Senhor Jesus Cristo, vosso Filho, na unidade do Espírito Santo.

Hora Média

Ant. Cristo **vei**o tra**zer** a boa-**no**va para **to**dos:
a **paz** para os de **per**to, a **paz** para os de **lon**ge.

Leitura breve Ez 34,11-12
Vede! Eu mesmo vou procurar minhas ovelhas e tomar conta delas. Como o pastor toma conta do rebanho de dia, quando se encontra no meio das ovelhas dispersas, assim vou cuidar de minhas ovelhas e vou resgatá-las de todos os lugares em que forem dispersadas.

V. As na**ções** hão de **ver** vossa jus**ti**ça.
R. E os **reis** contempla**rão** a vossa **gló**ria.

Oração como nas Laudes.

Domingo depois de 6 de janeiro

BATISMO DO SENHOR

Festa

Quando a solenidade da Epifania ocorrer no domingo 7 ou 8 de janeiro, a festa do Batismo do Senhor é celebrada na segunda-feira seguinte sem I Vésperas.

I Vésperas

Hino

A nós vindes pela Virgem,
Unigênito do Pai.
Os que na água consagrastes
pela fé regenerai.

Vindo a nós dos altos céus,
forma humana adotastes.
Ao pagar co'a morte a conta,
vida e gáudio nos doastes.

Redentor, propício vinde
lá do alto e nos salvai.
Com a vossa luz divina
nossa mente iluminai.

Ó Senhor, ficai conosco,
apartai a noite escura,
nos lavai de toda culpa,
às doenças dai a cura.

Cristo luz, vida e verdade,
para vós todo o louvor.
Pai e Espírito revelam
vosso eterno resplendor.

Ant. 1 João Batista no deserto pregava um batismo de penitência e conversão para os pecados perdoar.

Salmos e cântico como nas I Vésperas da Epifania do Senhor, p. 235.

264   Tempo do Natal

Ant. 2 Com água eu vos batizo.
      Mas o Cristo haverá de batizar-vos com o fogo
      e o Espírito de Deus.

Ant. 3 Depois de batizado, Jesus saiu da água,
      e abriram-se os céus.

Leitura breve   At 10,37-38

Vós sabeis o que aconteceu em toda a Judeia, a começar pela Galileia, depois do batismo pregado por João: como Jesus de Nazaré foi ungido por Deus com o Espírito Santo e com poder. Ele andou por toda parte, fazendo o bem e curando a todos os que estavam dominados pelo demônio; porque Deus estava com ele.

Responsório breve

R. Ó **Senhor** e nosso **Deus.**
     * Ouvi o clamor de vosso **povo!** R. Ó **Senhor.**
V. E abri-lhe a fonte d'água viva.* Ouvi o clamor.
    Glória ao **Pai.** R. Ó **Senhor.**

Cântico evangélico, ant.

O Salvador foi batizado e renovou o velho homem;
pela água restaurou a natureza corrompida;
revestiu-nos de uma veste incorruptível e imortal.

Preces

Oremos a nosso Redentor, que quis ser batizado por João no rio Jordão; e digamos:

R. **Senhor, enviai-nos vosso Espírito!**

Cristo, servo de Deus, em quem o Pai põe todo o seu agrado,
– enviai sobre nós o vosso Espírito.   R.

Cristo, Eleito de Deus, que não quebrais o caniço rachado nem apagais a mecha que ainda fumega,
– tende compaixão de todos os que vos procuram de coração sincero.   R.

Cristo, Filho de Deus, a quem o Pai escolheu pela Nova Aliança para ser a luz das nações,
– abri, nas águas do batismo, os olhos dos que ainda não têm fé.
                                  R.

Cristo, Salvador da humanidade, a quem o Pai ungiu com o Espírito Santo para o ministério da salvação;
– fazei que todos vos conheçam e creiam em vós, para alcançarem a vida eterna. R.

(intenções livres)

Cristo, nossa Esperança, que conduzis para a luz da salvação os povos que se acham nas trevas,
– recebei no vosso reino os nossos irmãos e irmãs falecidos. R.

Pai nosso...

Oração

Deus eterno e todo-poderoso, que, sendo o Cristo batizado no Jordão, e pairando sobre ele o Espírito Santo, o declarastes solenemente vosso Filho, concedei aos vossos filhos adotivos, renascidos da água e do Espírito Santo, perseverar constantemente em vosso amor. Por nosso Senhor Jesus Cristo, vosso Filho, na unidade do Espírito Santo.

Laudes

Hino

O Redentor das nações,
Jesus, a todos brilhou.
E todo o povo fiel
lhe canta um hino em louvor.

Vivera já trinta anos
em nossa carne mortal.
E embora livre de culpa,
da água busca o sinal.

João, feliz, mas tremendo,
mergulha em rio profundo
aquele que lavaria
no sangue a culpa do mundo.

A voz do Pai testemunha
que este é seu Filho, e reflui
sobre ele a força do Espírito
que todo dom distribui.

266   Tempo do Natal

Protegei a todos, ó Cristo:
jamais tombemos no abismo.
Dai-nos viver as promessas
do nosso próprio batismo.

Ó Cristo, vida e verdade,
a vós a glória e o louvor.
Unido ao Pai e ao Espírito,
do céu mostrais o esplendor.

Ant. 1 João batiza o Salvador, o soldado, a seu **Rei**,
e o servo, a seu Senhor.
Estremece o rio Jordão, divina pomba é testemunha.
E faz-se ouvir a voz do Pai:
Eis meu Filho muito amado.

Salmos e cântico do domingo da I Semana, p. 764.

Ant. 2 Quando Cristo apareceu
em sua glória em nosso meio,
santificou todas as fontes e as águas do universo.
Vinde buscar água das fontes do Senhor e Salvador!
Pois o Cristo, nosso Deus, santificou todas as coisas.

Ant. 3 No Espírito e no fogo destruís nosso pecado:
agradecidos vos louvamos, nosso Deus e Redentor!

Leitura breve   Is 61,1-2a
O espírito do Senhor Deus está sobre mim, porque o Senhor me
ungiu; enviou-me para dar a boa-nova aos humildes, curar as feridas da alma, pregar a redenção para os cativos e a liberdade
para os que estão presos; para proclamar o tempo da graça do
Senhor e o dia da vingança do nosso Deus.

Responsório breve
R. Cristo, Filho do Deus vivo,
  *Tende pena e compaixão! R. Cristo.
V. Vós, que hoje aparecestes, *Tende pena.
  Glória ao Pai. R. Cristo.

Cântico evangélico, ant.
Jesus Cristo é batizado, e o mundo é renovado.
Ele deu-nos o perdão dos pecados e das faltas.
Sejamos homens novos pela água e pelo Espírito!

Batismo do Senhor

267

Preces

Oremos a nosso Redentor, que quis ser batizado por João no rio Jordão; e digamos:

R. **Senhor, tende piedade de nós.**

Cristo, que fizestes brilhar sobre nós a luz da epifania,
– concedei vossa luz àqueles que hoje vamos encontrar. R.

Cristo, que recebestes o batismo de vosso servo João para nos ensinar o caminho da humildade,
– concedei-nos o espírito de humildade no serviço para com todos.

Cristo, que pelo vosso batismo, nos purificastes de todo pecado, e nos tornastes filhos de Deus Pai,
– concedei o espírito de adoção filial a todos os que vos buscam. R.

Cristo, que pelo vosso batismo santificastes a criação inteira e abristes aos batizados as portas da conversão,
– fazei de nós mensageiros do vosso Evangelho por todo o mundo. R.

Cristo que no vosso batismo nos revelastes a Santíssima Trindade,
– renovai o espírito de adoção, no sacerdócio régio dos batizados. R.

(intenções livres)

Pai nosso...

Oração

Deus eterno e todo-poderoso que, sendo o Cristo batizado no Jordão, e pairando sobre ele o Espírito Santo, o declarastes solenemente vosso Filho, concedei aos vossos filhos adotivos, renascidos da água e do Espírito Santo, perseverar constantemente em vosso amor. Por nosso Senhor Jesus Cristo, vosso Filho, na unidade do Espírito Santo.

Hora Média

Rezam-se os salmos do III Domingo do Saltério, p. 950, a não ser que hoje seja dia 7 de janeiro; então rezam-se os salmos do II Domingo, p 858. Quando a festa do Batismo do Senhor é celebrada no dia seguinte ao domingo que ocorre no dia 7 ou 8 de janeiro, rezam-se os salmos da Segunda-feira da I Semana, p. 781.

Ant. Jesus respondeu a João Batista:
Por agora deixa estar, para cumprir-se
o que é justo aos olhos de meu Pai.

Leitura breve
Is 42,1

Eis o meu servo – eu o recebo; eis o meu eleito – nele se compraz minh'alma; pus meu espírito sobre ele, ele promoverá o julgamento das nações.

V. Eis aqui o meu servo que eu amparo.
R. O meu eleito, a alegria da minh'alma.

Oração como nas Laudes.

I Vésperas

Hino

João cumpre a sua missão
ao batizar o Senhor,
que no Jordão mergulhando
na água as águas lavou.

Não quer lavar-se a si mesmo
o Filho da Virgem pura,
mas quer nas águas lavar
a culpa da criatura.

É este o meu filho amado,
do Pai a voz proclamou.
E sob a forma de pomba
nele o Espírito pousou.

A salvação da Igreja
neste mistério reluz.
Em três pessoas um Deus
no tempo e na eterna luz.

Ó Cristo, vida e verdade,
a vós a glória, o louvor;
o Pai e o Espírito revelam
vosso divino esplendor.

Batismo do Senhor

Salmodia

Ant. 1 Ressoou a voz do **Pai** vinda dos **céus**:
Eis meu **Fi**lho muito **amado**: escu**tai**-o.

Salmos e cântico como nas II Vésperas da Epifania, p. 244.

Ant. 2 No Jor**dão** o Se**nhor** esma**gou**
a cabeça da antiga ser**pen**te
e li**vrou**-nos de **sua** opres**são**.

Ant. 3 É **gran**de o mis**té**rio deste **dia**:
No Jor**dão** o Cria**dor** do univer**so**
purifica nossas **cul**pas e peca**dos**.

Leitura breve
At 10,37-38

Vós sabeis o que aconteceu em toda a Judeia, a começar pela Galileia, depois do batismo pregado por João: como Jesus de Nazaré foi ungido por Deus com o Espírito Santo e com poder. Ele andou por toda parte, fazendo o bem e curando a todos os que estavam dominados pelo demônio; porque Deus estava com ele.

Responsório breve

R. É **este** o que **veio**
* Pela **á**gua e pelo **san**gue. R. É **este**.
V. Jesus **Cris**to, Senhor **nos**so. * Pela **á**gua.
Glória ao **Pai**. R. É **este**.

Cântico evangélico, ant.

Jesus **Cris**to nos a**mou** até o **fim**,
e com seu **san**gue Ele la**vou** nossos pe**cados**,
e fez de **nós** povo de **reis** e sacer**do**tes
para a **gló**ria de Deus **Pai** onipo**ten**te.
A ele **gló**ria e po**der** eter**na**mente!

Preces

Oremos a nosso Reden**tor**, que quis ser batizado por João no rio Jordão; e digamos:

R. **Senhor, enviai-nos vosso Espírito!**

Cristo, servo de Deus, em quem o Pai põe todo o seu agrado,
– enviai sobre nós o vosso Espírito.
R.

Cristo, Eleito de Deus, que não quebrais o caniço rachado nem apagais a mecha que ainda fumega,
– tende compaixão de todos os que vos procuram de coração sincero. **R.**

Cristo, Filho de Deus, a quem o Pai escolheu pela Nova Aliança para ser a luz das nações;
– abri, nas águas do batismo, os olhos dos que ainda não têm fé. **R.**

Cristo, Salvador da humanidade, a quem o Pai ungiu com o Espírito Santo para o ministério da salvação;
– fazei que todos vos conheçam e creiam em vós, para alcançarem a vida eterna. **R.**

(intenções livres)

Cristo, nossa Esperança, que conduzis para a luz da salvação os povos que se acham nas trevas,
– recebei no vosso reino os nossos irmãos e irmãs falecidos. **R.**
Pai nosso...

Oração

Deus eterno e todo-poderoso que, sendo o Cristo batizado no Jordão, e pairando sobre ele o Espírito Santo, o declarastes solenemente vosso Filho, concedei aos vossos filhos adotivos, renascidos da água e do Espírito Santo, perseverar constantemente em vosso amor. Por nosso Senhor Jesus Cristo, vosso Filho, na unidade do Espírito Santo.

Depois da festa do Batismo do Senhor começa o Tempo Comum.

TEMPO DA QUARESMA

Desde o início do Ofício da Quarta-feira de Cinzas até a Vigília pascal, omite-se o Aleluia.

I. ATÉ O SÁBADO DA 5ª SEMANA

Nos Ofícios do Tempo, desde o início do Ofício da Quarta-feira de Cinzas, até a Hora Média do Sábado da 5ª Semana da Quaresma, inclusive:

Vésperas

Hino

Nos domingos:

Ó Pai, nesta Quaresma,
ouvi nossos pedidos:
na mais contrita prece
nos vedes reunidos.

Sondais as nossas almas,
na fé tão inconstantes:
se para vós se voltam,
mudai-as quanto antes.

Pecamos, na verdade,
tão longe da virtude:
Senhor, por vosso nome,
a todos dai saúde.

Fazei que nosso corpo,
enfim disciplinado,
o dia todo fuja
da culpa e do pecado.

Que o tempo da Quaresma
nos leve à santidade,
e assim louvar possamos
a glória da Trindade.

Nos dias de semana:

A abstinência quaresmal
vós consagrastes, ó Jesus;
pelo jejum e pela prece,
nos conduzis da treva à luz.

Ficai presente agora à Igreja,
ficai presente à penitência,
pela qual vos suplicamos
para os pecados indulgência.

Por vossa graça, perdoai
as nossas culpas do passado;
contra as futuras protegei-nos,
manso Jesus, Pastor amado,

Para que nós, purificados
por esses ritos anuais,
nos preparemos, reverentes,
para gozar os dons pascais.

Todo o universo vos adore,
Trindade Santa, Sumo Bem.
Novos, por graça, vos cantemos
um canto novo e belo. Amém.

Completas

Na 1ª, 3ª e 5ª Semana diz-se o hino Agora que o clarão, p. 751. Nas semanas restantes, o hino Ó Cristo, dia e esplendor, p. 751.

Laudes

Hino

Nos domingos:

Humildes, ajoelhados
na prece que a fé inspira,
ao justo Juiz roguemos
que abrande o rigor da ira.

Ferimos por nossas culpas
o vosso infinito amor.
A vossa misericórdia
do alto infundi, Senhor.

Nós somos, embora frágeis,
a obra de vossa mão;
a honra do vosso nome
a outros não deis, em vão.

Senhor, destruí o mal,
fazei progredir o bem;
possamos louvar-vos sempre,
e dar-vos prazer também.

Conceda o Deus Uno e Trino,
que a terra e o céu sustém,
que a graça da penitência
dê frutos em nós. Amém.

Nos dias de semana:

Ó Cristo, sol de justiça,
brilhai nas trevas da mente.
Com força e luz, reparai
a criação novamente.

Dai-nos, no tempo aceitável,
um coração penitente,
que se converta e acolha
o vosso amor paciente.

A penitência transforme
tudo o que em nós há de mal.
É bem maior que o pecado
o vosso dom sem igual.

Um dia vem, vosso dia,
e tudo então refloresce.
Nós, renascidos na graça,
exultaremos em prece.

A vós, Trindade clemente,
com toda a terra adoramos,
e no perdão renovados
um canto novo cantamos.

Hora Média

Hino

Na mesma hora em que Jesus, o Cristo,
sofreu a sede, sobre a cruz pregado,
conceda a sede de justiça e graça
a quem celebra o seu louvor sagrado.

274 Tempo da Quaresma

Ao mesmo tempo ele nos seja a fome
e o Pão divino que a Si mesmo dá;
seja o pecado para nós fastio,
só no bem possa o nosso gozo estar.

A unção viva do divino Espírito
impregne a mente dos que cantam salmos;
toda frieza do seu peito afaste,
no coração ponha desejos calmos.

Ao Pai e ao Cristo suplicamos graça,
com seu Espírito, eterno Bem;
Trindade Santa, protegei o orante,
guardai o povo em caridade. Amém.

Ant. Por minha **vi**da, diz o Se**nhor**,
não quero a **mor**te do peca**dor**,
mas que ele **vol**te e tenha **vi**da.

Nos dias de semana das Semana da Quaresma podem-se usar os hinos da
Semana Santa nas Laudes e nas Vésperas, p. 395-396.

QUARTA-FEIRA DE CINZAS

IV Semana do Saltério

Laudes

Os salmos e o cântico, com suas antífonas, podem ser os da Sexta-feira
da III Semana do Saltério, p. 1009.

Leitura breve Dt 7,6b.8-9

O Senhor teu Deus te escolheu dentre todos os povos da terra,
para seres o seu povo preferido porque o Senhor vos amou e quis
cumprir o juramento que fez a vossos pais. Foi por isso que o
Senhor vos fez sair com mão poderosa, e vos resgatou da casa
da escravidão, das mãos do Faraó, rei do Egito. Saberás, pois,
que o Senhor teu Deus é o único Deus, um Deus fiel, que guarda
a aliança e a misericórdia até mil gerações, para aqueles que o
amam e observam seus mandamentos.

Quarta-feira de Cinzas

Responsório breve

R. **Deus** nos **amou** por primeiro,
 * Ele **fez** Aliança conosco. R. **Deus**.
V. Sem medida é sua ternura! * Ele **fez**.
  Glória ao **Pai**. R. **Deus** nos **amou**.

Cântico evangélico, ant.

Jejuai sem ficar **tristes**: não **façais** como os hipócritas.

Preces

Demos graças a Deus Pai, que nos concede o dom de iniciar hoje
o tempo quaresmal. Supliquemos que durante estes dias de salvação ele purifique e confirme os nossos corações na caridade, pela
vinda e ação do Espírito Santo. Digamos, pois, cheios de confiança:

R. **Dai-nos, Senhor, o vosso Espírito Santo!**

Ensinai-nos a saciar o nosso espírito,
– com toda palavra que brota de vossos lábios. R.

Fazei que pratiquemos a caridade, não apenas nas grandes ocasiões,
– mas principalmente no cotidiano de nossas vidas. R.

Concedei que saibamos renunciar ao supérfluo,
– para podermos socorrer os nossos irmãos necessitados. R.

Dai-nos trazer sempre em nosso corpo os sinais da Paixão de
vosso Filho,
– vós que nos destes a vida em seu corpo. R.

(intenções livres)

Pai nosso...

Oração

Concedei-nos, ó Deus todo-poderoso, iniciar com este dia de jejum o tempo da Quaresma, para que a penitência nos fortaleça no
combate contra o espírito do mal. Por nosso Senhor Jesus Cristo,
vosso Filho, na unidade do Espírito Santo.

Hora Média

Ant. Por minha **vida**, diz o Se**nhor**,
  não quero a **morte** do peca**dor**,
  mas que ele **volte** e tenha a **vida**.

Tempo da Quaresma

Leitura breve — Zc 1,3b-4b

Voltai-vos para mim, diz o Senhor dos exércitos, e eu me voltarei para vós, diz o Senhor dos exércitos. Não sejais como os vossos pais, aos quais os antigos profetas gritavam: Assim fala o Senhor dos exércitos: Abandonai vossos maus caminhos e vossos maus pensamentos; mas não me ouviram.

V. Desviai o vosso olhar dos meus pecados.

R. E apagai todas as minhas transgressões!

Oração como nas Laudes.

Vésperas

Leitura breve — Fl 2,12b-15a

Trabalhai para a vossa salvação, com temor e tremor. Pois é Deus que realiza em vós tanto o querer como o fazer, conforme o seu desígnio benevolente. Fazei tudo sem reclamar ou murmurar, para que sejais livres de repreensão e ambiguidade, filhos de Deus sem defeito.

Responsório breve

R. Em **Deus**, cuja palavra me entusiasma,
 * Em **Deus** eu me apóio. R. Em **Deus**, cuja palavra.
V. Nada **mais** me causa medo. *Em **Deus** eu me apóio.
 Glória ao **Pai**. R. Em **Deus**, cuja palavra.

Cântico evangélico, ant.

Ao **dar**des esmola não **sai**ba a esquerda o que **faz** a direita.

Preces

Demos glória a Deus Pai, que no sangue de Cristo firmou uma nova Aliança com seu povo, e a renova pelo sacramento do altar. Peçamos com fé:

R. **Abençoai, Senhor, o vosso povo!**

Dirigi, Senhor, conforme a vossa vontade, as intenções dos povos e dos governantes,
— para que eles se empenhem sinceramente em promover o bem de todos. R.

Fortalecei a fidelidade daqueles que tudo abandonaram para seguir a Cristo;
– que eles deem a todos testemunho e exemplo da santidade da Igreja. R.

Vós, que criastes o gênero humano à vossa imagem e semelhança,
– fazei que todos rejeitem qualquer desigualdade injusta. R.

Reconduzi à vossa amizade e verdade todos os que vivem afastados da fé,
– e ensinai-nos como ajudá-los eficazmente. R.

(intenções livres)

Concedei aos que morreram entrar na vossa glória,
– para que vos louvem eternamente. R.

Pai nosso...

Oração

Concedei-nos, ó Deus todo-poderoso, iniciar com este dia de jejum o tempo da Quaresma, para que a penitência nos fortaleça no combate contra o espírito do mal. Por nosso Senhor Jesus Cristo, vosso Filho, na unidade do Espírito Santo.

QUINTA-FEIRA DEPOIS DAS CINZAS

Laudes

Leitura breve cf. 1Rs 8,51-53a

Nós somos, Senhor, teu povo e tua herança. Teus olhos estejam abertos à súplica do teu servo e do teu povo, Israel, escutando-nos toda vez que te invocarmos. Pois tu nos separaste para ti como herança dentre todos os povos da terra.

Responsório breve

R. Nós **somos** vosso **povo**, ó **Senhor**.
* Miseri**cór**dia, Se**nhor**, a vós cla**ma**mos! R. Nós **somos**,
V. Curva**dos** sob o **p**eso dos pe**ca**dos, **cho**ramos de tris**te**za.
*Miseri**cór**dia. Glória ao **Pai**. R. Nós **somos**.

Cântico evangélico, ant
Quem quiser me seguir renuncie a si mesmo;
e, tomando sua cruz, acompanhe meus passos.

Preces
Celebremos a bondade de Deus, que se revelou em Cristo Jesus.
E de todo o coração lhe supliquemos:

R. **Lembrai-vos, Senhor, de vossos filhos e filhas!**

Concedei-nos viver mais profundamente o mistério da Igreja;
– que ela seja para toda a humanidade o sacramento eficaz da
salvação. R.

Deus, amigo do ser humano, ensinai-nos a trabalhar generosamente para o progresso da civilização,
– e a buscar em todas as coisas o vosso Reino. R.

Levai-nos a saciar nossa sede de justiça
– na fonte de água viva que nos destes em Cristo. R.

Perdoai, Senhor, todos os nossos pecados,
– e dirigi nossos passos no caminho da justiça e da verdade. R.

Pai nosso...

Oração
Inspirai, ó Deus, as nossas ações, e ajudai-nos a realizá-las, para
que em vós comece e termine tudo aquilo que fizermos. Por nosso
Senhor Jesus Cristo, vosso Filho, na unidade do Espírito Santo.

Hora Média

Ant. Por minha vida, diz o Senhor,
não quero a morte do pecador,
mas que ele volte e tenha a vida.

Leitura breve
Dt 30,2-3a

Tu te converterás ao Senhor teu Deus com teus filhos, e obedecerás aos seus mandamentos com todo o teu coração e com toda a
tua alma, conforme tudo o que hoje te ordeno. O Senhor teu Deus
te fará voltar do cativeiro e se compadecerá de ti.

V. Desviai o vosso olhar dos meus pecados.
R. E apagai todas as minhas transgressões!

Oração como nas Laudes.

Quinta-feira depois das Cinzas

Vésperas

Leitura breve
Tg 4,7-8.10

Obedecei a Deus, mas resisti ao diabo, e ele fugirá de vós. Aproximai-vos de Deus, e ele se aproximará de vós. Purificai as mãos, ó pecadores, e santificai os corações, homens dúbios. Humilhai-vos diante do Senhor, e ele vos exaltará.

Responsório breve
R. **Senhor**, aten**dei** minha **prece**,
*Meu cla**mor** chegue a **vós**! R. **Senhor**.
V. Escu**tai**-me, no **dia** em que **chamo**. *Meu cla**mor**.
Glória ao **Pai**. R. **Senhor**.

Cântico evangélico, ant.
Quem per**der** sua **vi**da por **mim**,
vai guar**dá**-la nos **céus** para **sem**pre.

Preces
Proclamemos a misericórdia de Deus, que nos ilumina com a graça do Espírito Santo, para que resplandeçam em nossas obras a justiça e a santidade; e supliquemos:

R. **Dai a vida, Senhor, ao povo que Cristo redimiu!**

Senhor, fonte e autor de toda santidade, fortalecei os bispos, os sacerdotes e os diáconos em sua união com Cristo por meio do mistério eucarístico,
– para que se renove sempre mais a graça que receberam pela imposição das mãos. R.

Ensinai os vossos fiéis a participarem de modo digno e ativo na mesa da Palavra e do Corpo de Cristo,
– para que mantenham na vida e nos costumes o que receberam pela fé e pelos sacramentos. R.

Ensinai-nos a reconhecer a dignidade de cada pessoa humana, redimida pelo Sangue de vosso Filho,
– e a respeitarmos a liberdade e a consciência de nossos irmãos e irmãs. R.

Fazei que todos os seres humanos saibam moderar seus desejos de bens temporais,
– e atendam às necessidades do próximo.
R. **Dai a vida, Senhor, ao povo que Cristo redimiu!**

(intenções livres)

Tende piedade dos fiéis que hoje chamastes desta vida para vós,
– e concedei-lhes o dom da eterna bem-aventurança. R.
Pai nosso...

Oração

Inspirai, ó Deus, as nossas ações, e ajudai-nos a realizá-las, para que em vós comece e termine tudo aquilo que fizermos. Por nosso Senhor Jesus Cristo, vosso Filho, na unidade do Espírito Santo.

SEXTA-FEIRA DEPOIS DAS CINZAS

Laudes

Leitura breve Is 53,11b-12
Meu Servo, o justo, fará justos inúmeros homens, carregando sobre si suas culpas. Por isso, compartilharei com ele multidões e ele repartirá suas riquezas com os valentes seguidores, pois entregou o corpo à morte, sendo contado como um malfeitor; ele, na verdade, resgatava o pecado de todos e intercedia em favor dos pecadores.

Responsório breve
R. **Vós** nos resga**tas**tes, ó Se**nhor**,
  * Para **Deus** o vosso **sangue** nos re**miu**. R. **Vós** nos.
V. Dentre **to**das as **tri**bos e **lín**guas,
  dentre os **po**vos da **terra** e na**ções**. * Para **Deus**.
  Glória ao **Pai**. R. **Vós** nos.

Cântico evangélico, ant.
Quando **vês** o teu ir**mão** necessi**ta**do,
não o des**pre**zes, mas es**ten**de-lhe a **mão**;
e tua **luz** vai levan**tar**-se como a au**ro**ra,
caminha**rá** tua jus**ti**ça à tua **fren**te.

Sexta-feira depois das Cinzas

Preces

Imploremos a Cristo Salvador, que nos remiu por sua morte e ressurreição; e digamos:

R. **Senhor, tende piedade de nós!**

Vós, que subistes a Jerusalém para sofrer a Paixão, e assim entrar na glória,
– conduzi vossa Igreja à Páscoa da eternidade; R.

Vós, que, elevado na cruz, deixastes a lança do soldado vos traspassar,
– curai as nossas feridas. R.

Vós, que transformastes o madeiro da cruz em árvore da vida,
– concedei os frutos dessa árvore aos que renasceram pelo batismo. R.

Vós, que, pregado na cruz, perdoastes o ladrão arrependido,
– perdoai-nos também a nós pecadores. R.

(intenções livres)

Pai nosso...

Oração

Ó Deus, assisti com vossa bondade a penitência que iniciamos, para que vivamos interiormente as práticas externas da Quaresma. Por nosso Senhor Jesus Cristo, vosso Filho, na unidade do Espírito Santo.

Hora Média

Ant. Por minha vida, diz o Senhor,
não quero a morte do pecador,
mas que ele volte e tenha a vida.

Leitura breve cf. Jr 3,12b-14a
Voltai, é o Senhor que chama, não desviarei de vós minha face, porque eu sou misericordioso, não estarei irado para sempre. Convertei-vos, filhos, que vos tendes afastado de mim, diz o Senhor.

V. Desviai o vosso olhar dos meus pecados.
R. E apagai todas as minhas transgressões!
Oração como nas Laudes.

282 Tempo da Quaresma

Vésperas

Leitura breve Tg 5,16.19-20

Confessai uns aos outros os vossos pecados e orai uns pelos outros para alcançar a saúde. A oração fervorosa do justo tem grande poder. Meus irmãos, se alguém de vós se desviar da verdade e um outro o reconduzir, saiba este que aquele que reconduz um pecador desencaminhado salvará da morte a alma dele e cobrirá uma multidão de pecados.

Responsório breve

R. **Curai**-me, Se**nhor**, ó Deus **Santo**,
 * Pois pe**quei** contra **vós**. R. **Curai**-me.
V. Tende pie**da**de de **mim**, renovai-me! *Pois pe**quei**.
 Glória ao **Pai**. R. **Curai**-me.

Cântico evangélico, ant.

Quando o es**po**so se ausen**tar**,
os convi**da**dos para as **bo**das have**rão** de jeju**ar**.

Preces

Adoremos o Salvador do gênero humano, que morrendo destruiu a morte e ressuscitando renovou a vida; e peçamos com humildade:

R. **Santificai, Senhor, o povo que remistes com vosso sangue!**

Jesus, nosso Redentor, concedei que, pela penitência, nos associemos cada vez mais plenamente à vossa Paixão,
 – a fim de alcançarmos a glória da ressurreição. R.

Acolhei-nos sob a proteção de Maria, vossa Mãe, consoladora dos aflitos,
 – para podermos confortar os tristes com o mesmo auxílio que de vós recebemos. R.

Concedei-nos a graça de tomar parte na vossa Paixão por meio dos sofrimentos da vida,
 – para que também em nós se manifeste a vossa salvação. R.

Senhor Jesus, que vos humilhastes na obediência até à morte e morte de cruz,
 – ensinai-nos a ser obedientes e a sofrer com paciência. R.

(intenções livres)

Sábado depois das Cinzas

283

Tornai os corpos de nossos irmãos e irmãs falecidos semelhantes
à imagem do vosso corpo glorioso,
e fazei-nos dignos de participar um dia, com eles, da vossa gló-
ria.   R.
Pai nosso...

Oração

Ó Deus, assisti com vossa bondade a penitência que iniciamos,
para que vivamos interiormente as práticas externas da Quaresma. Por nosso Senhor Jesus Cristo, vosso Filho, na unidade do
Espírito Santo.

SÁBADO DEPOIS DAS CINZAS

Laudes

Leitura breve   Is 1,16-18
Lavai-vos, purificai-vos. Tirai a maldade de vossas ações de mi-
nha frente. Deixai de fazer o mal! Aprendei a fazer o bem! Procurai o direito, corrigi o opressor. Julgai a causa do órfão, defendei
a viúva. Vinde, debatamos – diz o Senhor. Ainda que vossos pecados sejam como púrpura, tornar-se-ão brancos como a neve. Se
forem vermelhos como o carmesim, tornar-se-ão como lã.

Responsório breve
R. O Sangue de Jesus nos purifica,
   * De todos nossos erros nos liberta. R. O Sangue.
V. Vinde ver os grandes feitos do Senhor! * De todos.
   Glória ao Pai. R. O Sangue.

Cântico evangélico, ant.
Ajuntai para vós tesouros no céu,
onde a traça e a ferrugem não corroem nem destroem.

Preces

Demos graças a Cristo, nosso Salvador, sempre e em toda parte;
e supliquemos com toda a confiança:

R. Socorrei-nos, Senhor, com a vossa graça!

Ajudai-nos a conservar sem mancha os nossos corpos,
– para que sejam digna morada do Espírito Santo. **R.**

Despertai em nós, desde o amanhecer, o desejo de nos sacrificarmos pelos nossos irmãos e irmãs,
– e de cumprirmos a vossa vontade em todas as atividades deste
dia. **R.**

Ensinai-nos a procurar o pão da vida eterna,
– que vós mesmo nos ofereceis. **R.**

Interceda por nós a vossa Mãe, refúgio dos pecadores,
– para alcançarmos o perdão dos nossos pecados. **R.**

(intenções livres)

Pai nosso...

Oração

Ó Deus eterno e todo-poderoso, olhai com bondade a nossa fraqueza, e estendei, para proteger-nos, a vossa mão poderosa. Por
nosso Senhor Jesus Cristo, vosso Filho, na unidade do Espírito
Santo.

Hora Média

Ant. Por minha vida, diz o Senhor,
não quero a morte do pecador,
mas que ele volte e tenha a vida.

Leitura breve Is 44,21-22

Lembra-te de que tu és meu servo; eu te criei, és meu servo, Israel, não me decepciones. Desmanchei como uma nuvem teus
pecados, como a névoa desfiz tuas culpas; volta para mim, porque te resgatei!

V. Desviai o vosso olhar dos meus pecados.
R. E apagai todas as minhas transgressões!

Oração como nas Laudes.

1º DOMINGO DA QUARESMA

I Semana do Saltério

I Vésperas

Hino, p. 271.

Ant. 1 Aceitai o nosso espírito abatido
e recebei o nosso ânimo contrito!
Assim hoje nossa oferta vos agrade.

Salmos e cântico do domingo da I Semana, p. 759.

Ant. 2 Naquele dia invocarás, e o Senhor te ouvirá;
gritarás, e o teu Deus vai responder-te: Eis-me aqui!

Ant. 3 O Cristo morreu pelos nossos pecados,
pelos ímpios o justo e ofertou-nos a Deus;
foi morto na carne, mas vive no Espírito.

Leitura breve
2Cor 6,1-4a

Nós vos exortamos a não receberdes em vão a graça de Deus, pois ele diz: No momento favorável, eu te ouvi e no dia da salvação, eu te socorri. É agora o momento favorável, é agora o dia da salvação. Não damos a ninguém nenhum motivo de escândalo, para que o nosso ministério não seja desacreditado. Mas em tudo nos recomendamos como ministros de Deus.

Responsório breve

R. Eis o tempo favorável,
* Eis o dia da salvação! R. Eis o tempo.
V. Reuni-vos, resgatados das nações,
vinde, aproximai-vos! * Eis o dia.
Glória ao Pai. R. Eis o tempo.

Cântico evangélico, ant.

Ano A Guiado pelo Espírito de Deus
e tentado pelo espírito do mal,
Jesus no deserto jejuou quarenta dias
e depois ficou com fome.

Tempo da Quaresma

Ano B Jesus permaneceu quarenta dias no deserto;
por Satanás era tentado
e vivia em companhia de selvagens animais.
E os anjos o serviam.

Ano C Repleto do Espírito Santo, Jesus regressou do Jordão;
e pelo mesmo Espírito impelido,
foi guiado através do deserto,
durante quarenta dias,
e pelo diabo ele era tentado.

Preces

Demos glória a Cristo Jesus, que se fez nosso mestre, exemplo e
irmão; e supliquemos, dizendo:

R. Renovai, Senhor, o vosso povo!

Senhor Jesus, que vos tornastes semelhante a nós em tudo, exceto
no pecado, ensinai-nos a alegrar-nos com os que se alegram e a
chorar com os que choram,
– para que a nossa caridade aumente cada vez mais. **R.**

Ensinai-nos a matar a vossa fome nos que têm fome,
– e a saciar a vossa sede nos que têm sede. **R.**

Vós que ressuscitastes Lázaro do sono da morte,
– fazei que voltem à vida, pela fé e a penitência, os que estão
mortos pelo pecado. **R.**

Aumentai o número dos que querem seguir mais de perto o vosso
caminho de perfeição,
– a exemplo da bem-aventurada Virgem Maria e dos Santos. **R.**

(intenções livres)

Concedei aos nossos irmãos e irmãs falecidos a glória da ressurreição,
– para que gozem eternamente do vosso amor. **R.**

Pai nosso...

Oração

Concedei-nos, ó Deus onipotente, que, ao longo desta Quaresma,
possamos progredir no conhecimento de Jesus Cristo e corresponder ao seu amor por uma vida santa. Por nosso Senhor Jesus
Cristo, vosso Filho, na unidade do Espírito Santo.

Laudes

Hino, p. 272.

Ant. 1 Quero, assim, vos louvar, pela vida
e elevar para vós minhas mãos.

Salmos e cântico do domingo da I Semana, p. 764.

Ant. 2 Cantai ao nosso Deus, bendizei-o eternamente.
Louvai-o e exaltai-o pelos séculos sem fim!

Ant. 3 De fato, o Senhor ama o seu povo
e coroa com vitória os seus humildes.

Leitura breve
Ne 8,9b.10b

Este é um dia consagrado ao Senhor, nosso Deus! Não fiqueis tristes nem choreis. Pois este dia é santo para o nosso Senhor. Não fiqueis tristes, porque a alegria do Senhor será a vossa força.

Responsório breve

R. A alegria do Senhor é nossa força e amparo.
* Sois bendito, Senhor Deus, de geração em geração.
  R. A alegria.
V. Seja bendito vosso nome glorioso,
  que céu e terra vos exaltem, sem cessar! * Sois bendito.
  Glória ao Pai. R. A alegria.

Cântico evangélico, ant.

Ano A O homem não vive somente de pão,
mas de toda palavra da boca de Deus.

Ano B Jesus dirigiu-se à Galileia
e pregava o Evangelho de Deus:
O tempo já está completado.
Convertei-vos e crede no Evangelho!
pois o Reino de Deus está chegando.

Ano C Durante esses dias, Jesus não comeu coisa alguma.
Passados que foram esses dias, ele, então, sentiu fome.

Preces

Bendigamos o nosso Redentor que na sua bondade nos concede este tempo de salvação; e supliquemos:

R. Criai em nós, Senhor, um espírito novo!

Cristo, nossa vida, que pelo batismo nos sepultastes sacramentalmente convosco na morte para que também convosco ressuscitemos,
– ajudai-nos hoje a ser fiéis à vida nova que recebemos. **R.**

Senhor Jesus, que passastes pelo mundo fazendo o bem,
– tornai-nos solícitos pelo bem comum de toda a humanidade. **R.**

Ensinai-nos a trabalhar generosamente na construção da cidade terrena,
– e ao mesmo tempo buscar a cidade celeste. **R.**

Médico dos corpos e das almas, curai as feridas do nosso coração,
– para progredirmos sempre no caminho da santidade. **R.**

(intenções livres)

Pai nosso...

Oração

Concedei-nos, ó Deus onipotente, que, ao longo desta Quaresma, possamos progredir no conhecimento de Jesus Cristo e corresponder ao seu amor por uma vida santa. Por nosso Senhor Jesus Cristo, vosso Filho, na unidade do Espírito Santo.

Hora Média

Hino, p. 273.

Ant. Por minha vida, diz o Senhor,
não quero a morte do pecador,
mas que ele volte e tenha a vida.

Leitura breve Is 30,15.18

Eis o que diz o Senhor Deus, o Santo de Israel: Sereis salvos, se buscardes a salvação e a paz; no silêncio e na esperança estará a vossa força. Por isso o Senhor está pronto a compadecer-se de vós, e, perdoando-vos, será glorificado na medida em que o Senhor é um Deus de justiça: felizes todos aqueles que esperam nele.

V. Desviai o vosso olhar dos meus pecados.
R. E apagai todas minhas transgressões!

Oração como nas Laudes.

1º Domingo

289

II Vésperas

Hino, p. 271.

Ant. 1 Adorarás somente a **Deus**, e só a **ele** servirás.

Salmos e cântico do domingo da I Semana, p. 772.

Ant. 2 Eis o **tempo de** conversão, eis o **dia da** salvação!

Ant. 3 Subiremos até Jerusalém,
e no Filho do Homem vão cumprir-se
as palavras que os profetas predisseram.

Leitura breve
cf. 1Cor 9,24-25

Os que correm no estádio correm todos juntos, mas um só ganha o prêmio. Correi de tal maneira que conquisteis o prêmio. Todo atleta se sujeita a uma disciplina rigorosa em relação a tudo, e eles procedem assim, para receberem uma coroa corruptível. Quanto a nós, a coroa que buscamos é incorruptível.

Responsório breve

R. Em abundância vós me dais muito vigor para o combate.
* Ó Deus de minha vitória! R. Em abundância.
V. Vossa justiça me oriente. * Ó Deus.
Glória ao Pai. R. Em abundância.

Cântico evangélico, ant.

Ano A Então Jesus lhe ordenou:
Vai embora, Satanás, porque diz a Escritura:
Ao Senhor Deus adorarás, e só a ele servirás!

Ano B Vigiai sobre nós, compassivo Salvador;
não nos prenda nos seus laços o maligno Tentador;
pois só vós sois para nós a eterna salvação!

Ano C Depois de assim havê-lo tentado de todos os modos,
o demônio o deixou até o tempo oportuno.

Preces

Demos glória a Deus Pai, que fez de nós o seu povo eleito, renascido de uma semente incorruptível e eterna; por meio de seu Filho, a Palavra que se fez carne; e lhe supliquemos humildemente:

R. Senhor, sede propício ao vosso povo!

1ª Semana da Quaresma

Deus de misericórdia, escutai as súplicas que vos dirigimos em favor do vosso povo,
– e fazei que ele deseje, sempre, mais a vossa palavra do que o alimento corporal.

R. **Senhor, sede propício ao vosso povo!**

Ensinai-nos a amar sinceramente e sem discriminação a gente de nossa terra e os povos de todas as raças,
– e a trabalhar pela felicidade e concórdia de toda a humanidade. R.

Acolhei com bondade os que se preparam para o renascimento espiritual do batismo,
– para que, como pedras vivas, eles construam a vossa casa espiritual que é a Igreja. R.

Vós, que pela pregação do profeta Jonas exortastes os ninivitas à penitência,
– convertei por vossa palavra os corações dos pecadores. R.

(intenções livres)

Ajudai os agonizantes a esperarem confiantemente o seu encontro com Cristo,
– para que se alegrem eternamente na visão da vossa face. R.

Pai nosso...

Oração

Concedei-nos, ó Deus onipotente, que, ao longo desta Quaresma, possamos progredir no conhecimento de Jesus Cristo e corresponder ao seu amor por uma vida santa. Por nosso Senhor Jesus Cristo, vosso Filho, na unidade do Espírito Santo.

SEGUNDA-FEIRA

Laudes

Leitura breve   Ex 19,4-6a

Vós vistes o que fiz aos egípcios, e como vos levei sobre asas de águia e vos trouxe a mim. Portanto, se ouvirdes a minha voz e guardardes a minha aliança, sereis para mim a porção escolhida

Segunda-feira

dentre todos os povos, porque minha é toda a terra. E vós sereis para mim um reino de sacerdotes e uma nação santa.

Responsório breve

R. Feliz o **povo** cujo **Deus** é o **Senhor**!
* Ca**minhemos**, olhos **fixos** em Je**sus**! R. Feliz o **povo**.
V. Deus ama o di**reito** e a jus**tiça**. * Ca**minhemos**.
Gló**ria** ao **Pai**. R. Feliz o **povo**.

Cântico evangélico, ant.

Vinde, ben**di**tos do meu **Pai**, e rece**bei** o reino e**terno** prepa**rad**o para **vós** desde o i**nício** do uni**verso**!

Preces

Bendigamos a Jesus, nosso Salvador, que pela sua morte nos abriu o caminho da salvação; e oremos:

R. **Guiai-nos, Senhor, em vossos caminhos!**

Deus de misericórdia, que pelo batismo nos destes uma vida nova,
– fazei que dia a dia nos configuremos cada vez mais à vossa imagem. R.

Ensinai-nos a ser hoje alegria para os que sofrem,
– e a vos servir em cada irmão ou irmã que precise de nossa ajuda. R.

Ajudai-nos a praticar o que é bom, correto e verdadeiro a vossos olhos,
– e a sempre vos procurar com sinceridade de coração. R.

Perdoai-nos, Senhor, as faltas que cometemos contra a unidade de vossa família,
– e fazei que nos tornemos um só coração e uma só alma. R.

(intenções livres)

Pai nosso...

Oração

Convertei-nos, ó Deus, nosso salvador, e, para que a celebração da Quaresma nos seja útil, iluminai-nos com a doutrina celeste. Por nosso Senhor Jesus Cristo, vosso Filho, na unidade do Espírito Santo.

292   1ª Semana da Quaresma

Hora Média

Ant. Por minha vida, diz o Senhor,
não quero a morte do pecador,
mas que ele volte e tenha a vida.

Leitura breve   Ez 18,23
Será que eu tenho prazer na morte do ímpio? – oráculo do Senhor
Deus. Não desejo, antes, que mude de conduta e viva?

V. Desviai o vosso olhar dos meus pecados.
R. E apagai todas as minhas transgressões!
Oração como nas Laudes.

Vésperas

Leitura breve   Rm 12,1-2
Pela misericórdia de Deus, eu vos exorto, irmãos, a vos oferecerdes em sacrifício vivo, santo e agradável a Deus: Este é o vosso
culto espiritual. Não vos conformeis com o mundo, mas transformai-vos, renovando vossa maneira de pensar e de julgar, para
que possais distinguir o que é da vontade de Deus, isto é, o que é
bom, o que lhe agrada, o que é perfeito.

Responsório breve
R. Clamo de todo coração:
  * Respondei-me, ó Senhor! R. Clamo.
V. Hei de fazer vossa vontade. * Respondei-me.
   Glória ao Pai. R. Clamo.

Cântico evangélico, ant.
O que fizestes ao menor dos meus irmãos,
foi a mim mesmo que o fizestes, diz Jesus.

Preces
Invoquemos ao Senhor Jesus Cristo que fez de nós o seu povo
libertando-nos do pecado; e oremos humildemente:
R. **Jesus, filho de Davi, tende piedade de nós!**

Ó Cristo, lembrai-vos da vossa santa Igreja, pela qual vos entregastes à morte para santificá-la na água da purificação espiritual
e na palavra da vida:

Terça-feira 293

– renovai-a sem cessar e purificai-a pela penitência. R.

Bom Mestre, mostrai aos jovens o caminho que escolhestes para cada um deles,
– para que sigam generosamente o vosso chamado e sejam felizes.
R.

Vós, que tivestes compaixão de todos os doentes que vos procuraram, dai esperança aos nossos enfermos e curai-os,
– e fazei-nos solícitos e generosos para com todos os que sofrem.
R.

Despertai em nós a consciência da dignidade de filhos de Deus que recebemos pelo batismo,
– e tornai-nos cada vez mais conformes à vossa vontade. R.

(intenções livres)

Dai aos nossos irmãos e irmãs falecidos a vossa paz e a glória eterna,
– e reuni-nos um dia com eles no vosso reino. R.

Pai nosso...

Oração

Convertei-nos, ó Deus, nosso salvador, e, para que a celebração da Quaresma nos seja útil, iluminai-nos com a doutrina celeste. Por nosso Senhor Jesus Cristo, vosso Filho, na unidade do Espírito Santo.

TERÇA-FEIRA

Laudes

Leitura breve Jl 2,12-13

Voltai para mim com todo o vosso coração, com jejuns, lágrimas e gemidos; rasgai o coração, e não as vestes; e voltai para o Senhor, vosso Deus; ele é benigno e compassivo, paciente e cheio de misericórdia, inclinado a perdoar o castigo.

Responsório breve

R. Cu**r**ai-me, ó Deus **San**to,
* Pois pe**quei** contra **vós!** R. Cu**r**ai-me.
V. Tende pie**d**ade de **mim**, reno**v**ai-me! * Pois pe**quei**.
Glória ao **Pai**. R. Cu**r**ai-me.

Cântico evangélico. ant
Ensinai-nos, Senhor, a rezar,
como aos **seus** ensi**nou** João Batista!

Preces

Bendigamos a Cristo, que se deu a nós como pão descido do céu;
e oremos, dizendo:

R. **Cristo, pão da vida e remédio que nos salva, dai-nos vossa força!**

Senhor, que nos alimentais na vossa ceia eucarística,
– dai-nos a plena participação nos frutos do sacrifício pascal. R.

Ensinai-nos a acolher vossa palavra num coração bom e reto,
– para darmos frutos na paciência. R.

Fazei que colaboremos alegremente convosco na construção do mundo,
– a fim de que o anúncio da paz se difunda mais eficazmente pela ação da Igreja. R.

Reconhecemos, Senhor, que somos pecadores;
– apagai nossas culpas com a graça da vossa salvação. R.

(intenções livres)

Pai nosso...

Oração

Olhai, ó Deus, vossa família, e fazei crescer no vosso amor aqueles que agora se mortificam pela penitência corporal. Por nosso Senhor Jesus Cristo, vosso Filho, na unidade do Espírito Santo.

Hora Média

Ant. Por minha **vi**da, diz o Se**nhor**,
não quero a **mor**te do peca**dor**,
mas que ele **vol**te e tenha a **vi**da.

Leitura breve Jr 3,25b
Nós ofendemos o Senhor, nosso Deus, nós e nossos pais, desde a juventude até ao dia de hoje, não escutamos a voz do Senhor, nosso Deus.

Terça-feira 295

V. Desviai o vosso olhar dos meus pecados.
R. E apagai todas as minhas transgressões!
Oração como nas Laudes.

Vésperas

Leitura breve
Tg 2,14.17.18b

Meus irmãos, que adianta alguém dizer que tem fé, quando não a
põe em prática? A fé seria então capaz de salvá-lo? A fé, se não se
traduz em obras, por si só está morta. Tu, mostra-me a tua fé sem
as obras, que eu te mostrarei a minha fé pelas obras!

Responsório breve
R. Iluminai-me, Senhor, conforme a vossa palavra,
  * Para que eu sempre faça a vossa vontade!
    R. Iluminai-me.
V. Inclinai meu coração aos vossos preceitos.* Para que eu.
    Glória ao Pai. R. Iluminai-me.

Cântico evangélico, ant.
Tu, porém, quando rezares, fecha a porta do teu quarto
e em segredo adora o Pai.

Preces
Imploremos a Cristo Senhor, que nos mandou vigiar e orar para
não cairmos em tentação; e digamos confiantemente:
R. Ouvi-nos, Senhor, e tende piedade!

Cristo Jesus, que prometestes estar presente no meio daqueles
que se reúnem para orar em vosso nome,
– ensinai-nos a orar sempre convosco ao Pai no Espírito Santo.
R.

Celeste Esposo, purificai de todo pecado vossa amada Igreja,
– e fazei que ela viva sempre na esperança e na alegria do Espírito Santo.
R.

Amigo do ser humano, tornai-nos solícitos pelo bem do próximo,
como nos mandastes,
– a fim de que, por meio de nós, brilhe para todos a luz da vossa
salvação.
R.

296 — 1ª Semana da Quaresma

Pai pacífico, dai ao mundo a vossa paz,
– para que em toda parte se faça mais sensível vossa presença salvadora. **R.**

(intenções livres)

Abri as portas da bem-aventurança eterna a todos os que morreram,
– e admiti-os na glória da eternidade. **R.**

Pai nosso...

Oração

Olhai, ó Deus, vossa família, e fazei crescer no vosso amor aqueles que agora se mortificam pela penitência corporal. Por nosso Senhor Jesus Cristo, vosso Filho, na unidade do Espírito Santo.

QUARTA-FEIRA

Laudes

Leitura breve — Dt 7,6b.8-9

O Senhor teu Deus te escolheu dentre todos os povos da terra, para seres o seu povo preferido, porque o Senhor vos amou e quis cumprir o juramento que fez a vossos pais. Foi por isso que o Senhor vos fez sair com mão poderosa, e vos resgatou da casa da escravidão, das mãos do Faraó, rei do Egito. Saberás, pois, que o Senhor teu Deus é o único Deus, um Deus fiel, que guarda a aliança e a misericórdia até mil gerações, para aqueles que o amam e observam seus mandamentos.

Responsório breve

R. **Deus** nos a**mou** por pri**mei**ro,
 * Ele **fez** Ali**ança** co**nos**co. R. **Deus** nos a**mou**.
V. Sem me**di**da é a **su**a ter**nu**ra. * Ele **fez**.
 Glória ao **Pai**. R. **Deus** nos a**mou**.

Cântico evangélico, ant.

Esta per**ver**sa e depra**va**da gera**ção**
está pe**din**do um si**nal** vindo dos **céus**;
nenhum si**nal** lhe se**rá** ofere**ci**do,
a não **ser** o de **Jo**nas, o Profeta.

Quarta-feira

Preces

Bendigamos o Autor da nossa salvação, que quis renovar o ser humano em si mesmo, para que as coisas antigas passassem e tudo se fizesse novo. Apoiados nesta esperança viva, roguemos:

R. **Senhor, renovai-nos com o vosso Espírito!**

Senhor, que nos prometestes um novo céu e uma nova terra, re-novai-nos sem cessar por vosso Espírito Santo,
– para que gozemos eternamente da vossa presença na nova Jeru-salém. R.

Concedei-nos colaborar convosco para infundir no mundo o vos-so Espírito,
– e atrair mais eficazmente para a cidade terrena a justiça, a cari-dade e a paz. R.

Ensinai-nos a corrigir nossa fraqueza e negligência,
– e a procurar de todo o coração os bens eternos. R.

Livrai-nos, Senhor, de todo o mal,
– e preservai-nos do fascínio da vaidade, que obscurece a mente e oculta os verdadeiros valores. R.

(intenções livres)

Pai nosso...

Oração

Considerai, ó Deus, com bondade o fervor do vosso povo. E, enquanto mortificamos o corpo, sejamos espiritualmente for-talecidos pelos frutos das boas obras. Por nosso Senhor Jesus Cristo, vosso Filho, na unidade do Espírito Santo.

Hora Média

Ant. Por minha vida, diz o Senhor,
não quero a morte do pecador,
mas que ele volte e tenha a vida.

Leitura breve
Zc 1,3b-4b

Voltai-vos para mim, diz o Senhor dos exércitos, e eu me voltarei para vós, diz o Senhor dos exércitos. Não sejais como os vossos pais, aos quais os antigos profetas gritavam: Assim fala o Senhor

298 — 1ª Semana da Quaresma

dos exércitos: Abandonai vossos maus caminhos e vossos maus pensamentos; mas não me ouviram.

V. Desviai o vosso olhar dos meus pecados.
R. E apagai todas as minhas transgressões!

Oração como nas Laudes.

Vésperas

Leitura breve   Fl 2,12b-15a

Trabalhai para a vossa salvação, com temor e tremor. Pois é Deus que realiza em vós tanto o querer como o fazer, conforme o seu desígnio benevolente. Fazei tudo sem reclamar ou murmurar, para que sejais livres de repreensão e ambiguidade, filhos de Deus sem defeito.

Responsório breve

R. Em **Deus**, cuja Palavra me entusiasma,
  * Em **Deus** eu me apóio. R. Em **Deus**, cuja Palavra.
V. Nada **mais** me causa medo. * Em **Deus** eu me apóio.
  Glória ao **Pai**. R. Em **Deus**, cuja Palavra.

Cântico evangélico, ant.

Jonas esteve por três dias e três noites
no ventre de um peixe;
assim também o Filho do Homem ficará
no coração da nossa terra.

Preces

Aclamemos o Deus todo-poderoso e previdente, que conhece todas as nossas necessidades, mas quer que busquemos, antes de tudo, o seu reino. Rezemos, dizendo:

R. **Senhor, venha a nós o vosso Reino e a sua justiça!**

Pai santo, que nos destes Jesus Cristo como Pastor de nossas almas, assisti os pastores da Igreja e o povo a eles confiado,
  – para que não falte ao rebanho a solicitude dos seus pastores nem aos pastores a obediência de suas ovelhas.   R.

Aumentai a caridade dos cristãos, para que ajudem os doentes com amor fraterno,
  – e socorram neles o vosso próprio Filho, Jesus Cristo.   R.

Fazei que ingressem na vossa Igreja os que ainda não creem no Evangelho,
– para que, pelo exemplo das boas obras, a façam crescer na caridade. R.
Dai a nós pecadores a contrição sincera das nossas culpas,
– e a reconciliação perfeita convosco e com a vossa Igreja. R.

(intenções livres)

Concedei a vida eterna aos nossos irmãos e irmãs que morreram,
– para que vivam eternamente na vossa presença. R.

Pai nosso...

Oração

Considerai, ó Deus, com bondade o fervor do vosso povo. E, enquanto mortificamos o corpo, sejamos espiritualmente fortalecidos pelos frutos das boas obras. Por nosso Senhor Jesus Cristo, vosso Filho, na unidade do Espírito Santo.

QUINTA-FEIRA

Laudes

Leitura breve
cf. 1Rs 8,51-53a

Nós somos, Senhor, teu povo e tua herança. Teus olhos estejam abertos à súplica do teu servo e do teu povo, Israel, escutando-nos toda vez que te invocarmos. Pois tu nos separaste para ti como herança dentre todos os povos da terra.

Responsório breve
R. Nós somos vosso povo, ó Senhor.
* Misericórdia, Senhor, a vós clamamos! R. Nós somos.
V. Curvados sob o peso dos pecados,
choramos de tristeza. * Misericórdia.
Glória ao Pai. R. Nós somos.

Cântico evangélico, ant.
Se vós, que sois tão maus, dais o que é bom a vossos filhos, quanto mais o Pai celeste o dará a quem lhe pede.

Preces

Louvemos a Cristo nosso Senhor, que se manifestou à humanidade como luz do mundo para que, seguindo-o, não andemos nas trevas mas tenhamos a luz da vida; e lhe peçamos:

R. **Senhor, que a vossa palavra ilumine os nossos passos!**

Deus de bondade, fazei-nos imitar hoje o vosso exemplo,
— para que recuperemos em vós, novo Adão, o que perdemos no primeiro Adão. R.

A vossa palavra seja luz dos nossos passos,
— para que, realizando sempre as obras da verdade, aumente cada vez mais o nosso amor por vós. R.

Ensinai-nos a promover com retidão o bem de todos por causa do vosso nome,
— para que, por nosso intermédio, a Igreja ilumine cada vez melhor a família humana. R.

Alimentai sempre mais em nós a vossa amizade, por meio de uma sincera conversão,
— para que expiemos as ofensas cometidas contra a vossa sabedoria e bondade. R.

(intenções livres)

Pai nosso...

Oração

Dai-nos, ó Deus, pensar sempre o que é reto e realizá-lo com solicitude. E como só podemos existir em vós, fazei-nos viver segundo a vossa vontade. Por nosso Senhor Jesus Cristo, vosso Filho, na unidade do Espírito Santo.

Hora Média

Ant. Por minha **vida**, diz o **Senhor**,
não quero a **mor**te do peca**dor**,
mas que ele **vol**te e tenha a **vida**.

Leitura breve   Dt 30,2-3a

Tu te converterás ao Senhor teu Deus com teus filhos, e obedecerás aos seus mandamentos com todo o teu coração e com toda a tua alma, conforme tudo o que hoje te ordeno. O Senhor teu Deus te fará voltar do cativeiro e se compadecerá de ti.

V. Desviai o vosso olhar dos meus pecados.
R. E apagai todas as minhas transgressões!
Oração como nas Laudes.

Vésperas

Leitura breve   Tg 4,7-8.10

Obedecei a Deus, mas resisti ao diabo, e ele fugirá de vós. Aproximai-vos de Deus, e ele se aproximará de vós. Purificai as mãos, ó pecadores, e santificai os corações, homens dúbios. Humilhai-vos diante do Senhor, e ele vos exaltará.

Responsório breve

R. Senhor, atendei minha prece,
  * Meu clamor chegue a vós! R. Senhor.
V. Escutai-me, no dia em que chamo. * Meu clamor.
   Glória ao Pai. R. Senhor.

Cântico evangélico, ant.

Pedi e recebereis, procurai e achareis,
batei e vos será aberto.

Preces

Oremos a Cristo nosso Senhor, que nos deu o mandamento novo de nos amarmos uns aos outros como ele nos amou; e imploremos:
R. Senhor, aumentai em nós o vosso amor!

Bom Mestre, ensinai-nos a vos amar em nossos irmãos e irmãs,
– e a vos servir em cada um deles.   R.

Vós, que na cruz pedistes ao Pai perdão para vossos algozes,
– ensinai-nos a amar os nossos inimigos e a orar pelos que nos perseguem.   R.

Pela participação no mistério do vosso Corpo e Sangue, aumentai em nós a caridade, a fortaleza e a confiança;
– sustentai os fracos, consolai os tristes e dai esperança aos agonizantes.   R.

Cristo, Luz do mundo, que na piscina de Siloé destes a vista ao cego de nascença,
– iluminai os catecúmenos pelo sacramento do batismo e pela palavra da vida. R.

(intenções livres)

Concedei a plenitude do vosso amor aos que morreram,
– e contai-nos também entre os vossos escolhidos. R.

Pai nosso...

Oração

Dai-nos, ó Deus, pensar sempre o que é reto e realizá-lo com solicitude. E como só podemos existir em vós, fazei-nos viver segundo a vossa vontade. Por nosso Senhor Jesus Cristo, vosso Filho, na unidade do Espírito Santo.

SEXTA-FEIRA

Laudes

Leitura breve Is 53,11b-12

Meu Servo, o justo, fará justos inúmeros homens, carregando sobre si suas culpas. Por isso, compartilharei com ele multidões e ele repartirá suas riquezas com os valentes seguidores, pois entregou o corpo à morte, sendo contado como um malfeitor; ele, na verdade, resgatava o pecado de todos e intercedia em favor dos pecadores.

Responsório breve

R. **Vós** nos resga**tastes**, ó Se**nhor,**
   * Para **Deus** o vosso **sangue** nos re**miu.** R. **Vós** nos.
V. Dentre **todas** as **tribos** e **línguas,**
      dentre os **povos** da **terra** e na**ções.** * Para **Deus**.
      Glória ao **Pai.** R. **Vós** nos.

Cântico evangélico, ant.

Se **vossa** jus**tiça** não supe**rar**
a jus**tiça** dos es**cribas** e fari**seus,**
no **reino** dos **céus** não entra**reis.**

Preces

Demos graças a Cristo nosso Senhor que, morrendo na cruz, nos deu a vida; e de coração lhe peçamos:

R. **Pela vossa morte, Senhor, fazei-nos viver!**

Cristo nosso Mestre e Salvador, que nos ensinastes a vossa verdade, e nos renovastes pela vossa gloriosa Paixão,
– não nos deixeis cair na infidelidade do pecado. R.

Ensinai-nos a praticar a abstinência,
– para socorrer com nossos bens os irmãos necessitados. R.

Dai-nos a graça de viver santamente este dia de penitência quaresmal,
– e consagrá-lo a vós com obras de caridade fraterna. R.

Corrigi, Senhor, as nossas vontades rebeldes,
– e dai-nos um coração generoso e agradecido. R.

(intenções livres)

Pai nosso...

Oração

Concedei, ó Deus, que vossos filhos e filhas se preparem dignamente para a festa da Páscoa, de modo que a mortificação desta Quaresma frutifique em todos nós. Por nosso Senhor Jesus Cristo, vosso Filho, na unidade do Espírito Santo.

Hora Média

Ant. Por minha **vida**, diz o **S**enhor,
não quero a **morte**, do peca**dor**,
mas que ele **vol**te e tenha a **vida**.

Leitura breve   cf. Jr 3,12b-14a

Voltai, é o Senhor que chama, não desviarei de vós minha face, porque eu sou misericordioso, não estarei irado para sempre. Convertei-vos, filhos, que vos tendes afastado de mim, diz o Senhor.

V. Desvi**ai** o vosso ol**har** dos meus pe**cados**.

R. E apa**gai** todas as mi**nhas** transgres**sões**!

Oração como nas Laudes.

304   1ª Semana da Quaresma

Vésperas

Leitura breve   Tg 5,16.19-20

Confessai uns aos outros os vossos pecados e orai uns pelos outros para alcançar a saúde. A oração fervorosa do justo tem grande poder. Meus irmãos, se alguém de vós se desviar da verdade e um outro o reconduzir, saiba este que aquele que reconduz um pecador desencaminhado salvará da morte a alma dele e cobrirá uma multidão de pecados.

Responsório breve

R. **Curai**-me, Se**nhor**, ó Deus **San**to,

   * Pois pe**quei** contra **vós**. R. Cu**rai**-me.

V. Tende pie**da**de de **mim**, reno**vai**-me! * Pois pe**quei**.

    Glória ao **Pai**. R. Cu**rai**-me.

Cântico evangélico, ant.

Se tu **que**res que ag**ra**de ao Se**nhor** a tua ofe**rta**,

vai pri**mei**ro a teu ir**mão**, reconci**lia**-te com **ele**,

e de**pois** virás a **Deus** apresen**tar** a tua ofe**rta**.

Preces

Elevemos nossas súplicas ao Senhor Jesus Cristo, que nos santi-ficou com o seu sangue; e digamos:

R. **Senhor, tende compaixão do vosso povo!**

Jesus, Redentor nosso, pelos méritos da vossa Paixão, dai aos vossos fiéis o espírito de penitência, sustentai-os no combate contra o mal e reavivai a sua esperança,

– para que se disponham para celebrar mais santamente a vossa Ressurreição.   R.

Fazei que os cristãos, exercendo sua missão profética, anunciem por toda parte o Evangelho do Reino,

– e o confirmem com seu testemunho de fé, esperança e carida-de.   R.

Confortai os aflitos com a força do vosso amor,

– e fazei que saibamos consolá-los com nossa solicitude fraterna.

                                                      R.

Ensinai-nos a levar nossa cruz em união com os vossos sofrimentos,
– para que manifestemos em nós mesmos a vossa salvação. R.

(intenções livres)

Autor da vida, lembrai-vos daqueles que partiram deste mundo,
– e concedei-lhes a glória da ressurreição. R.
Pai nosso...

Oração

Concedei, ó Deus, que vossos filhos e filhas se preparem dignamente para a festa da Páscoa, de modo que a mortificação desta
Quaresma frutifique em todos nós. Por nosso Senhor Jesus Cristo, vosso Filho, na unidade do Espírito Santo.

SÁBADO

Laudes

Leitura breve Is 1,16-18
Lavai-vos, purificai-vos. Tirai a maldade de vossas ações de minha frente. Deixai de fazer o mal! Aprendei a fazer o bem! Procurai o direito, corrigi o opressor. Julgai a causa do órfão, defendei
a viúva. Vinde, debatamos – diz o Senhor. Ainda que vossos pecados sejam como púrpura, tornar-se-ão brancos como a neve. Se
forem vermelhos como o carmesim, tornar-se-ão como lã.

Responsório breve
R. O **Sangue** de Jesus nos purifica, ·
  * De **todos** nossos **erros** nos liberta. R. O **Sangue**.
V. Vinde **ver** os grandes feitos do Senhor! * De todos.
  Glória ao **Pai**. R. O **Sangue**.

Cântico evangélico, ant.
Orai pelos **que** vos caluniam e perseguem,
e sereis filhos do **Pai** que está nos **céus**, diz o Senhor.

Preces

Glorifiquemos a Cristo Senhor que instituiu o batismo para fazer de nós criaturas novas e nos preparou a mesa de sua Palavra e de seu Corpo; rezemos confiantes:

R. **Renovai-nos, Senhor, com a vossa graça!**

Jesus, manso e humilde decoração, revesti-nos de sentimentos de misericórdia, mansidão e humildade,
– e tornai-nos pacientes e compreensivos para com todos.   R.

Ensinai-nos a ajudar os pobres e sofredores,
– e assim vos imitarmos, ó Bom Samaritano da humanidade. R.

A Santa Virgem Maria, vossa Mãe, interceda por todas aquelas que se consagraram ao vosso serviço,
– para que se dediquem cada vez melhor ao bem da Igreja.   R.

Concedei-nos a vossa misericórdia,
– e fazei-nos experimentar a alegria do vosso perdão.   R.

(intenções livres)

Pai nosso...

Oração

Convertei para vós, ó Pai, nossos corações, a fim de que, buscando sempre o único necessário e praticando as obras da caridade, nos dediquemos ao vosso culto. Por nosso Senhor Jesus Cristo, vosso Filho, na unidade do Espírito Santo.

Hora Média

Ant. Por minha vida, diz o Senhor,
não quero a morte do pecador,
mas que ele volte e tenha a vida.

Leitura breve   Is 44,21-22
Lembra-te de que tu és meu servo; eu te criei, és meu servo, Israel, não me decepciones. Desmanchei como uma nuvem teus pecados, como a névoa desfiz tuas culpas; volta para mim, porque te resgatei!

V. Desviai o vosso olhar dos meus pecados.
R. E apagai todas as minhas transgressões!
Oração como nas Laudes.

2º DOMINGO DA QUARESMA

II Semana do Saltério

I Vésperas

Hino, p. 271.

Ant. 1 Jesus tomou a Pedro, Tiago e João
e os levou a um alto monte
e ali, diante deles, ficou transfigurado.

Salmos e cântico do domingo da II Semana, p. 849.

Ant. 2 O seu rosto fulgurava como o sol do meio-dia;
suas vestes refulgiam como a neve sobre os montes.

Ant. 3 Elias e Moisés com ele conversavam
sobre aquilo que o esperava
na Cidade, em sua Páscoa.

Leitura breve
2Cor 6,1-4a

Nós vos exortamos a não receberdes em vão a graça de Deus, pois ele diz: "No momento favorável, eu te ouvi e no dia da salvação, eu te socorri". É agora o momento favorável, é agora o dia da salvação. Não damos a ninguém nenhum motivo de escândalo, para que o nosso ministério não seja desacreditado. Mas em tudo nos recomendamos como ministros de Deus.

Responsório breve

R. Eis o tempo favorável,
* Eis o dia da salvação! R. Eis o tempo.
V. Reuni-vos, resgatados das nações,
vinde, aproximai-vos! * Eis o dia.
Glória ao Pai. R. Eis o tempo.

Cântico evangélico, ant.

Ano A Disse Pedro a Jesus:
Senhor, como é bom nós estarmos aqui!
Se queres, faremos três tendas aqui;
será tua a primeira, de Moisés a segunda
e a terceira de Elias.

Tempo da Quaresma

Ano B Jesus transfigurou-se diante dos Apóstolos.
Suas vestes se tornaram
muito brancas e brilhantes.
Então apareceram-lhes Elias e Moisés,
que falavam com Jesus.

Ano C Enquanto rezava Jesus,
seu rosto mudou de aparência,
ficou branca e brilhante sua roupa.
E dois homens falavam com ele.
Eram eles: Moisés e Elias.

Preces

Demos glória a Deus Pai que cuida de todos nós; e lhe peçamos:
R. **Dai, Senhor, a salvação aos que remistes!**

Senhor Deus, doador de todo bem e fonte da verdade, cumulai com vossos dons o colégio universal dos bispos,
– e guardai os fiéis, a eles confiados, na doutrina dos Apóstolos.
R.

Derramai a vossa caridade naqueles que comungam o mesmo pão da vida,
– para que se fortaleça a unidade de todos os fiéis no Corpo de Cristo vosso Filho. R.

Fazei que nos despojemos do velho homem com seus atos,
– e nos revistamos do homem novo, à imagem de Cristo, vosso Filho. R.

Concedei aos fiéis um sincero espírito de penitência, para que obtenham o perdão de seus pecados,
– e se tornem participantes dos méritos da redenção de Cristo. R.

(intenções livres)

Dai a paz aos nossos irmãos e irmãs falecidos, para que vos louvem eternamente no céu,
– onde também nós esperamos glorificar-vos para sempre. R.

Pai nosso...

Oração

Ó Deus, que nos mandastes ouvir o vosso Filho amado, alimentai nosso espírito com a vossa palavra, para que, purificado o olhar

2º Domingo

de nossa fé, nos alegremos com a visão da vossa glória. Por nosso Senhor Jesus Cristo, vosso Filho, na unidade do Espírito Santo.

Laudes

Hino, p. 272.

Ant. 1 A mão direita do Senhor fez maravilhas,
a mão direita do Senhor me levantou!

Salmos e cântico do domingo da II Semana, p. 853.

Ant. 2 Como os jovens no meio das chamas,
cantemos um hino ao Senhor!

Ant. 3 Louvai o Senhor Deus no alto céu de seu poder.

Leitura breve   Ne 8,9b.10b

Este é um dia consagrado ao Senhor, nosso Deus! Não fiqueis tristes nem choreis. Pois este dia é santo para o nosso Senhor. Não fiqueis tristes, porque a alegria do Senhor será a vossa força.

Responsório breve

R. A alegria do Senhor é nossa força e amparo.
* Sois bendito, Senhor Deus, de geração em geração.
R. A alegria.
V. Seja bendito vosso nome glorioso,
que céu e terra vos exaltem, sem cessar! * Sois bendito.
Glória ao Pai. R. A alegria.

Cântico evangélico, ant.

Ano A Uma voz do céu ressoa: Eis meu Filho muito amado,
nele está meu bem-querer;
escutai-o, homens todos!

Ano B Disse Pedro a Jesus:
Ó Mestre, como é bom nós estarmos aqui!
Façamos três tendas: Será tua a primeira,
de Moisés a segunda e a terceira de Elias.

Ano C Jesus Cristo, Senhor nosso,
destruiu o mal e a morte;
fez brilhar pelo Evangelho
a luz e a vida imperecíveis.

Tempo da Quaresma

Preces

Glorifiquemos a Deus, cuja bondade é infinita e, por Jesus Cristo, que vive eternamente intercedendo por nós junto ao Pai, rezemos; e digamos:

R. **Acendei em nós, Senhor, o fogo do vosso amor!**

Deus de misericórdia, fazei-nos viver hoje generosamente a prática do amor fraterno,
– para que todos sintam em nós os efeitos da vossa bondade. R.

Vós, que na arca salvastes Noé das águas do dilúvio,
– salvai os catecúmenos nas águas do batismo. R.

Saciai-nos não apenas de pão,
– mas de toda palavra que sai de vossa boca. R.

Afastai todo sentimento de discórdia e divisão,
– para que reinem sempre entre nós a caridade e a paz. R.

(intenções livres)

Pai nosso...

Oração

Ó Deus, que nos mandastes ouvir o vosso Filho amado, alimentai nosso espírito com a vossa palavra, para que, purificado o olhar de nossa fé, nos alegremos com a visão da vossa glória. Por nosso Senhor Jesus Cristo, vosso Filho, na unidade do Espírito Santo.

Hora Média

Hino, p, 273.

Ant. Por minha **vida**, diz o Se**nhor**,
não quero a **mor**te do peca**dor**,
mas que ele **vol**te e tenha a **vida**.

Leitura breve
Is 30,15.18

Eis o que diz o Senhor Deus, o Santo de Israel: Sereis salvos, se buscardes a salvação e a paz; no silêncio e na esperança estará a vossa força". Por isso o Senhor está pronto a compadecer-se de vós, e, perdoando-vos, será glorificado na medida em que o Senhor é um Deus de justiça: felizes todos aqueles que esperam nele.

2º Domingo

V. Desviai o vosso olhar dos meus pecados.
R. E apagai todas as minhas transgressões!
Oração como nas Laudes.

II Vésperas

Hino, p. 271.

Ant. 1 O Senhor estenderá o domínio do seu Cristo
no esplendor de sua glória.

Salmos e cântico do Domingo da II Semana, p. 860.

Ant. 2 É único o Deus que adoramos:
o Senhor que fez o céu e fez a terra.

Ant. 3 Deus não poupou seu próprio Filho,
mas o entregou por todos nós.

Leitura breve   cf. 1Cor 9,24-25
Os que correm no estádio correm todos juntos, mas um só ganha
o prêmio. Correi de tal maneira que conquisteis o prêmio. Todo
atleta se sujeita a uma disciplina rigorosa em relação a tudo, e eles
procedem assim, para receberem uma coroa corruptível. Quanto a
nós, a coroa que buscamos é incorruptível.

Responsório breve
R. Em abundância vós me dais muito vigor para o combate.
   * Ó Deus de minha vitória! R. Em abundância.
V. Vossa justiça me oriente. * Ó Deus.
   Glória ao Pai. R. Em abundância.

Cântico evangélico, ant.
Ano A Não conteis a mais ninguém
       a visão que vós tivestes,
       enquanto o Filho do Homem
       não tiver ressuscitado.

Ano B Uma nuvem os cobriu com sua sombra,
       e da nuvem uma voz se ouviu, dizendo:
       Eis meu Filho muito amado, escutai-o!

Ano C Da nuvem uma voz se fez ouvir:
       Eis meu Filho, o Escolhido, escutai-o!
       Jesus, ao dar-se a voz, ficou sozinho.

312   2ª Semana da Quaresma

Preces

Demos graças a Cristo, nosso Mestre e Senhor, que veio para servir e fazer o bem a todos; e supliquemos com humildade e confiança:

R. **Abençoai, Senhor, a vossa Igreja!**

Guiai, Senhor, os nossos bispos e presbíteros, que participam do vosso ministério de Chefe e Pastor da Igreja,
– a fim de que eles, assistidos por vós, conduzam para o Pai a humanidade inteira.   R.

Que os vossos anjos acompanhem os viajantes,
– para que evitem todos os perigos do corpo e da alma.   R.

Ensinai-nos a servir a todos,
– a fim de imitarmos a vós, que viestes para servir e não para ser servido.   R.

Fazei reinar em toda a comunidade humana o espírito de fraternidade sincera,
– para que se torne, com a vossa presença, uma cidade forte e inabalável.   R.

(intenções livres)

Sede misericordioso para com todos os que partiram desta vida,
– e acolhei-os na luz da vossa face.   R.

Pai nosso...

Oração

Ó Deus, que nos mandastes ouvir o vosso Filho amado, alimentai nosso espírito com a vossa palavra, para que, purificado o olhar de nossa fé, nos alegremos com a visão da vossa glória. Por nosso Senhor Jesus Cristo, vosso Filho, na unidade do Espírito Santo.

SEGUNDA-FEIRA

Laudes

Leitura breve   Ex 19,4-6a

Vós vistes o que fiz aos egípcios, e como vos levei sobre asas de águia e vos trouxe a mim. Portanto, se ouvirdes a minha voz e guardardes a minha aliança, sereis para mim a porção escolhida dentre todos os povos, porque minha é toda a terra. E vós sereis para mim um reino de sacerdotes e uma nação santa.

Responsório breve

R. Feliz o **povo** cujo **Deus** é o Se**nhor**!
* Caminhemos, olhos fixos em Jesus! R. Feliz o **povo**.
V. Deus ama o direito e a justiça. * Caminhemos.
  Glória ao **Pai**. R. Feliz o **povo**.

Cântico evangélico, ant.

Sede **to**dos misericordiosos
como o **vos**so Pai celeste, diz Jesus.

Preces

Bendigamos a Deus Pai, que nos concede a graça de oferecer-lhe o sacrifício de louvor neste dia quaresmal; e o invoquemos:

R. **Iluminai-nos, Senhor, com a vossa Palavra!**

Deus todo-poderoso e cheio de misericórdia, concedei-nos o espírito de oração e penitência,
– e acendei em nossos corações a chama do amor por vós e por nossos irmãos e irmãs.   R.

Ensinai-nos a cooperar convosco, para restaurar todas as coisas em Cristo,
– a fim de que na terra reinem a justiça e a paz.   R.

Revelai-nos a íntima natureza e o valor de todas as criaturas,
– para que nos associemos a elas no cântico de louvor à vossa glória.   R.

Perdoai-nos por termos ignorado muitas vezes a presença de Cristo nos pobres, nos infelizes e nos marginalizados,
– e porque não respeitamos vosso Filho nestes nossos irmãos e irmãs.   R.

(intenções livres)

Pai nosso...

Oração

Ó Deus, que para remédio e salvação nossa nos ordenais a prática da mortificação, concedei que possamos evitar todo pecado e cumprir de coração os mandamentos do vosso amor. Por nosso Senhor Jesus Cristo, vosso Filho, na unida de do Espírito Santo.

314   2ª Semana da Quaresma

Hora Média

Ant. Por minha **vi**da, diz o Se**nhor**,
não quero a **mor**te do peca**dor**,
mas que ele **vol**te e tenha a **vi**da.

Leitura breve   Ez 18,23

Será que eu tenho prazer na morte do ímpio? – oráculo do Senhor Deus. Não desejo, antes, que mude de conduta e viva?

V. Desvi**ai** o vosso o**lhar** dos meus pe**ca**dos.
R. E apa**gai** todas as **mi**nhas transgress**ões**!

Oração como nas Laudes.

Vésperas

Leitura breve   Rm 12,1-2

Pela misericórdia de Deus, eu vos exorto, irmãos, a vos oferecerdes em sacrifício vivo, santo e agradável a Deus: Este é o vosso culto espiritual. Não vos conformeis com o mundo, mas transformai-vos, renovando vossa maneira de pensar e de julgar, para que possais distinguir o que é da vontade de Deus, isto é, o que é bom, o que lhe agrada, o que é perfeito.

Responsório breve

R. Clamo de **to**do cora**ção**:
   * Respon**dei**-me, ó Se**nhor**! R. Clamo.
V. Hei de fa**zer** vossa vonta**de**. * Respon**dei**-me.
   Glória ao **Pai**. R. Clamo.

Cântico evangélico, ant.

Não jul**gueis** e não se**reis** também jul**ga**dos;
na me**di**da em que jul**gar**des vosso ir**mão**,
também **vós**, pelo Se**nhor**, sereis jul**ga**dos.

Preces

Demos glória a Deus nosso Pai, que pela palavra de seu Filho Jesus Cristo prometeu ouvir a oração daqueles que se reúnem para orar em seu nome. Confiantes na sua promessa, digamos:

R. **Escutai, Senhor, a oração do vosso povo!**

Terça-feira 315

Senhor, que levastes à perfeição por meio de Cristo a lei dada a Moisés no monte Sinai,
– fazei que a reconheçamos gravada em nossos corações e pratiquemos fielmente a aliança que fizestes conosco. R.

Concedei aos superiores a solicitude fraterna para com aqueles que lhes foram confiados,
– e despertai nos súditos o espírito de colaboração e obediência. R.

Fortalecei com a vossa assistência o espírito e o coração dos missionários
– e multiplicai, em toda a Igreja, os seus companheiros de evangelização. R.

Fazei que as crianças cresçam em idade e em graça,
– e os jovens progridam no amor de Cristo e na santidade de vida. R.

(intenções livres)

Lembrai-vos dos nossos irmãos e irmãs que adormeceram na fé em Cristo,
– e acolhei-os na alegria da vida eterna. R.

Pai nosso...

Oração

Ó Deus, que para remédio e salvação nossa nos ordenais a prática da mortificação, concedei que possamos evitar todo pecado e cumprir de coração os mandamentos do vosso amor. Por nosso Senhor Jesus Cristo, vosso Filho, na unidade do Espírito Santo

TERÇA-FEIRA

Laudes

Leitura breve Jl 2,12-13

Voltai para mim com todo o vosso coração, com jejuns, lágrimas e gemidos; rasgai o coração, e não as vestes; e voltai para o Senhor, vosso Deus; ele é benigno e compassivo, paciente e cheio de misericórdia, inclinado a perdoar o castigo.

2ª Semana da Quaresma

Responsório breve
R. Curai-me, ó Deus **Santo,**
  * Pois pe**quei** contra **vós!** R. Curai-me.
V. Tende piedade de **mim,** renovai-me! * Pois pe**quei.**
  Glória ao **Pai.** R. Curai-me.

Cântico evangélico, ant.
O vosso **Mestre** é um so**mente,**
é o **Cris**to **Senhor** que está nos **céus.**

Preces
Rendamos graças a Deus Pai, que nos deu o seu Filho Unigênito,
a Palavra que se fez carne, para ser nosso alimento e nossa vida;
e supliquemos:
R. **Que a palavra de Cristo habite em nossos corações!**

Concedei-nos escutar com mais frequência a vossa palavra, nesta
quaresma,
– para louvarmos a Cristo, nossa Páscoa, com maior piedade e
devoção, na grande solenidade que se aproxima.   R.

Que o vosso Espírito Santo nos ensine,
– e nos faça testemunhas da vossa verdade e bondade para animar os que vacilam e os que erram.   R.

Fazei-nos viver mais profundamente o mistério de Cristo,
– e manifestá-lo mais claramente em nossa vida.   R.

Purificai e renovai a vossa Igreja neste tempo de graça,
– para que ela proclame cada vez melhor a vossa vontade e a
vossa salvação.   R.

(intenções livres)

Pai nosso...

Oração
Guardai, Senhor Deus, a vossa Igreja com a vossa constante proteção, e, como a fraqueza humana desfalece sem vosso auxílio,
livrai-nos constantemente do mal e conduzi-nos pelos caminhos
da salvação. Por nosso Senhor Jesus Cristo, vosso Filho, na unidade do Espírito Santo.

Hora Média

Ant. Por minha **vi**da, diz o Se**nhor**,
não quero a **mor**te do peca**dor**,
mas que ele **vol**te e tenha a **vi**da.

Leitura breve   Jr 3,25b

Nós ofendemos o Senhor, nosso Deus, nós e nossos pais, desde a juventude até ao dia de hoje, não escutamos a voz do Senhor, nosso Deus.

V. Desvi**ai** o vosso o**lhar** dos meus peca**dos**.
R. E apa**gai** todas as **mi**nhas transgres**sões**!
Oração como nas Laudes.

Vésperas

Leitura breve   Tg 2,14.17.18b

Meus irmãos, que adianta alguém dizer que tem fé, quando não a põe em prática? A fé seria então capaz de salvá-lo? A fé, se não se traduz em obras, por si só está morta. Tu, mostra-me a tua fé sem as obras, que eu te mostrarei a minha fé pelas obras!

Responsório breve

R. Ilumi**nai**-me, Se**nhor**, conforme a **vos**sa pa**la**vra,
  * Para que **eu** sempre **fa**ça a **vos**sa von**ta**de!
    R. Ilumi**nai**-me.
V. Incli**nai** meu cora**ção** aos **vos**sos prece**i**tos. * Para que **eu**.
  Glória ao **Pai**. R. Ilumi**nai**-me.

Cântico evangélico, ant.

Vós **to**dos sois ir**mãos** e um **só** é o vosso **Pai**.
A nin**guém** chameis de **mes**tre,
um so**men**te é o vosso **Mes**tre:
Jesus **Cris**to, o Salva**dor**.

Preces

Demos glória ao Senhor Jesus Cristo que, exaltado na cruz, atraiu para si todo o gênero humano; e lhe supliquemos com piedade:
R. **Senhor, atraí tudo para vós!**

318   2ª Semana da Quaresma

Senhor, iluminai com o mistério da vossa cruz todo o gênero humano,
– para que, atraídos por ela, vos reconheçamos como caminho, verdade e vida.   R.

R. **Senhor, atraí tudo para vós!**

Dai água viva a todos os que estão sedentos de vós,
– para que saciem para sempre a sua sede.   R.

Iluminai os intelectuais e os artistas,
– para que manifestem a todos os caminhos do vosso Reino.   R.

Movei a consciência de todos aqueles a quem o pecado ou o escândalo afastou de vós,
– para que voltem à vida da graça e permaneçam no vosso amor.   R.

(intenções livres)

Admiti na glória do céu os nossos irmãos e irmãs falecidos,
– para que se alegrem eternamente na companhia de Nossa Senhora e de todos os santos.   R.

Pai nosso...

Oração

Guardai, Senhor Deus, a vossa Igreja com a vossa constante proteção, e, como a fraqueza humana desfalece sem vosso auxílio, livrai-nos constantemente do mal e conduzi-nos pelos caminhos da salvação. Por nosso Senhor Jesus Cristo, vosso Filho, na unidade do Espírito Santo.

QUARTA-FEIRA

Laudes

Leitura breve   Dt 7,6b.8-9

O Senhor teu Deus te escolheu dentre todos os povos da terra, para seres o seu povo preferido, porque o Senhor vos amou e quis cumprir o juramento que fez a vossos pais. Foi por isso que o Senhor vos fez sair com mão poderosa, e vos resgatou da casa da escravidão, das mãos do Faraó, rei do Egito. Saberás, pois, que o Senhor teu Deus é o único Deus, um Deus fiel, que guarda a aliança e a misericórdia até mil gerações, para aqueles que o amam e observam seus mandamentos.

Responsório breve

R. **Deus** nos a**mou** por pri**meiro**,
  * Ele **fez** Aliança conosco. R. **Deus** nos a**mou**.
V. Sem medida é a sua ternura. * Ele **fez**.
  Glória ao **Pai**. R. **Deus** nos a**mou**.

Cântico evangélico, ant.

Veio o **Filho** do **Ho**mem ser**vir** e **não** ser servido, diz **Cris**to;
veio **dar** sua **vi**da por **to**dos.

Preces

Demos graças a Deus Pai, e supliquemos que ele purifique e confirme os nossos corações na caridade, pela vinda e ação do Espírito Santo. Digamos, pois, cheios de confiança:

R. **Dai-nos, Senhor, o vosso Espírito Santo!**

Ensinai-nos a receber com um coração agradecido os bens que vós nos dais,
— e a aceitar com paciência os sofrimentos que pesam sobre nós. R.

Fazei que pratiquemos a caridade, não apenas nas grandes ocasiões,
— mas principalmente no cotidiano de nossas vidas. R.

Concedei que saibamos renunciar ao supérfluo,
— para podermos socorrer nossos irmãos e irmãs necessitados. R.

Dai-nos trazer sempre em nosso corpo a imagem da Paixão de vosso Filho,
— vós, que nos destes a vida em seu corpo. R.

(intenções livres)

Pai nosso...

Oração

Ó Deus, conservai constantemente vossa família na prática das boas obras e, assim como nos confortais agora com vossos auxílios, conduzi-nos aos bens eternos. Por nosso Senhor Jesus Cristo, vosso Filho, na unidade do Espírito Santo.

320   2ª Semana da Quaresma

Hora Média

Ant. Por minha vida, diz o Senhor,
não quero a morte do pecador,
mas que ele volte e tenha a vida.

Leitura breve   Zc 1,3b-4b
Voltai-vos para mim, diz o Senhor dos exércitos, e eu me voltarei
para vós, diz o Senhor dos exércitos. Não sejais como os vossos
pais, aos quais os antigos profetas gritavam: Assim fala o Senhor
dos exércitos: Abandonai vossos maus caminhos e vossos maus
pensamentos; mas não me ouviram.

V. Desviai o vosso olhar dos meus pecados.
R. E apagai todas as minhas transgressões!
Oração como nas Laudes.

Vésperas

Leitura breve   Fl 2,12b-15a
Trabalhai para a vossa salvação, com temor e tremor. Pois é
Deus que realiza em vós tanto o querer como o fazer, conforme
o seu desígnio benevolente. Fazei tudo sem reclamar ou murmu-
rar, para que sejais livres de repreensão e ambiguidade, filhos de
Deus sem defeito.

Responsório breve
R. Em **Deus**, cuja Palavra me entusiasma,
  * Em **Deus** eu me apóio. R. Em **Deus**, cuja Palavra.
V. Nada **mais** me causa medo. * Em **Deus** eu me apóio.
  Glória ao **Pai**. R. Em **Deus**, cuja Palavra.

Cântico evangélico, ant.
O **Filho** do **Homem** será desprezado,
será flagelado e, na **cruz**, morrerá;
e de**pois** de três **dias** ressuscitará.

Preces
Demos glória a Deus Pai, que no sangue de Cristo firmou uma
nova Aliança com seu povo, e a renova pelo sacramento do altar.
Peçamos com fé:

Quinta-feira 321

R. Abençoai, Senhor, o vosso povo!

Dirigi, Senhor, conforme a vossa vontade, as intenções dos povos e dos governantes,
– para que eles se empenhem sinceramente em promover o bem de todos. **R.**

Fortalecei a fidelidade daqueles que tudo abandonaram para seguir a Cristo;
– que eles deem a todos testemunho e exemplo da santidade da Igreja. **R.**

Vós, que criastes os homens e as mulheres à vossa imagem e semelhança,
– fazei que todos rejeitem qualquer desigualdade injusta. **R.**

Reconduzi à vossa amizade e verdade todos os que vivem afastados da fé,
– e ensinai-nos como ajudá-los eficazmente. **R.**

(intenções livres)

Concedei aos que morreram entrar na vossa glória
– para que vos louvem eternamente. **R.**

Pai nosso...

Oração

Ó Deus, conservai constantemente vossa família na prática das boas obras e, assim como nos confortais agora com vossos auxílios, conduzi-nos aos bens eternos. Por nosso Senhor Jesus Cristo, vosso Filho, na unidade do Espírito Santo.

QUINTA-FEIRA

Laudes

Leitura breve   cf. 1Rs 8,51-53a

Nós somos, Senhor, teu povo e tua herança. Teus olhos estejam abertos à súplica do teu servo e do teu povo, Israel, escutando-nos toda vez que te invocarmos. Pois tu nos separaste para ti como herança dentre todos os povos da terra.

Responsório breve

R. Nós somos vosso povo, ó Senhor.
  * Misericórdia, Senhor, a vós clamamos! R. Nós somos.
V. Curvados sob o peso dos pecados,
  choramos de tristeza. * Misericórdia.
  Glória ao Pai. R. Nós somos.

Cântico evangélico, ant.

Recorda-te, meu filho:
na vida tinhas tudo, mas Lázaro sofria.

Preces

Celebremos a bondade de Deus, que se revelou em Cristo Jesus.
E de todo o coração lhe supliquemos:

R. Lembrai-vos, Senhor, de vossos filhos e filhas!

Concedei-nos viver mais profundamente o mistério da Igreja;
— que ela seja para toda a humanidade o sacramento eficaz da
salvação. R.

Deus, amigo do ser humano, ensinai-nos a trabalhar generosamente para o progresso da civilização,
— e a buscar em todas as coisas o vosso Reino. R.

Levai-nos a saciar nossa sede de justiça,
— na fonte de água viva que nos destes em Cristo. R.

Perdoai, Senhor, todos os nossos pecados,
— e dirigi nossos passos no caminho da justiça e da verdade. R.

(intenções livres)

Pai nosso...

Oração

Ó Deus, que amais e restaurais a inocência, orientai para vós os
corações dos vossos filhos e filhas para que, renovados pelo vosso Espírito, sejamos firmes na fé e eficientes nas obras. Por nosso
Senhor, Jesus Cristo, vosso Filho, na unidade do Espírito Santo.

Hora Média

Ant. Por minha vida, diz o Senhor,
  não quero a morte do pecador,
  mas que ele volte e tenha a vida.

Quinta-feira

Leitura breve Dt 30,2-3a

Tu te converterás ao Senhor teu Deus com teus filhos, e obedecerás aos seus mandamentos com todo o teu coração e com toda a tua alma, conforme tudo o que hoje te ordeno. O Senhor teu Deus te fará voltar do cativeiro e se compadecerá de ti,

V. Desviai o vosso olhar dos meus pecados.
R. E apagai todas as minhas transgressões!
Oração como nas Laudes.

Vésperas

Leitura breve Tg 4,7-8.10

Obedecei a Deus, mas resisti ao diabo, e ele fugirá de vós. Aproximai-vos de Deus, e ele se aproximará de vós. Purificai as mãos, ó pecadores, e santificai os corações, homens dúbios. Humilhai-vos diante do Senhor, e ele vos exaltará.

Responsório breve
R. Senhor, atendei minha prece,
   * Meu clamor chegue a vós! R. Senhor.
V. Escutai-me, no dia em que chamo. * Meu clamor.
   Glória ao Pai. R. Senhor.

Cântico evangélico, ant.
O rico em seus tormentos implorou uma gota d'água,
ele que a Lázaro negara as migalhas do seu pão.

Preces
Proclamemos a misericórdia de Deus, que nos ilumina com a graça do Espírito Santo, para que resplandeçam em nossas obras a justiça e a santidade; e supliquemos:
R. **Dai a vida, Senhor, ao povo que Cristo redimiu!**

Senhor, fonte e autor de toda santidade, fortalecei os bispos, os sacerdotes e os diáconos em sua união com Cristo por meio do mistério eucarístico,
– para que se renove sempre mais a graça que receberam pela imposição das mãos. R.

Ensinai os vossos fiéis a participarem de modo mais digno e ativo na mesa da Palavra e do Corpo de Cristo,
– para que mantenham na vida e nos costumes o que receberam pela fé e pelos sacramentos. R.

Ensinai-nos a reconhecer a dignidade de cada pessoa humana, redimida pelo Sangue de vosso Filho,
— e a respeitarmos a liberdade e a consciência de nossos irmãos e irmãs. R.

R. **Dai a vida, Senhor, ao povo que Cristo redimiu!**

Fazei que todos os seres humanos saibam moderar seus desejos de bens temporais,
— e atendam às necessidades do próximo. R.

(intenções livres)

Tende piedade dos fiéis que hoje chamastes desta vida para vós,
— e concedei-lhes o dom da eterna bem-aventurança. R.
Pai nosso...

Oração

Ó Deus, que amais e restaurais a inocência, orientai para vós os corações dos vossos filhos e filhas para que, renovados pelo vosso Espírito, sejamos firmes na fé e eficientes nas obras. Por nosso Senhor, Jesus Cristo, vosso Filho, na unidade do Espírito Santo.

SEXTA-FEIRA

Laudes

Leitura breve Is 53,11b-12

Meu Servo, o justo, fará justos inúmeros homens, carregando sobre si suas culpas. Por isso, compartilharei com ele multidões e ele repartirá suas riquezas com os valentes seguidores, pois entregou o corpo à morte, sendo contado como um malfeitor; ele, na verdade, resgatava o pecado de todos e intercedia em favor dos pecadores.

Responsório breve
R. **Vós** nos resga**tas**tes, ó Se**nhor,**
* Para **Deus** o vosso **san**gue nos **re**miu. R. **Vós** nos.
V. Dentre **to**das as **tri**bos e **lín**guas,
dentre os **po**vos da **ter**ra e na**ções.** * Para **Deus.**
Glória ao **Pai.** R. **Vós** nos.

Sexta-feira

Cântico evangélico, ant.

O Senhor acabará com os malvados
e a outros sua vinha entregará,
que lhe deem os seus frutos a seu tempo.

Preces

Imploremos a Cristo Salvador, que nos remiu por sua morte e ressurreição e digamos:

R. **Senhor, tende piedade de nós!**

Vós, que subistes a Jerusalém para sofrer a Paixão, e assim entrar na glória,
– conduzi vossa Igreja à Páscoa da eternidade. R.

Vós, que, elevado na cruz, deixastes a lança do soldado vos traspassar,
– curai as nossas feridas. R.

Vós, que transformastes o madeiro da cruz em árvore da vida,
– concedei os frutos dessa árvore aos que renasceram pelo batismo. R.

Vós, que, pregado na cruz, perdoastes o ladrão arrependido,
– perdoai-nos também a nós pecadores. R.

(intenções livres)

Pai nosso...

Oração

Concedei-nos, ó Deus todo-poderoso, que, purificados pelo esforço da penitência, cheguemos de coração sincero às festas da Páscoa que se aproximam. Por nosso Senhor Jesus Cristo, vosso Filho, na unidade do Espírito Santo.

Hora Média.

Ant. Por minha vida, diz o Senhor,
não quero a morte do pecador,
mas que ele volte e tenha a vida.

Leitura breve   cf. Jr 3,12b-14a

Voltai, é o Senhor que chama, não desviarei de vós minha face, porque eu sou misericordioso, não estarei irado para sempre. Convertei-vos, filhos, que vos tendes afastado de mim, diz o Senhor.

326 2ª Semana da Quaresma

V. Desviai o vosso olhar dos meus pecados.
R. E apagai todas as minhas transgressões!
Oração como nas Laudes.

Vésperas

Leitura breve Tg 5,16.19-20

Confessai uns aos outros os vossos pecados e orai uns pelos outros para alcançar a saúde. A oração fervorosa do justo tem grande poder. Meus irmãos, se alguém de vós se desviar da verdade
e um outro o reconduzir, saiba este que aquele que reconduz um
pecador desencaminhado salvará da morte a alma dele e cobrirá
uma multidão de pecados.

Responsório breve
R. Curai-me, Senhor, ó Deus santo,
* Pois pequei contra vós. R. Curai-me.
V. Tende piedade de mim, renovai-me! * Pois pequei.
   Glória ao Pai. R. Curai-me.

Cântico evangélico, ant.
Procuravam prender a Jesus;
não o fizeram por medo do povo,
que o tinha por grande Profeta.

Preces
Adoremos o Salvador do gênero humano, que morrendo destruiu
a morte e ressuscitando renovou a vida; e peçamos com humildade:
R. Santificai, Senhor, o povo que remistes com vosso sangue!

Jesus, nosso Redentor, concedei que, pela penitência, nos associemos cada vez mais plenamente à vossa Paixão,
– a fim de alcançarmos a glória da ressurreição. R.

Acolhei-nos sob a proteção de Maria, vossa Mãe, consoladora
dos aflitos,
– para podermos confortar os tristes com o mesmo auxílio que de
vós recebemos. R.

Concedei-nos a graça de tomar parte na vossa Paixão por meio
dos sofrimentos da vida,
– para que também em nós se manifeste a vossa salvação. R.

Senhor Jesus, que vos humilhastes na obediência até à morte e morte de cruz,
– ensinai-nos a ser obedientes e sofrer com paciência. R.

(intenções livres)

Tornai os corpos de nossos irmãos e irmãs falecidos semelhantes à imagem do vosso corpo glorioso,
– e fazei-nos dignos de participar um dia, com eles, da vossa glória.
R.
Pai nosso...

Oração

Concedei-nos, ó Deus todo-poderoso, que, purificados pelo esforço da penitência, cheguemos de coração sincero às festas da Páscoa que se aproximam. Por nosso Senhor Jesus Cristo, vosso Filho, na unidade do Espírito Santo.

SÁBADO

Laudes

Leitura breve Is 1,16-18

Lavai-vos, purificai-vos. Tirai a maldade de vossas ações de minha frente. Deixai de fazer o mal! Aprendei a fazer o bem! Procurai o direito, corrigi o opressor. Julgai a causa do órfão, defendei a viúva. Vinde, debatamos – diz o Senhor. Ainda que vossos pecados sejam como púrpura, tornar-se-ão brancos como a neve. Se forem vermelhos como o carmesim, tornar-se-ão como lã.

Responsório breve

R. O **Sangue** de Je**sus** nos puri**fi**ca,
  * De **to**dos nossos **er**ros nos li**ber**ta. R. O **San**gue.
V. Vinde **ver** os grandes **fei**tos do Se**nhor**! * De **to**dos.
  Glória ao **Pai**. R. O **San**gue.

Cântico evangélico, ant.

Meu **pai**, eu pe**quei** contra o **céu** e contra **ti**!
Não me**re**ço ser teu filho, quero **ser** teu empregado!

328   2ª Semana da Quaresma

Preces

Demos graças a Cristo nosso Salvador, sempre e em toda parte;
e supliquemos com toda a confiança:
R. **Socorrei-nos, Senhor, com a vossa graça!**

Ajudai-nos a conservar sem mancha os nossos corpos,
– para que sejam digna morada do Espírito Santo.   R.

Despertai em nós, desde o amanhecer, o desejo de nos sacrificarmos pelos nossos irmãos,
– e de cumprirmos a vossa vontade em todas as atividades deste
dia.   R.

Ensinai-nos a procurar o pão da vida eterna,
– que vós mesmo nos ofereceis.   R.

Interceda por nós a vossa Mãe, refúgio dos pecadores,
– para alcançarmos o perdão dos nossos pecados.   R.

(intenções livres)

Pai nosso...

Oração

Ó Deus, que pelos exercícios da Quaresma já nos dais na terra
participar dos bens do céu, guiai-nos de tal modo nesta vida, que
possamos chegar à luz em que habitais. Por nosso Senhor Jesus
Cristo, vosso Filho, na unidade do Espírito Santo.

Hora Média

Ant. Por minha vida, diz o Senhor,
     não quero a **morte** do pecador,
     mas que ele **volte** e tenha a vida.

Leitura breve   Is 44,21-22

Lembra-te de que tu és meu servo; eu te criei, és meu servo, Israel, não me decepciones. Desmanchei como uma nuvem teus
pecados, como a névoa desfiz tuas culpas; volta para mim, porque te resgatei!

V. Desviai o vosso olhar dos meus pecados.
R. E apagai todas as minhas transgressões!

Oração como nas Laudes.

3º DOMINGO DA QUARESMA

III Semana do Saltério

I Vésperas

Hino, p. 271.

Ant. 1 Convertei-vos e crede no Evangelho.

Salmos e cântico do domingo da III Semana, p. 941.

Ant. 2 Eu vos oferto um sacrifício de louvor,
invocando o nome santo do Senhor!

Ant. 3 Ninguém poderá tirar-me a vida,
mas eu mesmo a ofereço e a retomo.

Leitura breve   2Cor 6,1-4a

Nós vos exortamos a não receberdes em vão a graça de Deus, pois ele diz: "No momento favorável, eu te ouvi e no dia da salvação, eu te socorri". É agora o momento favorável, é agora o dia da salvação. Não damos a ninguém nenhum motivo de escândalo, para que o nosso ministério não seja desacreditado. Mas em tudo nos recomendamos como ministros de Deus.

Responsório breve

R. Eis o tempo favorável,
* Eis o dia da salvação! R. Eis o tempo.
V. Reuni-vos, resgatados das nações,
vinde, aproximai-vos! * Eis o dia.
Glória ao Pai. R. Eis o tempo.

Cântico evangélico, ant.

Ano A Quem beber daquela água que eu lhe der,
não terá sede, eternamente, diz Jesus.

Ano B Tirai daqui essas coisas!
Não façais, diz Jesus, da casa do meu Pai,
uma casa de comércio!

Ano C Eu vos digo: Se vós não vos converterdes,
todos vós perecereis do mesmo modo.

Preces

Demos glória a Cristo Jesus, que se fez nosso mestre, exemplo e irmão; e supliquemos, dizendo:

R. **Renovai, Senhor, o vosso povo!**

Senhor Jesus, que vos tornastes semelhante a nós em tudo, exceto no pecado, ensinai-nos a alegrar-nos com os que se alegram e a chorar com os que choram,
– para que a nossa caridade aumente cada vez mais. R.

Ensinai-nos a matar a vossa fome nos que têm fome,
– e a saciar a vossa sede nos que têm sede. R.

Vós que ressuscitastes Lázaro do sono da morte,
– fazei que voltem à vida, pela fé e a penitência, os que estão mortos pelo pecado. R.

Aumentai o número dos que querem seguir mais de perto o vosso caminho de perfeição,
– a exemplo da bem-aventurada Virgem Maria e dos Santos. R.

(intenções livres)

Concedei aos nossos irmãos e irmãs falecidos a glória da ressurreição,
– para que gozem eternamente do vosso amor. R.

Pai nosso...

Oração

Ó Deus, fonte de toda misericórdia e de toda bondade, vós nos indicastes o jejum, a esmola e a oração como remédio contra o pecado. Acolhei esta confissão da nossa fraqueza para que, humilhados pela consciência de nossas faltas, sejamos confortados pela vossa misericórdia. Por nosso Senhor Jesus Cristo, vosso Filho, na unidade do Espírito Santo.

Laudes

Hino, p. 272.

Ant. 1 Bem mais **for**te que o fra**gor** das grandes **á**guas,
é a **for**ça da pa**la**vra do Se**nhor**.

Salmos e cântico do domingo da III Semana, p. 945.

Ant. 2 **Fon**tes e nas**cen**tes, bendi**zei** o Se**nhor**,
lou**vai**-o e exal**tai**-o pelos sé**cu**los sem **fim**!

3º Domingo   331

Ant. 3 Reis da **terra**, povos **todos**, bendi**zei** o nosso **Deus!**

Leitura breve   Ne 8,9b.10b
Este é um dia consagrado ao Senhor, vosso Deus! Não fiqueis
tristes nem choreis. Pois este dia é santo para o nosso Senhor.
Não fiqueis tristes, porque a alegria do Senhor será a vossa força.

Responsório breve
R. A ale**gri**a do Se**nhor** é nossa **força** e am**paro**.
  * Sois ben**dito**, Senhor **Deus**, de ge**ração** em ge**ração**.
  R. A ale**gri**a.
V. Seja ben**dito** vosso **no**me glorioso,
       que céu e **terra** vos ex**al**tem, sem cessar! * Sois ben**dito**.
       Glória ao **Pai**. R. A ale**gri**a.

Cântico evangélico, ant.
Ano A Vem a **hora** e já che**gou**, diz o Se**nhor**,
          em **que** os adora**dores** verda**deiros**,
          em es**pírito** e ver**dade** adora**rão**.
          E o **Pai** procura a **es**tes que o a**dorem**.
Ano B Destru**í** este **tem**plo, disse **Cristo**,
          e em três **dias** have**rei** de reer**guê-lo**.
          Ele fala**va** do **tem**plo do seu **cor**po.
Ano C Justifi**ca**dos pela **fé**,
          temos **paz** com o Se**nhor** através de Jesus **Cris**to.

Preces
Bendigamos o nosso Redentor que na sua bondade nos concede
este tempo de salvação; e supliquemos:
R. **Criai em nós, Senhor, um espírito novo!**

Cristo, nossa vida, que pelo batismo nos sepultastes sacramentalmente convosco na morte para que também convosco ressuscitemos,
– ajudai-nos hoje a ser fiéis à vida nova que recebemos. R.
Senhor Jesus, que passastes pelo mundo fazendo o bem,
– tornai-nos solícitos pelo bem comum de toda a humanidade. R.
Ensinai-nos a trabalhar generosamente na construção da cidade
terrena,
– e ao mesmo tempo buscar a cidade celeste.   R.

Tempo de Quaresma

Médico dos corpos e das almas, curai as feridas do nosso coração,
– para progredirmos continuamente no caminho da santidade. R.

(intenções livres)

Pai nosso...

Oração

Ó Deus, fonte de toda misericórdia e de toda bondade, vós nos indicastes o jejum, a esmola e a oração como remédio contra o pecado. Acolhei esta confissão da nossa fraqueza para que, humilhados pela consciência de nossas faltas, sejamos confortados pela vossa misericórdia. Por nosso Senhor Jesus Cristo, vosso Filho, na unidade do Espírito Santo.

Hora Média

Hino, p. 273.

Ant. Por minha vida, diz o Senhor,
não quero a morte do pecador,
mas que ele volte e tenha a vida.

Leitura breve   Is 30,15.18

Eis o que diz o Senhor Deus, o Santo de Israel: "Sereis salvos, se buscardes a salvação e a paz; no silêncio e na esperança estará a vossa força". Por isso o Senhor está pronto a compadecer-se de vós, e, perdoando-vos, será glorificado na medida em que o Senhor é um Deus de justiça: felizes todos aqueles que esperam nele.

V. Desviai o vosso olhar dos meus pecados .
R. E apagai todas as minhas transgressões!

Oração como nas Laudes.

II Vésperas

Hino, p. 271.

Ant. 1 Por vosso nome, libertai-nos, Senhor Deus onipotente!
Dai-nos tempo necessário para a nossa conversão!

Salmos e cântico do domingo da III Semana, p. 953.

Ant. 2 Fomos remidos pelo sangue precioso
do Cordeiro imaculado, Jesus Cristo.

3° Domingo 333

Ant. 3 O **Cristo tomou** sobre **si** nossas **dores,**
carre**gou** em seu **corpo** as **nos**sas fra**que**zas.

Leitura breve
cf. 1Cor 9,24-25

Os que correm no estádio correm todos juntos, mas um só ganha
o prêmio. Correi de tal maneira que conquisteis o prêmio. Todo
atleta se sujeita a uma disciplina rigorosa em relação a tudo, e
eles procedem assim, para receberem uma coroa corruptível.
Quanto a nós, a coroa que buscamos é incorruptível.

Responsório breve

R. Em abun**dân**cia vós me **dais** muito vi**gor** para o com**ba**te.
  *Ó Deus de **mi**nha vi**tó**ria! R. Em abun**dân**cia.
V. Vossa jus**ti**ça me ori**en**te. *Ó **Deus**.
  Glória ao **Pai**. R. Em abun**dân**cia.

Cântico evangélico, ant.

Ano A Muitos **ou**tros creram **ne**le e di**zi**am à mu**lher**:
    Já não **é** por tua **fa**la que **ne**le acredi**ta**mos;
    mas ou**vi**mos e sa**be**mos
    que **es**te é, de **fa**to, do **mun**do o Salva**dor**.

Ano B Es**tan**do Je**sus** na **fes**ta da **Pás**coa em **Je**rusa**lém**
    e **ven**do os si**nais** que ele fa**zia**,
    muitos **cre**ram em seu **no**me.

Ano C Se**nhor**, deixa a fi**guei**ra, a**in**da este **a**no!
    Vou ca**var** em volta **de**la,
    e, quem **sa**be, no fu**tu**ro, a**in**da dará **fru**tos.

Preces

Demos glória a Deus Pai, que fez de nós o seu povo eleito, renascido de uma semente incorruptível e eterna, por meio de seu
Filho, a Palavra que se fez carne; e lhe supliquemos humildemente :

R. **Senhor, sede propício ao vosso povo!**

Deus de misericórdia, escutai as súplicas que vos dirigimos em
favor do vosso povo,
–e fazei que ele deseje sempre mais a vossa palavra do que o
alimento corporal.
R.

334   3º Semana da Quaresma

Ensinai-nos a amar sinceramente e sem discriminação a gente de nossa terra e os povos de todas as raças,
– e a trabalhar pela felicidade e concórdia de toda a humanidade.

R. **Senhor, sede propício ao vosso povo!**

Acolhei com bondade os que se preparam para o renascimento espiritual do batismo,
– para que, como pedras vivas, eles construam a vossa casa espiritual que é a Igreja. R.

Vós, que pela pregação do profeta Jonas exortastes os ninivitas à penitência,
– convertei por vossa palavra os corações dos pecadores. R.

(intenções livres)

Ajudai os agonizantes a esperarem confiantemente o seu encontro com Cristo,
– para que se alegrem eternamente na visão da vossa face. R.
Pai nosso...

Oração

Ó Deus, fonte de toda misericórdia e de toda bondade, vós nos indicastes o jejum, a esmola e a oração como remédio contra o pecado. Acolhei esta confissão da nossa fraqueza para que, humilhados pela consciência de nossas faltas, sejamos confortados pela vossa misericórdia. Por nosso Senhor Jesus Cristo, vosso Filho, na unidade do Espírito Santo.

SEGUNDA-FEIRA

Laudes

Leitura breve   Ex 19,4-6a

Vós vistes o que fiz aos egípcios, e como vos levei sobre asas de águia e vos trouxe a mim. Portanto, se ouvirdes a minha voz e guardardes a minha aliança, sereis para mim a porção escolhida dentre todos os povos, porque minha é toda a terra. E vós sereis para mim um reino de sacerdotes e uma nação santa.

Segunda-feira

Responsório breve

R. Feliz o povo cujo **Deus** é o Senhor!
* Caminhemos, olhos fixos em Jesus! R. Feliz o povo.
V. Deus ama o direito e a justiça. * Caminhemos.
Glória ao **Pai**. R. Feliz o povo.

Cântico evangélico, ant.

Eu digo com certeza a todos **vós**:
o profeta não é aceito em sua **pátria**.

Preces

Bendigamos a Jesus, nosso Salvador, que pela sua morte nos abriu o caminho da salvação; e oremos:

R. **Guiai-nos, Senhor, em vossos caminhos!**

Deus de misericórdia, que pelo batismo nos destes uma vida nova,
– fazei que dia a dia nos configuremos cada vez mais à vossa imagem. R.

Ensinai-nos a ser hoje alegria para os que sofrem,
– e a vos servir em cada irmão ou irmã que precise de nossa aju-da. R.

Ajudai-nos a praticar o que é bom, correto e verdadeiro a vossos olhos,
– e a sempre vos procurar com sinceridade de coração. R.

Perdoai-nos, Senhor, as faltas que cometemos contra a unidade de vossa família,
– e fazei que nos tornemos um só coração e uma só alma. R.

(intenções livres)

Pai nosso...

Oração

Ó Deus, na vossa incansável misericórdia, purificai e protegei a vossa Igreja, governando-a constantemente, pois sem vosso auxílio ela não pode salvar-se. Por nosso Senhor Jesus Cristo, vosso Filho, na unidade do Espírito Santo.

Hora Média

Ant. Por minha vida, diz o Senhor,
não quero a **morte** do pecador,
mas que ele **volte** e tenha a vida.

336 3ª Semana da Quaresma

Leitura breve Ez 18,23
Será que eu tenho prazer na morte do ímpio? – oráculo do Senhor Deus. Não desejo, antes, que mude de conduta e viva?

V. Desviai o vosso olhar dos meus pecados.
R. E apagai todas as minhas transgressões!

Oração como nas Laudes.

Vésperas

Leitura breve Rm 12,1-2
Pela misericórdia de Deus, eu vos exorto, irmãos, a vos oferecerdes em sacrifício vivo, santo e agradável a Deus: Este é o vosso culto espiritual. Não vos conformeis com o mundo, mas transformai-vos, renovando vossa maneira de pensar e de julgar, para que possais distinguir o que é da vontade de Deus, isto é, o que é bom, o que lhe agrada, o que é perfeito.

Responsório breve
R. Clamo de todo coração:
*Respondei-me, ó Senhor! R. Clamo.
V. Hei de fazer vossa vontade. * Respondei-me.
Glória ao Pai. R. Clamo.

Cântico evangélico, ant.
Jesus passou no meio deles e afastou-se.

Preces
Invoquemos ao Senhor Jesus Cristo que fez de nós o seu povo libertando-nos do pecado; e oremos humildemente:
R. Jesus, filho de Davi, tende piedade de nós!

Ó Cristo, lembrai-vos da vossa santa Igreja, pela qual vos entregastes à morte para santificá-la na água da purificação espiritual e na palavra da vida:
– renovai-a sem cessar e purificai-a pela penitência. R.

Bom Mestre, mostrai aos jovens o caminho que escolhestes para cada um deles,
– para que sigam generosamente o vosso chamado e sejam felizes. R.

Terça-feira

Vós, que tivestes compaixão de todos os doentes que vos procuraram, dai esperança aos nossos enfermos e curai-os,
– e fazei-nos solícitos e generosos para com todos os que sofrem. R.
Despertai em nós a consciência da dignidade de filhos de Deus que recebemos pelo batismo,
– e tornai-nos cada vez mais conformes à vossa vontade. R.

(intenções livres)

Dai aos nossos irmãos e irmãs falecidos a vossa paz e a glória eterna,
– e reuni-nos um dia com eles no vosso reino. R.
Pai nosso...

Oração

Ó Deus, na vossa incansável misericórdia, purificai e protegei a vossa Igreja, governando-a constantemente, pois sem vosso auxílio ela não pode salvar-se. Por nosso Senhor Jesus Cristo, vosso Filho, na unidade do Espírito Santo.

TERÇA-FEIRA

Laudes

Leitura breve Jl 2,12-13
Voltai para mim com todo o vosso coração, com jejuns, lágrimas e gemidos; rasgai o coração, e não as vestes; e voltai para o Senhor, vosso Deus; ele é benigno e compassivo, paciente e cheio de misericórdia, inclinado a perdoar o castigo.

Responsório breve
R. Curai-me, ó Deus Santo,
* Pois pequei contra vós! R. Curai-me.
V. Tende piedade de mim, renovai-me! * Pois pequei. Glória ao Pai. R. Curai -me.

Cântico evangélico, ant.
Disse Cristo a Simão Pedro:
Perdoarás o teu irmão não somente sete vezes,
mas setenta vezes sete.

338 3ª Semana da Quaresma

Preces

Bendigamos a Cristo, que se deu a nós como pão descido do céu; e oremos, dizendo:

R. **Cristo, pão da vida e remédio que nos salva, dai-nos vossa força!**

Senhor, que nos alimentais na vossa ceia eucarística,
– dai-nos a plena participação nos frutos do sacrifício pascal. R.

Ensinai-nos a acolher vossa palavra num coração bom e reto,
– para darmos frutos na paciência. R.

Fazei que colaboremos alegremente convosco na construção do mundo,
– a fim de que o anúncio da paz se difunda mais eficazmente pela ação da Igreja. R.

Reconhecemos, Senhor, que somos pecadores;
– apagai as nossas culpas com a graça da vossa salvação. R.

(intenções livres)

Pai nosso...

Oração

Ó Deus, que a vossa graça não nos abandone, mas nos faça dedicados ao vosso serviço e aumente sempre em nós os vossos dons. Por nosso Senhor Jesus Cristo, vosso Filho, na unidade do Espírito Santo.

Hora Média

Ant. Por minha vida, diz o Senhor,
não quero a morte do pecador,
mas que ele volte e tenha a vida.

Leitura breve   Jr 3,25b

Nós ofendemos o Senhor, nosso Deus, nós e nossos pais, desde a juventude até ao dia de hoje, não escutamos a voz do Senhor, nosso Deus.

V. Desviai o vosso olhar dos meus pecados.
R. E apagai todas as minhas transgressões!

Oração como nas Laudes.

Terça-feira

Vésperas

Leitura breve — Tg 2,14.17.18b

Meus irmãos, que adianta alguém dizer que tem fé, quando não a põe em prática? A fé seria então capaz de salvá-lo? A fé, se não se traduz em obras, por si só está morta. Tu, mostra-me a tua fé sem as obras, que eu te mostrarei a minha fé pelas obras!

Responsório breve

R. Iluminai-me, Senhor, conforme a vossa palavra,
  * Para que eu sempre faça a vossa vontade!
    R. Iluminai-me.
V. Inclinai meu coração aos vossos preceitos. * Para que eu.
    Glória ao Pai. R. Iluminai-me.

Cântico evangélico, ant.

Se vós não perdoardes de todo coração,
o meu Pai, que está nos céus, também não vos perdoará.

Preces

Imploremos ao Cristo Senhor, que nos mandou vigiar e orar para não cairmos em tentação; e digamos confiantemente:

R. **Ouvi-nos, Senhor, e tende piedade!**

Cristo Jesus, que prometestes estar presente no meio daqueles que se reúnem para orar em vosso nome,
– ensinai-nos a orar sempre convosco ao Pai no Espírito Santo. R.

Celeste Esposo, purificai de todo pecado vossa amada Igreja,
– e fazei que ela viva sempre na esperança e na alegria do Espírito Santo. R.

Amigo do ser humano, tornai-nos solícitos pelo bem do próximo, como nos mandastes,
– a fim de que, por meio de nós, brilhe para todos a luz da vossa salvação. R.

Pai pacífico, dai ao mundo a vossa paz,
– para que em toda parte se faça mais sensível vossa presença salvadora. R.

(intenções livres)

340   3ª Semana da Quaresma

Abri as portas da bem-aventurança eterna a todos os que morreram,
– e admiti-os na glória da eternidade.
R. **Ouvi-nos, Senhor, e tende piedade!**
Pai nosso...

Oração

Ó Deus, que a vossa graça não nos abandone, mas nos faça
dedicados ao vosso serviço e aumente sempre em nós os vossos
dons. Por nosso Senhor Jesus Cristo, vosso Filho, na unidade do
Espírito Santo.

QUARTA-FEIRA

Laudes

Leitura breve   Dt 7,6b.8-9
O Senhor teu Deus te escolheu dentre todos os povos da terra,
para seres o seu povo preferido, porque o Senhor vos amou e
quis cumprir o juramento que fez a vossos pais. Foi por isso que
o Senhor vos fez sair com mão poderosa, e vos resgatou da casa
da escravidão, das mãos do Faraó, rei do Egito. Saberás, pois,
que o Senhor teu Deus é o único Deus, um Deus fiel, que guarda
a aliança e a misericórdia até mil gerações, para aqueles que o
amam e observam seus mandamentos.

Responsório breve
R. **Deus** nos **amou** por pri**mei**ro,
  * Ele **fez** Aliança co**nos**co R. **Deus** nos **amou**.
V. Sem me**di**da é a **sua** ternura. * Ele **fez**.
  Glória ao **Pai**. R. **Deus** nos **amou**.

Cântico evangélico, ant.
Eu não **vim** para abo**lir** a **Lei** e os Pro**fe**tas,
mas cum**pri**-los plena**men**te.

Preces
Bendigamos o Autor da nossa salvação, que quis renovar o ser
humano em si mesmo, para que as coisas antigas passassem e
tudo se fizesse novo. Apoiados nesta esperança viva, roguemos:

R. Senhor, renovai-nos com o vosso Espírito!

Senhor, que nos prometestes um novo céu e uma nova terra, renovai-nos sem cessar por vosso Espírito Santo,
– para que gozemos eternamente da vossa presença na nova Jerusalém. **R.**

Concedei-nos colaborar convosco para infundir no mundo o vosso Espírito,
– e atrair mais eficazmente para a cidade terrena a justiça, a caridade e a paz. **R.**

Ensinai-nos a corrigir nossa fraqueza e negligência,
– e a procurar de todo o coração os bens eternos. **R.**

Livrai-nos, Senhor, de todo o mal,
– e preservai-nos do fascínio da vaidade, que obscurece a mente e oculta os verdadeiros valores. **R.**

(intenções livres)

Pai nosso...

Oração

Ó Deus de bondade, concedei que, formados pela observância da Quaresma e nutridos por vossa palavra, saibamos mortificar-nos para vos servir com fervor, sempre unânimes na oração. Por nosso Senhor Jesus Cristo, vosso Filho, na unidade do Espírito Santo.

Hora Média

Ant. Por minha vida, diz o Senhor,
não quero a morte do pecador,
mas que ele volte e tenha a vida.

Leitura breve Zc 1,3b-4b

Voltai-vos para mim, diz o Senhor dos exércitos, e eu me voltarei para vós, diz o Senhor dos exércitos. Não sejais como os vossos pais, aos quais os antigos profetas gritavam: Assim fala o Senhor dos exércitos: Abandonai vossos maus caminhos e vossos maus pensamentos; mas não me ouviram nem atenderam

V. Desviai o vosso olhar dos meus pecados.
R. E apagai todas as minhas transgressões!

Oração com nas Laudes.

342 3ª Semana da Quaresma

Vésperas

Leitura breve Fl 2,12b-15a

Trabalhai para a vossa salvação, com temor e tremor. Pois é Deus que realiza em vós tanto o querer como o fazer, conforme o seu desígnio benevolente. Fazei tudo sem reclamar ou murmurar, para que sejais livres de repreensão e ambiguidade, filhos de Deus sem defeito.

Responsório breve

R. Em **Deus**, cuja Palavra me entusiasma,
  * Em **Deus** eu me apóio. R. Em **Deus**, cuja Palavra.
V. Nada **mais** me causa medo. * Em **Deus** eu me apóio.
  Glória ao **Pai**. R. Em **Deus**, cuja Palavra.

Cântico evangélico, ant.

Quem viver e ensinar o Evangelho,
será grande no meu reino, diz Jesus.

Preces

Aclamemos o Deus todo-poderoso e previdente, que conhece todas as nossas necessidades, mas quer que busquemos, antes de tudo, o seu reino. Rezemos, dizendo:

R. **Senhor, venha a nós o vosso Reino e a sua justiça!**

Pai santo, que nos destes Jesus Cristo como Pastor de nossas almas, assisti os pastores da Igreja e o povo a eles confiado,
– para que não falte ao rebanho a solicitude dos seus pastores nem aos pastores a obediência de suas ovelhas. R.

Aumentai a caridade dos cristãos, para que ajudem os doentes com amor fraterno,
– e socorram neles o vosso próprio Filho, Jesus Cristo. R.

Fazei que ingressem na vossa Igreja os que ainda não creem no Evangelho,
– para que, pelo exemplo das boas obras, a façam crescer na caridade. R.

Dai a nós pecadores a contrição sincera das nossas culpas,
– e a reconciliação perfeita convosco e com a vossa Igreja. R.

(intenções livres)

Concedei a vida eterna aos nossos irmãos e irmãs que morreram,
– para que vivam eternamente na vossa presença.   R.

Pai nosso...

Oração

Ó Deus de bondade, concedei que, formados pela observância
da Quaresma e nutridos por vossa palavra, saibamos mortificar-
-nos para vos servir com fervor, sempre unânimes na oração. Por
nosso Senhor Jesus Cristo, vosso Filho, na unidade do Espírito
Santo.

QUINTA-FEIRA

Laudes

Leitura breve   cf. 1Rs 8,51-53a
Nós somos, Senhor, teu povo e tua herança Teus olhos estejam
abertos à súplica do teu servo e do teu povo, Israel, escutando-nos
toda vez que te invocarmos. Pois tu nos separaste para ti como
herança dentre todos os povos da terra.

Responsório breve
R. Nós **so**mos vosso **po**vo, ó Se**nhor**.
  * Miseri**cór**dia, Se**nhor**, a vós cla**ma**mos! R. Nós **so**mos.
V. Curva**dos** sob o **pe**so dos pe**ca**dos,
    cho**ra**mos de tris**te**za. * Miseri**cór**dia.
    Glória ao **Pai**. R. Nós **so**mos.

Cântico evangélico, ant.
Se eu ex**pul**so os de**mô**nios pela **for**ça de **Deus**,
o **rei**no dos **céus** já che**gou** até **vós**.

Preces
Louvemos a Cristo nosso Senhor, que se manifestou à humanidade como luz do mundo para que, seguindo-o, não andemos nas
trevas mas tenhamos a luz da vida; e lhe peçamos:
R. **Senhor, que a vossa palavra ilumine os nossos passos!**

344   3ª Semana da Quaresma

Deus de bondade, fazei-nos imitar hoje o vosso exemplo,
– para que recuperemos em vós, novo Adão, o que perdemos no
primeiro Adão.   R.

A vossa palavra seja luz dos nossos passos,
– para que, realizando sempre as obras da verdade, aumente cada
vez mais o nosso amor por vós.
R. **Senhor, que a vossa palavra ilumine os nossos passos!**

Ensinai-nos a promover com retidão o bem de todos por causa
do vosso nome,
– para que, por nosso intermédio, a Igreja ilumine cada vez melhor a família humana.   R.

Alimentai sempre mais em nós a vossa amizade, por meio de
uma sincera conversão,
– para que expiemos as ofensas cometidas contra a vossa sabedoria e bondade.   R.

(intenções livres)

Pai nosso...

Oração

À medida que se aproxima a festa da salvação, nós vos pedimos,
ó Deus, que nos preparemos com maior empenho para celebrar o
mistério da Páscoa. Por nosso Senhor Jesus Cristo, vosso Filho,
na unidade do Espírito Santo.

Hora Média

Ant. Por minha vida, diz o Senhor,
não quero a morte do pecador,
mas que ele volte e tenha a vida.

Leitura breve   Dt 30,2-3a
Tu te converterás ao Senhor teu Deus com teus filhos, e obedecerás aos seus mandamentos com todo o teu coração e com toda a
tua alma, conforme tudo o que hoje te ordeno. O Senhor teu Deus
te fará voltar do cativeiro e se compadecerá de ti.

V. Desviai o vosso olhar dos meus pecados.
R. E apagai todas as minhas transgressões!

Oração como nas Laudes.

Vésperas

Leitura breve   Tg 4,7-8.10

Obedecei a Deus, mas resisti ao diabo, e ele fugirá de vós. Aproximai-vos de Deus, e ele se aproximará de vós. Purificai as mãos, ó pecadores, e santificai os corações, homens dúbios. Humilhai-vos diante do Senhor, e ele vos exaltará.

Responsório breve

R. **Se**nhor, aten**dei** minha **prece,**
   * Meu cla**mor** chegue a **vós!** R. **Se**nhor.
V. Escu**tai**-me, no **dia** em que **chamo.** * Meu cla**mor.**
   Glória ao **Pai.** R. **Se**nhor.

Cântico evangélico, ant.

Bendito o **ventre** que vos ge**rou** e os **seios** que vos nu**tri**ram!
Antes ben**dito** quem ouve e **guar**da a **Pa**lavra santa de **Deus!**

Preces

Oremos a Cristo nosso Senhor, que nos deu o mandamento novo de nos amarmos uns aos outros como ele nos amou; e imploremos:

R. **Senhor, fazei crescer o amor em vosso povo!**

Bom Mestre, ensinai-nos a vos amar em nossos irmãos e irmãs,
– e a vos servir em cada um deles.   R.

Vós, que na cruz pedistes ao Pai perdão para vossos algozes,
– ensinai-nos a amar os nossos inimigos e a orar pelos que nos perseguem.   R.

Pela participação no mistério do vosso Corpo e Sangue, aumentai em nós a caridade, a fortaleza e a confiança;
– sustentai os fracos, consolai os tristes e dai esperança aos agonizantes.   R.

Cristo, Luz do mundo, que na piscina de Siloé destes a vista ao cego de nascença,
– iluminai os catecúmenos pelo sacramento do batismo e pela palavra da vida.   R.

(intenções livres)

Concedei a plenitude do vosso amor aos que morreram,
– e contai-nos também entre os vossos escolhidos.   R.

Pai nosso...

Oração

À medida que se aproxima a festa da salvação, nós vos pedimos, ó Deus, que nos preparemos com maior empenho para celebrar o mistério da Páscoa. Por nosso Senhor Jesus Cristo, vosso Filho, na unidade do Espírito Santo.

SEXTA-FEIRA

Laudes

Leitura breve Is 53,11b-12

Meu Servo, o justo, fará justos inúmeros homens, carregando sobre si suas culpas. Por isso, compartilharei com ele multidões e ele repartirá suas riquezas com os valentes seguidores, pois entregou o corpo à morte, sendo contado como um malfeitor; ele, na verdade, resgatava o pecado de todos e intercedia em favor dos pecadores.

Responsório breve
R. **Vós** nos resga**tas**tes, ó Se**nhor**,
   * Para **Deus** o vosso **sangue** nos re**miu**. R. **Vós** nos;
V. Dentre **to**das as **tri**bos e **lín**guas,
   dentre os **po**vos da **terra** e na**ções**. * Para **Deus**.
   Glória ao **Pai**. R. **Vós** nos.

Cântico evangélico, ant.
É **este** o mai**or** mandamen**to**:
amarás o Se**nhor**, o teu **Deus**, de **to**do o **teu** cora**ção**.

Preces
Demos graças a Cristo nosso Senhor que, morrendo na cruz, nos deu a vida; e de coração lhe peçamos:

R. **Pela vossa morte, Senhor, fazei-nos viver!**

Cristo nosso Mestre e Salvador, que nos ensinastes a vossa verdade, e nos renovastes pela vossa gloriosa Paixão,
– não nos deixeis cair na infidelidade do pecado.   R.
Ensinai-nos a praticar a abstinência,
– para socorrer com nossos bens os irmãos necessitados   R.

Sexta-feira   347

Dai-nos a graça de viver santamente este dia de penitência quaresmal,
– e consagrá-lo a vós com obras de caridade fraterna.   R.

Corrigi, Senhor, as nossas vontades rebeldes,
– e dai-nos um coração generoso e agradecido.   R.

(intenções livres)

Pai nosso...

Oração

Infundi, ó Deus, vossa graça em nossos corações, para que, fugindo aos excessos humanos, possamos, com vosso auxílio, abraçar os vossos preceitos. Por nosso Senhor Jesus Cristo, vosso Filho, na unidade do Espírito Santo.

Hora Média

Ant. Por minha **vi**da, diz o Se**nhor**,
    não quero a **mor**te do peca**dor**,
    mas que ele **vol**te e tenha a **vi**da.

Leitura breve   cf. Jr 3,12b-14a

Voltai, é o Senhor que chama, não desviarei de vós minha face, porque eu sou misericordioso, não estarei irado para sempre. Convertei-vos, filhos, que vos tendes afastado de mim, diz o Senhor.

V. Desvi**ai** o vosso o**lhar** dos meus peca**do**s.
R. E apa**gai** todas as **mi**nhas transgres**sões**!

Oração como nas Laudes.

Vésperas

Leitura breve   Tg 5,16.19-20

Confessai uns aos outros os vossos pecados e orai uns pelos outros para alcançar a saúde. A oração fervorosa do justo tem grande poder. Meus irmãos, se alguém de vós se desviar da verdade e outro o reconduzir, saiba este que aquele que reconduz um pecador desencaminhado salvará da morte a alma dele e cobrirá uma multidão de pecados.

348 3ª Semana da Quaresma

Responsório breve

R. **Curai**-me, Se**nhor**, ó Deus **Santo**,
   * Pois pe**quei** contra **vós**. R. **Curai**-me.
V. Tende pie**da**de de **mim**, reno**vai**-me! * Pois pe**quei**.
   Glória ao **Pai**. R. **Curai**-me.

Cântico evangélico, ant.

Amar o **pró**ximo **co**mo a si **mes**mo
vale **mais** que qual**quer** sacrifício.

Preces

Elevemos nossas súplicas ao Senhor Jesus Cristo, que nos santificou com o seu sangue; e digamos:
R. **Senhor, tende compaixão do vosso povo!**

Jesus, Redentor nosso, pelos méritos da vossa Paixão, dai aos vossos fiéis o espírito de penitência, sustentai-os no combate contra o mal e reavivai a sua esperança,
– para que se disponham para celebrar mais santamente a vossa Ressurreição. R.

Fazei que os cristãos, exercendo sua missão profética, anunciem por toda parte o Evangelho do Reino,
– e o confirmem com seu testemunho de fé, esperança e caridade. R.

Confortai os aflitos com a força do vosso amor,
– e fazei que saibamos consolá-los com nossa solicitude fraterna. R.

Ensinai-nos a levar nossa cruz em união com os vossos sofrimentos,
– para que manifestemos em nós mesmos a vossa salvação. R.

(intenções livres)

Autor da vida, lembrai-vos daqueles que partiram deste mundo,
– e concedei-lhes a glória da ressurreição. R.

Pai nosso...

Oração

Infundi, ó Deus, vossa graça em nossos corações, para que, fugindo aos excessos humanos, possamos, com vosso auxílio, abraçar os vossos preceitos. Por nosso Senhor Jesus Cristo, vosso Filho, na unidade do Espírito Santo.

SÁBADO

Laudes

Leitura breve — Is 1,16-18

Lavai-vos, purificai-vos. Tirai a maldade de vossas ações de minha frente. Deixai de fazer o mal! Aprendei a fazer o bem! Procurai o direito, corrigi o opressor. Julgai a causa do órfão, defendei a viúva. Vinde, debatamos – diz o Senhor. Ainda que vossos pecados sejam como púrpura, tornar-se-ão brancos como a neve. Se forem vermelhos como o carmesim, tornar-se-ão como lã.

Responsório breve

R. O **San**gue de Je**sus** nos puri**fi**ca,
* De **to**dos nossos **er**ros nos li**ber**ta. R. O **San**gue.
V. Vinde **ver** os grandes **fei**tos do Se**nhor**! * De **to**dos.
Glória ao **Pai**. R. O **San**gue.

Cântico evangélico, ant.

Bai**xan**do o o**lhar**, o publi**ca**no ba**tia** no **pei**to arrepen**di**do, supli**ca**va e pe**di**a humilde**men**te:
Ó meu **Deus**, tende pie**da**de, pois eu **sou** um peca**dor**!

Preces

Glorifiquemos a Cristo Senhor que instituiu o batismo para fazer de nós criaturas novas e nos preparou a mesa de sua Palavra e de seu Corpo; rezemos confiantes:

R. **Renovai-nos, Senhor, com a vossa graça!**

Jesus, manso e humilde de coração, revesti-nos de sentimentos de misericórdia, mansidão e humildade,
– e tornai-nos pacientes e compreensivos para com todos. R.

Ensinai-nos a ajudar os pobres e sofredores,
– e assim vos imitarmos, ó Bom Samaritano da humanidade. R.

A Santa Virgem Maria, vossa Mãe, interceda por todas aquelas que se consagraram ao vosso serviço,
– para que se dediquem cada vez melhor ao bem da Igreja. R.

Concedei-nos a vossa misericórdia,
– e fazei-nos experimentar a alegria do vosso perdão. R.

(intenções livres)

Pai nosso...

350 Tempo da Quaresma

Oração

Ó Deus, alegrando-nos cada ano com a celebração da Quaresma, possamos participar com fervor dos sacramentos pascais e colher com alegria todos os seus frutos. Por nosso Senhor Jesus Cristo, na unidade do Espírito Santo.

Hora Média

Ant. Por minha vida, diz o Senhor,
não quero a morte do pecador,
mas que ele volte e tenha a vida.

Leitura breve   Is 44,21-22

Lembra-te de que tu és meu servo; eu te criei, és meu servo, Israel, não me decepciones. Desmanchei como uma nuvem teus pecados, como a névoa desfiz tuas culpas; volta para mim, porque te resgatei!

V. Desviai o vosso olhar dos meus pecados.
R. E apagai todas as minhas transgressões!
Oração como nas Laudes.

4º DOMINGO DA QUARESMA

IV Semana do Saltério

I Vésperas

Hino, p. 271.
Ant. 1 Alegres iremos à casa de Deus.
Salmos e cântico do domingo da IV Semana, p. 1029.
Ant. 2 Desperta, tu que dormes, levanta-te dos mortos:
o Cristo te ilumina!
Ant. 3 Pelo amor sem limites com que Deus nos amou,
deu-nos vida em seu Cristo,
quando estávamos mortos por nossos pecados

4º Domingo

Leitura breve
2Cor 6,1-4a

Nós vos exortamos a não receberdes em vão a graça de Deus, pois ele diz: "No momento favorável, eu te ouvi e no dia da salvação, eu te socorri". É agora o momento favorável, é agora o dia da salvação. Não damos a ninguém nenhum motivo de escândalo, para que o nosso ministério não seja desacreditado. Mas em tudo nos recomendamos como ministros de Deus.

Responsório breve

R. Eis o **tempo** favorável,
* Eis o **dia** da salvação! R. Eis o **tempo**.
V. Reuni-vos, resgatados das nações,
   vinde, aproximai-vos! * Eis o **dia**.
   Glória ao **Pai**. R. Eis o **tempo**.

Cântico evangélico, ant.

Ano A Ó **Mestre**, quem pecou para **que** nascesse cego?
Foi ele ou seus **pais**? Jesus lhes respondeu:
Não foi ele nem seus **pais**, mas foi, para que nele, se
tornassem manifestas as obras do Senhor.

Ano B Como Moisés ergueu na haste a serpente no deserto,
o Filho do Homem há de ser levantado numa cruz;
e, assim, quem nele crer, não pereça para sempre,
mas possua a vida eterna.

Ano C Eu vou levantar-me e voltar para o meu pai,
e a ele vou dizer:
Meu pai, eu pequei contra o céu e contra ti!
Não mereço ser teu filho, quero ser teu empregado!

Preces

Demos glória a Deus Pai que cuida de todos nós; e lhe peçamos:
R. **Dai, Senhor, a salvação aos que remistes!**

Senhor Deus, doador de todo bem e fonte da verdade, cumulai com vossos dons o colégio universal dos bispos,
– e guardai os fiéis, a eles confiados, na doutrina dos Apóstolos.
R.

Derramai a vossa caridade naqueles que comungam o mesmo pão da vida,

352 Tempo da Quaresma

– para que se fortaleça a unidade de todos os fiéis no Corpo de Cristo vosso Filho.

R. **Dai, Senhor, a salvação aos que remistes!**

Fazei que nos despojemos do velho homem com seus atos,
– e nos revistamos do homem novo, à imagem de Cristo, vosso Filho. R.

Concedei aos fiéis um sincero espírito de penitência, para que obtenham o perdão de seus pecados,
– e se tornem participantes dos méritos da redenção de Cristo. R.

(intenções livres)

Dai a paz aos nossos irmãos e irmãs falecidos, para que vos louvem eternamente no céu,
– onde também nós esperamos glorificar-vos para sempre. R.

Pai nosso...

Oração

Ó Deus, que por vosso Filho realizais de modo admirável a reconciliação do gênero humano, concedei ao povo cristão correr ao encontro das festas que se aproximam, cheio de fervor e exultando de fé. Por nosso Senhor Jesus Cristo, vosso Filho, na unidade do Espírito Santo.

Laudes

Hino, p. 272.

Ant. 1 Vós sois meu **Deus**, eu vos ben**di**go e agra**de**ço!
Vós sois meu **Deus**, eu vos e**xal**to!

Salmos e cântico do domingo da IV Semana, p. 1033.

Ant. 2 Vós **sois** pode**ro**so, Se**nhor**:
arran**cai**-nos das **mãos** vio**len**tas,
liber**tai**-nos, Se**nhor** nosso **Deus**!

Ant. 3 Lou**vai** o Senhor **Deus**, por seus **fei**tos grandiosos!

Leitura breve   Ne 8,9b.10b
Este é um dia consagrado ao Senhor, vosso Deus! Não fiqueis tristes nem choreis. Pois este dia é santo para o nosso Senhor. Não fiqueis tristes, porque a alegria do Senhor será a vossa força.

4º Domingo

Responsório breve

R. A alegria do Senhor é nossa força e amparo.
* Sois bendito, Senhor Deus, de geração em geração.
R. A alegria.
V. Seja bendito vosso nome glorioso,
que céu e terra vos exaltem, sem cessar! * Sois bendito.
Glória ao Pai. R. A alegria.

Cântico evangélico, ant.

Ano A   O homem, chamado Jesus,
fez barro e ungiu os meus olhos.
Eu fui, me lavei e estou vendo.

Ano B   Tanto Deus amou o mundo,
que nos deu seu Filho único;
quem crê nele não perece, mas terá a vida eterna.

Ano C   Depressa, trazei-me a veste melhor
e vesti o meu filho!
O anel, em seu dedo e as sandálias, nos pés!
Pois este meu filho havia morrido
e tornou a viver.
Estava perdido e foi encontrado.

Preces

Glorifiquemos a Deus, cuja bondade é infinita, e por Jesus Cristo,
que vive eternamente intercedendo por nós junto ao Pai, rezemos; e digamos:

R. Acendei em nós, Senhor, o fogo do vosso amor!

Deus de misericórdia, fazei-nos viver hoje generosamente a prática do amor fraterno,
– para que todos sintam em nós os efeitos da vossa bondade. R.

Vós que na arca salvastes Noé das águas do dilúvio,
– salvai os catecúmenos nas águas do batismo. R.

Saciai-nos não apenas de pão,
– mas de toda palavra que sai de vossa boca. R.

Afastai todo sentimento de discórdia e divisão,
– para que reinem sempre entre nós a caridade e a paz. R.

(intenções livres)

Pai nosso...

354 Tempo de Quaresma

Oração

Ó Deus, que por vosso Filho realizais de modo admirável a reconciliação do gênero humano, concedei ao povo cristão correr ao encontro das festas que se aproximam, cheio de fervor e exultando de fé. Por nosso Senhor Jesus Cristo, vosso Filho, na unidade do Espírito Santo.

Hora Média

Hino, p. 273.

Ant. Por minha vida, diz o Senhor,
não quero a morte do pecador,
mas que ele volte e tenha a vida.

Leitura breve   Is 30,15.18

Eis o que diz o Senhor Deus, o Santo de Israel: "Sereis salvos, se buscardes a salvação e a paz; no silêncio e na esperança estará a vossa força". Por isso o Senhor está pronto a compadecer-se de vós, e, perdoando-vos, será glorificado na medida em que o Senhor é um Deus de justiça: felizes todos aqueles que esperam nele.

V. Desviai o vosso olhar dos meus pecados.
R. E apagai todas as minhas transgressões!

Oração como nas Laudes.

II Vésperas

Hino, p. 271.

Ant. 1 Ele foi por Deus constituído
o juiz dos vivos e dos mortos.

Salmos e cântico do domingo da IV Semana, p. 1040.

Ant. 2 Feliz o homem caridoso e prestativo:
é inabalável e jamais vacilará.

Ant. 3 Na paixão de seu Filho Jesus Cristo,
Deus cumpriu o anúncio dos profetas.

Leitura breve   cf. 1Cor 9,24-25

Os que correm no estádio correm todos juntos, mas um só ganha o prêmio. Correi de tal maneira que conquisteis o prêmio. Todo atleta se sujeita a uma disciplina rigorosa em relação a tudo, e eles

4º Domingo

procedem assim, para receberem uma coroa corruptível. Quanto a nós, a coroa que buscamos é incorruptível.

Responsório breve

R. Em abundância vós me **dais** muito vigor para o combate.
* Ó **Deus** de minha vitória! R. Em abun**dân**cia.
V. Vossa justiça me oriente. * Ó **Deus**.
Glória ao **Pai.** R. Em abun**dân**cia.

Cântico evangélico, ant.

Ano A Ja**mais** se ouviu dizer que alguém
abriu os olhos a um **ce**go de nascença,
a não **ser** Cristo Jesus.

Ano B Quem pratica a verdade se **põe** junto à **luz.**
E suas obras de filhos de **Deus** se revelam.

Ano C Meu filho, tu sempre estás comigo,
e tudo o que é **meu** é também **teu**;
era preciso festejar e alegrar-nos,
pois teu irmão estava morto e reviveu,
estava perdido e, de novo, foi achado.

Preces

Demos graças a Cristo, nosso Mestre e Senhor, que veio para servir e fazer o bem a todos; e supliquemos com humildade e confiança:

R. **Abençoai, Senhor, a vossa Igreja!**

Guiai, Senhor, os nossos bispos e presbíteros, que participam do vosso ministério de Chefe e Pastor da Igreja,
– afim de que eles, assistidos por vós, conduzam para o Pai a humanidade inteira. R.

Que os vossos anjos acompanhem os viajantes,
– para que evitem todos os perigos do corpo e da alma. R.

Ensinai-nos a servir a todos,
– afim de imitarmos a vós, que viestes para servir e não para ser servido. R.

Fazei reinar em toda a comunidade humana o espírito de fraternidade sincera,
– para que se torne, com a vossa presença, uma cidade forte e inabalável. R.

(intenções livres)

356   4ª Semana da Quaresma

Sede misericordioso para com todos os que partiram desta vida,
– e acolhei-os na luz da vossa face.
R. **Abençoai, Senhor, a vossa Igreja!**

Pai nosso...

Oração

Ó Deus, que por vosso Filho realizais de modo admirável a reconciliação do gênero humano, concedei ao povo cristão correr
ao encontro das festas que se aproximam, cheio de fervor e exultando de fé. Por nosso Senhor Jesus Cristo, vosso Filho, na unidade do Espírito Santo.

SEGUNDA-FEIRA

Laudes

Leitura breve   Ex 19,4-6a
Vós vistes o que fiz aos egípcios, e como vos levei sobre asas de
águia e vos trouxe a mim. Portanto, se ouvirdes a minha voz e
guardardes a minha aliança, sereis para mim a porção escolhida
dentre todos os povos, porque minha é toda a terra. E vós sereis
para mim um reino de sacerdotes e uma nação santa.

Responsório breve
R. Feliz o **po**vo cujo **Deus** é o Se**nhor**!
   * Cami**nhe**mos, olhos fixos em Je**sus**! R. Feliz o **po**vo.
V. Deus **a**ma o di**rei**to e a jus**ti**ça. * Cami**nhe**mos.
    Glória ao **Pai**. R. Feliz o **po**vo.

Cântico evangélico, ant.
Suplicava ao Se**nhor** o ofici**al**:
Vinde **logo** cu**rar** meu filho en**fer**mo.

Preces
Bendigamos a Deus Pai, que nos concede a graça de oferecer-lhe
o sacrifício de louvor neste dia quaresmal; e o invoquemos:
R. **Iluminai-nos, Senhor, com a vossa Palavra!**

Deus todo-poderoso e cheio de misericórdia, concedei-nos o espírito de oração e penitência,
– e acendei em nossos corações a chama do amor por vós e por
nossos irmãos e irmãs.   R.

Ensinai-nos a cooperar convosco, para restaurar todas as coisas em Cristo,
– a fim de que na terra reinem a justiça e a paz. **R.**

Revelai-nos a íntima natureza e o valor de todas as criaturas,
– para que nos associemos a elas no cântico de louvor à vossa glória. **R.**

Perdoai-nos por termos ignorado muitas vezes a presença de Cristo nos pobres, nos infelizes e nos marginalizados,
– e porque não respeitamos vosso Filho nestes nossos irmãos e irmãs. **R.**

(intenções livres)

Pai nosso...

Oração

Ó Deus, que renovais o mundo com admiráveis sacramentos, fazei a vossa Igreja caminhar segundo a vossa vontade sem que jamais lhe faltem neste mundo os auxílios de que necessita. Por nosso Senhor Jesus Cristo, vosso Filho, na unidade do Espírito Santo.

Hora Média

Ant. Por minha **vi**da, diz o Se**nhor**,
não quero a **mor**te do peca**dor**,
mas que ele **vol**te e tenha a **vi**da.

Leitura breve Ez 18,23

Será que eu tenho prazer na morte do ímpio? – oráculo do Senhor Deus. Não desejo, antes, que mude de conduta e viva?

V. Desvi**ai** o vosso o**lhar** dos meus pe**ca**dos.
R. E apa**gai** todas as **mi**nhas transgres**sões**!

Oração como nas Laudes.

Vésperas

Leitura breve Rm 12,1-2

Pela misericórdia de Deus, eu vos exorto, irmãos, a vos oferecerdes em sacrifício vivo, santo e agradável a Deus: Este é o vosso culto espiritual. Não vos conformeis com o mundo, mas transformai-vos, renovando vossa maneira de pensar e de julgar, para que possais distinguir o que é da vontade de Deus, isto é, o que é bom, o que lhe agrada, o que é perfeito.

Responsório breve

R. Clamo de **todo** cora**ção**:
* Respon**dei**-me, ó Se**nhor**! R. Clamo.
V. Hei de fa**zer** vossa vontade. * Respon**dei**-me.
Glória ao **Pai**. R. Clamo.

Cântico evangélico, ant.

O **pai** reconhe**ceu** que **fora** aquela **hora**
em que Je**sus** havia **dito**:
Vai em **paz**, teu filho **vive**!
Ele, en**tão**, acredi**tou** com **toda** a sua **casa**.

Preces

Demos glória a Deus nosso Pai, que pela palavra de seu Filho Jesus Cristo, prometeu ouvir a oração daqueles que se reúnem para orar em seu nome. Confiantes na sua promessa, digamos:

R. **Escutai, Senhor, a oração do vosso povo!**

Senhor, que levastes à perfeição por meio de Cristo a lei dada a Moisés no monte Sinai,
— fazei que a reconheçamos gravada em nossos corações e pratiquemos fielmente a aliança que fizestes conosco. R.

Concedei aos superiores a solicitude fraterna para com aqueles que lhes foram confiados,
— e despertai nos súditos o espírito de colaboração e obediência. R.

Fortalecei com a vossa assistência o espírito e o coração dos missionários
— e multiplicai, em toda a Igreja, os seus companheiros de evangelização. R.

Fazei que as crianças cresçam em idade e em graça,
— e os jovens progridam no amor de Cristo e na santidade de vida. R.

(intenções livres)

Lembrai-vos dos nossos irmãos e irmãs que adormeceram na fé em Cristo,
– e acolhei-os na alegria da vida eterna. R.
Pai nosso...

Oração

Ó Deus, que renovais o mundo com admiráveis sacramentos, fazei a vossa Igreja caminhar segundo a vossa vontade sem que jamais, lhe faltem neste mundo os auxílios de que necessita. Por nosso Senhor Jesus Cristo, vosso Filho, na unidade do Espírito Santo.

TERÇA-FEIRA

Laudes

Leitura breve Jl 2,12-13

Voltai para mim com todo o vosso coração, com jejuns, lágrimas e gemidos; rasgai o coração, e não as vestes; e voltai para o Senhor, vosso Deus; ele é benigno e compassivo, paciente e cheio de misericórdia, inclinado a perdoar o castigo.

Responsório breve

R. Curai-me, ó Deus Santo,
* Pois pequei contra vós! R. Curai-me.
V. Tende piedade de mim, renovai-me! * Pois pequei.
Glória ao Pai. R. Curai-me.

Cântico evangélico, ant.

Jesus que me curou é quem mandou:
Toma teu leito, caminha e vai em paz!

Preces

Rendamos graças a Deus Pai, que nos deu o seu Filho Unigênito, a Palavra que se fez carne, para ser nosso alimento e nossa vida; e supliquemos:

R. **Que a palavra de Cristo habite em nossos corações!**

Concedei-nos escutar com mais frequência a vossa palavra, nesta quaresma,
– para louvarmos a Cristo, nossa Páscoa, com maior piedade e devoção, na grande solenidade que se aproxima. R.

360 4ª Semana da Quaresma

Que o vosso Espírito Santo nos ensine,
_ e nos faça testemunhas da vossa verdade e bondade para animar os que vacilam e os que erram.
R. **Que a palavra de Cristo habite em nossos corações!**

Fazei-nos viver mais profundamente o mistério de Cristo,
_ e manifestá-lo mais claramente em nossa vida. **R.**

Purificai e renovai a vossa Igreja neste tempo de graça,
_ para que ela proclame cada vez melhor a vossa vontade e a vossa salvação. **R.**

(intenções livres)

Pai nosso...

Oração

Ó Deus, que a fiel observância dos exercícios quaresmais prepare o coração dos vossos filhos e filhas para acolher com amor o mistério pascal e anunciar ao mundo a salvação. Por nosso Senhor Jesus Cristo, vosso Filho, na unidade do Espírito Santo.

Hora Média

Ant. Por minha vida, diz o Senhor,
não quero a morte do pecador,
mas que ele volte e tenha a vida.

Leitura breve Jr 3,25b
Nós ofendemos o Senhor, nosso Deus, nós e nossos pais, desde a juventude até ao dia de hoje, não escutamos a voz do Senhor, nosso Deus.

V. Desviai o vosso olhar dos meus pecados.
R. E apagai todas as minhas transgressões!

Oração como nas Laudes

Vésperas

Leitura breve Tg 2,14.17.18b
Meus irmãos, que adianta alguém dizer que tem fé, quando não a põe em prática? A fé seria então capaz de salvá-lo? A fé, se não se traduz em obras, por si só está morta. Tu, mostra-me a tua fé sem as obras, que eu te mostrarei a minha fé pelas obras!

Terça-feira

Responsório breve

R. Iluminai-me, Senhor, conforme a vossa palavra,
* Para que eu sempre faça a vossa vontade!
  R. Iluminai-me.
V. Inclinai meu coração aos vossos preceitos.* Para que eu.
  Glória ao Pai. R. Iluminai-me.

Cântico evangélico, ant.

Eis que agora estás curado; já não voltes a pecar,
para não te acontecer alguma coisa bem pior!

Preces

Demos glória ao Senhor Jesus Cristo que, exaltado na cruz, atraiu
para si todo o gênero humano; e lhe supliquemos com piedade:

R. **Senhor, atraí tudo para vós!**

Senhor, iluminai com o mistério da vossa cruz o gênero humano,
– para que, atraídos por ela, vos reconheçamos como caminho,
verdade e vida.
R.

Dai água viva a todos os que estão sedentos de vós,
– para que saciem para sempre a sua sede.
R.

Iluminai os intelectuais e os artistas,
– para que manifestem a todos os caminhos do vosso Reino.
R.

Movei a consciência de todos aqueles a quem o pecado ou o escândalo afastou de vós,
– para que voltem à vida da graça e permaneçam no vosso
amor.
R.

(intenções livres)

Admiti na glória do céu os nossos irmãos e irmãs falecidos,
– para que se alegrem eternamente na companhia de Nossa Senhora e de todos os santos.
R.

Pai nosso...

Oração

Ó Deus, que a fiel observância dos exercícios quaresmais prepare
o coração dos vossos filhos e filhas para acolher com amor o mistério pascal e anunciar ao mundo a salvação. Por nosso Senhor
Jesus Cristo, vosso Filho, na unidade do Espírito Santo.

362 4ª Semana da Quaresma

QUARTA-FEIRA

Laudes

Leitura breve   Dt 7,6b.8-9

O Senhor teu Deus te escolheu dentre todos os povos da terra, para seres o seu povo preferido, porque o Senhor vos amou e quis cumprir o juramento que fez a vossos pais. Foi por isso que o Senhor vos fez sair com mão poderosa, e vos resgatou da casa da escravidão, das mãos do Faraó, rei do Egito. Saberás, pois, que o Senhor teu Deus é o único Deus, um Deus fiel, que guarda a aliança e a misericórdia até mil gerações, para aqueles que o amam e observam seus mandamentos.

Responsório breve

R. **Deus** nos **amou** por primeiro,
  * Ele **fez** Aliança conosco. R. **Deus** nos **amou**.
V. Sem medida é a sua ternura. * Ele **fez**.
  Glória ao **Pai**. R. **Deus** nos **amou**.

Cântico evangélico, ant.

Quem escuta a minha palavra e crê no **Pai** que me enviou, tem a vida eternamente!

Preces

Demos graças a Deus Pai, e supliquemos que ele purifique e confirme os nossos corações na caridade, pela vinda e ação do Espírito Santo. Digamos, pois, cheios de confiança:

R. **Dai-nos, Senhor, o vosso Espírito Santo!**

Ensinai-nos a receber com um coração agradecido os bens que vós nos dais,
– e a aceitar com paciência os sofrimentos que pesam sobre nós.   R.

Fazei que pratiquemos a caridade, não apenas nas grandes ocasiões,
– mas principalmente no cotidiano de nossas vidas.   R.

Concedei que saibamos renunciar ao supérfluo,
– para podermos socorrer nossos irmãos e irmãs necessitados. R.

Dai-nos trazer sempre em nosso corpo a imagem da Paixão de
vosso Filho,
– vós que nos destes a vida em seu corpo. R.

(intenções livres)

Pai nosso...

Oração

Ó Deus, que recompensais os méritos dos Justos e perdoais aos
pecadores que fazem penitência, sede misericordioso para conosco: fazei que a confissão de nossas culpas alcance o vosso
perdão. Por nosso Senhor Jesus Cristo, vosso Filho, na unidade
do Espírito Santo.

Hora Média

Ant. Por minha **vida**, diz o Se**nhor**,
não quero a **mor**te do peca**dor**,
mas que ele **vol**te e tenha a **vi**da.

Leitura breve Zc 1,3b-4b

Voltai-vos para mim, diz o Senhor dos exércitos, e eu me voltarei
para vós, diz o Senhor dos exércitos. Não sejais como os vossos
pais, aos quais os antigos profetas gritavam: Assim fala o Senhor
dos exércitos: Abandonai vossos maus caminhos e vossos maus
pensamentos; mas não me ouviram.

V. Desvi**ai** o vosso o**lhar** dos meus pe**ca**dos.
R. E apa**gai** todas as **mi**nhas transgres**sões**!
Oração como nas Laudes.

Vésperas

Leitura breve Fl 2,12b-15a

Trabalhai para a vossa salvação, com temor e tremor. Pois é
Deus que realiza em vós tanto o querer como o fazer, conforme
o seu desígnio benevolente. Fazei tudo sem reclamar ou murmurar, para que sejais livres de repreensão e ambiguidade, filhos de
Deus sem defeito.

364   4ª Semana da Quaresma

Responsório breve

R. Em **Deus**, cuja Palavra me entusiasma,
  * Em **Deus** eu me ap**óio**. R. Em **Deus**, cuja Pala^{vra.}
V. Nada **mais** me causa **medo**. * Em **Deus** eu me ap**óio**.
  Glória ao **Pai**. R. Em **Deus**, cuja Palavra.

Cântico evangélico, ant.

Por mim **mes**mo eu não **faço** coisa algu**ma**,
mas eu **jul**go de a**cor**do com o que **ouço**;
e é **jus**to e verda**dei**ro o meu juízo.

Preces

Demos glória a Deus Pai, que no sangue de Cris**to** firmou uma
nova Aliança com seu povo, e a renova pelo sacra**mento** do altar.
Peçamos com fé:

R. **Abençoai, Senhor, o vosso povo!**

Dirigi, Senhor, conforme a vossa vontade, as intenções dos povos
e dos governantes,
– para que eles se empenhem sinceramente em promover o bem
de todos.   R.
Fortalecei a fidelidade daqueles que tudo abandonaram para seguir a Cristo;
– que eles deem a todos testemunho e exemplo da santidade da
Igreja.   R.
Vós, que criastes os homens e as mulheres à vossa imagem e
semelhança,
– fazei que todos rejeitem qualquer desigualdade injusta.   R.
Reconduzi à vossa amizade e verdade todos os que vivem afastados da fé,
– e ensinai-nos como ajudá-los eficazmente.   R.

                                  (intenções livres)

Concedei aos que morreram entrar na vossa glória
– para que vos louvem eternamente.   R.

Pai nosso...

Oração

Ó Deus, que recompensais os méritos dos justos e perdoais aos
pecadores que fazem penitência, sede misericordioso para conos-

Quinta-feira 365

co: fazei que a confissão de nossas culpas alcance o vosso perdão. Por nosso Senhor Jesus Cristo, vosso Filho, na unidade do Espírito Santo.

QUINTA-FEIRA

Laudes

Leitura breve cf. 1Rs 8,51-53a
Nós somos, Senhor, teu povo e tua herança. Teus olhos estejam abertos à súplica do teu servo e do teu povo, Israel, escutando-nos toda vez que te invocarmos. Pois tu nos separaste para ti como herança dentre todos os povos da terra.

Responsório breve
R. Nós somos vosso povo, ó Senhor.
* Misericórdia, Senhor, a vós clamamos! R. Nós somos.
V. Curvados sob o peso dos pecados,
choramos de tristeza. * Misericórdia.
Glória ao Pai. R. Nós somos.

Cântico evangélico, ant.
O meu testemunho não é de um homem;
mas isto vos digo para que vos salveis.

Preces
Celebremos a bondade de Deus, que se revelou em Cristo Jesus.
E de todo o coração lhe supliquemos:
R. Lembrai-vos, Senhor, de vossos filhos e filhas!

Concedei-nos viver mais profundamente o mistério da Igreja;
– que ela seja para toda a humanidade o sacramento eficaz da salvação. R.

Deus, amigo do ser humano, ensinai-nos a trabalhar generosamente para o progresso da civilização,
– e a buscar em todas as coisas o vosso Reino. R.

Levai-nos a saciar nossa sede de justiça,
– na fonte de água viva que nos destes em Cristo. R.

366 4ª Semana da Quaresma

Perdoai, Senhor, todos os nossos pecados,
– e dirigi nossos passos no caminho da justiça e da verdade.
R. **Lembrai-vos, Senhor, de vossos filhos e filhas!**

(intenções livres)

Pai nosso...

Oração

Nós vos pedimos, ó Deus de bondade, que, corrigidos pela penitência e renovados pelas boas obras, possamos perseverar nos vossos mandamentos e chegar purificados às festas pascais. Por nosso Senhor Jesus Cristo, vosso Filho, na unidade do Espírito Santo.

Hora Média

Ant. Por minha **vida**, diz o Se**nhor**,
não quero a **mor**te do peca**dor**,
mas que ele **vol**te e tenha a **vida**.

Leitura breve — Dt 30,2-3a

Tu te converterás ao Senhor teu Deus com teus filhos, e obedecerás aos seus mandamentos com todo o teu coração e com toda a tua alma, conforme tudo o que hoje te ordeno. O Senhor teu Deus te fará voltar do cativeiro e se compadecerá de ti,

V. Desv**iai** o vosso o**lhar** dos meus pe**cados**.
R. E apa**gai** todas as **minhas** transgres**sões**!

Oração como nas Laudes.

Vésperas

Leitura breve — Tg 4,7-8.10

Obedecei a Deus, mas resisti ao diabo, e ele fugirá de vós. Aproximai-vos de Deus, e ele se aproximará de vós. Purificai as mãos, ó pecadores, e santificai os corações, homens dúbios. Humilhai-vos diante do Senhor, e ele vos exaltará.

Responsório breve

R. **Se**nhor, aten**dei** minha **prece**,
 * Meu cla**mor** chegue a **vós**! R. **Se**nhor.
V. Escut**ai**-me, no **dia** em que **chamo**. * Meu cla**mor**.
 Glória ao **Pai**. R. **Se**nhor.

Quinta-feira

Cântico evangélico, ant.
As obras que eu faço é que dão testemunho
que o **Pai** me enviou.

Preces

Proclamemos a misericórdia de Deus, que nos ilumina com a graça do Espírito Santo, para que resplandeçam em nossas obras a justiça e a santidade; e supliquemos:

R. **Dai a vida, Senhor, ao povo que Cristo redimiu!**

Senhor, fonte e autor de toda santidade, fortalecei os bispos, os sacerdotes e os diáconos em sua união com Cristo por meio do mistério eucarístico,
– para que se renove sempre mais a graça que receberam pela imposição das mãos. **R.**

Ensinai os vossos fiéis a participarem de modo mais digno e ativo na mesa da Palavra e do Corpo de Cristo,
– para que mantenham na vida e nos costumes o que receberam pela fé e pelos sacramentos. **R.**

Ensinai-nos a reconhecer a dignidade de cada pessoa humana, redimida pelo Sangue de vosso Filho,
– e a respeitarmos a liberdade e a consciência de nossos irmãos e irmãs. **R.**

Fazei que todos os seres humanos saibam moderar seus desejos de bens temporais,
– e atendam às necessidades do próximo. **R.**

(intenções livres)

Tende piedade dos fiéis que hoje chamastes desta vida para vós,
– e concedei-lhes o dom da eterna bem-aventurança. **R.**

Pai nosso...

Oração

Nós vos pedimos, ó Deus de bondade, que, corrigidos pela penitência e renovados pelas boas obras, possamos perseverar nos vossos mandamentos e chegar purificados às festas pascais. Por nosso Senhor Jesus Cristo, vosso Filho, na unidade do Espírito Santo.

368 4ª Semana da Quaresma

SEXTA-FEIRA

Laudes

Leitura breve Is 53,11b-12

Meu Servo, o justo, fará justos inúmeros homens, carregando sobre si suas culpas. Por isso, compartilharei com ele multidões e ele repartirá suas riquezas com os valentes seguidores, pois entregou o corpo à morte, sendo contado como um malfeitor; ele, na verdade, resgatava o pecado de todos e intercedia em favor dos pecadores.

Responsório breve

R. **Vós** nos resga**tastes**, ó S**enhor**,
 * Para **Deus** o vosso **sangue** nos remiu. R. **Vós** nos.
V. Dentre **todas** as **tribos** e **línguas**,
 dentre os **povos** da **terra** e nações. * Para **Deus**.
 Glória ao **Pai**. R. **Vós** nos.

Cântico evangélico, ant.

Sabeis quem eu **sou** e de **onde** eu **vim**;
não **vim** de mim **mesmo**: meu **Pai** me enviou.

Preces

Imploremos a Cristo Salvador, que nos remiu por sua morte e ressurreição; e digamos:

R. **Senhor, tende piedade de nós!**

Vós, que subistes a Jerusalém para sofrer a Paixão, e assim entrar na glória,
– conduzi vossa Igreja à Páscoa da eternidade. R.

Vós, que, elevado na cruz, deixastes a lança do soldado vos traspassar,
– curai as nossas feridas. R.

Vós, que transformastes o madeiro da cruz em árvore da vida,
– concedei os frutos dessa árvore aos que renasceram pelo batismo. R.

Vós, que, pregado na cruz, perdoastes o ladrão arrependido,
– perdoai-nos também a nós pecadores. R.

(intenções livres)

Pai nosso...

Sexta-feira

Oração

Ó Deus, que preparastes para a nossa fraqueza os auxílios necessários à nossa renovação, dai-nos recebê-los com alegria e vê-los frutificar em nossa vida. Por nosso Senhor Jesus Cristo, vosso Filho, na unidade do Espírito Santo.

Hora Média

Ant. Por minha vida, diz o Senhor,
não quero a **morte** do peca**dor**,
mas que ele **volte** e tenha a vida.

Leitura breve   cf. Jr 3,12b-14a
Voltai, é o Senhor que chama, não desviarei de vós minha face, porque eu sou misericordioso, não estarei irado para sempre. Convertei-vos, filhos, que vos tendes afastado de mim, diz o Senhor.

V. Desviai o vosso olhar dos meus pecados.
R. E apagai todas as minhas transgressões!
Oração como nas Laudes.

Vésperas

Leitura breve   Tg 5,16.19-20
Confessai uns aos outros os vossos pecados e orai uns pelos outros para alcançar a saúde. A oração fervorosa do justo tem grande poder. Meus irmãos, se alguém de vós se desviar da verdade e outro o reconduzir, saiba este que aquele que reconduz um pecador desencaminhado salvará da morte a alma dele e cobrirá uma multidão de pecados.

Responsório breve
R. Curai-me, Se**nhor**, ó Deus **san**to,
  * Pois pe**quei** contra **vós**. **R.** Curai-me.
V. Tende pie**da**de de **mim**, renovai-me!* Pois pe**quei**.
  Glória ao **Pai**. **R.** Curai-me.

Cântico evangélico, ant.
Nin**guém** teve co**ra**gem de pren**dê**-lo,
pois **ai**nda não chegara a sua **hora**.

Preces
Adoremos o Salvador do gênero humano, que morrendo destruiu
a morte e ressuscitando renovou a vida; e peçamos com humildade:

R. **Santificai, Senhor, o povo que remistes com vosso sangue!**

Jesus, nosso Redentor, concedei que, pela penitência, nos associemos cada vez mais plenamente à vossa Paixão,
— a fim de alcançarmos a glória da ressurreição. R.

Acolhei-nos sob a proteção de Maria, vossa Mãe, consoladora
dos aflitos,
— para podermos confortar os tristes com o mesmo auxílio que de
vós recebemos. R.

Concedei-nos a graça de tomar parte na vossa Paixão por meio
dos sofrimentos da vida,
— para que também em nós se manifeste a vossa salvação. R.

Senhor Jesus, que vos humilhastes na obediência até à morte e
morte de cruz,
— ensinai-nos a ser obedientes e sofrer com paciência. R.

(intenções livres)

Tornai os corpos de nossos irmãos e irmãs falecidos semelhantes
à imagem do vosso corpo glorioso,
— e fazei-nos dignos de participar um dia, com eles, da vossa glória. R.

Pai nosso...

Oração
Ó Deus, que preparastes para a nossa fraqueza os auxílios necessários à nossa renovação, dai-nos recebê-los com alegria e vê-los
frutificar em nossa vida. Por nosso Senhor Jesus Cristo, vosso
Filho, na unidade do Espírito Santo.

SÁBADO

Laudes

Leitura breve Is 1,16-18

Lavai-vos, purificai-vos. Tirai a maldade de vossas ações de minha frente. Deixai de fazer o mal! Aprendei a fazer o bem! Procurai o direito, corrigi o opressor. Julgai a causa do órfão, defendei a viúva. Vinde, debatamos – diz o Senhor. Ainda que vossos pecados sejam como púrpura, tornar-se-ão brancos como a neve. Se forem vermelhos como o carmesim, tornar-se-ão como lã.

Responsório breve

R. O **Sangue** de Je**su**s nos **purifica**,
   * De **to**dos nossos **erros** nos li**berta**. R. O **Sangue.**
V. Vinde **ver** os grandes **feito**s do Se**nhor**! * De **todos.**
   Glória ao **Pai**. R. O **Sangue.**

Cântico evangélico, ant.

Nin**guém** jamais fa**lou** como **fala** este **ho**mem!

Preces

Demos graças a Cristo nosso Salvador, sempre e em toda parte; e supliquemos com toda a confiança:

R. **Socorrei-me, Senhor, com a vossa graça!**

Ajudai-nos a conservar sem mancha os nossos corpos,
– para que sejam digna morada do Espírito Santo. R.

Despertai em nós, desde o amanhecer, o desejo de nos sacrificarmos pelos nossos irmãos,
– e de cumprirmos a vossa vontade em todas as atividades deste dia. R.

Ensinai-nos a procurar o pão da vida eterna,
– que vós mesmo nos ofereceis. R.

Interceda por nós a vossa Mãe, refúgio dos pecadores,
– para alcançarmos o perdão dos nossos pecados. R.

(intenções livres)

Pai nosso...

372   Tempo de Quaresma

Oração

Ó Deus, na vossa misericórdia, dirigi os nossos corações, pois sem vosso auxílio não vos podemos agradar. Por nosso Senhor Jesus Cristo, vosso Filho, na unidade do Espírito Santo.

Hora Média

Ant. Por minha vida, diz o Senhor,
     não quero a morte do pecador,
     mas que ele volte e tenha a vida.

Leitura breve   Is 44,21-22
Lembra-te de que tu és meu servo; eu te criei, és meu servo, Israel, não me decepciones. Desmanchei como uma nuvem teus pecados, como a névoa desfiz tuas culpas; volta para mim, porque te resgatei!

V. Desviai o vosso olhar dos meus pecados.
R. E apagai todas as minhas transgressões!

Oração como nas Laudes.

5º DOMINGO DA QUARESMA

I Semana do Saltério

I Vésperas

Hino, p. 271.

Ant. 1 Gravarei a minha lei dentro em vosso coração;
     vós sereis meu povo eleito, e eu serei o vosso Deus!

Salmos e cântico do domingo da I Semana, p. 759.

Ant. 2 Todas as coisas considero como perda,
     comparando com a ciência mais sublime:
     conhecer a Jesus Cristo, meu Senhor.

Ant. 3 Embora fosse o próprio Filho,
     aprendeu a obediência através do sofrimento.

5º Domingo

Leitura breve
1Pd 1,18-21

Sabeis que fostes resgatados da vida fútil herdada de vossos pais, não por meio de coisas perecíveis, como a prata ou o ouro, mas pelo precioso sangue de Cristo, como de um cordeiro sem mancha nem defeito. Antes da criação do mundo, ele foi destinado para isso, e, neste final dos tempos, ele apareceu, por amor de vós. Por ele é que alcançastes a fé em Deus. Deus o ressuscitou dos mortos e lhe deu a glória, e assim, a vossa fé e esperança estão em Deus.

Responsório breve

R. Jesus, lembrai-vos de mim, ao chegar ao vosso Reino.
* Vós que não rejeitais um coração oprimido. R. Jesus.
V. Vós vos fizestes obediente até a morte. * Vós que não. Glória ao Pai. R. Jesus.

Cântico evangélico, ant.

Ano A Lázaro, nosso amigo, está dormindo;
vamos lá para acordá-lo de seu sono.

Ano B Se o grão de trigo não morrer,
caindo em terra, fica só;
mas se morrer dentro da terra,
dará frutos abundantes.

Ano C Então, o Senhor, se inclinando,
escrevia com o dedo no chão.
Quem de vós estiver sem pecado,
por primeiro lhe atire uma pedra.

Preces

Demos glória a Cristo Jesus, que se fez nosso mestre, exemplo e irmão; e supliquemos, dizendo:

R. **Renovai, Senhor, o vosso povo!**

Senhor Jesus, que vos tornastes semelhante a nós em tudo, exceto no pecado, ensinai-nos a alegrar-nos com os que se alegram e a chorar com os que choram,
– para que a nossa caridade aumente cada vez mais. R.

Ensinai-nos a matar a vossa fome nos que têm fome,
– e a saciar a vossa sede nos que têm sede. R.

Tempo de Quaresma

Vós, que ressuscitastes Lázaro do sono da morte,
– fazei que voltem à vida, pela fé e a penitência, os que estão mortos pelo pecado. R.

R. **Renovai, Senhor, o vosso povo!**

Aumentai o número dos que querem seguir mais de perto o vosso caminho de perfeição,
– a exemplo da bem-aventurada Virgem Maria e dos Santos. R.

(intenções livres)

Concedei aos nossos irmãos e irmãs falecidos a glória da ressurreição,
– para que gozem eternamente do vosso amor. R.

Pai nosso...

Oração

Senhor nosso Deus, dai-nos por vossa graça caminhar com alegria na mesma caridade que levou o vosso Filho a entregar-se à morte no seu amor pelo mundo. Por nosso Senhor Jesus Cristo, vosso Filho, na unidade do Espírito Santo.

Laudes

Hino, p. 272.

Ant. 1 Para **mim**, ó meu **Deus**, fostes **sem**pre um so**cor**ro.

Salmos e cântico do domingo da I Semana, p. 764.

Ant. 2 Reno**vai** vossos pro**dí**gios e sal**vai**-nos!
Liber**tai**-nos do po**der** da morte e**ter**na!

Ant. 3 A **ho**ra já che**gou**:
Je**sus** o Filho do **Ho**mem, se**rá** glorifi**ca**do.

Leitura breve — Lv 23,4-7

São estas as solenidades do Senhor em que convocareis santas assembleias no devido tempo: No dia catorze do primeiro mês, ao entardecer, é a Páscoa do Senhor. No dia quinze do mesmo mês é a festa dos Ázimos, em honra do Senhor. Durante sete dias comereis pães ázimos. No primeiro dia tereis uma santa assembleia, não fareis nenhum trabalho servil.

Responsório breve

R. Eis que os **di**as se apro**xi**mam,
em que **há** de ser en**tre**gue o **Fi**lho do **Ho**mem.
* Mas três **di**as de**pois**, ele res**sur**girá. R. Eis que os **di**as.

5° Domingo

V. Naqueles **dias** haveis de jejuar, de cho**rar**.
* Mas três **dias**. Glória ao **Pai**. R. Eis que os **dias**.

Cântico evangélico, ant.

Ano A Eu sou a res**surreição**, eu sou a **vida**, diz Je**sus**.
Quem crê em **mim**, mesmo de**pois**
de ter mor**rido**, vive**rá**;
e quem **vive** e crê em **mim**,
não morre**rá** eterna**men**te.

Ano B Se al**guém** quer ser**vir**-me, en**tão** que me **siga**.
E onde **eu** esti**ver**, lá esta**rá** o meu **ser**vo.

Ano C Ao ou**vir** estas pala**vras**,
foram sa**indo** um a **um**,
a come**çar** pelos mais **ve**lhos.
Je**sus** ficou so**zinho**, e a mu**lher**, ali, no **mei**o.

Preces

Bendigamos o nosso Redentor que na sua bondade nos concede este tempo de salvação; e supliquemos:

R. **Criai em nós, Senhor, um espírito novo!**

Cristo, nossa vida, que pelo batismo nos sepultastes sacramentalmente convosco na morte para que também convosco ressuscitemos,
– ajudai-nos hoje a ser fiéis à vida nova que recebemos. R.

Senhor Jesus, que passastes pelo mundo fazendo o bem,
– tornai-nos solícitos pelo bem comum de toda a humanidade.R.

Ensinai-nos a trabalhar generosamente na construção da cidade
terrena,
– e ao mesmo tempo buscar a cidade celeste.   R.

Médico dos corpos e das almas, curai as feridas do nosso coração,
– para progredirmos continuamente no caminho da santidade. R.

(intenções livres)

Pai nosso...

Oração

Senhor nosso Deus, dai-nos por vossa graça caminhar com alegria
na mesma caridade que levou o vosso Filho a entregar-se à morte

376

Tempo da Quaresma

no seu amor pelo mundo. Por nosso Senhor Jesus Cristo, vosso Filho, na unidade do Espírito Santo.

Hora Média

Hino, p. 273.

Ant. Por minha vida, diz o Senhor,
não quero a morte do pecador,
mas que ele volte e tenha a vida.

Leitura breve   1Pd 4,13-14
Alegrai-vos por participar dos sofrimentos de Cristo, para que possais também exultar de alegria na revelação da sua glória. Se sofreis injúrias por causa do nome de Cristo, sois felizes, pois o Espírito da glória, o Espírito de Deus repousa sobre vós.

V. Desviai o vosso olhar dos meus pecados.
R. E apagai todas as minhas transgressões!

Oração como nas Laudes.

II Vésperas

Hino, p. 271.

Ant. 1 Como a serpente no deserto,
o Filho do Homem há de ser levantado numa cruz.

Salmos e cântico do domingo da I Semana, p. 772.

Ant. 2 Senhor Deus do universo,
protegeis e libertais, acompanhais e enfim salvais.

Ant. 3 Foi ferido por nossos pecados,
esmagado por nossas maldades;
por suas chagas nós fomos curados.

Leitura breve   At 13,26-30a
Irmãos, a nós foi enviada esta mensagem de salvação. Os habitantes de Jerusalém e seus chefes não reconheceram a Jesus e, ao condená-lo, cumpriram as profecias que se leem todos os sábados. Embora não encontrassem nenhum motivo para a sua condenação, pediram a Pilatos que fosse morto. Depois de realizarem tudo o que a Escritura diz a respeito de Jesus, eles o tiraram da cruz e o colocaram num túmulo. Mas Deus o ressuscitou dos mortos.

5º Domingo

Responsório breve

R. **Nós** vos bendizemos e ado**ramos**,

  * Ó **Jesus**, nosso Se**nhor**. R. **Nós** vos.

V. Por vossa **cruz** vós redimistes este **mundo**. * Ó **Jesus**.
  Glória ao **Pai**. R. **Nós** vos.

Cântico evangélico, ant.

Ano A Eu **creio** que és o **Cristo**, o **Filho** do Deus **vivo**, que
  vieste a este **mundo**.

Ano B Quando eu **for** elevado da **terra**,
  atrairei para **mim** todo ser.

Ano C Mu**lher**, onde estão os **que** te acusavam?
  Ninguém te condenou? Ninguém, ó Senhor!
  Nem **eu** te condeno.
  En**tão** podes **ir** e **não** peques **mais**!

Preces

Demos glória a Deus Pai, que fez de nós o seu povo eleito, renascido de uma semente incorruptível e eterna, por meio de seu Filho, a Palavra que se fez carne; e lhe supliquemos humildemente:

R. **Senhor, sede propício ao vosso povo!**

Deus de misericórdia, escutai as súplicas que vos dirigimos em favor do vosso povo,
_ e fazei que ele deseje, sempre, mais a vossa palavra do que o alimento corporal. R.

Ensinai-nos a amar sinceramente e sem discriminação a gente de nossa terra e os povos de todas as raças,
_ e a trabalhar pela felicidade e concórdia de toda a humanidade. R.

Acolhei com bondade os que se preparam para o renascimento espiritual do batismo,
_ para que, como pedras vivas, eles construam a vossa casa espiritual que é a Igreja. R.

Vós, que pela pregação do profeta Jonas exortastes os ninivitas à penitência,
_ convertei por vossa palavra os corações dos pecadores. R.

(intenções livres)

378   5ª Semana da Quaresma

Ajudai os agonizantes a esperarem confiantemente o seu encontro com Cristo,
– para que se alegrem eternamente na visão da vossa face.
R. **Senhor, sede propício ao vosso povo!**
Pai nosso...

Oração

Senhor nosso Deus, dai-nos por vossa graça caminhar com alegria na mesma caridade que levou o vosso Filho a entregar-se à morte no seu amor pelo mundo. Por nosso Senhor Jesus Cristo, vosso Filho, na unidade do Espírito Santo.

Nos dias de semana desta 5ª Semana da Quaresma podem-se usar os hinos da Semana Santa, nas Laudes e nas Vésperas, p. 395-396.

SEGUNDA-FEIRA

Laudes

Leitura breve   Jr 11,19-20
Eu era como manso cordeiro levado ao sacrifício, e não sabia que tramavam contra mim: "Vamos cortar a árvore em toda sua força, eliminá-lo do mundo dos vivos, para seu nome não ser mais lembrado." E tu, Senhor dos exércitos, que julgas com justiça e perscrutas os afetos do coração, concede que eu veja a vingança que tomarás contra eles, pois eu te confiei a minha causa.

Responsório breve,
R. **Lembra-te de Cristo, ressuscitado dentre os mortos!**
  * Ele é **nossa** salvação e nossa **glória** para **sempre.**
    R. **Lembra-te.**
V. Se com ele nós morremos, também, com ele viveremos.
    * Ele é Glória ao **Pai.** R. **Lembra-te.**

Cântico evangélico, ant.
Quem me **segue** não **caminha** em meio às **tre**vas,
mas te**rá** a luz da **vi**da, diz Je**sus.**

Preces

Bendigamos a Jesus, nosso Salvador, que pela sua morte nos abriu o caminho da salvação; e oremos:

R. **Guiai-nos, Senhor, em vossos caminhos!**

Deus de misericórdia, que pelo batismo nos destes uma vida nova,
– fazei que dia a dia nos configuremos cada vez mais à vossa imagem. R.

Ensinai-nos a ser hoje alegria para os que sofrem,
– e a vos servir em cada irmão ou irmã que precise de nossa ajuda. R.

Ajudai-nos a praticar o que é bom, correto e verdadeiro a vossos olhos,
– e a sempre vos procurar com sinceridade de coração. R.

Perdoai-nos, Senhor, as faltas que cometemos contra a unidade de vossa família,
– e fazei que nos tornemos um só coração e uma só alma. R.

(intenções livres)

Pai nosso...

Oração

Ó Deus, que pela vossa graça inefável nos enriqueceis de todos os bens, concedei-nos passar da antiga à nova vida, preparando-nos assim, para o reino da glória. Por nosso Senhor Jesus Cristo, vosso Filho, na unidade do Espírito Santo.

Hora Média

Ant. Por minha vida, diz o Senhor,
não quero a morte do pecador,
mas que ele volte e tenha a vida.

Leitura breve   Jr 18,20b
Lembra-te de que fui à tua presença, para interceder por eles e tentar afastar deles a tua ira.

V. Desviai o vosso olhar dos meus pecados.
R. E apagai todas as minhas transgressões!

Oração como nas Laudes.

380 . 5ª Semana da Quaresma

Vésperas

Leitura breve Rm 5,8-9

A prova de que Deus nos ama é que Cristo morreu por nós, quando éramos ainda pecadores. Muito mais agora, que já estamos justificados pelo sangue de Cristo, seremos salvos da ira por ele.

Responsório breve

R. Jesus, lembrai-vos de **mim**, ao chegar a vosso **Reino!**
* Vós que **não** rejeitais um coração oprimido . R. Jesus.
V. **Vós** que vos fizestes obediente até a **morte**.
* Vós que **não**. Glória ao **Pai**. R. Jesus.

Cântico evangélico, ant.

Não só **eu** dou testemunho de mim **mesmo**,
mas o **Pai** que me enviou também o **dá**.

Preces

Invoquemos ao Senhor Jesus Cristo que fez de nós o seu povo libertando-nos do pecado; e oremos humildemente:

R. **Jesus, filho de Davi, tende piedade de nós!**

Ó Cristo, lembrai-vos da vossa santa Igreja, pela qual vos entregastes à morte para santificá-la na água da purificação espiritual e na palavra da vida:
– renovai-a sem cessar e purificai-a pela penitência. R.

Bom Mestre, mostrai aos jovens o caminho que escolhestes para cada um deles,
– para que sigam generosamente o vosso chamado e sejam felizes. R.

Vós, que tivestes compaixão de todos os doentes que vos procuraram, dai esperança aos nossos enfermos e curai-os,
– e fazei-nos solícitos e generosos para com todos os que sofrem. R.

Despertai em nós a consciência da dignidade de filhos de Deus que recebemos pelo batismo,
– e tornai-nos cada vez mais conformes à vossa vontade. R.

(intenções livres)

Dai aos nossos irmãos e irmãs falecidos a vossa paz e a glória eterna,
– e reuni-nos um dia com eles no vosso reino. R.
Pai nosso...

Oração

Ó Deus, que pela vossa graça inefável nos enriqueceis de todos os bens, concedei-nos passar da antiga à nova vida, preparando-nos assim, para o reino da glória. Por nosso Senhor Jesus Cristo, vosso Filho, ria unidade do Espírito Santo.

TERÇA-FEIRA

Laudes

Leitura breve Zc 12,10-11a

Derramarei sobre a casa de Davi e sobre os habitantes de Jerusalém um espírito de graça e de oração; eles olharão para mim. Ao que eles feriram de morte, hão de chorá-lo, como se chora a perda de um filho único, e hão de sentir por ele a dor que se sente pela morte de um primogênito. Naquele dia, haverá um grande pranto em Jerusalém.

Responsório breve
R. Levantai-vos, ó Senhor, por que dormis?
* Vós, agora, nos deixastes e humilhastes!
R. Levantai-vos.
V. Despertai! Não nos deixeis eternamente! * Vós agora.
Glória ao Pai. R. Levantai-vos.

Cântico evangélico, ant.
Quando tiverdes levantado o Filho do Homem, conhecereis que "Eu Sou", diz o Senhor.

Preces
Bendigamos a Cristo, que se deu a nós como pão descido do céu; e oremos, dizendo:
R. **Cristo, pão da vida e remédio que nos salva, dai-nos vossa força!**

382   5ª Semana da Quaresma

Senhor, que nos alimentais na vossa ceia eucarística,
_ dai-nos a plena participação nos frutos do sacrifício pascal.

R. **Cristo, pão da vida e remédio que nos salva, dai-nos vossa força!**

Ensinai-nos a acolher vossa palavra num coração bom e reto,
_ para darmos frutos na paciência.   **R.**

Fazei que colaboremos alegremente, convosco na construção do mundo,
_ a fim de que o anúncio da paz se difunda mais eficazmente pela ação da Igreja.   **R.**

Reconhecemos, Senhor, que somos pecadores;
_ apagai nossas culpas com a graça da vossa salvação.   **R.**

               (intenções livres)

Pai nosso...

Oração

Concedei-nos, ó Deus, perseverar no vosso serviço para que, em nossos dias, cresça em número e santidade o povo que vos serve. Por nosso Senhor Jesus Cristo, vosso Filho, na unidade do Espírito Santo.

Hora Média

Ant. Por minha vida, diz o Senhor,
       não quero a **morte** do peca**dor**,
       mas que ele **vol**te e tenha a **vida**.

Leitura breve   1Cor 1,22 24

Os judeus pedem sinais milagrosos, os gregos procuram sabedoria; nós, porém, pregamos Cristo crucificado, escândalo para os judeus e insensatez para os pagãos. Mas para os que são chamados, tanto judeus como gregos, esse Cristo é poder de Deus e sabedoria de Deus: Nós ofendemos o Senhor, nosso Deus, nós e nossos pais, desde a juventude até ao dia de hoje, não escutamos a voz do Senhor, nosso Deus.

V. Desviai o vosso o**lhar** dos meus pe**ca**dos.

R. E apa**gai** todas as **mi**nhas transgres**sões**!

Oração como nas Laudes.

Terça-feira

Vésperas

Leitura breve — 1Cor 1,27b-30

Deus escolheu o que o mundo considera como fraco, para assim confundir o que é forte; Deus escolheu o que para o mundo é sem importância e desprezado, o que não tem nenhuma serventia, para assim mostrar a inutilidade do que é considerado importante, para que ninguém possa gloriar-se diante dele. É graças a ele que vós estais em Cristo Jesus, o qual se tornou para nós, da parte de Deus: sabedoria, justiça, santificação e libertação.

Responsório breve

R. Ele não tinha aparência ou beleza,
* Por suas chagas nós fomos curados. R. Ele não tinha.
V. Carregou sobre si nossas culpas. * Por suas chagas .
Glória ao Pai. R. Ele não tinha.

Cântico evangélico, ant.

Quem me enviou está comigo e jamais me deixa só; porque sempre faço aquilo que é de seu agrado.

Preces

Imploremos a Cristo Senhor, que nos mandou vigiar e orar para não cairmos em tentação; e digamos confiantemente:

R. **Ouvi-nos, Senhor, e tende piedade!**

Cristo Jesus, que prometestes estar presente no meio daqueles que se reúnem para orar em vosso nome,
— ensinai-nos a orar sempre convosco ao Pai no Espírito Santo. R.

Celeste Esposo, purificai de todo pecado vossa amada Igreja,
— e fazei que ela viva sempre na esperança e na alegria do Espírito Santo. R.

Amigo do ser humano, tornai-nos solícitos pelo bem do próximo, como nos mandastes,
— a fim de que, por meio de nós, brilhe para todos a luz da vossa salvação. R.

Pai pacífico, dai ao mundo a vossa paz,
— para que em toda parte se faça mais sensível vossa presença salvadora. R.

(intenções livres)

384 5ª Semana da Quaresma

Abri as portas da bem-aventurança eterna a todos os que morreram,
– e admiti-os na glória da eternidade .
R. Ouvi-nos, Senhor, e tende piedade!
Pai nosso...

Oração

Concedei-nos, ó Deus, perseverar no vosso serviço para que, em
nossos dias, cresça em número e santidade o povo que vos serve.
Por nosso Senhor Jesus Cristo, vosso Filho, na unidade do Espírito Santo.

QUARTA-FEIRA

Laudes

Leitura breve   Is 50,5-7

O Senhor abriu-me os ouvidos; não lhe resisti nem voltei atrás.
Ofereci as costas para me baterem e as faces para me arrancarem a barba: não desviei o rosto de bofetões e cusparadas. Mas o
Senhor Deus é meu Auxiliador, por isso não me deixei abater o
ânimo, conservei o rosto impassível como pedra, porque sei que
não sairei humilhado.

Responsório breve

R. Foi levado como ovelha ao matadouro;
    e, maltratado, não abriu a sua boca.
  * De sua linhagem quem dela cogitou? R. Foi levado.
V. Da terra dos viventes foi cortado,
    por causa da revolta do seu povo. * De sua linhagem.
    Glória ao Pai. R. Foi levado.

Cântico evangélico, ant

Se guardardes minha palavra, diz Jesus,
realmente vós sereis os meus discípulos;
havereis de conhecer toda a verdade
e a verdade haverá de libertar-vos.

Quarta-feira

385

Preces

Bendigamos o Autor da nossa salvação, que quis renovar o ser humano em si mesmo, para que as coisas antigas passassem e tudo se fizesse novo. Apoiados nesta esperança viva, roguemos:

R. **Senhor, renovai-nos com o vosso Espírito!**

Senhor, que nos prometestes um novo céu e uma nova terra, renovai-nos sem cessar por vosso Espírito Santo,
– para que gozemos eternamente da vossa presença na nova Jerusalém. R.

Concedei-nos colaborar convosco para infundir no mundo o vosso Espírito,
– e atrair mais eficazmente para a cidade terrena a justiça, a caridade e a paz. R.

Ensinai-nos a corrigir nossa fraqueza e negligência,
– e a procurar de todo o coração os bens eternos. R.

Livrai-nos, Senhor, de todo o mal,
– e preservai-nos do fascínio da vaidade, que obscurece a mente e oculta os verdadeiros valores. R.

(intenções livres)

Pai nosso...

Oração

Ó Deus de misericórdia, iluminai nossos corações purificados pela penitência. E ouvi com paternal bondade aqueles a quem dais o afeto filial. Por nosso Senhor Jesus Cristo, vosso Filho, na unidade do Espírito Santo.

Hora Média

Ant. Por minha vida, diz o Senhor,
não quero a morte do pecador,
mas que ele volte e tenha a vida.

Leitura breve
Rm 15,3

Cristo não procurou a sua própria satisfação, mas, como está escrito: "Os ultrajes dos que te ultrajavam caíram sobre mim".

V. Desviai o vosso olhar dos meus pecados.
R. E apagai todas as minhas transgressões!

Oração como nas Laudes.

386   5ª Semana da Quaresma

Vésperas

Leitura breve   Ef 4,32-5,2
Sede bons uns para com os outros, sede compassivos; perdoai-
-vos mutuamente, como Deus vos perdoou por meio de Cristo.
Sede imitadores de Deus, como filhos que ele ama. Vivei no
amor, como Cristo nos amou e se entregou a si mesmo a Deus
por nós, em oblação e sacrifício de suave odor.

Responsório breve
R. Não há maior prova de amor,
    que dar a vida pelo amigo.
  * Ninguém tira a minha vida, eu a entrego livremente.
   R. Não há maior.
V. A mesma coisa que vos fiz, vós deveis fazer também.
   * Ninguém tira. Glória ao Pai. R. Não há maior.

Cântico evangélico, ant.
Por que quereis matar o homem que falou só a verdade?

Preces
Aclamemos o Deus todo-poderoso e previdente, que conhece todas as nossas necessidades, mas quer que busquemos, antes de
tudo, o seu reino. Rezemos, dizendo:
R. **Senhor, venha a nós o vosso Reino e a sua justiça!**

Pai santo, que nos destes Jesus Cristo como Pastor de nossas almas, assisti os pastores da Igreja e o povo a eles confiado,
– para que não falte ao rebanho a solicitude dos seus pastores
nem aos pastores a obediência de suas ovelhas.   R.
Aumentai a caridade dos cristãos, para que ajudem os doentes
com amor fraterno,
– e socorram neles o vosso próprio Filho, Jesus Cristo.   R.
Fazei que ingressem na vossa Igreja os que ainda não creem no
Evangelho,
– para que, pelo exemplo das boas obras, a façam crescer na caridade.   R.
Dai a nós pecadores a contrição sincera das nossas culpas,
– e a reconciliação perfeita convosco e com a vossa Igreja.   R.

(intenções livres)

Concedei a vida eterna aos nossos irmãos e irmãs que morreram,
– para que vivam eternamente na vossa presença. R.
Pai nosso...

Oração

Ó Deus de misericórdia, iluminai nossos corações purificados
pela penitência. E ouvi com paternal bondade aqueles a quem
dais o afeto filial. Por nosso Senhor Jesus Cristo, vosso Filho, na
unidade do Espírito Santo.

QUINTA-FEIRA

Laudes

Leitura breve   Hb 2,9b-10

Vemos Jesus coroado de glória e honra, por ter sofrido a morte.
Sim, pela graça de Deus em favor de todos, ele provou a morte.
Convinha de fato que aquele, por quem e para quem todas as
coisas existem, e que desejou conduzir muitos filhos à glória,
levasse o iniciador da salvação deles à consumação, por meio de
sofrimentos.

Responsório breve

R. **Lem**bra-te de **Cris**to, ressuscitado dentre os **mor**tos!
  * Ele é **nos**sa salva**ção** e nossa **gló**ria para **sem**pre.
    R. **Lem**bra-te.
V. Se com ele nós morremos, também, com ele vive**re**mos.
    * Ele é. Glória ao **Pai**. R. **Lem**bra-te.

Cântico evangélico, ant.

Quem é de **Deus** ouve a pa**la**vra de **Deus**;
vós não ou**vis** porque de **Deus** vós não **sois**.

Preces

Louvemos a Cristo nosso Senhor, que se manifestou à humanidade como luz do mundo para que, seguindo-o, não andemos nas
trevas mas tenhamos a luz da vida; e lhe peçamos:
R. **Senhor, que a vossa palavra ilumine os nossos passos!**

Deus de bondade, fazei-nos imitar hoje o vosso exemplo,
– para que recuperemos em vós, novo Adão, o que perdemos no
primeiro Adão. R.

A vossa palavra seja luz dos nossos passos,
– para que, realizando sempre as obras da verdade, aumente cada vez mais o nosso amor por vós.
R. **Senhor, que a vossa palavra ilumine os nossos passos!**

Ensinai-nos a promover com retidão o bem de todos por causa do vosso nome,
– para que, por nosso intermédio, a Igreja ilumine cada vez melhor a família humana.   R.

Alimentai sempre mais em nós a vossa amizade, por meio de uma sincera conversão,
– para que expiemos as ofensas cometidas contra a vossa sabedoria e bondade.   R.

(intenções livres)

Pai nosso...

Oração

Assisti, ó Deus, aqueles que vos suplicam e guardai com solicitude os que esperam em vossa misericórdia, para que, libertos de nossos pecados, levemos uma vida santa e sejamos herdeiros das vossas promessas. Por nosso Senhor Jesus Cristo, vosso Filho, na unidade do Espírito Santo.

Hora Média

Ant. Por minha vida, diz o **Senhor,**
   Não quero a **mor**te do peca**dor,**
   mas que ele **vol**te e tenha a **vida.**

Leitura breve   Hb 7,26-27
Tal é precisamente o sumo sacerdote que nos convinha: santo, inocente, sem mancha, separado dos pecadores e elevado acima dos céus. Ele não precisa, como os sumos sacerdotes, oferecer sacrifícios a cada dia, primeiro por seus próprios pecados e depois pelos do povo. Ele já o fez uma vez por todas, oferecendo-se a si mesmo, Jesus Cristo nosso Senhor.

V. Desviai o vosso **olhar** dos meus pe**cados.**
R. E apa**gai** todas as **minhas** transgres**sões!**

Oração como nas Laudes.

Vésperas

Leitura breve
Hb 13,12-15

Jesus sofreu do lado de fora da porta, para santificar o povo pelo seu próprio sangue. Vamos, portanto, sair ao seu encontro, fora do acampamento, carregando a sua humilhação. Porque não temos aqui cidade permanente, mas estamos à procura daquela que está para vir. Por meio de Jesus, ofereçamos a Deus um perene sacrifício de louvor, isto é, o fruto dos lábios que celebram o seu nome.

Responsório breve
R. **Nós** vos bendizemos e ador**amos**,
 * Ó Jesus, nosso Senhor. R. **Nós** vos.
V. Por vossa **cruz** vós redimistes este **mun**do. * Ó Je**sus**.
 Glória ao **Pai**. R. **Nós** vos.

Cântico evangélico, ant.
Tu nem **tens** cinquenta anos de existência,
como, **pois**, dizes ter visto Abraão?
Eu vos **digo** com certeza, diz Jesus,
já bem antes que Abraão nascesse "Eu **Sou**".

Preces
Oremos a Cristo nosso Senhor, que nos deu o mandamento novo de nos amarmos uns aos outros como ele nos amou; e imploremos:

R. **Senhor, fazei crescer o amor em vosso povo!**

Bom Mestre, ensinai-nos a vos amar em nossos irmãos e irmãs,
– e a vos servir em cada um deles. R.

Vós, que na cruz pedistes ao Pai perdão para vossos algozes,
– ensinai-nos a amar os nossos inimigos e a orar pelos que nos perseguem. R.

Pela participação no mistério do vosso Corpo e Sangue, aumentai em nós a caridade, a fortaleza e a confiança;
– fortalecei os fracos, consolai os tristes e dai esperança aos agonizantes. R.

Cristo, Luz do mundo, que na piscina de Siloé destes a vista ao cego de nascença,
– iluminai os catecúmenos pelo sacramento do batismo e pela palavra da vida. R.

(intenções livres)

Concedei a plenitude do vosso amor aos que morreram,
– e contai-nos também entre os vossos escolhidos.   R.
R. **Senhor, fazei crescer o amor em vosso povo!**
Pai nosso...

Oração

Assisti, ó Deus, aqueles que vos suplicam e guardai com solicitude os que esperam em vossa misericórdia, para que, libertos de
nossos pecados, levemos uma vida santa e sejamos herdeiros das
vossas promessas. Por nosso Senhor Jesus Cristo, vosso Filho, na
unidade do Espírito Santo.

SEXTA-FEIRA

Laudes

Leitura breve   Is 52,13-15
Ei-lo, o meu Servo será bem sucedido; sua ascensão será ao mais
alto grau. Assim como muitos ficaram pasmados ao vê-lo – tão
desfigurado ele estava que não parecia ser um homem ou ter aspecto humano – do mesmo modo ele espalhará sua fama entre os
povos. Diante dele os reis se manterão em silêncio, vendo algo
que nunca lhes foi narrado e conhecendo coisas que jamais ouviram.

Responsório breve
R. Ele não **ti**nha apar**ên**cia ou be**le**za,
    * Por suas **cha**gas nós **fo**mos cu**ra**dos. R. Ele não **ti**nha.
V. Carre**gou** sobre **si** nossas **cul**pas. * Por suas **cha**gas.
    Glória ao **Pai**. R. Ele não **ti**nha.

Cântico evangélico, ant.
Boas **o**bras sem **con**ta eu vos **fiz**;
por qual **de**las que**reis** me apedre**jar**?

Preces
Demos graças a Cristo nosso Senhor que, morrendo na cruz, nos
deu a vida; e de coração lhe peçamos:

R. **Pela vossa morte, Senhor, fazei-nos viver!**

Cristo nosso Mestre e Salvador, que nos ensinastes a vossa verdade, e nos renovastes pela vossa gloriosa Paixão,
– não nos deixeis cair na infidelidade do pecado.   **R.**

Ensinai-nos a praticar a abstinência,
– para socorrer com nossos bens os irmãos necessitados. **R.**

Dai-nos a graça de viver santamente este dia de penitência quaresmal,
– e consagrá-lo a vós com obras de caridade fraterna.   **R.**

Corrigi, Senhor, as nossas vontades rebeldes,
– e dai-nos um coração generoso e agradecido.   **R.**

(intenções livres)
Pai nosso...

Oração

Perdoai, ó Deus, nós vos pedimos, as culpas do vosso povo. E, na vossa bondade, desfazei os laços do pecado que em nossa fraqueza cometemos. Por nosso Senhor Jesus Cristo, vosso Filho, na unidade do Espírito Santo.

Hora Média

Ant. Por minha vida, diz o Senhor,
não quero a morte do pecador,
mas que ele volte e tenha a vida.

Leitura breve   Is 53,4-5
A verdade é que ele tomava sobre si nossas enfermidades e sofria, ele mesmo, nossas dores; e nós pensávamos fosse um chagado, golpeado por Deus e humilhado! Mas ele foi ferido por causa de nossos pecados, esmagado por causa de nossos crimes; a punição a ele imposta era o preço da nossa paz, e suas feridas, o preço da nossa cura.

V. Desviai o vosso olhar dos meus pecados.
R. E apagai todas as minhas transgressões!

Oração como nas Laudes.

392   5ª Semana da Quaresma

Vésperas

Leitura breve   1Pd 2,21 b-24

Cristo sofreu por vós deixando-vos um exemplo, a fim de que sigais os seus passos. Ele não cometeu pecado algum, mentira nenhuma foi encontrada em sua boca. Quando injuriado, não retribuía as injúrias; atormentado, não ameaçava; antes, colocava a sua causa nas mãos daquele que julga com justiça. Sobre a cruz, carregou nossos pecados em seu próprio corpo, a fim de que, mortos para os pecados, vivamos para a justiça. Por suas feridas fostes curados.

Responsório breve

R. Foi levado como ovelha ao matadouro;
     e, maltratado, não abriu a sua boca.
     * De sua linhagem quem dela cogitou? R. Foi levado.
V. Da terra dos viventes foi cortado,
     por causa da revolta do seu povo. * De sua linhagem.
     Glória ao Pai. R. Foi levado.

Cântico evangélico, ant.

Se não credes em **mim**, crede, **então**, nestas obras
que, em **nome** de **Deus**, realizo entre **vós**.

Preces

Elevemos nossas súplicas ao Senhor Jesus Cristo, que nos santificou com o seu sangue; e digamos:

R. **Senhor, tende compaixão do vosso povo!**

Jesus, Redentor nosso, pelos méritos da vossa Paixão, dai aos vossos fiéis o espírito de penitência, sustentai-os no combate contra o mal e reavivai a sua esperança,
     — a fim de que se disponham para celebrar mais santamente a vossa ressurreição.   R.

Fazei que os cristãos, exercendo sua missão profética, anunciem por toda parte o Evangelho do Reino,
     — e o confirmem com seu testemunho de fé, esperança e caridade.   R.

Confortai os aflitos com a força do vosso amor,
– e fazei que saibamos consolá-los com nossa solicitude fraterna. R.
Ensinai-nos a levar nossa cruz em união com os vossos sofrimentos,
– para que manifestemos em nós mesmos a vossa salvação. R.

(intenções livres)

Autor da vida, lembrai-vos daqueles que partiram deste mundo,
– e concedei-lhes a glória da ressurreição. R.
Pai nosso...

Oração

Perdoai, ó Deus, nós vos pedimos, as culpas do vosso povo. E, na vossa bondade, desfazei os laços do pecado que em nossa fraqueza cometemos. Por nosso Senhor Jesus Cristo, vosso Filho, na unidade do Espírito Santo.

SÁBADO

Laudes

Leitura breve   Is 65,1b-3a
Eu disse: "Eis-me aqui, eis-me aqui" a pessoas que não invocavam o meu nome. Estendi as mãos todo o dia para um povo indócil que anda por caminhos inconvenientes, atrás de seus caprichos; um povo que me provoca ira, à minha frente e sempre.

Responsório breve
R. Ele me **cha**ma e eu res**pon**do:
   * Quero li**vrá**-lo e exal**tá**-lo. R. Ele me **cha**ma.
V. Na pro**va**ção estou com ele. * Quero.
   Glória ao **Pai**. R. Ele me **cha**ma.

Cântico evangélico, ant.
Jesus **Cris**to mor**reu** para u**nir** num só **cor**po
os **fi**lhos de **Deus** que estavam dis**per**sos.

394   5ª Semana da Quaresma

Preces

Glorifiquemos a Cristo Senhor que instituiu o batismo para fazer de nós criaturas novas e nos preparou a mesa de sua Palavra e de seu Corpo; rezemos confiantes:

R. **Renovai-nos, Senhor, com a vossa graça!**

Jesus, manso e humilde decoração, revesti-nos de sentimentos de misericórdia, mansidão e humildade,
– e tornai-nos pacientes e compreensivos para com todos.   R.

Ensinai-nos a ajudar os pobres e sofredores,
– e assim vos imitarmos, ó Bom Samaritano da humanidade.   R.

A Santa Virgem Maria, vossa Mãe, interceda por todas aquelas que se consagraram ao vosso serviço,
– para que se dediquem cada vez melhor ao bem da Igreja.   R.

Concedei-nos a vossa misericórdia,
– e fazei-nos experimentar a alegria do vosso perdão.   R.

(intenções livres)

Pai nosso...

Oração

Ó Deus, vós sempre cuidais da salvação dos seres humanos e nesta Quaresma nos alegrais com graças mais copiosas. Conside-rai com bondade aqueles que escolhestes, para que a vossa pro-teção paterna acompanhe os que se preparam para o batismo e guarde os que já foram batizados. Por nosso Senhor Jesus Cristo, vosso Filho, na unidade do Espírito Santo.

Hora Média

Ant. Por minha vida, diz o Senhor,
não quero a morte do pecador,
mas que ele volte, e tenha a vida.

Leitura breve   1Jo 2,1b-2

Temos junto do Pai um Defensor: Jesus Cristo, o Justo. Ele é a vítima de expiação pelos nossos pecados, e não só pelos nossos, mas também pelos pecados do mundo inteiro.

V. Desviai o vosso olhar dos meus pecados.
R. E apagai todas as minhas transgressões!

Oração como nas Laudes.

TEMPO DA QUARESMA

II. SEMANA SANTA

Desde as I Vésperas do Domingo de Ramos da Paixão do Senhor até a Oração Média da Quinta-feira Santa inclusive.

Vésperas

Hino

Do Rei avança o estandarte,
fulge o mistério da Cruz,
onde por nós foi suspenso
o autor da vida, Jesus.

Do lado morto de Cristo,
ao golpe que lhe vibraram;
para lavar meu pecado
o sangue e água jorraram.

Árvore esplêndida e bela,
de rubra púrpura ornada,
de os santos membros tocar
digna, só tu foste achada.

Ó Cruz feliz, dos teus braços
do mundo o preço pendeu;
balança foste do corpo
que ao duro inferno venceu.

Salve, ó altar, salve vítima,
eis que a vitória reluz:
a vida em ti fere a morte,
morte que à vida conduz.

Salve, ó cruz, doce esperança,
concede aos réus remissão;
dá-nos o fruto da graça,
que floresceu na Paixão.

Louvor a vós, ó Trindade,
fonte de todo perdão,
aos que na Cruz foram salvos,
dai a celeste mansão.

Completas

HINO Ó Cristo, dia e esplendor, p. 751.

Laudes

Hino

O fel lhe dão por bebida
sobre o madeiro sagrado.
Espinhos, cravos e a lança
ferem seu corpo e seu lado.
No sangue e água que jorram,
mar, terra e céu são lavados.

Ó Cruz fiel, sois a árvore
mais nobre em meio às demais,
que selva alguma produz
com flor e frutos iguais.
Ó lenho e cravos tão doces,
um doce peso levais.

Árvore, inclina os teus ramos,
abranda as fibras mais duras.
A quem te fez germinar
minora tantas torturas.
Leito mais brando oferece
ao Santo Rei das alturas.

Só tu, ó Cruz, mereceste
suster o preço do mundo
e preparar para o náufrago
um porto, em mar tão profundo.
Quis o Cordeiro imolado
banhar-te em sangue fecundo.

Glória e poder à Trindade.
Ao Pai e ao Filho, louvor.
Honra ao Espírito Santo.
Eterna glória ao Senhor,
que nos salvou pela graça
e nos remiu pelo amor.

Hora Média

HINO próprio para o Domingo de Ramos da Paixão do Senhor como no Próprio, p. 400.

Nos outros dias desta semana, diz-se o hino que se encontra indicado à p. 273.

DOMINGO DE RAMOS
DA PAIXÃO DO SENHOR

II Semana do Saltério

I Vésperas

Hino, p. 395.

Ant. 1 Tanto **tempo** eu es**ti**ve no **meio** de **vós**
ensi**nan**do no **tem**plo, e **não** me prende**stes**;
já se**rei** flage**la**do e pre**ga**do na **cruz**!

Salmos e cântico do domingo da II Semana, p. 849.

Ant. 2 O Se**nhor** é o meu au**xí**lio, não se**rei** envergo**nha**do!

Ant. 3 Jesus **Cris**to se humi**lhou** e se **fez** obedi**en**te,
obedi**en**te até à **mor**te, e **mor**te numa **cruz**.

Leitura breve
1Pd 1,18-21

Sabeis que fostes resgatados da vida fútil herdada de vossos pais,
não por meio de coisas perecíveis, como a prata ou o ouro, mas
pelo precioso sangue de Cristo, como de um cordeiro sem mancha nem defeito. Antes da criação do mundo, ele foi destinado
para isso, e neste final dos tempos, ele apareceu, por amor de vós.
Por ele é que alcançastes a fé em Deus. Deus o ressuscitou dos
mortos e lhe deu a glória, e assim, a vossa fé e esperança estão
em Deus.

Responsório breve

R. Jesus, lem**brai**-vos de **mim**, ao che**gar** a vosso **Rei**no!
* Vós que **não** rejei**tais** um cora**ção** oprimido. R. Jesus.
V. **Vós** que vos fi**zes**tes obedi**en**te até a **mor**te.
* Vós que **não**. Glória ao **Pai**. R. Jesus.

Cântico evangélico, ant.

Ano A Dizei à **fi**lha de Si**ão**: Eis, teu **Rei** está che**gan**do! Vem
com **to**da humil**da**de, mon**ta**do num ju**men**to,
num jumen**ti**nho que é **cri**a de ani**mal** que leva **car**ga.

Ano B Muita **gen**te esten**di**a suas **ves**tes no ca**mi**nho, muitos
outros punham **ra**mos,
que reco**lhi**am pelos **cam**pos.
E **to**dos acla**ma**vam: Hosana nas al**tu**ras!

398 Tempo de Quaresma

Ano C Os discípulos puseram os seus **man**tos no jumento
e **Jesus** nele mon**tou**.
E à me**di**da que pas**sa**va,
as pes**so**as esten**di**am suas **ves**tes no caminho.

Preces

Adoremos a Cristo, que nas vésperas de sua Paixão, ao ver Jerusalém, chorou sobre ela, porque não quis receber a graça que lhe era oferecida. Arrependidos dos nossos pecados, peçamos:
R. **Senhor, tende piedade do vosso povo!**

Vós, que quisestes reunir os filhos de Jerusalém, como a galinha reúne os pintinhos debaixo de suas asas,
– ensinai todos a reconhecer o tempo de vossa visita. R.

Não abandoneis os fiéis que de vós se afastaram;
– convertei-nos e nos voltaremos para vós, Senhor nosso Deus. R.

Vós, que pela vossa Paixão reconciliastes o mundo com Deus,
– dai-nos viver sempre do Espírito que recebemos no batismo. R.

Concedei-nos a graça de imitar vossa Paixão, renunciando ao pecado com todas as nossas forças,
– para que, livres de todo mal, possamos celebrar santamente a vossa ressurreição. R.

(intenções livres)

Vós, que viveis e reinais na glória do Pai,
– lembrai-vos daqueles que hoje partiram deste mundo. R.

Pai nosso...

Oração

Deus eterno e todo-poderoso, para dar aos seres humanos um exemplo de humildade, quisestes que o nosso Salvador se fizesse homem e morresse na cruz. Concedei-nos aprender o ensinamento da sua Paixão e ressuscitar com ele em sua glória. Por nosso Senhor Jesus Cristo, vosso Filho, na unidade do Espírito Santo.

Domingo de Ramos

Laudes

Hino, p. 396.

Ant. 1 Uma **grande** multidão que viera para a **festa**
aclamava Jesus **Cristo**:
Bendito o que nos **vem** em nome do **Senhor!**
Hosana nas alturas!

Salmos e cântico do domingo da II Semana, p. 853.

Ant. 2 Com os **anjos** e as criaturas proclamemos nossa **fé**
e aclamemos Jesus **Cristo**,
vencedor da própria **morte:**
"Hosana nas alturas"

Ant. 3 Bendito o que nos **vem** em **nome** do **Senhor!**
Na terra, paz aos homens. No **céu,** glória ao Senhor!

Leitura breve Zc 9,9
Exulta, cidade de Sião! Rejubila, cidade de Jerusalém. Eis que
vem teu rei ao teu encontro, ele é justo, ele salva; é humilde e
vem montado num jumento, um potro, cria de jumenta.

Responsório breve
R. Ó **portas,** levantai vossos **frontões!**
 * A fim de **que** o Rei da **glória** possa entrar! R. Ó portas.
V. O Rei da **glória** é o Senhor, Deus do universo.
 * A fim de **que** Glória ao **Pai.** R. Ó portas.

Cântico evangélico, ant.
Ano A Com **palmas** refulgentes honremos Deus que **vem!**
Acorramos-lhe ao encontro com hinos e canções, acla-
mando alegremente: Bendito sois, Senhor!

Ano B Os que iam à sua **frente,** e aqueles que o seguiam
aclamavam com Hosanas:
Bendito o que vem em **nome** do **Senhor!**
Bendito é o **Reino** de nosso pai Davi!

Ano C Todo o **povo** começou alegremente
a aclamar, louvando a **Deus** em alta **voz:**
Bendito o **Rei** que vem em **nome** do **Senhor!**

400 Tempo de Quaresma

Preces

Adoremos a Cristo que, ao entrar em Jerusalém, foi aclama-
do pela multidão como o Rei e Messias esperado. Também
nós o louvemos com alegria:

R. **Bendito o que vem em nome do Senhor!**

Hosana a vós, Filho de Davi e Rei eterno,
– Hosana a vós, vencedor da morte e do ínferno! R.

Vós, que subistes a Jerusalém para sofrer a Paixão, e assim
entrar na glória,
– conduzi vossa Igreja à Páscoa da eternidade. R.

Vós, que transformastes o madeiro da cruz em árvore da vida,
– concedei de seus frutos aos que renasceram pelo batismo. R.

Cristo, nosso Salvador, que viestes para salvar os pecadores,
– conduzi para o vosso Reino os que creem em vós, em vós esperam e vos amam. R.

(intenções livres)

Pai nosso...

Oração

Deus eterno e todo-poderoso, para dar aos seres humanos um
exemplo de humildade, quisestes que o nosso Salvador se fizesse
homem e morresse na cruz. Concedei-nos aprender o ensinamento da sua Paixão e ressuscitar com ele em sua glória. Por nosso
Senhor Jesus Cristo, vosso Filho, na unidade do Espírito Santo.

Hora Média

Hino

Todo o mundo fiel rejubile
na alegria de tal salvação:
destruindo a potência da morte,
Jesus Cristo nos traz redenção.

De oliveira com ramos e palmas,
todo o povo, com voz triunfal,
canta hosanas ao Rei de Israel,
de Davi descendente real.

Domingo de Ramos

Nós também, acorrendo ao encontro
de tal Rei, com hosanas de glória,
seguremos na mão nossas palmas
de alegria e de fé na vitória.

Por seus dons, nos caminhos da vida,
nos conduza e defenda o Senhor.
E possamos, em todos os tempos,
tributar-lhe o devido louvor.

Glória ao Pai e a Jesus, Filho único,
Deus de Deus, Luz da Luz, Sumo Bem,
com o Espírito, o Amor que consola,
pelos séculos dos séculos. Amém.

Ant. Como o **Pai** me co**nhe**ce, eu co**nhe**ço meu **Pai**;
minha **vi**da eu en**tre**go por **mi**nhas ovelhas.

Leitura breve   1Pd 4,13-14

Alegrai-vos por participar dos sofrimentos de Cristo, para que
possais também exultar de alegria na revelação da sua glória. Se
sofreis injúrias por causa do nome de Cristo, sois felizes, pois o
Espírito da glória, o Espírito de Deus repousa sobre vós.

V. O **Cris**to to**mou** sobre **si** nossas **do**res.
R. Carre**gou** em seu **cor**po os **nos**sos pecados.
Oração como nas Laudes.

II Vésperas

Hino, p. 395.

Ant. 1 Deus **Pai** exal**tou** à sua di**rei**ta
o seu **Cris**to humi**lha**do e esma**ga**do.

Salmos e cântico do domingo da II Semana, p. 860.

Ant. 2 Pelo **san**gue de Je**sus**, purifi**ca**dos,
sirvamos ao Deus **vi**vo para **sem**pre!

Ant. 3 Carre**gou** sobre **si** nossas **cul**pas
em seu **cor**po no lenho da **cruz**,
para que, **mor**tos aos **nos**sos pecados,
na jus**ti**ça de **Deus** nós vi**va**mos.

Leitura breve

At 13,26-30a

Irmãos, a nós foi enviada esta mensagem de salvação. Os habitantes de Jerusalém e seus chefes não reconheceram a Jesus e, ao condená-lo, cumpriram as profecias que se leem todos os sábados. Embora não encontrassem nenhum motivo para a sua condenação, pediram a Pilatos que fosse morto. Depois de realizarem tudo o que a Escritura diz a respeito de Jesus, eles o tiraram da cruz e o colocaram num túmulo. Mas Deus o ressuscitou dos mortos.

Responsório breve

R. **Nós** vos bendi**zemos** e ado**ramos,**
 * Ó Je**sus**, nosso Se**nhor**. R. **Nós** vos.
V. Por vossa **cruz** vós redi**mistes** este **mundo**. * Ó Je**sus**.
 Glória ao **Pai**. R. **Nós** vos.

Cântico evangélico, ant.

Ano A Está es**cri**to: O pas**tor** há de ser **mor**to,
 e as o**velhas** have**rão** de disper**sar**-se.
 Mas de**pois** que eu ti**ver** ressusci**ta**do,
 esta**rei** antes de **vós** na Gali**lei**a;
 lá have**reis** de me encon**trar**, diz o Se**nhor**.

Ano B Salve, ó **Cris**to, nosso **Rei**, salve, ó **Filho** de Davi!
 Anun**ciado** dos pro**fetas**, Reden**tor** da huma**nidade!**

Ano C Eu vos **digo:** É necessário que se **cum**pra
 a pa**lavra** da Escri**tura** a meu res**peito:**
 Em **mei**o aos malfei**tores** foi con**tado.**
 Pois a**qui**lo que foi **di**to a meu res**pei**to,
 está **próximo** de **ser** reali**zado.**

Preces

Adoremos o Salvador do gênero humano, que subiu a Jerusalém para sofrer a Paixão e assim entrar na glória; e peçamos com humildade:

R. **Santificai, Senhor, o povo que remistes com vosso sangue!**

Jesus, nosso Redentor, concedei que, pela penitência, nos associemos cada vez mais plenamente à vossa Paixão,
– a fim de alcançarmos a glória da ressurreição. R.

Semana Santa 403

Acolhei-nos sob a proteção de Maria, vossa Mãe, consoladora dos aflitos,
– para podermos confortar os tristes com o mesmo auxílio que de vós recebemos. R.

Olhai para aqueles que por nossa culpa desfalecem no caminho;
– ajudai-os e corrigi-nos, para que prevaleçam a justiça e a caridade. R.

Senhor Jesus, que vos humilhastes na obediência até à morte e morte de cruz,
– ensinai nos a ser obedientes e a sofrer com paciência. R.

(intenções livres)

Tornai os corpos de nossos irmãos e irmãs falecidos semelhantes à imagem do vosso corpo glorioso,
– e fazei-nos dignos de participar um dia, com eles, da vossa glória. R.

Pai nosso...

Oração

Deus eterno e todo-poderoso, para dar aos seres humanos um exemplo de humildade, quisestes que o nosso Salvador se fizesse homem e morresse na cruz. Concedei-nos aprender o ensinamento da sua Paixão e ressuscitar com ele em sua glória. Por nosso Senhor Jesus Cristo, vosso Filho, na unidade do Espírito Santo.

SEGUNDA-FEIRA

Laudes

Hino, p. 396.

Ant. 1 A minha **alma** está **tris**te até à **mor**te:
ficai **aqui** e com**igo** vigi**ai.**

Salmos e cântico da Segunda-feira da II Semana, p. 866.

Ant. 2 É a**gora** o julga**men**to deste **mun**do,
e seu **prín**cipe se**rá** lançado **fora.**

Ant. 3 O au**tor** de nossa **fé,** que a **le**va à perfei**ção,**
acei**tou** sofrer na **cruz,** despre**zan**do a igno**mí**nia; mas
a**gora** está na **gló**ria, à di**rei**ta de Deus **Pai.**

404 Semana Santa

Leitura breve
Jr 11,19-20

Eu era como manso cordeiro levado ao sacrifício, e não sabia que tramavam contra mim: "Vamos cortar a árvore em toda sua força, eliminá-lo do mundo dos vivos, para seu nome não ser mais lembrado". E tu, Senhor dos exércitos, que julgas com justiça e perscrutas os afetos do coração, concede que eu veja a vingança que tomarás contra eles, pois eu te confiei a minha causa.

Responsório breve
R. **Lem**bra-te de **Cris**to, ressus**ci**tado dentre os **mor**tos!
  * Ele é **nos**sa salva**ção** e nossa **gló**ria para **sem**pre.
    R. **Lem**bra-te.
V. Se com ele nós morremos, também com ele vive**re**mos.
    * Ele é. Glória ao **Pai**. R. **Lem**bra-te.

Cântico evangélico, ant.
Ó Pai **jus**to, o mundo **não** te conhe**ceu**;
eu, po**rém**, te conhe**ci**, pois me envi**as**te.

Preces
Imploremos a Cristo Salvador, que nos remiu por sua morte e ressurreição; e digamos:
R. **Senhor, tende piedade de nós!**

Vós, que subistes a Jerusalém para sofrer a Paixão, e assim entrar na glória,
— conduzi vossa Igreja à Páscoa da eternidade. R.

Vós, que, elevado na cruz, deixastes a lança do soldado vos traspassar,
— curai as nossas feridas. R.

Vós, que transformastes o madeiro da cruz em árvore da vida,
— concedei de seus frutos aos que renasceram pelo batismo. R.

Vós, que, pregado na cruz, perdoastes o ladrão arrependido,
— perdoai-nos também a nós pecadores. R.

(intenções livres).

Pai nosso...

Segunda-feira

Oração

Concedei, ó Deus, ao vosso povo, que desfalece por sua fraqueza, recobrar novo alento pela Paixão do vosso Filho. Que convosco vive e reina, na unidade do Espírito Santo.

Hora Média

Ant. Como o **Pai** me co**nhe**ce, eu co**nhe**ço meu **Pai**;
minha **vi**da eu en**tre**go por **mi**nhas ovelhas.

Leitura breve   Jr 18,20b

Lembra-te de que fui à tua presença, para interceder por eles e tentar afastar deles a tua ira.

V. O **Cris**to to**mou** sobre **si** nossas **do**res.
R. Carre**gou** em seu **cor**po os **nos**sos pe**ca**dos.
Oração como nas Laudes.

Vésperas

Hino, p. 395.

Ant. 1 Não tem be**le**za nem apa**rên**cia
e o contem**pla**mos desfigurado.

Salmos e cântico da Segunda-feira da II Semana, p. 874.

Ant. 2 Suscita**rei** para meu **ser**vo multi**dões**,
pois entre**gou** a sua **vi**da até à **mor**te.

Ant. 3 O Pai nos **deu** todas as **gra**ças em seu **Filho**.
É **ne**le que nós **te**mos reden**ção**,
dos pe**ca**dos remis**são** pelo seu **san**gue.

Leitura breve   Rm 5,8-9

A prova de que Deus nos ama é que Cristo morreu por nós, quando éramos ainda pecadores. Muito mais agora, que já estamos justificados pelo sangue de Cristo, seremos salvos da ira por ele.

Responsório breve

R. Jesus, lem**brai**-vos de **mim**, ao che**gar** a vosso **Reino**!
  * Vós que **não** rejei**tais** um cora**ção** oprimido; R. Jesus.
V. **Vós** que vos fi**zes**tes obedi**en**te até à **mor**te.
    * Vós que **não**. Glória ao **Pai**. R. Jesus.

Cântico evangélico, ant.

Como Moisés ergueu na **haste** a ser**pen**te no de**ser**to,
o Filho do **Ho**mem há de **ser** levantado numa **cruz**;
e, as**sim**, quem nele **crer**, não pereça para **sem**pre,
mas pos**su**a a vida e**ter**na.

Preces

Adoremos o Salvador do gênero humano, que morrendo destruiu
a morte e ressuscitando renovou a vida; e peçamos com humildade:

R. **Santificai, Senhor, o povo que remistes com vosso sangue!**

Jesus, nosso Redentor, concedei que, pela penitência, nos associemos cada vez mais plenamente à vossa Paixão,
— a fim de alcançarmos a glória da ressurreição.   R.

Acolhei-nos sob a proteção de Maria, vossa Mãe, consoladora
dos aflitos,
— para podermos confortar os tristes com o mesmo auxílio que de
vós recebemos.   R.

Concedei aos vossos fiéis a graça de tomar parte na vossa Paixão
por meio dos sofrimentos da vida,
— para que também neles se manifeste a vossa salvação.   R.

Senhor Jesus, que vos humilhastes na obediência até à morte e
morte de cruz,
— ensinai-nos a ser obedientes e a sofrer com paciência.   R.

(intenções livres)

Tornai os corpos de nossos irmãos e irmãs falecidos semelhantes
à imagem do vosso corpo glorioso,
— e fazei-nos dignos de participar um dia, com eles, da vossa glória.   R.

Pai nosso...

Oração

Concedei, ó Deus, ao vosso povo, que desfalece por sua fraqueza, recobrar novo alento pela Paixão do vosso Filho. Que convosco vive e reina, na unidade do Espírito Santo.

TERÇA-FEIRA

Laudes

Hino, p. 396.

Ant. 1 Fazei justiça, meu **Deus**, e defen**dei**-me!
Do per**ver**so e men**ti**roso liber**tai**-me!

Salmos e cântico da Terça-feira da II Semana, p. 879.

Ant. 2 Defen**des**tes minha **cau**sa, ó Se**nhor**;
sois defen**sor** da minha **vi**da, ó meu **Deus**!

Ant. 3 É **jus**to o meu **ser**vo e a **mui**tos fará **jus**tos,
carre**gan**do os seus pe**ca**dos.

Leitura breve
Zc 12,10-11a

Derramarei sobre a casa de Davi e sobre os habitantes de Jerusalém um espírito de graça e de oração; eles olharão para mim. Ao que eles feriram de morte, hão de chorá-lo, como se chora a perda de um filho único, e hão de sentir por ele a dor que se sente pela morte de um primogênito. Naquele dia, haverá um grande pranto em Jerusalém.

Responsório breve

R. Levan**tai**-vos, ó Se**nhor**, por que do**rmis**?
* Vós, a**go**ra, nos dei**xas**tes e humi**lhas**tes!
R. Levan**tai**-vos.
V. Desper**tai**! Não nos dei**xeis** eterna**men**te! * Vós a**go**ra.
Glória ao **Pai**. R. Levan**tai**-vos.

Cântico evangélico, ant.

Glori**fi**ca-me, **Pai**, em ti **mes**mo
com a **gló**ria que eu **ti**nha em **ti**
já bem **an**tes do i**ní**cio do **mun**do!

Preces

Imploremos a Cristo Salvador, que nos remiu por sua morte e ressurreição; e digamos:

R. **Senhor, tende piedade de nós!**

Vós, que subistes a Jerusalém para sofrer a Paixão, e assim entrar na glória,
– conduzi vossa Igreja à Páscoa da eternidade.
R.

408   Semana Santa

Vós, que, elevado na cruz, deixastes a lança do soldado vos traspassar,
— curai as nossas feridas.
R. **Senhor, tende piedade de nós!**
— Vós, que transformastes o madeiro da cruz em árvore da vida,
— concedei os frutos dessa árvore aos que renasceram pelo batismo.   R.
Vós, que, pregado na cruz, perdoastes o ladrão arrependido,
— perdoai-nos também a nós pecadores.   R.

(intenções livres)
Pai nosso...

Oração
Deus eterno e todo-poderoso, dai-nos celebrar de tal modo os
mistérios da paixão do Senhor, que possamos alcançar vosso perdão. Por nosso Senhor Jesus Cristo, vosso Filho, na unidade do
Espírito Santo.

Hora Média

Ant. Como o **Pai** me conhece, eu conheço meu **Pai**;
        minha **vi**da eu entrego por minhas ovelhas.

Leitura breve   1Cor 1,22-24
Os judeus pedem sinais milagrosos, os gregos procuram sabedoria; nós, porém, pregamos Cristo crucificado, escândalo para
os judeus e insensatez para os pagãos. Mas para os que são chamados, tanto judeus como gregos, esse Cristo é poder de Deus e
sabedoria de Deus.

V. O **Cris**to to**mou** sobre **si** nossas **do**res.
R. Carre**gou** em seu **cor**po os **nos**sos pecados.

Oração como nas Laudes.

Vésperas

Hino, p.395.

Ant. 1 Suportei dos malvados insulto e terror;
        o **Se**nhor é comigo qual **for**te guerreiro.

Salmos e cântico da Terça-feira da II Semana, p.887.

Terça-feira 409

Ant. 2 Libertai-me, Senhor, e tomai-me convosco;
e venha o mais forte lutar contra mim!

Ant. 3 Vós fostes por nós imolado;
para Deus nos remiu vosso sangue.

Leitura breve
1Cor 1,27b-30

Deus escolheu o que o mundo considera como fraco, para assim confundir o que é forte; Deus escolheu o que para o mundo é sem importância e desprezado, o que não tem nenhuma serventia, para assim mostrar a inutilidade do que é considerado importante, para que ninguém possa gloriar-se diante dele. É graças a ele que vós estais em Cristo Jesus, o qual se tornou para nós, da parte de Deus: sabedoria, justiça, santificação e libertação.

Responsório breve
R. Ele não tinha aparência ou beleza,
* Por suas chagas nós fomos curados. R. Ele não tinha.
V. Carregou sobre si nossas culpas. * Por suas chagas.
Glória ao Pai. R. Ele não tinha.

Cântico evangélico, ant.
Eu tenho o poder de entregar minha vida
e de novo assumi-la.

Preces
Adoremos o Salvador do gênero humano, que morrendo destruiu a morte e ressuscitando renovou a vida; e peçamos com humildade:
R. **Santificai, Senhor, o povo que remistes com vosso sangue!**

Jesus, nosso Redentor, concedei que, pela penitência, nos associemos cada vez mais plenamente à vossa Paixão,
– a fim de alcançarmos a glória da ressurreição. R.

Acolhei-nos sob a proteção de Maria, vossa Mãe, consoladora dos aflitos,
– para podermos confortar os tristes com o mesmo auxílio que de vós recebemos. R.

Concedei aos vossos féis a graça de tomar parte na vossa Paixão por meio dos sofrimentos da vida,
– para que também neles se manifeste a vossa salvação. R.

410　　　Semana Santa

Senhor Jesus, que vos humilhastes na obediência até à morte e morte de cruz,
– ensinai-nos a ser obedientes e a sofrer com paciência.
R. **Santificai, Senhor, o povo que remistes com vosso sangue!**

(intenções livres)

Tornai os corpos de nossos irmãos e irmãs falecidos semelhantes à imagem do vosso corpo glorioso,
– e fazei-nos dignos de participar um dia, com eles, da vossa glória.
R.

Pai nosso...

Oração

Deus eterno e todo-poderoso, dai-nos celebrar de tal modo os mistérios da paixão do Senhor, que possamos alcançar vosso perdão. Por nosso Senhor Jesus Cristo, vosso Filho, na unidade do Espírito Santo.

QUARTA-FEIRA

Laudes

Hino, p. 396.

Ant. 1 No meu dia de aflição, minhas **mãos** buscam a **Deus**.

Salmos e cântico da Quarta-feira da II Semana, p. 892.

Ant. 2 Se morrermos com **Cristo**, nós **cremos**
que com **Cristo** também viveremos.

Ant. 3 Jesus **Cristo** tornou-se para **nós**
sabedoria de **Deus** a mais sublime,
santidade, justiça e redenção.

Leitura breve   Is 50,5-7
O Senhor abriu-me os ouvidos; não lhe resisti nem voltei atrás. Ofereci as costas para me baterem e as faces para me arrancarem a barba: não desviei o rosto de bofetões e cusparadas. Mas o Senhor Deus é meu Auxiliador, por isso não me deixei abater o

Quarta-feira

ânimo, conservei o rosto impassível como pedra, porque sei que não sairei humilhado.

Responsório breve

R. Foi levado como ovelha ao matadouro;
   e, maltratado, não abriu a sua boca.
   * De sua linhagem quem dela cogitou? R. Foi levado.
V. Da terra dos viventes foi cortado,
   por causa da revolta do seu povo. * De sua linhagem.
   Glória ao Pai. R. Foi levado.

Cântico evangélico, ant.

O sangue de Cristo, que a si mesmo ofertou-se
pelo Espírito Santo como hóstia sem mancha,
purifica noss'alma das obras da morte,
para servir ao Deus vivo.

Preces

Imploremos a Cristo Salvador, que nos remiu por sua morte e ressurreição; e digamos:

R. **Senhor, tende piedade de nós!**

Vós, que subistes a Jerusalém para sofrer a Paixão, e assim entrar na glória,
– conduzi vossa Igreja à Páscoa da eternidade. R.

Vós, que, elevado na cruz, deixastes a lança do soldado vos traspassar,
– curai as nossas feridas. R.

Vós, que transformastes o madeiro da cruz em árvore da vida,
– concedei de seus frutos aos que renasceram pelo batismo. R.

Vós, que, pregado na cruz, perdoastes o ladrão arrependido,
– perdoai-nos também a nós pecadores. R.

(intenções livres)

Pai nosso...

Oração

Ó Deus, que fizestes vosso Filho padecer o suplício da cruz para arrancar-nos à escravidão do pecado, concedei aos vossos servos

412 Semana Santa

e servas, a graça da ressurreição. Por nosso Senhor Jesus Cristo, vosso Filho, na unidade do Espírito Santo.

Hora Média

Ant. Como o **Pai** me co**nhec**e, eu co**nheço** meu **Pai**;
minha **vi**da eu e**ntre**go por **mi**nhas ovelhas.

Leitura breve Rm 15,3

Cristo não procurou a sua própria satisfação, mas, como está escrito: "Os ultrajes dos que te ultrajavam caíram sobre mim"

V. O **Cris**to to**mou** sobre **si** nossas **do**res.
R. Carre**gou** em seu **cor**po os **nos**sos pecados.

Oração como nas Laudes,

Vésperas

Hino, p. 395.

Ant. 1 Os **ím**pios disseram: Opri**ma**mos o homem **jus**to,
ele é, **con**tra as nossas **o**bras.

Salmos e cântico da Quarta-feira da II Semana, p. 901.

Ant. 2 Carre**gou** os pecados de **mui**tos
e pe**diu** em fa**vor** dos in**jus**tos.

Ant. 3 É no **Cris**to que nós **te**mos reden**ção**,
dos pecados remis**são** pelo seu **san**gue.

Leitura breve Ef 4,32-5,2

Sede bons uns para com os outros, sede compassivos; perdoai-vos mutuamente, como Deus vos perdoou por meio de Cristo. Sede imitadores de Deus, como filhos que ele ama. Vivei no amor, como Cristo nos amou e se entregou a si mesmo a Deus por nós, em oblação e sacrifício de suave odor.

Responsório breve

R. Não há mai**or** prova de a**mor**, que dar a **vi**da pelo **ami**go.
 * Ninguém **ti**ra a minha **vi**da, eu a e**ntre**go livre**men**te.
  R. Não há mai**or**.
V. A mesma **coi**sa que vos **fiz**, vós de**veis** fazer tam**bém**.
  * Ninguém **ti**ra. Glória ao **Pai**. R. Não há mai**or**.

Cântico evangélico, ant.

Diz o **Mes**tre e **Se**nhor: o meu **tem**po é che**ga**do;
eu fa**rei** minha **Pás**coa com os **meus** em tua **ca**sa.

Preces

Adoremos o Salvador do gênero humano, que morrendo destruiu
a morte e ressuscitando renovou a vida; e peçamos com humildade:

R. **Santificai, Senhor, o povo que remistes com vosso sangue!**

Jesus, nosso Redentor, concedei que, pela penitência, nos associemos cada vez mais plenamente à vossa Paixão,
– a fim de alcançarmos a glória da ressurreição. R.

Acolhei-nos sob a proteção de Maria, vossa Mãe, consoladora
dos aflitos,
– para podermos confortar os tristes com o mesmo auxílio que de
vós recebemos. R.

Concedei aos vossos fiéis a graça de tomar parte na vossa Paixão
por meio dos sofrimentos da vida,
– a fim de que também neles se manifeste a vossa salvação. R.

Senhor Jesus, que vos humilhastes na obediência até à morte e
morte de cruz,
– ensinai-nos a ser obedientes e a sofrer com paciência. R.

(intenções livres)

Tornai os corpos de nossos irmãos e irmãs falecidos semelhantes
à imagem do vosso corpo glorioso,
– e fazei-nos dignos de participar um dia, com eles, da vossa glória.
R.

Pai nosso...

Oração

Ó Deus, que fizestes vosso Filho padecer o suplício da cruz para
arrancar-nos à escravidão do pecado, concedei aos vossos servos
e servas, a graça da ressurreição. Por nosso Senhor Jesus Cristo,
vosso Filho, na unidade do Espírito Santo.

414 Semana Santa

QUINTA-FEIRA

Laudes

Hino, p. 396.

Ant. 1 Olhai, Senhor, e contemplai meu sofrimento!
Escutai-me e vinde logo em meu auxílio!

Salmos e cântico da Quinta-feira da II Semana, p. 906.

Ant. 2 Eis o Deus, meu Salvador, eu confio e nada temo!

Ant. 3 Deus nos deu de comer a flor do trigo,
e com o mel que sai da rocha nos fartou.

Leitura breve   Hb 2,9b-10

Vemos Jesus coroado de glória e honra, por ter sofrido a morte.
Sim, pela graça de Deus em favor de todos, ele provou a morte.
Convinha de fato que aquele, por quem e para quem todas as
coisas existem, e que desejou conduzir muitos filhos à glória,
levasse o iniciador da salvação deles à consumação, por meio de
sofrimentos.

Responsório breve

R. Lembra-te de Cristo, ressuscitado dentre os mortos!
  * Ele é nossa salvação e nossa glória para sempre.
    R. Lembra-te.
V. Se com ele nós morremos, também, com ele viveremos.
    * Ele é. Glória ao Pai. R. Lembra-te.

Cântico evangélico, ant.

Ardentemente eu desejei comer convosco esta Páscoa
antes de ir sofrer a morte.

Preces

A Cristo, eterno sacerdote, a quem o Pai ungiu com o Espírito
Santo para anunciar aos cativos a libertação, supliquemos humildemente; e digamos:

R. Senhor, tende piedade de nós!

Vós, que subistes a Jerusalém para sofrer a Paixão, e assim entrar
na glória,
– conduzi vossa Igreja à Páscoa da eternidade.   R.

Quinta-feira

Vós, que, elevado na cruz, deixastes a lança do soldado vos traspassar,
– curai as nossas feridas. R.

Vós, que transformastes o madeiro da cruz em árvore da vida,
– concedei de seus frutos aos que renasceram pelo batismo. R.

Vós que, pregado na cruz, perdoastes o ladrão arrependido,
– perdoai-nos também a nós pecadores. R.

(intenções livres)

Pai nosso...

Oração

Senhor nosso Deus, amar-vos acima de tudo é ser perfeito; multiplicai em nós a vossa graça e concedei, aos que firmamos nossa esperança na morte do vosso Filho, alcançarmos por sua ressurreição aqueles bens que na fé buscamos. Por nosso Senhor Jesus Cristo, vosso Filho, na unidade do Espírito Santo.

Hora Média

Ant. Como o **Pai** me co**nh**ece, eu co**nh**eço meu **Pai**;
minha **vi**da eu en**tre**go por **mi**nhas o**ve**lhas.

Leitura breve Hb 7,26-27

Tal é precisamente o sumo-sacerdote que nos convinha: santo, inocente, sem mancha, separado dos pecadores e elevado acima dos céus. Ele não precisa, como os sumos-sacerdotes, oferecer sacrifícios a cada dia, primeiro por seus próprios pecados e depois pelos do povo. Ele já o fez uma vez por todas, oferecendo-se a si mesmo, Jesus Cristo nosso Senhor.

V. O **Cris**to to**mou** sobre **si** nossas **do**res.
R. **Carre**gou em seu **cor**po os **nos**sos pe**ca**dos.

Oração como nas Laudes.

TRÍDUO PASCAL
DA PAIXÃO E RESSURREIÇÃO DO SENHOR

QUINTA-FEIRA, NA CEIA DO SENHOR

Vésperas

Hoje rezam as Vésperas somente os que não participam da Missa vespertina da Ceia do Senhor.

Hino

Memória da morte
de Cristo Senhor,
Pão vivo, que ao homem
dá vida e valor, fazei-me viver
de vossa ternura,
sentindo nos lábios
a vossa doçura.

Fiel pelicano,
Jesus, meu Senhor,
lavai-me no sangue,
a mim pecador;
pois dele uma gota
já salva e redime
a todo o Universo
dos laços do crime.

Enfim, contemplando
na glória dos céus
o vosso semblante,
sem sombras nem véus,
irei bendizer-vos,
Jesus, Sumo Bem,
ao Pai e ao Espírito
nos séculos. Amém.

Ant. 1 O Primogênito dos **mortos** e **Rei** dos reis da terra,
fez de **nós** para o seu **Pai** um **reino** e sacerdócio.

Salmos e cântico da Quinta-feira da II Semana, p. 914.

Quinta-feira, na Ceia do Senhor

Ant. 2 O **Senhor** libertará o infeliz do prepotente,
e o **pobre** salvará ao qual ninguém quer ajudar.

Ant. 3 Triunfaram pelo sangue do Cordeiro
e o testemunho que eles deram da Palavra.

Leitura breve
Hb 13,12-15

Jesus sofreu do lado de fora da porta, para santificar o povo pelo seu próprio sangue. Vamos, portanto, sair ao seu encontro, fora do acampamento, carregando a sua humilhação. Porque não temos aqui cidade permanente, mas estamos à procura daquela que está para vir. Por meio de Jesus, ofereçamos a Deus um perene sacrifício de louvor, isto é, o fruto dos lábios que celebram o seu nome.

Em lugar do responsório se diz:

Ant. Jesus **Cristo** se humilhou e se **fez** obediente,
obediente até à morte.

Cântico evangélico, ant.
Na **ceia** derradeira, Jesus tornou o **pão**,
deu **graças** e o partiu e o **deu** a seus discípulos.

Preces
Adoremos o nosso Salvador, que durante a última Ceia com os seus discípulos, na noite em que foi entregue, deixou à Igreja o memorial perene de sua Paixão e Ressurreição. Oremos, dizendo:

R. **Santificai, Senhor, o povo que remistes com vosso sangue!**

Jesus, nosso Redentor, concedei que, pela penitência, nos associemos cada vez mais plenamente à vossa Paixão,
– a fim de alcançarmos a glória da ressurreição. R.

Acolhei-nos sob a proteção de Maria, vossa Mãe, consoladora dos aflitos,
– para podermos confortar os tristes com o mesmo auxílio que de vós recebemos. R.

Concedei aos vossos fiéis a graça de tomar parte na vossa Paixão por meio dos sofrimentos da vida,
– para que também neles se manifeste a vossa salvação. R.

418   Semana Santa

Senhor Jesus, que vos humilhastes na obediência até à morte e morte de cruz,
– ensinai-nos a ser obedientes e a sofrer com paciência.   R.
R. **Santificai, Senhor, o povo que remistes com vosso sangue!**

(intenções livres)

Tornai os corpos de nossos irmãos e irmãs falecidos semelhantes à imagem do vosso corpo glorioso,
– e fazei-nos dignos de participar, um dia, com eles, da vossa gló-ria.   R.

Pai nosso...

Oração

Ó Deus, que para a vossa glória e nossa salvação constituístes Jesus Cristo sumo e eterno sacerdote, concedei ao vosso povo, resgatado por seu Sangue, que, ao celebrar o memorial de sua Paixão, receba a força redentora de sua cruz e ressurreição. Por nosso Senhor Jesus Cristo, vosso Filho, na unidade do Espírito Santo.

Completas de domingo, depois das II Vésperas, p. 1119.

Em lugar do responsório se diz:

Ant. Jesus **Cris**to se humi**lhou** e se **fez** obedi**ente**,
       obediente até à **mor**te.

SEXTA-FEIRA DA PAIXÃO DO SENHOR

Laudes

Hino, p. 396.

Salmodia

Ant. 1 Deus não pou**pou** seu próprio **Fi**lho,
       mas o entre**gou** por todos **nós**.

Salmo 50(51)

– [3]Tende pie**da**de, ó meu **Deus**, miseri**cór**dia! *
     Na imensi**dão** de vosso amor, purificai-me!
– [4]La**vai**-me todo inteiro do pecado, *
     e apa**gai** completamente a minha culpa! –

Sexta-feira da Paixão do Senhor

– [5] Eu reconheço toda a minha iniquidade, *
o meu pecado está sempre à minha frente.
– [6] Foi contra vós, só contra vós, que eu pequei, *
e pratiquei o que é mau aos vossos olhos!

– Mostrais assim quanto sois justo na sentença, *
e quanto é reto o julgamento que fazeis.
– [7] Vede, Senhor, que eu nasci na iniquidade *
e pecador já minha mãe me concebeu.

– [8] Mas vós amais os corações que são sinceros, *
na intimidade me ensinais sabedoria.
– [9] Aspergi-me e serei puro do pecado, *
e mais branco do que a neve ficarei.

– [10] Fazei-me ouvir cantos de festa e de alegria, *
e exultarão estes meus ossos que esmagastes.
– [11] Desviai o vosso olhar dos meus pecados *
e apagai todas as minhas transgressões!

– [12] Criai em mim um coração que seja puro, *
dai-me de novo um espírito decidido.
– [13] Ó Senhor, não me afasteis de vossa face, *
nem retireis de mim o vosso Santo Espírito!

– [14] Dai-me de novo a alegria de ser salvo *
e confirmai-me com espírito generoso!
– [15] Ensinarei vosso caminho aos pecadores, *
e para vós se voltarão os transviados.

– [16] Da morte como pena, libertai-me, *
e minha língua exaltará vossa justiça!
– [17] Abri meus lábios, ó Senhor, para cantar, *
e minha boca anunciará vosso louvor!

– [18] Pois não são de vosso agrado os sacrifícios, *
e, se oferto um holocausto, o rejeitais.
– [19] Meu sacrifício é minha alma penitente, *
não desprezeis um coração arrependido!

– [20] Sede benigno com Sião, por vossa graça, *
reconstruí Jerusalém e os seus muros!
– [21] E aceitareis o verdadeiro sacrifício, *
os holocaustos e oblações em vosso altar!

Ant. Deus não pou**pou** seu próprio **Filho**,
   mas o entre**gou** por todos **nós**.

Ant. 2 Jesus **Cris**to nos a**mou** até o **fim**
   e la**vou** nossos pe**ca**dos com seu **sangue**.

Cântico   Hab 3,2-4.13a.15-19

– ²Eu ou**vi** vossa mensagem, ó Se**nhor**, *
   e en**chi**-me de te**mor**.
– Manifes**tai** a vossa obra pelos tempos *
   e tor**nai**-a conhecida.
– Ó Se**nhor**, mesmo na cólera, lembrai-vos *
   de **ter** misericórdia!
– ³Deus vi**rá** lá das montanhas de Temã, *
   e o **San**to, de Farã.
– O céu se **en**che com a sua majestade, *
   e a **ter**ra, com sua glória.
– ⁴Seu esplen**dor** é fulgurante como o sol, *
   saem **rai**os de suas mãos.
– Nelas se o**cul**ta o seu poder como num véu, *
   seu po**der** vitorioso.
– ¹³Para sal**var** o vosso povo vós saístes, *
   para sal**var** o vosso Ungido.
– ¹⁵E lan**çastes** pelo mar vossos cavalos *
   no turbi**lhão** das grandes águas.
– ¹⁶Ao ou**vi**-lo, estremeceram-me as entranhas *
   e tremeram os meus lábios.
– A **cá**rie penetrou-me até os ossos, *
   e meus **pas**sos vacilaram.
– Confi**an**te espero o dia da aflição, *
   que vi**rá** contra o opressor.
– ¹⁷**Ain**da que a figueira não floresça *
   nem a **vi**nha dê seus frutos,
– a oli**vei**ra não dê mais o seu azeite, *
   nem os **cam**pos, a comida;
– mesmo que **fal**tem as ovelhas nos apriscos *
   e o **ga**do nos currais:

Sexta-feira da Paixão do Senhor 421

—[18] mesmo assim eu me alegro no Senhor, *
exulto em **Deus**, meu Salvador!

—[19] O meu **Deus** e meu Senhor é minha força *
e me faz ágil como a corça;

— para as alturas me conduz com segurança *
ao cântico de salmos.

Ant. Jesus **Cristo** nos amou até o **fim**
e lavou nossos pecados com seu **sangue**.

Ant. 3 Adoramos, Senhor, vosso madeiro,
vossa **ressurreição** nós celebramos.
A alegria chegou ao mundo inteiro,
pela **cruz** que nós **hoje** veneramos.

Salmo 147(147B)

—[12] Glorifica o Senhor, Jerusalém! *
Ó Sião, canta louvores ao teu Deus!

—[13] Pois reforçou com segurança as tuas portas, *
e os teus filhos em teu seio abençoou;

—[14] a paz em teus limites garantiu *
e te dá como alimento a flor do trigo.

—[15] Ele envia suas ordens para a terra, *
e a palavra que ele diz corre veloz;

—[16] ele faz cair a neve como lã *
e espalha a geada como cinza.

—[17] Como de pão lança as migalhas do granizo, *
a seu frio as águas ficam congeladas.

—[18] Ele envia sua palavra e as derrete, *
sopra o vento e de novo as águas correm.

—[19] Anuncia a Jacó sua palavra, *
seus preceitos e suas leis a Israel.

—[20] Nenhum povo recebeu tanto carinho, *
a nenhum outro revelou os seus preceitos.

Ant. Adoramos, Senhor, vosso madeiro,
vossa **ressurreição** nós celebramos.
A alegria chegou ao mundo inteiro,
pela **cruz** que nós **hoje** veneramos.

422 Semana Santa

Leitura breve
Is 52,13-15

Ei-lo, o meu Servo será bem sucedido; sua ascensão será ao mais alto grau. Assim como muitos ficaram pasmados ao vê-lo – tão desfigurado ele estava que não parecia ser um homem ou ter aspecto humano – do mesmo modo ele espalhará sua fama entre os povos. Diante dele os reis se manterão em silêncio, vendo algo que nunca lhes foi narrado e conhecendo coisas que jamais ouviram.

Em lugar do responsório se diz:
Ant. Jesus **Cris**to se humil**hou** e se **fez** obedi**ente,**
obedi**ente** até à **mor**te e **mor**te de **cruz**.

Cântico evangélico, ant.
Acima de **su**a cabeça puseram **escrito** o **motivo**
da **cul**pa e do **cri**me de **Cris**to:
Je**sus** Naza**re**no, o **Rei** dos ju**deus.**

Preces
Adoremos com sincera piedade a Cristo, nosso Redentor, que por nós sofreu a Paixão e foi sepultado para ressuscitar ao terceiro dia; e peçamos humildemente:

R. **Senhor, tende piedade de nós!**

Cristo, nosso Mestre e Senhor, obediente até à morte por nosso amor,
– ensinai-nos a obedecer sempre à vontade do Pai. R.

Cristo, nossa vida, que morrendo na cruz, destruístes o poder da morte e do inferno,
– ensinai-nos a morrer convosco, para merecermos também ressuscitar convosco na glória. R.

Cristo, nosso Rei, que fostes desprezado como um verme e humilhado como a vergonha do gênero humano,
– ensinai-nos a imitar a vossa humildade salvadora. R.

Cristo, nossa salvação, que destes a vida por amor dos seres humanos, vossos irmãos e irmãs,
– fazei que nos amemos uns aos outros com a mesma caridade. R.

Cristo, nosso Salvador, que de braços abertos na cruz quisestes atrair para vós a humanidade inteira,
– reuni em vosso reino os filhos e as filhas de Deus dispersos pelo mundo.
R.

(intenções livres)

Pai nosso...

Oração

Olhai com amor, ó Pai, esta vossa família, pela qual nosso Senhor Jesus Cristo livremente se entregou às mãos dos inimigos e sofreu o suplício da cruz. Por nosso Senhor Jesus Cristo, vosso Filho, na unidade do Espírito Santo.

Hora Média

Hino

Ó cruz, do mundo bênção,
ó divinal troféu:
da morte foste a porta
e agora és do céu.

Venceu o mal aquele
que tudo atrai a si:
qual vítima imolada
suspenso foi em ti.

Louvor, poder e glória
por ti, subam, ó cruz,
ao Deus que é uno e trino,
inacessível luz.

Ant. Da hora sexta à hora nona a terra toda escureceu.

Salmodia

Salmo 39(40),2-14.17-18

– 2 Esperando, esperei no Senhor, *
e inclinando-se, ouviu meu clamor.
– 3 Retirou-me da cova da morte*
e de um charco de lodo e de lama.
– Colocou os meus pés sobre a rocha, *
devolveu a firmeza a meus passos.

Semana Santa

– ⁴Canto **no**vo ele pôs em meus lábios, *
um poema em louvor ao Senhor.

– Muitos **ve**jam, respeitem, adorem *
e es**pe**rem em Deus, confiantes.

= ⁵É fe**liz** quem a Deus se confia; †
quem não **se**gue os que adoram os ídolos *
e se **per**dem por falsos caminhos.

– ⁶Quão i**men**sos, Senhor, vossos feitos!*
Mara**vi**lhas fizestes por nós!

– Quem a **vós** poderá comparar-se *
nos de**sí**gnios a nosso respeito?

– Eu qui**se**ra, Senhor, publicá-los, *
mas são **tan**tos! Quem pode contá-los?

– ⁷Sacri**fí**cio e oblação não quisestes, *
mas a**bris**tes, Senhor, meus ouvidos;

= não pe**dis**tes ofertas nem vítimas, †
holo**caus**tos por nossos pecados. *
⁸E en**tão** eu vos disse: "Eis que venho!"

= Sobre **mim** está escrito no livro: †
⁹"Com pra**zer** faço a vossa vontade, *
guardo em **meu** coração vossa lei!"

=¹⁰Boas-**no**vas de vossa Justiça †
anunci**ei** numa grande assembleia; *
vós sa**beis**: não fechei os meus lábios!

=¹¹Procla**mei** toda a **vos**sa jus**ti**ça, †
sem retê-la no meu coração; *
vosso au**xí**lio e lealdade narrei.

– Não ca**lei** vossa graça e verdade *
na pre**sen**ça da grande assembleia.

–¹²Não ne**gueis** para mim vosso amor!*
Vossa **gra**ça e verdade me guardem!

=¹³Pois des**gra**ças sem conta me cercam, †
minhas **cul**pas me agarram, me prendem, *
e as**sim** já nem posso enxergar.

= Meus pe**ca**dos são mais numerosos †
que os ca**be**los da minha cabeça; *
desfa**le**ço e me foge o alento!

Sexta-feira da Paixão do Senhor

– [14] Dignai-vos, Senhor, libertar-me, *
vinde logo, Senhor, socorrer-me!

– [17] Mas se alegre e em vós rejubile *
todo ser que vos busca, Senhor!

– Digam sempre: "É grande o Senhor!" *
os que buscam em vós seu auxílio.

= [18] Eu sou pobre, infeliz, desvalido, †
porém, guarda o Senhor minha vida, *
e por mim se desdobra em carinho.

– Vós me sois salvação e auxílio: *
vinde logo, Senhor, não tardeis!

Salmo 53(54),3-6.8-9

– [3] Por vosso nome, salvai-me, Senhor: *
e dai-me a vossa justiça!

– [4] Ó meu Deus, atendei minha prece *
e escutai as palavras que eu digo!

= [5] Pois contra mim orgulhosos se insurgem, †
e violentos perseguem-me a vida: *
não há lugar para Deus aos seus olhos.

– [6] Quem me protege e me ampara é meu Deus; *
é o Senhor quem sustenta minha vida!

– [8] Quero ofertar-vos o meu sacrifício *
de coração e com muita alegria;

– quero louvar, ó Senhor, vosso nome, *
quero cantar vosso nome que é bom!

– [9] Pois me livrastes de toda a angústia, *
e humilhados vi meus inimigos!

Salmo 87(88)

– [2] A vós clamo, Senhor, sem cessar, todo o dia, *
e de noite se eleva até vós meu gemido.

– [3] Chegue a minha oração até a vossa presença, *
inclinai vosso ouvido a meu triste clamor!

– [4] Saturada de males se encontra a minh'alma, *
minha vida chegou junto às portas da morte.

426 Semana Santa

– ⁵ Sou contado entre aqueles que descem à cova, *
  toda gente me vê como um caso perdido!
– ⁶ O meu leito já tenho no reino dos mortos, *
  como um homem caído que jaz no sepulcro,
– de quem mesmo o Senhor se esqueceu para sempre *
  e excluiu por completo da sua atenção.
– ⁷ Ó Senhor, me pusestes na cova mais funda, *
  nos locais tenebrosos da sombra da morte.
– ⁸ Sobre mim cai o peso do vosso furor, *
  vossas ondas enormes me cobrem, me afogam.
– ⁹ Afastastes de mim meus parentes e amigos, *
  para eles torne-me objeto de horror.
– Eu estou aqui preso e não posso sair, *
  ¹⁰ e meus olhos se gastam de tanta aflição.
– Clamo a vós, ó Senhor, sem cessar, todo o dia, *
  minhas mãos para vós se levantam em prece.
–¹¹ Para os mortos, acaso faríeis milagres? *
  poderiam as sombras erguer-se e louvar-vos?
–¹² No sepulcro haverá quem vos cante o amor*
  e proclame entre os mortos a vossa verdade?
–¹³ Vossas obras serão conhecidas nas trevas, *
  vossa graça, no reino onde tudo se esquece?
–¹⁴ Quanto a mim, ó Senhor, clamo a vós na aflição, *
  minha prece se eleva até vós desde a aurora.
–¹⁵ Por que vós, ó Senhor, rejeitais a minh'alma? *
  E por que escondeis vossa face de mim?
–¹⁶ Moribundo e infeliz desde o tempo da infância, *
  esgotei-me ao sofrer sob o vosso terror.
–¹⁷ Vossa ira violenta caiu sobre mim *
  e o vosso pavor reduziu-me a um nada!
–¹⁸ Todo dia me cercam quais ondas revoltas, *
  todos juntos me assaltam, me prendem, me apertam.
–¹⁹ Afastastes de mim os parentes e amigos, *
  e por meus familiares só tenho as trevas!

Ant. Da hora sexta à hora nona a terra toda escureceu.

Sexta-feira da Paixão do Senhor

Leitura breve
Is 53,4-5

A verdade é que ele tomava sobre si nossas enfermidades e sofria, ele mesmo, nossas dores; e nós pensávamos fosse um chagado, golpeado por Deus e humilhado! Mas ele foi ferido por causa de nossos pecados, esmagado por causa de nossos crimes; a punição a ele imposta era o preço da nossa paz, e suas feridas, o preço da nossa cura.

V. Lembrai-vos de **mim**, Senhor Je**s**us,

R. Quando ti**ver**des che**ga**do em vosso **Rei**no.

Oração

Olhai com amor, ó Pai, esta vossa família pela qual nosso Senhor Jesus Cristo livremente se entregou às mãos dos inimigos e sofreu o suplício da cruz. Por Cristo, nosso Senhor.

Vésperas

Hoje rezam as Vésperas somente os que não participam da Ação litúrgica da Paixão do Senhor.

Hino, p. 395.

Salmodia

Ant. 1 **Olhai**, ó povos **to**dos, e **ve**de a minha **dor**!

Salmo 115(116B)

— 10 Guar**dei** a minha **fé**, mesmo di**zen**do: *
"É de**mais** o sofrimento em minha vida!"

— 11 Confi**ei**, quando dizia na aflição: *
"Todo **ho**mem é mentiroso! Todo homem!"

— 12 Que pode**rei** retribuir ao Senhor Deus *
por tudo a**qui**lo que ele fez em meu favor?

— 13 Elevo o **cá**lice da minha salvação, *
invo**can**do o nome santo do Senhor.

— 14 Vou cum**prir** minhas promessas ao Senhor *
na pre**sen**ça de seu povo reunido.

— 15 É sen**ti**da por demais pelo Senhor *
a **mor**te de seus santos, seus amigos.

428   Semana Santa

=[16] Eis que **sou** o vosso servo, ó Senhor, †
vosso **ser**vo que nasceu de vossa serva; *
mas me que**bras**tes os grilhões da escravidão!

–[17] Por isso o**fer**to um sacrifício de louvor, *
invo**can**do o nome santo do Senhor.

–[18] Vou cum**prir** minhas promessas ao Senhor *
na pre**sen**ça de seu povo reunido;

–[19] nos **átri**os da casa do Senhor, *
em teu **mei**o, ó cidade de Sião!

Ant. **Olhai**, ó povos **to**dos, e **ve**de a minha **dor**!

Ant. 2 O a**len**to em **mim** já se ex**tin**gue,
o cora**ção** se com**pri**me em meu **pei**to.

Salmo 142(143),1-11

– [1] Ó Se**nhor**, escu**tai** minha **pre**ce, *
ó meu **Deus**, atendei minha súplica!

– Respon**dei**-me, ó vós, Deus fiel, *
escu**tai**-me por vossa justiça!

= [2] Não cha**meis** vosso servo a juízo, †
pois di**an**te da vossa presença *
não é **jus**to nenhum dos viventes.

– [3] O ini**mi**go persegue a minha alma, *
ele esma**ga** no chão minha vida

– e me **faz** habitante das trevas, *
como a**que**les que há muito morreram.

– [4] Já em **mim** o alento se extingue, *
o cora**ção** se comprime em meu peito!

= [5] Eu me le**mbro** dos dias de outrora †
e repa**sso** as vossas ações, *
recor**dan**do os vossos prodígios.

= [6] Para **vós** minhas mãos eu estendo; †
minha **al**ma tem sede de vós, *
como a **ter**ra sedenta e sem água.

– [7] Escu**tai**-me depressa, Senhor, *
o es**pí**rito em mim desfalece!

Sexta-feira da Paixão do Senhor

= Não escondais vossa face de mim! †
Se o fizerdes, já posso contar-me *
entre aqueles que descem à cova!
— 8Fazei-me cedo sentir vosso amor, *
porque em vós coloquei a esperança!
— Indicai-me o caminho a seguir, *
pois a vós eu elevo a minha alma!
— 9Libertai-me dos meus inimigos, *
porque sois meu refúgio, Senhor!
— 10Vossa vontade ensinai-me a cumprir, *
porque sois o meu Deus e Senhor!
— Vosso Espírito bom me dirija *
e me guie por terra bem plana!
— 11Por vosso nome e por vosso amor *
conservai, renovai minha vida!
— Pela vossa justiça e clemência, *
arrancai a minha alma da angústia!

Ant. O alento em mim já se extingue,
o coração se comprime em meu peito.

Ant. 3 E, tendo tomado o vinagre,
Jesus disse: Tudo está consumado!
E, inclinando a cabeça, entregou o espírito.

Cântico

Fl 2,6-11

= 6Embora fosse de divina condição, †
Cristo Jesus não se apegou ciosamente *
a ser igual em natureza a Deus Pai.

(R. Jesus Cristo é Senhor para a glória de Deus Pai!)

= 7Porém esvaziou-se de sua glória †
e assumiu a condição de um escravo, *
fazendo-se aos homens semelhante.

(R.)

= Reconhecido exteriormente como homem, †
8humilhou-se, obedecendo até à morte, *
até à morte humilhante numa cruz.

(R.)

430   Semana Santa

= [9] Por isso **Deus** o exaltou sobremaneira †
e deu-lhe o **no**me mais excelso, mais sublime, *
e eleva**d**o muito acima de outro nome.   (R.)

=[10] Para **que** perante o nome de Jesus †
se **do**bre reverente todo joelho, *
seja nos **céus**, seja na terra ou nos abismos.   (R.)

=[11] E toda **lín**gua reconheça, confessando, †
para a **gló**ria de Deus Pai e seu louvor: *
"Na ver**d**ade Jesus Cristo é o Senhor!"   (R.)

Ant. E, **ten**do to**ma**do o vinagre,
      Jesus **dis**se: Tudo está con**su**mado!
      E, incli**nan**do a cabeça, entre**gou** o es**pí**rito.

Leitura breve   1Pd 2,21b-24

Cristo sofreu por vós deixando-vos um exemplo, a fim de que sigais os seus passos. Ele não cometeu pecado algum, mentira nenhuma foi encontrada em sua boca. Quando injuriado, não retribuía as injúrias; atormentado, não ameaçava; antes, colocava a sua causa nas mãos daquele que julga com justiça. Sobre a cruz, carregou nossos pecados em seu próprio corpo, a fim de que, mortos para os pecados, vivamos para a justiça. Por suas feridas fostes curados.

Em lugar do responsório se diz:

Ant. Jesus **Cris**to se humi**lhou** e se **fez** obedi**ente**,
        obedi**ente** até à **mor**te, e **mor**te de **cruz**.

Cântico evangélico, ant.
Ini**mi**gos que nós **éra**mos de **Deus**,
reconci**lia**dos nós fi**ca**mos com Deus **Pai**
pela **mor**te de seu **Fi**lho, Jesus **Cris**to.

Preces
Recomenda-se usar hoje, como Preces das Vésperas, a Oração universal que se propõe para este dia no Missal Romano. Mas, se for preferível, podem-se dizer as Preces que a seguir se propõem, ou então, fazer um momento de oração em silêncio, depois de anunciar cada uma das intenções da Oração universal antes mencionada.

Sexta-feira da Paixão do Senhor

Comemorando piedosamente a morte de nosso Senhor Jesus Cristo, de onde brotou a vida do mundo, roguemos a Deus Pai:

R. Pela morte de Cristo, vosso Filho, ouvi-nos, Senhor!

Fortalecei, Senhor, a unidade da Igreja. R.

Protegei o Santo Padre N. R.

Santificai pelo Espírito Santo os ministros da Igreja
e todo o povo cristão. R.

Aumentai a fé e a sabedoria dos catecúmenos. R.

Congregai todos os cristãos na unidade. R.

Conduzi os judeus à plenitude da redenção. R.

Iluminai com a luz da vossa glória
os que não creem em Cristo. R.

Revelai aos ateus os sinais da vossa bondade
nas obras da criação R.

Dirigi o espírito e o coração dos governantes. R.

Confortai os atribulados. R.

(intenções livres)

Socorrei os que morreram. R.

Pai nosso...

Oração

Olhai com amor, ó Pai, esta vossa família, pela qual nosso Senhor Jesus Cristo livremente se entregou às mãos dos inimigos e sofreu o suplício da cruz. Por nosso Senhor Jesus Cristo, vosso Filho, na unidade do Espírito Santo.

Completas de domingo, depois das II Vésperas, p. 1119.

Em lugar do responsório se diz:

Ant. Jesus **Cris**to se humil**hou** e se **fez** obediente,
obediente até à mor**te**, e **morte** de **cruz**.

432   Semana Santa

SÁBADO SANTO

Laudes

Hino

Chorando vos cantamos
um hino de louvor;
as faltas perdoai-nos,
de todos Redentor!

Vencestes o inimigo,
morrendo sobre a cruz:
marcada em nossas frontes,
é o sol que nos conduz.

Jamais venha lesar-nos
o antigo tentador:
lavou-nos no batismo
o sangue redentor.

Por nós descer quisestes
da morte à região:
aos pais que aguardavam
trouxestes salvação.

Vireis no fim dos tempos,
Senhor, Juiz e Rei,
então recompensando
quem segue a vossa lei.

Curai nossas feridas,
pedimo-vos, Senhor,
a vós e ao Pai louvando
e ao Espírito de amor.

Salmodia

Ant. 1 Lamenta**rão** a sua **morte**
como a um **fi**lho primogênito,
pois foi **mor**to o Inocen**te**,
Jesus **Cristo**, Senhor **nos**so.

Sábado Santo

Salmo 63(64)

– ²Ó Deus, ouvi a minha voz, o meu lamento! *
salvai-me a vida do inimigo aterrador!
– ³Protegei-me das intrigas dos perversos *
e do tumulto dos obreiros da maldade!
– ⁴Eles afiam suas línguas como espadas, *
lançam palavras venenosas como flechas,
– ⁵para ferir os inocentes às ocultas *
e atingi-los de repente, sem temor.
– ⁶Uns aos outros se encorajam para o mal *
e combinam às ocultas, traiçoeiros,
– onde pôr as armadilhas preparadas, *
comentando entre si: "Quem nos verá?"
– ⁷Eles tramam e disfarçam os seus crimes. *
É um abismo o coração de cada homem!
– ⁸Deus, porém, os ferirá com suas flechas, *
e cairão todos feridos, de repente.
– ⁹Sua língua os levará à perdição, *
e quem os vir meneará sua cabeça;
– ¹⁰com temor proclamará a ação de Deus, *
e tirará uma lição de sua obra.
= ¹¹O homem justo há de alegrar-se no Senhor †
e junto dele encontrará o seu refúgio, *
e os de reto coração triunfarão.

Ant. Lamentarão a sua morte como a um filho primogênito,
pois foi morto o Inocente, Jesus Cristo, Senhor nosso.

Ant. 2 Das portas do abismo livrai-me, Senhor!

Cântico   Is 38,10-14.17-20

– ¹⁰Eu dizia: "É necessário que eu me vá *
no apogeu de minha vida e de meus dias;
– para a mansão triste dos mortos descerei, *
sem viver o que me resta dos meus anos".
= ¹¹Eu dizia: "Não verei o Senhor Deus †
sobre a terra dos viventes nunca mais; *
nunca mais verei um homem neste mundo!" –

434   Semana Santa

— ¹²Minha morada foi à força arrebatada, *
  desarmada como a tenda de um pastor.
—   Qual tecelão, eu ia tecendo a minha vida, *
  mas agora foi cortada a sua trama.
— ¹³Vou me acabando de manhã até à tarde, *
  passo a noite a gemer até a aurora.
—   Como um leão que me tritura os ossos todos, *
  assim eu vou me consumindo dia e noite.
— ¹⁴O meu grito é semelhante ao da andorinha, *
  o meu gemido se parece ao da rolinha.
—   Os meus olhos já se cansam de elevar-se, *
  de pedir-vos: "Socorrei-me, Senhor Deus!"
— ¹⁷Mas vós livrastes minha vida do sepulcro, *
  e lançastes para trás os meus pecados.
— ¹⁸Pois a mansão triste dos mortos não vos louva, *
  nem a morte poderá agradecer-vos;
—   para quem desce à sepultura é terminada *
  a esperança em vosso amor sempre fiel.
— ¹⁹Só os vivos é que podem vos louvar, *
  como hoje eu vos louvo agradecido.
—   O pai há de contar para seus filhos *
  vossa verdade e vosso amor sempre fiel.
= ²⁰Senhor, salvai-me! Vinde logo em meu auxílio, †
  e a vida inteira cantaremos nossos salmos, *
  agradecendo ao Senhor em sua casa.

Ant. Das portas do abismo livrai-me, Senhor!

Ant. 3 Estive morto e agora vivo:
     sou o Vivente pelos séculos;
     tenho as chaves dos abismos
     e a vitória sobre a morte.

Salmo 150

— ¹Louvai o Senhor Deus no santuário, *
  louvai-o no alto céu de seu poder!
— ²Louvai-o por seus feitos grandiosos, *
  louvai-o em sua grandeza majestosa! —

Sábado Santo

— ³ Louvai-o com o toque da trombeta, *
    louvai-o com a harpa e com a cítara!
— ⁴ Louvai-o com a dança e o tambor, *
    louvai-o com as cordas e as flautas!
— ⁵ Louvai-o com os címbalos sonoros, *
    louvai-o com os címbalos de júbilo!
— Louve a **Deus** tudo o que vive e que respira, *
    tudo **can**te os louvores do Senhor!

Ant. Estive **mor**to e agora **vivo**: sou o **Vivente** pelos **séculos**;
        tenho as **chaves** dos **abismos** e a vitória sobre a **mor**te.

Leitura breve
Os 5,15d-6,2

Eis o que diz o Senhor: Em suas aflições me procurarão. Vinde,
voltemos para o Senhor, ele nos feriu e há de trata-nos, ele nos
machucou e há de curar-nos. Em dois dias, nos dará vida, e, ao
terceiro dia, há de restaurar-nos, e viveremos em sua presença.

Em lugar do responsório se diz:

Ant. Jesus **Cristo** se humi**lhou** e se **fez** obediente,
        obediente até à **mor**te, e **mor**te de **cruz**.
        Por isso **Deus** o exal**tou** sobremaneira em sua **gló**ria,
        e deu-lhe o **no**me mais su**blime**,
        muito **acima** de outro **no**me.

Cântico evangélico, ant.

Sal**vai**-nos, Salva**dor** do uni**ver**so!
Por vossa **cruz** e vosso **san**gue nos re**mistes**:
aju**dai**-nos, vos pe**dimos**, nosso **Deus**!

Preces

Adoremos com sincera piedade a Cristo, nosso Redentor, que por
nós sofreu a Paixão e foi sepultado para ressuscitar ao terceiro
dia; e peçamos humildemente:
R. Senhor, tende piedade de nós!

Cristo, nosso Salvador, que junto à cruz e ao sepulcro quisestes
ter presente vossa Mãe dolorosa,
— tornai-nos também participantes da vossa Paixão por meio dos
sofrimentos da vida. **R.**

Cristo, nosso Senhor, que como grão de trigo caído na terra fizestes germinar para nós o admirável fruto da vida eterna,
– dai-nos a graça de morrer para o pecado e viver somente para Deus.

R. **Senhor, tende piedade de nós!**

Cristo, nosso Pastor, que jazendo no sepulcro quisestes vos ocultar da vista de todos,
– ensinai-nos a amar nossa vida escondida convosco em Deus Pai.

Cristo, novo Adão, que descestes ao reino dos mortos para libertar os justos que, desde a origem do mundo, lá estavam encarcerados,
– compadecei-vos dos que estão mortos no túmulo de seus pecados, para que, escutando a vossa voz, recuperem a vida. R.

Cristo, Filho do Deus vivo, que pelo batismo nos sepultastes convosco,
– tornai-nos cada vez mais semelhantes a vós, no mistério da vossa ressurreição, para que vivamos a vida nova da graça. R.

(intenções livres)

Pai nosso...

Oração

Pai cheio de bondade, vosso Filho unigênito desceu à mansão dos mortos e dela surgiu vitorioso: concedei aos vossos fiéis, sepultados com ele no batismo, que, pela força de sua ressurreição, participem da vida eterna, com ele. Que convosco vive e reina, na unidade do Espírito Santo.

Hora Média

Hino

Ó cruz, do mundo bênção,
ó divinal troféu:
da morte foste a porta,
e agora és do céu.

Venceu o mal aquele
que tudo atrai a si:
qual vítima imolada,
suspenso foi em ti.

Sábado Santo

Louvor, poder e glória
por ti, subam, ó cruz,
ao Deus que é uno e trino,
inacessível luz.

Ant. Arrebatastes dos abismos minha vida, ó Senhor.

Salmodia

Salmo 26(27)

– [1] O Senhor é minha luz e salvação; *
de quem eu terei medo?
– O Senhor é a proteção da minha vida; *
perante quem eu tremerei?

– [2] Quando avançam os malvados contra mim, *
querendo devorar-me,
– são eles, inimigos e opressores, *
que tropeçam e sucumbem.

– [3] Se os inimigos se acamparem contra mim, *
não temerá meu coração;
– se contra mim uma batalha estourar, *
mesmo assim confiarei.

– [4] Ao Senhor eu peço apenas uma coisa, *
e é só isto que eu desejo:
– habitar no santuário do Senhor *
por toda a minha vida;
– saborear a suavidade do Senhor *
e contemplá-lo no seu templo.

– [5] Pois um abrigo me dará sob o seu teto *
nos dias da desgraça;
– no interior de sua tenda há de esconder-me *
e proteger-me sobre a rocha.

– [6] E agora minha fronte se levanta *
em meio aos inimigos.
– Ofertarei um sacrifício de alegria, *
no templo do Senhor.
– Cantarei salmos ao Senhor ao som da harpa *
e hinos de louvor. –

- [7]Ó Senhor, ouvi a voz do meu apelo, *
  atendei por compaixão!
- [8]Meu coração fala convosco confiante, *
  e os meus olhos vos procuram.
- Senhor, é vossa face que eu procuro; *
  não me escondais a vossa face!

- [9]Não afasteis em vossa ira o vosso servo, *
  sois vós o meu auxílio!
- Não me esqueçais nem me deixeis abandonado, *
  meu Deus e Salvador!
- [10]Se meu pai e minha mãe me abandonarem, *
  o Senhor me acolherá!

- [11]Ensinai-me, ó Senhor, vossos caminhos *
  e mostrai-me a estrada certa!
- Por causa do inimigo, protegei-me, *
  [12]não me entregueis a seus desejos!
- Porque falsas testemunhas se ergueram *
  e vomitam violência.

- [13]Sei que a bondade do Senhor eu hei de ver *
  na terra dos viventes.
- [14]Espera no Senhor e tem coragem, *
  espera no Senhor!

Salmo 29(30)

- [2]Eu vos exalto, ó Senhor, pois me livrastes, *
  e não deixastes rir de mim meus inimigos!
- [3]Senhor, clamei por vós, pedindo ajuda, *
  e vós, meu Deus, me devolvestes a saúde!
- [4]Vós tirastes minha alma dos abismos *
  e me salvastes, quando estava já morrendo!

- [5]Cantai salmos ao Senhor, povo fiel, *
  dai-lhe graças e invocai seu santo nome!
- [6]Pois sua ira dura apenas um momento, *
  mas sua bondade permanece a vida inteira;
- se à tarde vem o pranto visitar-nos, *
  de manhã vem saudar-nos a alegria.

Sábado Santo

– [7] Nos momentos mais felizes eu dizia: *
"Jamais hei de sofrer qualquer desgraça!"
– [8] Honra e poder me concedia a vossa graça, *
mas escondestes vossa face e perturbei-me.
– [9] Por vós, ó meu Senhor, agora eu clamo, *
e imploro a piedade do meu Deus:
– [10] "Que vantagem haverá com minha morte, *
e que lucro, se eu descer à sepultura?
– Por acaso, pode o pó agradecer-vos *
e anunciar vossa leal fidelidade?
– [11] Escutai-me, Senhor Deus, tende piedade! *
Sede, Senhor, o meu abrigo protetor!
– [12] Transformastes o meu pranto em uma festa, *
meus farrapos, em adornos de alegria,
= [13] para minh'alma vos louvar ao som da harpa †
e ao invés de se calar, agradecer-vos: *
Senhor meu Deus, eternamente hei de louvar-vos!

Salmo 75(76)

– [2] Em Judá o Senhor Deus é conhecido, *
e seu nome é grandioso em Israel.
– [3] Em Salém ele fixou a sua tenda, *
em Sião edificou sua morada.
– [4] E ali quebrou os arcos e as flechas, *
os escudos, as espadas e outras armas.
– [5] Resplendente e majestoso apareceis *
sobre montes de despojos conquistados.
= [6] Despojastes os guerreiros valorosos †
que já dormem o seu sono derradeiro, *
incapazes de apelar para os seus braços.
– [7] Ante as vossas ameaças, ó Senhor,*
estarreceram-se os carros e os cavalos.
– [8] Sois terrível, realmente, Senhor Deus! *
E quem pode resistir à vossa ira?
– [9] Lá do céu pronunciastes a sentença, *
e a terra apavorou-se e emudeceu,

440   Semana Santa

—[10] quando **Deus** se levantou para julgar*
e liber**tar** os oprimidos desta terra.
—[11] Mesmo a re**vol**ta dos mortais vos dará glória, *
e os que so**bra**ram do furor vos louvarão.
—[12] Ao vosso **Deus** fazei promessas e as cumpri; *
vós que o cer**cais**, trazei ofertas ao Terrível;
—[13] ele es**ma**ga os reis da terra em seu orgulho, *
e faz tre**mer** os poderosos deste mundo!

Ant. Arreba**tas**tes dos a**bis**mos minha **vida**, ó Se**nhor**·

Leitura breve   1Jo 2,1b-2
Temos junto do Pai um Defensor: Jesus Cristo, o Justo. Ele é a
vítima de expiação pelos nossos pecados, e não só pelos nossos,
mas também pelos pecados do mundo inteiro.

V. É o Se**nhor** quem dá a **mor**te e dá a **vida**.
R. Faz des**cer** à sepul**tura** e faz vol**tar**.

Oração
Pai cheio de bondade, vosso Filho unigênito desceu à mansão
dos mortos e dela surgiu vitorioso: concedei aos vossos fiéis, sepultados com ele no batismo, que, pela força de sua ressurreição,
participem da vida eterna, com ele. Que vive e reina para sempre.

Vésperas

Hino

Ó Cristo, concedei,
autor da salvação,
que os homens todos colham
os frutos da Paixão.

Na cruz vencendo a morte,
da vida sois Senhor;
calcais o vil demônio,
da morte causador.

Só uma vez morrendo,
da morte triunfais;
aos mortos visitando,
livrastes nossos pais.

Sábado Santo

Do Pai agora à destra,
ó vítima de amor,
ouvi aos que lavastes
no sangue redentor.

Saibamos erguer alto
o lábaro da cruz,
que aos filhos do pecado
tornou filhos da luz.

Rendamos todos glória
ao Pai e seu Amor,
ao Cristo, morto e vivo,
se eleva igual louvor.

Salmodia

Ant. 1 Ó **mor**te, eu se**rei** a tua **mor**te!
Ó in**fer**no, eu se**rei** tua ruína!

Salmo 115(116B)

—[10] Guar**dei** a minha **fé**, mesmo di**zen**do: *
"É de**mais** o sofrimento em minha vida!"
—[11] Confi**ei**, quando dizia na aflição: *
"Todo **ho**mem é mentiroso! Todo homem!"

—[12] Que pode**rei** retribuir ao Senhor Deus *
por tudo a**qui**lo que ele fez em meu favor?
—[13] Elevo o **cá**lice da minha salvação, *
invo**can**do o nome santo do Senhor.
—[14] Vou cum**prir** minhas promessas ao Senhor *
na pre**sen**ça de seu povo reunido. —

—[15] É sen**ti**da por demais pelo Senhor *
a **mor**te de seus santos, seus amigos.
=[16] Eis que **sou** o vosso servo, ó Senhor, †
vosso **ser**vo que nasceu de vossa serva; *
mas me que**bras**tes os grilhões da escravidão!

—[17] Por isso o**fer**to um sacrifício de louvor, *
invo**can**do o nome santo do Senhor.

442 Semana Santa

—[18] Vou cumprir minhas promessas ao Senhor *
na presença de seu povo reunido;
—[19] nos átrios da casa do Senhor, *
em teu meio, ó cidade de Sião!

Ant. Ó morte, eu serei a tua morte!
Ó inferno, eu serei tua ruína!

Ant. 2 Jonas esteve por três dias e três noites
no ventre de um peixe;
assim também o Filho do Homem ficará
no coração da nossa terra.

Salmo 142(143),1-11

– [1] Ó Senhor, escutai minha prece, *
ó meu Deus, atendei minha súplica!
– Respondei-me, ó vós, Deus fiel, *
escutai-me por vossa justiça!

= [2] Não chameis vosso servo a juízo, †
pois diante da vossa presença *
não é justo nenhum dos viventes.

– [3] O inimigo persegue a minha alma, *
ele esmaga no chão minha vida
– e me faz habitante das trevas, *
como aqueles que há muito morreram.

– [4] Já em mim o alento se extingue, *
o coração se comprime em meu peito!

= [5] Eu me lembro dos dias de outrora †
e repasso as vossas ações, *
recordando os vossos prodígios.

= [6] Para vós minhas mãos eu estendo; †
minha alma tem sede de vós, *
como a terra sedenta e sem água.

– [7] Escutai-me depressa, Senhor, *
o espírito em mim desfalece!
= Não escondais vossa face de mim! †
Se o fizerdes, já posso contar-me *
entre aqueles que descem à cova! –

Sábado Santo

— [8]Fazei-me **cedo** sentir vosso amor, *
   porque em **vós** coloquei a esperança!
— Indi**cai**-me o caminho a seguir, *
   pois a **vós** eu elevo a minha alma!
— [9]Liber**tai**-me dos meus inimigos, *
   porque **sois** meu refúgio, Senhor!

— [10]Vossa von**tade** ensinai-me a cumprir, *
   porque **sois** o meu Deus e Senhor!
— Vosso Es**pí**rito bom me dirija *
   e me **guie** por terra bem plana!

— [11]Por vosso **nome** e por vosso amor *
   conser**vai**, renovai minha vida!
— Pela **vos**sa justiça e clemência, *
   arran**cai** a minha alma da angústia!

Ant. Jonas esteve por três **dias** e três **noi**tes
   no **ventre** de um **peixe**;
   assim tam**bém** o Filho do **Ho**mem ficará
   no cora**ção** da nossa **terra**.

Ant. 3 Destruí este **templo**, disse **Cris**to,
   e em três **dias** have**rei** de reerguê-lo.
   Ele fala**va** do **templo** do seu **corpo**.

Cântico
Fl 2,6-11

= [6]Embora **fosse** de divina condi**ção**, †
   Cristo Je**sus** não se apegou ciosamente *
   a ser i**gual** em natureza a Deus Pai.

(R. Jesus **Cristo** é Se**nhor** para a **glória** de Deus **Pai!**)

= [7]Po**rém** esvaziou-se de sua glória †
   e assu**miu** a condição de um escravo, *
   fa**zen**do-se aos homens semelhante.

   (R.)

= Reconhe**ci**do exteriormente como homem, †
   [8]humil**hou**-se, obedecendo até à morte, *
   até à **mor**te humilhante numa cruz.

   (R.)

= [9]Por isso **Deus** o exaltou sobremaneira †
   e deu-lhe o **no**me mais excelso, mais sublime, *
   e ele**va**do muito acima de outro nome.

   (R.)

Semana Santa

$=^{10}$ Para **que** perante o nome de Jesus †
se **do**bre reverente todo joelho, *
seja nos **céus**, seja na terra ou nos abismos. (R.)

$=^{11}$ E toda **lín**gua reconheça, confessando, †
para a **gló**ria de Deus Pai e seu louvor: *
"Na ver**da**de Jesus Cristo é o Senhor!" (R.)

Ant. Destruí este **tem**plo, disse **Cris**to,
e em três **di**as have**rei** de reerguê-lo.
Ele fa**la**va do **tem**plo do seu **cor**po.

Leitura breve
1Pd 1,18-21

Sabeis que fostes resgatados da vida fútil herdada de vossos pais,
não por meio de coisas perecíveis, como a prata ou o ouro, mas
pelo precioso sangue de Cristo, como de um cordeiro sem mancha nem defeito. Antes da criação do mundo, ele foi destinado
para isso, e neste final dos tempos, ele apareceu, por amor de vós.
Por ele é que alcançastes a fé em Deus. Deus o ressuscitou dos
mortos e lhe deu a glória, e assim, a vossa fé e esperança estão
em Deus.

Em lugar do responsório se diz:

Ant. Jesus **Cris**to se humi**lhou** e se **fez** obedi**ente**,
obedi**ente** até à **mor**te, e **mor**te de **cruz**.
Por isso **Deus** o exal**tou** sobrema**nei**ra em sua **gló**ria, e
deu-lhe o **no**me mais su**bli**me,
muito a**ci**ma de outro **no**me.

Cântico evangélico, ant.

Agora **foi** glorifi**ca**do o Filho do **Ho**mem,
e Deus **Pai** nele **foi** glorifi**ca**do,
e em **bre**ve lhe da**rá** a sua **gló**ria.

Preces

Adoremos com sincera piedade a Cristo, nosso Redentor, que por
nós sofreu a Paixão e foi sepultado para ressuscitar ao terceiro
dia; e peçamos humildemente:

R. **Senhor, tende piedade de nós!**

Sábado Santo

Senhor Jesus, que do vosso lado aberto pela lança deixastes correr sangue e água, admirável sacramento de toda a Igreja,
– pelo mistério da vossa morte, sepultura e ressurreição, renovai a vida do povo de Deus: R.

Senhor Jesus, que vos compadecestes até dos que tinham esquecido vossas promessas de ressurreição,
– lembrai-vos daqueles que não acreditam no vosso triunfo sobre a morte e vivem sem esperança. R.

Cordeiro de Deus, vítima pascal, imolado por todos nós,
– atraí para vós a humanidade inteira. R.

Deus do universo, que dominais todos os confins da terra, e quisestes ser encerrado num sepulcro,
– livrai do inferno o gênero humano e dai-lhe a glória da imortalidade. R.

(intenções livres)

Cristo, Filho do Deus vivo, que pregado na cruz abristes as portas do paraíso para o ladrão arrependido,
– associai à glória da vossa ressurreição os nossos irmãos e irmãs falecidos, semelhantes a vós na morte e na ressurreição. R.

Pai nosso...

Oração

Pai cheio de bondade, vosso Filho unigênito desceu à mansão dos mortos e dela surgiu vitorioso: concedei aos vossos fiéis, sepultados com ele no batismo, que, pela força de sua ressurreição, participem da vida eterna, com ele. Que convosco vive e reina, na unidade do Espírito Santo.

Completas de domingo, depois das II Vésperas, p. 1119. Elas serão ditas somente por quem não participa da Vigília pascal.

Em lugar do responsório se diz:

Ant. Jesus **Cristo** se humi**lhou** e se **fez** obedien**te**,
obedien**te** até à **mor**te, e **morte** de **cruz**.
Por isso **Deus** o exal**tou** sobrema**neira** em sua **glória**,
e deu-lhe o **no**me mais su**bli**me,
muito **acima** de outro **nome**.

DOMINGO DA PÁSCOA
NA RESSURREIÇÃO DO SENHOR

Começa o Tempo pascal

Laudes

Hino

Desdobra-se no céu
a rutilante aurora.
Alegre, exulta o mundo;
gemendo, o inferno chora.

Pois eis que o Rei, descido
à região da morte,
àqueles que o esperavam
conduz à nova sorte.

Por sob a pedra posto,
por guardas vigiado,
sepulta a própria morte
Jesus ressuscitado.

Da região da morte
cesse o clamor ingente:
"Ressuscitou!" exclama
o Anjo refulgente.

Jesus, perene Páscoa,
a todos alegrai-nos.
Nascidos para a vida,
da morte libertai-nos.

Louvor ao que da morte
ressuscitado vem,
ao Pai e ao Paráclito
eternamente. Amém.

Ant. 1 O Senhor ressuscitou e seu povo iluminou,
ao qual remiu com o seu sangue. Aleluia.

Salmo 62(63),2-9

– ² Sois vós, ó Senhor, o meu Deus! *
Desde a aurora ansioso vos busco!

Domingo da Páscoa

= A minh'alma tem sede de vós, †
minha **carne** também vos deseja, *
como **terra** sedenta e sem água!

– [3]Venho, as**sim**, contemplar-vos no templo, *
para **ver** vossa glória e poder.

– [4]Vosso a**mor** vale mais do que a vida: *
e por **isso** meus lábios vos louvam.

– [5]Quero, **pois**, vos louvar pela vida *
e ele**var** para vós minhas mãos!

– [6]A minh'**alma** será saciada, *
como em **gran**de banquete de festa;

– cantа**rá** a alegria em meus lábios, *
ao can**tar** para vós meu louvor!

– [7]Penso em **vós** no meu leito, de noite, *
nas vi**gí**lias suspiro por vós!

– [8]Para **mim** fostes sempre um socorro; *
de vossas **asas** à sombra eu exulto!

– [9]Minha **alma** se agarra em vós; *
com po**der** vossa mão me sustenta.

Ant. O Se**nhor** ressusci**tou** e seu **povo** ilumi**nou**,
ao qual re**miu** com o seu **sangue**. Ale**luia**.

Ant. 2 Ressusci**tou** da sepul**tura** o Salva**dor**:
ao nosso **Deus** cantemos **hinos**, ale**luia**.

Cântico

Dn 3,57-88.56

– [57]**Obras** do Senhor, bendi**zei** o Senhor, *
louvai-o e exaltai-o pelos **séculos** sem fim!

– [58]**Céus** do Senhor, bendi**zei** o Senhor! *
[59]**Anjos** do Senhor, bendi**zei** o Senhor!

(R. Lou**vai**-o e exal**tai**-o pelos **séculos** sem **fim**!
Ou
R. A Ele **glória** e lou**vor** eterna**mente**!)

– [60]**Águas** do alto céu, bendi**zei** o Senhor! *
[61]**Potên**cias do Senhor, bendi**zei** o Senhor!

– [62]**Lua** e sol, bendi**zei** o Senhor! *
[63]**Astros** e estrelas, bendi**zei** o Senhor!

(R.)

448 Tempo Pascal

– [64]**Chu**vas e orvalhos, bendi**zei** o Senhor! *
[65]**Bri**sas e ventos, bendi**zei** o Senhor!
– [66]**Fo**go e calor, bendi**zei** o Senhor! *
[67]**Fri**o e ardor, bendi**zei** o Senhor! (R.)
– [68]Orvalhos e garoas, bendi**zei** o Senhor! *
[69]Geada e frio, bendi**zei** o Senhor!
– [70]Gelos e neves, bendi**zei** o Senhor! *
[71]**Noi**tes e dias, bendi**zei** o Senhor! (R.)
– [72]**Lu**zes e trevas, bendi**zei** o Senhor! *
[73]**Rai**os e nuvens, bendi**zei** o Senhor
– [74]**Il**has e terra, bendi**zei** o Senhor! *
Louvai-o e exaltai-o pelos **sé**culos sem fim! (R.)
– [75]**Mon**tes e colinas, bendi**zei** o Senhor! *
[76]**Plan**tas da terra, bendi**zei** o Senhor!
– [77]**Ma**res e rios, bendi**zei** o Senhor! *
[78]**Fon**tes e nascentes, bendi**zei** o Senhor! (R.)
– [79]**Ba**leias e peixes, bendi**zei** o Senhor! *
[80]**Pás**saros do céu, bendi**zei** o Senhor!
– [81]**Fe**ras e rebanhos, bendi**zei** o Senhor! *
[82]**Fi**lhos dos homens, bendi**zei** o Senhor! (R.)
– [83]**Fi**lhos de Israel, bendi**zei** o Senhor! *
Louvai-o e exaltai-o pelos **sé**culos sem fim!
– [84]Sacer**do**tes do Senhor, bendi**zei** o Senhor! *
[85]**Ser**vos do Senhor, bendi**zei** o Senhor! (R.)
– [86]**Al**mas dos justos, bendi**zei** o Senhor! *
[87]**San**tos e humildes, bendi**zei** o Senhor!
– [88]**Jo**vens Misael, Ana**ni**as e Azarias, *
Louvai-o e exaltai-o pelos **sé**culos sem fim! (R.)
– Ao **Pai** e ao Filho e ao Es**pí**rito Santo *
louvemos e exaltemos pelos **sé**culos sem fim!
– [56]**Ben**dito sois, Senhor, no firma**men**to dos céus! *
Sois **dig**no de louvor e de **gló**ria eternamente! (R.)

No fim deste cântico não se diz Glória ao Pai.

Ant. Ressusci**tou** da sepul**tura** o Salva**dor;**
ao nosso **Deus** cantemos **hi**nos, ale**lui**a.

Domingo da Páscoa

Ant. 3 Aleluia, o Senhor ressuscitou
como havia anunciado, aleluia!

Salmo 149

– ¹Cantai ao Senhor Deus um canto novo, *
e o seu louvor na assembleia dos fiéis!
– ²Alegre-se Israel em Quem o fez, *
e Sião se rejubile no seu Rei!
– ³Com danças glorifiquem o seu nome, *
toquem harpa e tambor em sua honra!

– ⁴Porque, de fato, o Senhor ama seu povo *
e coroa com vitória os seus humildes.
– ⁵Exultem os fiéis por sua glória, *
e cantando se levantem de seus leitos,
– ⁶com louvores do Senhor em sua boca *
e espadas de dois gumes em sua mão,

– ⁷para exercer sua vingança entre as nações *
e infligir o seu castigo entre os povos,
– ⁸colocando nas algemas os seus reis, *
e seus nobres entre ferros e correntes,
– ⁹para aplicar-lhes a sentença já escrita: *
Eis a glória para todos os seus santos.

Ant. Aleluia, o Senhor ressuscitou
como havia anunciado, aleluia!

Leitura breve   At 10,40-43

Deus ressuscitou Jesus no terceiro dia, concedendo-lhe manifestar-se não a todo o povo, mas às testemunhas que Deus havia escolhido: a nós, que comemos e bebemos com Jesus, depois
que ressuscitou dos mortos. E Jesus nos mandou pregar ao povo
e testemunhar que Deus o constituiu Juiz dos vivos e dos mortos.
Todos os profetas dão testemunho dele: Todo aquele que crê em
Jesus recebe, em seu nome, o perdão dos pecados.

Em lugar do responsório se diz:

Ant. Este é o dia que o Senhor fez para nós;
alegremo-nos, e nele exultemos. Aleluia.

Tempo Pascal

Cântico evangélico, ant.
Na **manhã** do dia da **Páscoa**, tendo o **sol** aparecido, as **mulheres** vão ao **túmulo**. Ale**luia**.

Preces
Oremos a Cristo, autor da vida, a quem Deus ressuscitou dos mortos e que pelo seu poder também nos ressuscitará; e digamos:
R. **Cristo, nossa vida, salvai-nos!**

Cristo, luz esplendorosa que brilhais nas trevas, Senhor da vida e Salvador da humanidade,
– fazei-nos viver todo este dia no louvor da vossa glória. R.

Senhor Jesus, que percorrestes o caminho da paixão e da cruz,
– concedei que, unidos a vós no sofrimento e na morte, também convosco ressuscitemos. R.

Filho do eterno Pai, nosso mestre e nosso irmão, que fizestes de nós, para Deus, sacerdotes e povo de reis,
– ensinai-nos a oferecer com alegria o nosso sacrifício de louvor. R.

Rei da glória, aguardamos na esperança o dia da vossa vinda gloriosa,
– para contemplarmos vossa face e sermos semelhantes a vós. R.

(intenções livres)

Pai nosso...

Oração
Ó Deus, por vosso Filho Unigênito, vencedor da morte, abristes hoje para nós as portas da eternidade. Concedei que, celebrando a ressurreição do Senhor, renovados pelo vosso Espírito, ressuscitemos na luz da vida nova. Por nosso Senhor Jesus Cristo, vosso Filho, na unidade do Espírito Santo.

Na despedida se diz:
Ide em paz e o Senhor vos acompanhe. Aleluia, aleluia.
R. Graças a Deus. Aleluia, aleluia.

Hora Média

Hino, p. 463.

Salmodia

Ant. Pelos **nos**sos pe**ca**dos se en**tregou**
e ressur**giu** para **nos** justifi**car**. Ale**lui**a.

Salmo 117(118)

I

– [1] Dai **graças** ao **Se**nhor, porque ele é **bom**! *
"**Eter**na é a sua misericórdia!"
– [2] A **ca**sa de Israel agora o diga: *
"**Eter**na é a sua misericórdia!"
– [3] A **ca**sa de Aarão agora o diga: *
"**Eter**na é a sua misericórdia!"
– [4] Os que **te**mem o Senhor agora o digam: *
"**Eter**na é a sua misericórdia!"
– [5] Na minha an**gús**tia eu clamei pelo Senhor, *
e o **Se**nhor me atendeu e libertou!
– [6] O **Se**nhor está comigo, nada temo; *
o que **po**de contra mim um ser humano?
– [7] O **Se**nhor está comigo, é o meu auxílio, *
hei de **ver** meus inimigos humilhados.
– [8] "É me**lhor** buscar refúgio no Senhor *
do que **pôr** no ser humano a esperança;
– [9] é me**lhor** buscar refúgio no Senhor *
do que con**tar** com os poderosos deste mundo!"

II

– [10] Povos pa**gãos** me rodearam todos **eles**, *
mas em **no**me do Senhor os derrotei;
– [11] de todo **la**do todos eles me cercaram, *
mas em **no**me do Senhor os derrotei;
= [12] como um en**xa**me de abelhas me atacaram, †
como um **fo**go de espinhos me queimaram, *
mas em **no**me do Senhor os derrotei. –

452 Tempo Pascal

— [13]Empurraram-me, tentando derrubar-me, *
mas **veio** o Senhor em meu socorro.
— [14]O Se**nhor** é minha força e o meu canto, *
e tor**nou**-se para mim o Salvador.
— [15]"Clamores de alegria e de vitória *
res**so**em pelas tendas dos fiéis.
= [16]A mão di**rei**ta do Senhor fez maravilhas, †
a mão di**rei**ta do Senhor me levantou, *
a mão di**rei**ta do Senhor fez maravilhas!"
— [17]Não morre**rei**, mas, ao contrário, viverei *
para can**tar** as grandes obras do Senhor!
— [18]O Se**nhor** severamente me provou, *
mas **não** me abandonou às mãos da morte.

III

— [19]Abri-me **vós**, abri-me as **por**tas da justiça; *
quero en**trar** para dar graças ao Senhor!
— [20]"Sim, **esta** é a porta do Senhor, *
por **ela** só os justos entrarão!"
— [21]Dou-vos **graças**, ó Senhor, porque me ouvistes *
e vos tor**nas**tes para mim o Salvador!
— [22]"A **pedra** que os pedreiros rejeitaram *
tor**nou**-se agora a pedra angular.
— [23]Pelo Se**nhor** é que foi feito tudo isso: *
Que mara**vilhas** ele fez a nossos olhos!
— [24]Este é o **dia** que o Senhor fez para nós, *
ale**gre**mo-nos e nele exultemos!
— [25]Ó Se**nhor**, dai-nos a vossa salvação, *
ó Se**nhor**, dai-nos também prosperidade!"
— [26]Ben**di**to seja, em nome do Senhor, *
a**que**le que em seus átrios vai entrando!
— Desta **casa** do Senhor vos bendizemos. *
[27]Que o Se**nhor** e nosso Deus nos ilumine!

— Empu**nhai** ramos nas mãos, formai cortejo, *
aproxi**mai**-vos do altar, até bem perto!
— [28]Vós sois meu **Deus,** eu vos bendigo e agradeço! *
Vós sois meu **Deus**, eu vos exalto com louvores!

Domingo da Páscoa

—[29] Dai **graças** ao Senhor, porque ele é bom! *
"**Eterna** é a sua misericórdia!"

Ant. Pelos **nos**sos pecados se entre**gou**
e ressur**giu** para **nos** justifi**car**. Ale**lui**a.

Leitura breve

Ef 2,4-6

Deus é rico em misericórdia. Por causa do grande amor com que
nos amou, quando estávamos mortos por causa das nossas faltas,
ele nos deu a vida com Cristo. É por graça que vós sois salvos!
Deus nos ressuscitou com Cristo e nos fez sentar nos céus em
virtude de nossa união com Jesus Cristo.

V. Este é o **dia** que o Se**nhor** fez para **nós**. Ale**lui**a.
R. Ale**gre**mo-nos e **ne**le exul**te**mos. Ale**lui**a.

Oração

Ó Deus, por vosso Filho Unigênito, vencedor da morte, abristes
hoje para nós as portas da eternidade. Concedei que, celebrando a
ressurreição do Senhor, renovados pelo vosso Espírito, ressuscitemos na luz da vida nova. Por Cristo, nosso Senhor.

Vésperas

Hino

Às núpcias do Cordeiro
em brancas vestes vamos.
Transposto o mar Vermelho,
ao Cristo Rei cantamos.

Por nós no altar da cruz
seu corpo ofereceu.
Bebendo deste sangue,
nascemos para Deus.

Seu sangue em nossas portas
afasta o anjo irado.
Das mãos dum rei injusto
seu povo é libertado.

O Cristo, nossa Páscoa,
morreu como um Cordeiro.
Seu corpo é nossa oferta,
Pão vivo e verdadeiro.

Ó vítima verdadeira,
do inferno a porta abris,

livrais o povo escravo,
dais vida ao infeliz.

Da morte o Cristo volta,
a vida é seu troféu.
O inferno traz cativo
e a todos abre o céu.

Jesus, Pascal Cordeiro,
em vós se alegra o povo,
que, livre pela graça,
em vós nasceu de novo.

A glória seja ao Cristo
da morte vencedor.
Ao Pai e ao Santo Espírito
o nosso igual louvor.

Salmodia

Ant. 1 Maria Madalena com a outra Maria
foram ver a sepultura do Senhor. Aleluia.

Salmo 109(110),1-5.7

— Palavra do Senhor ao meu Senhor: *
"Assenta-te ao lado meu direito,
— até que eu ponha os inimigos teus *
como escabelo por debaixo de teus pés!"

= 2O Senhor estenderá desde Sião †
vosso cetro de poder, pois ele diz: *
"Domina com vigor teus inimigos;

= 3Tu és príncipe desde o dia em que nasceste; †
na glória e esplendor da santidade, *
como o orvalho, antes da aurora, eu te gerei!"

= 4Jurou o Senhor e manterá sua palavra: †
"Tu és sacerdote eternamente, *
segundo a ordem do rei Melquisedec!"

Domingo da Páscoa

- ⁵À vossa **des**tra está o Senhor, ele vos diz: *
  "No dia da ira esmagarás os reis da terra!
- ⁷**Beberás** água corrente no caminho, *
  por **isso** seguirás de fronte erguida!"

Ant. **Ma**ria Madalena com a **outra** Maria
  foram **ver** a sepul**tura** do **Senhor**. Aleluia.

Ant. 2 Vinde **ver** o lu**gar** onde esta**va** o Se**nhor**
  no se**pul**cro, ale**lui**a.

Salmo 113A(114)

- ¹Quando o **po**vo de Isra**el** saiu do E**gi**to, *
  e os **fi**lhos de Jacó, de um povo estranho,
- ²**Judá** tornou-se o templo do Senhor, *
  e Isra**el** se transformou em seu domínio.
- ³O **mar**, à vista disso, pôs-se em fuga, *
  e as **á**guas do Jordão retrocederam;
- ⁴as mon**ta**nhas deram pulos como ovelhas, *
  e as co**li**nas, parecendo cordeirinhos.

- ⁵Ó **mar**, o que tens tu, para fugir? *
  E tu, Jor**dão**, por que recuas desse modo?
- ⁶Por que dais **pu**los como ovelhas, ó montanhas? *
  E vós, colinas, parecendo cordeirinhos?

- ⁷Treme, ó **ter**ra, ante a face do Senhor, *
  ante a **fa**ce do Senhor Deus de Jacó!
- ⁸O ro**che**do ele mudou em grande lago, *
  e da **pe**dra fez brotar águas correntes!

Ant. Vinde **ver** o lu**gar** onde esta**va** o Se**nhor**
  no se**pul**cro, ale**lui**a.

Ant. 3 Diz o Se**nhor**: Não tenhais **me**do!
  Anunci**ai** a meus ir**mãos** que à Gali**lei**a se di**ri**jam;
  lá todos **vós** me encontra**reis**. Aleluia.

No cântico seguinte dizem-se os Aleluias entre parênteses somente
quando se canta; na recitação, basta dizer o Aleluia no começo e no fim
das estrofes.

456 Tempo Pascal

Cântico   cf. Ap 19,1-2.5-7

= Aleluia, (Aleluia!).
  [1] Ao nosso **Deus** a salva**ção**, *
  honra, **glória** e poder! (Aleluia!).
– [2] Pois são ver**da**de e justiça *
  os juízos do Senhor.
R. Ale**luia**, (Ale**luia**!).

= Ale**luia**, (Aleluia!).
  [5] **Celebrai** o nosso Deus, *
  servi**do**res do Senhor! (Aleluia!).
– E vós **to**dos que o temeis, *
  vós os **gran**des e os pequenos!
R. Ale**luia**, (Aleluia!).

= Ale**luia**, (Aleluia!).
  [6] De seu **reino** tomou posse *
  nosso **Deus** onipotente! (Aleluia!).
– [7] Exul**temos** de alegria, *
  demos **glória** ao nosso Deus!
R. Ale**luia**, (Aleluia!).

= Ale**luia**, (Aleluia!).
  Eis que as **núp**cias do Cordeiro *
  redi**vivo** se aproximam! (Aleluia!).
– Sua Es**po**sa se enfeitou, *
  se ves**tiu** de linho puro.
R. Ale**luia**, (Ale**luia**!).

Ant. Diz o Se**nhor**: Não tenhais **medo!**
   Anunci**ai** a meus ir**mãos** que à Gali**leia** se dirijam;
   lá todos **vós** me encontra**reis**. Ale**luia**.

Leitura breve   Hb 10,12-14
Cristo, depois de ter oferecido um sacrifício único pelos pecados,
sentou-se para sempre à direita de Deus. Não lhe resta mais senão
esperar até que seus inimigos sejam postos debaixo de seus pés.
De fato, com esta única oferenda, levou à perfeição definitiva os
que ele santifica.

Domingo da Páscoa

Em lugar do responsório se diz:

Ant. Este é o dia que o Senhor fez para **nós**;
alegremo-nos e nele exultemos. Aleluia.

Cântico evangélico, ant.
Na **tarde** da **Pás**coa, a **por**tas **fecha**das,
Jesus aparece no **meio** dos **seus**, reunidos com **medo**,
e lhes **diz**: Paz a **vós**! Aleluia.

Preces
Oremos com alegria a Cristo nosso Senhor, que morreu, ressuscitou e agora, sem cessar, intercede por nós junto do Pai. Digamos cheios de confiança:

R. **Cristo, rei vitorioso, ouvi a nossa oração!**

Cristo, luz e salvação de todos os povos,
– derramai sobre nós, que proclamamos a vossa ressurreição, o fogo do vosso Espírito. **R.**

Que Israel, permanecendo fiel às promessas, caminhe firme na esperança,
– e toda a terra se encha do conhecimento de vossa glória. **R.**

Conservai-nos, Senhor, na comunhão dos vossos santos durante a nossa vida sobre a terra,
– e dai-nos a graça de podermos, um dia, descansar com eles dos nossos trabalhos. **R.**

Vós, que triunfastes admiravelmente sobre o poder do pecado e da morte,
– fazei-nos viver sempre para vós, vencedor imortal. **R.**

(intenções livres)

Cristo Salvador, que da humilhação na cruz fostes exaltado à direita do Pai,
– acolhei com bondade em vosso reino glorioso os nossos irmãos e irmãs que partiram desta vida. **R.**

Pai nosso...

Oração

Ó Deus, por vosso Filho Unigênito, vencedor da morte, abristes hoje para nós as portas da eternidade. Concedei que, celebrando a

458 Tempo Pascal

ressurreição do Senhor, renovados pelo vosso Espírito, ressuscitemos na luz da vida nova . Por nosso Senhor Jesus Cristo, vosso Filho, na unidade do Espírito Santo.

Na despedida se diz:

Ide em paz e o Senhor vos acompanhe. Aleluia, aleluia.

R. Graças a Deus. Aleluia, aleluia.

Aqui termina o Tríduo pascal

Durante a oitava da Páscoa se dizem as Completas de domingo, alternando os dois formulários, p. 1116 ou p. 1119.

Em lugar do responsório se diz:

Ant. Este é o dia que o Senhor fez para nós; alegremo-nos e nele exultemos. Aleluia.

TEMPO PASCAL

I. ATÉ A ASCENSÃO DO SENHOR

Vésperas

Hino

Às núpcias do Cordeiro
em brancas vestes vamos.
Transposto o mar Vermelho,
ao Cristo Rei cantamos.

Por nós no altar da cruz
seu corpo ofereceu.
Bebendo deste sangue,
nascemos para Deus.

Seu sangue em nossas portas
afasta o anjo irado.
Das mãos dum rei injusto
seu povo é libertado.

O Cristo, nossa Páscoa,
morreu como um Cordeiro.
Seu corpo é nossa oferta,
Pão vivo e verdadeiro.

ó vítima verdadeira,
do inferno a porta abris,
livrais o povo escravo,
dais vida ao infeliz.

Da morte o Cristo volta,
a vida é seu troféu.
O inferno traz cativo
e a todos abre o céu.

Jesus, Pascal Cordeiro,
em vós se alegra o povo,
que, livre pela graça,
em vós nasceu de novo.

Tempo Pascal

A glória seja ao Cristo
da morte vencedor.
Ao Pai e ao Santo Espírito
o nosso igual louvor.

Nos dias de semana após a oitava da Páscoa, pode ser este:

Eterno Rei e Senhor,
Filho do Pai muito amado,
à vossa imagem plasmastes
Adão, do barro formado.

Caiu o homem no mal,
pelo inimigo enganado.
Mas assumistes seu corpo
num seio virgem formado.

Unido a nós como homem,
vós nos unistes a Deus.
Pelo Batismo, nos destes
herdar o Reino dos céus.

Para salvar todo homem,
morrer na cruz aceitastes.
Preço do nosso resgate,
o vosso sangue doastes.

Mas ressurgis, recebendo
do Pai a glória devida.
Por vós, também ressurgidos,
teremos parte na vida.

Sede, Jesus, para nós,
gozo pascal, honra e glória.
Os que nasceram da graça,
uni à vossa vitória.

Glória a Jesus triunfante
que a própria morte venceu.
A ele, ao Pai e ao Espírito
louvor eterno no céu.

Durante a oitava da Páscoa, na despedida se diz:

Ide em paz e o Senhor vos acompanhe. Aleluia, aleluia.

R. Graças a Deus. Aleluia, aleluia.

Completas

Hino

Ó Jesus Redentor,
do universo Senhor,
Verbo eterno do Pai,
Luz da Luz invisível,
que dos vossos remidos
vigilante cuidais.

Vós, artista do mundo,
e de todos os tempos
o sinal divisor,
no silêncio da noite
renovai nosso corpo
que lutando cansou.

Afastai o inimigo,
vós, que os fundos abismos
destruís, ó Jesus!
Não consiga o Maligno
seduzir os remidos
pelo sangue da Cruz.

Quando o corpo cansado
for de noite embalado
pelo sono e a calma,
de tal modo adormeça,
que ao dormir nossa carne
não cochile nossa alma.

Escutai-nos, ó Verbo,
por quem Deus fez o mundo,
e o conduz e mantém.
Com o Pai e o Espírito,
vós reinais sobre os vivos
pelos séculos. Amém.

A salmodia se diz com uma só antífona:

Aleluia, aleluia, aleluia.

Durante a oitava da Páscoa se dizem as Completas de domingo, alternando os dois formulários, p. 1116 ou p. 1119.

Em lugar do responsório se diz:

Ant. Este é o **dia** que o Se**nhor** fez para **nós**; alegremo-nos e **ne**le exultemos. Ale**luia**.

Laudes

Hino

Desdobra-se no céu
a rutilante aurora.
Alegre, exulta o mundo;
gemendo, o inferno chora.

Pois eis que o Rei, descido
à região da morte,
àqueles que o esperavam
conduz à nova sorte.

Por sob a pedra posto,
por guardas vigiado,
sepulta a própria morte
Jesus ressuscitado.

Da região da morte
cesse o clamor ingente:
"Ressuscitou!" exclama
o Anjo refulgente.

Jesus, perene Páscoa,
a todos alegrai-nos.
Nascidos para a vida,
da morte libertai-nos.

Louvor ao que da morte
ressuscitado vem,
ao Pai e ao Paráclito
eternamente. Amém.

Nos dias de semana após a oitava da Páscoa, pode ser este:

A fiel Jerusalém
canta um hino triunfal,
celebrando, jubilosa,
Jesus Cristo, a Luz pascal.

Tempo Pascal

A serpente é esmagada
pelo Cristo, leão forte,
que ressurge e chama à vida
os cativos pela morte.

Ele vence, refulgindo
de grandeza e majestade.
Ele faz de céus e terra
uma pátria de unidade.

Nosso canto suplicante
pede ao Rei ressuscitado
que receba no seu Reino
o seu povo consagrado.

Ó Jesus, do vosso povo
sede o júbilo pascal.
Dai aos novos pela graça
a vitória triunfal.

Glória a vós, Jesus invicto,
sobre a morte triunfante.
Com o Pai e o Santo Espírito
sois luz nova e radiante.

Durante a oitava da Páscoa, na despedida se diz:
Ide em paz e o Senhor vos acompanhe. Aleluia, aleluia.
R. Graças a Deus. Aleluia, aleluia.

Hora Média

Hino

Vinde, servos suplicantes,
elevai a mente e a voz:
celebrai com vossos cantos,
o amor de Deus por nós.

Porque foi neste momento
que a sentença de um mortal
entregou à morte injusta
o Juiz universal.

E nós, súditos humildes,
por amor e por temor,
contra todo mau desígnio
do perverso tentador,

imploremos a clemência
de Deus Pai, eterno Bem,
do seu Filho, nosso Rei,
e do Espírito Santo. Amém.

A não ser que haja antífona própria, a salmodia da Hora Média se diz
com esta única antífona:
Aleluia, aleluia, aleluia.

SEGUNDA-FEIRA NA OITAVA DA PÁSCOA

Laudes

Hino, antífonas, salmos e cântico, como no domingo da Páscoa, p. 446.

Leitura breve   Rm 10,8b-10
A palavra está perto de ti, em tua boca e em teu coração. Essa
palavra é a palavra da fé, que nós pregamos. Se, pois, com tua
boca confessares Jesus como Senhor e, no teu coração, creres que
Deus o ressuscitou dos mortos, serás salvo. É crendo no coração
que se alcança a justiça e é confessando a fé com a boca que se
consegue a salvação.

Em lugar do responsório se diz:
Ant. Este é o **dia** que o **Se**nhor fez para **nós**;
alegremo-nos e **ne**le exultemos. Aleluia.

Cântico evangélico, ant.
Ide **lo**go di**zer** aos dis**cí**pulos: o **Se**nhor ressur**giu**. Aleluia.

Preces
Glorifiquemos a Cristo Jesus, constituído pelo Pai herdeiro de
todos os povos; e rezemos:
R. **Salvai-nos, Senhor, pela vossa vitória!**

Cristo, que pela vossa ressurreição, rompestes as portas do inferno, destruindo o pecado e a morte,
— dai-nos, hoje e sempre, a vitória sobre o mal.
                                                            R.

Segunda-feira na oitava

Vós, que expulsastes a morte, dando-nos vida nova,
– fazei-nos hoje caminhar na novidade dessa vida. R.
Vós, que nos fizestes passar da escravidão do pecado para a gloriosa liberdade de filhos de Deus,
– concedei a vida eterna a todos os que encontrarmos neste dia.
R.
Vós, que confundistes os guardas de vosso sepulcro e alegrastes os discípulos com a vossa ressurreição,
– enchei de alegria pascal todos aqueles que vos amam e servem. R.

(intenções livres)
Pai nosso...

Oração

Ó Deus, que fazeis crescer a vossa Igreja dando-lhe sempre novos filhos e filhas, concedei que por toda a sua vida estes vossos servos e servas sejam fiéis ao sacramento do batismo que receberam professando a fé. Por nosso Senhor Jesus Cristo, vosso Filho, na unidade do Espírito Santo.

Hora Média

Hino, p 463.

Salmodia

Ant. Pelos **nos**sos pecados se entregou
e ressurgiu para **nos** justificar. Aleluia.

Salmo 8

– 2Ó Se**nhor** nosso **Deus**, como é **grande** *
vosso **no**me por todo o universo!

– Desdo**brastes** nos céus vossa glória *
com gran**de**za, esplendor, majestade.

= 3O per**fei**to louvor vos é dado †
pelos **lá**bios dos mais pequeninos, *
de crianças que a mãe amamenta.

– Eis a **força** que opondes aos maus, *
redu**zin**do o inimigo ao silêncio.

466 Tempo Pascal

– ⁴Contemplando estes céus que plasmastes *
  e formastes com dedos de artista;
– vendo a lua e estrelas brilhantes, *
  ⁵perguntamos: "Senhor, que é o homem,
– para dele assim vos lembrardes *
  e o tratardes com tanto carinho?"
– ⁶Pouco abaixo de um deus o fizestes, *
  coroando-o de glória e esplendor;
– ⁷vós lhe destes poder sobre tudo, *
  vossas obras aos pés lhe pusestes:
– ⁸as ovelhas, os bois, os rebanhos, *
  todo o gado e as feras da mata;
– ⁹passarinhos e peixes dos mares, *
  todo ser que se move nas águas.

– ¹⁰Ó Senhor nosso Deus, como é grande *
  vosso nome por todo o universo!

Salmo 18(19)A

– ²Os céus proclamam a glória do Senhor, *
  e o firmamento, a obra de suas mãos;
– ³o dia ao dia transmite esta mensagem, *
  a noite à noite publica esta notícia.

– ⁴Não são discursos nem frases ou palavras, *
  nem são vozes que possam ser ouvidas;
– ⁵seu som ressoa e se espalha em toda a terra, *
  chega aos confins do universo a sua voz.

– ⁶Armou no alto uma tenda para o sol; *
  ele desponta no céu e se levanta
– como um esposo do quarto nupcial, *
  como um herói exultante em seu caminho.

– ⁷De um extremo do céu põe-se a correr *
  e vai traçando o seu rastro luminoso,
– até que possa chegar ao outro extremo, *
  e nada pode fugir ao seu calor.

Segunda-feira na oitava

Salmo 18B (19B)

— [8] A **lei** do Senhor **Deus** é per**fei**ta, *
conforto para a alma!
— O testemunho do Senhor é fiel, *
sabedoria dos humildes.
— [9] Os preceitos do Senhor são precisos, *
alegria ao coração.
— O mandamento do Senhor é brilhante, *
para os olhos é uma luz.
— [10] É puro o temor do Senhor, *
imutável para sempre.
— Os julgamentos do Senhor são corretos *
e justos igualmente.

— [11] Mais desejáveis do que o ouro são eles, *
do que o ouro refinado.
— Suas palavras são mais doces que o mel, *
que o mel que sai dos favos.

— [12] E vosso servo, instruído por elas, *
se empenha em guardá-las.
— [13] Mas quem pode perceber suas faltas?*
Perdoai as que não vejo!

— [14] E preservai o vosso servo do orgulho: *
não domine sobre mim!
— E assim puro, eu serei preservado *
dos delitos mais perversos.

— [15] Que vos agrade o cantar dos meus lábios *
e a voz da minha alma;
— que ela chegue até vós, ó Senhor,*
meu Rochedo e Redentor!

Ant. Pelos nossos pecados se entregou
e ressurgiu para nos justificar. Aleluia.

Leitura breve   Cl 2,9.10a.12

Em Cristo habita corporalmente toda a plenitude da divindade.
Dele também vós estais repletos. Com Cristo fostes sepultados

468

Tempo Pascal

no batismo; com ele também fostes ressuscitados por meio da fé no poder de Deus, que ressuscitou a Cristo dentre os mortos.

V. Este é o dia que o Senhor fez para **nós**. Aleluia.

R. Alegremo-nos e **ne**le exultemos. Aleluia.

Oração

Ó Deus, que fazei crescer a vossa Igreja dando-lhe sempre novos filhos e filhas, concedei que por toda a sua vida estes vossos servos e servas sejam fiéis ao sacramento do batismo que receberam professando a fé. Por Cristo, nosso Senhor.

Vésperas

Hino, antífonas, salmos e cântico, como no domingo da Páscoa, p. 453.

Leitura breve
Hb 8,1b-3a

Temos um sumo-sacerdote tão grande, que se assentou à direita do trono da majestade, nos céus. Ele é ministro do Santuário e da Tenda verdadeira, armada pelo Senhor, e não por mão humana. Todo o sumo-sacerdote, com efeito, é constituído para oferecer dádivas e sacrifícios.

Em lugar do responsório se diz:

Ant. Este é o dia que o Senhor fez para **nós**;
Alegremo-nos e **ne**le exultemos. Aleluia.

Cântico evangélico, ant.

Jesus **vem** ao encontro das mulheres
e as saúda: Convosco esteja a **paz**!
Abraçaram seus **pés** e o adoraram. Aleluia.

Preces

Invoquemos a Jesus Cristo, que vivificado pelo Espírito Santo, tornou-se fonte de vida para toda a humanidade; e digamos cheios de alegria:

R. **Senhor, renovai todas as coisas e dai-nos vida nova!**

Cristo, Salvador do mundo e Rei da nova criação, orientai toda a nossa vida para o reino da glória celeste,

– onde estais sentado à direita do Pai. R.

Terça-feira na oitava

Senhor, que viveis na vossa Igreja até o fim dos tempos,
– conduzi-a pelo Espírito Santo ao conhecimento da verdade perfeita. R.

Fazei com que os doentes, sofredores e agonizantes sintam o vosso amor misericordioso;
– confortai-os e fortalecei-os com vossa bondade. R.

(intenções livres)

Cristo, luz que não se apaga, aceitai o louvor que vos oferecemos ao cair desta tarde,
– e fazei brilhar para os nossos irmãos e irmãs que partiram desta vida, a luz da vossa ressurreição. R.

Pai nosso...

Oração

Ó Deus, que fazeis crescer a vossa Igreja dando-lhe sempre novos filhos e filhas, concedei que por toda a sua vida estes vossos servos e servas sejam fiéis ao sacramento do batismo que receberam professando a fé. Por nosso Senhor Jesus Cristo, vosso Filho, na unidade do Espírito Santo.

Durante a oitava da Páscoa se dizem as Completas de domingo, alternando os dois formulários, p. 1116 ou p. 1119.

Em lugar do responsório se diz:

Ant. Este é o dia que o Senhor fez para nós;
alegremo-nos e nele exultemos. Aleluia.

TERÇA-FEIRA NA OITAVA DA PÁSCOA

Laudes

Hino. antífonas, salmos e cântico, como no domingo da Páscoa. p. 446.

Leitura breve   At 13,30-33

Deus ressuscitou Jesus dos mortos e, durante muitos dias, ele foi visto por aqueles que o acompanharam desde a Galileia até Jerusalém. Agora eles são testemunhas de Jesus diante do povo. Por isso, nós vos anunciamos este Evangelho: a promessa que Deus fez aos antepassados, ele a cumpriu para nós, seus filhos, quando

Tempo Pascal

ressuscitou Jesus, como está escrito no salmo segundo: Tu és o meu filho, eu hoje te gerei.

Em lugar do responsório se diz:

Ant. Este é o **dia** que o Se**nhor** fez para **nós**;
alegremo-nos e **ne**le exul**te**mos. Aleluia.

Cântico evangélico, ant.
Jesus **disse**: **Ma**ria! Ela **disse**: Ó **Mes**tre!
E o Se**nhor**: Não me **to**ques!
Não su**bi** a meu **Pai**, que é tam**bém** vosso **Pai**. Ale**lui**a.

Preces
Exultemos de alegria em Cristo nosso Senhor, que, ressuscitado de entre os mortos, reconstituiu o templo do seu corpo; e lhe supliquemos:

R. **Ouvi-nos, Senhor, pela vossa ressurreição!**

Cristo, Salvador do mundo, que anunciastes às santas mulheres e aos apóstolos a alegria da ressurreição,
– fazei-nos testemunhas do vosso triunfo pascal. R.

Vós, que prometestes a todos a ressurreição, que nos fará nascer para uma vida nova,
– tornai-nos fiéis mensageiros do vosso evangelho. R.

Vós, que, aparecendo aos apóstolos depois da ressurreição, lhes comunicastes o Espírito Santo,
– renovai-nos com os dons do Espírito criador. R.

Vós, que prometestes permanecer com os vossos discípulos até o fim do mundo,
– ficai conosco hoje e sempre. R.

(intenções livres)

Pai nosso...

Oração
Ó Deus, que nos concedestes a salvação pascal, acompanhai o vosso povo com vossos dons celestes, para que, tendo consegui-do a verdadeira liberdade, possa um dia alegrar-se no céu, como exulta agora na terra. Por nosso Senhor Jesus Cristo, vosso Filho, na unidade do Espírito Santo.

Hora Média

Hino, p. 463.

Salmodia

Ant. Pelos **nos**sos pe**ca**dos se entre**gou**
e ressur**giu** para **nos** justifi**car**. Ale**lu**ia

Salmo 118(119),1-8
I (Aleph)

– ¹Feliz o **ho**mem sem pe**ca**do em seu ca**mi**nho, *
que na **lei** do Senhor Deus vai progredindo!
– ²Feliz o **ho**mem que observa seus preceitos, *
e de **to**do o coração procura a Deus!
– ³Que não pra**ti**ca a maldade em sua vida, *
mas vai an**dan**do nos caminhos do Senhor.
– ⁴Os **vos**sos mandamentos vós nos destes, *
para **se**rem fielmente observados.

– ⁵Oxa**lá** seja bem firme a minha vida *
em cum**prir** vossa vontade e vossa lei!
– ⁶En**tão** não ficarei envergonhado *
ao repas**sar** todos os vossos mandamentos.

– ⁷Quero lou**var**-vos com sincero coração, *
pois apren**di** as vossas justas decisões.
– ⁸Quero guar**dar** vossa vontade e vossa lei; *
Se**nhor**, não me deixeis desamparado!

Salmo 15(16)

= ¹Guardai-me, ó **Deus**, porque em **vós** me refu**gio**! †
²Digo ao Se**nhor**: "Somente vós sois meu Senhor: *
nenhum **bem** eu posso achar fora de vós!"

– ³Deus me inspi**rou** uma admirável afeição *
pelos **san**tos que habitam sua terra.
– ⁴Multi**pli**cam, no entanto, suas dores *
os que **cor**rem para deuses estrangeiros;
– seus sacri**fí**cios sanguinários não partilho, *
nem seus **no**mes passarão pelos meus lábios.–

– ⁵ Ó Senhor, sois minha herança e minha taça, *
meu destino está seguro em vossas mãos!
– ⁶ Foi demarcada para mim a melhor terra, *
e eu exulto de alegria em minha herança!
– ⁷ Eu bendigo o Senhor que me aconselha, *
e até de noite me adverte o coração.
– ⁸ Tenho sempre o Senhor ante meus olhos, *
pois se o tenho a meu lado, não vacilo.
= ⁹ Eis por que meu coração está em festa, †
minha alma rejubila de alegria, *
e até meu corpo no repouso está tranquilo;
– ¹⁰ pois não haveis de me deixar entregue à morte, *
nem vosso amigo conhecer a corrupção.
= ¹¹ Vós me ensinais vosso caminho para a vida; †
junto a vós, felicidade sem limites, *
delícia eterna e alegria ao vosso lado!

Salmo 22(23)

– ¹ O Senhor é o pastor que me conduz; *
não me falta coisa alguma.
– ² Pelos prados e campinas verdejantes *
ele me leva a descansar.
– Para as águas repousantes me encaminha, *
³ e restaura as minhas forças.

– Ele me guia no caminho mais seguro, *
pela honra do seu nome.
– ⁴ Mesmo que eu passe pelo vale tenebroso, *
nenhum mal eu temerei;
– estais comigo com bastão e com cajado; *
eles me dão a segurança!

– ⁵ Preparais à minha frente uma mesa, *
bem à vista do inimigo,
– e com óleo vós ungis minha cabeça; *
o meu cálice transborda.
– ⁶ Felicidade e todo bem hão de seguir-me *
por toda a minha vida;

Terça-feira na oitava

– e, na casa do Senhor, habitarei *
pelos tempos infinitos.

Ant. Pelos nossos pecados se entregou
e ressurgiu para nos justificar. Aleluia.

Leitura breve
cf. 1Pd 3,21-22a

O batismo é hoje a vossa salvação pois ele não serve para limpar o corpo da imundície, mas é um pedido a Deus para obter uma boa consciência, em virtude da ressurreição de Jesus Cristo que está à direita de Deus.

V. Este é o dia que o Senhor fez para nós. Aleluia.
R. Alegremo-nos e nele exultemos. Aleluia.

Oração

Ó Deus, que nos concedestes a salvação pascal, acompanhai o vosso povo com vossos dons celestes, para que, tendo consegui-do a verdadeira liberdade, possa um dia alegrar-se no céu, como exulta agora na terra. Por Cristo, nosso Senhor.

Vésperas

Hino, antífonas, salmos e cântico, como no domingo da Páscoa, p. 453.

Leitura breve
1Pd 2,4-5

Aproximai-vos do Senhor, pedra viva, rejeitada pelos homens, mas escolhida e honrosa aos olhos de Deus. Do mesmo modo, também vós, como pedras vivas, formai um edifício espiritual, um sacerdócio santo, a fim de oferecerdes sacrifícios espirituais, agradáveis a Deus, por Jesus Cristo.

Em lugar do responsório se diz:

Ant. Este é o dia que o Senhor fez para nós;
alegremo-nos e nele exultemos. Aleluia.

Cântico evangélico, ant.

Quando junto ao sepulcro eu chorava,
vi Jesus, meu Senhor. Aleluia.

Preces

Aclamemos com alegria a Jesus Cristo, que morreu, foi sepulta-do e ressuscitou gloriosamente para uma vida nova; e digamos cheios de confiança:

R. Cristo, rei da glória, ouvi a nossa oração!

474   Tempo Pascal

Pelos bispos, presbíteros e diáconos, para que desempenhem com generosidade o ministério que lhes foi confiado,
– e guiem o vosso povo no caminho do bem, nós vos pedimos, Senhor.

R. **Cristo, rei da glória, ouvi a nossa oração!**

Pelos teólogos e pelos que servem à Igreja no estudo da vossa Palavra,
– a fim de que procurem a verdade com pureza de coração, nós vos pedimos, Senhor.   R.

Pelos fiéis da Igreja, para que combatendo o bom combate da fé até o fim de sua caminhada sobre a terra,
– recebam o prêmio que lhes está preparado desde a origem do mundo, nós vos pedimos, Senhor.   R.

Vós, que na cruz destruístes a sentença que nos condenava,
– quebrai os laços da nossa escravidão e dissipai as nossas trevas.   R.

(intenções livres)

Vós, que, descendo à mansão dos mortos, libertastes os justos que esperavam o Salvador,
– acolhei em vosso Reino nossos irmãos e irmãs falecidos.   R.

Pai nosso...

Oração

Ó Deus, que nos concedestes a salvação pascal, acompanhai o vosso povo com vossos dons celestes, para que, tendo conseguido a verdadeira liberdade, possa um dia alegrar-se no céu, como exulta agora na terra. Por nosso Senhor Jesus Cristo, vosso Filho, na unidade do Espírito Santo.

QUARTA-FEIRA NA OITAVA DA PÁSCOA

Laudes

Hino, antífonas, salmos e cântico, como no domingo da Páscoa, p. 446.

Leitura breve   Rm 6,8-11

Se morremos com Cristo, cremos que também viveremos com ele. Sabemos que Cristo ressuscitado dos mortos não morre mais; a morte já não tem poder sobre ele. Pois aquele que morreu, morreu

Quarta-feira na oitava

para o pecado uma vez por todas; mas aquele que vive, é para Deus que vive. Assim, vós também considerai-vos mortos para o pecado e vivos para Deus, em Jesus Cristo.

Em lugar do responsório se diz:

Ant. Este é o **dia** que o Se**nhor** fez para **nós**; alegremo-nos e **ne**le exul**te**mos. Ale**lui**a.

Cântico evangélico, ant.
E, come**çan**do por Moi**sés** e os pro**fe**tas, lhes expli**ca**va a Escri**tu**ra a seu res**pei**to. Ale**lui**a.

Preces
Oremos a Jesus Cristo, que se entregou à morte por nossos pecados e ressuscitou para nossa justificação; e aclamemos:
R. **Salvai-nos, Senhor, pela vossa vitória!**

Cristo Salvador, que ressuscitando de entre os mortos nos restituístes a esperança da vida imortal,
— santificai neste dia os nossos corações com a graça do Espírito Santo.
R.

Vós, que viveis e reinais gloriosamente na assembleia dos anjos e dos santos,
— recebei a adoração que vos prestamos em espírito e em verdade neste tempo santo da ressurreição.
R.

Cristo Jesus, salvai-nos e derramai a vossa misericórdia sobre o povo que vive na esperança da ressurreição;
— conservai-nos, hoje e sempre, livres de todo o mal.
R.

Cristo, rei da glória e nossa vida, reuni todos os fiéis na alegria que não tem fim,
— quando vierdes, no último dia, manifestar ao mundo a glória de vosso poder eterno.
R.

(intenções livres)

Pai nosso...

Oração

Ó Deus, que nos alegrais todos os anos com a solenidade da ressurreição do Senhor, concedei-nos, pelas festas que celebramos nesta vida, chegar às eternas alegrias. Por nosso Senhor Jesus Cristo, vosso Filho, na unidade do Espírito Santo.

476 Tempo Pascal

Hora Média

Hino, p. 463.

Salmodia

Ant. Pelos **nos**sos pe**ca**dos se entre**gou**
e ressur**giu** para **nos** justifi**car**. Ale**lui**a.

Salmo 118(119),9-16
II (Beth)

— 9 Como um **jo**vem pode**rá** ter vida pu**ra**? *
Obser**van**do, ó Senhor, vossa palavra.
—10 De **to**do o coração eu vos procuro, *
não dei**xeis** que eu abandone a vossa lei!

—11 Conser**vei** no coração vossas palavras, *
a **fim** de que eu não peque contra vós.
—12 Ó Se**nhor**, vós sois bendito para sempre; *
os **vos**sos mandamentos ensinai-me!

—13 Com meus **lá**bios, ó Senhor, eu enumero *
os de**cre**tos que ditou a vossa boca.
—14 Se**guin**do vossa lei me rejubilo *
muito **mais** do que em todas as riquezas.

—15 Eu **que**ro meditar as vossas ordens, *
eu **que**ro contemplar vossos caminhos!
—16 Minha ale**gri**a é fazer vossa vontade; *
eu não **pos**so esquecer vossa palavra.

Salmo 27(28),1-3.6-9

— 1 A vós eu **cla**mo, ó Se**nhor**, ó meu ro**che**do, *
não fiqueis **sur**do à minha **voz**!
— Se não me ou**vir**des, eu terei a triste sorte *
dos que **des**cem ao sepulcro!

— 2 Escu**tai** o meu clamor, a minha súplica, *
quando eu **gri**to para vós;
— quando eu e**le**vo, ó Senhor, as minhas mãos *
para o **vos**so santuário. _

Quarta-feira na oitava

– [3]Não deixeis que eu pereça com os malvados, *
  com quem faz a iniquidade;
– eles falam sobre paz com o seu próximo, *
  mas têm o mal no coração.
– [6]Bendito seja o Senhor, porque ouviu *
  o clamor da minha súplica!
– [7]Minha força e escudo é o Senhor; *
  meu coração nele confia.
– Ele ajudou-me e alegrou meu coração; *
  eu canto em festa o seu louvor.
– [8]O Senhor é a fortaleza do seu povo *
  e a salvação do seu Ungido.
– [9]Salvai o vosso povo e libertai-o; *
  abençoai a vossa herança!
– Sede vós o seu pastor e o seu guia *
  pelos séculos eternos!

Salmo 115(116B)

– [10]Guardei a minha fé, mesmo dizendo: *
  "É demais o sofrimento em minha vida!"
– [11]Confiei, quando dizia na aflição: *
  "Todo homem é mentiroso! Todo homem!"
– [12]Que poderei retribuir ao Senhor Deus *
  por tudo aquilo que ele fez em meu favor?
– [13]Elevo o cálice da minha salvação, *
  invocando o nome santo do Senhor.
– [14]Vou cumprir minhas promessas ao Senhor *
  na presença de seu povo reunido.
– [15]É sentida por demais pelo Senhor *
  a morte de seus santos, seus amigos.
= [16]Eis que sou o vosso servo, ó Senhor, †
  vosso servo que nasceu de vossa serva; *
  mas me quebrastes os grilhões da escravidão!
– [17]Por isso oferto um sacrifício de louvor, *
  invocando o nome santo do Senhor.

478

Tempo Pascal

– [18] Vou cum**prir** minhas promessas ao Senhor *
   na pre**se**nça de seu povo reunido;
– [19] nos **á**trios da casa do Senhor, *
   em teu **meio**, ó cidade de Sião!

Ant. Pelos **nos**sos pecados se entre**gou**
   e ressur**giu** para **nos** justificar. Ale**luia**.

Leitura breve   1Jo 5,5-6a

Quem é o vencedor do mundo, senão aquele que crê que Jesus é
o Filho de Deus? Este é o que veio pela água e pelo sangue: Jesus
Cristo. Não veio somente com a água, mas com a água e o sangue.

V. Este é o **dia** que o Se**nhor** fez para **nós**. Ale**luia**.
R. Ale**gre**mo-nos e **ne**le exul**te**mos. Ale**luia**.

Oração

Ó Deus, que nos alegrais todos os anos com a solenidade da ressurreição do Senhor, concedei-nos, pelas festas que celebramos
nesta vida, chegar às eternas alegrias. Por Cristo, nosso Senhor.

Vésperas

Hino, antífonas, salmos e cântico, como no domingo da Páscoa, p. 453.

Leitura breve   Hb 7,24-27

Cristo, uma vez que permanece para a eternidade, possui um sacerdócio que não muda. Por isso ele é capaz de salvar para sempre aqueles que, por seu intermédio, se aproximam de Deus. Ele
está sempre vivo para interceder por eles. Tal é precisamente o
sumo-sacerdote que nos convinha: santo, inocente, sem mancha,
separado dos pecadores e elevado acima dos céus. Ele não precisa, como os sumos-sacerdotes, oferecer sacrifícios em cada dia,
primeiro por seus próprios pecados e depois pelos do povo. Ele já
o fez uma vez por todas, oferecendo-se a si mesmo.

Em lugar do responsório se diz:

Ant. Este é o **dia** que o Se**nhor** fez para **nós**;
   ale**gre**mo-nos e **ne**le exul**te**mos. Ale**luia**.

Cântico evangélico, ant.

Jesus en**trou** para ce**ar** junto com eles;
tomou o **pão** durante a **cei**a e, dando **graças**,
o par**tiu** e deu a eles. Ale**luia**.

Preces

Oremos a Cristo nosso Senhor, que ressuscitou de entre os mortos e está sentado à direita do Pai; e digamos confiantes:

R. **Cristo, rei da glória, ouvi a nossa oração!**

Lembrai-vos, Senhor, de todos os que se consagram ao vosso serviço,

– para que deem ao vosso povo o exemplo da verdadeira santidade. R.

Concedei aos governantes e legisladores o espírito de justiça e de paz,

– para que reine a concórdia em toda a comunidade humana. R.

Orientai os caminhos de toda a humanidade para a esperança da salvação,

– e aumentai os bens da terra para podermos socorrer todos os necessitados. R.

(intenções livres)

Cristo, nosso Salvador, que nos libertastes da escravidão do pecado e da morte,

– concedei a luz eterna aos nossos irmãos e irmãs falecidos. R.

Pai nosso...

Oração

Ó Deus, que nos alegrais todos os anos com a solenidade da ressurreição do Senhor, concedei-nos, pelas festas que celebramos nesta vida, chegar às eternas alegrias. Por nosso Senhor Jesus Cristo, vosso Filho, na unidade do Espírito Santo.

QUINTA-FEIRA NA OITAVA DA PÁSCOA

Laudes

Hino, antífonas, salmos e cântico, como no domingo da Páscoa, p. 446.

Leitura breve   Rm 8,10-11

Se Cristo está em vós, embora vosso corpo esteja ferido de morte por causa do pecado, vosso espírito está cheio de vida, graças à justiça. E, se o Espírito daquele que ressuscitou Jesus dentre os mortos mora em vós, então aquele que ressuscitou Jesus Cristo

480

Tempo Pascal

dentre os mortos vivificará também vossos corpos mortais por meio do seu Espírito que mora em vós.

Em lugar do responsório se diz:

Ant. Este é o **dia** que o Se**nhor** fez para **nós**; alegremo-nos e **ne**le exul**te**mos. Aleluia.

Cântico evangélico, ant.
Je**sus** aparece no **mei**o dos **seus** e lhes **diz**: Paz a **vós**! Ale**lu**ia.

Preces
Unidos num só coração e numa só alma, invoquemos a Cristo ressuscitado, sempre presente em sua Igreja; e digamos:
R. **Ficai conosco, Senhor!**

Senhor Jesus, vencedor do pecado e da morte, permanecei no meio de nós,
— vós, que viveis e reinais pelos séculos sem fim.   R.

Vinde em nosso auxílio com vosso poder invencível,
— e revelai aos nossos corações a infinita bondade de Deus Pai. R.

Salvai o mundo da violência e da discórdia,
— porque só vós tendes poder para renovar e reconciliar. R.

Confirmai-nos na fé da vitória final,
— e fortalecei-nos na esperança da vossa vinda gloriosa.   R.

(intenções livres)

Pai nosso...

Oração
Ó Deus, que reunistes povos tão diversos no louvor do vosso nome, concedei aos que renasceram nas águas do batismo ter no coração a mesma fé e na vida a mesma caridade. Por nosso Senhor Jesus Cristo, vosso Filho, na unidade do Espírito Santo.

Hora Média

Hino, p. 463.

Salmodia

Ant. Pelos **nos**sos pecados se entregou e ressur**giu** para **nos** justi**fi**car. Aleluia.

Quinta-feira na oitava

Salmo 118(119),17-24
III (Ghimel)

– [17]Sede **bom** com vosso **serv**o, e vive**rei**, *
e guarda**rei** vossa palavra, ó Senhor.
– [18]Abri meus **o**lhos, e então contemplarei *
as mara**vi**lhas que encerra a vossa lei!
– [19]Sou a**pen**as peregrino sobre a terra, *
de **mim** não oculteis vossos preceitos!
– [20]Minha **alm**a se consome o tempo todo *
em dese**jar** as vossas justas decisões.
– [21]Amea**çais** os orgulhosos e os malvados;*
maldito **sej**a quem transgride a vossa lei!
– [22]**Livrai**-me do insulto e do desprezo, *
pois eu **guar**do as vossas ordens, ó Senhor.
– [23]Que os pode**ros**os reunidos me condenem; *
o que me im**por**ta é o vosso julgamento!
– [24]Minha ale**gria** é a vossa Aliança, *
meus conse**lheir**os são os vossos mandamentos.

Salmo 29(30)
I

– [2]Eu vos e**xal**to, ó S**enhor**, pois me li**vras**tes, *
e não dei**xas**tes rir de mim meus inimigos!
– [3]S**enhor**, clamei por vós, pedindo ajuda, *
e vós, meu **Deus**, me devolvestes a saúde!
– [4]Vós ti**ras**tes minha alma dos abismos *
e me sal**vas**tes, quando estava já morrendo!
– [5]Cantai **sal**mos ao Senhor, povo fiel, *
dai-lhe **graç**as e invocai seu santo nome!
– [6]Pois sua **ira** dura apenas um momento, *
mas sua bon**da**de permanece a vida inteira;
– se à **tar**de vem o pranto visitar-nos, *
de manhã vem saudar-nos a alegria.

II

– [7]Nos mo**men**tos mais fe**li**zes eu di**zia**: *
"**Jamais** hei de sofrer qualquer desgraça!"

482

Tempo Pascal

- 8Honra e poder me concedia a vossa graça, *
  mas escondestes vossa face e perturbei-me.
- 9Por vós, ó meu Senhor, agora eu clamo, *
  e imploro a piedade do meu Deus:
- 10"Que vantagem haverá com minha morte, *
  e que lucro, se eu descer à sepultura?
- Por acaso, pode o pó agradecer-vos *
  e anunciar vossa leal fidelidade?
- 11Escutai-me, Senhor Deus, tende piedade! *
  Sede, Senhor, o meu abrigo protetor!
- 12Transformastes o meu pranto em uma festa, *
  meus farrapos, em adornos de alegria,
= 13para minh'alma vos louvar ao som da harpa †
  e ao invés de se calar, agradecer-vos: *
  Senhor meu Deus, eternamente hei de louvar-vos!

Ant. Pelos nossos pecados se entregou
e ressurgiu para nos justificar. Aleluia.

Leitura breve   Tt 3,5b-7
Deus nos salvou quando renascemos e fomos renovados no batismo pelo Espírito Santo, que ele derramou abundantemente sobre nós por meio de nosso Salvador Jesus Cristo. Justificados assim, pela sua graça, nos tornamos na esperança herdeiros da vida eterna.

V. Este é o dia que o Senhor fez para nós. Aleluia.
R. Alegremo-nos e nele exultemos. Aleluia.

Oração
Ó Deus, que reunistes povos tão diversos no louvor do vosso nome, concedei aos que renasceram nas águas do batismo ter no coração a mesma fé e na vida a mesma caridade. Por Cristo, nosso Senhor.

Vésperas

Hino, antífonas, salmos e cântico, como no domingo da Páscoa, p. 453.

Leitura breve   1Pd 3,18.21b-22
Cristo morreu, uma vez por todas, por causa dos pecados, o justo, pelos injustos, a fim de vos conduzir a Deus. Sofreu a morte, na

Quinta-feira na oitava

sua existência humana, mas recebeu nova vida pelo Espírito. Pois o batismo não serve para limpar o corpo da imundície, mas é um pedido a Deus para obter uma boa consciência, em virtude da ressurreição de Jesus Cristo. Ele subiu ao céu e está à direita de Deus, submetendo-se a ele anjos, dominações e potestades.

Em lugar do responsório se diz:

Ant. Este é o dia que o Senhor fez para nós;
alegremo-nos e nele exultemos. Aleluia.

Cântico evangélico, ant.
Olhai minhas **mãos** e **ve**de meus **pés**: sou **eu**, ale**lui**a.

Preces
Louvemos com alegria a Cristo Jesus, ressuscitado de entre os mortos como primícias dos que adormeceram na esperança da luz eterna; e rezemos:

R. **Senhor ressuscitado, ouvi a nossa oração!**

Lembrai-vos, Senhor, da vossa Igreja edificada sobre o fundamento dos apóstolos, e que se faz presente pelo mundo inteiro;
– abençoai todos aqueles que invocam o vosso nome. R.

Jesus Cristo, médico dos corpos e das almas,
– visitai-nos e salvai-nos pela vossa misericórdia. R.

Curai e reconfortai os doentes,
– e livrai-os de toda enfermidade. R.

Ajudai os aflitos e oprimidos,
– e sustentai os que padecem necessidade. R.

(intenções livres)

Vós, que pela cruz e ressurreição abristes para todos o caminho da imortalidade,
– concedei as alegrias do vosso reino aos nossos irmãos e irmãs falecidos. R.

Pai nosso...

Oração
Ó Deus, que reunistes povos tão diversos no louvor do vosso nome, concedei aos que renasceram nas águas do batismo ter no coração a mesma fé e na vida a mesma caridade. Por nosso Senhor Jesus Cristo, vosso Filho, na unidade do Espírito Santo.

SEXTA-FEIRA NA OITAVA DA PÁSCOA

Laudes

Hino, antífonas salmos e cântico, como no domingo da Páscoa. p. 446.

Leitura breve At 5,30-32

O Deus de nossos pais ressuscitou Jesus, a quem vós matastes, pregando-o numa cruz. Deus, por seu poder, o exaltou, tornando-o Guia Supremo e Salvador, para dar ao povo de Israel a conversão e o perdão dos seus pecados. E disso somos testemunhas, nós e o Espírito Santo, que Deus concedeu àqueles que lhe obedecem.

Em lugar do responsório se diz:

Ant. Este é o dia que o Senhor fez para **nós**;
alegremo-nos e **nele** exultemos. Aleluia.

Cântico evangélico, ant.

Jesus apareceu terceira **vez** a seus discípulos
depois de haver ressuscitado, aleluia.

Preces

Oremos a Deus Pai, que pela ressurreição de Jesus Cristo nos deu uma vida nova; e supliquemos humildemente:

R. **Iluminai-nos, Senhor, com a luz de Cristo!**

Deus de bondade e fidelidade, que criastes o universo e manifestastes a todas as gerações o vosso desígnio de salvação,
– escutai-nos, ó Pai clementíssimo. R.

Purificai os nossos corações com a luz da vossa verdade,
– para que todas as nossas obras sejam justas e agradáveis aos vossos olhos. R.

Fazei brilhar sobre nós a luz da vossa face,
– para que, libertos do pecado, nos saciemos com a riqueza de vossos dons. R.

Vós, que por Cristo nos reconciliastes convosco,
– fazei reinar a vossa paz em toda a terra. R.

(intenções livres)

Pai nosso...

Sexta-feira na oitava

Oração

Deus eterno e todo-poderoso, que no Sacramento pascal restaurastes vossa aliança, reconciliando convosco a humanidade, concedei-nos realizar em nossa vida o mistério que celebramos na fé. Por nosso Senhor Jesus Cristo, vosso Filho, na unidade do Espírito Santo

Hora Média

Hino, p. 463.

Salmodia

Ant. Pelos **nos**sos pecados se entregou
e ressurgiu para **nos** justificar. Aleluia.

Salmo 118(119),25-32
IV (Daleth)

—25 A minha alma está prostrada na poeira, *
vossa palavra me devolva a minha vida!
—26 Eu vos narrei a minha sorte e me atendestes, *
ensinai-me, ó Senhor, vossa vontade!
—27 Fazei-me conhecer vossos caminhos, *
e então meditarei vossos prodígios!
—28 A minha alma chora e geme de tristeza, *
vossa palavra me console e reanime!

—29 Afastai me do caminho da mentira *
e dai-me a vossa lei como um presente!
—30 Escolhi seguir a trilha da verdade, *
diante de mim eu coloquei vossos preceitos.

—31 De coração quero apegar-me a, vossa lei; *
ó Senhor, não me deixeis desiludido!
—32 De vossos mandamentos corro a estrada, *
porque vós me dilatais o coração.

Salmo 75(76)
I

— 2 Em Judá o Senhor **Deus** é conhecido, *
e seu nome é grandioso em Israel.

486   Tempo Pascal

– ³Em **Salém** ele fixou a sua tenda, *
  em **Sião** edificou sua morada.
– ⁴E **ali** quebrou os arcos e as flechas, *
  os es**cu**dos, as espadas e outras armas.
– ⁵Resplen**den**te e majestoso apareceis *
  sobre **mon**tes de despojos conquistados.
= ⁶Despo**jas**tes os guerreiros valorosos †
  que já **dor**mem o seu sono derradeiro, *
  inca**pa**zes de apelar para os seus braços.
– ⁷Ante as **vos**sas ameaças, ó Senhor,*
  estarreceram-se os carros e os cavalos.

II

– ⁸Sois ter**rí**vel, real**men**te, Senhor **Deus**! *
  E quem **po**de resistir à vossa ira?
– ⁹Lá do **céu** pronunciastes a sentença, *
  e a **ter**ra apavorou-se e emudeceu,
– ¹⁰quando **Deus** se levantou para julgar*
  e liber**tar** os oprimidos desta terra.

– ¹¹Mesmo a re**vol**ta dos mortais vos dará glória, *
  e os que so**bra**ram do furor vos louvarão.
– ¹²Ao vosso **Deus** fazei promessas e as cumpri; *
  vós que o cer**cais**, trazei ofertas ao Terrível;
– ¹³ele es**ma**ga os reis da terra em seu orgulho, *
  e faz tre**mer** os poderosos deste mundo!

Ant. Pelos **nos**sos pe**ca**dos se entre**gou**
    e ressur**giu** para **nos** justifi**car**. Ale**lu**ia.

Leitura breve   Gl 3,27-28
Vós todos que fostes batizados em Cristo vos revestistes de Cristo. O que vale não é mais ser judeu nem grego, nem escravo nem livre, nem homem nem mulher, pois todos vós sois um só, em Jesus Cristo.

V. Este é o **dia** que o Se**nhor** fez para **nós**. Ale**lu**ia.
R. Alegremo-nos e **ne**le exul**te**mos. Ale**lu**ia.

Sexta-feira na oitava

Oração

Deus eterno e todo-poderoso, que no Sacramento pascal restaurastes vossa aliança, reconciliando convosco a humanidade, concedei-nos realizar em nossa vida o mistério que celebramos na fé. Por Cristo, nosso Senhor.

Vésperas

Hino, antífonas, salmos e cântico, como no domingo da Páscoa, p. 453.

Leitura breve — Hb 5,8-10

Mesmo sendo Filho, aprendeu o que significa a obediência a Deus por aquilo que ele sofreu. Mas, na consumação de sua vida, tornou-se causa de salvação eterna para todos os que lhe obedecem. De fato, ele foi por Deus proclamado sumo-sacerdote na ordem de Melquisedec.

Em lugar do responsório se diz:

Ant. Este é o **dia** que o Se**nhor** fez para **nós**;
alegremo-nos e **n**e**l**e exul**t**emos. Ale**lui**a.

Cântico evangélico, ant.

O discípulo, a **quem** Jesus ama**v**a,
disse a **e**les: É o Se**nhor**, aleluia.

Preces

Glorifiquemos a Cristo, caminho, verdade e vida; e o invoquemos, dizendo:

R. **Filho de Deus vivo, abençoai o vosso povo!**

Nós vos pedimos, Senhor Jesus Cristo, por todos os ministros da Igreja, que repartem o pão da vida entre os irmãos,
− para que sejam também eles alimentados e fortalecidos pelo mesmo pão que distribuem. R.

Nós vos pedimos por todo o povo cristão, para que viva sua vocação de maneira digna,
− e mantenha a unidade de espírito pelo vínculo da paz. R.

Nós vos pedimos por todos os que nos governam, para que exerçam suas funções com justiça e compreensão,
− e assim promovam a concórdia e a paz entre todos os povos. R.

(intenções livres)

488   Tempo Pascal

Nós vos pedimos que nos torneis dignos de celebrar a vossa santa
ressurreição em comunhão com os anjos e os santos,
_ e também com nossos irmãos e irmãs falecidos, que confiamos
à vossa infinita misericórdia.
R. **Filho de Deus vivo, abençoai o vosso povo!**

Pai nosso...

Oração

Deus eterno e todo-poderoso, que no Sacramento pascal restaurastes vossa aliança, reconciliando convosco a humanidade, concedei-nos realizar em nossa vida o mistério que celebramos na
fé. Por nosso Senhor Jesus Cristo, vosso Filho, na unidade do
Espírito Santo.

SÁBADO NA OITAVA DA PÁSCOA

Laudes

Hino, antífonas, salmos e cântico, como no domingo da Páscoa, p. 446.

Leitura breve   Rm 14,7-9
Ninguém dentre nós vive para si mesmo ou morre para si mesmo.
Se estamos vivos, é para o Senhor que vivemos; se morremos, é
para o Senhor que morremos. Portanto, vivos ou mortos, pertencemos ao Senhor. Cristo morreu e ressuscitou exatamente para
isto, para ser o Senhor dos mortos e dos vivos.

Em lugar do responsório se diz:

Ant. Este é o **dia** que o **Senhor** fez para **nós**;
      alegremo-nos e **nele** exultemos. Aleluia.

Cântico evangélico, ant.
Na ma**nhã** do dia da **Pás**coa o **Se**nhor ressusci**tou**
e apare**ceu** primeiramente a Maria Madalena. Aleluia.

Preces
Roguemos com alegria a Cristo, pão da vida, que ressuscitará no
último dia os que se alimentam à mesa de sua palavra e de seu
corpo; e digamos:
R. **Dai-nos, Senhor, paz e alegria!**

Filho de Deus, que ressuscitastes gloriosamente dos mortos como Senhor da vida,
— abençoai e santificai a humanidade inteira. R.

Senhor Jesus, fonte de paz e de alegria para todos os que creem em vós,
— fazei-nos viver como filhos da luz na alegria do vosso triunfo pascal. R.

Confirmai a fé da vossa Igreja, peregrina sobre a terra,
— para que dê ao mundo o testemunho da vossa ressurreição. R.

Vós, que, depois de muitos sofrimentos, entrastes na glória do Pai,
— mudai em alegria a tristeza dos que choram. R.

(intenções livres)

Pai nosso...

Oração

Ó Deus, que pela riqueza da vossa graça multiplicais os povos que creem em vós, contemplai solícito aqueles que escolhestes e dai aos que renasceram pelo batismo a veste da imortalidade. Por nosso Senhor Jesus Cristo, vosso Filho, na unidade do Espírito Santo.

Hora Média

Hino, p. 463.

Salmodia

Ant. Pelos **nos**sos peca**d**os se entre**gou**
e ressur**giu** para **nos** justifi**car**. Ale**lui**a.

Salmo 118(119),33-40
V (He)

—33 Ensi**nai**-me a vi**ver** vossos pre**cei**tos; *
quero guar**dá**-los fielmente até o fim!

—34 **D**ai-me o sa**ber**, e cumprirei a vossa lei, *
e de **to**do o coração a guardarei.

—35 Guiai meus **pas**sos no caminho que traçastes, *
pois só **ne**le encontrarei felicidade.

Tempo Pascal

– [36] Inclinai meu coração às vossas leis, *
e **nun**ca ao dinheiro e à avareza.
– [37] Desviai o meu olhar das coisas vãs, *
dai-me a vida pelos vossos mandamentos!
– [38] Cumpri, Se**nhor**, vossa promessa ao vosso servo,*
vossa pro**mess**a garantida aos que vos temem.
– [39] Livrai-me do insulto que eu receio, *
porque **vos**sos julgamentos são suaves.
– [40] Como an**sei**o pelos vossos mandamentos!*
Dai-me a **vida**, ó Senhor, porque sois justo!

Salmo 95(96)

I

= [1] Can**tai** ao Senhor **Deus** um canto no**vo**, †
[2] can**tai** ao Senhor Deus, ó terra inteira! *
Can**tai** e bendizei seu santo nome!

= Dia após **dia** anunciai sua salvação, †
[3] manifes**tai** a sua glória entre as nações, *
e entre os **po**vos do universo seus prodígios!

= [4] Pois Deus é **gran**de e muito digno de louvor, †
é mais ter**rí**vel e maior que os outros deuses, *
[5] porque um **na**da são os deuses dos pagãos.

= Foi o Se**nhor** e nosso Deus quem fez os céus: †
[6] diante **de**le vão a glória e a majestade, *
e o seu **tem**plo, que beleza e esplendor!

II

= [7] Ó fa**mí**lia das na**ções**, dai ao Se**nhor**, †
ó na**ções**, dai ao Senhor poder e glória, *
[8] dai-lhe a **gló**ria que é devida ao seu nome!

= Ofere**cei** um sacrifício nos seus átrios, †
[9] ado**rai**-o no esplendor da santidade, *
terra in**tei**ra, estremecei diante dele!

= [10] Publi**cai** entre as nações: "Reina o Senhor!" †
Ele fir**mou** o universo inabalável, *
e os **po**vos ele julga com justiça. –

Domingo na oitava

– [11] O **céu** se rejubile e exulte a terra, *
aplauda o **mar** com o que vive em suas águas;
– [12] os **campos** com seus frutos rejubilem *
e **exul**tem as florestas e as matas
– [13] na **presença** do Senhor, pois ele vem, *
porque **vem** para julgar a terra inteira.
– Governa**rá** o mundo todo com justiça, *
e os **po**vos julgará com lealdade.

Ant. Pelos **nos**sos peca**dos** se entre**gou**
e ressur**giu** para **nos** justifi**car**. Ale**lui**a.

Leitura breve   1Cor 15,20-22
Cristo ressuscitou dos mortos como primícias dos que morreram.
Com efeito, por um homem veio a morte e é também por um homem que vem a ressurreição dos mortos. Como em Adão todos
morrem, assim também em Cristo todos reviverão.

V. Este é o **dia** que o Se**nhor** fez para **nós**. Ale**lui**a.
R. Alegremo-nos e **ne**le exul**te**mos. Ale**lui**a.

Oração

Ó Deus, que pela riqueza da vossa graça multiplicais os povos
que creem em vós, contemplai solícito aqueles que escolhestes e
dai aos que renasceram pelo batismo a veste da imortalidade. Por
Cristo, nosso Senhor.

DOMINGO NA OITAVA DA PÁSCOA

(2º DOMINGO DA PÁSCOA)

I Vésperas

Hino, antífonas, salmos e cântico, como no domingo da Páscoa, p. 453.

Leitura breve   1Pd 2,9-10
Vós sois a raça escolhida, o sacerdócio do Reino, a nação santa, o
povo que ele conquistou para proclamar as obras admiráveis daquele que vos chamou das trevas para a sua luz maravilhosa. Vós
sois aqueles que "antes não eram povo, agora porém são povo de
Deus; os que não eram objeto de misericórdia, agora porém alcançaram misericórdia."

492   Tempo Pascal

Em lugar do responsório se diz:

Ant. Este é o **dia** que o Se**nhor** fez para **nós**;
     ale**gre**mo-nos e **ne**le exul**te**mos. Ale**lui**a.

Cântico evangélico, ant.
Na oi**ta**va da **Pás**coa, a **por**tas fe**cha**das,
en**tran**do o Se**nhor** lhes fa**lou**: Paz a **vós**! Aleluia.

Preces
Oremos a Jesus Cristo que, ressuscitando dos mortos, destruiu a
morte e renovou a vida; e digamos cheios de confiança:
R. Cristo, vivo para sempre, escutai a nossa prece!

Vós que sois a pedra rejeitada pelos construtores, mas escolhida
pelo Pai como pedra angular,
  – fazei de nós pedras vivas na edificação de vossa Igreja.   **R**

Vós, que sois a Testemunha fiel e verdadeira, o Primogênito dentre os mortos,
  – concedei que a vossa Igreja possa dar sempre e em toda a terra
o testemunho da vossa ressurreição.   **R.**

Vós, que sois o Esposo único da Igreja, nascida de vosso lado
aberto na cruz,
  – fazei de nós testemunhas do vosso amor pela Igreja e por toda
a humanidade.   **R.**

Vós, que sois o Princípio e o Fim, que estivestes morto e agora
viveis eternamente,
  – concedei aos que foram batizados a perseverança até à morte,
para que mereçam a coroa da vitória.   **R.**

                             (intenções livres)

Vós, que sois a Luz que ilumina a santa cidade de Deus;
  – iluminai com vosso esplendor os nossos irmãos e irmãs falecidos, para que reinem convosco eternamente.   **R.**

Pai nosso...

                   Oração
Ó Deus de eterna misericórdia, que reacendeis a fé do vosso povo
na renovação da festa pascal, aumentai a graça que nos destes. E
fazei que compreendamos melhor o batismo que nos lavou, o espírito que nos deu vida nova, e o sangue que nos remiu. Por nosso
Senhor Jesus Cristo, vosso Filho, na unidade do Espírito Santo.

Domingo na oitava

Na despedida se diz:

Ide em paz e o Senhor vos acompanhe. Aleluia, aleluia.
R. Graças a Deus. Aleluia, aleluia.

Laudes

Hino, antífonas, salmos e cântico, como no domingo da Páscoa, p. 446.

Leitura breve   At 10,40-43

Deus ressuscitou Jesus no terceiro dia, concedendo-lhe manifestar-se não a todo o povo, mas às testemunhas que Deus havia
escolhido: a nós, que comemos e bebemos com Jesus, depois que
ressuscitou dos mortos. E Jesus nos mandou pregar ao povo e
testemunhar que Deus o constituiu Juiz dos vivos e dos mortos.
Todos os profetas dão testemunho dele: Todo aquele que crê em
Jesus recebe, em seu nome, o perdão dos pecados.

Em lugar do responsório se diz:

Ant. Este é o **dia** que o Se**nhor** fez para **nós**;
     ale**gre**mo-nos e **ne**le exul**te**mos. Ale**lui**a.

Cântico evangélico, ant.

Com teu **de**do vem to**car** as minhas **mãos**,
co**lo**ca tua **mão** no lado a**ber**to,
e não **se**jas um incré**du**lo, To**mé**,
mas tenhas **fé**, ale**lui**a.

Preces

Invoquemos a Deus Pai todo-poderoso, que ressuscitou nosso
Rei e Salvador Jesus Cristo; e digamos com alegria:
R. **Iluminai-nos, Senhor, com a luz de Cristo!**

Pai santo, que fizestes vosso amado Filho Jesus passar das trevas
da morte para a luz da glória,
– dai-nos chegar, um dia, à luz admirável do vosso reino eterno.   R.

Vós, que nos salvastes pela fé,
– fazei-nos viver hoje fielmente segundo as promessas do nosso
batismo.   R.

Vós, que nos mandais buscar sempre as coisas do alto, onde Cristo está sentado à vossa direita,
– livrai-nos da sedução do pecado.   R.

Fazei que a nossa vida, escondida em vós com Cristo, brilhe no mundo,
– para anunciar a todos os novos céus e a nova terra. R.

R. **Iluminai-nos, Senhor, com a luz de Cristo!**

(intenções livres)

Pai nosso...

Oração

Ó Deus de eterna misericórdia, que reacendeis a fé do vosso povo na renovação da festa pascal, aumentai a graça que nos destes. E fazei que compreendamos melhor o batismo que nos lavou, o espírito que nos deu vida nova, e o sangue que nos remiu. Por nosso Senhor Jesus Cristo, vosso Filho, na unidade do Espírito Santo.

Na despedida se diz:

Ide em paz e o Senhor vos acompanhe. Aleluia, aleluia.

R. Graças a Deus. Aleluia, aleluia.

Hora Média

Tudo como no domingo da Páscoa, p. 451, exceto a oração, como acima, nas Laudes.

II Vésperas

Hino, antífonas, salmos e cântico, como no domingo da Páscoa, p. 453.

Leitura breve   Hb 10,12-14

Cristo, depois de ter oferecido um sacrifício único pelos pecados, sentou-se para sempre à direita de Deus. Não lhe resta mais senão esperar até que seus inimigos sejam postos debaixo de seus pés. De fato, com esta única oferenda, levou à perfeição definitiva os que ele santifica.

Em lugar do responsório se diz:

Ant. Este é o dia que o Senhor fez para nós;
alegremo-nos e nele exultemos. Aleluia.

Cântico evangélico, ant.
Acreditaste, Tomé, porque me viste.
Felizes os que creem sem ter visto. Aleluia.

Domingo na oitava

Preces

Invoquemos a Deus Pai, que ressuscitou Jesus Cristo e o exaltou à sua direita; e peçamos humildemente:

R. **Protegei o vosso povo, Senhor, pela glória de Cristo!**

Pai santo, que pela vitória da cruz glorificastes Jesus sobre a terra,
_ atraí para ele todas as coisas.

R.

Por vosso Filho glorificado, enviai, Senhor, sobre a Igreja o Espírito Santo,
_ para que ela seja sinal de unidade para todo o gênero humano.

R.

Conservai na fé do seu batismo a vossa família, que fizestes renascer pela água e pelo Espírito Santo,
_ para que alcance a vida eterna.

R.

Por vosso Filho glorificado, dai alegria aos infelizes, libertai os prisioneiros, curai os doentes,
_ e estendei à humanidade inteira os benefícios da vossa redenção.

R.

(intenções livres)

Aos nossos irmãos e irmãs falecidos, que receberam na terra o Corpo e o Sangue de Cristo,
_ dai-lhes a glória da ressurreição no último dia.

R.

Pai nosso...

Oração

Ó Deus de eterna misericórdia, que reacendeis a fé do vosso povo na renovação da festa pascal, aumentai a graça que nos destes. E fazei que compreendamos melhor o batismo que nos lavou, o espírito que nos deu vida nova, e o sangue que nos remiu. Por nosso Senhor Jesus Cristo, vosso Filho, na unidade do Espírito Santo.

Na despedida se diz:
Ide em paz e o Senhor vos acompanhe. Aleluia, aleluia.

R. Graças a Deus. Aleluia, aleluia.

Termina aqui a Oitava da Páscoa.

SEGUNDA-FEIRA

Laudes

II Semana do Saltério

Leitura breve   Rm 10,8b-10

A palavra está perto de ti, em tua boca e em teu coração. Essa palavra é a palavra da fé, que nós pregamos. Se, pois, com tua boca confessares Jesus como Senhor e, no teu coração, creres que Deus o ressuscitou dos mortos, serás salvo. É crendo no coração que se alcança a justiça e é confessando a fé com a boca que se consegue a salvação.

Responsório breve

R. O Senhor ressurgiu do sepulcro. * Aleluia, aleluia.
    R. O Senhor.
V. Foi suspenso por nós numa cruz. * Aleluia, aleluia.
    Glória ao Pai. R. O Senhor.

Cântico evangélico, ant.

Jesus disse: Em verdade eu vos digo:
Quem não nasce de novo do alto,
o reino de Deus não verá. Aleluia.

Preces

Rezemos a Deus Pai, glorificado pela morte e ressurreição de seu Filho; e peçamos confiantes:

R. Iluminai, Senhor, o nosso coração!

Deus de eterna glória, que iluminastes o mundo com a luz de Cristo gloriosamente ressuscitado,
– iluminai-nos hoje com a luz da fé.   R.

Vós, que, pela ressurreição de Cristo, abristes a todo ser humano as portas da eternidade
– ajudai-nos no trabalho deste dia, para que aumente em nós a esperança da vida eterna.   R.

Vós, que, por vosso Filho ressuscitado, enviastes ao mundo o Espírito Santo,
– acendei em nossos corações o fogo do vosso amor.   R.

Segunda-feira

Pelos méritos da cruz de Cristo, que morreu para libertar o mundo,
– dai à humanidade inteira a salvação e a paz. R.

(intenções livres)

Pai nosso...

Oração

Deus eterno e todo-poderoso, a quem ousamos chamar de Pai,
dai-nos cada vez mais um coração de filhos, para alcançarmos a
herança prometida. Por nosso Senhor Jesus Cristo, vosso Filho,
na unidade do Espírito Santo.

Hora Média

Hino, p. 463.

Ant. Aleluia, aleluia, aleluia.

Com esta única antífona se dizem os três salmos durante todo o Tempo
pascal, a não ser que se indique antífona própria.

Leitura breve
Cl 2,9.10a.12

Em Cristo habita corporalmente toda a plenitude da divindade.
Dele também vós estais repletos. Com Cristo fostes sepultados
no batismo; com ele também fostes ressuscitados por meio da
fé no poder de Deus, que ressuscitou a Cristo dentre os mortos.

V. Os discípulos ficaram muito alegres, aleluia,
R. Por verem o Senhor ressuscitado. Aleluia.
Oração como nas Laudes.

Vésperas

Leitura breve
Hb 8,1b-3a

Temos um sumo-sacerdote tão grande, que se assentou à direita
do trono da majestade, nos céus. Ele é ministro do Santuário e da
Tenda verdadeira, armada pelo Senhor, e não por mão humana.
Todo sumo-sacerdote, com efeito, é constituído para oferecer dádivas e sacrifícios.

Responsório breve

R. Os discípulos ficaram muito alegres. * Aleluia, aleluia.
R. R. Os discípulos.
V. Quando viram o Senhor ressuscitado. * Aleluia, aleluia.
Glória ao Pai. R. Os discípulos.

498 2ª Semana do Tempo Pascal

Cântico evangélico, ant.
O que **nas**ce da **car**ne é **car**ne,
o que **nas**ce do Espírito é Espírito. Ale**lui**a.

Preces
Roguemos a Cristo, nosso Senhor, que iluminou o mundo com a glória de sua ressurreição; e digamos:
R. **Cristo, nossa vida, ouvi-nos!**

Senhor Jesus Cristo, que vos fizestes companheiro de viagem dos dois discípulos a caminho de Emaús,
_ permanecei sempre com vossa Igreja, peregrina sobre a terra. R.

Não permitais que vossos fiéis sejam lentos para crerem,
_ mas proclamem o vosso triunfo sobre a morte. R.

Olhai com bondade para aqueles que ainda não vos reconhecem no caminho de suas vidas,
_ e mostrai-lhes o vosso rosto, para que também eles se salvem. R.

Vós, que pela cruz reconciliastes toda a humanidade, reunindo-a num só corpo,
_ concedei a paz e a unidade a todas as nações. R.

(intenções livres)

Juiz dos vivos e dos mortos,
_ concedei o perdão dos pecados a todos os que partiram desta vida e creram em vós. R.

Pai nosso...

Oração
Deus eterno e todo-poderoso, a quem ousamos chamar de Pai, dai-nos cada vez mais um coração de filhos, para alcançarmos a herança prometida. Por nosso Senhor Jesus Cristo, vosso Filho, na unidade do Espírito Santo.

TERÇA-FEIRA

Laudes

Leitura breve At 13,30-33
Deus ressuscitou Jesus dos mortos e, durante muitos dias, ele foi visto por aqueles que o acompanharam desde a Galileia até Jeru-

Terça-feira 499

salém. Agora eles são testemunhas de Jesus diante do povo. Por isso, nós vos anunciamos este Evangelho: a promessa que Deus fez aos antepassados, ele a cumpriu para nós, seus filhos, quando ressuscitou Jesus, como está escrito no salmo segundo: Tu és o meu filho, eu hoje te gerei.

Responsório breve
R. O **Senhor** ressur**giu** do sepulcro. * Ale**luia**, ale**luia**.
   R. O S**enhor**.
V. Foi sus**pen**so por **nós** numa **cruz**. * Ale**luia**, ale**luia**.
   Glória ao **Pai**. R. O S**enhor**.

Cântico evangélico, ant.
Sou o **Alfa** e o **Ômega**, o pri**mei**ro e o **úl**timo,
o re**ben**to de Da**vi**, a est**re**la da man**hã**. Ale**luia**.

Preces
Demos graças a Deus, Pai de nosso Senhor Jesus Cristo, o Cordeiro sem mancha, que tira o pecado do mundo; e rezemos confiantes:

R. **Senhor, fonte da vida, dai-nos a vossa salvação!**

Deus, fonte da vida, lembrai-vos da morte e ressurreição do Cordeiro imolado na cruz,
– e ouvi as súplicas que ele vos dirige continuamente em nosso favor. R.

Purificai-nos, Senhor, de todo fermento de malícia e perversidade,
– para vivermos a páscoa de Cristo com os pães ázimos da sinceridade e da verdade. R.

Ajudai-nos a vencer neste dia o pecado da discórdia e da inveja,
– e tornai-nos mais atentos às necessidades dos nossos irmãos e irmãs. R.

Dai à nossa vida um autêntico espírito evangélico,
– para andarmos, hoje e sempre, pelo caminho dos vossos mandamentos. R.

(intenções livres)

Pai nosso...

Oração
Fazei-nos, ó Deus todo-poderoso, proclamar o poder do Cristo ressuscitado e, tendo recebido as primícias dos seus dons, consi-

2ª Semana do Tempo Pascal

gamos possuí-los em plenitude. Por nosso Senhor Jesus Cristo, vosso Filho, na unidade do Espírito Santo.

Hora Média

Leitura breve — cf. 1Pd 3,21-22a

O batismo é hoje a vossa salvação, pois ele não serve para limpar o corpo da imundície, mas é um pedido a Deus para obter uma boa consciência, em virtude da ressurreição de Jesus Cristo que está à direita de Deus.

V. Os discípulos ficaram muito alegres, aleluia,
R. Por verem o Senhor ressuscitado. Aleluia.
Oração como nas Laudes.

Vésperas

Leitura breve — 1Pd 2,4-5

Aproximai-vos do Senhor, pedra viva, rejeitada pelos homens, mas escolhida e honrosa aos olhos de Deus. Do mesmo modo, também vós, como pedras vivas, formai um edifício espiritual, um sacerdócio santo, a fim de oferecerdes sacrifícios espirituais, agradáveis a Deus, por Jesus Cristo.

Responsório breve

R. Os discípulos ficaram muito alegres. * Aleluia, aleluia.
     R. Os discípulos.
V. Quando viram o Senhor ressuscitado. * Aleluia, aleluia. Glória ao Pai. R. Os discípulos.

Cântico evangélico, ant.

Não nos ardia o coração,
quando Jesus pelo caminho nos falava? Aleluia.

Preces

Invoquemos a Cristo, que pela sua ressurreição confirmou a esperança do seu povo; e peçamos com muita fé:

R. **Cristo, vivo para sempre, escutai-nos!**

Senhor Jesus Cristo, de cujo lado aberto correu sangue e água,
 – fazei da Igreja vossa esposa imaculada.   R.

Pastor supremo da Igreja, que depois da ressurreição confiastes a Pedro o cuidado do vosso rebanho,

Quarta-feira 501

– protegei o nosso papa N. e confirmai-o na caridade a serviço do vosso povo. R.

Vós, que enchestes de peixes as redes de vossos discípulos que pescavam no lago de Tiberíades,
– enviai operários à vossa Igreja para que continuem seu trabalho apostólico. R.

Vós, que preparastes pão e peixes para vossos discípulos, na margem do lago,
– não permitais que nossos irmãos e irmãs morram de fome por nossa culpa. R.

(intenções livres)

Senhor Jesus, novo Adão, que nos dais a vida, tornai semelhantes à vossa imagem gloriosa os que já deixaram este mundo,
– para que participem plenamente da alegria perfeita no céu. R.

Pai nosso...

Oração

Fazei-nos, ó Deus todo-poderoso, proclamar o poder do Cristo ressuscitado e, tendo recebido as primícias dos seus dons, consigamos possuí-los em plenitude. Por nosso Senhor Jesus Cristo, vosso Filho, na unidade do Espírito Santo.

QUARTA-FEIRA

Laudes

Leitura breve   Rm 6,8-11
Se morremos com Cristo, cremos que também viveremos com ele. Sabemos que Cristo ressuscitado dos mortos não morre mais; a morte já não tem poder sobre ele. Pois aquele que morreu, morreu para o pecado uma vez por todas; mas aquele que vive, é para Deus que vive. Assim, vós também considerai-vos mortos para o pecado e vivos para Deus, em Jesus Cristo.

Responsório breve

R. O **Senhor** ressur**giu** do se**pulc**ro. * Ale**lui**a, ale**lui**a.
  R. O Se**nhor**.
V. Foi sus**pen**so por **nós** numa **cruz**. * Ale**lui**a, ale**lui**a. Glória ao **Pai**. R. O **Senhor**.

502   2ª Semana do Tempo Pascal

Cântico evangélico, ant.
Tanto **Deus** amou o **mun**do, que lhe **deu** seu Filho único; quem crê **nele** não pe**rece**, mas te**rá** a vida eterna. Aleluia.

Preces

Elevemos nossas preces a Deus Pai, que quis revelar aos apóstolos a glória de Cristo ressuscitado; e aclamemos:

R. **Iluminai-nos, Senhor, com a glória de Cristo!**

Nós vos louvamos, Senhor, fonte de luz e de glória,
– que nos chamastes à vossa luz admirável para alcançarmos a salvação.   R.

Purificai e fortalecei com o poder do Espírito Santo a atividade da Igreja em toda a terra,
– para que melhorem as relações humanas entre todos os cidadãos do mundo.   R.

Fazei que nos dediquemos de tal modo ao serviço do próximo,
– que possamos transformar a comunidade humana numa oferenda agradável aos vossos olhos.   R.

Desde o amanhecer, cumulai-nos com os dons da vossa bondade,
– para vivermos na alegria de vosso louvor durante todo este dia.   R.

(intenções livres)

Pai nosso...

Oração

Imploramos, ó Deus, a vossa clemência, ao recordar cada ano o mistério pascal que renova a dignidade humana, e nos traz a esperança da ressurreição: concedei-nos acolher sempre com amor o que celebramos com fé. Por nosso Senhor Jesus Cristo, vosso Filho, na unidade do Espírito Santo.

Hora Média

Leitura breve   1Jo 5,5-6a
Quem é o vencedor do mundo, senão aquele que crê que Jesus é o Filho de Deus? Este é o que veio pela água e pelo sangue: Jesus Cristo. Não veio somente com a água, mas com a água e o sangue.

Quarta-feira

V. Os discípulos ficaram muito alegres, aleluia.
R. Por verem o Senhor ressuscitado, aleluia.
Oração como nas Laudes.

Vésperas

Leitura breve   Hb 7,24-27

Cristo, uma vez que permanece para a eternidade, possui um sacerdócio que não muda. Por isso ele é capaz de salvar para sempre aqueles que, por seu intermédio, se aproximam de Deus. Ele está sempre vivo para interceder por eles. Tal é precisamente o sumo-sacerdote que nos convinha: santo, inocente, sem mancha, separado dos pecadores e elevado acima dos céus. Ele não precisa, como os sumos-sacerdotes, oferecer sacrifícios em cada dia, primeiro por seus próprios pecados e depois pelos do povo. Ele já o fez uma vez por todas, oferecendo-se a si mesmo.

Responsório breve

R. Os discípulos ficaram muito alegres. * Aleluia, aleluia.
R. Os discípulos.
V. Quando viram o Senhor ressuscitado. * Aleluia, aleluia.
Glória ao Pai. **R.** Os discípulos.

Cântico evangélico, ant.

Quem pratica a verdade se põe junto à luz
e suas obras de filho de Deus se revelam. Aleluia.

Preces

Imploremos a Deus todo-poderoso, que em seu Filho ressuscitado, abriu-nos as portas da vida eterna; e digamos confiantes:
R. Pela vitória de Cristo, salvai, Senhor, o vosso povo!

Deus de nossos pais, que glorificastes vosso Filho Jesus, ressuscitando-o dos mortos,
− transformai os nossos corações para vivermos a vida nova da filiação divina. **R.**

Vós, que conduzistes as ovelhas desgarradas, que éramos, a Cristo, pastor e guia de nossas almas,
− conservai-nos fiéis ao evangelho, sob a orientação dos pastores da Igreja. **R.**

504 2ª Semana do Tempo Pascal

Vós, que escolhestes os primeiros discípulos de vosso Filho dentre o povo judeu,
_ dai aos filhos de Israel fidelidade à Aliança para caminharem ao encontro da promessa feita a seus pais.

R. **Pela vitória de Cristo, salvai, Senhor, o vosso povo!**

Lembrai-vos de todos os abandonados, dos órfãos e das viúvas,
_ e não deixeis que vivam sozinhos aqueles que vosso Filho, com sua morte, reconciliou convosco. R.

(intenções livres)

Vós, que chamastes para o reino celeste o primeiro mártir Santo Estêvão, depois que ele proclamou a glória de Jesus sentado à vossa direita,
_ acolhei também na eternidade os nossos irmãos e irmãs que na fé e na caridade esperaram em vós. R.

Pai nosso...

Oração

Imploramos, ó Deus, a vossa clemência, ao recordar cada ano o mistério pascal que renova a dignidade humana, e nos traz a esperança da ressurreição: concedei-nos acolher sempre com amor o que celebramos com fé. Por nosso Senhor Jesus Cristo, vosso Filho, na unidade do Espírito Santo.

QUINTA-FEIRA

Laudes

Leitura breve Rm 8,10-11

Se Cristo está em vós, embora vosso corpo esteja ferido de morte por causa do pecado, vosso espírito está cheio de vida, graças à justiça. E, se o Espírito daquele que ressuscitou Jesus dentre os mortos mora em vós, então aquele que ressuscitou Jesus Cristo dentre os mortos vivificará também vossos corpos mortais por meio do seu Espírito que mora em vós.

Responsório breve

R. O Senhor ressurgiu do sepulcro. * Aleluia, aleluia.

R. O Senhor.

Quinta-feira 505

V. Foi suspenso por **nós** numa **cruz**. * Aleluia, aleluia. Glória ao **Pai**. R. O Senhor.

Cântico evangélico, ant.

O **Pai** ama seu **Filho** Jesus **Cristo**
e **tudo** colocou em suas **mãos**. Aleluia.

Preces

Invoquemos com toda a confiança a Deus Pai, que em Jesus Cristo deu aos seres humanos a certeza da ressurreição; e digamos:

R. **Que o Senhor Jesus seja a nossa vida!**

Pela coluna de fogo iluminastes, Senhor, vosso povo no deserto:
– por sua ressurreição, seja Cristo hoje para nós a luz da vida. R.

Pela voz de Moisés ensinastes, Senhor, o vosso povo no monte Sinai;
– por sua ressurreição seja Cristo hoje para nós a palavra da vida. R.

Com o maná alimentastes, Senhor, vosso povo peregrino;
– por sua ressurreição, seja Cristo hoje para nós o pão da vida. R.

Com a água do rochedo destes de beber, Senhor, ao vosso povo;
– pela ressurreição de Cristo, vosso Filho, concedei-nos hoje o Espírito que dá vida. R.

(intenções livres)

Pai nosso...

Oração

Concedei, ó Deus, que vejamos frutificar em toda a nossa vida as graças do mistério pascal, que instituístes na vossa misericórdia. Por nosso Senhor Jesus Cristo, vosso Filho, na unidade do Espírito Santo.

Hora Média

Leitura breve   Tt 3,5b-7
Deus nos salvou quando renascemos e fomos renovados no batismo pelo Espírito Santo, que ele derramou abundantemente sobre nós por meio de nosso Salvador Jesus Cristo. Justificados assim, pela sua graça, nos tornamos na esperança herdeiros da vida eterna.

506

2ª Semana do Tempo Pascal

V. Os discípulos ficaram muito alegres, aleluia,
R. Por verem o Senhor ressuscitado. Aleluia.
Oração como nas Laudes.

Vésperas

Leitura breve   1Pd 3,18.21b-22

Cristo morreu, uma vez por todas, por causa dos pecados, o justo, pelos injustos, a fim de vos conduzir a Deus. Sofreu a morte, na sua existência humana, mas recebeu nova vida pelo Espírito. O batismo é hoje a vossa salvação. Pois ele não serve para limpar o corpo da imundície, mas é um pedido a Deus para obter uma boa consciência, em virtude da ressurreição de Jesus Cristo. Ele subiu ao céu e está à direita de Deus, submetendo-se a ele anjos, dominações e potestades.

Responsório breve

R. Os discípulos ficaram muito alegres. * Aleluia, aleluia.
  R. Os discípulos.
V. Quando viram o Senhor ressuscitado.* Aleluia, aleluia.
  Glória ao Pai. R. Os discípulos.

Cântico evangélico, ant.

Quem crê no Filho de Deus, tem a vida eterna. Aleluia.

Preces

Exultemos de alegria em Cristo nosso Senhor, a quem o Pai constituiu fundamento de nossa esperança e da ressurreição dos mortos. Aclamemos e peçamos:

R. **Cristo, rei da glória, ouvi-nos!**

Senhor Jesus, que por vosso sangue derramado na cruz e por vossa ressurreição entrastes no santuário celeste,
– conduzi-nos convosco à glória do Pai.   R.

Senhor Jesus, que por vossa ressurreição fortalecestes a fé dos discípulos e os enviastes ao mundo para anunciar o evangelho,
– fazei que os bispos e os presbíteros sejam fiéis mensageiros da vossa Palavra.   R.

Senhor Jesus, que por vossa ressurreição nos trouxestes a reconciliação e a paz,
– dai aos cristãos uma perfeita união na fé e na caridade. R.

Senhor Jesus, que por vossa ressurreição curastes o paralítico que estava à porta do Templo,
– olhai com bondade para os enfermos e manifestai neles a vossa glória. R.

(intenções livres)

Senhor Jesus, que por vossa ressurreição vos tornastes o primogênito dentre os mortos,
– concedei a participação na glória celeste àqueles que acreditaram e esperaram em vós. R.

Pai nosso...

Oração

Concedei, ó Deus, que vejamos frutificar em toda a nossa vida as graças do mistério pascal, que instituístes na vossa misericórdia. Por nosso Senhor Jesus Cristo, vosso Filho, na unidade do Espírito Santo.

SEXTA-FEIRA

Laudes

Leitura breve At 5,30-32
O Deus de nossos pais ressuscitou Jesus, a quem vós matastes, pregando-o numa cruz. Deus, por seu poder, o exaltou, tornando-o Guia Supremo e Salvador, para dar ao povo de Israel a conversão e o perdão dos seus pecados. E disso somos testemunhas, nós e o Espírito Santo, que Deus concedeu àqueles que lhe obedecem.

Responsório breve
R. O Senhor ressurgiu do sepulcro. * Aleluia, aleluia.
R. O Senhor.
V. Foi suspenso por nós numa cruz. * Aleluia, aleluia.
Glória ao Pai. R. O Senhor.

Cântico evangélico, ant.
Jesus tomou os pães, e, tendo dado graças, os deu para os presentes. Aleluia.

508   2ª Semana do Tempo Pascal

Preces

Rezemos a Deus Pai, que ressuscitou Jesus de entre os mortos e dará a vida também aos nossos corpos mortais, pelo Espírito Santo que habita em nós. Digamos com fé:

R. **Senhor, por vosso Espírito Santo, dai-nos a vida!**

Pai santo, que aceitastes o sacrifício de vosso Filho, ressuscitando-o de entre os mortos,

– recebei a oferenda que hoje vos apresentamos e conduzi-nos à vida eterna. R.

Abençoai, Senhor, nossos trabalhos deste dia,

– para que sirvam à vossa glória e à santificação de todos. R.

Fazei que nossas atividades de hoje contribuam para a construção de um mundo melhor,

– e que assim procedendo, possamos chegar ao vosso reino celeste. R.

Abri hoje nossos olhos e nosso coração para as necessidades de nossos irmãos e irmãs,

– a fim de que todos nos amemos e nos sirvamos uns aos outros. R.

(intenções livres)

Pai nosso...

Oração

Concedei, ó Deus, aos vossos servos e servas a graça da ressurreição, pois quisestes que o vosso Filho sofresse por nós o sacrifício da cruz para nos libertar do poder do inimigo. Por nosso Senhor Jesus Cristo, vosso Filho, na unidade do Espírito Santo.

Hora Média

Leitura breve   Gl 3,27-28

Vós todos que fostes batizados em Cristo vos revestistes de Cristo. O que vale não é mais ser judeu nem grego, nem escravo nem livre, nem homem nem mulher, pois todos vós sois um só, em Jesus Cristo.

V. Os discípulos ficaram muito alegres, aleluia.

R. Por verem o Senhor ressuscitado, Aleluia.

Oração como nas Laudes.

Sexta-feira 509

Vésperas

Leitura breve Hb 5,8-10

Mesmo sendo Filho, aprendeu o que significa a obediência a Deus por aquilo que ele sofreu. Mas, na consumação de sua vida, tornou-se causa de salvação eterna para todos os que lhe obedecem. De fato, ele foi por Deus proclamado sumo-sacerdote na ordem de Melquisedec.

Responsório breve

R. Os discípulos ficaram muito alegres. * Aleluia, aleluia.
   R. Os discípulos.
V. Quando viram o Senhor ressuscitado. * Aleluia, aleluia.
   Glória ao **Pai**. R. Os discípulos.

Cântico evangélico , ant.

Jesus sofreu a dura cruz e o inferno derrotou;
revestido de poder, ressuscitou após três dias. Aleluia.

Preces

Glorifiquemos a Cristo, fonte de vida e origem de todas as virtudes; e rezemos com amor e confiança:

R. **Firmai no mundo o vosso Reino, Senhor!**

Jesus Salvador, que experimentastes a morte em vossa carne, mas voltastes à vida pelo Espírito,
– fazei-nos morrer para o pecado e viver a vida nova do vosso Espírito Santo. R.

Vós, que enviastes os discípulos ao mundo inteiro para pregar o evangelho a toda criatura,
– sustentai, com a força do vosso Espírito, os mensageiros de vossa palavra. R.

Vós, que recebestes todo o poder no céu e na terra para dar testemunho da verdade,
– dirigi no espírito de verdade o coração daqueles que nos governam. R.

Vós, que fazeis novas todas as coisas e nos mandais esperar, vigilantes, a vinda do vosso reino,

510　　　　　2ª Semana do Tempo Pascal

– concedei que, quanto mais fervorosamente esperarmos os novos céus e a nova terra, tanto mais generosamente trabalhemos pela edificação do mundo presente.

R. **Firmai no mundo o vosso Reino, Senhor!**

(intenções livres)

Vós, que descestes à mansão dos mortos para lhes anunciar a alegria da salvação,
– sede a alegria e a esperança de todos os que partiram desta vida. R.

Pai nosso...

Oração

Concedei, ó Deus, aos vossos servos e servas a graça da ressurreição, pois quisestes que o vosso Filho sofresse por nós o sacrifício da cruz para nos libertar do poder do inimigo. Por nosso Senhor Jesus Cristo, vosso Filho, na unidade do Espírito Santo.

SÁBADO

Laudes

Leitura breve　　　　　Rm 14,7-9

Ninguém dentre nós vive para si mesmo ou morre para si mesmo. Se estamos vivos, é para o Senhor que vivemos; se morremos, é para o Senhor que morremos. Portanto, vivos ou mortos, pertencemos ao Senhor. Cristo morreu e ressuscitou exatamente para isto, para ser o Senhor dos mortos e dos vivos.

Responsório breve

R. O Se**nhor** ressur**giu** do se**pul**cro. * Ale**luia**, ale**luia**.
　　R. O Se**nhor**.
V. Foi sus**pen**so por **nós** numa **cruz** . * Ale**luia**, ale**luia**.
　　Glória ao **Pai**. R. O Se**nhor**.

Cântico evangélico, ant.

Paz a **vós**, ale**luia**, não te**mais**, ale**luia**,
pois sou **eu**, ale**luia**.

Sábado

Preces

Invoquemos a Cristo nosso Senhor, que nos deu a vida eterna; e peçamos de coração sincero:

R. **Enriquecei-nos, Senhor, com a graça da vossa ressurreição!**

Pastor eterno, olhai com bondade para o vosso rebanho que desperta do sono da noite,

_ e alimentai-nos com as riquezas de vossa palavra e de vosso pão. R.

Não permitais que sejamos arrebatados pelo lobo que devora e traídos pelo mercenário que foge,

_ mas fazei-nos ouvir com fidelidade a voz do Bom Pastor. R.

Vós, que estais sempre com os ministros do evangelho e confirmais a sua palavra com o poder da vossa graça,

_ fazei que nossas palavras e ações neste dia proclamem fielmente a vossa ressurreição. R.

Sede vós mesmo aquela alegria que ninguém pode arrancar do nosso coração,

_ para que, livres da tristeza que é fruto do pecado, busquemos sempre a felicidade da vida eterna. R.

(intenções livres)

Pai nosso...

Oração

Ó Deus, por quem fomos remidos e adotados como filhos, velai sobre nós em vosso amor de Pai e concedei aos que creem no Cristo a liberdade verdadeira e a herança eterna. Por nosso Senhor Jesus Cristo, vosso Filho, na unidade do Espírito Santo.

Hora Média

Leitura breve   1Cor 15,20-22

Cristo ressuscitou dos mortos como primícias dos que morreram. Com efeito, por um homem veio a morte e é também por um homem que vem a ressurreição dos mortos. Como em Adão todos morrem, assim também em Cristo todos reviverão.

V. Os discípulos ficaram muito alegres, aleluia.
R. Por verem o Senhor ressuscitado, Aleluia.

Oração como nas Laudes.

3º DOMINGO DA PÁSCOA

III Semana do Saltério

I Vésperas

Hino, p. 459.

Ant. 1 A **glória** do **Senhor** vai **além** dos altos **céus,**
mas le**van**ta da po**ei**ra o indi**gen**te. Ale**luia.**

Salmos e cântico do domingo da III Semana, p. 941.

Ant. 2 Vós que**bras**tes, ó **Se**nhor, minhas ca**dei**as,
por isso o**fer**to um sacri**fí**cio de lou**vor.** Ale**luia.**

Ant. 3 Embora **fos**se o próprio **Fi**lho,
apren**deu** a obediência atra**vés** do sofri**men**to
e tor**nou**-se para a**que**les que o se**guem,**
uma **fon**te de e**ter**na sal**va**ção. Ale**luia.**

Leitura breve
1Pd 2,9-10

Vós sois a raça escolhida, o sacerdócio do Reino, a nação santa,
o povo que ele conquistou para proclamar as obras admiráveis
daquele que vos chamou das trevas para a sua luz maravilhosa.
Vós sois aqueles que antes não eram povo, agora porém são povo
de Deus; os que não eram objeto de misericórdia, agora porém
alcançaram misericórdia.

Responsório breve

R. Os dis**cí**pulos fi**ca**ram muito a**le**gres. * Ale**luia,** ale**luia.**
R. Os dis**cí**pulos.
V. Quando **vi**ram o **Se**nhor ressus**ci**tado. * Ale**luia,** ale**luia.**
Glória ao **Pai.** R. Os dis**cí**pulos.

Cântico evangélico, ant.

Ano A Ó **Se**nhor, ficai co**nos**co pois o **dia** já de**cli**na.
Ale**luia.**

Ano B **Je**sus apa**re**ce no **mei**o dos **seus**
e lhes **diz:** Paz a **vós!** Ale**luia.**

Ano C Tra**zei** dos **pei**xes que apa**nhas**tes, disse **Cris**to.
Si**mão Pe**dro trouxe a **re**de para a **ter**ra
cheia de **pei**xes muito **gran**des. Ale**luia.**

Preces

Invoquemos a Cristo Jesus, nossa vida e ressurreição; e digamos com alegre confiança:

R. **Filho de Deus vivo, protegei o vosso povo!**

Nós vos pedimos, Senhor, pela santa Igreja católica;
– santificai-a e fortalecei-a, para que estabeleça o vosso reino em todas as nações da terra. R.

Nós vos pedimos, Senhor, por todos os doentes, os tristes, os prisioneiros e os exilados;
– dai-lhes conforto e ajuda. R.

Nós vos pedimos, Senhor, pelos que se afastaram de vossos caminhos;
– concedei-lhes a graça do vosso perdão, para que recomecem com alegria uma vida nova. R.

Salvador do mundo, que fostes crucificado mas ressuscitastes e haveis de voltar para julgar os vivos e os mortos,
– tende compaixão de nós pecadores. R.

(intenções livres)

Nós vos pedimos, Senhor, por todos os que vivem neste mundo,
– e pelos que dele partiram na esperança da ressurreição. R.

Pai nosso...

Oração

Ó Deus, que o vosso povo sempre exulte pela sua renovação espiritual, para que, tendo recuperado agora com alegria a condição de filhos de Deus, espere com plena confiança o dia da ressurreição. Por nosso Senhor Jesus Cristo, vosso Filho, na unidade do Espírito Santo.

Laudes

Hino, p. 462.

Ant. 1 Deus é **Rei** e se ves**tiu** de majes**ta**de. Ale**lui**a †

Salmos e cântico do Domingo da III Semana, p. 945.

Ant. 2 As cria**tu**ras se**rão** liber**ta**das
na **gló**ria dos **fi**lhos de **Deus**. Ale**lui**a.

514 Tempo Pascal

Ant. 3 O **nome** do **Senhor** foi exaltado
na **terra** e **além** dos altos **céus**. Aleluia.

Leitura breve   At 10,40-43
Deus ressuscitou Jesus no terceiro dia, concedendo-lhe manifestar-se não a todo o povo, mas às testemunhas que Deus havia
escolhido: a nós, que comemos e bebemos com Jesus, depois que
ressuscitou dos mortos. E Jesus nos mandou pregar ao povo e
testemunhar que Deus o constituiu Juiz dos vivos e dos mortos.
Todos os profetas dão testemunho dele: Todo aquele que crê em
Jesus recebe, em seu nome, o perdão dos pecados.

Responsório breve
R. Tende pie**da**de de **nós**, Cristo, **F**ilho do Deus **v**i**v**o!
  * Ale**lui**a, aleluia. R. Tende pie**da**de.
V. Vós, que dos **mor**tos ressur**gis**tes. * Ale**lui**a.
  Glória ao **Pai**. R. Tende pie**da**de.

Cântico evangélico, ant.
Ano A Era pre**ci**so que o **Cris**to so**fres**se
         e três **dias** a**pós** ressur**gis**se. Ale**lui**a.

Ano B **Olhai** minhas **mãos** e meus **pés**, sou eu **mes**mo!
         To**cai**-me e **ve**de. Ale**lui**a.

Ano C Veio Je**sus**, tomou o **pão** e o deu a **e**les,
         igual**men**te fez com o **pei**xe.
         Pela ter**cei**ra vez as**sim** se reve**lan**do,
         Jesus mos**trou**-se aos dis**cí**pulos,
         depois de **res**susci**ta**do dentre os **mor**tos. Ale**lui**a.

Preces
Oremos a Cristo, autor da vida, a quem Deus ressuscitou dos
mortos e que pelo seu poder também nos ressuscitará; e digamos:
R. **Cristo, nossa vida, salvai-nos!**

Cristo, luz esplendorosa que brilhais nas trevas, Senhor da vida e
Salvador da humanidade,
– fazei-nos viver todo este dia no louvor da vossa glória. R.

Senhor Jesus, que percorrestes o caminho da paixão e da cruz,
– concedei que, unidos a vós no sofrimento e na morte, também
convosco ressuscitemos.   R.

3º Domingo

Filho do eterno Pai, nosso mestre e nosso irmão, que fizestes de nós, para Deus, sacerdotes e povo de reis,

— ensinai-nos a oferecer com alegria o nosso sacrifício de louvor. R.

Rei da glória, aguardamos na esperança o dia da vossa vinda gloriosa,

— para contemplarmos vossa face e sermos semelhantes a vós. R.

(intenções livres)

Pai nosso...

Oração

Ó Deus, que o vosso povo sempre exulte pela sua renovação espiritual, para que, tendo recuperado agora com alegria a condição de filhos de Deus, espere com plena confiança o dia da ressurreição. Por nosso Senhor Jesus Cristo, vosso Filho, na unidade do Espírito Santo.

Hora Média

Leitura breve — Ef 2,4-6

Deus é rico em misericórdia Por causa do grande amor com que nos amou, quando estávamos mortos por causa das nossas faltas, ele nos deu a vida com Cristo. E por graça que vós sois salvos! Deus nos ressuscitou com Cristo e nos fez sentar nos céus em virtude de nossa união com Jesus Cristo.

V. Os discípulos ficaram muito alegres, aleluia.

R. Por verem o Senhor ressuscitado, Aleluia.

Oração como nas Laudes.

II Vésperas

Hino, p. 459.

Ant. 1 O Senhor purificou-nos do pecado e assentou-se à direita de Deus Pai. Aleluia.

Salmos e cântico do domingo da III Semana, p. 953.

Ant. 2 Enviou libertação para o seu povo. Aleluia.

Ant. 3 Aleluia, o Senhor tomou posse do seu reino: exultemos de alegria, demos glória ao nosso Deus. Aleluia.

Tempo Pascal

Leitura breve
Hb 10,12-14

Cristo, depois de ter oferecido um sacrifício único pelos pecados, sentou-se para sempre à direita de Deus. Não lhe resta mais senão esperar até que seus inimigos sejam postos debaixo de seus pés. De fato, com esta única oferenda, levou à perfeição definitiva os que ele santifica.

Responsório breve

R. O **Senhor** ressur**giu**, de ver**da**de, *Ale**luia**, ale**luia**.
   R. O Se**nhor**.
V. A Si**mão** ele apare**ceu**. *Ale**luia**.
   Glória ao **Pai**. R. O Se**nhor**.

Cântico evangélico, ant.

Ano A Je**sus** sentou-se à **me**sa com os **dois**,
   tomou o **pão** durante a **cei**a e o par**tiu**,
   e, dando **gra**ças, repar**tiu** e deu a e**les**.
   Foi en**tão** que os seus o**lhos** se a**bri**ram
   e a Je**sus** reconhe**ce**ram, ale**luia**.

Ano B Está es**cri**to que o **Cris**to de**via** so**frer**
   e res**sus**ci**tar**, três **dias** de**pois**.
   E **que**, em seu **no**me fossem a**nun**ciados
   a **to**dos os **po**vos a mu**dan**ça de **vi**da
   e o per**dão** dos pecados. Ale**luia**.

Ano C Tu me me **amas**, Simão **Pe**dro?
   Ó Se**nhor**, tu sabes **tu**do, tu bem **sa**bes que eu te **amo**!
   E Je**sus** disse a **Pe**dro:
   Apas**cen**ta as minhas o**ve**lhas. Ale**luia**.

Preces

Oremos com alegria a Cristo nosso Senhor, que morreu, ressuscitou e agora, sem cessar, intercede por nós junto do Pai. Digamos cheios de confiança:

R. **Cristo, rei vitorioso, ouvi a nossa oração!**

Cristo, luz e salvação de todos os povos,
   — derramai sobre nós, que proclamamos a vossa ressurreição, o fogo do vosso Espírito. **R.**

Que Israel, permanecendo fiel às promessas, caminhe firme na esperança,
   — e toda a terra se encha do conhecimento de vossa glória. **R.**

3ª Semana do Tempo Pascal

Conservai-nos, Senhor, na comunhão dos vossos santos durante a nossa vida sobre a terra,
– e dai-nos a graça de podermos, um dia, descansar com eles dos nossos trabalhos. R.

Vós, que triunfastes admiravelmente sobre o poder do pecado e da morte,
– fazei-nos viver sempre para vós, vencedor imortal. R.

(intenções livres)

Cristo Salvador, que da humilhação na cruz fostes exaltado à direita do Pai,
– acolhei com bondade em vosso reino glorioso os nosso irmãos e irmãs que partiram desta vida. R.

Pai nosso...

Oração

Ó Deus, que o vosso povo sempre exulte pela sua renovação espiritual, para que, tendo recuperado agora com alegria a condição de filhos de Deus, espere com plena confiança o dia da ressurreição. Por nosso Senhor Jesus Cristo, vosso Filho, na unidade do Espírito Santo.

SEGUNDA-FEIRA

Laudes

Leitura breve   Rm 10,8b-10

A palavra está perto de ti, em tua boca e em teu coração. Essa palavra é a palavra da fé, que nós pregamos. Se, pois, com tua boca confessares Jesus como Senhor e, no teu coração, creres que Deus o ressuscitou dos mortos, serás salvo. É crendo no coração que se alcança a justiça e é confessando a fé com a boca que se consegue a salvação.

Responsório breve

R. O **Senhor** ressur**giu** do se**pul**cro. * Ale**lu**ia, ale**lu**ia.
  R. O **Senhor**.
V. Foi sus**pen**so por **nós** numa **cruz**. * Ale**lu**ia, ale**lu**ia.
  Glória ao **Pai**. R. O **Senhor**.

518   3ª Semana do Tempo Pascal

Cântico evangélico, ant.
Trabalhai não pelo **pão** que é perecível,
mas por **aquele** que perdura eternamente. Aleluia.

Preces
Glorifiquemos a Cristo Jesus, constituído pelo Pai herdeiro de todos os povos; e rezemos:

R. **Salvai-nos, Senhor, pela vossa vitória!**

Cristo, que pela vossa ressurreição, rompestes as portas do inferno, destruindo o pecado e a morte,
_ dai-nos, hoje e sempre, a vitória sobre o mal.   R.

Vós, que expulsastes a morte, dando-nos vida nova,
_ fazei-nos hoje caminhar na novidade dessa vida.   R.

Vós, que nos fizestes passar da escravidão do pecado para a gloriosa liberdade de filhos de Deus,
_ concedei a vida eterna a todos os que encontrarmos neste dia.   R.

Vós, que confundistes os guardas de vosso sepulcro e alegrastes os discípulos com a vossa ressurreição,
_ enchei de alegria pascal todos aqueles que vos amam e servem.   R.

(intenções livres)

Pai nosso...

Oração
Ó Deus, vós que mostrais aos que erram a luz da verdade para que possam voltar ao bom caminho, concedei a todos os que se gloriam da vocação cristã rejeitem o que se opõe a este nome e abracem quanto possa honrá-lo. Por nosso Senhor, Jesus Cristo, vosso Filho, na unidade do Espírito Santo.

Hora Média

Leitura breve   Cl 2,9.10a.12
Em Cristo habita corporalmente toda a plenitude da divindade. Dele também vós estais repletos. Com Cristo fostes sepultados no batismo; com ele também fostes ressuscitados por meio da fé no poder de Deus, que ressuscitou a Cristo dentre os mortos.

Segunda-feira 519

V. Os discípulos ficaram muito alegres, aleluia.
R. Por verem o Senhor ressuscitado, Aleluia.
Oração como nas Laudes.

Vésperas

Leitura breve
Hb 8,1b-3a

Temos um sumo-sacerdote tão grande, que se assentou à direita do trono da majestade, nos céus. Ele é ministro do Santuário e da Tenda verdadeira, armada pelo Senhor, e não por mão humana. Todo sumo-sacerdote, com efeito, é constituído para oferecer dádivas e sacrifícios.

Responsório breve
R. Os discípulos ficaram muito alegres.* Aleluia, aleluia.
  R. Os discípulos.
V. Quando viram o Senhor ressuscitado.* Aleluia, aleluia.
  Glória ao Pai. R. Os discípulos.

Cântico evangélico, ant.
Eis a obra que agrada ao Senhor:
a vossa fé no mensageiro que enviou. Aleluia.

Preces
Invoquemos a Jesus Cristo, que vivificado pelo Espírito Santo, tornou-se fonte de vida para toda a humanidade; e digamos cheios de alegria:
R. **Senhor, renovai todas as coisas e dai-nos vida nova!**

Cristo, Salvador do mundo e Rei da nova criação, orientai toda a nossa vida para o reino da glória celeste,
– onde estais sentado à direita do Pai.
R.

Senhor, que viveis na vossa Igreja até o fim dos tempos,
– conduzi-a pelo Espírito Santo ao conhecimento da verdade perfeita.
R.

Fazei com que os doentes, sofredores e agonizantes sintam o vosso amor misericordioso;
– confortai-os e fortalecei-os com vossa bondade.
R.

(intenções livres)

Cristo, luz que não se apaga, aceitai o louvor que vos oferecemos
ao cair desta tarde,
– e fazei brilhar, para os nossos irmãos e irmãs que partiram desta
vida, a luz da vossa ressurreição.

R. **Senhor, renovai todas as coisas e dai-nos vida nova!**
Pai nosso...

Oração

Ó Deus, vós que mostrais aos que erram a luz da verdade para
que possam voltar ao bom caminho, concedei a todos os que se
gloriam da vocação cristã rejeitem o que se opõe a este nome e
abracem quanto possa honrá-lo. Por nosso Senhor, Jesus Cristo,
vosso Filho, na unidade do Espírito Santo.

TERÇA-FEIRA

Laudes

Leitura breve At 13,30-33

Deus ressuscitou Jesus dos mortos e, durante muitos dias, ele foi
visto por aqueles que o acompanharam desde a Galileia até Jerusalém. Agora eles são testemunhas de Jesus diante do povo. Por
isso, nós vos anunciamos este Evangelho: a promessa que Deus
fez aos antepassados, ele a cumpriu para nós, seus filhos, quando
ressuscitou Jesus, como está escrito no salmo segundo: Tu és o
meu filho, eu hoje te gerei.

Responsório breve

R. O Se**nhor** ressur**giu** do se**pul**cro. * Ale**lu**ia, ale**lu**ia.
R. Ó Se**nhor**.
V. Foi sus**pen**so por **nós** numa **cruz**. * Aleluia, aleluia.
Glória ao **Pai**. R. O Senhor.

Cântico evangélico, ant.

Não foi Moi**sés**, mas o meu **Pai** é quem vos **dá**
o verda**deiro** pão dos **céus**, diz o Se**nhor**. Aleluia.

Preces

Exultemos de alegria em Cristo nosso Senhor, que, ressuscitado
de entre os mortos, reconstituiu o templo do seu corpo; e lhe
supliquemos:

R. **Ouvi-nos, Senhor, pela vossa ressurreição!**

Cristo, Salvador do mundo, que anunciastes às santas mulheres e aos apóstolos a alegria da ressurreição,
– fazei-nos testemunhas do vosso triunfo pascal. **R.**

Vós, que prometestes a todos a ressurreição, que nos fará nascer para uma vida nova,
– tornai-nos fiéis mensageiros do vosso evangelho. **R.**

Vós, que, aparecendo aos apóstolos depois da ressurreição, lhes comunicastes o Espírito Santo,
– renovai-nos com os dons do Espírito criador. **R.**

Vós, que prometestes permanecer com os vossos discípulos até o fim do mundo,
– ficai conosco hoje e sempre. **R.**

(intenções livres)
Pai nosso...

Oração

Ó Deus, que abris as portas do reino dos céus aos que renasceram pela água e pelo Espírito Santo, aumentai em vossos filhos e filhas a graça que lhes destes para que, purificados de todo pecado, obtenham os bens que prometestes. Por nosso Senhor Jesus Cristo, vosso Filho, na unidade do Espírito Santo.

Hora Média

Leitura breve — cf. 1Pd 3,21-22a
O batismo é hoje a vossa salvação pois ele não serve para limpar o corpo da imundície, mas é um pedido a Deus para obter uma boa consciência, em virtude da ressurreição de Jesus Cristo que está à direita de Deus.

V. Os discípulos ficaram muito alegres, aleluia.
R. Por verem o Senhor ressuscitado, Aleluia.
Oração como nas Laudes.

Vésperas

Leitura breve — 1Pd 2,4-5
Aproximai-vos do Senhor, pedra viva, rejeitada pelos homens, mas escolhida e honrosa aos olhos de Deus. Do mesmo modo, também vós, como pedras vivas, formai um edifício espiritual, um

522   3ª Semana do Tempo Pascal

sacerdócio santo, a fim de oferecerdes sacrifícios espirituais, agradáveis a Deus, por Jesus Cristo.

Responsório breve
R. Os discípulos ficaram muito alegres. * Aleluia, aleluia.
   R. Os discípulos.
V. Quando viram o Senhor ressuscitado. * Aleluia, aleluia.
   Glória ao Pai. R. Os discípulos.

Cântico evangélico, ant.
O pão que Deus dá para o mundo
é Aquele que desce dos céus e dá vida ao mundo. Aleluia.

Preces
Aclamemos com alegria a Jesus Cristo, que morreu, foi sepultado e ressuscitou gloriosamente para uma vida nova; e digamos cheios de confiança:
R. Cristo, rei da glória, ouvi a nossa oração!

Pelos bispos, presbíteros e diáconos, para que desempenhem com generosidade o ministério que lhes foi confiado,
– e guiem o vosso povo no caminho do bem, nós vos pedimos, Senhor.   R.

Pelos teólogos e pelos que servem à Igreja no estudo da vossa Palavra,
– a fim de que procurem a verdade com pureza de coração, nós vos pedimos, Senhor.   R.

Pelos fiéis da Igreja, para que combatendo o bom combate da fé até o fim de sua caminhada sobre a terra,
– recebam o prêmio que lhes está preparado desde a origem do mundo, nós vos pedimos, Senhor.   R.

Vós, que na cruz destruístes a sentença que nos condenava,
– quebrai os laços da nossa escravidão e dissipai as nossas trevas.   R.

                     (intenções livres)

Vós, que, descendo à mansão dos mortos, libertastes os justos que esperavam o Salvador,
– acolhei em vosso Reino nossos irmãos e irmãs falecidos. R.

Pai nosso...

Oração

Ó Deus, que abris as portas do reino dos céus aos que renasceram pela água e pelo Espírito Santo, aumentai em vossos filhos e filhas a graça que lhes destes para que, purificados de todo pecado, obtenham os bens que prometestes. Por nosso Senhor Jesus Cristo, vosso Filho, na unidade do Espírito Santo.

QUARTA-FEIRA

Laudes

Leitura breve   Rm 6,8-11

Se morremos com Cristo, cremos que também viveremos com ele. Sabemos que Cristo ressuscitado dos mortos não morre mais; a morte já não tem poder sobre ele. Pois aquele que morreu, morreu para o pecado uma vez por todas; mas aquele que vive, é para Deus que vive. Assim, vós também considerai-vos mortos para o pecado e vivos para Deus, em Jesus Cristo.

Responsório breve

R. O Senhor ressurgiu do sepulcro. * Aleluia, aleluia.
   R. O Senhor.
V. Foi suspenso por nós numa cruz. * Aleluia, aleluia.
   Glória ao Pai. R. O Senhor.

Cântico evangélico, ant.

Quem vê o Filho e nele crê este tem a vida eterna,
e eu o farei ressuscitar n'último dia. Aleluia.

Preces

Oremos a Jesus Cristo, que se entregou à morte por nossos pecados e ressuscitou para nossa justificação; e aclamemos:

R. Salvai-nos, Senhor, pela vossa vitória!

Cristo Salvador, que ressuscitando de entre os mortos nos restituístes a esperança da vida imortal,
– santificai neste dia os nossos corações com a graça do Espírito Santo.   R.

524 3ª Semana do Tempo Pascal

Vós, que viveis e reinais gloriosamente na assembleia dos anjos
e dos santos,
– recebei a adoração que vos prestamos em espírito e em verdade
neste tempo santo da ressurreição.
R. **Salvai-nos, Senhor, pela vossa vitória!**

Cristo Jesus, salvai-nos e derramai a vossa misericórdia sobre o
povo que vive na esperança da ressurreição,
– conservai-nos, hoje e sempre, livres de todo o mal. R.

Cristo, rei da glória e nossa vida, reuni todos os fiéis na alegria
que não tem fim,
– quando vierdes, no último dia, manifestar ao mundo a glória de
vosso poder eterno. R.

(intenções livres)

Pai nosso...

Oração

Permanecei, ó Pai, com vossa família e, na vossa bondade, fazei
que participem eternamente da ressurreição do vosso Filho aqueles a quem destes a graça da fé. Por nosso Senhor Jesus Cristo,
vosso Filho, na unidade do Espírito Santo.

Hora Média

Leitura breve 1Jo 5,5-6a
Quem é o vencedor do mundo, senão aquele que crê que Jesus
é o Filho de Deus? Este é o que veio pela água e pelo sangue:
Jesus Cristo. Não veio somente com a água, mas com a água e
o sangue.
V. Os discípulos ficaram muito alegres, aleluia.
R. Por verem o Senhor ressuscitado, Aleluia.
Oração como nas Laudes.

Vésperas

Leitura breve Hb 7,24-27
Cristo, uma vez que permanece para a eternidade, possui um
sacerdócio que não muda. Por isso ele é capaz de salvar para
sempre aqueles que, por seu intermédio, se aproximam de Deus.
Ele está sempre vivo para interceder por eles. Tal é precisamente
o sumo-sacerdote que nos convinha: santo, inocente, sem mancha,
separado dos pecadores e elevado acima dos céus. Ele não precisa,

como os sumos-sacerdotes oferecer sacrifícios em cada dia, primeiro por seus próprios pecados e depois pelos do povo. Ele já o fez uma vez por todas, oferecendo-se a si mesmo.

Responsório breve
R. Os discípulos ficaram muito alegres. *Aleluia, aleluia.
R. Os discípulos.
V. Quando viram o Senhor ressuscitado. *Aleluia, aleluia.
Glória ao Pai. R. Os discípulos.

Cântico evangélico, ant.
Todo aquele que o Pai me entregou há de vir até mim, diz Jesus; e quem vem até mim nunca irei rejeitar. Aleluia.

Preces
Oremos a Cristo nosso Senhor, que ressuscitou de entre os mortos e está sentado à direita do Pai; e digamos confiantes:
R. Cristo, rei da glória, ouvi a nossa oração!

Lembrai-vos, Senhor, de todos os que se consagram ao vosso serviço,
– para que deem ao vosso povo o exemplo da verdadeira santidade. R.
Concedei aos governantes e legisladores o espírito de justiça e de paz,
– para que reine a concórdia em toda a comunidade humana. R.
Orientai os caminhos de toda a humanidade para a esperança da salvação,
– e aumentai os bens da terra para podermos socorrer todos os necessitados. R.

(intenções livres)

Cristo, nosso Salvador, que nos libertastes da escravidão do pecado e da morte,
– concedei a luz eterna aos nossos irmãos e irmãs falecidos. R.
Pai nosso...

Oração
Permanecei, ó Pai, com vossa família e, na vossa bondade, fazei que participem eternamente da ressurreição do vosso Filho aqueles a quem destes a graça da fé. Por nosso Senhor Jesus Cristo, vosso Filho, na unidade do Espírito Santo.

QUINTA-FEIRA

Laudes

Leitura breve — Rm 8,10-11

Se, porém, Cristo está em vós, embora vosso corpo esteja ferido de morte por causa do pecado, vosso espírito está cheio de vida, graças à justiça. E, se o Espírito daquele que ressuscitou Jesus dentre os mortos mora em vós, então aquele que ressuscitou Jesus Cristo dentre os mortos vivificará também vossos corpos mortais por meio do seu Espírito que mora em vós.

Responsório breve

R. O **Senhor** ressur**giu** do se**pul**cro. * Ale**luia**, ale**luia**.
   R. O Se**nhor**.
V. Foi sus**pen**so por **nós** numa **cruz**. * Ale**luia**, ale**luia**.
   Glória ao **Pai**. R. O Se**nhor**.

Cântico evangélico, ant.

Diz Je**sus**: Em ver**da**de eu vos **di**go:
Quem tem **fé** e con**fi**a em **mim**, tem a **vi**da e**ter**na. Ale**luia**.

Preces

Unidos num só coração e numa só alma, invoquemos a Cristo ressuscitado, sempre presente em sua Igreja; e digamos:

R. **Ficai conosco, Senhor!**

Senhor Jesus, vencedor do pecado e da morte, permanecei no meio de nós,
– vós, que viveis e reinais pelos séculos sem fim.   R.

Vinde em nosso auxílio com vosso poder invencível,
– e revelai aos nossos corações a infinita bondade de Deus Pai.   R.

Salvai o mundo da violência e da discórdia,
– porque só vós tendes poder para renovar e reconciliar. R.

Confirmai-nos na fé da vitória final,
– e fortalecei-nos na esperança da vossa vinda gloriosa. R.

(intenções livres)

Pai nosso...

Oração

Ó Deus eterno e onipotente, que nestes dias vos mostrais tão generoso, dai-nos sentir mais de perto o vosso amor paterno para que, libertados das trevas do erro, sigamos com firmeza a luz da verdade. Por nosso Senhor Jesus Cristo, vosso Filho, na unidade do Espírito Santo.

Hora Média

Leitura breve   Tt 3,5b-7

Deus nos salvou quando renascemos e fomos renovados no batismo pelo Espírito Santo, que ele derramou abundantemente sobre nós por meio de nosso Salvador Jesus Cristo. Justificados assim, pela sua graça, nos tornamos na esperança herdeiros da vida eterna.

V. Os discípulos ficaram muito alegres, aleluia.
R. Por verem o Senhor ressuscitado, Aleluia.

Oração como nas Laudes.

Vésperas

Leitura breve   1Pd 3,18.21b-22

Cristo morreu, uma vez por todas, por causa dos pecados, o justo, pelos injustos, a fim de vos conduzir a Deus. Sofreu a morte, na sua existência humana, mas recebeu nova vida pelo Espírito. O batismo é hoje a vossa salvação. Pois ele não serve para limpar o corpo da imundície, mas é um pedido a Deus para obter uma boa consciência, em virtude da ressurreição de Jesus Cristo. Ele subiu ao céu e está à direita de Deus, submetendo-se a ele anjos, dominações e potestades.

Responsório breve

R. Os discípulos ficaram muito alegres. * Aleluia, aleluia.
    R. Os discípulos.
V. Quando viram o Senhor ressuscitado. * Aleluia, aleluia.
    Glória ao Pai. R. Os discípulos.

Cântico evangélico, ant.

Eu sou o pão da vida que do céu desceu ao mundo;
quem come deste pão, viverá eternamente.
Este pão que eu vos darei é a minha própria carne
para que o mundo tenha a vida. Aleluia.

528   3ª Semana do Tempo Pascal

Preces

Louvemos com alegria a Cristo Jesus, ressuscitado de entre os mortos como primícias dos que adormeceram na esperança da luz eterna; e rezemos:

R. **Senhor ressuscitado, ouvi a nossa oração!**

Lembrai-vos, Senhor, da vossa Igreja edificada sobre o fundamento dos apóstolos, e que se faz presente pelo mundo inteiro;
— abençoai todos aqueles que invocam o vosso nome.   R.

Jesus Cristo, médico dos corpos e das almas,
— visitai-nos e salvai-nos pela vossa misericórdia.   R.

Curai e reconfortai os doentes,
— e livrai-os de toda enfermidade.   R.

Ajudai os aflitos e oprimidos,
— e sustentai os que padecem necessidade.   R.

(intenções livres)

Vós, que pela cruz e ressurreição abristes para todos o caminho da imortalidade,
— concedei as alegrias do vosso reino aos nossos irmãos e irmãs falecidos.   R.

Pai nosso...

Oração

Ó Deus eterno e onipotente, que nestes dias vos mostrais tão generoso, dai-nos sentir mais de perto o vosso amor paterno para que, libertados das trevas do erro, sigamos com firmeza a luz da verdade. Por nosso Senhor Jesus Cristo, vosso Filho, na unidade do Espírito Santo.

SEXTA-FEIRA

Laudes

Leitura breve   At 5,30-32

O Deus de nossos pais ressuscitou Jesus, a quem vós matastes, pregando-o numa cruz. Deus, por seu poder, o exaltou, tornando-o Guia Supremo e Salvador, para dar ao povo de Israel a conversão

Sexta-feira

e o perdão dos seus pecados. E disso somos testemunhas, nós e o Espírito Santo, que Deus concedeu àqueles que lhe obedecem.

Responsório breve
R. O **Senhor** ressur**giu** do se**pul**cro.* Ale**luia**, ale**luia**.
   R. O **Senhor**.
V. Foi sus**pen**so por **nós** numa **cruz**.* Ale**luia**, ale**luia**.
   Glória ao **Pai**. R. O Se**nhor**.

Cântico evangélico, ant.
Quem **come** a minha **carne** e **bebe** o meu **sangue**,
fica em **mim** e eu fico **nele**. Ale**luia**.

Preces
Oremos a Deus Pai, que pela ressurreição de Jesus Cristo nos deu uma vida nova; e supliquemos humildemente:
R. **Iluminai-nos, Senhor, com a luz de Cristo!**

Deus de bondade e fidelidade, que criastes o universo e manifestastes a todas as gerações o vosso desígnio de salvação,
– escutai-nos, ó Pai clementíssimo.   R.

Purificai os nossos corações com a luz da vossa verdade,
– para que todas as nossas obras sejam justas e agradáveis aos vossos olhos.   R.

Fazei brilhar sobre nós a luz da vossa face,
– para que, libertos do pecado, nos saciemos com a riqueza de vossos dons.   R.

Vós, que por Cristo nos reconciliastes convosco,
– fazei reinar a vossa paz em toda a terra.   R.

(intenções livres)
Pai nosso...

Oração
Ó Deus todo-poderoso, concedei que, conhecendo a ressurreição do Senhor e a graça que ela nos trouxe, ressuscitemos para uma vida nova pelo amor do vosso Espírito. Por nosso Senhor Jesus Cristo, vosso Filho, na unidade do Espírito Santo.

530   3ª Semana do Tempo Pascal

Hora Média

Leitura breve   Gl 3,27-28
Vós todos que fostes batizados em Cristo vos revestistes de Cristo. O que vale não é mais ser judeu nem grego, nem escravo nem livre, nem homem nem mulher, pois todos vós sois um só, em Jesus Cristo.

V. Os discípulos ficaram muito alegres, aleluia.
R. Por verem o Senhor ressuscitado, Aleluia.
Oração como nas Laudes.

Vésperas

Leitura breve   Hb 5,8-10
Mesmo sendo Filho, aprendeu o que significa a obediência a Deus por aquilo que ele sofreu. Mas, na consumação de sua vida, tornou-se causa de salvação eterna para todos os que lhe obedecem. De fato, ele foi por Deus proclamado sumo-sacerdote na ordem de Melquisedec.

Responsório breve
R. Os discípulos ficaram muito alegres. * Aleluia, aleluia.
    R. Os discípulos.
V. Quando viram o Senhor ressuscitado. * Aleluia, aleluia.
    Glória ao Pai. R. Os discípulos.

Cântico evangélico, ant. ·
O **Senhor** crucificado e por **nós** sacrificado
dentre os **mortos** ressurgiu e a todos nos remiu. Aleluia.

Preces
Glorifiquemos a Cristo, caminho, verdade e vida; e o invoquemos, dizendo:
R. **Filho de Deus vivo, abençoai o vosso povo!**

Nós vos pedimos, Senhor Jesus Cristo, por todos os ministros da Igreja, que repartem o pão da vida entre os irmãos,
– para que sejam também eles alimentados e fortalecidos pelo mesmo pão que distribuem.   R.

Nós vos pedimos por todo o povo cristão, para que viva sua vocação de maneira digna,

Sábado 531

– e mantenha a unidade de espírito pelo vínculo da paz. R.

Nós vos pedimos por todos os que nos governam, para que exerçam suas funções com justiça e compreensão,
– e assim promovam a concórdia e a paz entre todos os povos. R.

(intenções livres)

Nós vos pedimos que nos torneis dignos de celebrar a vossa santa ressurreição em comunhão com os anjos e os santos,
– e também com nossos irmãos e irmãs falecidos, que confiamos à vossa infinita misericórdia. R.

Pai nosso...

Oração

Ó Deus todo-poderoso, concedei que, conhecendo a ressurreição do Senhor e a graça que ela nos trouxe; ressuscitemos para uma vida nova pelo amor do vosso Espírito. Por nosso Senhor Jesus Cristo, vosso Filho, na unidade do Espírito Santo.

SÁBADO

Laudes

Leitura breve Rm 14,7-9

Ninguém dentre nós vive para si mesmo ou morre para si mesmo. Se estamos vivos, é para o Senhor que vivemos; se morremos, é para o Senhor que morremos. Portanto, vivos ou mortos, pertencemos ao Senhor. Cristo morreu e ressuscitou exatamente para isto, para ser o Senhor dos mortos e dos vivos.

Responsório breve.
R. O Se**nhor** ressur**giu** do se**pul**cro. * Ale**lui**a, ale**lui**a.
    R. O Se**nhor**.
V. Foi sus**pen**so por **nós** numa **cruz**. * Ale**lui**a, ale**lui**a.
    Glória ao **Pai**. R. O Se**nhor**.

Cântico evangélico, ant
A **quem** nós i**re**mos, Se**nhor** Jesus **Cris**to?
Só **tu** tens pa**la**vras de **vi**da e**ter**na.
Nós **cre**mos sa**ben**do que **és** o Se**nhor**,
que **tu** és o **Cris**to, o **Fi**lho de **Deus**. Ale**lui**a.

532 3ª Semana do Tempo Pascal

Preces

Roguemos com alegria a Cristo, pão da vida, que ressuscitará no último dia os que se alimentam à mesa de sua palavra e de seu corpo; e digamos:

R. **Dai-nos, Senhor, paz e alegria!**

Filho de Deus, que ressuscitastes gloriosamente dos mortos como Senhor da vida,

—abençoai e santificai a humanidade inteira. R.

Senhor Jesus; fonte de paz e de alegria para todos os que creem em vós,

—fazei-nos viver como filhos da luz na alegria do vosso triunfo pascal. R.

Confirmai a fé da vossa Igreja, peregrina sobre a terra,

—para que dê ao mundo o testemunho da vossa ressurreição. R.

Vós, que, depois de muitos sofrimentos, entrastes na glória do Pai,

—mudai em alegria a tristeza dos que choram. R.

(intenções livres)

Pai nosso...

Oração

Ó Deus, que renovastes nas águas do batismo os que creem em vós, protegei os que renasceram no Cristo, para que vençam as ciladas do erro e permaneçam fiéis à vossa graça. Por nosso Senhor Jesus Cristo, vosso Filho, na unidade do Espírito Santo.

Hora Média

Leitura breve 1Cor 15,20-22

Cristo ressuscitou dos mortos como primícias dos que morreram. Com efeito, por um homem veio a morte e é também por um homem que vem a ressurreição dos mortos. Como em Adão todos morrem, assim também em Cristo todos reviverão.

V. Os discípulos ficaram muito alegres, aleluia.
R. Por verem o Senhor ressuscitado, Aleluia.

Oração como nas Laudes.

4º DOMINGO DA PÁSCOA

IV Semana do Saltério

I Vésperas

Hino, p. 459.

Ant. 1 A paz de **Cristo** habite em **vós**
e alegre os **vos**sos corações. Aleluia.

Salmos e cântico do domingo da IV Semana, p. 1029.

Ant. 2 Para **Deus** nos remiu vosso **sangue** . Aleluia.

Ant. 3 Era preciso que o **Cristo** sofresse
para entrar em sua glória. Aleluia.

Leitura breve
1Pd 2,9-10

Vós sois a raça escolhida, o sacerdócio do Reino, a nação santa, o povo que ele conquistou para proclamar as obras admiráveis daquele que vos chamou das trevas para a sua luz maravilhosa. Vós sois aqueles que antes não eram povo, agora porém são povo de Deus; os que não eram objeto de misericórdia, agora porém alcançaram misericórdia.

Responsório breve

R. Os discípulos ficaram muito alegres. * Aleluia, aleluia.
   R. Os discípulos.
V. Quando viram o Senhor ressuscitado. * Aleluia, aleluia.
   Glória ao **Pai.** R. Os discípulos.

Cântico evangélico, ant.

Ano A Em verdade, em verdade, eu vos digo:
quem entra no aprisco pela porta,
esse é o pastor das ovelhas.
Caminhando ele à frente, elas seguem,
pois conhecem sua voz. Aleluia.

Ano B Eu sou o Bom Pastor.
O Bom Pastor dá a vida por suas ovelhas. Aleluia.

Ano C Minhas ovelhas reconhecem minha voz,
e eu, o Senhor e Bom Pastor as reconheço. Aleluia.

Preces

Oremos a Jesus Cristo que, ressuscitando dos mortos, destruiu a morte e renovou a vida; e digamos cheios de confiança:

R. **Cristo, vivo para sempre, escutai a nossa prece!**

Vós, que sois a pedra rejeitada pelos construtores, mas escolhida pelo Pai como pedra angular,
– fazei de nós pedras vivas na edificação de vossa Igreja.   R.

Vós, que sois a Testemunha fiel e verdadeira, o Primogênito dentre os mortos,
– concedei que a vossa Igreja possa dar sempre e em toda a terra o testemunho da vossa ressurreição.   R.

Vós, que sois o Esposo único da Igreja, nascida de vosso lado aberto na cruz,
– fazei de nós testemunhas do vosso amor pela Igreja e por toda a humanidade.   R.

Vós, que sois o Princípio e o Fim, que estivestes morto e agora viveis eternamente,
– concedei aos que foram batizados a perseverança até à morte, para que mereçam a coroa da vitória.   R.

(intenções livres)

Vós, que sois a Luz que ilumina a santa cidade de Deus,
– iluminai com vosso esplendor os nossos irmãos e irmãs falecidos, para que reinem convosco eternamente.   R.

Pai nosso...

Oração

Deus eterno e todo-poderoso, conduzi-nos à comunhão das alegrias celestes, para que o rebanho possa atingir, apesar de sua fraqueza, a fortaleza do Pastor. Por nosso Senhor Jesus Cristo, vosso Filho, na unidade do Espírito Santo.

Laudes

Hino, p. 462.

Ant. 1 Não morre**rei**, mas ao con**trá**rio, vive**rei**
para can**tar** as grandes **o**bras do Se**nhor**! Ale**lu**ia.

Salmos e cântico do domingo da IV Semana, p. 1033.

4º Domingo

Ant. 2 Seja bendito o vosso nome,
nome santo e glorioso! Aleluia.

Ant. 3 Vinde todos, e dai glória ao nosso Deus:
Ele é a Rocha, suas obras são perfeitas,
seus caminhos, todos eles, são justiça. Aleluia.

Leitura breve
At 10,40-43

Deus ressuscitou Jesus no terceiro dia, concedendo-lhe manifestar-se não a todo o povo, mas às testemunhas que Deus havia
escolhido: a nós, que comemos e bebemos com Jesus, depois que
ressuscitou dos mortos. E Jesus nos mandou pregar ao povo e
testemunhar que Deus o constituiu Juiz dos vivos e dos mortos.
Todos os profetas dão testemunho dele: Todo aquele que crê em
Jesus recebe, em seu nome, o perdão dos pecados.

Responsório breve
R. Tende piedade de nós, Cristo, Filho do Deus vivo!
  * Aleluia, aleluia. R. Tende piedade.
V. Vós, que dos mortos ressurgistes. * Aleluia.
  Glória ao Pai. R. Tende piedade.

Cântico evangélico, ant.
Ano A Eu sou a porta das ovelhas;
quem entrar, por mim, no aprisco,
achará pasto e será salvo. Aleluia.

Ano B Eu sou o pastor das ovelhas,
o caminho, a verdade e a vida.
Eu sou o Pastor, Bom Pastor,
eu conheço as minhas ovelhas
e elas conhecem a mim.
Bom Pastor, dou a vida por elas. Aleluia.

Ano C Dou a vida eterna a minhas ovelhas,
e jamais perecerão,
e ninguém as roubará de minhas mãos. Aleluia.

Preces
Invoquemos a Deus Pai todo-poderoso, que ressuscitou nosso
Rei e Salvador Jesus Cristo; e digamos com alegria:
R. **Iluminai-nos, Senhor, com a luz de Cristo!**

Pai santo, que fizestes vosso amado Filho Jesus passar das trevas da morte para a luz da glória,
– dai-nos chegar, um dia, à luz admirável do vosso reino eterno.
R. **Iluminai-nos, Senhor, com a luz de Cristo!**

Vós, que nos salvastes pela fé,
– fazei-nos viver hoje fielmente segundo as promessas do nosso batismo. R.

Vós, que nos mandais buscar sempre as coisas do alto, onde Cristo está sentado à vossa direita,
– livrai-nos da sedução do pecado. R.

Fazei que a nossa vida, escondida em vós com Cristo, brilhe no mundo,
– para anunciar a todos os novos céus e a nova terra. R.

(intenções livres)

Pai nosso...

Oração

Deus eterno e todo-poderoso, conduzi-nos à comunhão das alegrias celestes, para que o rebanho possa atingir, apesar de sua fraqueza, a fortaleza do Pastor. Por nosso Senhor Jesus Cristo, vosso Filho, na unidade do Espírito Santo.

Hora Média

Leitura breve   Ef 2,4-6
Deus é rico em misericórdia. Por causa do grande amor com que nos amou, quando estávamos mortos por causa das nossas faltas, ele nos deu a vida com Cristo. E por graça que vós sois salvos! Deus nos ressuscitou com Cristo e nos fez sentar nos céus em virtude de nossa união com Jesus Cristo.

V. Os discípulos ficaram muito alegres, aleluia.
R. Por verem o Senhor ressuscitado, Aleluia.

Oração como nas Laudes.

II Vésperas

Hino, p. 459.

Ant. 1 Procurai o que é do alto,
        onde Cristo está na glória,
        à direita de Deus Pai. Aleluia.

4º Domingo

Salmos e cântico do domingo da IV. Semana, p. 1040.

Ant. 2 Uma **luz** brilha nas **tre**vas para os **jus**tos. Aleluia.

Ant. 3 Aleluia, ao nosso **Deus** a salvação,
honra, **gló**ria e poder. Aleluia.

Leitura breve
Hb 10,12-14

Cristo, depois de ter oferecido um sacrifício único pelos pecados, sentou-se para sempre à direita de Deus. Não lhe resta mais senão esperar até que seus inimigos sejam postos debaixo de seus pés. De fato, com esta única oferenda, levou à perfeição definitiva os que ele santifica.

Responsório breve

R. O Se**nhor** ressur**giu**, de ver**da**de, * Aleluia, aleluia.
R. O Se**nhor**.
V. A Si**mão** ele apare**ceu**.* Aleluia.
Glória ao **Pai**. R. O Se**nhor**.

Cântico evangélico, ant.

Ano A Eu **sou** o Bom Pas**tor** das ovelhas;
eu **vim** para que tenham a **vi**da,·.
e a tenham em **gran**de abun**dân**cia. Aleluia.

Ano B Tenho **ain**da outras ovelhas que não **são** deste re**dil**;
também **e**las me ouvi**rão** e have**rei** de conduzi-las; e
have**rá** um só rebanho que te**rá** um só pas**tor**. Aleluia.

Ano C A**qui**lo que o **Pai** deu a **mim** é mai**or** do que **tu**do; e
nin**guém** po**de**rá arreba**tar** da **mão** do meu **Pai**. Aleluia.

Preces

Invoquemos a Deus Pai, que ressuscitou Jesus Cristo e o exaltou à sua direita; e peçamos humildemente:

R. **Protegei o vosso povo, Senhor, pela glória de Cristo!**

Pai santo, que pela vitória da cruz glorificastes Jesus sobre a terra,
– atraí para ele todas as coisas. R.

Por vosso Filho glorificado, enviai, Senhor, sobre a Igreja o Espírito Santo,
– para que ela seja sinal de unidade para todo o gênero humano. R.

538 4ª Semana do Tempo Pascal

Conservai na fé do seu batismo a vossa família, que fizestes renascer pela água e pelo Espírito Santo,
– para que alcance a vida eterna. R.

Por vosso Filho glorificado, dai alegria aos infelizes, libertai os prisioneiros, curai os doentes,
– e estendei à humanidade inteira os benefícios da vossa redenção. R.

(intenções livres)

Aos nossos irmãos e irmãs falecidos, que receberam na terra o Corpo e o Sangue de Cristo,
– dai-lhes a glória da ressurreição no último dia. R.
Pai nosso...

Oração

Deus eterno e todo-poderoso, conduzi-nos à comunhão das alegrias celestes, para que o rebanho possa atingir, apesar de sua fraqueza, a fortaleza do Pastor. Por nosso Senhor Jesus Cristo, vosso Filho, na unidade do Espírito Santo.

SEGUNDA-FEIRA

Laudes

Leitura breve Rm 10,8b-10

A palavra está perto de ti, em tua boca e em teu coração. Essa palavra é a palavra da fé, que nós pregamos. Se, pois, com tua boca confessares Jesus como Senhor e, no teu coração, creres que Deus o ressuscitou dos mortos, serás salvo. É crendo no coração que se alcança a justiça e é confessando a fé com a boca que se consegue a salvação.

Responsório breve

R. O **Senhor** ressur**giu** do se**pul**cro. * Ale**luia**, ale**luia**.
R. O **Senhor**.
V. Foi sus**pen**so por **nós** numa **cruz**. * Ale**luia**, ale**luia**.
Glória ao **Pai**. R. O **Senhor**.

Segunda-feira

Cântico evangélico, ant.
Eu **sou** o Bom **Pastor** das ovelhas,
meu rebanho apascento e conheço
e, por elas, eu **dou** minha vida. Aleluia.

Preces
Rezemos a Deus Pai, glorificado pela morte e ressurreição de seu Filho; e peçamos confiantes:
R. **Iluminai, Senhor, o nosso coração!**

Deus de eterna glória, que iluminastes o mundo com a luz de Cristo gloriosamente ressuscitado,
— iluminai-nos hoje com a luz da fé. R.

Vós, que, pela ressurreição de Cristo, abristes a todo ser humano as portas da eternidade
— ajudai-nos no trabalho deste dia, para que aumente em nós a esperança da vida eterna. R.

Vós, que, por vosso Filho ressuscitado, enviastes ao mundo o Espírito Santo,
— acendei em nossos corações o fogo do vosso amor. R.

Pelos méritos da cruz de Cristo, que morreu para libertar o mundo,
— dai à humanidade inteira a salvação e a paz. R.

(intenções livres)
Pai nosso...

Oração
Ó Deus, que pela humilhação do vosso Filho reerguestes o mundo decaído, enchei de santa alegria os vossos filhos e filhas que libertastes da escravidão do pecado e concedei-lhes a felicidade eterna. Por nosso Senhor Jesus Cristo, vosso Filho, na unidade do Espírito Santo.

Hora Média

Leitura breve Cl 2,9.10a.12
Em Cristo habita corporalmente toda a plenitude da divindade. Dele também vós estais repletos. Com Cristo fostes sepultados no batismo; com ele também fostes ressuscitados por meio da fé no poder de Deus, que ressuscitou a Cristo dentre os mortos.

540   4ª Semana do Tempo Pascal

V. Os discípulos ficaram muito alegres, aleluia.
R. Por verem o Senhor ressuscitado, Aleluia.
Oração como nas Laudes.

Vésperas

Leitura breve   Hb 8,1b-3a

Temos um sumo-sacerdote tão grande, que se assentou à direita do trono da majestade, nos céus. Ele é ministro do Santuário e da Tenda verdadeira, armada pelo Senhor, e não por mão humana. Todo o sumo-sacerdote, com efeito, é constituído para oferecer dádivas e sacrifícios.

Responsório breve
R. Os discípulos ficaram muito alegres. * Aleluia, aleluia.
    R. Os discípulos.
V. Quando viram o Senhor ressuscitado. * Aleluia, aleluia.
    Glória ao Pai. R. Os discípulos.

Cântico evangélico, ant.
Tenho ainda outras ovelhas que não são deste redil;
também elas me ouvirão e haverei de conduzi-las;
e haverá um só rebanho que terá um só pastor. Aleluia.

Preces
Roguemos a Cristo, nosso Senhor, que iluminou o mundo com a glória de sua ressurreição; e digamos:
R. **Cristo, nossa vida, ouvi-nos!**

Senhor Jesus Cristo, que vos fizestes companheiro de viagem dos dois discípulos a caminho de Emaús,
– permanecei sempre com vossa Igreja, peregrina sobre a ter-
ra.   R.

Não permitais que vossos fiéis sejam lentos para crerem,
– mas proclamem o vosso triunfo sobre a morte.   R.

Olhai com bondade para aqueles que ainda não vos reconhecem no caminho de suas vidas,
– e mostrai-lhes o vosso rosto, para que também eles se sal-
vem.   R.

Terça-feira

Vós, que pela cruz reconciliastes toda a humanidade, reunindo-a num só corpo,
– concedei a paz e a unidade a todas as nações. R.

(intenções livres)

Juiz dos vivos e dos mortos,
– concedei o perdão dos pecados a todos os que partiram desta vida e creram em vós. R.
Pai nosso...

Oração

Ó Deus, que pela humilhação do vosso Filho reerguestes o mundo decaído, enchei de santa alegria os vossos filhos e filhas que libertastes da escravidão do pecado e concedei-lhes a felicidade eterna. Por nosso Senhor Jesus Cristo, vosso Filho, na unidade do Espírito Santo.

TERÇA-FEIRA

Laudes

Leitura breve At 13,30-33

Deus ressuscitou Jesus dos mortos e, durante muitos dias, ele foi visto por aqueles que o acompanharam desde a Galileia até Jerusalém. Agora eles são testemunhas de Jesus diante do povo. Por isso, nós vos anunciamos este Evangelho: a promessa que Deus fez aos antepassados, ele a cumpriu para nós, seus filhos, quando ressuscitou Jesus, como está escrito no salmo segundo: Tu és o meu filho, eu hoje te gerei.

Responsório breve

R. O Senhor ressurgiu do sepulcro. *Aleluia, aleluia.
   R. O Senhor.
V. Foi suspenso por nós numa cruz. *Aleluia, aleluia.
   Glória ao Pai. R. O Senhor.

Cântico evangélico, ant.

As obras que eu faço em nome do Pai
é que falam por mim e dão testemunho. Aleluia.

542   4ª Semana do Tempo Pascal

Preces

Demos graças a Deus, Pai de nosso Senhor Jesus Cristo, o Cordeiro sem mancha, que tira o pecado do mundo; e rezemos confiantes:

R. **Senhor, fonte da vida, dai-nos a vossa salvação!**

Deus, fonte da vida, lembrai-vos da morte e ressurreição do Cordeiro imolado na cruz,

− e ouvi as súplicas que ele vos dirige continuamente em nosso favor. R.

Purificai-nos, Senhor, de todo fermento de malícia e perversidade,

− para vivermos a páscoa de Cristo com os pães ázimos da sinceridade e da verdade. R.

Ajudai-nos a vencer neste dia o pecado da discórdia e da inveja,

− e tornai-nos mais atentos às necessidades dos nossos irmãos e irmãs. R.

Dai à nossa vida um autêntico espírito evangélico,

− para andarmos, hoje e sempre, pelo caminho dos vossos mandamentos. R.

(intenções livres)

Pai nosso...

Oração

Concedei, ó Deus todo-poderoso, que, celebrando o mistério da ressurreição do Senhor, possamos acolher com alegria a nossa redenção. Por nosso Senhor Jesus Cristo, vosso Filho, na unidade do Espírito Santo.

Hora Média

Leitura breve   cf. 1Pd 3,21-22a

O batismo é hoje a vossa salvação pois ele não serve para limpar o corpo da imundície, mas é um pedido a Deus para obter uma boa consciência, em virtude da ressurreição de Jesus Cristo que está à direita de Deus.

V. Os discípulos ficaram muito alegres, aleluia.
R. Por verem o Senhor ressuscitado, Aleluia.
Oração como nas Laudes.

Terça-feira

Vésperas

Leitura breve   1Pd 2,4-5

Aproximai-vos do Senhor, pedra viva, rejeitada pelos homens, mas escolhida e honrosa aos olhos de Deus. Do mesmo modo, também vós, como pedras vivas, formai um edifício espiritual, um sacerdócio santo, afim de oferecerdes sacrifícios espirituais, agradáveis a Deus, por Jesus Cristo.

Responsório breve

R. Os discípulos ficaram muito alegres. * Aleluia, aleluia.
   R. Os discípulos.
V. Quando viram o Senhor ressuscitado. * Aleluia, aleluia.
   Glória ao Pai. R. Os discípulos.

Cântico evangélico, ant.

Eu conheço as minhas ovelhas e elas me ouvem e seguem
e a vida eterna eu lhes dou. Aleluia.

Preces

Invoquemos a Cristo, que pela sua ressurreição confirmou a esperança do seu povo; e peçamos com muita fé:

R. **Cristo, vivo para sempre, escutai-nos!**

Senhor Jesus Cristo, de cujo lado aberto correu sangue e água, ·
– fazei da Igreja vossa esposa imaculada.   R.

Pastor supremo da Igreja, que depois da ressurreição confiastes a Pedro o cuidado do vosso rebanho,
– protegei o nosso papa N. e confirmai-o na caridade ao serviço do vosso povo.   R.

Vós, que enchestes de peixes as redes de vossos discípulos que pescavam no lago de Tiberíades,
– enviai operários à vossa Igreja para que continuem seu trabalho apostólico.   R.

Vós, que preparastes pão e peixes para vossos discípulos, na margem do lago,
– não permitais que nossos irmãos e irmãs morram de fome por nossa culpa.   R.

(intenções livres)

544   4ª Semana do Tempo Pascal

Senhor Jesus, novo Adão, que nos dais a vida, tornai semelhantes
à vossa imagem gloriosa os que já deixaram este mundo,
– para que participem plenamente da alegria perfeita no céu.
R. **Cristo, vivo para sempre, escutai-nos!**

Pai nosso...

Oração

Concedei, ó Deus todo-poderoso, que, celebrando o mistério da
ressurreição do Senhor, possamos acolher com alegria a nossa
redenção. Por nosso Senhor Jesus Cristo, vosso Filho, na unidade
do Espírito Santo.

QUARTA-FEIRA

Laudes

Leitura breve   Rm 6,8-11
Se morremos com Cristo, cremos que também viveremos com
ele. Sabemos que Cristo ressuscitado dos mortos não morre mais;
a morte já não tem poder sobre ele. Pois aquele que morreu, morreu para o pecado uma vez por todas; mas aquele que vive, é para
Deus que vive. Assim, vós também considerai-vos mortos para o
pecado e vivos para Deus, em Jesus Cristo.

Responsório breve
R. O Senhor ressurgiu do sepulcro. * Aleluia, aleluia.
    R. O Senhor.
V. Foi suspenso por **nós** numa **cruz**. * Aleluia, aleluia.
    Glória ao **Pai**. R. O Senhor.

Cântico evangélico, ant.
Eu vim ao **mun**do como uma **luz**:
quem crê em **mim** não fica nas **trevas**. Aleluia.

Preces
Elevemos nossas preces a Deus Pai, que quis revelar aos apóstolos a glória de Cristo ressuscitado; e aclamemos:
    R. **Iluminai-nos, Senhor, com a glória de Cristo!**

Nós vos louvamos, Senhor, fonte de luz e de glória,
– que nos chamastes à vossa luz admirável para alcançarmos a salvação. R.

Purificai e fortalecei com o poder do Espírito Santo a atividade da Igreja em toda a terra,
– para que melhorem as relações humanas entre todos os cidadãos do mundo. R.

Fazei que nos dediquemos de tal modo ao serviço do próximo,
– que possamos transformar a comunidade humana numa oferenda agradável aos vossos olhos. R.

Desde o amanhecer, cumulai-nos com os, dons da vossa bondade,
– para vivermos na alegria de vosso louvor durante todo este dia. R.

(intenções livres)

Pai nosso...

Oração

Ó Deus, vida dos que têm fé em vós, glória dos humildes, e felicidade dos justos, atendei com bondade às nossas preces, e saciai sempre com vossa plenitude os que anseiam pelas riquezas que prometestes. Por nosso Senhor Jesus Cristo, vosso Filho, na unidade do Espírito Santo.

Hora Média

Leitura breve   1Jo 5,5-6a

Quem é o vencedor do mundo, senão aquele que crê que Jesus é o Filho de Deus? Este é o que veio pela água e pelo sangue: Jesus Cristo. Não veio somente com a água, mas com a água e o sangue.

V. Os discípulos ficaram muito alegres, aleluia.
R. Por verem o Senhor ressuscitado, Aleluia.

Oração como nas Laudes.

Vésperas

Leitura breve   Hb 7,24-27

Cristo, uma vez que permanece para a eternidade, possui um sacerdócio que não muda. Por isso ele é capaz de salvar para

546 4ª Semana do Tempo Pascal

sempre aqueles que, por seu intermédio, se aproximam de Deus. Ele está sempre vivo para interceder por eles. Tal é precisamente o sumo-sacerdote que nos convinha: santo, inocente, sem mancha, separado dos pecadores e elevado acima dos céus. Ele não precisa, como os sumos-sacerdotes oferecer sacrifícios em cada dia, primeiro por seus próprios pecados e depois pelos do povo. Ele já o fez uma vez por todas, oferecendo-se a si mesmo.

Responsório breve
R. Os discípulos ficaram muito alegres. * Aleluia, aleluia.
   R. Os discípulos.
V. Quando viram o Senhor ressuscitado. * Aleluia, aleluia.
   Glória ao Pai. R. Os discípulos.

Cântico evangélico, ant.
Deus não mandou o seu Filho ao mundo
para julgá-lo, mas sim salvá-lo. Aleluia.

Preces
Imploremos a Deus todo-poderoso, que em seu Filho ressuscitado, abriu-nos as portas da vida eterna; e digamos confiantes:
R. **Pela vitória de Cristo, salvai, Senhor, o vosso povo!**

Deus de nossos pais, que glorificastes vosso Filho Jesus, ressuscitando-o dos mortos,
— transformai os nossos corações para vivermos a vida nova da filiação divina. R.

Vós, que conduzistes as ovelhas desgarradas, que éramos, a Cristo, pastor e guia de nossas almas,
— conservai-nos fiéis ao evangelho, sob a orientação dos pastores da Igreja. R.

Vós, que escolhestes os primeiros discípulos de vosso Filho dentre o povo judeu,
— dai aos filhos de Israel fidelidade à Aliança, para caminharem ao encontro da promessa feita a seus pais. R.

Lembrai-vos de todos os abandonados, dos órfãos e das viúvas,
— e não deixeis que vivam sozinhos aqueles que vosso Filho, com sua morte, reconciliou convosco. R.

(intenções livres)

Vós, que chamastes para o reino celeste o primeiro mártir Santo Estêvão, depois que ele proclamou a glória de Jesus sentado à vossa direita,
– acolhei também na eternidade os nossos irmãos e irmãs que na fé e na caridade esperaram em vós. R.

Pai nosso...

Oração

Ó Deus, vida dos que têm fé em vós, glória dos humildes, e felicidade dos justos, atendei com bondade às nossas preces, e saciai sempre com vossa plenitude os que anseiam pelas riquezas que prometestes. Por nosso Senhor Jesus Cristo, vosso Filho, na unidade do Espírito Santo.

QUINTA-FEIRA

Laudes

Leitura breve   Rm 8,10-11
Se Cristo está em vós, embora vosso corpo esteja ferido de morte por causa do pecado, vosso espírito está cheio de vida, graças à justiça. E, se o Espírito daquele que ressuscitou Jesus dentre os mortos mora em vós, então aquele que ressuscitou Jesus Cristo dentre os mortos vivificará também vossos corpos mortais por meio do seu Espírito que mora em vós.

Responsório breve
R. O Se**nhor** ressur**giu** do se**pul**cro. * Ale**lui**a, ale**lui**a.
   R. O Se**nhor**.
V. Foi sus**pen**so por **nós** numa **cruz**. * Ale**lui**a, ale**lui**a. Glória ao **Pai**. R. O Se**nhor**.

Cântico evangélico, ant.
O dis**cí**pulo não é **mais** do que o **Mes**tre;
o que se **tor**na como o **Mes**tre é perfeito. Ale**lui**a.

548   4ª Semana do Tempo Pascal

Preces

Invoquemos com toda a confiança a Deus Pai, que em Jesus Cristo deu aos seres humanos a certeza da ressurreição; e digamos:

R. **Que o Senhor Jesus seja a nossa vida!**

Pela coluna de fogo iluminastes, Senhor, vosso povo no deserto:
– por sua ressurreição, seja Cristo hoje para nós a luz da vida.
R.

Pela voz de Moisés ensinastes, Senhor, o vosso povo no monte Sinai;
– por sua ressurreição seja Cristo hoje para nós a palavra da vida.
R.

Com o maná alimentastes, Senhor, vosso povo peregrino;
– por sua ressurreição, seja Cristo hoje para nós o pão da vida.
R.

Com a água do rochedo destes de beber, Senhor, ao vosso povo;
– pela ressurreição de Cristo, vosso Filho, concedei-nos hoje o Espírito que dá vida.
R.

(intenções livres)

Pai nosso...

Oração

Ó Deus, que restaurais a natureza humana dando-lhe uma dignidade ainda maior, considerai o mistério do vosso amor, conservando para sempre os dons da vossa graça naqueles que renovastes pelo sacramento de uma nova vida. Por nosso Senhor Jesus Cristo, vosso Filho, na unidade do Espírito Santo.

Hora Média

Leitura breve   Tt 3,5b-7

Deus nos salvou quando renascemos e fomos renovados no batismo pelo Espírito Santo, que ele derramou abundantemente sobre nós por meio de nosso Salvador Jesus Cristo. Justificados assim, pela sua graça, nos tornamos na esperança herdeiros da vida eterna.

V. Os discípulos ficaram muito alegres, aleluia.
R. Por verem o Senhor ressuscitado, Aleluia.

Oração como nas Laudes.

Quinta-feira

Vésperas

Leitura breve — 1Pd 3,18.21b-22

Cristo morreu, uma vez por todas, por causa dos pecados,o justo, pelos injustos, a fim de vos conduzir a Deus. Sofreu a morte, na sua existência humana, mas recebeu nova vida pelo Espírito. O batismo é hoje a vossa salvação. Pois ele não serve para limpar o corpo da imundície, mas é um pedido a Deus para obter uma boa consciência, em virtude da ressurreição de Jesus Cristo. Ele subiu ao céu e está à direita de Deus, submetendo-se a ele anjos, dominações e potestades.

Responsório breve

R. Os discípulos ficaram muito alegres. * Aleluia, aleluia.
   R. Os discípulos.
V. Quando viram o Senhor ressuscitado. * Aleluia, aleluia.
   Glória ao Pai. R. Os discípulos.

Cântico evangélico, ant.

Eu sou o Pastor das ovelhas;
eu vim para que tenham a vida
e a tenham em grande abundância. Aleluia.

Preces

Exultemos de alegria em Cristo nosso Senhor, a quem o Pai constituiu fundamento de nossa esperança e da ressurreição dos mortos. Aclamemos e peçamos:

R. **Cristo, rei da glória, ouvi-nos!**

Senhor Jesus, que por vosso sangue derramado na cruz e por vossa ressurreição entrastes no santuário celeste,
– conduzi-nos convosco à glória do Pai. R.

Senhor Jesus, que por vossa ressurreição fortalecestes a fé dos discípulos e os enviastes ao mundo para anunciar o evangelho,
– fazei que os bispos e os presbíteros sejam fiéis mensageiros da vossa Palavra. R.

Senhor Jesus, que por vossa ressurreição nos trouxestes a reconciliação e a paz,
– dai aos cristãos uma perfeita união na fé e na caridade. R.

550 4ª Semana do Tempo Pascal

Senhor Jesus, que por vossa ressurreição curastes o paralítico que
estava à porta do Templo,
– olhai com bondade para os enfermos e manifestai neles a vossa
glória.
R. **Cristo, rei da glória, ouvi-nos!**

(intenções livres)

Senhor Jesus, que por vossa ressurreição vos tornastes o primogênito dentre os mortos,
– concedei a participação na glória celeste àqueles que acreditaram e esperaram em vós.   R.

Pai nosso...

Oração

Ó Deus, que restaurais a natureza humana dando-lhe uma dignidade ainda maior, considerai o mistério do vosso amor, con-
ser-vando para sempre os dons da vossa graça naqueles que
renovastes pelo sacramento de uma nova vida. Por nosso Senhor
Jesus Cristo, vosso Filho, na unidade do Espírito Santo.

SEXTA-FEIRA

Laudes

Leitura breve   At 5,30-32

O Deus de nossos pais ressuscitou Jesus, a quem vós matastes,
pregando-o numa cruz. Deus, por seu poder, o exaltou, tornando-o
Guia Supremo e Salvador, para dar ao povo de Israel a conversão
e o perdão dos seus pecados. E disso somos testemunhas, nós e
o Espírito Santo, que Deus concedeu àqueles que lhe obedecem.

Responsório breve
R. O Se**nhor** ressur**giu** do se**pul**cro. *Ale**lui**a, ale**lui**a.
   R. Se**nhor**.
V. Foi sus**pen**so por **nós** numa **cruz**. *Ale**lui**a, ale**lui**a.
   Glória ao **Pai**. R. O Se**nhor**.

Cântico evangélico, ant.
Vou prepa**rar** para **vós** um lu**gar**
e ao vol**tar** vou le**var**-vos co**mi**go,
para **que** onde es**tou** este**jais**
vós tam**bém** junto a **mim**. Ale**lui**a.

Sexta-feira

Preces
Rezemos a Deus Pai, que ressuscitou Jesus de entre os mortos e dará a vida também aos nossos corpos mortais, pelo Espírito Santo que habita em nós. Digamos com fé:

R. **Senhor, por vosso Espírito Santo, dai-nos a vida!**

Pai santo, que aceitastes o sacrifício de vosso Filho, ressuscitando-o de entre os mortos,
– recebei a oferenda que hoje vos apresentamos e conduzi-nos à vida eterna. R.

Abençoai, Senhor, nossos trabalhos deste dia,
– para que sirvam à vossa glória e à santificação de todos. R.

Fazei que nossas atividades de hoje contribuam para a construção de um mundo melhor,
– e que assim procedendo, possamos chegar ao vosso reino celeste. R.

Abri hoje nossos olhos e nosso coração para as necessidades de nossos irmãos e irmãs,
– a fim de que todos nos amemos e nos sirvamos uns aos outros. R.

(intenções livres)

Pai nosso...

Oração
Deus, a quem devemos a liberdade e a salvação, fazei que possamos viver por vossa graça e encontrar em vós a felicidade eterna, pois nos remistes com o sangue do vosso Filho. Que convosco vive e reina, na unidade do Espírito Santo.

Hora Média

Leitura breve   Gl 3,27-28
Vós todos que fostes batizados em Cristo vos revestistes de Cristo. O que vale não é mais ser judeu nem grego, nem escravo nem livre, nem homem nem mulher, pois todos vós sois um só, em Jesus Cristo.

V. Os discípulos ficaram muito alegres, aleluia.
R. Por verem o Senhor ressuscitado, Aleluia.

Oração como nas Laudes.

552 4ª Semana do Tempo Pascal

Vésperas

Leitura breve
Hb 5,8-10

Mesmo sendo Filho, aprendeu o que significa a obediência a Deus por aquilo que ele sofreu. Mas, na consumação de sua vida, tornou-se causa de salvação eterna para todos os que lhe obedecem. De fato, ele foi por Deus proclamado sumo sacerdote na ordem de Melquisedec.

Responsório breve
R. Os discípulos ficaram muito alegres. * Aleluia, aleluia.
R. Os discípulos.
V. Quando viram o Senhor ressuscitado. * Aleluia, aleluia.
Glória ao Pai. R. Os discípulos.

Cântico evangélico, ant.
O Bom Pastor deu sua vida
para salvar suas ovelhas. Aleluia.

Preces
Glorifiquemos a Cristo, fonte de vida e origem de todas as virtudes; e rezemos com amor e confiança:
R. Firmai no mundo o vosso Reino, Senhor!

Jesus Salvador, que experimentastes a morte em vossa carne, mas voltastes à vida pelo Espírito,
– fazei-nos morrer para o pecado e viver a vida nova do vosso Espírito Santo. R.

Vós, que enviastes os discípulos ao mundo inteiro para pregar o evangelho a toda criatura,
– sustentai com a força do vosso Espírito, os mensageiros de vossa palavra. R.

Vós, que recebestes todo o poder no céu e na terra para dar testemunho da verdade,
– dirigi no espírito de verdade o coração daqueles que nos governam. R.

Vós, que fazeis novas todas as coisas e nos mandais esperar, vigilantes, a vinda do vosso reino,

Sábado

– concedei que, quanto mais fervorosamente esperarmos os novos céus e a nova terra, tanto mais generosamente trabalhemos pela edificação do mundo presente. **R.**

(intenções livres)

Vós, que descestes à mansão dos mortos para lhes anunciar a alegria da salvação,
– sede a alegria e a esperança de todos os que partiram desta vida. **R.**
Pai nosso...

Oração

Deus, a quem devemos a liberdade e a salvação, fazei que possamos viver por vossa graça e encontrar em vós a felicidade eterna, pois nos remistes com o sangue do vosso Filho. Que convosco vive e reina, na unidade do Espírito Santo.

SÁBADO

Laudes

Leitura breve Rm 14,7-9

Ninguém dentre nós vive para si mesmo ou morre para si mesmo. Se estamos vivos, é para o Senhor que vivemos; se morremos, é para o Senhor que morremos. Portanto, vivos ou mortos, pertencemos ao Senhor. Cristo morreu e ressuscitou exatamente para isto, para ser o Senhor dos mortos e dos vivos.

Responsório breve

R. O Senhor ressurgiu do sepulcro.* Aleluia, aleluia.
   R. O Senhor.
V. Foi suspenso por **nós** numa **cruz**.* Aleluia, aleluia.
   Glória ao **Pai. R.** O Senhor.

Cântico evangélico, ant.

Quando vier o supremo Pastor de nossas almas recebereis a coroa de glória imperecível. Aleluia.

554 4ª Semana do Tempo Pascal

Preces

Invoquemos a Cristo nosso Senhor, que nos deu a vida eterna; e peçamos de coração sincero:

R. **Enriquecei-nos, Senhor, com a graça da vossa ressurreição!**

Pastor eterno, olhai com bondade para o vosso rebanho que desperta do sono da noite,
– e alimentai-nos com as riquezas de vossa palavra e de vosso pão. R.

Não permitais que sejamos arrebatados pelo lobo que devora e traídos pelo mercenário que foge,
– mas fazei-nos ouvir com fidelidade a voz do Bom Pastor. R.

Vós, que estais sempre com os ministros do evangelho e confirmais a sua palavra com o poder da vossa graça,
– fazei que nossas palavras e ações neste dia proclamem fielmente a vossa ressurreição. R.

Sede vós mesmo aquela alegria que ninguém pode arrancar do nosso coração,
– para que, livres da tristeza que é fruto do pecado, busquemos sempre a felicidade da vida eterna. R.

(intenções livres)

Pai nosso...

Oração

Deus eterno e todo-poderoso, fazei-nos viver sempre mais o mistério pascal para que, renovados pelo santo batismo, possamos, por vossa graça, produzir muitos frutos e chegar às alegrias da vida eterna. Por nosso Senhor Jesus Cristo, vosso Filho, na unidade do Espírito Santo.

Hora Média

Leitura breve 1Cor 15,20-22

Cristo ressuscitou dos mortos como primícias dos que morreram. Com efeito, por um homem veio a morte e é também por um homem que vem a ressurreição dos mortos. Como em Adão todos morrem, assim também em Cristo todos reviverão.

V. Os discípulos ficaram muito alegres, aleluia.
R. Por verem o Senhor ressuscitado, Aleluia.

Oração como nas Laudes.

5° DOMINGO DA PÁSCOA

I Semana do Saltério

I Vésperas

Hino, p. 459.

Ant. 1 Minha oração suba a **vós** como incenso
e minhas **mãos** como oferta da tarde. Aleluia.

Salmos e cântico do Domingo da I Semana, p. 759.

Ant. 2 Da prisão me arrancastes, Senhor,
e, em louvor, bendirei vosso nome. Aleluia.

Ant. 3 Embora fosse o próprio Filho,
aprendeu a obediência através do sofrimento
e tornou-se, para aqueles que o seguem,
uma fonte de eterna salvação. Aleluia.

Leitura breve
1Pd 2,9-10

Vós sois a raça escolhida, o sacerdócio do Reino, a nação santa, o povo que ele conquistou para proclamar as obras admiráveis daquele que vos chamou das trevas para a sua luz maravilhosa. Vós sois aqueles que antes não eram povo, agora porém são povo de Deus; os que não eram objeto de misericórdia, agora porém alcançaram misericórdia.

Responsório breve

R. Os discípulos ficaram muito alegres. * Aleluia, aleluia.
R. Os discípulos.
V. Quando viram o Senhor ressuscitado. * Aleluia, aleluia.
Glória ao Pai. R. Os discípulos.

Cântico evangélico, ant.

Ano A Se eu for e tiver preparado
para vós um lugar, diz Jesus,
ao voltar, vou levar-vos comigo,
para que onde estou, estejais
vós, também, junto a mim. Aleluia.

Ano B Sou a videira e meu Pai é o lavrador.
Todo ramo que der fruto,
ele o poda, para que dê mais fruto. Aleluia.

556 Tempo Pascal

Ano C O **Fi**lho do **Ho**mem foi **glorifi**cado
e **ne**le, Deus **Pai** foi **glorifi**cado. Ale**lui**a.

Preces

Invoquemos a Cristo Jesus, nossa vida e ressurreição; e digamos
com alegre confiança:

R. Filho de Deus vivo, protegei o vosso povo!

Nós vos pedimos, Senhor, pela santa Igreja católica;
– santificai-a e fortalecei-a, para que estabeleça o vosso reino em
todas as nações da terra.   **R.**

Nós vos pedimos, Senhor, por todos os doentes, os tristes, os prisioneiros e os exilados;
– dai-lhes conforto e ajuda.   **R.**

Nós vos pedimos, Senhor, pelos que se afastaram de vossos caminhos;
– concedei-lhes a graça do vosso perdão, para que recomecem
com alegria uma vida nova.   **R.**

Salvador do mundo, que fostes crucificado mas ressuscitastes e
haveis de voltar para julgar os vivos e os mortos,
– tende compaixão de nós pecadores.   **R.**
(intenções livres)

Nós vos pedimos, Senhor, por todos os que vivem neste mundo,
– e pelos que dele partiram na esperança da ressurreição. **R.**

Pai nosso...

Oração

Ó Deus, por quem fomos remidos e adotados como filhos e filhas,
velai sobre nós em vosso amor de Pai e concedei aos que creem
no Cristo a liberdade verdadeira e a herança eterna. Por nosso
Senhor Jesus Cristo, vosso Filho, na unidade do Espírito Santo.

Laudes

Hino, p. 462.

Ant. 1 Quem tem **sede** rece**be**rá
graciosa**men**te a água da **vi**da. Ale**lui**a.

Salmos e cântico do Domingo da I Semana, p. 764.

Ant. 2 Adorai o Senhor que fez céu e terra,
as fontes das águas e o mar. Aleluia.

Ant. 3 Exultem os fiéis por sua glória. Aleluia.

Leitura breve
At 10,40-43

Deus ressuscitou Jesus no terceiro dia, concedendo-lhe manifestar-se não a todo o povo, mas às testemunhas que Deus havia escolhido: a nós, que comemos e bebemos com Jesus, depois que ressuscitou dos mortos. E Jesus nos mandou pregar ao povo e testemunhar que Deus o constituiu Juiz dos vivos e dos mortos. Todos os profetas dão testemunho dele: Todo aquele que crê em Jesus recebe, em seu nome, o perdão dos pecados.

Responsório breve

R. Tende piedade de nós, Cristo, Filho do Deus vivo!
 * Aleluia, aleluia. R. Tende piedade.
V. Vós, que dos mortos ressurgistes. * Aleluia.
 Glória ao Pai. R. Tende piedade.

Cântico evangélico, ant.

Ano A Eu sou o Caminho, a Verdade e a Vida;
 ninguém chega ao Pai,
 se não passa por mim. Aleluia.

Ano B Quem em mim permanece e no qual permaneço,
 dará muito fruto. Aleluia.

Ano C Eu vos dou neste momento o meu mandamento:
 Amai-vos uns aos outros
 como eu vos tenho amado. Aleluia.

Preces

Oremos a Cristo, autor da vida, a quem Deus ressuscitou dos mortos e que pelo seu poder também nos ressuscitará; e digamos:

R. **Cristo, nossa vida, salvai-nos!**

Cristo, luz esplendorosa que brilhais nas trevas, Senhor da vida e Salvador da humanidade,
 – fazei-nos viver todo este dia no louvor da vossa glória. R.

Senhor Jesus, que percorrestes o caminho da paixão e da cruz,
 – concedei que, unidos a vós no sofrimento e na morte, também convosco ressuscitemos. R.

558   Tempo Pascal

Filho do eterno Pai, nosso mestre e nosso irmão, que fizestes de nós, para Deus, sacerdotes e povo de reis,
– ensinai-nos a oferecer com alegria o nosso sacrifício de louvor.
R. **Cristo, nossa vida, salvai-nos!**

Rei da glória, aguardamos na esperança o dia da vossa vinda gloriosa,
– para contemplarmos vossa face e sermos semelhantes a vós. R.

(intenções livres)

Pai nosso...

Oração

Ó Deus, por quem fomos remidos e adotados como filhos e filhas, velai sobre nós em vosso amor de Pai e concedei aos que creem no Cristo a liberdade verdadeira e a herança eterna. Por nosso Senhor Jesus Cristo, vosso Filho, na unidade do Espírito Santo.

Hora Média

Leitura breve   Ef 2,4-6

Deus é rico em misericórdia. Por causa do grande amor com que nos amou, quando estávamos mortos por causa das nossas faltas, ele nos deu a vida com Cristo. E por graça que vós sois salvos! Deus nos ressuscitou com Cristo e nos fez sentar nos céus em virtude de nossa união com Jesus Cristo.

V. Os discípulos ficaram muito alegres, aleluia.
R. Por verem o Senhor ressuscitado, Aleluia.

Oração como nas Laudes.

II Vésperas

Hino, p. 459.

Ant. 1 O Senhor ressuscitou cheio de glória
e assentou-se à direita de Deus Pai. Aleluia.

Salmos e cântico do Domingo da I Semana, p. 772.

Ant. 2 Do império das trevas arrancou-nos
e transportou-nos para o reino de seu Filho. Aleluia.

Ant. 3 Aleluia, o Senhor tomou posse de seu reino:
exultemos de alegria, demos glória ao nosso Deus.
Aleluia.

5º Domingo

Leitura breve — Hb 10,12-14

Cristo, depois de ter oferecido um sacrifício único pelos pecados, sentou-se para sempre à direita de Deus. Não lhe resta mais senão esperar até que seus inimigos sejam postos debaixo de seus pés. De fato, com esta única oferenda, levou à perfeição definitiva os que ele santifica.

Responsório breve

R. O **Se**nhor ressur**giu**, de ver**da**de, * Ale**lui**a, ale**lui**a.
　R. O Se**nhor**.
V. A Si**mão** ele apare**ceu**. * Ale**lui**a.
　Glória ao **Pai.** R. O Se**nhor**.

Cântico evangélico, ant.

Ano A **Se**nhor Jesus **Cris**to, mos**trai**-nos o **Pai** e **is**to nos **bas**ta!
　　　Há tanto **tem**po estou con**vos**co,
　　　e ainda **não** me conhe**ceis**?
　　　Ó Fi**li**pe, quem me **vê**, igual**men**te vê meu **Pai.** Ale**lui**a.

Ano B O meu **Pai** recebe **gló**ria, ao produ**zir**des muito **fru**to
　　　e ao vos fa**zer**des meus dis**cí**pulos. Ale**lui**a.

Ano C Nisto **to**dos sabe**rão** que vós **sois** os meus dis**cí**pulos,
　　　se uns aos **ou**tros vos a**mar**des. Ale**lui**a.

Preces

Oremos com alegria a Cristo, nosso Senhor, que morreu, ressuscitou e agora, sem cessar, intercede por nós junto do Pai. Digamos cheios de confiança:

R. **Cristo, rei vitorioso, ouvi nossa oração!**

Cristo, luz e salvação de todos os povos,
– derramai sobre nós, que proclamamos a vossa ressurreição, o fogo do vosso Espírito. R.

Que Israel, permanecendo fiel às promessas, caminhe firme na esperança,
– e toda a terra se encha do conhecimento de vossa glória. R.

Conservai-nos, Senhor, na comunhão dos vossos santos durante a nossa vida sobre a terra,
– e dai-nos a graça de podermos, um dia, descansar com eles dos nossos trabalhos. R.

560 5ª Semana do Tempo Pascal

Vós, que triunfastes admiravelmente sobre o poder do pecado e
da morte,
– fazei-nos viver sempre para vós, vencedor imortal.
R. **Cristo, rei vitorioso, ouvi nossa oração!**

(intenções livres)

Cristo Salvador, que da humilhação na cruz fostes exaltado à direita do Pai,
– acolhei com bondade em vosso reino glorioso os nossos irmãos
e irmãs que partiram desta vida. R.

Pai nosso...

Oração

Ó Deus, por quem fomos remidos e adotados como filhos e filhas,
velai sobre nós em vosso amor de Pai e concedei aos que creem
no Cristo a liberdade verdadeira e a herança eterna. Por nosso
Senhor Jesus Cristo, vosso Filho, na unidade do Espírito Santo.

SEGUNDA-FEIRA

Laudes

Leitura breve Rm 10,8b-10
A palavra está perto de ti, em tua boca e em teu coração. Essa
palavra é a palavra da fé, que nós pregamos. Se, pois, com tua
boca confessares Jesus como Senhor e, no teu coração, creres que
Deus o ressuscitou dos mortos, serás salvo. É crendo no coração
que se alcança a justiça e é confessando a fé com a boca que se
consegue a salvação.

Responsório breve
R. O Se**nhor** ressur**giu** do se**pul**cro. *Ale**lu**ia, ale**lu**ia.
R. O Se**nhor**.
V. Foi sus**pen**so por **nós** numa **cruz**. * Ale**lu**ia, ale**lu**ia.
Glória ao **Pai**. R. O Se**nhor**.

Cântico evangélico, ant.
Quem me ama é amado por meu **Pai**
e eu o amo e a ele me revelo. Aleluia.

Segunda-feira 561

Preces

Glorifiquemos a Cristo Jesus, constituído pelo Pai herdeiro de todos os povos; e rezemos:

R. **Salvai-nos, Senhor, pela vossa vitória!**

Cristo, que pela vossa ressurreição, rompestes as portas do inferno, destruindo o pecado e a morte,
– dai-nos, hoje e sempre, a vitória sobre o mal. R.

Vós, que expulsastes a morte, dando-nos vida nova,
– fazei-nos hoje caminhar na novidade dessa vida. R.

Vós, que fizestes passar todo o gênero humano da escravidão do pecado para a gloriosa liberdade de filhos de Deus,
– concedei a vida eterna a todos os que encontrarmos neste dia. R.

Vós, que confundistes os guardas de vosso sepulcro e alegrastes os discípulos com a vossa ressurreição,
– enchei de alegria pascal todos aqueles que vos amam e servem. R.

(intenções livres)

Pai nosso...

Oração

Ó Deus, que unis os corações dos vossos fiéis num só desejo, dai ao vosso povo amar o que ordenais e esperar o que prometeis, para que, na instabilidade deste mundo, fixemos os nossos corações onde se encontram as verdadeiras alegrias. Por nosso Senhor Jesus Cristo, vosso Filho, na unidade do Espírito Santo.

Hora Média

Leitura breve Cl 2,9.10a.12

Em Cristo habita corporalmente toda a plenitude da divindade. Dele também vós estais repletos. Com Cristo fostes sepultados no batismo; com ele também fostes ressuscitados por meio da fé no poder de Deus, que ressuscitou a Cristo dentre os mortos.

V. Os discípulos ficaram muito alegres, aleluia.
R. Por verem o Senhor ressuscitado, Aleluia.

Oração como nas Laudes.

562 5ª Semana do Tempo Pascal

Vésperas

Leitura breve
Hb 8,1b-3a

Temos um sumo-sacerdote tão grande, que se assentou à direita do trono da majestade, nos céus. Ele é ministro do Santuário e da Tenda verdadeira, armada pelo Senhor, e não por mão humana. Todo o sumo-sacerdote, com efeito, é constituído para oferecer dádivas e sacrifícios.

Responsório breve
R. Os discípulos ficaram muito alegres. * Aleluia, aleluia.
  R. Os discípulos.
V. Quando viram o Senhor ressuscitado. * Aleluia, aleluia.
  Glória ao Pai. R. Os discípulos.

Cântico evangélico, ant.
O Espírito Santo, o Paráclito,
que o Pai vai mandar em meu nome
haverá de lembrar-vos de tudo
o que tenho falado entre vós
e tudo haverá de ensinar-vos. Aleluia.

Preces
Invoquemos a Jesus Cristo, que vivificado pelo Espírito Santo, tornou-se fonte de vida para toda a humanidade; e digamos cheios de alegria:
R. Senhor, renovai todas as coisas e dai-nos vida nova!

Cristo, Salvador do mundo e Rei da nova criação, orientai toda a nossa vida para o reino da glória celeste,
– onde estais sentado à direita do Pai. R.

Senhor, que viveis na vossa Igreja até o fim dos tempos,
– conduzi-a pelo Espírito Santo ao conhecimento da verdade perfeita. R.

Fazei que os doentes, sofredores e agonizantes sintam o vosso amor misericordioso;
– confortai-os e fortalecei-os com vossa bondade. R.

(intenções livres)

Cristo, luz que não se apaga, aceitai o louvor que vos oferecemos ao cair desta tarde,
– e fazei brilhar para os nossos irmãos e irmãs que partiram desta vida, a luz da vossa ressurreição. R.

Pai nosso...

Oração

Ó Deus, que unis os corações dos vossos fiéis num só desejo, dai ao vosso povo amar o que ordenais e esperar o que prometeis, para que, na instabilidade deste mundo, fixemos os nossos corações onde se encontram as verdadeiras alegrias. Por nosso Senhor Jesus Cristo, vosso Filho, na unidade do Espírito Santo.

TERÇA-FEIRA

Laudes

Leitura breve At 13,30-33

Deus ressuscitou Jesus dos mortos e, durante muitos dias, ele foi visto por aqueles que o acompanharam desde a Galileia até Jerusalém. Agora eles são testemunhas de Jesus diante do povo. Por isso, nós vos anunciamos este Evangelho: a promessa que Deus fez aos antepassados, ele a cumpriu para nós, seus filhos, quando ressuscitou Jesus, como está escrito no salmo segundo: Tu és o meu filho, eu hoje te gerei.

Responsório breve

R. O Senhor ressurgiu do sepulcro. * Aleluia, aleluia.
R. O Senhor.
V. Foi suspenso por **nós** numa **cruz**. * Aleluia, aleluia.
Glória ao **Pai**. R. O Senhor.

Cântico evangélico, ant.

Eu vos **deixo** a **paz**, aleluia, eu vos **dou** minha **paz**. Aleluia.

Preces

Exultemos de alegria em Cristo, nosso Senhor, que, ressuscitando de entre os mortos, reconstruiu o templo do seu corpo; e lhe supliquemos:

R. **Ouvi-nos, Senhor, pela vossa ressurreição!**

564   5ª Semana do Tempo Pascal

Cristo, Salvador do mundo, que anunciastes às santas mulheres e aos apóstolos a alegria da ressurreição,
— fazei-nos testemunhas do vosso triunfo pascal.   R.

Vós, que prometestes a todos a ressurreição, que nos fará nascer para uma vida nova,
— tornai-nos fiéis mensageiros do vosso evangelho.   R.

Vós, que, aparecendo aos apóstolos depois da ressurreição, lhes comunicastes o Espírito Santo,
— renovai-nos com os dons do Espírito criador.   R.

Vós, que prometestes permanecer com os vossos discípulos até o fim do mundo,
— ficai conosco hoje e sempre.   R.

(intenções livres)

Pai nosso...

Oração

Ó Deus, que pela ressurreição do Cristo nos renovais para a vida eterna, dai ao vosso povo constância na fé e na esperança, para que jamais duvide das vossas promessas. Por nosso Senhor Jesus Cristo, vosso Filho, na unidade do Espírito Santo.

Hora Média

Leitura breve   cf. 1Pd 3,21-22a

O batismo é hoje a vossa salvação pois ele não serve para limpar o corpo da imundície, mas é um pedido a Deus para obter uma boa consciência, em virtude da ressurreição de Jesus Cristo que está à direita de Deus.

V. Os discípulos ficaram muito alegres, aleluia.
R. Por verem o Senhor ressuscitado, Aleluia.

Oração como nas Laudes.

Vésperas

Leitura breve   1Pd 2,4-5

Aproximai-vos do Senhor, pedra viva, rejeitada pelos homens, mas escolhida e honrosa aos olhos de Deus. Do mesmo modo, também vós, como pedras vivas, formai um edifício espiritual, um

Terça-feira 565

sacerdócio santo, a fim de oferecerdes sacrifícios espirituais, agradáveis a Deus, por Jesus Cristo.

Responsório breve

R. Os discípulos ficaram muito alegres. * Aleluia, aleluia.
   R. Os discípulos.
V. Quando viram o Senhor ressuscitado. * Aleluia, aleluia.
   Glória ao **Pai**. R. Os discípulos.

Cântico evangélico, ant.

Se me amais, exultareis
porque eu **vou** para o meu **Pai**. Aleluia.

Preces

Aclamemos com alegria a Jesus Cristo, que morreu, foi sepultado e ressuscitou gloriosamente para uma vida nova; e digamos cheios de confiança:

R. **Cristo, rei da glória, ouvi a nossa oração!**

Pelos bispos, presbíteros e diáconos, para que desempenhem com generosidade o ministério que lhes foi confiado,
– e guiem o vosso povo no caminho do bem, nós vos pedimos, Senhor.   R.

Pelos teólogos e pelos que servem à Igreja no estudo da vossa Palavra,
– a fim de que procurem a verdade com pureza de coração, nós vos pedimos, Senhor.   R.

Pelos fiéis da Igreja, para que combatendo o bom combate da fé até o fim de sua caminhada sobre a terra,
– recebam o prêmio que lhes está preparado desde a origem do mundo, nós vos pedimos, Senhor.   R.

Vós, que na cruz destruístes a sentença que nos condenava,
– quebrai os laços da nossa escravidão e dissipai as nossas trevas.   R.

(intenções livres)

Vós, que, descendo à mansão dos mortos, libertastes os justos que esperavam o Salvador,
– acolhei em vosso Reino nossos irmãos e irmãs falecidos.   R.

Pai nosso...

Oração

Ó Deus, que pela ressurreição do Cristo nos renovais para a vida eterna, dai ao vosso povo constância na fé e na esperança, para que jamais duvide das vossas promessas. Por nosso Senhor Jesus Cristo, vosso Filho, na unidade do Espírito Santo.

QUARTA-FEIRA

Laudes

Leitura breve   Rm 6,8-11

Se morremos com Cristo, cremos que também viveremos com ele. Sabemos que Cristo ressuscitado dos mortos não morre mais; a morte já não tem poder sobre ele. Pois aquele que morreu, morreu para o pecado uma vez por todas; mas aquele que vive, é para Deus que vive. Assim, vós também considerai-vos mortos para o pecado e vivos para Deus, em Jesus Cristo.

Responsório breve

R. O **Senhor** ressu**rgiu** do se**pul**cro.* Ale**lui**a, ale**lui**a.
    R. O **Senhor.**
V. Foi sus**pen**so por **nós** numa **cruz**.* Ale**lui**a, ale**lui**a.
    Glória ao **Pai**. R. O **Senhor.**

Cântico evangélico, ant.

Sou a vi**dei**ra, ale**lui**a, e **vós** sois os **ra**mos. Ale**lui**a.

Preces

Oremos a Jesus Cristo, que se entregou à morte por nossos pecados e ressuscitou para nossa justificação; e aclamemos:

R. **Salvai-nos, Senhor, pela vossa vitória!**

Cristo Salvador, que ressuscitando de entre os mortos nos restituístes a esperança da vida imortal,
– santificai neste dia os nossos corações com a graça do Espírito Santo.   R.

Vós, que sois glorificado nos céus pelos anjos e adorado na terra pelos seres humanos,

Quarta-feira

— recebei a adoração que vos prestamos em espírito e em verdade neste tempo santo da ressurreição.
R. **Salvai-nos, Senhor, pela vossa vitória!**

Cristo Jesus, salvai-nos e derramai a vossa misericórdia sobre o povo que vive na esperança da ressurreição,
— e conservai-nos, hoje e sempre, livres de todo o mal. R.

Cristo, rei da glória e nossa vida, quando vierdes no último dia,
— fazei que também nós apareçamos convosco na vossa glória. R.

(intenções livres)

Pai nosso...

Oração

Ó Deus, que amais e restituís a inocência, orientai para vós os nossos corações, para que jamais se afastem da luz da verdade os que tirastes das trevas da desgraça. Por nosso Senhor Jesus Cristo, vosso Filho, na unidade do Espírito Santo.

Hora Média

Leitura breve   1Jo 5,5-6a

Quem é o vencedor do inundo, senão aquele que crê que Jesus é o Filho de Deus? Este é o que veio pela água e pelo sangue: Jesus Cristo. Não veio somente com a água, mas com a água e o sangue.
V. Os discípulos ficaram muito alegres, aleluia.
R. Por verem o Senhor ressuscitado, Aleluia.
Oração como nas Laudes.

Vésperas

Leitura breve   Hb 7,24-27

Cristo, uma vez que permanece para a eternidade, possui um sacerdócio que não muda. Por isso ele é capaz de salvar para sempre aqueles que, por seu intermédio, se aproximam de Deus. Ele está sempre vivo para interceder por eles. Tal é precisamente o sumo-sacerdote que nos convinha: santo, inocente, sem mancha, separado dos pecadores e elevado acima dos céus. Ele não precisa; como os sumos-sacerdotes oferecer sacrifícios em cada dia, primeiro por seus próprios pecados e depois pelos do povo. Ele já o fez uma vez por todas, oferecendo-se a si mesmo.

568   5ª Semana do Tempo Pascal

Responsório breve

R. Os discípulos ficaram muito alegres.* Aleluia, aleluia.
   R. Os discípulos.
V. Quando viram o Senhor ressuscitado.* Aleluia, aleluia.
   Glória ao Pai. R. Os discípulos.

Cântico evangélico, ant.

Se em **mim** permanecerdes e em **vós**, minha palavra,
o que pedirdes a meu **Pai** certamente vos dará. Aleluia.

Preces

Oremos a Cristo, nosso Senhor, que ressuscitou de entre os mortos e está sentado à direita do Pai; e digamos confiantes:

R. **Cristo, rei da glória, ouvi a nossa oração!**

Lembrai-vos, Senhor, de todos os que se consagram ao vosso serviço,
– para que deem ao vosso povo o exemplo da verdadeira santidade.   R.

Concedei aos governantes e legisladores o espírito de justiça e de paz,
– para que reine a concórdia em toda a comunidade humana.   R.

Orientai os caminhos de toda a humanidade para a esperança da salvação,
– e aumentai os bens da terra para podermos socorrer todos os necessitados.   R.

(intenções livres)

Cristo, nosso Salvador, que iluminastes o universo e chamastes para a vida toda a criatura marcada pela corrupção,
– concedei a luz eterna aos nossos irmãos e irmãs falecidos.   R.

Pai nosso...

Oração

Ó Deus, que amais e restituís a inocência, orientai para vós os nossos corações, para que jamais se afastem da luz da verdade os que tirastes das trevas da desgraça. Por nosso Senhor Jesus Cristo, vosso Filho, na unidade do Espírito Santo.

QUINTA-FEIRA

Laudes

Leitura breve   Rm 8,10-11

Se Cristo está em vós, embora vosso corpo esteja ferido de morte por causa do pecado, vosso espírito está cheio de vida, graças à justiça. E, se o Espírito daquele que ressuscitou Jesus dentre os mortos mora em vós, então aquele que ressuscitou Jesus Cristo dentre os mortos vivificará também vossos corpos mortais por meio do seu Espírito que mora em vós.

Responsório breve

R. O **Senhor** ressur**giu** do se**pul**cro. * Ale**lui**a, ale**lui**a.
    R. O **Se**nhor.
V. Foi sus**pen**so por **nós** numa **cruz**. * Ale**lui**a, ale**lui**a.
    Glória ao **Pai**. R. O **Se**nhor.

Cântico evangélico, ant.

Se guar**dais** o meu pre**cei**to, fica**reis** no meu **amor**. Ale**lui**a.

Preces

Unidos num só coração e numa só alma, invoquemos a Cristo ressuscitado, sempre presente em sua Igreja; e digamos:

R. **Ficai conosco, Senhor!**

Senhor Jesus, vencedor do pecado e da morte, permanecei no meio de nós,
– vós, que viveis e reinais pelos séculos sem fim.   R.

Vinde em nosso auxílio com vosso poder invencível,
– e revelai aos nossos corações a infinita bondade de Deus Pai.   R.

Salvai o mundo da violência e da discórdia,
– porque só vós tendes poder para renovar e reconciliar.   R.

Confirmai-nos na fé da vitória final,
– e fortalecei-nos na esperança da vossa vinda gloriosa. R.

(intenções livres)

Pai nosso...

570 5ª Semana do Tempo Pascal

Oração

Ó Deus, vossa graça nos santificou quando éramos pecadores e nos deu a felicidade, quando infelizes. Vinde em socorro das vossas criaturas e sustentai-nos com vossos dons, para que não falte a força da perseverança àqueles a quem destes a graça da fé. Por nosso Senhor Jesus Cristo, vosso Filho, na unidade do Espírito Santo.

Hora Média

Leitura breve   Tt 3,5b-7

Deus nos salvou quando renascemos e fomos renovados no batismo pelo Espírito Santo, que ele derramou abundantemente sobre nós por meio de nosso Salvador Jesus Cristo.

Justificados assim, pela sua graça, nos tornamos na esperança herdeiros da vida eterna.

V. Os discípulos ficaram muito alegres, aleluia.
R. Por verem o Senhor ressuscitado, Aleluia.

Oração como nas Laudes.

Vésperas

Leitura breve   1Pd 3,18.21b-22

Cristo morreu, uma vez por todas, por causa dos pecados, o justo, pelos injustos, a fim de vos conduzir a Deus. Sofreu a morte, na sua existência humana, mas recebeu nova vida pelo Espírito. Pois o batismo não serve para limpar o corpo da imundície, mas é um pedido a Deus para obter uma boa consciência ao céu em virtude da ressurreição de Jesus Cristo. Ele subiu ao céu e está a direita de Deus, submetendo-se a ele anjos, dominações e potestades.

Responsório breve
R. Os discípulos ficaram muito alegres. *Aleluia, aleluia.
 R. Os discípulos.
V. Quando viram o Senhor ressuscitado. * Aleluia, aleluia.
 Glória ao Pai. R. Os discípulos.

Cântico evangélico, ant.
Eu vos digo estas coisas nesta hora
para que minha alegria esteja em vós
e a vossa alegria seja plena. Aleluia.

Preces

Louvemos com alegria a Cristo Jesus, ressuscitado de entre os mortos como primícias dos que adormeceram na esperança da luz eterna; e rezemos:

R. **Senhor ressuscitado, ouvi a nossa oração!**

Lembrai-vos, Senhor, da vossa Igreja edificada sobre o fundamento dos apóstolos, e que se faz presente pelo mundo inteiro;
– abençoai todos aqueles que invocam o vosso nome.   R.

Jesus Cristo, médico dos corpos e das almas,
– visitai-nos e salvai-nos pela vossa misericórdia.   R.

Curai e reconfortai os doentes,
– e livrai-os de toda enfermidade.   R.

Ajudai os aflitos e oprimidos,
– e sustentai os que padecem necessidade.   R.

(intenções livres)

Vós, que pela cruz e ressurreição abristes para todos o caminho da imortalidade,
– concedei as alegrias do vosso reino aos nossos irmãos e irmãs falecidos.   R.

Pai nosso...

Oração

Ó Deus, vossa graça nos santificou quando éramos pecadores e nos deu a felicidade, quando infelizes. Vinde em socorro das vossas criaturas e sustentai-nos com vossos dons, para que não falte a força da perseverança àqueles a quem destes a graça da fé. Por nosso Senhor Jesus Cristo, vosso Filho, na unidade do Espírito Santo.

SEXTA-FEIRA

Laudes

Leitura breve   At 5,30-32

O Deus de nossos pais ressuscitou Jesus, a quem vós matastes, pregando-o numa cruz. Deus, por seu poder, o exaltou, tornando-o

572   5ª Semana do Tempo Pascal

Guia Supremo e Salvador, para dar ao povo de Israel a conversão e o perdão dos seus pecados. E disso somos testemunhas, nós e o Espírito Santo, que Deus concedeu àqueles que lhe obedecem.

Responsório breve

R. O **Senhor** ressur**giu** do se**pul**cro. * Ale**lui**a, ale**lui**a.
   R. O **Senhor**.
V. Foi sus**pen**so por **nós** numa **cruz**. * Ale**lui**a, ale**lui**a.
   Glória ao **Pai**. R. O **Senhor**.

Cântico evangélico, ant.

O **meu** manda**men**to é este:
A**mai**-vos como **eu** vos a**mei**. Ale**lui**a.

Preces

Oremos a Deus Pai, que pela ressurreição de Jesus Cristo nos deu uma vida nova; e supliquemos humildemente:

R. **Iluminai-nos, Senhor, com a luz de Cristo!**

Deus de bondade e fidelidade, que criastes o universo e manifestastes a todas as gerações o vosso desígnio de salvação,
– escutai-nos, ó Pai clementíssimo.   R.

Purificai os nossos corações com a luz da vossa verdade,
– para que todas as nossas obras sejam justas e agradáveis aos vossos olhos.   R.

Fazei brilhar sobre nós a luz da vossa face e dirigi os nossos passos no caminho da santidade,
– para que, libertos do pecado, nos saciemos com a riqueza de vossos dons.   R.

Vós, que por Cristo nos reconciliastes convosco,
– fazei reinar vossa paz em toda a terra.   R.

                          (intenções livres)

Pai nosso...

Oração

Amparai, ó Deus, nossos corações para vivermos dignamente os mistérios pascais, a fim de que esta celebração realizada com alegria nos proteja por sua força inesgotável e nos comunique a salvação. Por nosso Senhor Jesus Cristo, vosso Filho, na unidade do Espírito Santo.

Sexta-feira

Hora Média

Leitura breve — Gl 3,27-28
Vós todos que fostes batizados em Cristo vos revestistes de Cristo. O que vale não é mais ser judeu nem grego, nem escravo nem livre, nem homem nem mulher, pois todos vós sois um só, em Jesus Cristo.

V. Os discípulos ficaram muito alegres, aleluia.
R. Por verem o Senhor ressuscitado, Aleluia.

Oração como nas Laudes.

Vésperas

Leitura breve — Hb 5,8-10
Mesmo sendo Filho, aprendeu o que significa a obediência a Deus por aquilo que ele sofreu. Mas, na consumação de sua vida, tornou-se causa de salvação eterna para todos os que lhe obedecem. De fato, ele foi por Deus proclamado sumo sacerdote na ordem de Melquisedec.

Responsório breve
R. Os discípulos ficaram muito alegres. *Aleluia, aleluia.
   R. Os discípulos.
V. Quando viram o Senhor ressuscitado. *Aleluia, aleluia.
   Glória ao Pai. R. Os discípulos.

Cântico evangélico, ant.
Não há maior prova de amor
que dar a vida pelo amigo. Aleluia.

Preces
Glorifiquemos a Cristo, caminho, verdade e vida; e o invoquemos, dizendo:

R. **Filho de Deus vivo, abençoai o vosso povo!**

Nós vos pedimos, Senhor Jesus Cristo, por todos os ministros da Igreja, que repartem o pão da vida entre os irmãos,
– para que sejam também eles alimentados e fortalecidos pelo mesmo pão que distribuem. R.

Nós vos pedimos por todo o povo cristão, para que viva sua vocação de maneira digna,

574   5ª Semana do Tempo Pascal

– e mantenha a unidade de espírito no vínculo da paz.

R. **Filho de Deus vivo, abençoai o vosso povo!**

Nós vos pedimos por todos os que nos governam, para que exerçam suas funções com justiça e compreensão,
– e assim promovam a concórdia e a paz entre todos os povos.   R.

(intenções livres)

Nós vos pedimos que nos torneis dignos de celebrar a vossa santa ressurreição em comunhão com os anjos e santos,
– e também com nossos irmãos e irmãs falecidos, que confiamos à vossa infinita misericórdia.   R.

Pai nosso...

Oração

Amparai, ó Deus, nossos corações para vivermos dignamente os mistérios pascais, a fim de que esta celebração realizada com alegria nos proteja por sua força inesgotável e nos comunique a salvação. Por nosso Senhor Jesus Cristo, vosso Filho, na unidade do Espírito Santo.

SÁBADO

Laudes

Leitura breve   Rm 14,7-9

Ninguém dentre nós vive para si mesmo ou morre para si mesmo. Se estamos vivos, é para o Senhor que vivemos; se morremos, é para o Senhor que morremos. Portanto, vivos ou mortos, pertencemos ao Senhor. Cristo morreu e ressuscitou exatamente para isto, para ser o Senhor dos mortos e dos vivos.

Responsório breve

R. O Se**nhor** ressur**giu** do se**pul**cro. * Ale**lui**a, ale**lui**a.

     R. O Se**nhor**.

V. Foi sus**pen**so por **nós** numa **cruz**. * Ale**lui**a, ale**lui**a.

     Glória ao **Pai**. R. O Se**nhor**.

Cântico evangélico, ant.

Cristo mor**reu** e, dentre os **mor**tos, ressur**giu**:
para **ser** o Senhor dos **vi**vos e dos **mor**tos. Ale**lui**a.

Sábado

Preces

Roguemos com alegria a Cristo, pão da vida, que ressuscitará no último dia os que se alimentam à mesa de sua palavra e de seu corpo; e digamos:

R. **Dai-nos, Senhor, paz e alegria!**

Filho de Deus, que ressuscitastes gloriosamente dos mortos como Senhor da vida,
– abençoai e santificai a humanidade inteira. R.

Senhor Jesus, fonte de paz e de alegria para todos os que creem em vós,
– fazei-nos viver como filhos da luz na alegria do vosso triunfo pascal. R.

Confirmai a fé da vossa Igreja, peregrina sobre a terra,
– para que dê ao mundo o testemunho da vossa ressurreição. R.

Vós, que, depois de muitos sofrimentos, entrastes na glória do Pai,
– mudai em alegria a tristeza dos que choram. R.

(intenções livres)

Pai nosso...

Oração

Deus eterno e todo-poderoso, vós nos fizestes participar de vossa própria vida pelo novo nascimento do batismo; conduzi à plenitude da glória aqueles a quem concedestes, pela justificação, o dom da imortalidade. Por nosso Senhor Jesus Cristo, vosso Filho, na unidade do Espírito Santo.

Hora Média

Leitura breve   1Cor 15,20-22

Cristo ressuscitou dos mortos como primícias dos que morreram. Com efeito, por um homem veio a morte e é também por um homem que vem a ressurreição dos mortos. Como em Adão todos morrem, assim também em Cristo todos reviverão.

V. Os discípulos ficaram muito alegres, aleluia.
R. Por verem o Senhor ressuscitado, Aleluia.

Oração como nas Laudes.

576   Tempo Pascal

6º DOMINGO DA PÁSCOA

II Semana do Saltério

I Vésperas

Hino, p. 459.

Ant. 1 Quem pratica a verdade se **põe** junto à **luz**. Aleluia.

Salmos e cântico do Domingo da II Semana, p. 849.

Ant. 2 Vencido o domínio da **morte**,
o Senhor ressurgiu, aleluia.

Ant. 3 Era preciso que o **Cristo** sofresse
para entrar, dessa forma, em sua glória. Aleluia.

Leitura breve   1Pd 2,9 10

Vós sois a raça escolhida, o sacerdócio do Reino, a nação santa,
o povo que ele conquistou para proclamar as obras admiráveis
daquele que vos chamou das trevas para a sua luz maravilhosa.
Vós sois aqueles que antes não eram povo, agora porém são povo
de Deus; os que não eram objeto de misericórdia, agora porém
alcançaram misericórdia.

Responsório breve

R. Os discípulos ficaram muito alegres. *Aleluia, aleluia.
R. Os discípulos.
V. Quando viram o Senhor ressuscitado. *Aleluia, aleluia.
Glória ao **Pai**. R. Os discípulos.

Cântico evangélico, ant.

Ano A Rogarei ao meu **Pai**,
e haverá de enviar-vos um **outro** Paráclito
que fique convosco para **sempre**, aleluia.

Ano B Como o **Pai** sempre me ama,
assim também eu vos amei;
permanecei no meu **amor**. Aleluia.

Ano C Quem me ama realmente, guardará minha palavra
e meu **Pai** o amará, e a ele nós viremos
e nele habitaremos. Aleluia.

Preces

Oremos a Jesus Cristo que, ressuscitando dos mortos, destruiu a morte e renovou a vida; e digamos, cheios de confiança:

R. **Cristo, vivo para sempre, escutai a nossa prece!**

Vós, que sois a pedra rejeitada pelos construtores, mas escolhida pelo Pai como pedra angular,
– fazei de nós pedras vivas na edificação de vossa Igreja. R.

Vós, que sois a Testemunha fiel e verdadeira; o Primogênito dentre os mortos,
– concedei que a vossa Igreja possa dar sempre e em toda a terra o testemunho da vossa ressurreição. R.

Vós, que sois o Esposo único da Igreja, nascida de vosso lado aberto na cruz,
– fazei de nós testemunhas do vosso amor pela Igreja e por toda a humanidade. R.

Vós, que sois o Princípio e o Fim, que estivestes morto e agora viveis eternamente,
– concedei aos que foram batizados a perseverança até à morte, para que mereçam a coroa da vitória. R.

(intenções livres)

Vós, que sois a Luz que ilumina a santa cidade de Deus,
– iluminai com vosso esplendor os nossos irmãos e irmãs falecidos, para que reinem convosco eternamente. R.

Pai nosso...

Oração

Deus todo-poderoso, dai-nos celebrar com fervor estes dias de júbilo em honra do Cristo ressuscitado, para que nossa vida corresponda sempre aos mistérios que recordamos. Por nosso Senhor Jesus Cristo, vosso Filho, na unidade do Espírito Santo.

Laudes

Hino, p. 462.

Ant. 1 Este é o dia que o Senhor fez para nós, aleluia.

Salmos e cântico do Domingo da II Semana, p. 853.

Ant. 2 Sede bendito no celeste firmamento,
a vós louvor eternamente, aleluia.

Ant. 3 Adorai a Deus sentado no seu trono
e aclamai-o com "Amém", com "Aleluia".

Leitura breve At 10,40-43

Deus ressuscitou Jesus no terceiro dia, concedendo-lhe manifestar-
-se não a todo o povo, mas às testemunhas que Deus havia escolhido: a nós, que comemos e bebemos com Jesus, depois que ressuscitou dos mortos. E Jesus nos mandou pregar ao povo e testemunhar
que Deus o constituiu Juiz dos vivos e dos mortos. Todos os profetas dão testemunho dele: Todo aquele que crê em Jesus recebe, em
seu nome, o perdão dos pecados.

Responsório breve
R. Tende piedade de **nós**, Cristo, **Filho** do Deus **vivo!**
* Aleluia, aleluia. R. Tende piedade.
V. Vós, que dos **mortos** ressurgistes. * Aleluia.
Glória ao **Pai**. R. Tende piedade.

Cântico evangélico, ant.
Ano A Não vos **deixo** como **órfãos:** Eu **irei**, mas voltarei,
e o **vosso** coração haverá de se alegrar. Aleluia.

Ano B Eu vos **digo** estas **coisas** nesta **hora**
para **que** minha alegria esteja em **vós**
e a **vossa** alegria seja **plena**. Aleluia.

Ano C O Espírito **Santo**, o Paráclito,
que o **Pai** vai mandar em meu **nome**,
haverá de lembrar-vos de tudo
o que **tenho** falado, aleluia.

Preces
Invoquemos a Deus Pai todo-poderoso, que ressuscitou nosso
Rei e Salvador Jesus Cristo; e digamos com alegria:
R. **Iluminai-nos, Senhor, com a luz de Cristo!**

Pai santo, que fizestes vosso amado Filho Jesus passar das trevas
da morte para a luz da glória,
– dai-nos chegar um dia à luz admirável do vosso reino eterno. R.

Vós, que nos salvastes pela fé,
– fazei-nos viver hoje fielmente segundo as promessas do nosso
batismo. R.

6º Domingo

Vós, que nos mandais buscar sempre as coisas do alto, onde Cristo está sentado à vossa direita,
– livrai-nos da sedução do pecado. **R.**
Fazei que a nossa vida, escondida em vós com Cristo, brilhe no mundo,
– para anunciar a todos os novos céus e a nova terra. **R.**

(intenções livres)

Pai nosso...

Oração

Deus todo-poderoso, dai-nos celebrar com fervor estes dias de júbilo em honra do Cristo ressuscitado, para que nossa vida corresponda sempre aos mistérios que recordamos. Por nosso Senhor Jesus Cristo, vosso Filho, na unidade do Espírito Santo.

Hora Média

Leitura breve Ef 2,4-6

Deus é rico em misericórdia. Por causa do grande amor com que nos amou, quando estávamos mortos por causa das nossas faltas, ele nos deu a vida com Cristo. É por graça que vós sois salvos! Deus nos ressuscitou com Cristo e nos fez sentar nos céus em virtude de nossa união com Jesus Cristo.

V. Os discípulos ficaram muito alegres, aleluia.
R. Por verem o Senhor ressuscitado, Aleluia.

Oração como nas Laudes.

II Vésperas

Hino, p. 459.

Ant. 1 O **Pai** ressusci**tou** Jesus **Cris**to dentre os **mor**tos fazendo
sen**tar**-se nos **céus**, à sua di**rei**ta, ale**lui**a.

Salmos e cântico do Domingo da II Semana, p. 860.

Ant. 2 Aos falsos **deu**ses renunci**as**tes
para ser**vir**des ao Deus vi**ven**te. Ale**lui**a.

Ant. 3 Ale**lui**a, ao nosso **Deus** a salva**ção**,
honra, **gló**ria e po**der**, ale**lui**a.

580   6ª Semana do Tempo Pascal

Leitura breve   Hb 10,12-14
Cristo, depois de ter oferecido um sacrifício único pelos pecados, sentou-se para sempre à direita de Deus. Não lhe resta mais senão esperar até que seus inimigos sejam postos debaixo de seus pés. De fato, com esta única oferenda, levou à perfeição definitiva os que ele santifica.

Responsório breve
R. O **Senhor** ressur**giu**, de ver**dade**, *Aleluia, aleluia.
   R. O **Senhor**.
V. A **Simão** ele apare**ceu**. *Aleluia.
   Glória ao **Pai**. R. O **Senhor**.

Cântico evangélico, ant.
Ano A   A**que**le que me **ama**, será a**mado** por meu **Pai**,
        e **eu** o a**marei** e lhe **hei** de reve**lar**-me. Ale**luia**.

Ano B   O **meu** mandamento é **este**:
        A**mai**-vos como **eu** vos a**mei**!
        Não **há** maior a**mor**,
        que dar a **vida** pelo a**migo**. Ale**luia**.

Ano C   Eu vos **deixo** a minha **paz**!
        Que o **vosso** cora**ção**
        não se per**turbe**, nem re**ceie**. Ale**luia**.

Preces
Invoquemos a Deus Pai, que ressuscitou Jesus Cristo e o exaltou à sua direita; e peçamos humildemente:
   R. **Protegei o vosso povo, Senhor, pela glória de Cristo!**

Pai santo, que pela vitória da cruz glorificastes Jesus sobre a terra,
   – atraí para ele todas as coisas.   R.
Por vosso Filho glorificado, enviai, Senhor, sobre a Igreja o Espírito Santo,
   – para que ela seja sinal de unidade para todo o gênero humano.   R.
Conservai na fé do seu batismo os novos filhos e filhas, que fizestes renascer pela água e pelo Espírito Santo,
   – para que alcancem a vida eterna.   R.

Por vosso Filho glorificado, dai alegria aos infelizes, libertai os prisioneiros, curai os doentes,
– e estendei à humanidade inteira os benefícios da vossa redenção. R.

(intenções livres)

Aos nossos irmãos e irmãs falecidos, que receberam na terra o Corpo e o Sangue de Cristo,
– dai-lhes a glória da ressurreição no último dia. R.

Pai nosso...

Oração

Deus todo-poderoso, dai-nos celebrar com fervor estes dias de júbilo em honra do Cristo ressuscitado, para que nossa vida corresponda sempre aos mistérios que recordamos. Por nosso Senhor Jesus Cristo, vosso Filho, na unidade do Espírito Santo.

SEGUNDA-FEIRA

Laudes

Leitura breve Rm 10,8b-10

A palavra está perto de ti, em tua boca e em teu coração. Essa palavra é a palavra da fé, que nós pregamos. Se, pois, com tua boca confessares Jesus como Senhor e, no teu coração, creres que Deus o ressuscitou dos mortos, serás salvo. É crendo no coração que se alcança a justiça e é confessando a fé com a boca que se consegue a salvação.

Responsório breve

R. O Senhor ressurgiu do sepulcro. * Aleluia, aleluia.
  R. O Senhor.
V. Foi suspenso por nós numa cruz. * Aleluia, aleluia.
  Glória ao Pai. R. O Senhor.

Cântico evangélico, ant.

Deus nos fez renascer para a viva esperança
e a herança eterna
pela ressurreição do Senhor dentre os mortos. Aleluia.

Preces

Rezemos a Deus Pai, glorificado pela morte e ressurreição de seu Filho; e peçamos confiantes:

R. **Iluminai, Senhor, o nosso coração!**

Deus de eterna glória, que iluminastes o mundo com a luz de Cristo gloriosamente ressuscitado,
– iluminai-nos hoje com a luz da fé. R.

Vós, que, pela ressurreição de Cristo, abristes a todo ser humano as portas da eternidade,
– ajudai-nos no trabalho deste dia, para que aumente em nós a esperança da vida eterna. R.

Vós, que, por vosso Filho ressuscitado, enviastes ao mundo o Espírito Santo,
– acendei em nossos corações o fogo do vosso amor. R.

Pelos méritos da cruz de Cristo, que morreu para libertar o mundo,
– dai à humanidade inteira a salvação e a paz. R.

(intenções livres)

Pai nosso...

Oração

Concedei, ó Deus, que vejamos frutificar em toda a nossa vida as graças do mistério pascal, que instituístes na vossa misericórdia. Por nosso Senhor Jesus Cristo, vosso Filho, na unidade do Espírito Santo.

Hora Média

Leitura breve Cl 2,9.10a.12

Em Cristo habita corporalmente toda a plenitude da divindade. Dele também vós estais repletos. Com Cristo fostes sepultados no batismo; com ele também fostes ressuscitados por meio da fé no poder de Deus, que ressuscitou a Cristo dentre os mortos.

V. Os discípulos ficaram muito alegres, aleluia.

R. Por verem o Senhor ressuscitado, Aleluia.

Oração como nas Laudes.

Segunda-feira

583

Vésperas

Leitura breve   Hb 8,1b-3a
Temos um sumo-sacerdote tão grande, que se assentou à direita
do trono da majestade, nos céus. Ele é ministro do Santuário e da
Tenda verdadeira, armada pelo Senhor, e não por mão humana.
Todo o sumo-sacerdote, com efeito, é constituído para oferecer
dádivas e sacrifícios.

Responsório breve
R. Os discípulos ficaram muito alegres. * Aleluia, aleluia.
   R. Os discípulos.
V. Quando viram o Senhor ressuscitado. * Aleluia, aleluia.
   Glória ao Pai. R. Os discípulos.

Cântico evangélico, ant.
O Espírito da verdade que procede do meu Pai
dará de mim seu testemunho
e vós também o haveis de dar. Aleluia.

Preces
Roguemos a Cristo, nosso Senhor, que iluminou o mundo com a
glória de sua ressurreição; e digamos:
R. **Cristo, nossa vida, ouvi-nos!**

Senhor, Jesus Cristo, que vos fizestes companheiro de viagem
dos dois discípulos a caminho de Emaús,
– permanecei sempre com vossa Igreja, peregrina sobre a terra. R.
Não permitais que vossos fiéis sejam lentos para crerem,
– mas fazei que proclamem o vosso triunfo sobre a morte.   R.
Olhai com bondade para aqueles que ainda não vos reconhecem
no caminho de suas vidas,
– e mostrai-lhes o vosso rosto, para que também eles se salvem. R.
Vós, que pela cruz reconciliastes toda a humanidade, reunindo-a
num só corpo,
– concedei a paz e a unidade a todas as nações.   R.

(intenções livres)

Juiz dos vivos e dos mortos,
– concedei o perdão dos pecados a todos os que partiram desta
vida e creram em vós.   R.

Pai nosso...

584 6ª Semana do Tempo Pascal

Oração

Concedei, ó Deus, que vejamos frutificar em toda a nossa vida as graças do mistério pascal, que instituístes na vossa misericórdia. Por nosso Senhor Jesus Cristo, vosso Filho, na unidade do Espírito Santo.

TERÇA-FEIRA

Laudes

Leitura breve At 13,30-33

Deus ressuscitou Jesus dos mortos e, durante muitos dias, ele foi visto por aqueles que o acompanharam desde a Galileia até Jerusalém. Agora eles são testemunhas de Jesus diante do povo. Por isso, nós vos anunciamos este Evangelho: a promessa que Deus fez aos antepassados, ele a cumpriu para nós, seus filhos, quando ressuscitou Jesus, como está escrito no salmo segundo: Tu és o meu filho, eu hoje te gerei.

Responsório breve

R. O **Senhor** ressur**giu** do se**pul**cro. * Ale**lu**ia, ale**lu**ia.
   R. O **Senhor**.
V. Foi sus**pen**so por **nós** numa **cruz**. * Ale**lu**ia, ale**lu**ia.
   Glória ao **Pai**. R. O **Senhor**.

Cântico evangélico, ant.

Ainda um **pou**co e já o **mun**do não me **vê**;
vós, po**rém**, haveis de **ver**-me, pois eu **vi**vo
e igual**men**te vive**reis**, ale**lu**ia.

Preces

Demos graças a Deus, Pai de nosso Senhor Jesus Cristo, o Cordeiro sem mancha, que tira o pecado do mundo; e rezemos confiantes:

R. **Senhor, fonte da vida, dai-nos a vossa salvação!**

Deus, fonte da vida, lembrai-vos da morte e ressurreição do Cordeiro imolado na cruz,
  – e ouvi as súplicas que ele vos dirige continuamente em nosso favor. R.

Terça-feira

Purificai-nos, Senhor, de todo fermento de malícia e perversidade,
– para vivermos a páscoa de Cristo com os pães ázimos da sinceridade e da verdade. R.

Ajudai-nos a vencer neste dia o pecado da discórdia e da inveja,
– e tornai-nos mais atentos às necessidades dos nossos irmãos e
irmãs. R.

Dai à nossa vida um autêntico espírito evangélico,
– para andarmos, hoje e sempre, pelo caminho dos vossos mandamentos. R.

(intenções livres)

Pai nosso...

Oração

Ó Deus, que o vosso povo sempre exulte, pela sua renovação espiritual. Alegrando-nos hoje porque adotados de novo como filhos
de Deus, esperemos confiantes e alegres o dia da ressurreição. Por
nosso Senhor Jesus Cristo, vosso Filho, na unidade do Espírito
Santo.

Hora Média

Leitura breve cf. 1Pd 3,21-22a

O batismo é hoje a vossa salvação pois ele não serve para limpar
o corpo da imundície, mas é um pedido a Deus para obter uma
boa consciência, em virtude da ressurreição de Jesus Cristo que
está à direita de Deus.

V. Os discípulos ficaram muito alegres, aleluia.
R. Por verem o Senhor ressuscitado, Aleluia.
Oração como nas Laudes.

Vésperas

Leitura breve 1Pd 2,4-5

Aproximai-vos do Senhor, pedra viva, rejeitada pelos homens,
mas escolhida e honrosa aos olhos de Deus. Do mesmo modo,
também vós, como pedras vivas, formai um edifício espiritual,
um sacerdócio santo, a fim de oferecerdes sacrifícios espirituais,
agradáveis a Deus, por Jesus Cristo.

Responsório breve

R. Os discípulos ficaram muito alegres. * Aleluia, aleluia.
  R. Os discípulos.
V. Quando viram o Senhor ressuscitado. * Aleluia, aleluia.
  Glória ao Pai. R. Os discípulos.

Cântico evangélico, ant.

Em verdade, em verdade, eu vos digo:
é melhor para vós que eu me vá;
se eu não for não virá o Paráclito. Aleluia.

Preces

Invoquemos a Cristo, que pela sua ressurreição confirmou
a esperança do seu povo; e peçamos com muita fé:
R. **Cristo, vivo para sempre, escutai-nos!**

Senhor Jesus Cristo, de cujo lado aberto correu sangue e água,
— fazei da Igreja vossa esposa imaculada. R.

Pastor supremo da Igreja, que depois da ressurreição confiastes a
Pedro o cuidado do vosso rebanho,
— protegei o nosso papa N. e confirmai-o na caridade ao serviço
do vosso povo. R.

Vós, que enchestes de peixes as redes de vossos discípulos que
pescavam no lago de Tiberíades,
— enviai operários à vossa Igreja, para que continuem seu trabalho apostólico. R.

Vós, que preparastes pão e peixes para vossos discípulos, na margem do lago,
— não permitais que nossos irmãos e irmãs morram de fome por
nossa culpa. R.

(intenções livres)

Senhor Jesus, novo Adão, que nos dais a vida, tornai semelhantes
à vossa imagem gloriosa os que já deixaram este mundo,
— para que participem plenamente da alegria perfeita no céu. R.

Pai nosso...

Oração

Ó Deus, que o vosso povo sempre exulte, pela sua renovação
espiritual. Alegrando-nos hoje porque adotados de novo como
filhos de Deus, esperemos confiantes e alegres o dia da ressurrei-

ção. Por nosso Senhor Jesus Cristo, vosso Filho, na unidade do Espírito Santo.

QUARTA-FEIRA

Laudes

Leitura breve   Rm 6,8-11

Se morremos com Cristo, cremos que também viveremos com ele. Sabemos que Cristo ressuscitado dos mortos não morre mais; a morte já não tem poder sobre ele. Pois aquele que morreu, morreu para o pecado uma vez por todas; mas aquele que vive, é para Deus que vive. Assim, vós também considerai-vos mortos para o pecado e vivos para Deus, em Jesus Cristo.

Responsório breve

R. O Senhor ressurgiu do sepulcro. * Aleluia, aleluia.
   R. O Senhor.
V. Foi suspenso por **nós** numa **cruz**. * Aleluia, aleluia.
   Glória ao **Pai**. R. O Senhor.

Cântico evangélico, ant.

Tenho ainda muitas coisas a dizer-vos,
mas agora não podeis compreendê-las;
quando vier o Espírito da verdade,
toda a verdade haverá de ensinar-vos. Aleluia.

Preces

Elevemos nossas preces a Deus Pai, que quis revelar aos apóstolos a glória de Cristo ressuscitado; e aclamemos:
R. **Iluminai-nos, Senhor, com a glória de Cristo!**

Nós vos louvamos, Senhor, fonte de luz e de glória,
– que nos chamastes à vossa luz admirável para alcançarmos a salvação.   R.

Purificai e fortalecei com o poder do Espírito Santo a atividade da Igreja em toda a terra,
– para que melhorem as relações humanas entre todos os cidadãos do mundo.   R.

Fazei que nos dediquemos de tal modo ao serviço do próximo,
– que possamos transformar a comunidade humana numa oferenda agradável aos vossos olhos.   R.

588   6ª Semana do Tempo Pascal

Desde o amanhecer, cumulai-nos com os dons da vossa bondade,
– para vivermos na alegria do vosso louvor durante todo este dia.
R. **Iluminai-nos, Senhor, com a glória de Cristo!**

(intenções livres)

Pai nosso...

Oração

Ó Deus, ao celebrarmos solenemente a ressurreição do vosso Filho, concedei que nos alegremos com todos os santos, quando ele vier na sua glória. Por nosso Senhor Jesus Cristo, vosso Filho, na unidade do Espírito Santo.

Hora Média

Leitura breve   1Jo 5,5-6a

Quem é o vencedor do mundo, senão aquele que crê que Jesus é o Filho de Deus? Este é o que veio pela água e pelo sangue: Jesus Cristo. Não veio somente com a água, mas com a água e o sangue.

V. Os discípulos ficaram muito alegres, aleluia.
R. Por verem o Senhor ressuscitado, Aleluia.

Oração como nas Laudes.

Vésperas

Nas regiões onde a solenidade da Ascensão do Senhor é celebrada no domingo seguinte se diz:

Leitura breve   Hb 7,24-27

Cristo, uma vez que permanece para a eternidade, possui um sacerdócio que não muda. Por isso ele é capaz de salvar para sempre aqueles que, por seu intermédio, se aproximam de Deus. Ele está sempre vivo para interceder por eles. Tal é precisamente o sumo-sacerdote que nos convinha: santo, inocente, sem mancha, separado dos pecadores e elevado acima dos céus. Ele não precisa, como os sumos-sacerdotes oferecer sacrifícios em cada dia, primeiro por seus próprios pecados e depois pelos do povo. Ele já o fez uma vez por todas, oferecendo-se a si mesmo.

Responsório breve

R. Os discípulos ficaram muito alegres. * Aleluia, aleluia.
     R. Os discípulos.
V. Quando viram o Senhor ressuscitado. * Aleluia, aleluia.
     Glória ao **Pai**. R. Os discípulos.

Quarta-feira

Cântico evangélico, ant.
O Espírito me **glorificará**,
pois haverá de receber do que é **meu**
e haverá de anunciar-vos, aleluia.

Preces

Imploremos a Deus todo-poderoso, que, em seu Filho ressuscitado, nos abriu as portas da vida eterna; e digamos confiantes:

R. **Pela vitória de Cristo, salvai, Senhor, o vosso povo!**

Deus de nossos pais, que glorificastes vosso Filho Jesus, ressuscitando-o dos mortos,
— transformai os nossos corações para vivermos a vida nova da
filiação divina. R.

Vós, que conduzistes as ovelhas desgarradas, que éramos, a Cristo, pastor e guia de nossas almas,
— conservai-nos fiéis ao evangelho, sob a orientação dos pastores
da Igreja. R.

Vós, que escolhestes dentre o povo judeu os primeiros discípulos
de vosso Filho,
— revelai aos filhos de Israel a promessa feita a seus antepassados. R.

Lembrai-vos de todos os abandonados, dos órfãos e das viúvas,
— e não deixeis que vivam sozinhos aqueles que vosso Filho, com
sua morte, reconciliou conosco. R.

(intenções livres)

Vós, que chamastes para o reino celeste o primeiro mártir Santo
Estêvão, depois que ele proclamou a glória de Jesus sentado à
vossa direita,
— acolhei também na eternidade os nossos irmãos e irmãs que na
fé e na caridade esperaram em vós. R.

Pai nosso...

Oração

Ó Deus, ao celebrarmos solenemente a ressurreição do vosso Filho, concedei que nos alegremos com todos os santos, quando ele
vier na sua glória. Por nosso Senhor Jesus Cristo, vosso Filho, na
unidade do Espírito Santo.

590   6ª Semana do Tempo Pascal

QUINTA-FEIRA

Nas regiões onde a solenidade da Ascensão do Senhor é celebrada no domingo seguinte:

Laudes

Leitura breve   Rm 8,10-11

Se, porém, Cristo está em vós, embora vosso corpo esteja ferido de morte por causa do pecado, vosso espírito está cheio de vida, graças à justiça. E, se o Espírito daquele que ressuscitou Jesus dentre os mortos mora em vós, então aquele que ressuscitou Jesus Cristo dentre os mortos vivificará também vossos corpos mortais por meio do seu Espírito que mora em vós.

Responsório breve

R. O **Senhor** ressur**giu** do se**pul**cro.* Ale**luia**, ale**luia**.
   R. O **Senhor**.
V. Foi sus**pen**so por **nós** numa **cruz**.* Ale**luia**, ale**luia**.
   Glória ao **Pai**. R. O **Senhor**.

Cântico evangélico, ant.

Um **pou**co de **tem**po e já **não** me ve**reis**;
de **no**vo um **pou**co e en**tão** me ve**reis**,
pois eu **vou** para o **Pai**, ale**luia**.

Preces

Invoquemos com toda a confiança a Deus Pai, que em Jesus Cristo deu aos seus filhos e filhas a certeza da ressurreição; e digamos:

R. **Que o Senhor Jesus seja a nossa vida!**

Pela coluna de fogo iluminastes, Senhor, vosso povo no deserto;
– por sua ressurreição, seja Cristo hoje para nós a luz da vida.
                                R.

Pela voz de Moisés ensinastes, Senhor, o vosso povo no monte Sinai;
– por sua ressurreição seja Cristo hoje para nós a palavra da vida.   R.

Com o maná alimentastes, Senhor, vosso povo peregrino;
– por sua ressurreição, seja Cristo hoje para nós o pão da vida.   R.

Quinta-feira

Com a água do rochedo destes de beber, Senhor, ao vosso povo;
– pela ressurreição de Cristo, vosso Filho, concedei-nos hoje o
Espírito que dá vida. R.

(intenções livres)

Pai nosso...

Oração

Ó Deus, que fizestes o vosso povo participar da vossa redenção,
concedei que nos alegremos constantemente com a ressurreição
do Senhor. Que convosco vive e reina, na unidade do Espírito
Santo.

Hora Média

Leitura breve Tt 3,5b-7

Deus nos salvou quando renascemos e fomos renovados no batismo pelo Espírito Santo, que ele derramou abundantemente sobre
nós por meio de nosso Salvador Jesus Cristo. Justificados assim,
pela sua graça, nos tornamos na esperança herdeiros da vida eterna.

V. Os discípulos ficaram muito alegres, aleluia.
R. Por verem o Senhor ressuscitado, Aleluia.
Oração como nas Laudes.

Vésperas

Leitura breve 1Pd 3,18.21b-22

Cristo morreu, uma vez por todas, por causa dos pecados, o justo, pelos injustos, a fim de vos conduzir a Deus. Sofreu a morte,
na sua existência humana, mas recebeu nova vida pelo Espírito.
Pois o batismo não serve para limpar o corpo da imundície, mas
é um pedido a Deus para obter uma boa consciência, em virtude
da ressurreição de Jesus Cristo. Ele subiu ao céu e está à direita
de Deus, submetendo-se a ele anjos, dominações e potestades.

Responsório breve

R. Os discípulos ficaram muito alegres. *Aleluia, aleluia.
   R. Os discípulos.
V. Quando viram o Senhor ressuscitado. *Aleluia, aleluia.
   Glória ao Pai. R. Os discípulos.

592   6ª Semana do Tempo Pascal

Cântico evangélico, ant.
Vossa tris**te**za vai mu**dar**-se em ale**gria**;
e nin**gué**m pode ti**rar** vossa ale**gria**. Ale**luia**.

Preces

Exultemos de alegria em Cristo, nosso Senhor, a quem o Pai constituiu fundamento de nossa esperança e da ressurreição dos mortos. Aclamemos e peçamos:
R. **Cristo, rei da glória, ouvi-nos!**

Senhor Jesus, que pelo vosso sangue derramado na cruz e por vossa ressurreição entrastes no santuário celeste,
– conduzi-nos convosco à glória do Pai.   R.

Senhor Jesus, que por vossa ressurreição fortalecestes a fé dos discípulos e os enviastes ao mundo para anunciar o evangelho,
– fazei que os bispos e os presbíteros sejam fiéis mensageiros da vossa Palavra.   R.

Senhor Jesus, que por vossa ressurreição nos trouxestes a reconciliação e a paz,
– dai aos cristãos uma perfeita união na fé e na caridade. R.

Senhor Jesus, que por vossa ressurreição curastes o paralítico que estava à porta do Templo,
– olhai com bondade para os enfermos e manifestai neles a vossa glória.   R.

(intenções livres)

Senhor Jesus, que por vossa ressurreição vos tornastes o primogênito dentre os mortos,
– concedei a participação na glória celeste àqueles que acreditaram e esperaram em vós.   R.

Pai nosso...

Oração

Ó Deus, que fizestes o vosso povo participar da vossa redenção, concedei que nos alegremos constantemente com a ressurreição do Senhor. Que convosco vive e reina, na unidade do Espírito Santo.

ASCENSÃO DO SENHOR

Solenidade

I Vésperas

Hino

Ó Jesus, redenção nossa,
nosso anelo e nosso amor,
novo Rei dos novos tempos
e dos seres Criador.

Que clemência vos venceu
para os crimes carregar,
e, na cruz sofrendo a morte,
doutra morte nos livrar?

À mansão dos mortos indo,
os cativos libertar,
e do Pai à mão direita
triunfante vos sentar?

Esta mesma piedade
nos liberte dos pecados,
e ao clarão de vossa face
nós seremos saciados.

Nosso prêmio no futuro,
nosso gozo sois também.
Sede sempre nossa glória
pelos séculos. Amém.

Salmodia

Ant. 1 Saí do **Pai** e vim ao **mun**do;
deixo o **mun**do e vou ao **Pai**. Ale**lui**a.

Salmo 112(113)

— ¹Lou**vai**, louvai, ó **ser**vos do Se**nhor**, *
lou**vai**, louvai o nome do Senhor!
— ²Ben**di**to seja o nome do Senhor, *
a**go**ra e por toda a eternidade!
— ³Do nas**cer** do sol até o seu ocaso, *
louva**do** seja o nome do Senhor !—

594   Tempo Pascal

– ⁴O Se**nhor** está acima das nações, *
    sua **gló**ria vai além dos altos céus.
= ⁵**Quem po**de comparar-se ao nosso Deus, †
    ao Se**nhor**, que no alto céu tem o seu trono *
    ⁶e se in**cli**na para olhar o céu e a terra?
– ⁷**Levan**ta da poeira o indigente *
    e do **li**xo ele retira o pobrezinho,
– ⁸para fa**zê**-lo assentar-se com os nobres, *
    assen**tar**-se com os nobres do seu povo.
– ⁹Faz a es**té**ril, mãe feliz em sua casa, *
    vi**ven**do rodeada de seus filhos.

Ant. Saí do **Pai** e vim ao **mun**do;
       deixo o **mun**do e vou ao **Pai**. Ale**lu**ia.

Ant. 2 O Se**nhor** Jesus **Cris**to
       fa**lou** com os **seus** pela **úl**tima **vez**;
       ele**vou**-se aos **céus**
       e sen**tou**-se à di**rei**ta de **Deus**. Ale**lu**ia.

Salmo 116(117)

– ¹Cantai louvores ao Se**nhor**, todas as **gentes**, *
    povos **to**dos, feste**jai**-o!
– ²Pois compro**va**do é seu amor para conosco, *
    para **sem**pre ele é fiel!

Ant. O Se**nhor** Jesus **Cris**to
       fa**lou** com os **seus** pela **úl**tima **vez**;
       ele**vou**-se aos **céus**
       e sen**tou**-se à di**rei**ta de **Deus**. Ale**lu**ia.

Ant. 3 Ninguém ja**mais** subiu ao **céu**,
       senão **quem** do céu des**ceu**:
       o Filho do **Ho**mem, que é do **céu**. Ale**lu**ia.

Cântico   Ap 11,17-18; 12,10b-12a

– [11,17] Graças vos **da**mos, Senhor **Deus** onipo**ten**te, *
    a vós que **sois**, a vós que éreis e sereis,
–   porque assu**mis**tes o poder que vos pertence, *
    e en**fim** tomastes posse como rei!

(R. **Nós** vos damos **graças**, nosso **Deus!**)

Ascensão do Senhor

= ¹⁸ As **nações** se enfureceram revoltadas, †
mas che**gou** a vossa ira contra elas *
e o **tempo** de julgar vivos e mortos,

= e de **dar** a recompensa aos vossos servos, †
aos pro**fe**tas e aos que temem vosso nome, *
aos **san**tos, aos pequenos e aos grandes. (R.)

=¹²'¹⁰ Chegou a**go**ra a salvação e o poder †
e a rea**le**za do Senhor e nosso Deus, *
e o do**mí**nio de seu Cristo, seu Ungido.

– Pois foi ex**pul**so o delator que acusava *
nossos ir**mãos**, dia e noite, junto a Deus. (R.)

= ¹¹ Mas o ven**ce**ram pelo sangue do Cordeiro †
e o teste**mu**nho que eles deram da Palavra, *
pois despre**za**ram sua vida até à morte.

– ¹² Por isso, ó **céus**, cantai alegres e exultai *
e vós **to**dos os que neles habitais! (R.)

Ant. Ninguém ja**mais** subiu ao **céu**,
senão **quem** do céu des**ceu**:
o Filho do **Ho**mem, que é do **céu**. Ale**lu**ia.

Leitura breve   Ef 2,4-6

Deus é rico em misericórdia. Por causa do grande amor com que
nos amou, quando estávamos mortos por causa das nossas faltas,
ele nos deu a vida com Cristo. É por graça que vós sois salvos!
Deus nos ressuscitou com Cristo e nos fez sentar nos céus em
virtude de nossa união com Jesus Cristo.

Responsório breve

R. Por **en**tre aclama**ções** Deus se ele**vou**,
 * Ale**lu**ia, ale**lu**ia. R. Por **en**tre.
V. O **Se**nhor subiu ao **to**que da trom**be**ta. * Ale**lu**ia.
 Glória ao **Pai**. R. Por **en**tre.

Cântico evangélico, ant.

Meu **Pai**, reve**lei** o teu **no**me àque**les** os **quais** tu me **des**te.
A**go**ra eu te **pe**ço por e**les**;
não **pe**ço, po**rém**, pelo **mun**do, pois **ve**nho a **ti**, ale**lu**ia.

Preces

Aclamemos a Jesus Cristo, que está sentado à direita do Pai na glória do céu; e digamos na alegria do Espírito:

R. **Cristo, rei da glória, nós vos louvamos!**

Rei da glória, que elevastes convosco a fragilidade da nossa carne para ser glorificada no céu,
– apagai a maldade da antiga culpa e devolvei-nos a dignidade original que havíamos perdido. R.

Vós, que descestes até nós pelo caminho do amor,
– pelo mesmo caminho, fazei-nos subir até vós. R.

Vós, que prometestes atrair para vós a humanidade inteira,
– não permitais que nenhum de nós fique separado da unidade do vosso corpo. R.

Fazei-nos desde agora viver de corpo e alma no céu,
– para onde subistes cheio de glória como Senhor do universo. R.

(intenções livres)

Senhor, a quem esperamos como juiz dos vivos e dos mortos,
– fazei que, um dia, juntamente com nossos irmãos e irmãs falecidos, possamos contemplar eternamente a vossa infinita misericórdia. R.

Pai nosso...

Oração

Ó Deus todo-poderoso, a ascensão do vosso Filho já é nossa vitória. Fazei-nos exultar de alegria e fervorosa ação de graças, pois, membros de seu corpo, somos chamados na esperança a participar da sua glória. Por nosso Senhor Jesus Cristo, vosso Filho, na unidade do Espírito Santo.

Laudes

Hino

Esperado com ânsia por todos,
hoje o dia sagrado brilhou
em que Cristo, esperança do mundo,
Deus e Homem, ao céu se elevou.

Ascensão do Senhor

Triunfou sobre o príncipe do mundo,
vencedor num combate gigante,
e apresenta a Deus Pai, no seu rosto,
toda a glória da carne triunfante.

Dos fiéis ele é a esperança,
numa nuvem de luz elevado,
e de novo abre aos homens o céu
que seus pais lhes haviam fechado.

Ó imensa alegria de todos,
quando o Filho que a Virgem gerou,
logo após o flagelo e a cruz,
à direita do Pai se assentou.

Demos graças a tal defensor
que nos salva, que vida nos deu,
e consigo no céu faz sentar-se
nosso corpo no trono de Deus.

Com aqueles que habitam o céu
partilhamos tão grande alegria.
Cristo a eles se deu para sempre,
mas conosco estará cada dia.

Cristo, agora elevado às alturas,
nossa mente convosco elevai,
e, do alto, enviai-nos depressa
vosso Espírito, o Espírito do Pai.

Ant. 1 Ó homens galileus, por que estais a olhar os céus?
Jesus que aos céus subiu, da mesma forma há de vir.
Aleluia.

Salmos e cântico do domingo da I Semana, p. 982.

Ant. 2 Exaltai o Rei dos reis, cantai hinos ao Senhor!
Aleluia.

Ant. 3 O Senhor se elevou à vista deles,
e uma nuvem o acolheu na glória eterna. Aleluia.

Leitura breve
Hb 10,12-14

Cristo, depois de ter oferecido um sacrifício único pelos pecados, sentou-se para sempre à direita de Deus. Não lhe resta mais senão esperar até que seus inimigos sejam postos debaixo de seus pés.

De fato, com esta única oferenda, levou à perfeição definitiva os que ele santifica.

Responsório breve
R. Subindo o **Cristo** para o **alto**,
  * Ale**lui**a, ale**lui**a. R. Subindo.
V. Levou ca**ti**vo o cati**vei**ro. * Ale**lui**a.
  Glória ao **Pai**. R. Subindo.

Cântico evangélico, ant.
Eu **su**bo ao meu **Pai** e vosso **Pai**,
ao meu **Deus** e vosso **Deus**. Ale**lui**a.

Preces
Invoquemos com alegria o Senhor Jesus Cristo, que, elevado da terra, atrai para si todas as coisas; e o aclamemos:
R. **Cristo, rei da glória, nós, vos louvamos!**

Senhor Jesus, rei da glória, que, oferecido em sacrifício uma vez para sempre, subistes vitorioso para o céu, onde estais à direita do Pai,
— conduzi os homens e as mulheres à perfeição da caridade.   R.

Sacerdote eterno e ministro da Nova Aliança, que viveis eternamente intercedendo por nós,
— salvai o povo que vos suplica.   R.

Senhor, que voltastes à vida depois de sofrer a Paixão e durante quarenta dias aparecestes a vossos discípulos;
— confirmai, hoje, a nossa fé.   R.

Senhor, que, neste dia, prometestes dar aos apóstolos o Espírito Santo, para que fossem testemunhas vossas até os confins da terra,
— fortalecei também, pela força do mesmo Espírito Santo, o nosso testemunho.   R.

(intenções livres)

Pai nosso...

Oração
Ó Deus todo-poderoso, a ascensão do vosso Filho já é nossa vitória. Fazei-nos exultar de alegria e fervorosa ação de graças, pois, membros de seu corpo, somos chamados na esperança a

Ascensão do Senhor

participar da sua glória. Por nosso Senhor Jesus Cristo, vosso Filho, na unidade do Espírito Santo.

Hora Média

Salmodia

Ant. De um extremo do **céu** põe-se a **correr**
e vai tra**çan**do seu **rastro** lumi**no**so,
até que **pos**sa che**gar** ao outro extremo. Ale**lu**ia.

Salmo 8

– 2 Ó Se**nhor** nosso **Deus**, como é **gran**de *
vosso **no**me por todo o universo!

– Desdo**brastes** nos céus vossa glória *
com gran**dez**a, esplendor, majestade.

= 3 O per**fei**to louvor vos é dado †
pelos **lábios** dos mais pequeninos, *
de crianças que a mãe amamenta.

– Eis a **força** que opondes aos maus, *
redu**zin**do o inimigo ao silêncio.

– 4 Contem**plan**do estes céus que plasmastes *
e for**mastes** com dedos de artista;

– vendo a **lua** e estrelas brilhantes, *
5 pergun**tamos**: "Senhor, que é o homem,

– para **de**le assim vos lembrardes *
e o tra**tar**des com tanto carinho?"

– 6 Pouco a**bai**xo de um deus o fizestes, *
coro**an**do-o de glória e esplendor;

– 7 vós lhe **destes** poder sobre tudo, *
vossas obras aos pés lhe pusestes:

– 8 as o**ve**lhas, os bois, os rebanhos, *
todo o **ga**do e as feras da mata;

– 9 passa**ri**nhos e peixes dos mares, *
todo **ser** que se move nas águas.

– 10 Ó Se**nhor** nosso Deus, como é grande *
vosso **no**me por todo o universo!

Tempo Pascal

Salmo 18(19)A

– ² Os céus proclamam a glória do Senhor, *
e o firmamento, a obra de suas mãos;
– ³ o dia ao **dia** transmite esta mensagem, *
a noite à **noi**te publica esta notícia.
– ⁴ Não são dis**cur**sos nem frases ou palavras, *
nem são **vo**zes que possam ser ouvidas;
– ⁵ seu som ressoa e se espalha em toda a terra, *
chega aos confins do universo a sua voz.
– ⁶ Armou no alto uma tenda para o sol; *
ele desponta no céu e se levanta
– como um esposo do quarto nupcial, *
como um herói exultante em seu caminho.
– ⁷ De um extremo do céu põe-se a correr *
e vai traçando o seu rastro luminoso,
– até que possa chegar ao outro extremo, *
e nada pode fugir ao seu calor.

Salmo 18B(19B)

– ⁸ A **lei** do Senhor **Deus** é perfeita, *
conforto para a **al**ma!
– O testemunho do Senhor é fiel, *
sabedoria dos humildes.
– ⁹ Os preceitos do Senhor são precisos, *
alegria ao coração.
– O mandamento do Senhor é brilhante, *
para os olhos é uma luz.
– ¹⁰ É puro o temor do Senhor, *
imutável para sempre.
– Os julgamentos do Senhor são corretos *
e justos igualmente.
– ¹¹ Mais desejáveis do que o ouro são eles, *
do que o ouro refinado.
– Suas palavras são mais doces que o mel, *
que o **mel** que sai dos favos. –

Ascensão do Senhor

–[12] E vosso **servo**, instruído por elas, *
se em**penha** em guardá-las.

–[13] Mas quem **pode** perceber suas faltas?*
Perdoai as que não vejo!

–[14] E preser**vai** o vosso servo do orgulho: *
não domine sobre mim!

– E assim **puro**, eu serei preservado *
dos delitos mais perversos.

–[15] Que vos agrade o cantar dos meus lábios *
e a **voz** da minha alma;

– que ela **chegue** até vós, ó Senhor,*
meu Roc**hedo** e Redentor!

Ant. De um ex**tremo** do **céu** põe-se a **correr**
e vai tra**çando** seu **rastro luminoso**,
até que **possa** che**gar** ao outro ex**tremo**. Ale**luia**.

Leitura breve   **Hb 8,1b-3a**

Temos um sumo-sacerdote tão grande, que se assentou à direita
do trono da majestade, nos céus. Ele é ministro do Santuário e da
Tenda verdadeira, armada pelo Senhor, e não por mão humana.
Todo o sumo-sacerdote, com efeito, é constituído para oferecer
dádivas e sacrifícios.

V. O Se**nhor** pôs o seu **trono** lá nos **céus**. Aleluia.
R. E a**brange** o mundo in**teiro** seu **reinado**. Aleluia.

Oração

Ó Deus todo-poderoso, a ascensão do vosso Filho já é nossa vitória. Fazei-nos exultar de alegria e fervorosa ação de graças,
pois, membros de seu corpo, somos chamados na esperança a
participar da sua glória. Por Cristo, nosso Senhor.

II Vésperas

Hino

Ó Jesus, redenção nossa,
nosso anelo e nosso amor,
novo Rei dos novos tempos
e dos seres Criador.

Tempo Pascal

Que clemência vos venceu
para os crimes carregar,
e, na cruz sofrendo a morte,
doutra morte nos livrar?

À mansão dos mortos indo,
os cativos libertar,
e do Pai à mão direita
triunfante vos sentar?

Esta mesma piedade
nos liberte dos pecados,
e ao clarão de vossa face
nós seremos saciados.

Nosso prêmio no futuro,
nosso gozo sois também.
Sede sempre nossa glória
pelos séculos. Amém.

Salmodia

Ant. 1 Subiu aos **céus** e está sen**ta**do
à di**rei**ta de Deus **Pai**. Ale**lui**a.

Salmo 109(110),1-5.7

— ¹ Palavra do Se**nhor** ao meu Se**nhor**: *
"As**sen**ta-te ao lado meu direito,
— a**té** que eu ponha os inimigos teus *
como esca**be**lo por debaixo de teus pés!"

= ² O Se**nhor** estenderá desde Sião †
vosso **ce**tro de poder, pois ele diz: *
"Do**mi**na com vigor teus inimigos;

= ³ Tu és **prín**cipe desde o dia em que nasceste; †
na **gló**ria e esplendor da santidade, *
como o or**va**lho, antes da aurora, eu te gerei!"

= ⁴ Jurou o Se**nhor** e manterá sua palavra: †
"Tu **és** sacerdote eternamente, *
segundo a or**dem** do rei Melquisedec!"

— ⁵ À vossa **des**tra está o Senhor, ele vos diz: *
"No dia da **i**ra esmagarás os reis da terra!

Ascensão do Senhor

— ⁷Beberás água corrente no caminho, *
por isso seguirás de fronte erguida!"

Ant. Subiu aos **céus** e está sentado
à direita de Deus **Pai**. Aleluia.

Ant. 2 Por **entre** aclamações Deus se elevou.
O Senhor subiu ao toque da trombeta. Aleluia.

Salmo 46(47)

— ²Povos **todos** do universo, batei **pal**mas, *
gritai a **Deus** aclamações de alegria!
— ³Porque sublime é o Senhor, o Deus Altíssimo, *
o soberano que domina toda a terra.
— ⁴Os povos sujeitou ao nosso jugo *
e colocou muitas nações aos nossos pés.
— ⁵Foi ele que escolheu a nossa herança, *
a glória de Jacó, seu bem-amado.
— ⁶Por entre aclamações Deus se elevou, *
o Senhor subiu ao toque da trombeta.
— ⁷Salmodiai ao nosso Deus ao som da harpa, *
salmodiai ao som da harpa ao nosso Rei! —
— ⁸Porque **Deus** é o grande Rei de toda a terra, *
ao som da harpa acompanhai os seus louvores!
— ⁹Deus reina sobre todas as nações, *
está sentado no seu trono glorioso.
— ¹⁰Os chefes das nações se reuniram *
com o povo do Deus santo de Abraão,
— pois só **Deus** é realmente o Altíssimo, *
e os poderosos desta terra lhe pertencem!

Ant. Por **entre** aclama**ções** Deus se ele**vou**.
O Senhor subiu ao **to**que da trombeta. Ale**lui**a.

Ant. 3 Agora **foi** glorifi**ca**do o Filho do **Ho**mem,
e Deus **Pai** nele **foi** glorifi**ca**do. Ale**lui**a.

Cântico   Ap 11,17-18; 12,10b-12a

— ¹¹,¹⁷ Graças vos **da**mos, Senhor **Deus** onipo**ten**te, *
a vós que **sois**, a vós que éreis e sereis,

604 Tempo Pascal

— porque assu**mis**tes o poder que vos pertence, *
e en**fim** tomastes posse como rei!
(R. **Nós** vos damos **graças**, nosso **Deus!**)

= ¹⁸ As na**ções** se enfureceram revoltadas, †
mas che**gou** a vossa ira contra elas *
e o **tem**po de julgar vivos e mortos,

= e de **dar** a recompensa aos vossos servos, †
aos pro**fe**tas e aos que temem vosso nome, *
aos **san**tos, aos pequenos e aos grandes. (R.)

=¹²,¹⁰ Chegou a**go**ra a salvação e o poder †
e a rea**le**za do Senhor e nosso Deus, *
e o do**mí**nio de seu Cristo, seu Ungido.

— Pois foi ex**pul**so o delator que acusava *
nossos ir**mãos**, dia e noite, junto a Deus. (R.)

= ¹¹ Mas o ven**ce**ram pelo sangue do Cordeiro †
e o teste**mu**nho que eles deram da Palavra, *
pois despre**za**ram sua vida até à morte.

— ¹² Por isso, ó **céus**, cantai alegres e exultai *
e vós **to**dos os que neles habitais! (R.)

Ant. Agora **foi** glorifi**ca**do o Filho do **Ho**mem,
e Deus **Pai** nele **foi** glorifi**ca**do. Ale**lui**a.

Leitura breve 1Pd 3,18.21b-22

Cristo morreu, uma vez por todas, por causa dos pecados, o justo, pelos injustos, a fim de vos conduzir a Deus. Sofreu a morte,
na sua existência humana, mas recebeu nova vida pelo Espírito.
Pois o batismo não serve para limpar o corpo da imundície, mas
é um pedido a Deus para obter uma boa consciência, em virtude
da ressurreição de Jesus Cristo. Ele subiu ao céu e está à direita
de Deus, submetendo-se a ele anjos, dominações e potestades.

Responsório breve
R. Subo a meu **Pai** e vosso **Pai**.
  * Ale**lui**a, ale**lui**a. R. Subo a meu.
V. Subo a meu **Deus** e vosso **Deus**. * Ale**lui**a.
  Glória ao **Pai**. R. Subo a meu.

Ascensão do Senhor

Cântico evangélico; ant.
Jesus, ó Rei da **glória**, Senhor do universo,
que, **hoje** glorioso, subistes para os **céus**:
Mandai-nos vosso Espírito Prometido pelo **Pai**
e **não** nos deixeis **órfãos**. Aleluia.

Preces

Aclamemos a Jesus Cristo, que está sentado à direita do Pai na
glória do céu; e digamos na alegria do Espírito:
R. **Cristo, rei da glória, nós vos louvamos!**

Rei da glória, que elevastes convosco a fragilidade da nossa carne para ser glorificada no céu,
– apagai a maldade da antiga culpa e devolvei nos a dignidade
original que havíamos perdido.   R.

Vós, que descestes até nós pelo caminho do amor,
– pelo mesmo caminho, fazei-nos subir até vós.   R.

Vós, que prometestes atrair para vós a humanidade inteira,
– não permitais que nenhum de nós fique separado da unidade do
vosso corpo.   R.

Fazei-nos desde agora viver de corpo e alma no céu,
– para onde subistes cheio de glória como Senhor do universo.   R.

(intenções livres)

Senhor, a quem esperamos como juiz dos vivos e dos mortos,
– fazei que, um dia, juntamente com nossos irmãos e irmãs falecidos, possamos contemplar eternamente a vossa infinita misericórdia.   R.

Pai nosso...

Oração

Ó Deus todo-poderoso, a ascensão do vosso Filho já é nossa vitória. Fazei-nos exultar de alegria e fervorosa ação de graças, pois,
membros de seu corpo, somos chamados na esperança a participar da sua glória. Por nosso Senhor Jesus Cristo, vosso Filho, na
unidade do Espírito Santo.

TEMPO PASCAL

II. DEPOIS DA ASCENSÃO DO SENHOR

Nos domingos e dias de semana, até as I Vésperas do domingo de Pentecostes, exclusive:

Vésperas

Hino

Oh vinde, Espírito Criador,
as nossas almas visitai
e enchei os nossos corações
com vossos dons celestiais.

Vós sois chamado o Intercessor,
do Deus excelso o dom sem par,
a fonte viva, o fogo, o amor,
a unção divina e salutar.

Sois doador dos sete dons,
e sois poder na mão do Pai,
por ele prometido a nós,
por nós seus feitos proclamais.

A nossa mente iluminai,
os corações enchei de amor,
nossa fraqueza encorajai,
qual força eterna e protetor.

Nosso inimigo repeli,
e concedei-nos vossa paz;
se pela graça nos guiais,
o mal deixamos para trás.

Ao Pai e ao Filho Salvador
por vós possamos conhecer.
Que procedeis do seu amor
fazei-nos sempre firmes crer.

Completas

Hino

Ó Jesus Redentor,
do universo Senhor,
Verbo eterno do Pai,
Luz da Luz invisível,
que dos vossos remidos,
vigilante, cuidais.

Vós, artista do mundo,
e de todos os tempos
o sinal divisor,
no silêncio da noite
renovai nosso corpo
que lutando cansou.

Afastai o inimigo,
vós, que os fundos abismos
destruís, ó Jesus!
Não consiga o Maligno
seduzir os remidos
pelo sangue da Cruz.

Quando o corpo cansado
for de noite embalado
pelo sono e a calma,
de tal modo adormeça,
que, ao dormir nossa carne,
não cochile nossa alma.

Escutai-nos, ó Verbo,
por quem Deus fez o mundo,
e o conduz e mantém.
Com o Pai e o Espírito,
vós reinais sobre os vivos
pelos séculos. Amém.

A salmodia se diz com uma só antífona:

Aleluia, aleluia, aleluia.

Laudes

Hino

Esperado com ânsia por todos,
hoje o dia sagrado brilhou
em que Cristo, esperança do mundo,
Deus e Homem, ao céu se elevou.

Triunfou sobre o príncipe do mundo,
vencedor num combate gigante,
e apresenta a Deus Pai, no seu rosto,
toda a glória da carne triunfante.

Dos fiéis ele é a esperança,
numa nuvem de luz elevado,
e de novo abre aos homens o céu
que seus pais lhes haviam fechado.

Ó imensa alegria de todos,
quando o Filho que a Virgem gerou,
logo após o flagelo e a cruz,
à direita do Pai se assentou.

Demos graças a tal defensor
que nos salva, que vida nos deu,
e consigo no céu faz sentar-se
nosso corpo no trono de Deus.

Com aqueles que habitam o céu
partilhamos tão grande alegria.
Cristo a eles se deu para sempre,
mas conosco estará cada dia.

Cristo, agora elevado às alturas,
nossa mente convosco elevai,
e, do alto, enviai-nos depressa
vosso Espírito, o Espírito do Pai.

Hora Média

Hino

Vinde, servos suplicantes,
elevai a mente e a voz:
celebrai com vossos cantos,
o amor de Deus por nós.

6ª Semana do Tempo Pascal

Porque foi neste momento
que a sentença de um mortal
entregou à morte injusta
o Juiz universal.

E nós, súditos humildes,
por amor e por temor,
contra todo mau desígnio
do perverso tentador,

imploremos a clemência
de Deus Pai, eterno Bem,
do seu Filho, nosso Rei,
e do Espírito Santo. Amém.

A não ser que haja antífona própria, a salmodia da Hora Média se diz
com esta única antífona:

Aleluia, aleluia, aleluia.

SEXTA-FEIRA

Laudes

HINO antes da Ascensão do Senhor, p. 462; depois da Ascensão do
Senhor, p. 608.

Leitura breve
At 5,30-32

O Deus de nossos pais ressuscitou Jesus, a quem vós matastes,
pregando-o numa cruz. Deus, por seu poder, o exaltou, tornando-o Guia Supremo e Salvador, para dar ao povo de Israel a conversão e o perdão dos seus pecados. E disso somos testemunhas,
nós e o Espírito Santo, que Deus concedeu àqueles que lhe obedecem.

Responsório breve
R. O Senhor ressurgiu do sepulcro. * Aleluia, aleluia.
  R. O Senhor.
V. Foi suspenso por nós numa cruz. * Aleluia, aleluia.
  Glória ao Pai. R. O Senhor.

Cântico evangélico, ant.
Contemplamos Jesus coroado agora de honra e de glória,
por ter padecido a paixão e a morte. Aleluia.

610   6ª Semana do Tempo Pascal

Preces

Antes da Ascensão do Senhor:

Rezemos a Deus Pai, que ressuscitou Jesus de entre os mortos e dará a vida também aos nossos corpos mortais, pelo Espírito Santo que habita em nós. Digamos com fé:

R. **Senhor, por vosso Espírito Santo, dai-nos a vida!**

Pai santo, que aceitastes o sacrifício de vosso Filho, ressuscitando-o de entre os mortos,
— recebei a oferenda que hoje vos apresentamos e conduzi-nos à vida eterna.   R.

Abençoai, Senhor, nossos trabalhos deste dia,
— para que sirvam à vossa glória e à santificação de todos.   R.

Fazei que nossas atividades de hoje contribuam para a construção de um mundo melhor,
— e que, assim procedendo, possamos chegar ao vosso reino celeste.   R.

Abri hoje nossos olhos e nosso coração para as necessidades de nossos irmãos,
— a fim de que todos nos amemos e nos sirvamos uns aos outros.   R.

(intenções livres)

Pai nosso...

Oração

Ó Deus, fazei que a pregação do Evangelho por toda a terra realize o que prometestes ao glorificar o vosso Verbo, para que possamos alcançar, vivendo plenamente como filhos e filhas, o que foi anunciado pela vossa palavra. Por nosso Senhor Jesus Cristo, vosso Filho, na unidade do Espírito Santo.

Depois da Ascensão do Senhor:

Glorifiquemos a Cristo, nosso Senhor, que subiu ao céu para enviar o Espírito Santo sobre os apóstolos; e peçamos:

R. **Enviai-nos, Senhor, o vosso Espírito!**

Senhor Jesus Cristo, que subistes ao céu, enviai-nos o Espírito prometido pelo Pai,
— para que sejamos revestidos de sua força.   R.

Vós, que ensinastes os discípulos a serem prudentes como as serpentes e simples como as pombas,
– ensinai-nos, por vosso Espírito, a prudência e a simplicidade.
R.

Vós, que estais à direita do Pai, intercedei por nós como nosso Sacerdote,
– e intercedei em nós como nossa Cabeça.
R.

Dai-nos a graça de participar dos vossos sofrimentos através das tribulações da vida,
– para que também tenhamos parte em vossa glória.
R.

Pai nosso...

Oração

Ó Deus, que pela ressurreição de Cristo nos restaurais para a vida eterna, elevai nossos corações ao nosso Salvador que está sentado à vossa direita, para que possais revestir com a feliz imortalidade, quando ele vier em sua glória, os que fizestes renascer pelo batismo. Por nosso Senhor Jesus Cristo, vosso Filho, na unidade do Espírito Santo.

Hora Média

Leitura breve Gl 3,27-28

Vós todos que fostes batizados em Cristo vos revestistes de Cristo. O que vale não é mais ser judeu nem grego, nem escravo nem livre, nem homem nem mulher, pois todos vós sois um só, em Jesus Cristo.

V. Os discípulos ficaram muito alegres, aleluia.
R. Por verem o Senhor ressuscitado, Aleluia.
Oração como nas Laudes.

Vésperas

HINO antes da Ascensão, p. 459; depois da Ascensão, p. 606.

Leitura breve Hb 5,8-10

Mesmo sendo Filho, aprendeu o que significa a obediência a Deus por aquilo que ele sofreu. Mas, na consumação de sua vida, tornou-se causa de salvação eterna para todos os que lhe obede-

612   6ª Semana do Tempo Pascal

cem. De fato, ele foi por Deus proclamado sumo sacerdote na ordem de Melquisedec.

Responsório breve

Antes da Ascensão:

R. Os discípulos ficaram muito alegres. * Aleluia, aleluia.
   R. Os discípulos.
V. Quando viram o Senhor ressuscitado. * Aleluia, aleluia.
   Glória ao Pai. R. Os discípulos.

Depois da Ascensão:

R. O Espírito Santo, o Paráclito,
   * Aleluia, aleluia. R. O Espírito.
V. Ele vos ensinará todas as coisas. * Aleluia.
   Glória ao Pai. R. O Espírito.

Cântico evangélico, ant.

Vosso **Pai** que está nos **céus** há de **dar** o bom Espírito
para aqueles que lhe pedem. Aleluia.

Preces

Antes da Ascensão do Senhor:

Glorifiquemos a Cristo, fonte de vida e origem de todas as virtudes; e rezemos com amor e confiança!

R. **Firmai no mundo o vosso reino, Senhor.**

Jesus Salvador, que experimentastes a morte em vossa carne, mas voltastes à vida pelo Espírito,
  – fazei-nos morrer para o pecado e viver a vida nova do vosso Espírito Santo.   R.

Vós, que enviastes os discípulos ao mundo inteiro para pregar o evangelho a toda criatura,
  – sustentai com a força do vosso Espírito, os mensageiros de vossa palavra.

Vós, que recebestes todo o poder no céu e na terra para dar testemunho da verdade,
  – dirigi no espírito de verdade o coração daqueles que nos governam.   R.

Vós, que fazeis novas todas as coisas e nos mandais esperar vigilantes a vinda do vosso reino,
– concedei que, quanto mais fervorosamente esperarmos os novos céus e a nova terra, tanto mais generosamente trabalhemos pela edificação do mundo presente. **R.**

(intenções livres)

Vós, que descestes à mansão dos mortos para lhes anunciar a alegria da salvação,
– sede a alegria e a esperança de todos os que partiram desta vida. **R.**

Pai nosso...

Oração

Ó Deus, fazei que a pregação do Evangelho por toda a terra realize o que prometestes ao glorificar o vosso Verbo, para que possamos alcançar, vivendo plenamente como filhos e filhas, o que foi anunciado pela vossa palavra. Por nosso Senhor Jesus Cristo, vosso Filho, na unidade do Espírito Santo.

Depois da Ascensão do Senhor:

Louvemos a Cristo, que foi ungido pelo Espírito Santo; e roguemos:

R. Vós, que estais à direita do Pai, intercedei por nós!

Olhai, Senhor, para todos os que trazem o nome de cristãos,
– e fazei que, pelo Espírito Santo, sejam congregados na unidade. **R.**

Enviai, Senhor, vossa luz a todos os que sofrem perseguição por amor do vosso nome,
– para que saibam responder com sabedoria aos que os perseguem. **R.**

Fazei que todos vos reconheçam como a verdadeira Videira,
– para que, unidos a vós pelo Espírito, deem abundantes frutos de vida eterna. **R.**

Jesus Cristo, Rei e Salvador do gênero humano, que subistes ao céu entre aclamações de júbilo,
– fazei que o vosso reino se estenda a todos os povos. **R.**

(intenções livres)

614 6ª Semana do Tempo Pascal

A todos os que, pelo Batismo, participaram na vossa morte e ressurreição,
– fazei que, unidos a vós na morte, alcancem a verdadeira vida.
R. **Vós, que estais à direita do Pai, intercedei por nós!**
Pai nosso...

Oração

Ó Deus, que pela ressurreição de Cristo nos restaurais para a vida eterna, elevai nossos corações ao nosso Salvador que está sentado à vossa direita, para que possais revestir com a feliz imortalidade, quando ele vier em sua glória, os que fizestes renascer pelo batismo. Por nosso Senhor Jesus Cristo, vosso Filho, na unidade do Espírito Santo.

SÁBADO

Laudes

HINO antes da Ascensão do Senhor, p. 462; depois da Ascensão do Senhor, p. 608.

Leitura breve
Rm 14,7-9

Ninguém dentre nós vive para si mesmo ou morre para si mesmo. Se estamos vivos, é para o Senhor que vivemos; se morremos, é para o Senhor que morremos. Portanto, vivos ou mortos, pertencemos ao Senhor. Cristo morreu e ressuscitou exatamente para isto, para ser o Senhor dos mortos e dos vivos.

Responsório breve
R. O Senhor ressurgiu do sepulcro.
* Aleluia, aleluia. R. O Senhor.
V. Foi suspenso por nós numa cruz. *Aleluia.
Glória ao Pai. R. O Senhor.

Cântico evangélico, ant.
Em verdade, em verdade, eu vos digo:
Se pedirdes em meu nome a meu Pai,
dar-vos-á todas as coisas, aleluia.

Sábado

Preces

Antes da Ascensão do Senhor:

Invoquemos a Cristo, nosso Senhor, que nos deu a vida eterna; e peçamos de coração sincero:

R. **Enriquecei-nos, Senhor, com a graça da vossa ressurreição!**

Pastor eterno, olhai com bondade para o vosso rebanho que desperta do sono da noite,
– e alimentai-nos com as riquezas de vossa palavra e de vosso pão. R.

Não permitais que sejamos arrebatados pelo lobo que devora e traídos pelo mercenário que foge,
– mas fazei-nos ouvir com fidelidade a voz do Bom Pastor. R.

Vós que estais sempre com os ministros do evangelho e confirmais a sua palavra com o poder da vossa graça,
– fazei que nossas palavras e ações neste dia proclamem fielmente a vossa ressurreição. R.

Sede vós mesmo aquela alegria que ninguém pode arrancar do nosso coração,
– para que, livres da tristeza que é fruto do pecado, busquemos sempre a felicidade da vida eterna. R.

(intenções livres)

Pai nosso...

Oração

Ó Deus, inspirai aos nossos corações a prática das boas obras, para que, buscando sempre o que é melhor, vivamos constantemente o mistério pascal. Por nosso Senhor Jesus Cristo, vosso Filho, na unidade do Espírito Santo.

Depois da Ascensão do Senhor:

Glória e louvor a Cristo, que prometeu enviar aos apóstolos a força do Espírito Santo; e supliquemos:

R. **Enviai-nos, Senhor, vossa luz e vossa verdade!**

Verbo eterno, que sois a sabedoria e o esplendor da glória do Pai, enviai-nos vossa luz e vossa verdade,
– para que, em nossas palavras e ações, demos hoje testemunho de vós diante de nossos irmãos e irmãs. R.

616   6ª Semana do Tempo Pascal

Ensinai-nos a saborear e meditar sempre as realidades da vida segundo o Espírito,
– para que a morte não nos domine, mas tenhamos em vós vida plena e paz verdadeira.

R. Enviai-nos, Senhor, vossa luz e vossa verdade!

Enviai-nos vosso Espírito para que ajude a nossa fraqueza,
– e nos ensine a orar como convém.   **R.**

Enchei-nos de amor e sabedoria,
– para que possamos nos ajudar uns aos outros a seguir vossos caminhos.   **R.**

(intenções livres)

Pai nosso...

Oração

Ó Deus, vosso Filho, subindo ao céu, prometeu aos Apóstolos o Espírito Santo. Vós que lhes destes graças inumeráveis para que conhecessem a doutrina da salvação, concedei-nos também os dons do vosso Espírito. Por nosso Senhor Jesus Cristo, vosso Filho, na unidade do Espírito Santo.

Hora Média

Leitura breve   1Cor 15,20-22

Cristo ressuscitou dos mortos como primícias dos que morreram. Com efeito, por um homem veio a morte e é também por um homem que vem a ressurreição dos mortos. Como em Adão todos morrem, assim também em Cristo todos reviverão.

V. Os discípulos ficaram muito alegres, aleluia.
R. Por verem o Senhor ressuscitado, Aleluia.

Oração como nas Laudes.

7º DOMINGO DA PÁSCOA

III Semana do Saltério

No Brasil, Solenidade da Ascensão do Senhor. Tudo como nas p. 593 a 605.

I Vésperas

Hino, p. 606.

Ant. 1 A **glória** do **Se**nhor vai **além** dos altos **céus**
mas le**van**ta da poeira o indi**gen**te. Ale**lui**a.

Salmos e cântico do Domingo da III Semana, p. 1193.

Ant. 2 Vós que**bras**tes, ó **Se**nhor, minhas ca**dei**as,
por isso o**fer**to um sa**crifí**cio de lou**vor**. Ale**lui**a.

Ant. 1 Embora **fos**se o próprio **Fi**lho,
apren**deu** a obediência atra**vés** do sofri**men**to
e tor**nou**-se para a**que**les que o **se**guem
uma **fon**te de e**ter**na salva**ção**. Ale**lui**a.

Leitura breve
1Pd 2,9-10

Vós sois a raça escolhida, o sacerdócio do Reino, a nação santa, o povo que ele conquistou para proclamar as obras admiráveis daquele que vos chamou das trevas para a sua luz maravilhosa. Vós sois aqueles que antes não eram povo, agora porém são povo de Deus; os que não eram objeto de misericórdia, agora porém alcançaram misericórdia.

Responsório breve

R. O Espírito **San**to, o Paráclito,
  * Ale**lui**a, aleluia. R. O Espírito.
V. Ele **vos** ensinará todas as **coi**sas. * Ale**lui**a.
  Glória ao **Pai**. R. O Espírito.

Cântico evangélico, ant.

Ano A A **vi**da eterna é **es**ta: conhe**cer**-vos, ó **Pai**,
          um só **Deus** verda**dei**ro e a Jesus, que envi**as**tes. Ale**lui**a.

618 Tempo Pascal

Ano B Jesus disse: ó Pai santo,
em teu nome guarda aqueles,
que me deste e que são teus,
para que eles sejam um,
como nós somos um. Aleluia.

Ano C Eu não peço só por estes, também peço por aqueles,
que hão de crer em mim através de sua palavra. Aleluia.

Preces

Bendigamos a Cristo, sobre quem desceu o Espírito Santo de forma visível; e rezemos em união com toda a Igreja, dizendo:
R. **Amém, aleluia!**

Enviai, Senhor, o Espírito Santo que prometestes,
– para que vossa Igreja sempre se renove e rejuvenesça. R.

Que todos os povos cantem a glória do vosso nome,
– e Israel volte a ser o povo escolhido. R.

Vós, que expulsastes os demônios e vencestes o mal,
– afastai do meio de nós todo escândalo e toda maldade. R.

Vós, que no dia de Pentecostes, com o dom das línguas, destruístes a confusão de Babel,
– fazei que, pela ação do Espírito Santo, todos os povos se reúnam na proclamação de uma só fé. R.

Que o vosso Espírito venha morar em nós,
– e dê a vida eterna a nossos corpos mortais. R.

(intenções livres)

Pai nosso...

Oração

Ó Deus, ouvi com bondade as nossas súplicas: assim como cremos que o Salvador da humanidade está convosco na glória, possamos sentir a sua presença até o fim dos tempos, como ele mesmo prometeu. Por nosso Senhor Jesus Cristo, vosso Filho, na unidade do Espírito Santo.

Laudes

Hino, p. 608.

Ant. 1 Deus é **Rei** e se vestiu de majestade. Aleluia. †

Salmos e cântico do domingo da III Semana, p. 945.

7º Domingo

Ant. 2 As criaturas serão libertadas
na glória dos filhos de **Deus**. Aleluia.

Ant. 3 O **no**me do Senhor foi exaltado
na **ter**ra e a**lém** dos altos **céus**. Aleluia.

Leitura breve
At 10,40-43

Deus ressuscitou Jesus no terceiro dia, concedendo-lhe manifestar-se não a todo o povo, mas às testemunhas que Deus havia escolhido: a nós, que comemos e bebemos com Jesus, depois que ressuscitou dos mortos. E Jesus nos mandou pregar ao povo e testemunhar que Deus o constituiu Juiz dos vivos e dos mortos. Todos os profetas dão testemunho dele: Todo aquele que crê em Jesus recebe, em seu nome, o perdão dos pecados.

Responsório breve
R. Tende pie**da**de de **nós**, Cristo, **Fi**lho do Deus **vi**vo!
* Ale**lui**a, ale**lui**a. R. Tende pie**da**de.
V. **Vós**, que dos **mor**tos ressur**gis**tes. * Ale**lui**a.
Glória ao **Pai**. R. Tende pie**da**de.

Cântico evangélico, ant.
Ano A Ó meu **Pai**, eu te dei **gló**ria sobre a **ter**ra;
e a**go**ra termi**nei** minha mis**são**,
que me havias confi**a**do, ale**lui**a.

Ano B A**go**ra eu **vou** para **jun**to de **ti**
e es**tou** a di**zer** estas **coi**sas no **mun**do,
para que eles pos**su**am minha **ple**na alegria. Ale**lui**a.

Ano C Eu lhes **dei** minha **gló**ria que tu **mes**mo me **des**te, para
que sejam **um** como **nós** somos **um**: Ale**lui**a.

Preces
Nós nos unimos na oração e no louvor de Deus com todos os que foram justificados pelo Espírito Santo; e digamos:
R. **Ajudai-nos, Senhor, com a força do vosso Espírito!**

Senhor Jesus, fazei que nos deixemos guiar todo este dia pelo Espírito Santo,
– e vivamos sempre como filhos de Deus. R.

Intercedei por nós junto do Pai, com o Espírito Santo,
– para que sejamos dignos de alcançar as vossas promessas. R.

620

Tempo Pascal

Mudai nosso egoísmo em generosidade,
– para que tenhamos mais alegria em dar do que em receber.
R. **Ajudai-nos, Senhor, com a força do vosso Espírito!**

Dai nos o verdadeiro sentido de Deus,
– para progredirmos cada vez mais, por meio do Espírito Santo,
no conhecimento do Pai e do Filho. R.

(intenções livres)

Pai nosso...

Oração

Ó Deus, ouvi com bondade as nossas súplicas: assim como cremos que o Salvador da humanidade está convosco na glória, possamos sentir a sua presença até o fim dos tempos, como ele mesmo prometeu. Por nosso Senhor Jesus Cristo, vosso Filho, na unidade do Espírito Santo.

Hora Média

Leitura breve Ef 2,4-6

Deus é rico em misericórdia. Por causa do grande amor com que nos amou, quando estávamos mortos por causa das nossas faltas, ele nos deu a vida com Cristo. É por graça que vós sois salvos! Deus nos ressuscitou com Cristo e nos fez sentar nos céus em virtude de nossa união com Jesus Cristo.

V. Os discípulos ficaram muito alegres, aleluia.
R. Por verem o Senhor ressuscitado, Aleluia.

Oração como nas Laudes.

II Vésperas

Hino, p. 606.

Ant. 1 O Senhor purificou-nos do pecado
e assentou-se à direita de Deus Pai. Aleluia.

Salmos e cântico do Domingo da III Semana, p. 953.

Ant. 2 Enviou libertação para o seu povo. Aleluia.

Ant. 3 Aleluia, o Senhor tomou posse do seu reino: exultemos
de alegria, demos glória ao nosso Deus.
Aleluia.

Leitura breve
Hb 10,12-14

Cristo, depois de ter oferecido um sacrifício único pelos pecados, sentou-se para sempre à direita de Deus. Não lhe resta mais senão esperar até que seus inimigos sejam postos debaixo de seus pés. De fato, com esta única oferenda, levou à perfeição definitiva os que ele santifica.

Responsório breve

R. O Espírito **Santo**, o Paráclito,
* **Aleluia**, aleluia. R. O Espírito.
V. Ele **vos** ensinará todas as **coi**sas. * **Aleluia**.
   Glória ao **Pai**. R. O Espírito.

Cântico evangélico, ant.

Ano A Quando o Paráclito vi**er** que have**rei** de enviar-vos,
       o Espírito da ver**da**de que procede do meu **Pai**,
       dará de **mim** seu testemunho. Aleluia.

Ano B Como **tu** me enviaste ao **mun**do,
       assim tam**bém** os en**vio**.
       E **eu** me consagro por eles para **que** eles **se**jam
       consa**gra**dos, também, na verda**de**. Aleluia.

Ano C A**que**les que **tu** me deste, ó **Pai**,
       eu **que**ro que estejam comigo onde es**tou**
       e **ve**jam a **gló**ria que des**te** a **mim**. Ale**lui**a.

Preces

Nós não sabemos orar como convém, mas o Espírito Santo intercede por nós com gemidos inenarráveis. Por isso, digamos com toda confiança:

R. **Senhor, que o Espírito Santo interceda por nós!**

Cristo, Pastor eterno, concedei aos pastores da Igreja os dons de sabedoria e conselho,
– para que conduzam com segurança o vosso rebanho às fontes da salvação. R.

Vós, que habitais os céus e sois rico em misericórdia,
– socorrei os pobres e os humildes da terra. R.

Vós, que fostes concebido pelo poder do Espírito Santo no seio da Virgem Maria,
– dai a todas aquelas que se consagraram a vós na vida religiosa o espírito da verdadeira santidade. R.

622   7ª Semana do Tempo Pascal

Sumo e eterno Sacerdote, que louvais o Pai na unidade do Espírito Santo,
– associai todos os homens e mulheres ao vosso louvor para que glorifiquem a Deus eternamente.
R. **Senhor, que o Espírito Santo interceda por nós!**

(intenções livres)

Conduzi todos os que partiram desta vida à gloriosa liberdade dos filhos de Deus,
– e à completa redenção de seus corpos.   R.

Pai nosso...

Oração

Ó Deus, ouvi com bondade as nossas súplicas: assim como cremos que o Salvador da humanidade está convosco na glória, possamos sentir a sua presença até o fim dos tempos, como ele mesmo prometeu. Por nosso Senhor Jesus Cristo, vosso Filho, na unidade do Espírito Santo.

SEGUNDA-FEIRA
Laudes

Leitura breve   Rm 10,8b-10
A palavra está perto de ti, em tua boca e em teu coração. Essa palavra é a palavra da fé, que nós pregamos. Se, pois, com tua boca confessares Jesus como Senhor e, no teu coração, creres que Deus o ressuscitou dos mortos, serás salvo. É crendo no coração que se alcança a justiça e é confessando a fé com a boca que se consegue a salvação.

Responsório breve
R. O **Se**nhor ressur**giu** do se**pul**cro. * Ale**lui**a, ale**lui**a.
    R. O **Se**nhor.
V. Foi sus**pen**so por **nós** numa **cruz**. * Ale**lui**a, ale**lui**a.
    Glória ao **Pai**. R. O **Se**nhor.

Cântico evangélico, ant.
No **mun**do tereis **mui**tos sofri**men**tos;
mas, co**ra**gem, porque **eu** venci o **mun**do! Ale**lui**a.

Segunda-feira

Preces

Bendigamos a Jesus Cristo, que prometeu enviar o Espírito Santo da parte do Pai e em seu próprio nome; e o invoquemos, dizendo:

R. **Dai-nos, Senhor, o vosso Espírito Santo!**

Nós vos damos graças, Senhor Jesus Cristo, e por meio de vós bendizemos também o Pai e o Espírito Santo,

— e vos pedimos que neste dia, em todas as nossas palavras e ações, cumpramos a vossa vontade. R.

Concedei-nos os dons do Espírito Santo,

— para vivermos sempre como membros vivos do vosso Corpo. R.

Dai-nos a graça de nunca julgarmos ou desprezarmos nossos irmãos e irmãs,

— para que nos apresentemos confiantes na vossa presença, quando vierdes julgar os vivos e os mortos. R.

Enchei-nos de alegria e de paz na prática de nossa fé,

— e aumentai à nossa esperança pela força do Espírito Santo. R.

(intenções livres)

Pai nosso...

Oração

Nós vos pedimos, ó Deus, que venha a nós a força do Espírito Santo, para que realizemos fielmente a vossa vontade e a manifestemos por uma vida santa. Por nosso Senhor Jesus Cristo, vosso Filho, na unidade do Espírito Santo.

Hora Média

Leitura breve Cl 2,9.10a.12

Em Cristo habita corporalmente toda a plenitude da divindade. Dele também vós estais repletos. Com Cristo fostes sepultados no batismo; com ele também fostes ressuscitados por meio da fé no poder de Deus, que ressuscitou a Cristo dentre os mortos.

V. Os discípulos ficaram muito alegres, aleluia.

R. Por verem o Senhor ressuscitado, Aleluia.

Oração como nas Laudes.

624   7ª Semana do Tempo Pascal

Vésperas

Leitura breve
Rm 8,14-17

Todos aqueles que se deixam conduzir pelo Espírito de Deus são filhos de Deus. De fato, vós não recebestes um espírito de escravos, para recairdes no medo, mas recebestes um espírito de filhos adotivos, no qual todos nós clamamos: Abá. – ó Pai! O próprio Espírito se une ao nosso espírito para nos atestar que somos filhos de Deus. E, se somos filhos, somos também herdeiros, herdeiros de Deus e co-herdeiros de Cristo; se realmente sofremos com ele, é para sermos também glorificados com ele.

Responsório breve
R. O Espírito **Santo**, o Paráclito,
 * **Aleluia**, aleluia. R. O Espírito.
V. Ele **vos** ensinará todas as **coi**sas. * Aleluia.
 Glória ao **Pai**. R. O Espírito.

Cântico evangélico, ant.
O Espírito Paráclito ficará em vosso **meio**,
e em **vós** habitará. Aleluia.

Preces
Demos graças a Cristo, que enriqueceu os apóstolos e a Igreja inteira com os dons do Espírito Santo; e supliquemos unidos a todos os fiéis cristãos:
R. **Fortalecei, Senhor, a vossa Igreja!**

Senhor Jesus Cristo, mediador entre Deus e os homens, que escolhestes os sacerdotes como vossos colaboradores,
_ fazei que, exercendo o ministério que lhes foi confiado, conduzam para o Pai a humanidade inteira.   R.

Ensinai o pobre e o rico a se ajudarem mutuamente, pois de ambos vós sois Deus,
_ e que o rico não se vanglorie de seus bens.   R.

Difundi pela terra inteira a luz do vosso evangelho,
_ para que todos os que forem iluminados por ela recebam o dom da fé.   R.

Enviai o vosso Espírito consolador,
_ para que enxugue as lágrimas de todos os que choram. R.

(intenções livres)

Terça-feira 625

Purificai de toda culpa as almas dos que morreram,
— e acolhei-as no céu entre os vossos anjos e santos. R.
Pai nosso...

Oração

Nós vos pedimos, ó Deus, que venha a nós a força do Espírito
Santo, para que realizemos fielmente a vossa vontade e a manifestemos por uma vida santa. Por nosso Senhor Jesus Cristo,
vosso Filho, na unidade do Espírito Santo.

TERÇA-FEIRA

Laudes

Leitura breve At 13,30-33

Deus ressuscitou Jesus dos mortos e, durante muitos dias, ele
foi visto por aqueles que o acompanharam desde a Galileia até
Jerusalém. Agora eles são testemunhas de Jesus diante do povo.
Por isso, nós vos anunciamos este Evangelho: a promessa que
Deus fez aos antepassados, ele a cumpriu para nós, seus filhos,
quando ressuscitou Jesus, como está escrito no salmo segundo:
Tu és o meu filho, eu hoje te gerei.

Responsório breve

R. O Senhor ressurgiu do sepulcro. * Aleluia, aleluia.
   R. O Senhor.
V. Foi suspenso por nós numa cruz. * Aleluia, aleluia.
   Glória ao Pai. R. O Senhor.

Cântico evangélico, ant.

O Senhor ressuscitou como dissera:
exultemos de alegria todos nós,
pois ele reina eternamente, aleluia.

Preces

Glorifiquemos a Cristo, nosso Senhor, que prometeu enviar o Espírito Santo que procede do Pai; e rezemos:

R. Senhor Jesus Cristo, dai-nos o vosso Espírito!

626   7ª Semana do Tempo Pascal

Senhor Jesus Cristo, que a vossa Palavra habite plenamente em nós,
– para sempre vos louvarmos com salmos, hinos e cânticos espirituais.
R. **Senhor Jesus Cristo, dai-nos o vosso Espírito!**

Vós, que, pelo Espírito Santo, nos tornastes filhos e filhas de Deus,
– ensinai-nos, pelo mesmo Espírito, a invocar junto convosco a Deus, nosso Pai.   R.

Inspirai com a luz da sabedoria todas as nossas ações,
– a fim de que tudo quanto fizermos seja para a maior glória de Deus.   R.

Vós, que sois compassivo e misericordioso,
– ajudai-nos a viver sempre em paz com todos.   R.

(intenções livres)

Pai nosso...

Oração

Ó Deus de poder e misericórdia, fazei que o Espírito Santo, vindo habitar em nossos corações, nos torne um templo da sua glória. Por nosso Senhor Jesus Cristo, vosso Filho, na unidade do Espírito Santo.

Hora Média

Leitura breve   cf. 1Pd 3,21-22a

O batismo é hoje a vossa salvação pois ele não serve para limpar o corpo da imundície, mas é um pedido a Deus para obter uma boa consciência, em virtude da ressurreição de Jesus Cristo que está à direita de Deus.

V. Os discípulos ficaram muito alegres, aleluia.
R. Por verem o Senhor ressuscitado, Aleluia.

Oração como nas Laudes.

Vésperas

Leitura breve   Rm 8,26-27

O Espírito vem em socorro da nossa fraqueza. Pois nós não sabemos o que pedir, nem como pedir; é o próprio Espírito que intercede em nosso favor, com gemidos inefáveis. E aquele que

Terça-feira

penetra o íntimo dos corações sabe qual é a intenção do Espírito. Pois é sempre segundo Deus que o Espírito intercede em favor dos santos.

Responsório breve

R. O Espírito **San**to, o Pa**rác**lito,
  * Ale**lu**ia, ale**lu**ia. R. O Es**pí**rito.
V. Ele **vos** ensi**na**rá todas as **coi**sas.* Ale**lu**ia.
  Gló**ria** ao **Pai**. R. O Es**pí**rito.

Cântico evangélico, ant.

Recebe**reis** toda a **for**ça do Es**pí**rito
que have**rá** de des**cer** sobre **vós**;
e se**reis** teste**mu**nhas de **mim**
até os ex**tre**mos da **ter**ra, ale**lu**ia.

Preces

Demos glória ao Senhor Jesus Cristo, que nos fez participantes do seu Espírito; e imploremos:

R. **Jesus Cristo, ouvi-nos!**

Derramai, Senhor, sobre a Igreja o Espírito Santo que procede do Pai,
– para que a purifique, fortaleça e faça crescer por toda a terra. R.

Dirigi, Senhor, com a assistência do vosso Espírito, a mente daqueles que nos governam,
– para que promovam fielmente o bem comum, de acordo com a vossa vontade. R.

Enviai o vosso Espírito, Pai dos pobres,
– para que conforte, com seu auxílio, todos os necessitados. R.

Nós vos pedimos por todos os ministros da Igreja,
– para que sejam fiéis administradores dos vossos mistérios. R.

(intenções livres)

Vós, que, pela vossa paixão, ressurreição e ascensão ao céu, abristes para todos as portas do paraíso,
– concedei a plenitude da redenção aos corpos e almas de nossos irmãos e irmãs que morreram. R.

Pai nosso...

Oração

Ó Deus de poder e misericórdia, fazei que o Espírito Santo, vindo habitar em nossos corações, nos torne um templo da sua glória. Por nosso Senhor Jesus Cristo, vosso Filho, na unidade do Espírito Santo.

QUARTA-FEIRA

Laudes

Leitura breve — Rm 6,8-11

Se morremos com Cristo, cremos que também viveremos com ele. Sabemos que Cristo ressuscitado dos mortos não morre mais; a morte já não tem poder sobre ele. Pois aquele que morreu, morreu para o pecado uma vez por todas; mas aquele que vive, é para Deus que vive. Assim, vós também considerai-vos mortos para o pecado e vivos para Deus, em Jesus Cristo.

Responsório breve

R. O **Senhor** ressur**giu** do se**pulcro**.* Ale**luia**, ale**luia**.
  R. O **Senhor**.
V. Foi sus**penso** por **nós** numa **cruz**.* Ale**luia**, ale**luia**.
  Glória ao **Pai**. R. O **Senhor**.

Cântico evangélico, ant.

Demos **graças** a Deus **Pai**, que nos **deu**, em Jesus **Cristo**, a vi**tória**, ale**luia**.

Preces

O Espírito Santo nos dá o testemunho de que somos filhos e filhas de Deus. Por isso, dando graças a Deus Pai, rezemos confiantes:

R. **Pai nosso, ouvi a oração de vossos filhos e filhas!**

Deus de paciência e de consolação, fazei que tenhamos uns para com os outros os mesmos sentimentos de Jesus Cristo,
– para que vos glorifiquemos com um só coração e uma só voz por toda a nossa vida. R.

Tornai-nos generosos e prestativos para com nossos irmãos e irmãs,
– para que nunca lhes falte a nossa ajuda e o nosso exemplo. R.

Quarta-feira

Não permitais que sejamos seduzidos pelo espírito do mundo, dominado pela maldade,
– mas fazei-nos sempre dóceis ao Espírito Santo que de vós procede. **R.**

Vós, que conheceis profundamente o coração humano,
– guiai-nos sempre pelo caminho da sinceridade e da verdade. **R.**

(intenções livres)

Pai nosso...

Oração

Ó Deus misericordioso, concedei que a vossa Igreja, reunida no Espírito Santo, se consagre ao vosso serviço num só coração e numa só alma. Por nosso Senhor Jesus Cristo, vosso Filho, na unidade do Espírito Santo.

Hora Média

Leitura breve   1Jo 5,5-6a

Quem é o vencedor do mundo, senão aquele que crê que Jesus é o Filho de Deus? Este é o que veio pela água e pelo sangue: Jesus Cristo. Não veio somente com a água, mas com a água e o sangue.

V. Os discípulos ficaram muito alegres, aleluia.
R. Por verem o Senhor ressuscitado, Aleluia.
Oração como nas Laudes.

Vésperas

Leitura breve   1Cor 2,9-10

O que Deus preparou para os que o amam é algo que os olhos jamais viram, nem os ouvidos ouviram, nem coração algum jamais pressentiu. A nós Deus revelou esse mistério através do Espírito. Pois o Espírito esquadrinha tudo, mesmo as profundezas de Deus.

Responsório breve

R. O Espírito **Santo**, o Pa**rá**clito,
  * Ale**lu**ia, ale**lu**ia. **R.** O Espírito.
V. Ele **vos** ensina**rá** todas as **coi**sas. * Ale**lu**ia.
  Glória ao **Pai**. **R.** O Espírito.

630   7ª Semana do Tempo Pascal

Cântico evangélico, ant.
O Se**nhor** vai bati**zar**-vos
no **Di**vino Espírito **San**to e no **fo**go, ale**lui**a.

Preces

Com os apóstolos e todos aqueles que possuem as primícias do
Espírito Santo, louvemos a Deus; e o invoquemos, dizendo:
R. **Senhor, ouvi-nos!**

Deus todo-poderoso, que glorificastes a Cristo no céu,
– fazei que todos reconheçam a sua presença na Igreja. R.

Pai santo, que dissestes de Cristo: Este é o meu Filho amado,
escutai-o!,
– fazei que todos ouçam a sua voz e sejam salvos.   R.

Enviai o Espírito Santo aos corações de vossos fiéis,
– para que sejam purificados e fortalecidos.   R.

Mandai o vosso Espírito, para que dirija os acontecimentos do
mundo,
– e renove a face da terra.   R.

(intenções livres)

Nós vos confiamos todos aqueles que já partiram deste mundo,
– e vos pedimos que façais crescer em nós a esperança da ressurreição futura.   R.

Pai nosso...

Oração

Ó Deus misericordioso, concedei que a vossa Igreja, reunida no
Espírito Santo, se consagre ao vosso serviço num só coração e
numa só alma. Por nosso Senhor Jesus Cristo, vosso Filho, na
unidade do Espírito Santo.

QUINTA-FEIRA

Laudes

Leitura breve   Rm 8,10-11
Se Cristo está em vós, embora vosso corpo esteja ferido de morte
por causa do pecado, vosso espírito está cheio de vida, graças à

justiça. E, se o Espírito daquele que ressuscitou Jesus dentre os mortos mora em vós, então aquele que ressuscitou Jesus Cristo dentre os mortos vivificará também vossos corpos mortais por meio do seu Espírito que mora em vós.

Responsório breve

R. O Senhor ressurgiu do sepulcro. * Aleluia, aleluia.
   R. O Senhor.
V. Foi suspenso por **nós** numa **cruz**. * Aleluia, aleluia.
   Glória ao **Pai**. R. O Senhor.

Cântico evangélico, ant.

Ide ao **mun**do, ensi**nai** a **to**dos os **po**vos,
bati**zai**-os em **no**me do **Pai** e do **Filho** e do Es**pí**rito **San**to. Ale**lui**a.

Preces

Bendigamos a Cristo, nosso Senhor, pelo qual temos acesso a Deus Pai no Espírito Santo; e rezemos:
R. **Cristo, ouvi-nos!**

Enviai sobre nós o vosso Espírito,
– para que seja sempre o amigo e hóspede de nossas almas.   R.
Vós, que ressuscitastes dos mortos e estais à direita de Deus,
– intercedei sempre por nós junto do Pai.   R.

Conservai-nos sempre unidos a vós pelo Espírito Santo,
– para que nem a tribulação nem a perseguição nem os perigos jamais nos separem do vosso amor.   R.

Dai-nos o vosso Espírito de caridade, para que nos amemos uns aos outros,
– assim como vós nos amastes, para a glória de Deus.   R.

                    (intenções lívres)

Pai nosso...

Oração

Nós vos pedimos, ó Deus, que o vosso Espírito nos transforme com a força dos seus dons, dando-nos um coração capaz de agradar-vos e de aceitar a vossa vontade. Por nosso Senhor Jesus Cristo, vosso Filho, na unidade do Espírito Santo.

632   7ª Semana do Tempo Pascal

Hora Média

Leitura breve   Tt 3,5b-7

Deus nos salvou quando renascemos e fomos renovados no batismo pelo Espírito Santo, que ele derramou abundantemente sobre nós por meio de nosso Salvador Jesus Cristo. Justificados assim, pela sua graça, nos tornamos na esperança herdeiros da vida eterna.

V. Os discípulos ficaram muito alegres, aleluia.
R. Por verem o Senhor ressuscitado, Aleluia
Oração como nas Laudes.

Vésperas

Leitura breve   1Cor 6,19-20

Ignorais, por acaso, que o vosso corpo é santuário do Espírito Santo, que mora em vós e que vos é dado por Deus? E, portanto, ignorais também que vós não pertenceis a vós mesmos? De fato, fostes comprados, e por preço muito alto. Então, glorificai a Deus com o vosso corpo.

Responsório breve

R. O Espírito Santo, o Paráclito,
   * Aleluia, aleluia. R. O Espírito.
V. Ele vos ensinará todas as coisas. *Aleluia.
   Glória ao Pai. R. O Espírito.

Cântico evangélico, ant.

Quando vier o Espírito da verdade,
a vós ensinará toda a verdade,
e anunciará todas as coisas que virão. Aleluia.

Preces

Roguemos a Cristo, bendito para sempre, que envie o Espírito Santo sobre todos aqueles que foram salvos por sua morte e ressurreição; e digamos:

R. Lançai o vosso olhar, Senhor, sobre todos os que remistes!

Enviai, Senhor, à vossa Igreja o Espírito de unidade,
– para que desapareça todo sentimento de discórdia, ódio e divisão.   R.

Sexta-feira 633

Vós, que libertastes a humanidade do poder do mal,
– libertai também o mundo dos sofrimentos que o afligem. R.

Vós, que, em perfeita união com o Espírito Santo, realizastes fielmente a obra da salvação,
– fazei que os sacerdotes encontrem na oração a luz e a força do Espírito para cumprirem o seu ministério com retidão. R.

Iluminai com o vosso Espírito todos os governantes,
– para que promovam generosamente o bem comum. R.

(intenções livres)

Vós, que viveis eternamente na glória do Pai,
– chamai os que morreram à alegria do vosso reino. R.
Pai nosso...

Oração

Nós vos pedimos, ó Deus, que o vosso Espírito nos transforme com a força dos seus dons, dando-nos um coração capaz de agradar-vos e de aceitar a vossa vontade. Por nosso Senhor Jesus Cristo, vosso Filho, na unidade do Espírito Santo.

SEXTA-FEIRA

Laudes

Leitura breve At 5,30-32
O Deus de nossos pais ressuscitou Jesus, a quem vós matastes, pregando-o numa cruz. Deus, por seu poder, o exaltou, tornando-o Guia Supremo e Salvador, para dar ao povo de Israel a conversão e o perdão dos seus pecados. E disso somos testemunhas, nós e o Espírito Santo, que Deus concedeu àqueles que lhe obedecem.

Responsório breve
R. O Senhor ressurgiu do sepulcro. * Aleluia, aleluia.
    R. O Senhor.
V. Foi suspenso por nós numa cruz. * Aleluia, aleluia.
    Glória ao Pai. R. O Senhor.

634   7ª Semana do Tempo Pascal

Cântico evangélico, ant.

Cristo Jesus, que estava morto e depois ressuscitou,
agora vive eternamente à direita de Deus Pai,
onde é nosso Intercessor. Aleluia.

Preces

Honra e glória eterna sejam dadas a Deus Pai, que nos concede a
esperança e a força do Espírito Santo. Rezemos com fé:

R. **Senhor, salvai-nos!**

Pai todo-poderoso, enviai o vosso Espírito para interceder por
nós,
– porque não sabemos orar como convém.   R.

Enviai a luz resplandecente do vosso Espírito,
– para que ilumine e purifique os nossos corações.   R.

Não abandoneis, Senhor, a obra de vossas mãos,
– mas defendei-nos de nossas iniquidades.   R.

Ensinai-nos a tratar com respeito e compreensão os que vacilam
na fé,
– para que possamos ajudá-los com toda paciência e caridade. R.

(intenções livres)

Pai nosso...

Oração

Ó Deus, pela glorificação do Cristo e pela iluminação do Espírito
Santo, abristes para nós as portas da vida eterna. Fazei que, participando de tão grandes bens, nos tornemos mais dedicados a vosso
serviço e cresçamos constantemente na fé. Por nosso Senhor Jesus
Cristo, vosso Filho, na unidade do Espírito Santo.

Hora Média

Leitura breve   Gl 3,27-28

Vós todos que fostes batizados em Cristo vos revestistes de Cristo. O que vale não é mais ser judeu nem grego, nem escravo nem
livre, nem homem nem mulher, pois todos vós sois um só, em
Jesus Cristo.

V. Os discípulos ficaram muito alegres, aleluia.
R. Por verem o Senhor ressuscitado, Aleluia.

Oração como nas Laudes.

Sexta-feira

Vésperas

Leitura breve   Gl 5,16.22a-23a.25

Procedei segundo o Espírito. Assim, não satisfareis aos desejos da carne. O fruto do Espírito é: caridade, alegria, paz, longanimidade, benignidade, bondade, lealdade, mansidão, continência. Se vivemos pelo Espírito, procedamos também segundo o Espírito, corretamente.

Responsório breve

R. O Espírito Santo, o Paráclito,
  * Aleluia, aleluia. R. O Espírito.
V. Ele vos ensinará todas as coisas. * Aleluia.
  Glória ao Pai. R. O Espírito.

Cântico evangélico, ant.

Todos eles ficaram unidos,
perseverando em comum oração
com Maria, a Mãe de Jesus. Aleluia.

Preces

Bendigamos a Deus Pai, de quem procede todo dom perfeito, e lhe peçamos que derrame cada vez mais sobre o mundo os dons do Espírito Santo. Rezemos confiantes:

R. **Desça sobre nós, Senhor, a graça do Espírito Santo!**

Senhor, que fizestes brilhar nas trevas a luz de Cristo,
– revelai aos que ainda não vos conhecem o esplendor da vossa verdade. R.

Vós, que ungistes a Cristo com o poder do Espírito Santo para realizar a obra da salvação da humanidade,
– dai-nos sentir continuamente a sua presença no mundo, fazendo o bem e curando a todos que o procuram. R.

Enviai o vosso Espírito Santo, luz dos corações,
– para confirmar os que vacilam na fé. R.

Enviai o vosso Espírito Santo, repouso dos que estão fatigados,
– para que alivie os sobrecarregados e reconforte os desanimados. R.

(intenções livres)

636   7ª Semana do Tempo Pascal

Recebei em vosso reino os nossos irmãos e irmãs falecidos, que esperaram em vós,

– para que, no último dia, alcancem a gloriosa ressurreição.

R. Desça sobre nós, Senhor, a graça do Espírito Santo!

Pai nosso...

Oração

Ó Deus, pela glorificação do Cristo e pela iluminação do Espírito Santo, abristes para nós as portas da vida eterna. Fazei que, participando de tão grandes bens, nos tornemos mais dedicados a vosso serviço e cresçamos constantemente na fé. Por nosso Senhor Jesus Cristo, vosso Filho, na unidade do Espírito Santo.

SÁBADO

Laudes

Leitura breve   Rm 14,7-9

Ninguém dentre nós vive para si mesmo ou morre para si mesmo. Se estamos vivos, é para o Senhor que vivemos; se morremos, é para o Senhor que morremos. Portanto, vivos ou mortos, pertencemos ao Senhor. Cristo morreu e ressuscitou exatamente para isto, para ser o Senhor dos mortos e dos vivos.

Responsório breve

R. O **Senhor** ressur**giu** do se**pulcro**. * Ale**luia**, ale**luia**.

    R. O **Senhor**.

V. Foi sus**penso** por **nós** numa **cruz**. * Ale**luia**, ale**luia**.

    Glória ao **Pai**. R. O Se**nhor**.

Cântico evangélico, ant.

Eis que **eu** estou con**vosco to**dos os **dias**
até o fim do **mundo**, lhes **diz** o Se**nhor**. Aleluia.

Preces

Nós, que fomos batizados no Espírito Santo, glorifiquemos o Senhor com todos os fiéis; e peçamos:

R. Senhor Jesus, que o vosso Espírito nos santifique!

Sábado

Enviai sobre nós o Espírito Santo,
– para que vos proclamemos Rei e Senhor perante toda a humanidade. R.

Concedei-nos o dom de uma caridade sincera,
– para que nos amemos uns aos outros com amor fraterno. R.

Preparai com a vossa graça o coração dos fiéis,
– para que recebam com alegria e generosidade os dons do Espírito Santo. R.

Dai-nos a força do vosso Espírito Santo,
– para que ela cure nossas feridas e reanime a nossa fraqueza. R.

(intenções livres)

Pai nosso....

Oração

Concedei-nos, Deus todo-poderoso, conservar sempre em nossa vida e nossas ações a alegria das festas pascais que estamos para encerrar. Por nosso Senhor Jesus Cristo, vosso Filho, na unidade do Espírito Santo.

Hora Média

Leitura breve 1Cor 15,20-22

Cristo ressuscitou dos mortos como primícias dos que morreram. Com efeito, por um homem veio a morte e é também por um homem que vem a ressurreição dos mortos. Como em Adão todos morrem, assim também em Cristo todos reviverão.

V. Os discípulos ficaram muito alegres, aleluia.
R. Por verem o Senhor ressuscitado, Aleluia.

Oração como nas Laudes.

DOMINGO DE PENTECOSTES

Solenidade

I Vésperas

Hino

Oh vinde, Espírito Criador,
as nossas almas visitai
e enchei os nossos corações
com vossos dons celestiais.

Vós sois chamado o Intercessor,
do Deus excelso o dom sem par,
a fonte viva, o fogo, o amor,
a unção divina e salutar.

Sois doador dos sete dons,
e sois poder na mão do Pai,
por ele prometido a nós,
por nós seus feitos proclamais.

A nossa mente iluminai,
os corações enchei de amor,
nossa fraqueza encorajai,
qual força eterna e protetor.

Nosso inimigo repeli,
e concedei-nos vossa paz;
se pela graça nos guiais,
o mal deixamos para trás.

Ao Pai e ao Filho Salvador
por vós possamos conhecer.
Que procedeis do seu amor
fazei-nos sempre firmes crer.

Salmodia

Ant. 1 Chegando o **di**a de Pente**cost**es,
cinquenta **di**as depois da **Pás**coa,
estavam **to**dos eles reuni**d**os. Ale**lui**a.

Domingo de Pentecostes

Salmo 112(113)

– ¹Louvai, louvai, ó servos do Senhor, *
louvai, louvai o nome do Senhor!
– ²Bendito seja o nome do Senhor, *
agora e por toda a eternidade!
– ³Do nascer do sol até o seu ocaso, *
louvado seja o nome do Senhor!

– ⁴O Senhor está acima das nações, *
sua glória vai além dos altos céus.
= ⁵Quem pode comparar-se ao nosso Deus, †
ao Senhor, que no alto céu tem o seu trono *
⁶e se inclina para olhar o céu e a terra?

– ⁷Levanta da poeira o indigente *
e do lixo ele retira o pobrezinho,
– ⁸para fazê-lo assentar-se com os nobres, *
assentar-se com os nobres do seu povo.
– ⁹Faz a estéril, mãe feliz em sua casa, *
vivendo rodeada de seus filhos.

Ant. Chegando o dia de Pentecostes,
cinquenta dias depois da Páscoa,
estavam todos eles reunidos. Aleluia.

Ant. 2 Línguas de fogo apareceram e pousaram sobre eles;
e recebeu cada um deles o Espírito de Deus. Aleluia.

Salmo 146(147A)

= ¹Louvai o Senhor Deus, porque ele é bom, †
cantai ao nosso Deus, porque é suave: *
ele é digno de louvor, ele o merece!

– ²O Senhor reconstruiu Jerusalém, *
e os dispersos de Israel juntou de novo;
– ³ele conforta os corações despedaçados, *
ele enfaixa suas feridas e as cura;
– ⁴fixa o número de todas as estrelas *
e chama a cada uma por seu nome. _

640   Tempo Pascal

– ⁵É **grand**e e onipotente o nosso Deus, *
    seu sa**ber** não tem medidas nem limites.
– ⁶O Senhor **Deus** é o amparo dos humildes, *
    mas **do**bra até o chão os que são ímpios.
– ⁷Ento**ai**, cantai a Deus ação de graças, *
    to**cai** para o Senhor em vossas harpas!
– ⁸Ele re**ves**te todo o céu com densas nuvens, *
    e a **chu**va para a terra ele prepara;
– faz cres**cer** a verde relva sobre os montes *
    e as **plan**tas que são úteis para o homem;
– ⁹ele **dá** aos animais seu alimento, *
    e ao **cor**vo e aos seus filhotes que o invocam.
– ¹⁰Não é a **força** do cavalo que lhe agrada, *
    nem se de**lei**ta com os músculos do homem,
– ¹¹mas **agra**dam ao Senhor os que o respeitam, *
    os que confiam, esperando em seu amor!

Ant. Línguas de **fo**go apareceram e pousaram sobre eles;
    e rece**beu** cada um **de**les o Es**pí**rito de **Deus**. Aleluia.

Ant. 3 O Espírito que pro**ce**de do meu **Pai**
    have**rá** de me dar **gló**ria, ale**lui**a.

Cântico   Ap 15,J-4

– ³Como são **gran**des e admi**rá**veis vossas **o**bras, *
    ó S**e**nhor e nosso Deus onipotente!
– Vossos ca**mi**nhos são verdade, são ju**sti**ça, *
    ó **Rei** dos povos todos do universo!

(R. São **gran**des vossas **o**bras, ó Se**nhor!**)

= ⁴Quem, S**e**nhor, não haveria de temer-vos, †
    e **quem** não honraria o vosso nome? *
    Pois so**men**te vós, Senhor, é que sois santo!   (R.)

= As nações **to**das hão de vir perante vós †
    e, pros**tra**das, haverão de adorar-vos, *
    pois vossas **jus**tas decisões são manifestas.   (R.)

Ant. O Es**pí**rito que pro**ce**de do meu **Pai**
    have**rá** de me dar **gló**ria, ale**lui**a.

Domingo de Pentecostes

Leitura breve   Rm 8,11

Se o Espírito daquele que ressuscitou Jesus dentre os mortos mora em vós, então aquele que ressuscitou Jesus Cristo dentre os mortos vivificará também vossos corpos mortais por meio do seu Espírito que mora em vós.

Responsório breve

R. O Espírito **San**to, o Par**á**clito,
   * Ale**lu**ia, ale**lu**ia. R. O Es**pí**rito.
V. Ele **vos** ensina**rá** todas as **coi**sas. * Ale**lui**a.
   Glória ao **Pai**. R. O Es**pí**rito.

Cântico evangélico, ant.

Vinde, Espírito de **Deus**,
e en**chei** os cora**ções** dos fi**éis** com vossos **dons**!
Acen**dei** neles o a**mor** como um **fo**go abrasa**dor**!
Vós que u**nis**tes tantas **gen**tes, tantas **lín**guas dife**ren**tes
numa **fé**, na uni**da**de e na **mes**ma cari**da**de. Ale**lui**a.

Preces

Com grande alegria celebremos a glória de Deus que, ao chegar o dia de Pentecostes, deu aos apóstolos a plenitude do Espírito Santo. Cheios de fé e entusiasmo, supliquemos, dizendo:

R. **Enviai, Senhor, o vosso Espírito, e renovai a face da terra!**

Vós, que no princípio criastes o céu e a terra, e na plenitude dos tempos recriastes todas as coisas por meio de Jesus Cristo,
– renovai continuamente, pelo vosso Espírito, a face da terra e salvai a humanidade.   R.

Vós, que infundistes o sopro da vida no rosto de Adão,
– enviai o vosso Espírito à Igreja para que, vivificada e rejuvenescida, comunique vossa vida ao mundo.   R.

Iluminai todos os seres humanos com a luz do vosso Espírito, e afastai para longe as trevas do nosso tempo,
– para que o ódio se transforme em amor, o sofrimento em alegria e a guerra em paz.   R.

Purificai o gênero humano com a água viva do Espírito, que brota do coração de Cristo,
– e curai as feridas de nossos pecados.   R.

(intenções livres)

642 Tempo Pascal

Vós, que, por meio do Espírito Santo, conduzis os homens e as mulheres à vida eterna,
– dai, pelo mesmo Espírito, aos que morreram, a alegria sem fim da vossa presença.

R. **Enviai, Senhor, o vosso Espírito, e renovai a face da terra!**

Pai nosso...

Oração

Deus eterno e todo-poderoso, quisestes que o mistério pascal se completasse durante cinquenta dias, até à vinda do Espírito Santo. Fazei que todas as nações dispersas pela terra, na diversidade de suas línguas, se unam no louvor do vosso nome. Por nosso Senhor Jesus Cristo, vosso Filho, na unidade do Espírito Santo.

Laudes

Hino

Na órbita do ano,
de fogo a flor viceja,
o Espírito Paráclito
descendo sobre a Igreja.

Da língua a forma assumem
as chamas eloquentes:
Na fala sejam prontos,
na caridade, ardentes.

Já todos falam línguas
de todas as nações,
que embriaguez presumem
as santas efusões.

Tais coisas sucederam
após a Páscoa santa:
Não mais do temor,
a lei do amor se implanta.

E agora, Deus piedoso,
vos pedimos inclinados,
os dons do vosso Espírito
na terra derramados.

Enchei os corações
da graça que redime.

Domingo de Pentecostes

Senhor, dai-nos a paz,
perdoai o nosso crime.

Louvor ao Pai e ao Filho,
e ao Espírito também,
Que o Filho envie o dom
do Espírito Santo. Amém.

Ant. 1 Como é **bom** e suave, Se**nhor**,
vosso Es**pírito** em **nós**, ale**luia**.

Salmos e cântico do domingo da I Semana, p. 764.

Ant. 2 Vós, **fontes** e **tudo** o que n'**água** se **move**,
lou**vai** o Se**nhor**, cantai **hinos** a **Deus**. Aleluia.

Ant. 3 Em várias **línguas** proclamavam os Apóstolos
as maravilhas que o Se**nhor** reali**zou**. Ale**luia**.

Leitura breve   At 5,30-32

O Deus de nossos pais ressuscitou Jesus, a quem vós matastes,
pregando-o numa cruz. Deus, por seu poder, o exaltou, tornando-
-o Guia Supremo e Salvador, para dar ao povo de Israel a conversão e o perdão dos seus pecados. E disso somos testemunhas, nós
e o Espírito Santo, que Deus concedeu àqueles que lhe obedecem.

Responsório breve

R. Ficaram **cheio**s todos eles do Es**pírito** de **Deus**.
 * Ale**luia**, ale**luia**. R. Ficaram.
V. Come**çaram** a fa**lar** em **línguas** dife**rentes**. * Ale**luia**.
 Glória ao **Pai**. R. Ficaram.

Cântico evangélico, ant.
Rece**bei** o Espírito **San**to:
a **quem** perdoais os pe**cados**,
os pe**cados** es**tão** perdoados. Ale**luia**.

Preces

Oremos a nosso Senhor Jesus Cristo, que pelo Espírito Santo nos
reuniu na sua Igreja; e digamos com fé:

R. **Enviai, Senhor, o vosso Espírito, e renovai a face da terra!**

Senhor Jesus, que suspenso no madeiro da cruz deixastes correr
de vosso lado aberto uma fonte de água viva,
– enviai-nos o Espírito que dá a vida.   R.

644 Tempo Pascal

Vós, que do céu fizestes descer sobre os discípulos o Dom do Pai,
— enviai o vosso Espírito para renovar o mundo.
R. **Enviai, Senhor, o vosso Espírito, e renovai a face da terra!**

Vós, que destes aos apóstolos o poder de perdoar pecados,
— enviai o vosso Espírito para ressuscitar e salvar toda a humanidade. R.

Vós, que prometestes o Espírito Santo para nos ensinar todas as
coisas e recordar tudo o que nos dissestes,
— enviai-nos o mesmo Espírito para que ilumine a nossa fé.
R.

Vós, que prometestes o Espírito da verdade para nos dar
testemunho de vós,
— enviai-nos o mesmo Espírito, para que faça de nós testemunhas
fiéis da vossa verdade. R.

(intenções livres)

Pai nosso...

Oração

Deus eterno e todo-poderoso, quisestes que o mistério pascal se
completasse durante cinquenta dias, até à vinda do Espírito Santo. Fazei que todas as nações dispersas pela terra, na diversidade
de suas línguas, se unam no louvor do vosso nome. Por nosso
Senhor Jesus Cristo, vosso Filho, na unidade do Espírito Santo.

Hora Média

Hino

Vinde, servos suplicantes,
elevai a mente e a voz:
celebrai com vossos cantos,
o amor de Deus por nós.

Porque foi neste momento
que a sentença de um mortal
entregou à morte injusta
o Juiz universal.

E nós, súditos humildes,
por amor e por temor,
contra todo mau desígnio
do perverso tentador,

Domingo de Pentecostes

imploremos a clemência
de Deus Pai, eterno Bem,
do seu Filho, nosso Rei,
e do Espírito Santo. Amém.

Salmodia

Ant. **Senhor**, aumen**tai** em **nós** vossa **fé**,
e a **luz** do Di**vi**no em **nós** acen**dei**. Ale**lui**a.

Salmo 117(118)

I

– ¹ Dai **graças** ao **Se**nhor, porque ele é **bom**! *
"**Eter**na é a sua misericórdia!"

– ² A **ca**sa de Israel agora o diga: *
"**Eter**na é a sua misericórdia!"

– ³ A **ca**sa de Aarão agora o diga: *
"**Eter**na é a sua misericórdia!"

– ⁴ Os que **te**mem o Senhor agora o digam: *
"**Eter**na é a sua misericórdia!"

– ⁵ Na minha an**gús**tia eu clamei pelo Senhor, *
e o Se**nhor** me atendeu e libertou!

– ⁶ O Se**nhor** está comigo, nada temo; *
o que **po**de contra mim um ser humano?

– ⁷ O Se**nhor** está comigo, é o meu auxílio, *
hei de **ver** meus inimigos humilhados.

– ⁸ "É me**lhor** buscar refúgio no Senhor *
do que **pôr** no ser humano a esperança;

– ⁹ é me**lhor** buscar refúgio no Senhor *
do que con**tar** com os poderosos deste mundo!"

II

– ¹⁰ Povos pa**gãos** me rodearam todos **eles**, *
mas em **no**me do Senhor os derrotei;

– ¹¹ de todo **la**do todos eles me cercaram, *
mas em **no**me do Senhor os derrotei; –

646 — Tempo Pascal

=¹² como um enxame de abelhas me atacaram, †
como um fogo de espinhos me queimaram, *
mas em nome do Senhor os derrotei.

−¹³ Empurraram-me, tentando derrubar-me, *
mas veio o Senhor em meu socorro.

−¹⁴ O Senhor é minha força e o meu canto, *
e tornou-se para mim o Salvador.

−¹⁵ "Clamores de alegria e de vitória *
ressoem pelas tendas dos fiéis.

=¹⁶ A mão direita do Senhor fez maravilhas, †
a mão direita do Senhor me levantou, *
a mão direita do Senhor fez maravilhas!"

−¹⁷ Não morrerei, mas, ao contrário, viverei *
para cantar as grandes obras do Senhor!

−¹⁸ O Senhor severamente me provou, *
mas não me abandonou às mãos da morte.

III

−¹⁹ Abri-me vós, abri-me as portas da justiça; *
quero entrar para dar graças ao Senhor!

−²⁰ "Sim, esta é a porta do Senhor, *
por ela só os justos entrarão!"

−²¹ Dou-vos graças, ó Senhor, porque me ouvistes *
e vos tornastes para mim o Salvador!

−²² "A pedra que os pedreiros rejeitaram *
tornou-se agora a pedra angular.

−²³ Pelo Senhor é que foi feito tudo isso: *
Que maravilhas ele fez a nossos olhos!

−²⁴ Este é o dia que o Senhor fez para nós, *
alegremo-nos e nele exultemos!

−²⁵ Ó Senhor, dai-nos a vossa salvação, *
ó Senhor, dai-nos também prosperidade!"

−²⁶ Bendito seja, em nome do Senhor, *
aquele que em seus átrios vai entrando!

− Desta casa do Senhor vos bendizemos. *
²⁷ Que o Senhor e nosso Deus nos ilumine! −

Domingo de Pentecostes

— Empunhai ramos nas mãos, formai cortejo, *
aproximai-vos do altar, até bem perto!

— [28] Vós sois meu **Deus,** eu vos bendigo e agradeço! *
Vós sois meu **Deus,** eu vos exalto com louvores!

— [29] Dai **graças** ao Senhor, porque ele é bom! *
"**Eter**na é a sua misericórdia!"

Ant. **S**enhor, aumentai em **nós** vossa **fé,**
e a **luz** do Divino em **nós** acendei. Aleluia.

Leitura breve   Tt 3,5b-7

Ele salvou-nos quando renascemos e fomos renovados no batismo pelo Espírito Santo, que ele derramou abundantemente sobre nós por meio de nosso Salvador Jesus Cristo. Justificados assim, pela sua graça, nos tornamos na esperança herdeiros da vida eterna.

V. O Es**pí**rito **San**to have**rá** de ensi**nar**-vos, aleluia.
R. Todas as **coi**sas que vos **dis**se e ensi**nei,** Ale**lu**ia.

Oração

Concedei-nos, ó Deus onipotente, que brilhe sobre nós o esplendor da vossa claridade, e o fulgor da vossa luz confirme, com o dom do Espírito Santo, aqueles que renasceram pela vossa graça. Por Cristo, nosso Senhor.

II Vésperas

Hino

Oh vinde, Espírito Criador,
as nossas almas visitai
e enchei os nossos corações
com vossos dons celestiais.

Vós sois chamado o Intercessor,
do Deus excelso o dom sem par,
a fonte viva, o fogo, o amor,
a unção divina e salutar.

Sois doador dos sete dons,
e sois poder na mão do Pai,
por ele prometido a nós,
por nós seus feitos proclamais.

Tempo Pascal

A nossa mente iluminai,
os corações enchei de amor,
nossa fraqueza encorajai,
qual força eterna e protetor.

Nosso inimigo repeli,
concedei-nos vossa paz;
se pela graça nos guiais,
o mal deixamos para trás.

Ao Pai e ao Filho Salvador
por vós possamos conhecer.
Que procedeis do seu amor
fazei-nos sempre firmes crer.

Salmodia

Ant. 1 O Espírito do Senhor encheu todo o universo. Aleluia.

Salmo 109(110),1-5.7

– ¹ Palavra do Senhor ao meu Senhor: *
"Assenta-te ao lado meu direito,
– até que eu ponha os inimigos teus *
como escabelo por debaixo de teus pés!"

= ² O Senhor estenderá desde Sião †
vosso cetro de poder, pois ele diz: *
"Domina com vigor teus inimigos;

= ³ Tu és príncipe desde o dia em que nasceste; †
na glória e esplendor da santidade, *
como o orvalho, antes da aurora, eu te gerei!"

= ⁴ Jurou o Senhor e manterá sua palavra: †
"Tu és sacerdote eternamente, *
segundo a ordem do rei Melquisedec!"

– ⁵ À vossa destra está o Senhor, ele vos diz: *
"No dia da ira esmagarás os reis da terra!
– ⁷ Beberás água corrente no caminho, *
por isso seguirás de fronte erguida!"

Ant. O Espírito do Senhor encheu todo o universo. Aleluia.

Ant. 2 Confirmai em nós, ó Deus, o que em nós realizastes
a partir de vosso templo que está em Jerusalém. Aleluia.

Domingo de Pentecostes

Salmo 113A(114)

– ¹ Quando o **povo** de Israel saiu do Egito, *
e os filhos de Jacó, de um povo estranho,
– ² Judá tornou-se o templo do Senhor, *
e Israel se transformou em seu domínio.
– ³ O **mar**, à vista disso, pôs-se em fuga, *
e as águas do Jordão retrocederam;
– ⁴ as montanhas deram pulos como ovelhas, *
e as colinas, parecendo cordeirinhos.
– ⁵ Ó **mar**, o que tens tu, para fugir? *
E tu, Jordão, por que recuas desse modo?
– ⁶ Por que dais **pulos** como ovelhas, ó montanhas? *
E vós, colinas, parecendo cordeirinhos?
– ⁷ Treme, ó **terra**, ante a face do Senhor, *
ante a face do Senhor Deus de Jacó!
– ⁸ O rochedo ele mudou em grande lago, *
e da pedra fez brotar águas correntes!

Ant. Confirmai em nós, ó **Deus**, o que em **nós** realizastes
a partir de vosso **templo** que está em Jerusalém. Aleluia.

Ant. 3 Ficaram **cheios** todos eles do Espírito de **Deus**,
e começaram a falar. Aleluia.

No cântico seguinte dizem-se os Aleluias entre parênteses somente quando se canta; na recitação, basta dizer o Aleluia no começo e no fim das estrofes.

Cântico   cf. Ap 19,1-2.5-7

= Aleluia, (Aleluia!).
¹ Ao nosso **Deus** a salvação, *
honra, **glória** e poder! (Aleluia!).
– ² Pois são verdade e justiça *
os juízos do Senhor.

R. Aleluia, (Aleluia!).

650   Tempo Pascal

= Aleluia, (Aleluia!).
   ⁵Celebrai o nosso Deus, *
   servidores do Senhor! (Aleluia!).
− E vós todos que o temeis, *
   vós os grandes e os pequenos!

R. Aleluia, (Aleluia!).

= Aleluia, (Aleluia!).
   ⁶De seu reino tomou posse *
   nosso Deus onipotente! (Aleluia!).
− ⁷Exultemos de alegria, *
   demos glória ao nosso Deus!

R. Aleluia, (Aleluia!).

= Aleluia, (Aleluia!).
   Eis que as núpcias do Cordeiro *
   redivivo se aproximam! (Aleluia!).
− Sua Esposa se enfeitou, *
   se vestiu de linho puro.

R. Aleluia, (Aleluia!).

Ant. Ficaram cheios todos eles do Espírito de Deus,
        e começaram a falar. Aleluia.

Leitura breve   Ef 4,3-6

Aplicai-vos a guardar a unidade do espírito pelo vínculo da paz. Há um só Corpo e um só Espírito, como também é uma só a esperança à qual fostes chamados. Há um só Senhor, uma só fé, um só batismo, um só Deus e Pai de todos, que reina sobre todos, age por meio de todos e permanece em todos.

Responsório breve
R. O Espírito do Senhor enche todo o universo.
   * Aleluia, aleluia. R. O Espírito.
V. Dá consistência a tudo
   e tem conhecimento de tudo o que se diz. * Aleluia.
   Glória ao Pai. R. O Espírito.

Cântico evangélico, ant.
Chegou hoje o grande dia do sagrado Pentecostes, aleluia;
hoje o Espírito de Deus apareceu
como num fogo aos discípulos

Domingo de Pentecostes

e lhes **deu** os seus **caris**mas, os seus **dons** mais variados,
envi**ou**-os pelo **mun**do, testemunhas do Evangelho:
O que **crer** e rece**ber** o batismo do **Senhor**
será **salvo**, ale**luia**.

Preces

Oremos a Deus Pai, que por Jesus Cristo reuniu a sua Igreja; e
supliquemos com fé e alegria:

R. **Enviai, Senhor, o vosso Espírito, e renovai a face da terra!**

Fazei que todos os habitantes da terra, unidos num só batismo e
no mesmo Espírito,
– sejam um só coração e uma só alma. R.

Vós, que enchestes o universo inteiro com o vosso Espírito,
– ajudai a humanidade na construção de um mundo novo de justiça e de paz. R.

Senhor Deus, Pai de todos os seres humanos, que quereis reunir
numa só fé os vossos filhos e filhas dispersos,
– iluminai a terra inteira com a graça do Espírito Santo. R.

Vós, que renovais todas as coisas pelo vosso Espírito,
– dai saúde aos doentes, alegria aos tristes e a todos a salvação. R.

(intenções livres)

Vós, que pelo Espírito Santo ressuscitastes vosso Filho de entre
os mortos,
– dai a vida eterna aos que partiram deste mundo. R.

Pai nosso...

Oração

Deus eterno e todo-poderoso, quisestes que o mistério pascal se
completasse durante cinquenta dias, até à vinda do Espírito Santo.
Fazei que todas as nações dispersas pela terra, na diversidade de
suas línguas, se unam no louvor do vosso nome. Por nosso Senhor
Jesus Cristo, vosso Filho, na unidade do Espírito Santo.

Na despedida se diz:

Ide em paz, e o Senhor vos acompanhe. Aleluia, aleluia.
R. Graças a Deus. Aleluia, aleluia.

Completas como à p. 1119.

SOLENIDADES DO SENHOR DURANTE O TEMPO COMUM

Domingo depois de Pentecostes

SANTÍSSIMA TRINDADE

Solenidade

I Vésperas

Hino

Ó Trindade imensa e una,
vossa força tudo cria;
vossa mão, que rege os tempos,
antes deles existia.

Vós, feliz, num gozo pleno,
totalmente vos bastais.
Pura, simples, generosa,
terra e espaços abraçais.

Pai, da graça fonte viva,
Luz da glória de Deus Pai,
Santo Espírito da vida,
que no Amor os enlaçais.

Só por vós, Trindade Santa,
suma origem, todo bem,
todo ser, toda beleza,
toda vida se mantém.

Nós os filhos adotivos,
pela graça consagrados,
nos tornemos templos vivos,
a vós sempre dedicados.

Ó Luz viva, reuni-nos
com os anjos, lá nos céus,
no louvor da vossa glória
que veremos, sem ter véus.

Salmodia

Ant. 1 Glória a **vós**, Trindade **Santa**,
um só **Deus** em três Pessoas
desde **sempre**, neste **instante**,
e nos **séculos** sem **fim**.

Salmo 112(113)

– [1]**Louvai**, louvai, ó **servos** do **Senhor**, *
louvai, louvai o nome do Senhor!
– [2]**Bendito** seja o nome do Senhor, *
agora e por toda a eternidade!
– [3]**Do nascer** do sol até o seu ocaso, *
louvado seja o nome do Senhor!

– [4]**O Senhor** está acima das nações, *
sua **glória** vai além dos altos céus.
= [5]**Quem pode** comparar-se ao nosso Deus, †
ao **Senhor**, que no alto céu tem o seu trono *
[6]e se **inclina** para olhar o céu e a terra?

– [7]**Levanta** da poeira o indigente *
e do **lixo** ele retira o pobrezinho,
– [8]**para fazê-lo** assentar-se com os nobres, *
assentar-se com os nobres do seu povo.
– [9]**Faz** a estéril, mãe feliz em sua casa, *
vivendo rodeada de seus filhos.

Ant. Glória a **vós**, Trindade **Santa**,
um só **Deus** em três Pessoas
desde **sempre**, neste **instante**,
e nos **séculos** sem **fim**.

Ant. 2 Sede bendita, ó Santíssima Trindade
e indivisa Unidade
nós vos louvamos, pois foi **grande** para **nós**
vosso **amor** e compaixão.

Salmo 147(147B)

– [12]**Glorifica** o Senhor, Jerusalém! *
Ó **Sião**, canta louvores ao teu Deus!
– [13]**Pois** reforçou com segurança as tuas portas, *
e os teus **filhos** em teu seio abençoou;

654   Tempo Comum

– [14] a **paz** em teus limites garantiu *
e te **dá** como alimento a flor do trigo.

– [15] Ele en**vi**a suas ordens para a terra, *
e a **pa**lavra que ele diz corre veloz;

– [16] Ele **faz** cair a neve como lã *
e es**pa**lha a geada como cinza.

– [17] Como de **pão** lança as migalhas do granizo, *
a seu **fri**o as águas ficam congeladas.

– [18] Ele en**vi**a sua palavra e as derrete, *
sopra o **ven**to e de novo as águas correm.

– [19] Anun**ci**a a Jacó sua palavra, *
seus pre**cei**tos e suas leis a Israel.

– [20] Nenhum **po**vo recebeu tanto carinho, *
a nenhum **ou**tro revelou os seus preceitos.

Ant. Sede ben**di**ta, ó San**tís**sima Trin**da**de
e indi**vi**sa Uni**da**de
nós vos louv**a**mos, pois foi **gran**de para **nós**
vosso **amor** e compai**xão**.

Ant. 3 Seja a **Deus** glória e lou**vor** na Uni**da**de da Trin**da**de:
Pai e **Fi**lho e Santo Es**pí**rito, pelos **sé**culos sem **fim!**

Cântico   Ef 1,3-10

O plano divino da salvação

– [3] Ben**di**to e louvado seja **Deus**, *
o **Pai** de Jesus Cristo, Senhor nosso,

– que do alto **céu** nos abençoou em Jesus Cristo *
com **bên**ção espiritual de toda sorte!

(R. Ben**di**to sejais **vós**, nosso **Pai**,
que **nos** abenço**as**tes em **Cris**to!)

– [4] Foi em **Cris**to que Deus Pai nos escolheu, *
já bem **an**tes de o mundo ser criado,

– para que **fôs**semos, perante a sua face, *
sem **má**cula e santos pelo amor.   (R.)

= [5] Por **li**vre decisão de sua vontade, †
predesti**nou**-nos, através de Jesus Cristo, *
a sermos **ne**le os seus filhos adotivos,

– [6] para o lou**vor** e para a glória de sua graça, *
que em seu **Fi**lho bem-amado nos doou.   (R.)

Santíssima Trindade

– [7] É **nele** que nós temos redenção, *
dos pecados remissão pelo seu sangue.
= Sua **graça** transbordante e inesgotável †
[8] Deus derrama sobre nós com abundância, *
de saber e inteligência nos dotando. (R.)
– [9] E assim, ele nos deu a conhecer *
o mistério de seu plano e sua vontade,
– que propusera em seu querer benevolente, *
[10] na plenitude dos tempos realizar:
– o desígnio de, em Cristo, reunir *
todas as coisas: as da terra e as do céu. (R)

Ant. Seja a **Deus** glória e louvor na Unidade da Trindade:
Pai e Filho e Santo Espírito, pelos séculos sem **fim!**

Leitura breve
Rm 11,33-36

Ó profundidade da riqueza, da sabedoria e da ciência de Deus!
Como são inescrutáveis os seus juízos e impenetráveis os seus
caminhos! De fato, quem conheceu o pensamento do Senhor? Ou
quem foi seu conselheiro? Ou quem se antecipou em dar-lhe alguma coisa, de maneira a ter direito a uma retribuição? Na verdade,
tudo é dele, por ele, e para ele. A ele, a glória para sempre. Amém!

Responsório breve
R. Bendigamos ao **Pai** e ao **Filho**,
bendigamos ao Espírito **Santo**.
* Louvemos a **Deus** para **sempre**. R. Bendigamos.
V. Só a **Deus** honra, **glória** e louvor! * Louvemos.
Glória ao **Pai**. R. Bendigamos.

Cântico evangélico, ant.
Louvores e **graças** a **Deus**, verdadeira e una Trindade.
Divindade suprema e única, indivisa e santa Trindade!

Preces
Deus Pai, por meio do Espírito Santo, vivificou o corpo de Cristo, seu Filho, e tornou-o fonte de vida para nós. Elevemos nossa
aclamação ao Deus Uno e Trino; e digamos:
R. **Glória ao Pai e ao Filho e ao Espírito Santo!**

Deus Pai, todo-poderoso e eterno, em nome de vosso Filho enviai sobre a Igreja o Espírito Santo Consolador,
– para que a conserve na unidade do amor e na verdade perfeita.

R. **Glória ao Pai e ao Filho e ao Espírito Santo!**

Enviai, Senhor, operários à vossa messe, para que anunciem o evangelho a todos os povos e os batizem em nome do Pai e do Filho e do Espírito Santo,
– confirmando-os na fé. R.

Senhor, vinde em auxílio de todos os que são perseguidos pelo nome de vosso Filho,
– que prometeu o Espírito da verdade para falar por eles. R.

Pai todo-poderoso, dai a todos conhecerem que vós, o Verbo e o Espírito Santo sois um só Deus,
– para que vivam na fé, na esperança e na caridade. R.

(intenções livres)

Pai dos viventes, fazei que os nossos irmãos e irmãs falecidos participem da vossa glória,
– onde vosso Filho e o Espírito Santo reinam convosco eternamente. R.

Pai nosso...

Oração

Ó Deus, nosso Pai, enviando ao mundo a Palavra da verdade e o Espírito santificador, revelastes o vosso inefável mistério. Fazei que, professando a verdadeira fé, reconheçamos a glória da Trindade e adoremos a Unidade onipotente. Por nosso Senhor Jesus Cristo, vosso Filho, na unidade do Espírito Santo.

Laudes

Hino

Ó Trindade, num sólio supremo
que brilhais, num intenso fulgor.
Glória a vós, que o profundo dos seres
possuís e habitais pelo amor.

Ó Deus Pai, Criador do Universo,
sois a força que a todos dá vida;
aos que dela fizestes consortes,
dai a fé, que sustenta na lida.

Esplendor e espelho da luz
sois, ó Filho, que irmãos nos chamais;
dai-nos ser ramos verdes e vivos
da fecunda videira do Pai.

Piedade e amor, fogo ardente,
branda luz, poderoso clarão,
renovai nossa mente, ó Espírito,
e aquecei o fiel coração.

Ó Trindade feliz, doce hóspede,
atendei nossa humilde oração:
atraí-nos a vós, saciai-nos
com a glória da vossa visão.

Ant. 1 A vós **hon**ra e do**mín**io, a vós **gló**ria e po**der**,
a vós **jú**bilo e lou**vor** pelos **sécu**los sem **fim**:
Ó San**tís**sima Trin**da**de!

Salmos e cântico do domingo da I Semana, p. 764.

Ant. 2 Com jus**ti**ça vos **lou**va, ado**ra** e ben**diz**
todo **ser** que criastes, Trin**da**de Fe**liz**!

Ant. 3 Dele vem todo **ser**, tudo **exis**te por **ele**,
todo **ser** está **ne**le: Glória e**ter**na ao Se**nhor**!

Leitura breve
                                                   1Cor 12,4-6
Há diversidade de dons, mas um mesmo é o Espírito. Há diversidade de ministérios, mas um mesmo é o Senhor. Há diferentes atividades, mas um mesmo Deus que realiza todas as coisas em todos.

Responsório breve
R. A vós **gló**ria e lou**vor**,
  * Ó Trin**da**de feliz! R. A vós.
V. Seja a **vós** grati**dão**, por **to**dos os **sécu**los. * Ó Trin**da**de.
  Glória ao **Pai**. R. A vós **gló**ria.

Cântico evangélico, ant.

Sede bendita, ó Trindade indivisível,
agora e sempre e eternamente pelos séculos,
vós que criais e governais todas as coisas.

Preces

Adoremos e glorifiquemos jubilosamente o Pai, o Filho e o Espírito Santo; e digamos:

R. **Glória ao Pai e ao Filho e ao Espírito Santo!**

Pai santo, concedei-nos o vosso Espírito Santo, porque não sabemos rezar como convém,
– para que ele venha em auxílio da nossa fraqueza e reze em nós como vos agrada. R.

Filho de Deus, que pedistes ao Pai para enviar o Espírito Consolador à vossa Igreja,
– fazei que este Espírito de verdade permaneça conosco para sempre. R.

Vinde, Espírito Santo, e concedei-nos vossos frutos: caridade, alegria, paz, paciência, benignidade, bondade,
– e também lealdade, mansidão, fé, modéstia, equilíbrio e castidade. R.

Pai todo-poderoso, que enviastes aos nossos corações o Espírito de vosso Filho que clama: Abá, meu Pai!,
– fazei que, guiados pelo mesmo Espírito, sejamos vossos herdeiros juntamente com Cristo, nosso irmão. R.

Cristo, que enviastes o Espírito Consolador que procede do Pai para dar testemunho de vós,
– tornai-nos vossas testemunhas diante dos homens. R.

(intenções livres)

Pai nosso...

Oração

Ó Deus, nosso Pai, enviando ao mundo a Palavra da verdade e o Espírito santificador, revelastes o vosso inefável mistério. Fazei que, professando a verdadeira fé, reconheçamos a glória da Trindade e adoremos a Unidade onipotente. Por nosso Senhor Jesus Cristo, vosso Filho, na unidade do Espírito Santo.

Hora Média

Salmos do domingo da I Semana, p. 768.

Ant. Nossa **glória** e nossa **honra**, esperança e salvação,
ó Trindade Beatíssima!

Leitura breve   cf. Gl 4,4.5-6
Deus enviou o seu Filho, para que todos recebêssemos a filiação
adotiva. E porque sois filhos, Deus enviou aos nossos corações o
Espírito do seu Filho, que clama: Abá – ó Pai!

V. Ó Trindade feliz, gloriosa e bendita,
R. Ó Deus **Pai** e Deus **Filho** e Deus Espírito **Santo**!
Oração como nas Laudes.

II Vésperas

HINO como nas I Vésperas, p. 652.

Salmodia
Ant. 1 Ó Trindade eterna e suprema,
Pai e Filho e Espírito Santo!

Salmo 109(110),1-5.7

– [1] Palavra do Senhor ao meu Senhor: *
“Assenta-te ao lado meu direito,
– até que eu ponha os inimigos teus *
como escabelo por debaixo de teus pés!”
= [2] O Senhor estenderá desde Sião †
vosso **cetro** de poder, pois ele diz: *
“Domina com vigor teus inimigos;
= [3] Tu és **príncipe** desde o dia em que nasceste; †
na glória e esplendor da santidade, *
como o orvalho, antes da aurora, eu te gerei!”
= [4] Jurou o Senhor e manterá sua palavra: †
“Tu és sacerdote eternamente, *
segundo a ordem do rei Melquisedec!”
– [5] À vossa **destra** está o Senhor, ele vos diz: *
“No dia da ira esmagarás os reis da terra!
– [7] Beberás água corrente no caminho, *
por isso seguirás de fronte erguida!”

Ant. Ó Trindade eterna e suprema,
    Pai e Filho e Espírito Santo!

Ant. 2 Livrai-nos, salvai-nos e dai-nos a vida,
    ó Trindade Feliz!

Salmo 113A(114)

– ¹Quando o povo de Israel saiu do Egito, *
    e os filhos de Jacó, de um povo estranho,
– ²Judá tornou-se o templo do Senhor, *
    e Israel se transformou em seu domínio.
– ³O mar, à vista disso, pôs-se em fuga, *
    e as águas do Jordão retrocederam;
– ⁴as montanhas deram pulos como ovelhas, *
    e as colinas, parecendo cordeirinhos.
– ⁵Ó mar, o que tens tu, para fugir? *
    E tu, Jordão, por que recuas desse modo?
– ⁶Por que dais pulos como ovelhas, ó montanhas? *
    E vós, colinas, parecendo cordeirinhos?
– ⁷Treme, ó terra, ante a face do Senhor, *
    ante a face do Senhor Deus de Jacó!
– ⁸O rochedo ele mudou em grande lago, *
    e da pedra fez brotar águas correntes!

Ant. Livrai-nos, salvai-nos e dai-nos a vida,
    ó Trindade Feliz!

Ant. 3 Santo, Santo, Santo, Senhor Deus onipotente,
    Deus que era, Deus que é e será eternamente.

No cântico seguinte dizem-se os Aleluias entre parênteses somente quando se canta; na recitação, basta dizer o Aleluia no começo e no fim das estrofes.

Cântico   cf. Ap 19,1-2.5-7

= Aleluia, (Aleluia!).
    ¹Ao nosso Deus a salvação, *
    honra, glória e poder! (Aleluia!).
– ²Pois são verdade e justiça *
    os juízos do Senhor.

R. Aleluia, (Aleluia!).

Santíssima Trindade

=Aleluia, (Aleluia!).
  [5] Celebrai o nosso Deus, *
  servidores do Senhor! (Aleluia!).
– E vós **todos** que o temeis, *
  vós os **grandes** e os pequenos!

R. Aleluia, (Aleluia!).

= Aleluia, (Aleluia!).
  [6] De seu **reino** tomou posse *
  nosso **Deus** onipotente! (Aleluia!).
– [7] Exul**temos** de alegria, *
  demos **glória** ao nosso Deus!

R. Aleluia, (Aleluia!).

= Aleluia, (Aleluia!).
  Eis que as **núpcias** do Cordeiro *
  redivivo se aproximam! (Aleluia!).
– Sua Es**posa** se enfeitou, *
  se vestiu de linho puro.

R. Aleluia, (Aleluia!).

Ant. **Santo**, Santo, **San**to, Senhor **Deus** onipo**ten**te,
  Deus que era, Deus que **é** e **será** eternamente.

Leitura breve   Ef 4,3-6

Aplicai-vos a guardar a unidade do espírito pelo vínculo da paz.
Há um só Corpo e um só Espírito, como também é uma só a
esperança à qual fostes chamados. Há um só Senhor, uma só fé,
um só batismo, um só Deus e Pai de todos, que reina sobre todos,
age por meio de todos e permanece em todos.

Responsório breve

R. Bendi**gamos** ao **Pai** e ao **Filho**,
  bendigamos ao Es**pírito Santo**.
 * Louve**mos** a **Deus** para sem**pre**. R. Bendi**gamos**.
V. Só a **Deus** honra, **glória** e lou**vor**! *Louve**mos**.
  Glória ao **Pai**. R. Bendi**gamos**.

Cântico evangélico, ant.

Deus **Pai** não ge**rado**, Deus **Filho** Unigênito,
Deus Espírito **Santo**, divino Pa**ráclito**,
ó **San**ta, indivisa e **u**na Trin**da**de:

662 Tempo Comum

Com **todas** as **fibras** da **al**ma e da **voz**,
vos louva**mos** can**tan**do, na **fé** confes**san**do:
Glória a **vós** pelos **séculos**!

Preces

Deus Pai, por meio do Espírito Santo, vivificou o corpo de Cristo, seu Filho, e tornou-o fonte de vida para nós. Elevemos nossa aclamação ao Deus Uno e Trino; e digamos:

R. **Glória ao Pai e ao Filho e ao Espírito Santo!**

Deus Pai, todo-poderoso e eterno, em nome de vosso Filho enviai sobre a Igreja o Espírito Santo Consolador,
– para que a conserve na unidade do amor e na verdade perfeita. R.

Enviai, Senhor, operários à vossa messe, para que anunciem o evangelho a todos os povos e os batizem em nome do Pai e do Filho e do Espírito Santo,
– confirmando-os na fé. R.

Senhor, vinde em auxílio de todos os que são perseguidos pelo nome de vosso Filho,
– que prometeu o Espírito da verdade para falar por eles. R.

Pai todo-poderoso, dai a todos conhecerem que vós, o Verbo e o Espírito Santo sois um só Deus,
– para que vivam na fé, na esperança e na caridade. R.

(intenções livres)

Pai dos viventes, fazei que os nossos irmãos e irmãs falecidos participem da vossa glória,
– onde vosso Filho e o Espírito Santo reinam convosco eternamente. R.

Pai nosso...

Oração

Ó Deus, nosso Pai, enviando ao mundo a Palavra da verdade e o Espírito santificador, revelastes o vosso inefável mistério. Fazei que, professando a verdadeira fé, reconheçamos a glória da Trindade e adoremos a Unidade onipotente. Por nosso Senhor Jesus Cristo, vosso Filho, na unidade do Espírito Santo.

Quinta-feira depois da Santíssima Trindade

SANTÍSSIMO SACRAMENTO
DO CORPO E SANGUE DE CRISTO

Solenidade

Onde não é de preceito a Solenidade do Santíssimo Sacramento do Corpo e Sangue de Cristo, seja transferida para o Domingo depois da Santíssima Trindade.

I Vésperas

Hino

Vamos todos louvar juntos
o mistério do amor,
pois o preço deste mundo
foi o sangue redentor,
recebido de Maria,
que nos deu o Salvador.

Veio ao mundo por Maria,
foi por nós que ele nasceu.
Ensinou sua doutrina,
com os homens conviveu.
No final de sua vida,
um presente ele nos deu.

Observando a Lei mosaica,
se reuniu com os irmãos.
Era noite. Despedida.
Numa ceia: refeição.
Deu-se aos doze em alimento,
pelas suas próprias mãos.

A Palavra do Deus vivo
transformou o vinho e o pão
no seu sangue e no seu corpo
para a nossa salvação.
O milagre nós não vemos,
basta a fé no coração.

664　Tempo Comum

Tão sublime sacramento
adoremos neste altar,
pois o Antigo Testamento
deu ao Novo seu lugar.
Venha a fé por suplemento
os sentidos completar.

Ao Eterno Pai cantemos
e a Jesus, o Salvador.
Ao Espírito exaltemos,
na Trindade, eterno amor.
Ao Deus Uno e Trino demos
a alegria do louvor.

Salmodia

Ant. 1 O Senhor bom e clemente
alimentou os que o temem,
e deixou-nos a lembrança
de suas grandes maravilhas.

Salmo 110(111)

— 1 Eu agradeço a Deus de todo o coração *
junto com todos os seus justos reunidos!

— 2 Que grandiosas são as obras do Senhor, *
elas merecem todo o amor e admiração!

— 3 Que beleza e esplendor são os seus feitos! *
Sua justiça permanece eternamente!

— 4 O Senhor bom e clemente nos deixou *
a lembrança de suas grandes maravilhas.

— 5 Ele dá o alimento aos que o temem *
e jamais esquecerá sua Aliança.

— 6 Ao seu povo manifesta seu poder, *
dando a ele a herança das nações.

— 7 Suas obras são verdade e são justiça, *
seus preceitos, todos eles, são estáveis,

— 8 confirmados para sempre e pelos séculos, *
realizados na verdade e retidão. —

Santíssimo Sacramento

= 9 Enviou libertação para o seu povo, †
confirmou sua Aliança para sempre. *
Seu nome é santo e é digno de respeito.

=10 Temer a **Deus** é o princípio do saber †
e é **sábio** todo aquele que o pratica. *
Permaneça eternamente o seu louvor.

Ant. O Senhor bom e clemente
alimentou os que o temem,
e deixou-nos a lembrança
de suas grandes maravilhas.

Ant. 2 O Senhor, que traz a paz à sua Igreja,
nos dá como alimento a flor do trigo.

Salmo 147(147B)

−12 Glorifica o Senhor, Jerusalém! *
Ó Sião, canta louvores ao teu Deus!

−13 Pois reforçou com segurança as tuas portas, *
e os teus filhos em teu seio abençoou;

−14 a paz em teus limites garantiu *
e te dá como alimento a flor do trigo.

−15 Ele envia suas ordens para a terra, *
e a palavra que ele diz corre veloz;

−16 ele faz cair a neve como lã *
e espalha a geada como cinza.

−17 Como de pão lança as migalhas do granizo, *
a seu frio as águas ficam congeladas.

−18 Ele envia sua palavra e as derrete, *
sopra o vento e de novo as águas correm.

−19 Anuncia a Jacó sua palavra, *
seus preceitos e suas leis a Israel.

−20 Nenhum povo recebeu tanto carinho, *
a nenhum outro revelou os seus preceitos.

Ant. O Senhor, que traz a paz à sua Igreja,
nos dá como alimento a flor do trigo.

Ant. 3 Em verdade eu vos digo:
Não foi Moisés quem deu outrora
aquele **pão** que vem do **céu**,
porém meu **Pai** é quem vos **dá**
o verdadeiro pão do **céu**.

Cântico   Ap 11,17-18; 12,10b-12a

— [11.17] Graças vos **damos**, Senhor **Deus** onipotente, *
a vós que **sois**, a vós que éreis e sereis,

— porque assumistes o poder que vos pertence, *
e enfim tomastes posse como rei!

(R. **Nós** vos damos **graças, nosso Deus!**)

= [18] As nações se enfureceram revoltadas, †
mas chegou a vossa ira contra elas *
e o tempo de julgar vivos e mortos,

= e de dar a recompensa aos vossos servos, †
aos profetas e aos que temem vosso nome, *
aos santos, aos pequenos e aos grandes.   (R.)

= [12,10] Chegou agora a salvação e o poder †
e a realeza do Senhor e nosso Deus, *
e o domínio de seu Cristo, seu Ungido.

— Pois foi expulso o delator que acusava *
nossos irmãos, dia e noite, junto a Deus.   (R.)

= [11] Mas o venceram pelo sangue do Cordeiro †
e o testemunho que eles deram da Palavra, *
pois desprezaram sua vida até à morte.

— [12] Por isso, ó céus, cantai alegres e exultai *
e vós todos os que neles habitais!   (R.)

Ant. Em verdade eu vos digo:
Não foi Moisés quem deu outrora
aquele **pão** que vem do **céu**,
porém meu **Pai** é quem vos **dá**
o verdadeiro pão do **céu**.

Leitura breve   1Cor 10.16-17

O cálice da bênção, o cálice que abençoamos, não é comunhão com o sangue de Cristo? E o pão que partimos, não é comunhão com o corpo de Cristo? Porque há um só pão, nós todos somos um só corpo, pois todos participamos desse único pão.

Responsório breve

R. Deus lhes **deu** para comer o pão do **céu**,
* Aleluia, aleluia. R. Deus lhes **deu**.
V. O **homem** se **nutriu** do pão dos **anjos**. * Aleluia.
Glória ao **Pai**. R. Deus lhes **deu**.

Cântico evangélico, ant.

Quão suave é vosso Espírito, ó Se**nhor**, em nosso **meio**!
Pois quisestes demonstrar tal doçura a vossos **filhos**,
que os famintos saciais com o **pão** que vem do **céu**
de sabor delicioso,
e aos ricos insolentes despedis de mãos vazias.

Preces

Cristo nos convida a todos para a Ceia em que entrega seu corpo e
sangue pela vida do mundo. Peçamos-lhe com amor e confiança:
R. **Cristo, pão do céu, dai-nos a vida eterna!**

Cristo, Filho do Deus vivo, que nos mandastes celebrar a ceia
eucarística em memória de vós,
– fortalecei a Igreja com a fiel celebração de vossos mistérios.

R

Cristo, sacerdote único do Deus Altíssimo, que confiastes aos sacerdotes a oferenda da Eucaristia,
– fazei que eles realizem em suas vidas o que celebram no sacramento.

R

Cristo, maná descido do céu, que reunis num só corpo todos os
que participam do mesmo pão,
– conservai na paz e na concórdia aqueles que creem em vós.

R

Cristo, médico celeste, que no pão da vida nos ofereceis o remédio da imortalidade e o penhor da ressurreição,
– dai saúde aos doentes e perdão aos pecadores.

R

(intenções livres)

Cristo, rei da eterna glória, que nos mandastes celebrar a eucaristia para anunciar a vossa morte até à vossa vinda no fim dos
tempos,
– tornai participantes da vossa ressurreição todos os que morreram no vosso amor.

R

Pai nosso...

Oração

Senhor Jesus Cristo, neste admirável sacramento, nos deixastes o memorial da vossa paixão. Dai-nos venerar com tão grande amor o mistério do vosso Corpo e do vosso Sangue, que possamos colher continuamente os frutos da vossa redenção. Vós, que viveis e reinais com o Pai, na unidade do Espírito Santo.

Laudes

Hino

Eis que o Verbo, habitando entre nós
sem do Pai ter deixado a direita,
chega ao fim de seus dias na terra,
completando uma obra perfeita.

Conhecendo o Senhor quem iria
entregá-lo na mão do homicida,
quis aos doze entregar-se primeiro,
qual perfeito alimento da vida.

E debaixo de duas espécies
o seu corpo e seu sangue nos deu:
alimento vital para o homem,
que se nutre do Corpo de Deus.

No presépio quis ser companheiro,
como pão numa ceia se deu.
Foi na cruz nosso preço e resgate,
e será nosso prêmio no céu.

Hóstia pura, trazeis salvação,
e do céu nos abristes a porta.
Inimigos apertam o cerco,
dai-nos força que anima e conforta.

Ao Deus Uno e Trino, o louvor,
toda a glória e poder sempiterno,
e a vida sem fim nos conceda
lá na Pátria, no reino eterno.

Ant. 1 Saciastes vosso **povo** com man**jar** digno de **anjos**
e lhe **destes** pão do **céu**. Aleluia.

Salmos e cântico do domingo da I Semana, p. 764.

Ant. 2 Os **san**tos sacer**do**tes ofe**re**cem ao Se**nhor**
pão e in**cen**so, ale**lui**a.

Santíssimo Sacramento

Ant. 3 Ao vencedor eu darei o maná escondido, e darei novo nome. Aleluia.

Leitura breve
Ml 1,11

Desde o nascer do sol até ao poente, grande é meu nome entre as nações, em todo o lugar se oferece um sacrifício e uma oblação pura ao meu nome, porque grande é o meu nome entre as nações, diz o Senhor dos exércitos.

Responsório breve

R. Da terra tira o homem seu sustento,
   * Aleluia, aleluia. R. Da terra.
V. E o vinho que alegra o coração. *Aleluia.
   Glória ao Pai. R. Da terra.

Cântico evangélico, ant.

Eu sou o Pão vivo descido do céu;
quem comer deste pão viverá para sempre. Aleluia.

Preces

Oremos, irmãos e irmãs, a Jesus Cristo, pão da vida; e digamos com alegria:

R. Felizes os convidados para a ceia do Senhor!

Cristo, Sacerdote da nova e eterna Aliança, que no altar da cruz oferecestes ao Pai um sacrifício perfeito,
– ensinai-nos a oferecer convosco este sacrifício santo.   R.

Cristo, rei de paz e de justiça, que consagrastes o pão e o vinho como sinais da vossa oferenda,
– associai-nos ao vosso sacrifício, como oferenda agradável a Deus Pai.   R.

Cristo, verdadeiro adorador do Pai, que do nascer ao pôr do sol sois oferecido pela Igreja como uma oblação pura,
– congregai na unidade do vosso corpo os que saciais com o mesmo pão.   R.

Cristo, maná descido do céu, que alimentais a Igreja com o vosso corpo e o vosso sangue,
– fortificai-a na caminhada para o Pai.   R.

670 Tempo Comum

Cristo, que estais à porta e bateis,
– entrai e vinde sentar à nossa mesa.
R. **Felizes os convidados para a ceia do Senhor.**

(intenções livres)

Pai nosso...

Oração

Senhor Jesus Cristo, neste admirável sacramento, nos deixastes o memorial da vossa paixão. Dai-nos venerar com tão grande amor o mistério do vosso Corpo e do vosso Sangue, que possamos colher continuamente os frutos da vossa redenção. Vós, que viveis e reinais com o Pai, na unidade do Espírito Santo.

Hora Média

Salmodia complementar, p. 1135. Se esta solenidade é celebrada no Domingo, os salmos são do domingo da I Semana, p. 768.

Ant. Na **Ceia** derra**dei**ra, Je**sus** tomou o **pão**,
deu **graças** e o par**tiu** e o **deu** a seus dis**cí**pulos.

Leitura breve   Pr 9,1-2
A Sabedoria construiu sua casa, levantou sete colunas. Imolou suas vítimas, misturou o vinho e preparou a sua mesa.

V. Vós lhes **destes** Pão dos **céus**, ale**lui**a.
R. Que con**tém** toda de**lí**cia, ale**lui**a.
Oração como nas Laudes.

II Vésperas

HINO como nas I Vésperas, p. 663.

Salmodia
Ant. 1 Jesus **Cristo**, sacer**do**te eterna**men**te
se**gun**do a ordem do **rei** Melquise**dec**,
ofere**ceu** o pão e o **vinho**, ale**lui**a.

Salmo 109(110),1-5.7

– ¹Palavra do Se**nhor** ao meu Se**nhor**: *
"Assenta-te ao lado meu direito,
– até que eu ponha os inimigos teus *
como escabelo por debaixo de teus pés!" –

Santíssimo Sacramento

= ^{2} O **Senhor** estenderá desde Sião †
vosso **cetro** de poder, pois ele diz: *
"**Domi**na com vigor teus inimigos;

= ^{3} Tu és **príncipe** desde o dia em que nasceste; †
na **glória** e esplendor da santidade, *
como o orvalho, antes da aurora, eu te gerei!"

= ^{4} Jurou o Se**nhor** e manterá sua palavra: †
"Tu **és** sacerdote eternamente, *
segundo a **ordem** do rei Melquisedec!"

– ^{5} À vossa **destra** está o Senhor, ele vos diz: *
"No dia da **ira** esmagarás os reis da terra!

– ^{7} Beber**ás** água corrente no caminho, *
por **isso** seguirás de fronte erguida!"

Ant. Jesus **Cristo**, sacer**dote** eterna**mente**
se**gun**do a ordem do **rei** Melquise**dec**,
ofere**ceu** o pão e o **vinho**, ale**luia**.

Ant. 2 Elevo o **cálice** da **minha** salva**ção**
e vos o**ferto** um sacrifício de lou**vor**.

Salmo 115(116B)

– ^{10} Guar**dei** a minha **fé**, mesmo di**zendo**: *
"É de**mais** o sofrimento em minha vida!"

– ^{11} Confi**ei**, quando dizia na aflição: *
"Todo **ho**mem é mentiroso! Todo homem!"

– ^{12} Que pode**rei** retribuir ao Senhor Deus *
por tudo a**qui**lo que ele fez em meu favor?

– ^{13} Elevo o **cálice** da minha salvação, *
invo**can**do o nome santo do Senhor.

– ^{14} Vou cum**prir** minhas promessas ao Senhor *
na presença de seu povo reunido.

– ^{15} É sen**tida** por demais pelo Senhor *
a **mor**te de seus santos, seus amigos.

= ^{16} Eis que **sou** o vosso servo, ó Senhor, †
vosso **servo** que nasceu de vossa serva; *
mas me que**brastes** os grilhões da escravidão! –

672   Tempo Comum

– [17]Por isso oferto um sacrifício de louvor, *
    invocando o nome santo do Senhor.
– [18]Vou cumprir minhas promessas ao Senhor *
    na presença de seu povo reunido;
– [19]nos átrios da casa do Senhor, *
    em teu meio, ó cidade de Sião!

Ant. Elevo o cálice da minha salvação
    e vos oferto um sacrifício de louvor.

Ant. 3 Ó Senhor, sois o Caminho, a Verdade e a Vida.

No cântico seguinte dizem-se os Aleluias entre parênteses somente quando se canta; na recitação, basta dizer o Aleluia no começo e no fim das estrofes.

Cântico   Ap 19,1-2.5-7

= Aleluia, (Aleluia!).
   [1]Ao nosso Deus a salvação, *
   honra, glória e poder! (Aleluia!).
– [2]Pois são verdade e justiça *
   os juízos do Senhor.
R. Aleluia, (Aleluia!).

= Aleluia, (Aleluia!).
   [5]Celebrai o nosso Deus, *
   servidores do Senhor! (Aleluia!).
– E vós todos que o temeis, *
   vós os grandes e os pequenos!
R. Aleluia, (Aleluia!).

= Aleluia, (Aleluia!).
= [6]De seu reino tomou posse *
   nosso Deus onipotente! (Aleluia!).
– [7]Exultemos de alegria, *
   demos glória ao nosso Deus!
R. Aleluia, (Aleluia!).

= Aleluia, (Aleluia!).
   Eis que as núpcias do Cordeiro *
   redivivo se aproximam! (Aleluia!).
– Sua Esposa se enfeitou, *
   se vestiu de linho puro.
R. Aleluia, (Aleluia!).

Ant. Ó **Senhor**, sois o **Ca**minho, a **Verda**de e a **Vida**.

Leitura breve   1Cor 11,23-25

O que eu recebi do Senhor foi isso que eu vos transmiti: Na noite em que foi entregue, o Senhor Jesus tomou o pão e, depois de dar graças, partiu-o e disse: Isto é o meu corpo que é dado por vós. Fazei-o em memória de mim. Do mesmo modo, depois da ceia, tomou também o cálice e disse: Este cálice é a nova aliança, em meu sangue. Todas as vezes que dele beberdes, fazei isto em minha memória.

Responsório breve

R. Deus lhes **deu** para co**mer** o pão do **céu**,
   * Ale**luia**, aleluia. **R.** Deus lhes **deu**.
V. O **ho**mem se nu**triu** do pão dos **anjos.** * Ale**luia**.
   Glória ao **Pai**. **R.** Deus lhes **deu**.

Cântico evangélico, ant.

Ó ban**que**te tão sa**gra**do, em que **Cris**to é ali**men**to,
a me**mó**ria é cele**bra**da de seu **san**to sofri**men**to;
nossa **men**te se enri**que**ce com a **gra**ça em seu ful**gor**;
da fu**tu**ra glória e**ter**na nos é **da**do o pe**nhor**. Ale**lui**a.

Preces

Cristo nos convida a todos para a Ceia em que entrega seu corpo e sangue pela vida do mundo. Peçamos-lhe com amor e confiança:

R. Cristo, pão do céu, dai-nos a vida eterna!

Cristo, Filho do Deus vivo, que nos mandastes celebrar a ceia eucarística em memória de vós,
– fortalecei a Igreja com a fiel celebração de vossos mistérios. **R.**

Cristo, sacerdote único do Deus Altíssimo, que confiastes aos sacerdotes a oferenda da Eucaristia,
– fazei que eles realizem em suas vidas o que celebram no sacramento.   **R.**

Cristo, maná descido do céu, que reunis num só corpo todos os que participam do mesmo pão,
– conservai na paz e na concórdia aqueles que creem em vós.   **R.**

674 Tempo Comum

Cristo, médico celeste, que no pão da vida nos ofereceis o remédio da imortalidade e o penhor da ressurreição,
– dai saúde aos doentes e perdão aos pecadores.
R. **Cristo, pão do céu, dai-nos a vida eterna!**

(intenções livres)

Cristo, rei da eterna glória, que nos mandastes celebrar a eucaristia para anunciar a vossa morte até à vossa vinda no fim dos tempos,
– tornai participantes da vossa ressurreição, todos os que morreram no vosso amor. R.

Pai nosso...

Oração

Senhor Jesus Cristo, neste admirável sacramento, nos deixastes o memorial da vossa paixão. Dai-nos venerar com tão grande amor o mistério do vosso Corpo e do vosso Sangue, que possamos colher continuamente os frutos da vossa redenção. Vós, que viveis e reinais com o Pai, na unidade do Espírito Santo.

Sexta-feira após o 2º Domingo depois de Pentecostes

SAGRADO CORAÇÃO DE JESUS

Solenidade

I Vésperas

Hino

Ó Cristo, autor deste mundo,
que redimis terra e céus,
da luz do Pai sois a luz,
Deus verdadeiro de Deus.

O amor vos fez assumir
o nosso corpo mortal,
e, novo Adão, reparastes
do velho a culpa fatal.

O vosso amor, que criou
a terra, o mar e o céu,

Sagrado Coração de Jesus

do antigo mal condoído,
nossas cadeias rompeu.

Ninguém se afaste do amor
do vosso bom Coração.
Buscai, nações, nesta fonte
as graças da remissão.

Aberto foi pela lança
e, na paixão transpassado,
deixou jorrar água e sangue,
lavando nosso pecado.

Glória a Jesus, que derrama
graça do seu coração,
um com o Pai e o Espírito,
nos tempos sem sucessão.

Salmodia

Ant. 1 Com eterna caridade nos amou o nosso **Deus**;
e exaltado sobre a terra,
atraiu-nos para o seu compassivo Coração.

Salmo 112(113)

– [1] Louvai, louvai, ó servos do Senhor, *
louvai, louvai o nome do Senhor!
– [2] Bendito seja o nome do Senhor, *
agora e por toda a eternidade!
– [3] Do nascer do sol até o seu ocaso, *
louvado seja o nome do Senhor!

– [4] O Senhor está acima das nações, *
sua glória vai além dos altos céus.
= [5] Quem pode comparar-se ao nosso Deus, †
ao Senhor, que no alto céu tem o seu trono *
[6] e se inclina para olhar o céu e a terra?

– [7] Levanta da poeira o indigente *
e do lixo ele retira o pobrezinho,
– [8] para fazê-lo assentar-se com os nobres, *
assentar-se com os nobres do seu povo.
– [9] Faz a estéril, mãe feliz em sua casa, *
vivendo rodeada de seus filhos.

Ant. Com eterna caridade nos amou o nosso Deus;
e exaltado sobre a terra,
atraiu-nos para o seu compassivo Coração.

Ant. 2 Aprendei de mim, que sou
de coração humilde e manso,
e achareis paz e repouso para os vossos corações.

Salmo 145(146)

= ¹Bendize, minh'alma, ao Senhor! †
²Bendirei ao Senhor toda a vida, *
cantarei ao meu Deus sem cessar!

– ³Não ponhais vossa fé nos que mandam, *
não há homem que possa salvar.

= ⁴Ao faltar-lhe o respiro ele volta †
para a terra de onde saiu; *
nesse dia seus planos perecem.

= ⁵É feliz todo homem que busca †
seu auxílio no Deus de Jacó, *
e que põe no Senhor a esperança.

– ⁶O Senhor fez o céu e a terra, *
fez o mar e o que neles existe.

– O Senhor é fiel para sempre, *
⁷faz justiça aos que são oprimidos;

– ele dá alimento aos famintos, *
é o Senhor quem liberta os cativos.

= ⁸O Senhor abre os olhos aos cegos, †
o Senhor faz erguer-se o caído, *
o Senhor ama aquele que é justo.

= ⁹É o Senhor quem protege o estrangeiro, †
quem ampara a viúva e o órfão, *
mas confunde os caminhos dos maus.

= ¹⁰O Senhor reinará para sempre! †
Ó Sião, o teu Deus reinará *
para sempre e por todos os séculos!

Sagrado Coração de Jesus

Ant. Apren**dei** de mim, que **sou**
de cora**ção** humilde e **man**so,
'e acha**reis** paz e re**pou**so para os **vo**ssos cora**ções**.

Ant. 3 Eu **sou** o Bom **Pas**tor das ovelhas,
meu re**ba**nho co**nhe**ço e apas**cen**to,
e por **e**las eu **dou** minha **vi**da.

Cântico   Ap 4,11; 5,9.10.12

—[4,11] Vós sois **digno**, Senhor nosso **Deus**, *
de rece**ber** honra, glória e poder!

(**R.** Po**der**, honra e **gló**ria ao Cordeiro de **Deus!**)

= [5,9] Porque **to**das as coisas criastes, †
é por **vo**ssa vontade que existem, *
e sub**sis**tem porque vós mandais.   (**R.**)

=   Vós sois **digno**, Senhor nosso Deus, †
de o **li**vro nas mãos receber *
e de **abrir** suas folhas lacradas!   (**R.**)

—   Porque **fos**tes por nós imolado; *
para **Deus** nos remiu vosso sangue

—   dentre **to**das as tribos e línguas, *
dentre os **po**vos da terra e nações.   (**R.**)

= [10] Pois **fi**zestes de nós, para Deus, †
sacer**do**tes e povo de reis, *
e i**re**mos reinar sobre a terra.   (**R.**)

= [12] O Cor**dei**ro imolado é digno †
de rece**ber** honra, glória e poder, *
sabedo**ria**, louvor, divindade!   (**R.**)

Ant. Eu **sou** o Bom **Pas**tor das ovelhas,
meu re**ba**nho co**nhe**ço e apas**cen**to,
e por **e**las eu **dou** minha **vi**da.

Leitura breve   Ef 5,25b-27

Cristo amou a Igreja e se entregou por ela. Ele quis assim torná-la
santa, purificando-a com o banho da água unida à Palavra. Ele quis
apresentá-la a si mesmo esplêndida, sem mancha nem ruga, nem
defeito algum, mas santa e irrepreensível.

678   Tempo Comum

Responsório breve

R. Jesus **Cristo** nos **amou**
 * E em seu **sangue** nos la**vou**. R. Jesus **Cristo**.
V. Fez-nos **reis** e sacer**dotes** para **Deus**, o nosso **Pai**.
 * E em seu **sangue**. Glória ao **Pai**. R. Jesus **Cristo**.

Cântico evangélico, ant.

Vim **trazer** fogo à **ter**ra;
e o que **quero** se**não** que ele **seja** ateado?

Preces

Oremos, irmãos e irmãs, a Jesus Cristo, repouso de nossas almas;
e lhe peçamos:

R. **Rei de bondade, tende compaixão de nós!**

Senhor Jesus, de cujo coração aberto pela lança, jorrou sangue e
água para que a Igreja, vossa esposa, nascesse de vós,
– tornai-a santa e imaculada.   R.

Senhor Jesus, templo santo de Deus, destruído pelo ser humano
e novamente edificado por Deus,
– fazei da Igreja o tabernáculo do Altíssimo.   R.

Senhor Jesus, rei e centro de todos os corações, que amais com
amor eterno e atraís compassivo tudo para vós,
– renovai a vossa aliança com a humanidade inteira   R.

Senhor Jesus, nossa paz e reconciliação, que morrendo na cruz
vencestes o ódio e fizestes de todos uma nova criatura,
– abri-nos o caminho para o Pai.   R.

Senhor Jesus, nossa vida e ressurreição, conforto e repouso dos
corações atribulados,
– atraí para vós os pecadores.   R.

(intenções livres)

Senhor Jesus, obediente até à morte de cruz, por causa do vosso
infinito amor para conosco,
– ressuscitai a todos os que adormeceram na vossa paz.   R.

Pai nosso...

Oração

Concedei, ó Deus todo-poderoso, que, alegrando-nos pela solenidade do Coração do vosso Filho, meditemos as maravilhas de seu

Sagrado Coração de Jesus

amor e possamos receber, desta fonte de vida, uma torrente de graças. Por nosso Senhor Jesus Cristo, vosso Filho, na unidade do Espírito Santo.

Laudes

Hino

Jesus, autor da clemência,
gozo, esperança e perdão,
fonte de graça e doçura,
delícia do coração.

Do penitente esperança,
ao suplicante atendeis.
Sois bom com quem vos procura;
se vos achar, que sereis?

O vosso amor, ó Jesus,
doce alimento da mente,
sem dar fastio, sacia,
gerando fome crescente.

Ó muito amado Jesus,
da alma ansiosa esperança:
o coração, num clamor,
chama por vós, não descansa.

Ficai conosco, Senhor,
nova Manhã que fulgura
e vence as trevas da noite,
trazendo ao mundo a doçura.

Jesus, suprema clemência,
dos corações suavidade,
o vosso amor nos impele,
incompreendida Bondade.

Jesus, ó flor da Mãe Virgem,
encanto, amor, sumo Bem,
a vós louvor para sempre
no Reino eterno. Amém.

Ant. 1 Estando em **pé**, Jesus cla**ma**va em alta **voz**:
Quem tem **se**de venha a **mim**, venha be**ber**!

Salmos e cântico do domingo da I Semana, p. 764.

Tempo Comum

Ant. 2 Vinde a **mim**, todos **vós** que estais cansados
e pe**nais** a carre**gar** pesado **fardo**,
e des**can**so eu vos da**rei**, diz o Se**nhor**.

Ant. 3 Meu **filho**, entrega a **mim** teu cora**ção**,
e teus **o**lhos sempre **guar**dem meus cami**nh**os.

Leitura breve
Jr 31,33

Esta será a aliança que concluirei com a casa de Israel, depois desses dias, diz o Senhor: imprimirei minha lei em suas entranhas, e hei de inscrevê-la em seu coração; serei seu Deus e eles serão meu povo.

Responsório breve

R. Tomai meu **ju**go sobre **vós**,
* E a**prendei** de **mim**. R. Tomai.
V. Pois eu **sou** de cora**ção** humilde e **man**so. * E a**prendei**.
Glória ao **Pai**. R. Tomai meu **ju**go.

Cântico evangélico, ant.
Pelo a**mor** do Cora**ção** de nosso **Deus**,
o Se**nhor** nos visi**tou** e liber**tou**.

Preces
Oremos, irmãos e irmãs, a Jesus manso e humilde de coração; peçamos-lhe cheios de confiança:

R. **Rei de bondade, tende compaixão de nós!**

Jesus Cristo, em quem habita toda a plenitude da divindade,
_ fazei-nos participantes da vossa natureza divina. R.

Jesus Cristo, em quem se encontram todos os tesouros da sabedoria e da ciência,
_ revelai-nos, pelo ministério da Igreja, a infinita sabedoria de Deus. R.

Jesus Cristo, em quem o Pai colocou toda a sua afeição,
_ ensinai-nos a ouvir fielmente a vossa palavra. R.

Jesus Cristo, de cuja plenitude todos nós recebemos,
_ dai-nos sempre e cada vez mais a graça e a verdade do Pai. R.

Jesus Cristo, fonte de vida e santidade,
_ tornai-nos santos e puros no amor. R.

(intenções livres)

Pai nosso...

Sagrado Coração de Jesus

Oração

Concedei, ó Deus todo-poderoso, que, alegrando-nos pela solenidade do Coração do vosso Filho, meditemos as maravilhas de seu
amor e possamos receber, desta fonte de vida, uma torrente de
graças. Por nosso Senhor Jesus Cristo, vosso Filho, na unidade do
Espírito Santo.

Hora Média

Salmodia complementar, p. 1135.

Ant. Meu coração está esmagado no meu peito,
e meus ossos, todos eles, estremecem.

Leitura breve   Jr 32,40
Estabelecerei com eles um pacto eterno, a fim de que não se afastem de mim; para isso não cessarei de favorecê-los e infundirei
em seus corações o temor de Deus.

V. Procurei quem de mim tivesse pena e não achei.
R. E alguém que pudesse consolar-me, e não havia.
Oração como nas Laudes.

II Vésperas

HINO como nas I Vésperas, p. 674.

Salmodia
Ant. 1 Com vosso jugo tão suave dominai, Senhor Jesus,
sobre os vossos inimigos.

Salmo 109(110),1-5.7

– ¹Palavra do Senhor ao meu Senhor: *
"Assenta-te ao lado meu direito,
– até que eu ponha os inimigos teus *
como escabelo por debaixo de teus pés!"

= ²O Senhor estenderá desde Sião †
vosso cetro de poder, pois ele diz: *
"Domina com vigor teus inimigos;

= ³Tu és príncipe desde o dia em que nasceste; †
na glória e esplendor da santidade, *
como o orvalho, antes da aurora, eu te gerei!" _

682 Tempo Comum

= ⁴Jurou o Senhor e manterá sua palavra: †
"Tu és sacerdote eternamente, *
segundo a ordem do rei Melquisedec!"
– ⁵À vossa destra está o Senhor, ele vos diz: *
"No dia da ira esmagarás os reis da terra!
– ⁷Beberás água corrente no caminho, *
por isso seguirás de fronte erguida!"

Ant. Com vosso jugo tão suave dominai, Senhor Jesus,
sobre os vossos inimigos.

Ant. 2 O Senhor bom e clemente
alimentou os que o temem.

Salmo 110(111)

– ¹Eu agradeço a Deus de todo o coração *
junto com todos os seus justos reunidos!
– ²Que grandiosas são as obras do Senhor, *
elas merecem todo o amor e admiração!

– ³Que beleza e esplendor são os seus feitos! *
Sua justiça permanece eternamente!
– ⁴O Senhor bom e clemente nos deixou *
a lembrança de suas grandes maravilhas.

– ⁵Ele dá o alimento aos que o temem *
e jamais esquecerá sua Aliança.
– ⁶Ao seu povo manifesta seu poder, *
dando a ele a herança das nações.

– ⁷Suas obras são verdade e são justiça, *
seus preceitos, todos eles, são estáveis,
– ⁸confirmados para sempre e pelos séculos, *
realizados na verdade e retidão.

= ⁹Enviou libertação para o seu povo, †
confirmou sua Aliança para sempre. *
Seu nome é santo e é digno de respeito.

=¹⁰Temer a Deus é o princípio do saber †
e é sábio todo aquele que o pratica. *
Permaneça eternamente o seu louvor.

Ant. O Senhor bom e clemente alimentou os que o temem.

Ant. 3 Eis **aqui** o Cor**dei**ro de **Deus**,
o que **tira** o pe**ca**do do **mun**do.

Cântico

Fl 2,6-11

= ⁶Embora **fos**se de di**vi**na condi**ção**, †
Cristo Je**sus** não se apegou ciosamente *
a ser i**gual** em natureza a Deus Pai.

(R. Jesus **Cris**to é **Se**nhor para a **gló**ria de Deus **Pai!**)

= ⁷Po**rém** esvaziou-se de sua glória †
e assu**miu** a condição de um escravo, *
fa**zen**do-se aos homens semelhante. (R.)

= ⁸Reconhe**ci**do exteriormente como homem, †
humi**lhou**-se, obedecendo até à morte, *
até à **mor**te humilhante numa cruz. (R.)

= ⁹Por isso **Deus** o exaltou sobremaneira †
e deu-lhe o **no**me mais excelso, mais sublime, *
e ele**va**do muito acima de outro nome. (R.)

=¹⁰Para **que** perante o nome de Jesus †
se **do**bre reverente todo joelho, *
seja nos **céus**, seja na terra ou nos abismos. (R.)

=¹¹E toda **lín**gua reconheça, confessando, †
para a **gló**ria de Deus Pai e seu louvor: *
"Na ver**da**de Jesus Cristo é o Senhor!" (R.)

Ant. Eis **aqui** o Cor**dei**ro de **Deus**,
o que **tira** o pe**ca**do do **mun**do.

Leitura breve Ef 2,4-7

Deus é rico em misericórdia. Por causa do grande amor com que
nos amou, quando estávamos mortos "por causa das nossas faltas,
ele nos deu a vida com Cristo. É por graça que vós sois salvos!
Deus nos ressuscitou com Cristo e nos fez sentar nos céus em virtude de nossa união com Jesus Cristo. Assim, pela bondade, que
nos demonstrou em Jesus Cristo, Deus quis mostrar, através dos
séculos futuros, a incomparável riqueza da sua graça.

Responsório breve
R. Jesus **Cris**to nos a**mou**
* E em seu **san**gue nos la**vou.** R. Jesus **Cris**to.

684 Tempo Comum

V. Fez-nos **reis** e sacerdotes para **Deus**, o nosso **Pai**.
* E em seu **san**gue nos la**v**ou. Glória ao **Pai**.
R. Jesus **Cris**to nos a**mou**.

Cântico evangélico, ant.
O Se**nhor** nos aco**lheu** em seu re**g**aço e Cora**ção**,
fi**el** ao seu a**mor**. Ale**luia**.

Preces
Oremos, irmãos e irmãs, a Jesus Cristo, repouso de nossas almas;
e lhe peçamos:
R. **Rei de bondade, tende compaixão de nós!**

Senhor Jesus, de cujo coração aberto pela lança jorrou sangue e
água para que a Igreja, vossa esposa, nascesse de vós,
– tornai-a santa e imaculada. R.

Senhor Jesus, templo santo de Deus, destruído pelo ser humano e
novamente edificado por Deus,
– fazei da Igreja o tabernáculo do Altíssimo. R.

Senhor Jesus, rei e centro de todos os corações, que amais com
amor eterno e atraís compassivo tudo para vós,
– renovai a vossa aliança com a humanidade inteira. R.

Senhor Jesus, nossa paz e reconciliação, que morrendo na cruz
vencestes o ódio e fizestes de todos uma nova criatura,
– abri-nos o caminho para o Pai. R.

Senhor Jesus, nossa vida e ressurreição, conforto e repouso dos
corações atribulados,
– atraí para vós os pecadores. R.

(intenções livres)

Senhor Jesus, obediente até à morte de cruz, por causa do vosso
infinito amor para conosco,
– ressuscitai a todos os que adormeceram na vossa paz. R.

Pai nosso...

Oração
Concedei, ó Deus todo-poderoso, que, alegrando-nos pela solenidade do Coração do vosso Filho, meditemos as maravilhas de
seu amor e possamos receber, desta fonte de vida, uma torrente de
graças. Por nosso Senhor Jesus Cristo, vosso Filho, na unidade do
Espírito Santo.

TEMPO COMUM

1ª SEMANA DO TEMPO COMUM

I Semana do Saltério

Onde a solenidade da Epifania do Senhor é celebrada no domingo que ocorre no dia 7 ou 8 de janeiro, o Ofício da Festa do Batismo do Senhor é celebrado na segunda-feira seguinte. Neste caso, o Tempo comum começa na terça-feira.

2º DOMINGO DO TEMPO COMUM

II Semana do Saltério

I Vésperas

Cântico evangélico, ant.

Ano A Eis **aqui** o Cor**dei**ro de **Deus**,
O que **ti**ra o pe**ca**do do **mun**do. Ale**lui**a.

Ano B Ao ou**vi**rem a pa**la**vra de Jo**ão**,
os dois dis**cí**pulos se**gui**ram a Je**sus**,
e disseram-lhe: Ó **Mes**tre, onde **mo**ras?
Vinde e **ve**de, disse a eles o Se**nhor**.

Ano C Cele**brou**-se um casa**men**to em Ca**ná** da Gali**lei**a,
e Je**sus** com sua **mãe** acha**va**m-se pre**sen**tes.

Oração como nas Laudes.

Laudes

Cântico evangélico, ant.

Ano A Foi **es**te o teste**mu**nho que Jo**ão** deu do Se**nhor**:
O que vi**rá** depois de **mim**, já exis**ti**a antes de **mim**.

Ano B Os dis**cí**pulos foram **ver** onde **é** que ele mo**ra**va;
e fi**ca**ram com Je**sus** du**ran**te aquele **dia**.

Ano C Disse a **Mãe** de Je**sus** aos ser**ven**tes:
Fazei **tu**do o que ele dis**ser**!
E Je**sus** orde**nou** que enches**sem**
a**que**las seis **ta**lhas com **á**gua,
que **foi** transfor**ma**da em **vi**nho.

686 Tempo Comum

Oração

Deus eterno e todo-poderoso, que governais o céu e a terra, escutai com bondade as preces do vosso povo e dai ao nosso tempo a vossa paz. Por nosso Senhor Jesus Cristo, vosso Filho, na unidade do Espírito Santo.

II Vésperas

Cântico evangélico, ant.

Ano A Do **céu**, o Espírito **Santo**
em **forma** de **pomba** desceu,
e **sobre** Jesus repousou:
Eis quem batiza com o Espírito **Santo**.

Ano B Disse André a Simão **Pedro**:
Encontramos o Messias.
E a Jesus o conduziu.

Ano C Nas bodas de Caná da Galileia,
Jesus iniciou os seus sinais,
e assim manifestou a sua glória,
e nele acreditaram seus discípulos.

3º DOMINGO DO TEMPO COMUM

III Semana do Saltério

I Vésperas

Cântico evangélico, ant.

Ano A Convertei-vos, nos **diz** o Senhor,
Está **próximo** o **Reino** dos **céus**.

Ano B Dirigiu-se Jesus à Galileia,
o Evangelho de **Deus** anunciando:
Convertei-vos e crede no Evangelho,
pois o **Reino** de **Deus** está chegando!

Ano C Jesus, então, voltou pela força do Espírito,
Nas sinagogas ensinava e todos o aclamavam.

4° Domingo

Laudes

Cântico evangélico, ant.

Ano A Passando junto ao **mar** da Gali**le**ia,
viu Jesus os dois irmãos André e Pedro
a lançar a rede ao mar, e os chamou.
E, deixando sem demora sua rede,
os discípulos seguiram a Jesus.

Ano B Disse a eles Jesus: Vinde comigo,
e pescadores de homens vos farei.

Ano C O Espírito de **Deus** repousa sobre **mim**,
e enviou-me a anunciar aos pobres o Evangelho.

Oração

Deus eterno e todo-poderoso, dirigi a nossa vida segundo o vosso amor, para que possamos, em nome do vosso Filho, frutificar em boas obras. Por nosso Senhor Jesus Cristo, vosso Filho, na unidade do Espírito Santo.

II Vésperas

Cântico evangélico, ant.

Ano A Jesus pregava a Boa-**nova**, o **Reino** anunciando,
e curava toda espécie de doença entre o povo.

Ano B Deixando suas redes, sem demora,
seguiram ao Senhor e Redentor.

Ano C Jesus, tendo fechado o livro,
deu-o ao servente e começou a lhes dizer:
Em mim cumpriu-se hoje, a vossos olhos,
a Escritura que acabastes de ouvir.

4° DOMINGO DO TEMPO COMUM

IV Semana do Saltério

I Vésperas

Cântico evangélico, ant.

Ano A Jesus, vendo as multidões, subiu ao monte,
E a ele se achegaram seus discípulos.

688   Tempo Comum

Ele, então, pôs-se a falar e os ensinava:
Felizes os pobres em espírito,
porque deles é o Reino dos Céus!

Ano B Todo o povo se admirava da doutrina de Jesus, porque
ele ensinava, possuindo autoridade.

Ano C Todos eles se admiravam
das palavras proferidas pelos lábios do Senhor.

Laudes

Cântico evangélico, ant.

Ano A Felizes os puros em seu coração,
porque eles verão o seu Deus face a face.

Ano B Perguntavam entre si admirados: Que é isso?
Um novo ensinamento! E com que autoridade!
Ele ordena aos maus espíritos que a ele obedecem!

Ano C Eu vos digo com certeza, diz Jesus:
Nenhum profeta é bem aceito em sua pátria.

Oração

Concedei-nos, Senhor nosso Deus, adorar-vos de todo o coração, e amar todas as pessoas com verdadeira caridade. Por nosso Senhor Jesus Cristo, vosso Filho, na unidade do Espírito Santo.

II Vésperas

Cântico evangélico, ant.

Ano A Felizes aqueles que promovem a paz,
porque filhos de Deus serão eles chamados!

Ano B Estava todo o povo admirado,
e a fama de Jesus se espalhou
por toda a região da Galileia.

Ano C Expulsaram a Jesus de sua cidade
e queriam lançá-lo ao precipício.
Mas ele, passando em seu meio,
tranquilo, seguiu o seu caminho.

5º DOMINGO DO TEMPO COMUM

I Semana do Saltério

I Vésperas

Cântico evangélico, ant.

Ano A Vós **sois** o sal da **terra**; se o **sal** perde o sa**bor**,
com **que** será salga**do**?, diz **Jesus** a seus dis**cí**pulos.

Ano B À **tar**de, de**pois** de o sol se **pôr**,
trouxeram-lhe **to**dos os en**fer**mos,
e ele curou **mui**tos que estavam
opri**mi**dos com as doenças mais di**ver**sas.

Ano C Je**sus** subiu na **bar**ca e ao **po**vo ele en**sinava**.

Laudes

Cântico evangélico, ant.

Ano A Vós **sois** a luz do **mun**do;
brilhe aos **ho**mens vossa **luz**.
Vendo **eles** vossas **obras**, deem **gló**ria ao Pai ce**les**te!

Ano B **Jesus** levan**tou**-se bem **ce**do,
dirigiu-se a um **lu**gar reti**rado**,
e a**í** dedi**cou**-se à ora**ção**.

Ano C Ó **Mes**tre, traba**lha**mos toda a **noi**te
e **na**da conse**guimos** apa**nhar**;
ao teu **man**do, lança**rei** de novo as **re**des.

Oração

Velai, ó Deus, sobre a vossa família, com incansável amor; e
como só confiamos na vossa graça, guardai-nos sob a vossa proteção. Por nosso Senhor Jesus Cristo, vosso Filho, na unidade do
Espírito Santo.

II Vésperas

Cântico evangélico, ant.

Ano A Que **bri**lhe a vossa **luz** como uma **lâm**pada
no cande**eiro** colo**ca**da,
a **fim** de ilumi**nar** a todos **quan**tos
estão **den**tro de **ca**sa.

690   Tempo Comum

Ano B Diziam **Simão** e os **seus** compa**nhei**ros:
Todo o **po**vo te **bus**ca!
Je**sus** respon**deu**:
Vamos a **ou**tros lu**ga**res, às al**dei**as vizinha**s**,
para a**li**, também, pre**gar**, pois para i**sso** é q**ue vim**!

Ano C Afas**tai**-vos de **mim**, Senhor Je**sus**,
porque **eu** sou um **ho**mem peca**dor**!
Si**mão**, não tenhas **me**do, nem re**cei**o!
De **gen**te se**rás** um pesca**dor**!

6º DOMINGO DO TEMPO COMUM

II Semana do Saltério

I Vésperas

Cântico evangélico, ant.

Ano A Quem prati**car** e ensi**nar** a minha **Lei**,
no **Rei**no dos **céus** há de ser **gran**de.

Ano B Se **que**res, ó Se**nhor**, tu **po**des me cu**rar**!
Je**sus** lhe respon**deu**: Eu **que**ro, sê cu**ra**do!

Ano A Fe**li**zes de **vós**, que sois **po**bres,
porque **vos**so é o **Rei**no de **Deus**!
Fe**li**zes de **vós**, os fa**min**tos,
pois **to**dos se**reis** sacia**dos**!

Laudes

Cântico evangélico, ant.

Ano A Se **não** supe**rar** vossa jus**ti**ça
a **dos** fari**seus** e dos es**cri**bas,
no **Rei**no dos **céus** não entra**reis**!

Ano B Je**sus** teve **pe**na do le**pro**so,
esten**deu** sua **mão** e o to**cou**;
e ele **lo**go fi**cou** purifi**ca**do.

Ano C Fe**li**zes de **vós** que cho**rais**,
por**que** have**reis** de sor**rir**!

7º Domingo

Oração

Ó Deus, que prometestes permanecer nos corações sinceros e retos, dai-nos, por vossa graça, viver de tal modo, que possais habitar em nós. Por nosso Senhor Jesus Cristo, vosso Filho, na unidade do Espírito Santo.

II Vésperas

Cântico evangélico, ant.

Ano A   Se estás para fazer ao Senhor a tua oferta,
        e diante do altar
        te lembrares que o irmão tem algo contra ti,
        reconcilia-te com ele, e faze, então, a tua oferta!

Ano B   Não digas nada a ninguém,
        mas vai mostrar-te ao sacerdote
        para servir de testemunho.
        Mas o homem foi embora
        e começou a divulgar e a espalhar esta notícia.

Ano C   Felizes haveis de ser,
        quando os homens vos odiarem
        por causa do Filho do Homem.
        Alegrai-vos naquele dia
        e exultai, porque será grande
        nos céus vossa recompensa!

7º DOMINGO DO TEMPO COMUM

III Semana do Saltério

I Vésperas

Cântico evangélico, ant.

Ano A   Amai os vossos inimigos, diz Jesus.
        Orai por quem vos persegue e calunia,
        e sereis filhos do vosso Pai celeste.

692 Tempo Comum

Ano B Trouxeram a Jesus um paralítico.
Vindo a fé daqueles homens, ele disse:
Meu filho, estão perdoados teus pecados.

Ano C Como vós desejais que os outros vos façam,
fazei vós também o mesmo com eles.

Laudes

Cântico evangélico, ant.

Ano A O Pai faz seu sol nascer
sobre os maus e sobre os bons,
e igualmente faz chover
sobre os justos e os injustos.

Ano B A fim de que saibais que o Filho do Homem
sobre a terra tem poder de perdoar os pecados, disse a
ele: Eu te mando:
Fica em pé, toma o teu leito e vai para tua casa!

Ano C Não julgueis e não sereis também julgados;
na medida em que julgardes vosso irmão,
também vós, pelo Senhor, sereis julgados.

Oração

Concedei, ó Deus todo-poderoso, que, procurando conhecer sempre o que é reto, realizemos vossa vontade em nossas palavras e ações. Por nosso Senhor Jesus Cristo, vosso Filho, na unidade do Espírito Santo.

II Vésperas

Cântico evangélico, ant.

Ano A Sede perfeitos, como o vosso Pai celeste é perfeito.

Ano B Então o paralítico tomou a sua maca,
levantou-se e caminhou, dando glórias ao Senhor. Vendo isto a multidão, com temor, louvou a Deus.

Ano C Perdoai, e vos será perdoado.
Dai aos outros, e a vós será dado.
Com a mesma medida com que a outros medirdes,
medidos sereis.

8º DOMINGO DO TEMPO COMUM

IV Semana do Saltério

I Vésperas

Cântico evangélico, ant.

Ano A   Olhai para as aves do céu:
Não semeiam nem recolhem em celeiros,
e o vosso Pai celeste as alimenta.
Não valeis muito mais do que elas?

Ano B   Enquanto os convivas têm o esposo consigo,
não poderão jejuar, nos diz o Senhor.

Ano C   Tira primeiro a trave que está no teu olho;
e verás claramente a fim de tirar
o cisco que está no olho do irmão.

Laudes

Cântico evangélico, ant.

Ano A   Não fiqueis preocupados em dizer:
O que havemos de comer ou de beber?
Pois bem sabe o vosso Pai que está nos céus,
que vós necessitais de tudo isso.

Ano B   Ao teu coração eu hei de falar:
Eu vou desposar-te com fidelidade,
e tu saberás quem é o Senhor!

Ano C   A boa árvore não pode dar maus frutos;
e a má árvore não pode dar bons frutos.

Oração

Fazei, ó Deus, que os acontecimentos deste mundo decorram na paz que desejais, e vossa Igreja vos possa servir, alegre e tranquila. Por nosso Senhor Jesus Cristo, vosso Filho, na unidade do Espírito Santo.

II Vésperas

Cântico evangélico, ant.

Ano A   Diz Jesus: Procurai em primeiro lugar
o Reino de Deus e a sua justiça,
e tudo o mais vos será acrescentado.

Ano B Não se **põe** vinho **no**vo em odres **velhos**;
mas vinho **no**vo em odres **no**vos, diz Jesus.

Ano C O homem **bom** tira o que é **bom**
do te**sou**ro de bon**da**de
que ele **tem** no co**ra**ção.
Porque a boca **fa**la do que está no co**ra**ção.

9º DOMINGO DO TEMPO COMUM

I Semana do Saltério

I Vésperas

Cântico evangélico, ant.

Ano A Não é a**que**le que me **diz**: Senhor, Se**nhor**,
que no **Rei**no dos **céus** irá en**trar**,
mas quem **faz** a vonta**de** do meu **Pai**.

Ano B O **sá**bado foi **fei**to para o **ho**mem,
e **não** foi feito o **ho**mem para o **sá**bado.

Ano C Tendo ouvido fa**lar** de Jesus, o **cen**turião enviou al-
guns anciãos dos ju**deus**,
pe**din**do que viesse cu**rar**
o seu **ser**vo a quem **mui**to esti**ma**va.

Laudes

Cântico evangélico, ant.

Ano A Quem es**cu**ta minhas pa**la**vras
e as **pra**tica, é compa**ra**do
ao homem **sá**bio e previ**den**te
que cons**trói** a sua **ca**sa
sobre **ro**cha inaba**lá**vel.

Ano B **Je**sus respon**deu** aos fari**seus**:
O Filho do **Ho**mem é Se**nhor** até do **sá**bado.

Ano C Se**nhor**, eu não sou **dig**no
de que en**treis** em minha **ca**sa,
mas di**zei** uma palavra e meu **ser**vo será **sal**vo!

10º Domingo

Oração

Ó Deus, cuja providência jamais falha, nós vos suplicamos humildemente: afastai de nós o que é nocivo, e concedei-nos tudo o que for útil. Por nosso Senhor Jesus Cristo, vosso Filho, na unidade do Espírito Santo.

II Vésperas

Cântico evangélico, ant.

Ano A   As enchentes e os ventos investiram
contra a casa do homem sábio. E não caiu,
pois estava construída sobre a rocha.

Ano B   Jesus disse ao homem que tinha a mão seca:
Estende a tua mão! E ele a estendeu,
e sua mão foi curada.

Ano C   Jesus se admirou da fé do centurião
e disse: Eu vos digo que nem mesmo em Israel encontrei tamanha fé. E voltando para casa,
os enviados encontraram o empregado já curado.

10º DOMINGO DO TEMPO COMUM

II Semana do Saltério

I Vésperas

Cântico evangélico, ant.

Ano A   Saindo dali,
Jesus viu um homem chamado Mateus,
sentado à banca, cobrando imposto,
e o chamou: Vem comigo! E ele o seguiu.

Ano B   Se eu expulso os demônios pela força de Deus,
o Reino dos Céus já chegou até vós.

Ano C   Quando o Senhor viu a viúva, ficou compadecido e
disse-lhe: Não chores!

Laudes

Cântico evangélico, ant.

Ano A   Cobradores de impostos e muitos outros pecadores
assentaram-se à mesa com Jesus e seus discípulos.

696   Tempo Comum

Ano B   Quando um **ho**mem forte e arma**do**
monta **guar**da à sua **ca**sa,
todos seus **bens** ficam seguros.

Ano C   **Le**vanta-te, **jo**vem, te or**de**no!
E sen**tou**-se o que estivera **mor**to.
E ele, en**tão**, pôs-se a fa**lar**.
E **Je**sus o entre**gou** à sua **mãe**.

Oração

Ó Deus, fonte de todo o bem, atendei ao nosso apelo e fazei-nos, por vossa inspiração, pensar o que é certo e realizá-lo com vossa ajuda. Por nosso Senhor Jesus Cristo, vosso Filho, na unidade do Espírito Santo.

II Vésperas

Cântico evangélico, ant.

Ano A   Miseri**cór**dia é que eu **que**ro;
eu não **que**ro sacri**fí**cio.
Eu não **vim** chamar os **jus**tos,
vim cha**mar** os peca**do**res.

Ano B   Quem **faz** a von**ta**de do meu **Pai**,
é meu ir**mão**, minha ir**mã** e minha **mãe**.

Ano C   Um **gran**de profeta sur**giu** entre **nós**,
e **Deus** visi**tou** o seu **po**vo, ale**lui**a.

11º DOMINGO DO TEMPO COMUM

III Semana do Saltério

I Vésperas

Cântico evangélico, ant.

Ano A   Vendo a**que**las multi**dões** aba**ti**das e cansa**das**,
como ovelhas sem pas**tor**, Jesus **te**ve compai**xão**.

Ano B   O **Rei**no de **Deus** é como um **ho**mem
que na **terra** lan**çou** sua se**men**te.
Quer **dur**ma, quer **ve**le, noite e **dia**,
a se**men**te ger**mi**na e vai cres**cen**do.

11º Domingo

Ano C A mulher pecadora banhou com as lágrimas
os pés do Senhor e os ungiu com perfume.

Laudes

Cântico evangélico, ant.

Ano A Enviando os doze Apóstolos,
o Senhor recomendou-lhes:
Ide às ovelhas extraviadas da casa de Israel.

Ano B O Reino dos céus, diz Jesus,
se assemelha a um grão de mostarda;
este grão é a menor das sementes;
quando cresce se torna hortaliça,
a maior entre todas as outras.

Ano C Seus muitos pecados estão perdoados,
porque muito amou.
A quem pouco se perdoa, demonstra pouco amor.

Oração

Ó Deus, força daqueles que esperam em vós, sede favorável ao nosso apelo, e, como nada podemos em nossa fraqueza, dai-nos sempre o socorro da vossa graça, para que possamos querer e agir conforme vossa vontade, seguindo os vossos mandamentos. Por nosso Senhor Jesus Cristo, vosso Filho, na unidade do Espírito Santo.

II Vésperas

Cântico evangélico, ant.

Ano A O Evangelho do Reino anunciai.
Dai de graça o que de graça recebestes.

Ano B Jesus anunciava a palavra
por meio de muitas parábolas.
Porém, estando a sós com os discípulos,
explicava-lhes todas as coisas.

Ano C Jesus disse à mulher pecadora:
Vai em paz, tua fé te salvou!

12º DOMINGO DO TEMPO COMUM

IV Semana do Saltério

I Vésperas

Cântico evangélico, ant.

Ano A O que eu **digo** a **vós** em segredo,
publi**cai**-o **so**bre os te**lha**dos.

Ano B Sal**vai**-nos, ó Se**nhor**, que pere**ce**mos!
Orde**nai**, e volta**rá** a tranquili**da**de!

Ano C E **vós**, quem di**zeis** que eu **sou**?
Simão **Pedro** então respon**deu**:
Tu **és** o Ungido de **Deus**!

Laudes

Cântico evangélico, ant.

Ano A A**té** os cabelos de **vos**sa ca**be**ça
estão **to**dos contados. Não te**mais**, diz Jesus.

Ano B O Se**nhor** se levan**tou**, repreen**deu** o mar e o **ven**to:
A**cal**ma-te e **ca**la-te! E se **fez** grande bo**nan**ça.

Ano C O **Fi**lho do **Ho**mem deve**rá** sofrer **mui**to,
se**rá** conde**na**do e na **cruz** morre**rá**;
e de**pois** de três **di**as ressusci**ta**rá.

Oração

Senhor, nosso Deus, dai-nos por toda a vida a graça de vos amar
e temer, pois nunca cessais de conduzir os que firmais no vosso
amor. Por nosso Senhor Jesus Cristo, vosso Filho, na unidade do
Espírito Santo.

II Vésperas

Cântico evangélico, ant.

Ano A Quem de **mim** der teste**mu**nho ante os **ho**mens, darei
dele o teste**mu**nho ante meu **Pai**.

Ano B Os discípulos, com **me**do,
pergun**ta**vam uns aos **ou**tros:
Quem é este? Até o **ven**to e o **mar** lhe obe**de**cem!

Ano C Quem qui**ser** me se**guir**, renun**cie** a si **mes**mo,
e, to**man**do sua **cruz**, acom**pa**nhe meus **pa**ssos.

13º DOMINGO DO TEMPO COMUM

I Semana do Saltério

I Vésperas

Cântico evangélico, ant.

Ano A Quem não **to**ma sua **cruz** e não me **segue**,
não é **digno** de **mim**, diz o Se**nhor**.

Ano B **Dizia** a mul**her** para **si**:
se eu to**car**, nem que **seja** na **or**la
de seu **man**to, eu **hei** de ser **sal**va.

Ano C As ra**po**sas possu**em** as **to**cas,
e as **aves** do **céu**, os seus **ni**nhos;
mas o **Filho** do **Ho**mem não **tem**
onde **pos**sa apoi**ar** a ca**be**ça.

Laudes

Cântico evangélico

Ano A Quem vos re**ce**be, a mim re**ce**be;
quem me re**ce**be, diz Je**sus**,
re**ce**be o **Pai** que me envi**ou**.

Ano B Je**sus** disse, en**tão**, à mul**her**:
Vai em **paz**, tua **fé** te sal**vou**!

Ano C **Dei**xa que os **mor**tos ente**rrem** os **mor**tos!
Tu, po**rém**, vai e **pre**ga o **Reino** de **Deus**.

Oração

Ó Deus, pela vossa graça, nos fizestes filhos da luz. Concedei que não sejamos envolvidos pelas trevas do erro, mas brilhe em nossas vidas a luz da vossa verdade. Por nosso Senhor Jesus Cristo, vosso Filho, na unidade do Espírito Santo.

II Vésperas

Cântico evangélico, ant.

Ano A Em ver**da**de eu vos **digo**: Quem **der**, em meu **no**me,
a um **des**tes peque**ni**nos nem que **seja** um copo d'**á**gua,
por ser ele meu dis**cí**pulo, há de **ter** sua recom**pen**sa.

700 Tempo Comum

Ano B A criança não morreu, está dormindo.
Tomou-a pela mão e exclamou:
Levanta-te, menina, eu te ordeno!

Ano C Quem põe a mão no arado e olha para trás,
não serve para o Reino de Deus, diz o Senhor.

14º DOMINGO DO TEMPO COMUM

II Semana do Saltério

I Vésperas

Cântico evangélico, ant.

Ano A Eu te louvo e bendigo, meu Pai,
dos céus e da terra Senhor,
porque ocultaste estas coisas
aos sábios e aos entendidos
e as revelaste aos pequenos!

Ano B Os ouvintes se admiravam da doutrina de Jesus,
e diziam estupefatos: Não é este o carpinteiro?
Não é o filho de Maria? De onde lhe vem este saber?

Ano C É grande a colheita, e os operários são poucos.
Por isso, pedi ao Senhor da colheita
que mande operários à sua colheita.

Laudes

Cântico evangélico, ant.

Ano A Tomai meu jugo sobre vós
e aprendei de mim que sou
de coração humilde e manso,
e achareis paz e repouso para os vossos corações.

Ano B Eu vos digo com certeza a todos vós:
o profeta não é aceito em sua pátria.

Ano C Ao entrardes numa casa, dizei primeiramente:
A paz a esta casa!
E sobre aquela casa, vossa paz repousará.

15º Domingo

Oração

Ó Deus, que pela humilhação do vosso Filho reerguestes o mundo decaído, enchei os vossos filhos e filhas de santa alegria, e dai aos que libertastes da escravidão do pecado o gozo das alegrias eternas. Por nosso Senhor Jesus Cristo, vosso Filho, na unidade do Espírito Santo.

II Vésperas

Cântico evangélico, ant.

Ano A O meu **j**ugo é suave e é **l**eve o meu **far**do,
assim **diz** o Sen**hor**.

Ano B **Sa**indo Je**s**us de sua **terra**,
percor**ria** as al**dei**as vizinhas
e prega**va** o Evangelho do **Rei**no.

Ano C Exul**tai** e ale**g**rai-vos,
por**que** vossos **no**mes estão es**crit**os no **céu**.

15º DOMINGO DO TEMPO COMUM

III Semana do Saltério

I Vésperas

Cântico evangélico, ant.

Ano A Je**sus** ensina**va** ao povo em pa**rá**bolas:
Saiu o semea**dor** a seme**ar** sua se**men**te.

Ano B Je**sus** chamou os **Doze**, e **deu**-lhes po**der**
sobre os es**pí**ritos **imun**dos.

Ano C Ama**rás** o Sen**hor**, o teu **Deus**,
de **todo** o **teu** co**ração**,
e o teu **pró**ximo **co**mo a ti **mes**mo.

Laudes

Cântico evangélico, ant.

Ano A Jesus **disse** aos dis**cí**pulos: Foi a **vós** conce**dido**
conhe**cer** os mis**té**rios do **Reino** dos **céus**;
aos **ou**tros, po**rém**, não é conce**dido**,
se**não** em pa**rá**bolas.

702   Tempo Comum

Ano B   Saindo os discípulos,
          pregavam ao povo que se convertesse.

Ano C   O Bom Samaritano, passando de viagem,
          aproximou-se do ferido,
          e, ao vê-lo, teve pena e curou suas feridas.

Oração

Ó Deus, que mostrais a luz da verdade aos que erram para retomarem o bom caminho, dai a todos os que professam a fé rejeitar o que não convém ao cristão, e abraçar tudo o que é digno desse nome. Por nosso Senhor Jesus Cristo, vosso Filho, na unidade do Espírito Santo.

II Vésperas

Cântico evangélico, ant.

Ano A   A semente é a palavra de Deus;
          quem semeia, porém, é o Cristo;
          todo aquele que ouvir o Senhor,
          viverá para sempre, aleluia.

Ano B   Os discípulos, partindo, expulsavam os demônios e
          curavam os doentes, ungindo-os com óleo.

Ano C   Qual destes foi o próximo daquele que caiu
          nas mãos dos assaltantes? E ele respondeu:
          Foi aquele que o tratou com amor e compaixão. Então
          Jesus lhe disse: Vai tu e faze o mesmo.

16º DOMINGO DO TEMPO COMUM

IV Semana do Saltério

I Vésperas

Cântico evangélico, ant.

Ano A   Ajuntai primeiro o joio,
          atai-o em feixes e queimai-o,
          mas o trigo, recolhei-o no meu celeiro, diz Jesus.

16º Domingo

Ano B Os apóstolos reuniram-se a Jesus,
e a ele relataram tudo quanto
haviam eles feito e ensinado.

Ano C Jesus entrou em uma aldeia,
e Marta o hospedou em sua casa, e o servia.

Laudes

Cântico evangélico, ant.

Ano A O Reino dos Céus é semelhante
ao fermento que tomou uma mulher
e colocou em três medidas de farinha,
até que fosse fermentada toda a massa.

Ano B Vinde a sós a um lugar bem tranquilo,
repousai algum tempo comigo.

Ano C Maria, irmã de Marta, sentada aos pés do Mestre,
escutava sua palavra.

Oração

Ó Deus, sede generoso para com os vossos filhos e filhas e multiplicai em nós os dons da vossa graça, para que, repletos de fé, esperança e caridade, guardemos fielmente os vossos mandamentos. Por nosso Senhor Jesus Cristo, vosso Filho, na unidade do Espírito Santo.

II Vésperas

Cântico evangélico, ant.

Ano A No fim do mundo, o Filho do Homem
separará do trigo o joio.
Então os justos brilharão
como o sol no firmamento.

Ano B Vendo aquelas multidões, Jesus teve compaixão, porque eram como ovelhas
que erravam sem pastor.

Ano C Maria escolheu a parte melhor
que não lhe será tirada jamais.

17º DOMINGO DO TEMPO COMUM

I Semana do Saltério

I Vésperas

Cântico evangélico, ant.

Ano A O **Reino** dos **Céus** é semel**han**te
ao compra**dor** de raras **pérolas** preciosas:
quando en**con**tra a mais **bela** entre **to**das,
vende **tu**do o que pos**sui**, para com**prá**-la.

Ano B Jesus, **ven**do que acor**ria** ao seu en**con**tro
uma **gran**de multi**dão**, disse a Fi**li**pe:
Onde **compraremos pão** suficiente,
para **dar**mos de co**mer** a esse **po**vo?
Dizia **is**so apenas **para** pô-lo à **prova;**
pois bem sa**bia** o que ele iria fa**zer.**

Ano C Es**tan**do Jesus a re**zar,**
um dis**cí**pulo pe**diu**-lhe, di**zen**do:
Ensi**nai**-nos, Se**nhor,** a re**zar!**

Laudes

Cântico evangélico, ant.

Ano A O **Reino** dos **Céus** é **como** uma **rede** lan**ça**da ao **mar.**
Quando ela está **cheia,** se**param** os **peixes:**
Os **bons** eles guar**dam,** os ru**ins** jogam **fora**.

Ano B O Se**nhor,** com cinco **pães** e com dois **pei**xes, saci**ou**
as quase **cinco** mil pes**soas.**

Ano C **Pedi** e recebe**reis,** procu**rai** e acha**reis,**
ba**tei** e será a**ber**ta a **por**ta, ale**luia.**

Oração

Ó Deus, sois o amparo dos que em vós esperam e, sem vosso auxílio, ninguém é forte, ninguém é santo; redobrai de amor para conosco, para que, conduzidos por vós, usemos de tal modo os bens que passam, que possamos abraçar os que não passam. Por nosso Senhor Jesus Cristo, vosso Filho, na unidade do Espírito Santo.

II Vésperas

Cântico evangélico, ant.

Ano A Quem se **torna** discípulo do **Reino** dos **Céus**,
é qual **pai** de família que **tira** da **arca**
coisas **novas** e **velhas**.

Ano B Ao **verem** os sinais que Jesus havia **feito**,
diziam entre **si**:
Este **homem** é o Profeta que ao **mun**do deve **vir**!

Ano C Se **vós** que sendo **maus** sabeis dar de presente
o que é **bom** a vossos **filhos**,
com **mui**to mais razão vosso **Pai** que está nos **céus**
há de **dar** o Espírito **Santo**
para aqueles que lhe pedem.

18º DOMINGO DO TEMPO COMUM

II Semana do Saltério

I Vésperas

Cântico evangélico, ant.

Ano A Uma **gran**de multidão estava com Jesus,
e não tinha o que **comer**.
Ele **disse** aos seus discípulos:
Tenho **pena** deste **povo**!

Ano B Traba**lhai**, não pelo **pão** que é perecível,
mas por aquele que perdura eternamente.

Ano C Precavei-vos da avareza,
pois não é no muito **ter** que salvais a vossa vida.

Laudes

Cântico evangélico, ant.

Ano A O Senhor, com cinco **pães** e com dois **peixes**,
saciou as quase **cinco** mil pessoas.

706   Tempo Comum

Ano B   Em verdade eu vos digo:
Não foi Moisés que deu outrora
aquele pão que vem do céu,
porém meu Pai é quem vos dá
o verdadeiro pão do céu.

Ano C   Ajuntai vosso tesouro no céu, diz o Senhor,
onde a traça e a ferrugem
não estragam nem corroem.

Oração

Manifestai, ó Deus, vossa inesgotável bondade para com os filhos e filhas que vos imploram e se gloriam de vos ter como criador e guia, restaurando para eles a vossa criação, e conservando-a renovada. Por nosso Senhor Jesus Cristo, vosso Filho, na unidade do Espírito Santo.

II Vésperas

Cântico evangélico, ant.

Ano A   Todos comeram e ficaram saciados
e ainda recolheram doze cestos,
repletos dos pedaços que sobraram.

Ano B   Eu sou o pão da vida, diz Jesus.
Quem vem a mim, nunca mais há de ter fome;
quem crê em mim, nunca mais há de ter sede.

Ano C   Irmãos, se quereis realmente ser ricos,
amai as riquezas que são verdadeiras.

19º DOMINGO DO TEMPO COMUM

II Semana do Saltério

I Vésperas

Cântico evangélico, ant.

Ano A   Despedida a multidão, Jesus subiu ao monte,
a fim de lá rezar sozinho na montanha;
e caindo, já, a tarde, lá estava ele, só.

19º Domingo — 707

Ano B Ninguém poderá vir até **mim**
se meu **Pai,** que me enviou, não o atrair;
e eu o ressuscitarei no último **dia.**

Ano C Onde está o teu tesouro, ali está teu coração.

Laudes

Cântico evangélico, ant.

Ano A Jesus disse aos discípulos que estavam apavorados:
Coragem, confiai! Sou **eu,** não tenhais **medo!**

Ano B Em verdade eu vos **digo:** Quem **tem** fé em **mim,**
tem a vida eterna. Aleluia.

Ano C Felizes os servos que o Senhor, ao voltar,
encontrar vigilantes.

Oração

Deus eterno e todo-poderoso, a quem ousamos chamar de Pai,
dai-nos cada vez mais um coração de filhos, para alcançarmos
um dia a herança prometida. Por nosso Senhor Jesus Cristo, vosso Filho, na unidade do Espírito Santo.

II Vésperas

Cântico evangélico, ant.

Ano A Senhor, mandai-me ao vosso encontro,
caminhando sobre as águas.
Estendeu Jesus a **mão,** segurou Pedro e lhe **disse:**
Ó homem de fé fraca, por que tu duvidaste?

Ano B É este o pão vivo, descido dos **céus,**
para que todo aquele que dele comer
não morra para sempre.

Ano C Vossas cinturas estejam cingidas,
tende acesas nas mãos vossas lâmpadas!

708   Tempo Comum

20º DOMINGO DO TEMPO COMUM

IV Semana do Saltério

I Vésperas

Cântico evangélico, ant.

Ano A   A mulher cananeia clamava:
        Minha filha está atormentada
        por horrível espírito maligno.
        Tem piedade, ó Filho de Davi!

Ano B   Eu sou o pão vivo descido dos céus;
        quem comer deste pão, viverá para sempre.

Ano C   Vim trazer fogo à terra;
        e o que quero, senão que ele seja ateado?

Laudes

Cântico evangélico, ant.

Ano A   A mulher cananeia chegou a Jesus
        e adorou-o, dizendo: Senhor, ajudai-me!

Ano B   Minha carne realmente é comida,
        o meu sangue é bebida verdadeira.
        Quem come a minha carne e bebe o meu sangue,
        terá a vida eterna.

Ano C   Devo ser batizado num batismo;
        e como anseio que seja realizado.

Oração

Ó Deus, preparastes para quem vos ama bens que nossos olhos
não podem ver; acendei em nossos corações a chama da caridade
para que, amando-vos em tudo e acima de tudo, corramos ao encontro das vossas promessas que superam todo desejo. Por nosso
Senhor Jesus Cristo, vosso Filho, na unidade do Espírito Santo.

II Vésperas

Cântico evangélico, ant.

Ano A   É grande tua fé, ó mulher!
        Seja feito assim como pedes!

21º Domingo

Ano B Assim como o **Pai** que **vi**ve e me envi**ou**
e eu **vi**vo pelo **Pai**, quem de **mim** se alimen**tar**,
vive**rá** também por **mim**.

Ano C Pens**ais** que eu **vim** trazer a paz à **terra**?
Eu vos **digo** que **não**! Vim trazer a divi**são**.

21º DOMINGO DO TEMPO COMUM

I Semana do Saltério

I Vésperas

Cântico evangélico, ant.

Ano A Tu és o **Cristo**, o **Filho** do Deus **vivo**!
Tu és f**eliz**, ó Si**mão** , filho de **Jonas**!

Ano B Quem dá a **vida** é o Es**pírito**. Para **na**da serve a **carne**;
as pa**la**vras que eu vos **disse** são es**pírito**, são **vida**.

Ano C Esfor**çai**-vos por en**trar** pela **por**ta que é, es**treita**;
porque **mui**tos, eu vos **digo**, tenta**rão** entrar por ela,
porém **não** consegui**rão**.

Laudes

Cântico evangélico, ant.

Ano A Tu és **Pedro**, e **sobre** esta **pedra**
eu i**rei** const**ruir** minha **Igreja**.

Ano B Nin**guém** pode**rá** vir a **mim**,
se pelo **Pai** não lhe **for** conce**dido**.

Ano C Vi**rão** **mui**tos do Oriente e do Ociden**te**
sentar-se à **mesa** do fe**stim** do Reino e**terno**,
com Abra**ão** e com Isaac e com Jacó.

Oração

Ó Deus, que unis os corações dos vossos fiéis num só desejo,
dai ao vosso povo amar o que ordenais e esperar o que prometeis, para que, na instabilidade deste mundo, fixemos os nossos
corações onde se encontram as verdadeiras alegrias. Por nosso
Senhor Jesus Cristo, vosso Filho, na unidade do Espírito Santo.

II Vésperas

Cântico evangélico, ant.

Ano A O **que** ligares na **terra**, se**rá** ligado nos **céus**;
na **terra** o **que** desligares, nos **céus** se**rá** des**ligado**.

Ano B A **quem** nós iremos, Se**nhor** Jesus **Cris**to?
Só **tu** tens palavras de vida eterna.
Nós **cremos**, sabendo que **és** o Se**nhor**,
que **tu** és o **Cris**to, o Filho de **Deus**.

Ano C Há **últimos** que vi**rão** a ser primeiros
e primeiros que vi**rão** a ser os **últimos**.

22º DOMINGO DO TEMPO COMUM

II Semana do Saltério

I Vésperas

Cântico evangélico, ant.

Ano A **Je**sus come**çou** a mos**trar** aos dis**cípulos**
que de**via** se**guir** para **Jerusalém**,
sofrer **muito** e ser **mor**to
e res**suscitar** três **dias** de**pois**.

Ano B Prati**cai** os manda**men**tos do Se**nhor**,
porque **eles** vos da**rão** sabedoria
e inteli**gên**cia pe**ran**te os outros **po**vos.

Ano C Quando **fores** convi**da**do para **núp**cias,
coloca-te no **último lugar**,
e **quem** te convi**dou**, possa di**zer**:
Amigo, vai che**gando** mais a**cima**.
En**tão** serás hon**ra**do na pre**sença**
de **to**dos os que **fo**ram convi**da**dos.

Laudes

Cântico evangélico, ant.

Ano A Que pro**vei**to tem o **ho**mem,
se ga**nhar** o mundo **in**teiro,
mas per**der** a sua **vi**da?

23° Domingo

Ano B Acolhei docilmente a Palavra,
semeada em **vós**, meus **irmãos**:
ela **po**de salvar vossas **vi**das.

Ano C **Quem** se exaltar, será humilhado;
e **quem** se humilhar, será exaltado.

Oração

Deus do universo, fonte de todo bem, derramai em nossos cora
ções o vosso amor e estreitai os laços que nos unem convosco
para alimentar em nós o que é bom e guardar com solicitude o
que nos destes. Por nosso Senhor Jesus Cristo, vosso Filho, na
unidade do Espírito Santo.

II Vésperas

Cântico evangélico, ant.

Ano A O **Fi**lho do **ho**mem há de **vir**,
revestido da **gló**ria do seu **Pai**,
acompa**nha**do de **to**dos os seus **an**jos,
e en**tão** paga**rá** a cada **um**
de a**cor**do com **seu** procedimento.

Ano B **Ou**vi e compreen**dei** a tradi**ção**,
que o Se**nhor** e nosso **Deus** vos transmi**tiu**.

Ano C Quando **de**res um ban**que**te, convida à tua **me**sa
os **po**bres e aleijados que não **têm** com que pagar-te;
e se**rás** recompensado quando os **jus**tos ressurgirem.

23° DOMINGO DO TEMPO COMUM

III Semana do Saltério

I Vésperas

Cântico evangélico, ant.

Ano A Se o **teu** irmão pe**car**, corrige-o a **sós**.
Se **e**le te ou**vir**, ganhaste o teu **irmão**.

Ano B Saindo Jesus das terras de Tiro,
trouxeram a ele um surdo e mudo
e pediram a ele impusesse suas **mãos**.

Ano C Se alguém vem a **mim**, mas **não** tem amor
mais a **mim** que a si **mesmo**,
não pode **ser** meu dis**cí**pulo.

Laudes

Cântico evangélico, ant.
Ano A Se dois de **vós**, por sobre a **terra**,
se u**nirem** para pe**dir** qualquer **coisa** que quei**rais**,
será **da**do por meu **Pai** que está nos **céus**, diz o S**enhor**.

Ano B Olha**ndo** para o **céu**, Je**sus** deu um sus**piro**
e **dis**se ao surdo-**mu**do: "Efa**tá**", ou seja: "Abre-te!"

Ano C Quem não carrega a sua **cruz**
e não **vem** atrás de **mim**,
não pode **ser** o meu dis**cí**pulo.

Oração

Ó Deus, pai de bondade, que nos redimistes e adotastes como
filhos e filhas, concedei aos que creem no Cristo a verdadeira liberdade e a herança eterna. Por nosso Senhor Jesus Cristo, vosso
Filho, na unidade do Espírito Santo.

II Vésperas

Cântico evangélico, ant.
Ano A Onde estiverem dois ou **três** reu**ni**dos em meu **no**me,
eu es**tou** no meio **de**les, diz Je**sus**, nosso S**enhor**.

Ano B Ele **fez** tudo **bem**:
Fez os **sur**dos ouvirem e os **mu**dos falarem.

Ano C Quem **não** renunci**ar** a tudo a**qui**lo que pos**sui**,
não pode**rá** ser meu dis**cí**pulo.

24º DOMINGO DO TEMPO COMUM

IV Semana do Saltério

I Vésperas

Cântico evangélico, ant.

Ano A Respondeu Jesus a Pedro: Pedro, deves perdoar
não somente sete vezes, mas setenta vezes sete.

Ano B E vós, quem dizeis que eu sou?
Simão Pedro respondeu a Jesus:
Tu és o Messias, aleluia.

Ano C Quem dentre vós, que possui cem ovelhas
e perdendo uma delas, não deixa no deserto
as noventa e nove, e vai procurar
a que ele perdeu, até encontrá-la?

Laudes

Cântico evangélico, ant.

Ano A Compadecido, o patrão soltou seu empregado,
perdoando a sua dívida.

Ano B O Filho do homem deverá sofrer muito
ser morto e em três dias deverá ressurgir.

Ano C Em verdade eu vos digo que haverá
alegria entre os anjos do Senhor
por somente um pecador que se converte.

Oração

Ó Deus, criador de todas as coisas, volvei para nós o vosso olhar
e, para sentirmos em nós a ação do vosso amor, fazei que vos
sirvamos de todo o coração. Por nosso Senhor Jesus Cristo, vosso
Filho, na unidade do Espírito Santo.

II Vésperas

Cântico evangélico, ant.

Ano A Servo mau, eu perdoei a tua dívida,
porque tu me pediste e suplicaste.
Não devias também tu compadecer-te
deste teu companheiro de serviço,
assim como de ti eu tive pena?

Tempo Comum

Ano B Quem perder a sua vida por mim e o Evangelho,
vai salvá-la, diz Jesus.

Ano C Qual a mulher que tem dez dracmas,
e, perdendo uma delas, não acende uma lâmpada
e a procura com cuidado até que a encontre?

25º DOMINGO DO TEMPO COMUM

I Semana do Saltério

I Vésperas

Cântico evangélico, ant.

Ano A Ide vós, desocupados, trabalhar na minha vinha,
e o que for justo, eu vos darei.

Ano B Quem quiser ser o primeiro,
seja o último de todos, e de todos servidor.

Ano C Fazei amigos com as riquezas da injustiça
para que, quando faltarem, vos recebam
nas eternas moradias, diz Jesus.

Laudes

Cântico evangélico, ant.

Ano A O Reino dos Céus pode ser comparado
a um pai de família, que saiu de manhã,
contratando operários para trabalhar em sua vinha.

Ano B Todo aquele que me acolhe,
não é a mim que ele acolhe,
mas ao Pai que me enviou.

Ano C Quem é fiel no pouco, é fiel também no muito.

Oração

Ó Pai, que resumistes toda a lei no amor a Deus e ao próximo,
fazei que, observando o vosso mandamento, consigamos chegar
um dia à vida eterna. Por nosso Senhor Jesus Cristo, vosso Filho,
na unidade do Espírito Santo.

II Vésperas

Cântico evangélico, ant.

Ano A Agora **chama** os operários, e **paga** o seu **salário**.

Ano B Quem **aco**lhe, em meu **nome**, uma criança como **esta**
é a **mim** que ele aco**lhe**.

Ano C Nin**guém** pode servir a dois senhores:
não po**deis** servir a **Deus** e ao dinheiro.

26º DOMINGO DO TEMPO COMUM

II Semana do Saltério

I Vésperas

Cântico evangélico, ant.

Ano A Quando o in**jus**to deixa a **sua** injustiça,
e pratica o di**reito** e a justiça,
com certeza vive**rá**, não morre**rá**.

Ano B Ninguém **pode fazer** um mi**la**gre em meu **nome**
e **lo**go em se**gui**da falar **mal** também de **mim**.
Pois quem não **é** contra **nós** é a **nos**so favor.

Ano C Aca**bou** acontecen**do** que o mendi**go** fale**ceu**
e foi le**va**do pelos **anjos** para **junto** de Abra**ão**.

Laudes

Cântico evangélico, ant.

Ano A Eu vos de**claro** esta ver**da**de:
Os publi**ca**nos e as mere**tri**zes
vos precede**rão** no Reino de **Deus**,
porque **eles** tiveram **fé**.

Ano B Quem vos **der** em meu **nome**,
nem que **seja** um copo d' **água**,
porque **sois** de Jesus **Cristo**,
há de **ter** sua recom**pen**sa.

716   Tempo Comum

Ano C   Recorda-te, meu filho:
Recebeste os bens em vida,
enquanto Lázaro, os males.
Tu és agora atormentado,
enquanto ele é consolado.

Oração

Ó Deus, que mostrais vosso poder sobretudo no perdão e na misericórdia, derramai sempre em nós a vossa graça, para que, caminhando ao encontro das vossas promessas, alcancemos os bens
que nos reservais. Por nosso Senhor Jesus Cristo, vosso Filho, na
unidade do Espírito Santo. ·

II Vésperas

Cântico evangélico, ant.

Ano A   Não é aquele que me diz: Senhor, Senhor!
que no Reino dos Céus irá entrar,
mas o que faz a vontade do meu Pai.

Ano B   É melhor tu entrares para a vida aleijado,
do que, tendo duas mãos, terminares na geena.

Ano C   Felizes de vós que sois pobres,
porque vosso é o Reino de Deus!
Felizes de vós que chorais,
porque havereis de sorrir.

27º DOMINGO DO TEMPO COMUM

III Semana do Saltério

II Vésperas

Cântico evangélico, ant.

Ano A   Estando já próximo o tempo da safra,
o dono da vinha mandou os empregados
cobrar os seus frutos dos agricultores.

Ano B   Chegando os fariseus, perguntaram a Jesus
se é lícito ao homem repudiar sua mulher.
Jesus lhes respondeu: o homem não separe
o que foi por Deus unido.

27º Domingo

Ano C Os Apóstolos disseram a Jesus:
Ó Senhor, aumentai a nossa fé!

Laudes

Cântico evangélico, ant.

Ano A O dono da vinha fará perecer
os maus com rigor, e haverá de arrendar
sua vinha a outros, que no tempo devido
lhe entreguem os frutos.

Ano B Deixai vir a mim as crianças,
pois delas é o Reino dos Céus.

Ano C Se tiverdes a fé como um grão de mostarda,
direis à amoreira: Arranca-te daqui,
e transplanta-te ao mar. Ela há de obedecer-vos.

Oração

Ó Deus eterno e todo-poderoso, que nos concedeis no vosso imenso amor de Pai mais do que merecemos e pedimos, derramai sobre nós a vossa misericórdia, perdoando o que nos pesa na consciência e dando-nos mais do que ousamos pedir. Por nosso Senhor Jesus Cristo, vosso Filho, na unidade do Espírito Santo.

II Vésperas

Cântico evangélico, ant.

Ano A A pedra que os pedreiros rejeitaram,
tornou-se agora a pedra angular.
Pelo Senhor é que foi feito tudo isso:
Que maravilhas ele fez a nossos olhos!

Ano B Quem não receber o Reino de Deus
como uma criança,
jamais entrará na casa do Pai.

Ano C Quando vós terminardes de fazer
tudo aquilo que foi ordenado,
dizei: Somos servos inúteis,
só cumprimos o nosso dever.

28º DOMINGO DO TEMPO COMUM

IV Semana do Saltério

I Vésperas

Cântico evangélico , ant.

Ano A
O **Reino** dos **Céus** pode **ser** comparado
a um **rei** que celebra as **bo**das do **fi**lho
e en**via** os seus **ser**vos a cha**mar** os con**vi**vas.

Ano B
Só te **fal**ta uma **coi**sa: vai e **ven**de os teus **bens**,
doa **tu**do, então, aos **po**bres
e te**rás** no céu um te**sou**ro;
vem e **se**gue-me, de**pois**!

Ano C
Vieram-lhe ao en**con**tro dez le**pro**sos,
que pararam à dis**tân**cia e gri**ta**ram:
Jesus, **Mes**tre, compa**de**ce-te de **nós**!

Laudes

Cântico evangélico, ant.

Ano A
Di**zei** aos convi**da**dos:
Prepa**rei** o meu ban**que**te, vinde à **fes**ta nup**ci**al!

Ano B
Eu vos **di**go: É di**fí**cil
um **ri**co en**trar** no **Rei**no de **Deus**!

Ano C
Um **de**les, ao **ver**-se cu**ra**do,
vol**tou**, dando **gra**ças a **Deus**,
cla**man**do em voz **al**ta, ale**lui**a!

Oração

Ó Deus, sempre nos preceda e acompanhe a vossa graça para que
estejamos sempre atentos ao bem que devemos fazer. Por nosso
Senhor Jesus Cristo, vosso Filho, na unidade do Espírito Santo.

II Vésperas

Cântico evangélico, ant.

Ano A
A **fes**ta das **bo**das está prepa**ra**da;
ne**nhum** convi**da**do, po**rém**, era **dig**no.
Sa**í** pelas **ru**as e encruzi**lha**das,
convi**dai** para as **bo**das todos **que** encon**trar**des.

29º Domingo

Ano B Vós que **tudo** abando**nastes** e me se**guis**tes,
rece**bereis** cem vezes **mais** e a vida e**terna**.

Ano C Não **houve** quem vol**tasse** para a **Deus** glorifi**car**,
a não **ser** este estrangeiro? E **disse**-lhe **Jesus**:
Le**vanta**-te e **vai**, pois sal**vou**-te a tua **fé**!

29º DOMINGO DO TEMPO COMUM

I Semana do Saltério

I Vésperas

Cântico evangélico, ant.

Ano A **Jesus**, nosso **Mes**tre,
sabemos que **sois** verda**deiro** e ensi**nais**
o ca**minho** de **Deus** con**for**me a ver**da**de.

Ano B Do **cálice** que **eu** vou be**ber**, be**bereis**;
e se**reis** bati**zados** com o **mesmo** ba**tismo**
com que se**rei** bati**zado**.

Ano C **Jesus** disse, en**tão**, aos **seus** se**guidores**:
É pre**ciso** orar **sem**pre, sem ja**mais** desis**tir**!

Laudes

Cântico evangélico, ant.

Ano A Do Oriente ao Oci**den**te sai**bam todos**
que não **há** outro **Deus** além de **mim**.
Eu so**men**te sou o **Senhor**, e não há **outro**.

Ano B Quem qui**ser** ser o mai**or**, seja o **vosso** servi**dor**.
Quem qui**ser** ser o **pri**meiro,
seja o es**cravo** entre **todos**.

Ano C Sim, **Deus** fará jus**tiça** a seus e**leitos**
que **clamam** para ele, dia e **noi**te.

Oração

Deus eterno e todo-poderoso, dai-nos a graça de estar sempre ao
vosso dispor, e vos servir de todo o coração. Por nosso Senhor
Jesus Cristo, vosso Filho, na unidade do Espírito Santo.

Tempo Comum

II Vésperas

Cântico evangélico, ant.

Ano A   Dai a **César** o que é de **César**, e a **Deus** o que é de **Deus**.

Ano B   Veio o **Filho** do **Ho**mem
a **fim** de ser**vir**, e **não** ser servido;
veio **dar** sua **vi**da em resgate por **mui**tos.

Ano C   Quando o **Filho** do **Ho**mem **vier**,
ach**ará** ainda **fé** sobre a **ter**ra?

30º DOMINGO DO TEMPO COMUM

II Semana do Saltério

I Vésperas

Cântico evangélico, ant.

Ano A   Ó **Mes**tre, di**zei**-nos:
qual **é** o mai**or** manda**men**to da **Lei**?
Respon**deu**-lhe Je**sus** e lhe **dis**se:
Am**arás** o **Se**nhor, o teu **Deus**,
de **to**do o **teu** cora**ção**!

Ano B   Es**tan**do a ca**mi**nho, rumo **a** Jeri**có**,
e ao sa**ir** da ci**da**de,
Jesus pergun**tou** a um **ce**go men**di**go:
Que **que**res que eu **fa**ça?
Ó **Mes**tre, fa**zei** que eu **tor**ne a enxer**gar**!

Ano C   Man**ten**do-se à dis**tân**cia, com mo**dés**tia,
e bai**xan**do o o**lhar**, o pu**bli**cano
ba**ti**a no **pei**to, arrepen**di**do;
supli**ca**va e pe**dia** humil**de**mente:
ó meu **Deus**, tende pie**da**de, pois eu **sou** pe**ca**dor!

Laudes

Cântico evangélico, ant.

Ano A   Am**arás** o teu **pró**ximo **co**mo a ti **mes**mo.

31º Domingo

Ano B Ó **Filho** de Davi, de **mim** tende piedade!
O que **que**res que eu te **faça**?
Se**nhor**, que eu possa **ver**!

Ano C O publi**ca**no retor**nou** justifi**ca**do para **ca**sa;
e **não** o fari**seu** que a si **mes**mo exal**ta**va.

Oração

Deus eterno e todo-poderoso, aumentai em nós a fé, a esperança e a caridade e dai-nos amar o que ordenais para conseguirmos o que prometeis. Por nosso Senhor Jesus Cristo, vosso Filho, na unidade do Espírito Santo.

II Vésperas

Cântico evangélico, ant.

Ano A Ama**rás** o Se**nhor**, o teu **Deus**,
de **todo** o **teu** cora**ção**,
e o teu **próximo como** a ti **mes**mo.
Diz Jesus: Esses **dois** manda**men**tos
resumem a **Lei** e os Pro**fe**tas.

Ano B Fa**lou** o Se**nhor** para o **cego**:
Vai em **paz**, tua **fé** te sal**vou**!
Ele **logo** tor**nou** a enxer**gar**
e se**guia** a Jesus no ca**minho**.

Ano C **Quem** se exal**tar**, será humi**lhado**;
e **quem** se humi**lhar**, será exal**tado**.

31º DOMINGO DO TEMPO COMUM

III Semana do Saltério

I Vésperas

Cântico evangélico, ant.

Ano A Todos **vós** sois ir**mãos**:
Vosso **Pai** é um **só**, que es**tá** lá nos **céus**.

Ano B Ama**rás** o Se**nhor**, o teu **Deus**, de todo o **teu** cora**ção**,
e o teu **próximo como** a ti **mes**mo.
Não há **ou**tro mai**or** manda**men**to.

Ano C Zaqueu, vem depressa, e desce da árvore!
porque hoje eu preciso ficar em tua casa.
Com muita alegria Zaqueu recebeu
a Jesus em sua casa.

Laudes

Cântico evangélico, ant.

Ano A O vosso Mestre é um somente.
É o Cristo Senhor que está nos céus.

Ano B O Senhor nosso Deus é um só,
e não há um outro além dele.
Amarás o Senhor, o teu Deus,
com todas as forças da alma.

Ano C A salvação hoje entrou nesta casa,
pois também este é filho de Abraão.

Oração

Ó Deus de poder e misericórdia, que concedeis a vossos filhos
e filhas a graça de vos servir como devem, fazei que corramos
livremente ao encontro das vossas promessas. Por nosso Senhor
Jesus Cristo, vosso Filho, na unidade do Espírito Santo.

II Vésperas

Cântico evangélico, ant.

Ano A Quem quiser ser o maior, seja o vosso servidor.
Pois quem se exaltar, será humilhado;
e quem se humilhar, será exaltado.

Ano B Jesus, vendo que o escriba falara
com sabedoria, lhe disse:
Não estás longe do Reino de Deus.

Ano C Veio o Filho do Homem buscar
e salvar o que estava perdido.

32º DOMINGO DO TEMPO COMUM

IV Semana do Saltério

I Vésperas

Cântico evangélico, ant.

Ano A Virgens prudentes, vigilantes,
preparai as vossas lâmpadas.
O Esposo está chegando:
Ide logo ao seu encontro!

Ano B Sentado Jesus junto ao cofre de ofertas,
viu a pobre viúva que lançou duas moedas,
em oferta ao Senhor, dando tudo o que tinha.

Ano C Os que forem julgados ser dignos
de ter parte no mundo futuro,
sendo filhos da ressurreição,
serão semelhantes aos anjos,
serão filhos de Deus, diz Jesus.

Laudes

Cântico evangélico, ant.

Ano A No meio da noite ouviu-se um clamor:
Vem chegando o Esposo, saí-lhe ao encontro!

Ano B Eu vos digo que a pobre viúva
doou mais do que todos os outros,
que lançaram dinheiro no cofre.

Ano C Que os mortos haverão de ressurgir,
Moisés já nos mostrou no episódio
da sarça ardente, quando chama o Senhor:
Deus de Abraão, Deus da Isaac, Deus de Jacó.
O Senhor é Deus dos vivos, não dos mortos.

Oração

Deus de poder e misericórdia, afastai de nós todo obstáculo para que, inteiramente disponíveis, nos dediquemos ao vosso serviço. Por nosso Senhor Jesus Cristo, vosso Filho, na unidade do Espírito Santo.

Tempo Comum

II Vésperas

Cântico evangélico, ant.

Ano A Eu vos digo esta verdade:
Vigiai, pois não sabeis nem o dia nem a hora!

Ano B Eu vos digo que a viúva, ao doar da sua pobreza,
deu quanto possuía, doou todo o seu sustento.

Ano C O Senhor é Deus de vivos, não de mortos;
pois todos vivem para ele.

33º DOMINGO DO TEMPO COMUM

I Semana do Saltério

I Vésperas

Cântico evangélico, ant.

Ano A Confiaste-me cinco talentos;
Eis aqui, eu lucrei outros cinco.

Ano B Hão de ver o Filho do homem
que virá por sobre as nuvens
com poder e grande glória.

Ano C Quando ouvirdes falar de revoltas e guerras,
não fiqueis assustados; pois será necessário
que isto aconteça bem antes do fim.

Laudes

Cântico evangélico, ant.

Ano A Muito bem, servo bom e fiel,
porque foste fiel sobre o pouco,
sobre o muito te colocarei.

Ano B O Senhor mandará os seus anjos
e congregará seus eleitos
de todos os cantos do mundo;
dos confins mais distantes da terra,
aos extremos mais altos dos céus.

33º Domingo

Ano C Hei de **dar**-vos eloquência e palavras inspiradas,
a que os **vossos** adversários nunca **hão** de resistir.

Oração

Senhor nosso Deus, fazei que a nossa alegria consista em vos
servir de todo o coração, pois só teremos felicidade completa,
servindo a vós, criador de todas as coisas. Por nosso Senhor Jesus
Cristo, vosso Filho, na unidade do Espírito Santo.

II Vésperas

Cântico evangélico, ant.

Ano A Muito **bem**, servo **bom**, fiel **foste** no **pou**co,
vem en**trar** na ale**gria** de Jesus, teu Se**nhor**!

Ano B O céu e a **terra** passa**rão**, diz o Se**nhor**;
porém, ja**mais** minhas pala**vras** passa**rão**.

Ano C É na **vos**sa cons**tância** que salva**reis** vossas **vidas**.

34º Domingo do Tempo comum

NOSSO SENHOR JESUS CRISTO, REI DO UNIVERSO

Solenidade

I Vésperas

Hino

Cristo Rei, sois dos séculos Príncipe,
Soberano e Senhor das nações!
Ó Juiz, só a vós é devido
julgar mentes, julgar corações.

Multidões reverentes, no céu,
vos adoram e cantam louvores.
Nós também proclamamos que sois
Rei dos reis e Senhor dos senhores.

Rei da paz, imperai sobre as mentes,
desfazei seus desígnios perversos.
Por amor, reuni num rebanho
os errantes que andavam dispersos.

Para isso, de braços abertos,
vós pendeis do madeiro sagrado
e mostrais vosso bom coração
a sangrar, pela lança rasgado.

Para isso, no altar escondido
sob as formas de vinho e de pão,
através desse lado ferido,
para os filhos trazeis salvação.

Glória a vós, ó Senhor Jesus Cristo,
que no amor governais todo ser.
Seja a vós, com o Pai e o Espírito,
honra eterna, louvor e poder.

Salmodia
Ant. 1 Rei da **paz** será cha**mado**, e seu **trono** é inaba**lável**.

Jesus Cristo, Rei do Universo

Salmo 112(113)

— ¹Louvai, louvai, ó servos do Senhor, *
louvai, louvai o nome do Senhor!
— ²Bendito seja o nome do Senhor, *
agora e por toda a eternidade!
— ³Do nascer do sol até o seu ocaso, *
louvado seja o nome do Senhor!
— ⁴O Senhor está acima das nações, *
sua glória vai além dos altos céus.
= ⁵Quem pode comparar-se ao nosso Deus, †
ao Senhor, que no alto céu tem o seu trono *
⁶e se inclina para olhar o céu e a terra?
— ⁷Levanta da poeira o indigente *
e do lixo ele retira o pobrezinho,
— ⁸para fazê-lo assentar-se com os nobres, *
assentar-se com os nobres do seu povo.
— ⁹Faz a estéril, mãe feliz em sua casa, *
vivendo rodeada de seus filhos.

Ant. Rei da paz será chamado, e seu trono é inabalável.

Ant. 2 O seu reino é reino eterno,
e os reis de toda a terra
hão de servi-lo e obedecer-lhe.

Salmo 116(117)

— ¹Cantai louvores ao Senhor, todas as gentes, *
povos todos, festejai-o!
— ²Pois comprovado é seu amor para conosco, *
para sempre ele é fiel!

Ant. O seu reino é reino eterno,
e os reis de toda a terra
hão de servi-lo e obedecer-lhe.

Ant. 3 A Cristo foi dado o poder e a honra;
e todos os povos e tribos e línguas
haverão de servi-lo por todo o sempre.

Tempo Comum

Cântico   Ap 4,11; 5,9.10.12

— [4,11] Vós sois **digno**, Se**nhor** nosso **Deus**, *
de rece**ber** honra, glória e poder!

(R. **Poder**, honra e **glória** ao Cor**deiro** de **Deus!**)

= [5,9] Porque **to**das as coisas criastes, †
é por **vos**sa vontade que existem, *
e sub**sis**tem porque vós mandais.   (R.)

= Vós sois **digno**, Senhor nosso Deus, †
de o **livro** nas mãos receber *
e de a**brir** suas folhas lacradas!   (R.)

— Porque **fostes** por nós imolado; *
para **Deus** nos remiu vosso sangue
— dentre **to**das as tribos e línguas, *
dentre os **po**vos da terra e nações.   (R.)

= [10] Pois fi**zestes** de nós, para Deus, †
sacer**do**tes e povo de reis, *
e i**remos** reinar sobre a terra.   (R.)

= [12] O Cor**deiro** imolado é digno †
de rece**ber** honra, glória e poder, *
sabedo**ria**, louvor, divindade!   (R.)

Ant. A **Cristo** foi **da**do o po**der** e a **hon**ra;
e **to**dos os **po**vos e **tri**bos e **lín**guas
have**rão** de ser**vi**-lo por **to**do o **sem**pre.

Leitura breve   cf. Ef 1,20-23

Deus manifestou sua força em Cristo, quando o ressuscitou dos mortos e o fez sentar-se à sua direita nos céus, bem acima de toda a autoridade, poder, potência, soberania ou qualquer título que se possa nomear não somente neste mundo, mas ainda no mundo futuro. Sim, ele pôs tudo sob os seus pés e fez dele, que está acima de tudo, a Cabeça da Igreja, que é o seu corpo, a plenitude daquele que possui a plenitude universal.

Responsório breve

R. Vossa é a gran**deza** e o po**der**,
* Vosso é o **reino**, ó Se**nhor**. R. Vossa.

Jesus Cristo, Rei do Universo

V. Sobre tudo dominais. * Vosso é o reino.
Glória ao Pai. R. Vossa é a grandeza.

Cântico evangélico, ant.

O Senhor Deus vai dar-lhe o trono de seu pai, o rei Davi;
reinará eternamente sobre a casa de Jacó,
e sem fim será seu reino. Aleluia.

Preces

Irmãos e irmãs, oremos a Cristo Rei, que existe antes de todas as
coisas criadas e em quem tudo subsiste; e o aclamemos, dizendo:
R. Senhor, venha a nós o vosso Reino!

Cristo, nosso Rei e nosso Pastor, reuni de todos os pontos da terra
as ovelhas do vosso rebanho,
– e apascentai-as nos prados da vida eterna. R.

Salvador e Guia da humanidade, fazei de todos nós um só povo:
curai os enfermos, procurai os que estão perdidos; conservai os
fortes,
– chamai os que estão longe, congregai os dispersos, fortalecei os
que vacilam. . R.

Juiz eterno, colocai-nos à vossa direita no último dia, quando
entregardes o Reino a Deus Pai,
– e dai-nos a posse do Reino preparado para nós desde a criação
do mundo. R.

Príncipe da paz, fazei desaparecer do mundo a guerra e a violência,
– e concedei às nações a vossa paz. R.

Herdeiro universal dos povos, reuni na vossa Igreja a humanidade inteira com os bens que o Pai vos deu,
– para que todos vos reconheçam como Chefe na unidade do Espírito Santo. R.

(intenções Livres)

Cristo, Primogênito dentre os mortos e Primícias dos que adormeceram,
– acolhei na glória da ressurreição os nossos irmãos é irmãs que
partiram desta vida. R.

Pai nosso...

730

Tempo Comum

Oração

Deus eterno e todo-poderoso que dispusestes restaurar todas as coisas no vosso amado Filho, Rei do universo, fazei que todas as criaturas, libertas da escravidão e servindo à vossa majestade, vos glorifiquem eternamente. Por nosso Senhor Jesus Cristo, vosso Filho, na unidade do Espírito Santo.

Laudes

Hino

Eterna imagem do Altíssimo,
sois Deus de Deus, Luz da Luz.
A vós a glória, o poder,
Redentor nosso, Jesus.

Centro e esperança da História,
antes dos tempos, sois vós.
Vós imperais sobre tudo,
reinai também sobre nós.

Da raça humana cabeça,
sois duma Virgem a flor,
pedra que, vindo do monte,
a terra inteira ocupou.

A raça humana, sujeita
a um tirano cruel,
por vós, quebrou as cadeias
e fez-se herdeira do céu.

Legislador, sacerdote,
na veste em sangue trazeis
escrito: "Chefe dos chefes
e Rei supremo dos reis".

Glória ao Deus Pai, ao Espírito
e a vós, ó Cristo Jesus,
que aos resgatados no sangue
levais ao Reino da luz.

Ant. 1 Sol nascente é ele chamado:
reinará assentado em seu trono
e de paz falará às nações.

Salmos e cântico do domingo da I Semana, p. 764.

Jesus Cristo, Rei do Universo

Ant. 2 Será **grande** em toda a **terra**: será **ele** a nossa **paz**.

Ant. 3 O **Senhor** lhe deu **poder**, deu-lhe **honra** e **realeza**; toda **língua**, povos, **tribos** só a **ele** servi**rão**.

Leitura breve
Ef 4,15,-16

Motivados pelo amor queremos ater-nos à verdade e crescer em tudo até atingirmos aquele que é a Cabeça, Cristo. Graças a ele, o corpo, coordenado e bem unido, por meio de todas as articulações que o servem, realiza o seu crescimento, segundo uma atividade à medida de cada membro, para a sua edificação no amor.

Responsório breve

R. Que vossos **santos** com lou**vores** vos ben**di**gam,
  * Narrem a **glória** e o esplen**dor** do vosso **Reino!**
    R. Que vossos.
V. E **saibam** procla**mar** vosso po**der**. * Narrem.
  Glória ao **Pai**. R. Que vossos.

Cântico evangélico, ant.

Jesus **Cris**to, o Primogênito dos **mortos**
e **Prín**cipe dos **reis** de toda a **terra**,
fez de **nós** para seu **Pai**, para seu **Deus**,
um **reino** e sacer**dócio**, ale**luia**.

Preces

Irmãos e irmãs, oremos a Cristo Rei, que existe antes de todas as coisas criadas e em quem tudo subsiste; e o aclamemos, dizendo:
R. **Senhor, venha a nós o vosso Reino!**

Cristo Salvador, que sois nosso Deus e Senhor, nosso Rei e Pastor,
– conduzi o vosso povo pelos caminhos que conduzem à verdadeira vida. R.

Cristo, Bom Pastor, que destes a vida por vossas ovelhas,
– guiai-nos, para que nada nos falte. R.

Cristo, nosso Redentor, que fostes proclamado Rei da terra inteira,
– renovai em vós todas as coisas. R.

Cristo, Rei do universo, que viestes ao mundo para dar testemunho da verdade,
– fazei que a humanidade vos reconheça como Princípio e Fim de todas as coisas. R.

732 Tempo Comum

Cristo, nosso Mestre e Modelo, que nos fizestes sair das trevas
para a vossa luz admirável,
– concedei que, hoje e sempre, levemos uma vida santa, pura e
irrepreensível, na vossa presença.
R. **Senhor, venha a nós o vosso Reino!**
Pai nosso...

Oração

Deus eterno e todo-poderoso que dispusestes restaurar todas as
coisas no vosso amado Filho, Rei do universo, fazei que todas
as criaturas, libertas da escravidão e servindo à vossa majestade, vos glorifiquem eternamente. Por nosso, Senhor Jesus Cristo,
vosso Filho, na unidade do Espírito Santo.

Hora Média

Salmos do domingo da I Semana, p. 768.

Ant. De Sião brotará água viva
e o Senhor reinará sobre a terra.

Leitura breve   Cl 1,16b-18
Tudo foi criado por meio dele e para ele. Ele existe antes de todas
as coisas e todas têm nele a sua consistência. Ele é a Cabeça do
corpo, isto é, da Igreja. Ele é o Princípio, o Primogênito dentre os
mortos; de sorte que em tudo ele tem a primazia.

V. Salmodiai ao som da harpa ao nosso Rei!
R. Porque Deus é o grande Rei de toda a terra.
Oração como nas Laudes.

II Vésperas

HINO Cristo Rei como nas I Vésperas, p. 726.

Salmodia
Ant. 1 Sobre o trono de Davi se assentará
e reinará eternamente, aleluia.

Salmo 109(110),1-5.7

– 1 Palavra do Senhor ao meu Senhor: *
"Assenta-te ao lado meu direito,

Jesus Cristo, Rei do Universo

— até que eu ponha os inimigos teus *
como escabelo por debaixo de teus pés!"

= ²O Senhor estenderá desde Sião †
vosso cetro de poder, pois ele diz: *
"Domina com vigor teus inimigos;

= ³tu és príncipe desde o dia em que nasceste; †
na glória e esplendor da santidade, *
como o orvalho, antes da aurora, eu te gerei!"

= ⁴Jurou o Senhor e manterá sua palavra: †
"Tu és sacerdote eternamente, *
segundo a ordem do rei Melquisedec!" –

— ⁵À vossa destra está o Senhor, ele vos diz: *
"No dia da ira esmagarás os reis da terra!

— ⁷Beberás água corrente no caminho, *
por isso seguirás de fronte erguida!"

Ant. Sobre o trono de Davi se assentará
e reinará eternamente, aleluia.

Ant. 2 Vosso Reino é reino eterno,
e se estende vosso império através das gerações.

Salmo 144(145),1-13

— ¹Ó meu Deus, quero exaltar-vos, ó meu Rei, *
e bendizer o vosso nome pelos séculos.

— ²Todos os dias haverei de bendizer-vos, *
hei de louvar o vosso nome para sempre.

— ³Grande é o Senhor e muito digno de louvores, *
e ninguém pode medir sua grandeza.

— ⁴Uma idade conta à outra vossas obras *
e publica os vossos feitos poderosos;

— ⁵proclamam todos o esplendor de vossa glória *
e divulgam vossas obras portentosas! *

— ⁶Narram todos vossas obras poderosas, *
e de vossa imensidade todos falam.

— ⁷Eles recordam vosso amor tão grandioso *
e exaltam, ó Senhor, vossa justiça. –

734　　　Tempo Comum

– [8] Misericórdia e piedade é o Senhor, *
　ele é amor, é paciência, é compaixão.
– [9] O Senhor é muito bom para com todos, *
　sua ternura abraça toda criatura.
–[10] Que vossas obras, ó Senhor, vos glorifiquem, *
　e os vossos santos com louvores vos bendigam!
–[11] Narrem a glória e o esplendor do vosso reino *
　e saibam proclamar vosso poder!
–[12] Para espalhar vossos prodígios entre os homens *
　e o fulgor de vosso reino esplendoroso.
–[13] O vosso reino é um reino para sempre, *
　vosso poder, de geração em geração.

Ant. Vosso **Reino** é reino eterno,
　　e se estende vosso império através das gerações.

Ant. 3 Traz escrito em seu manto real:
　　Rei dos reis e Senhor dos Senhores.
　　Glória a ele e poder pelos séculos!

No cântico seguinte dizem-se os Aleluias entre parênteses somente quando se canta; na recitação, basta dizer o Aleluia no começo e no fim das estrofes.

Cântico　　　　　cf. Ap 19,1-7

= Aleluia, (Aleluia!).
　[1] Ao nosso **Deus** a salvação, *
　honra, glória e poder! (Aleluia!).
– [2] Pois são verdade e justiça *
　os juízos do Senhor.

R. Aleluia, (Aleluia!).

= Aleluia, (Aleluia!).
　[5] Celebrai o nosso Deus, *
　servidores do Senhor! (Aleluia!).
–　E vós todos que o temeis, *
　vós os grandes e os pequenos!

R. Aleluia, (Aleluia!).

Jesus Cristo, Rei do Universo

= Ale**luia**, (Ale**luia**!).
  ⁶De seu **reino** tomou posse *
  nosso **Deus** onipotente! (Aleluia!).
– ⁷Exul**temos** de alegria, *
  demos **glória** ao nosso Deus!

R. Ale**luia**, (Ale**luia**!).

= Ale**luia**, (Ale**luia**!).
  Eis que as **núp**cias do Cordeiro *
  redivivo se aproximam! (Aleluia!).
– Sua Es**po**sa se enfeitou, *
  se ves**tiu** de linho puro.

R. Ale**luia**, (Ale**luia**!).

Ant. Traz es**cri**to em seu **man**to real:
  Rei dos **reis** e Se**nhor** dos Se**nho**res.
  Glória a **ele** e po**der** pelos **sécu**los!

Leitura breve   1Cor 15,25-28

É preciso que Cristo reine até que todos os seus inimigos estejam debaixo de seus pés. O último inimigo a ser destruído é a morte. Com efeito, Deus pôs tudo debaixo de seus pés. Mas, quando ele disser: Tudo está submetido, é claro que estará excluído dessa submissão aquele que submeteu tudo a Cristo. E, quando todas as coisas estiverem submetidas a ele, então o próprio Filho se submeterá àquele que lhe submeteu todas as coisas, para que Deus seja tudo em todos.

Responsório breve

R. Vosso **trono**, ó **Deus**,
  * É e**ter**no, sem **fim**. R. Vosso **trono**.
V. Vosso **cetro** real é si**nal** de jus**ti**ça. * É e**ter**no.
  Glória ao **Pai**. R. Vosso **trono**.

Cântico evangélico, ant.

Todo o po**der** foi-me **da**do no **céu** e na **terra**,
afir**mou** o Se**nhor**.

Preces

Irmãos e irmãs, oremos a Cristo Rei, que existe antes de todas as coisas criadas e em quem tudo subsiste; e o aclamemos, dizendo:
R. **Senhor, venha a nós o vosso Reino!**

Cristo, nosso Rei e nosso Pastor, reuni de todos os pontos da terra as ovelhas do vosso rebanho,
– e apascentai-as nos prados da vida eterna. R.

Salvador e Guia da humanidade, fazei de todos nós um só povo: curai os enfermos, procurai os que estão perdidos, conservai os fortes,
– chamai os que estão longe, congregai os dispersos, fortalecei os que vacilam. R.

Juiz eterno, colocai-nos à vossa direita no último dia, quando entregardes o Reino a Deus Pai,
– e dai-nos a posse do Reino preparado para nós desde a criação do mundo. R.

Príncipe da paz, fazei desaparecer do mundo a guerra e a violência,
– e concedei às nações a vossa paz. R.

Herdeiro universal dos povos, reuni na vossa Igreja a humanidade inteira com os bens que o Pai vos deu,
– para que todos vos reconheçam como Chefe na unidade do Espírito Santo. R.

(intenções livres)

Cristo, Primogênito dentre os mortos e Primícias dos que adormeceram,
– acolhei na glória da ressurreição os nossos irmãos e irmãs que partiram desta vida. R.

Pai nosso...

Oração

Deus eterno e todo-poderoso que dispusestes restaurar todas as coisas no vosso amado Filho, Rei do universo, fazei que todas as criaturas, libertas da escravidão e servindo à vossa majestade, vos glorifiquem eternamente. Por nosso Senhor Jesus Cristo, vosso Filho, na unidade do Espírito Santo.

ORDINÁRIO
DA
LITURGIA DAS HORAS

Laudes

℣. Vinde, ó **Deus**, em meu auxílio.

℟. Socor**rei**-me sem de**mo**ra.

Glória ao **Pai** e ao **Filho** e ao Es**pí**rito **Santo**.*

Como **era** no prin**cí**pio, a**go**ra e sempre. A**mém**. (Aleluia).

O Aleluia entre parênteses é omitido só na Quaresma.

Quando Laudes são celebradas como primeira ação litúrgica do dia, inicia-se com:

℣. **Abri** os meus **lá**bios, ó Se**nhor**.

℟. E minha **bo**ca anunci**ará** vosso lou**vor**.

HINO

Em seguida, diz-se o hino correspondente ao Ofício do dia.

No início de cada Tempo indicam-se os hinos próprios para o Ofício dos domingos e dias de semana.

No Ofício dos domingos do Tempo Comum e dos dias de semana, o hino encontra-se no Saltério.

Nas solenidades e festas, o hino se encontra no Próprio ou no Comum. Não havendo hino próprio nas memórias dos Santos, toma-se o hino livremente do Comum ou do dia de semana correspondente.

SALMODIA

Terminado o hino, segue-se a salmodia, que consta de um salmo matutino, de um cântico do Antigo Testamento e de um salmo de louvor, cada qual com sua antífona correspondente.

No Ofício dos domingos do Advento, do Tempo de Natal, da Quaresma e em todo o Tempo pascal, as antífonas estão no Próprio e os salmos no Saltério.

No Tempo comum, rezam-se os salmos e o cântico do Saltério; não havendo antífonas próprias, rezam-se as do Saltério.

Têm antífonas próprias os domingos do Advento, Natal, como também os dias de semana de 17 a 24 de dezembro, os domingos da Quaresma e da Páscoa, os dias da Semana Santa, da oitava da Páscoa e de todo o Tempo pascal.

Nas solenidades e festas, nos dias da oitava de Natal, nos dias da oitava da Páscoa, os salmos e o cântico são do I Domingo do Saltério, e as antífonas do Próprio ou do Comum.

Nas memórias dos Santos, os salmos, o cântico e as antífonas são dos dias de semana, a não ser que haja salmos e antífonas próprios.

Terminada a salmodia, faz-se a leitura breve ou longa.

Laudes

739

LEITURA BREVE

No Ofício dos domingos e dias de semana no Tempo do Advento, Natal, Quaresma e Páscoa, a leitura breve encontra-se no Próprio do Tempo; no Tempo comum, encontra-se no Saltério.

Nas solenidades e festas, a leitura breve encontra-se no Próprio ou no Comum.

Não havendo leitura breve própria para as memórias dos Santos, toma--se livremente do Comum ou do dia de semana.

LEITURA MAIS LONGA

Pode-se escolher à vontade uma leitura mais longa, principalmente na celebração com o povo, segundo a norma do n. 46 da Instrução.

Na celebração com o povo, conforme as circunstâncias, pode-se acrescentar uma breve homilia para explicar a leitura.

RESPOSTA À PALAVRA DE DEUS

Depois da leitura ou da homilia, se oportuno, pode-se guardar algum tempo de silêncio.

Em seguida, apresenta-se um canto responsorial ou responsório breve, que se encontra logo depois da leitura breve.

Outros cantos do mesmo gênero podem ser cantados em seu lugar, uma vez que sejam aprovados pela Conferência Episcopal.

CÂNTICO EVANGÉLICO (BENEDICTUS)
Lc 1,68-79

Depois se diz o Cântico evangélico com a antífona correspondente.

A antífona para o Benedictus toma-se do Próprio; no Ofício dos dias de semana do Tempo comum, do Saltério. Nas solenidades e festas dos Santos, não havendo antífona própria, toma-se do Comum. Nas memórias, não havendo antífona própria, pode-se escolher, livremente, do dia de semana ou do Comum.

O Messias e seu Precursor

—68 Bendito **seja** o Senhor **Deus** de Israel, *
porque a seu **po**vo visi**tou** e liber**tou**;
—69 e fez sur**gir** um pode**ro**so Salva**dor** *
na **ca**sa de Da**vi**, seu servi**dor**,
—70 como fa**la**ra pela **bo**ca de seus **san**tos, *
os pro**fe**tas desde os **tem**pos mais an**ti**gos,
—71 para sal**var**-nos do po**der** dos ini**mi**gos *
e da **mão** de todos **quan**tos nos o**dei**am.

740   Ordinário da Liturgia das Horas

– [72]Assim mos**trou** miseri**cór**dia a nossos **pais**, *
recor**dan**do a sua **san**ta Aliança
– [73]e o jura**men**to a Abra**ão**, o nosso **pai**, *
de conce**der**-nos [74]que, li**ber**tos do ini**mi**go,
= a ele nós sir**vamos** sem te**mor** †
[75]em santi**da**de e em justiça diante **de**le, *
en**quan**to perdu**ra**rem nossos **dias**.
= [76]Se**rás** pro**fe**ta do Al**tís**simo, ó me**ni**no, †
pois i**rás** andando à **fren**te do Se**nhor** *
para aplai**nar** e prepa**rar** os seus ca**mi**nhos,
– [77]anunci**an**do ao seu **po**vo a sal**va**ção, *
que es**tá** na remis**são** de seus pe**cados**,
– [78]pela bon**da**de, e compai**xão** de nosso **Deus**, *
que sobre **nós** fa**rá** bri**lhar** o Sol nas**cen**te,
– [79]para ilumi**nar** a quantos **ja**zem entre as **tre**vas *
e na **som**bra da **mor**te es**tão** sen**ta**dos
– e **pa**ra diri**gir** os nossos **passos**, *
gui**an**do-os no ca**mi**nho da **paz**.
– Gló**ria** ao **Pai** e ao **Fi**lho e ao Es**pí**rito **San**to. *
Como era no prin**cí**pio, **ago**ra e sempre. A**mém**.

GLÓRIA AO PAI

O Glória ao Pai se diz no fim de todos os salmos e cânticos, a não ser
que se indique o contrário.

Para o canto, pode-se escolher outro Glória ao Pai que corresponda ao
ritmo e aos acentos do salmo ou do cântico que precede:

1º **Comum** (e para o canto com 2 ou 4 acentos):

V. Glória ao **Pai** e ao **Fi**lho e ao Es**pí**rito **San**to.
R. Como era no prin**cí**pio, **ago**ra e sempre. A**mém**.

2º **Para o Canto** (com 3 acentos e estrofes de 2 versos)

– Glória ao **Pai** e ao **Fi**lho e ao Espírito **San**to. *
Como era no prin**cí**pio, **ago**ra e **sem**pre. A**mém**.

3º (Com 3 acentos e estrofes de 3 versos):

= Glória ao **Pai** e ao **Fi**lho e ao Espírito **San**to, †
ao Deus que **é**, que era e que **vem**, *
pelos séculos dos séculos. A**mém**.

Laudes

4º (Com 3 acentos e estrofes de 4 versos):

= Demos **glória** a Deus **Pai** onipo**tente**
e a seu **Filho**, Jesus **Cristo**, Senhor **nos**so, †
e ao Es**pírito** que ha**bita** em nosso **peito**, *
pelos **séculos** dos **séculos**. A**mém**.

5º (Com 3 + 2 acentos):

= Glória ao **Pai** e ao **Filho** e ao Espírito **Santo**
desde a**gora** e para **sem**pre, †
ao Deus que **é**, que **era** e que **vem**, *
pelos séculos. A**mém**.

Repete-se a antífona.

REFRÃO NOS CÂNTICOS (R.)

Para os cânticos do Antigo e do Novo Testamento é facultativo o refrão entre parênteses (R.). Pode ser usado quando se canta ou se recita o Ofício em comum.

PRECES PARA CONSAGRAR O DIA E O TRABALHO A DEUS

Terminado o cântico, fazem-se as Preces.

No Ofício dos domingos e dias de semana do Tempo do Advento, Natal, Quaresma, no Tríduo pascal, na oitava da Páscoa e no Tempo pascal, as preces encontram-se no Próprio do Tempo; para o Tempo comum, encontram-se no Saltério.

Nas solenidades e festas, as preces estão no Próprio ou no Comum.

Nas memórias dos Santos podem-se tomar livremente as preces do Comum ou do dia de semana, não havendo próprias.

Após as preces, todos rezam o Pai-nosso, que pode ser precedido de breve monição como a seguir:

1. E agora digamos juntos a oração que o Cristo Senhor nos ensinou: *Pai nosso...*
2. Nossa prece prossigamos, implorando a vinda do Reino de Deus: *Pai nosso...*
3. Recolhamos agora nossos louvores e pedidos com as palavras do próprio Cristo, e digamos: *Pai nosso...*
4. Confirmemos agora nossos louvores e pedidos pela oração do Senhor: *Pai nosso...*
5. Mais uma vez louvemos a Deus e roguemos com as mesmas palavras de Cristo: *Pai nosso...*

Ordinário da Liturgia das Horas

6. **(Invocações dirigidas a Cristo)** Lembrai-vos de nós, Senhor, quando vierdes em vosso Reino e ensinai-nos a dizer: *Pai nosso...*
7. E agora, obedientes à vontade de nosso Senhor Jesus Cristo, ousamos dizer: *Pai nosso...*
8. E agora, cumprindo a ordem do Senhor, digamos: *Pai nosso...*
9. Atentos ao modelo de oração dado por Cristo, nosso Senhor, digamos: *Pai nosso...*
10. Digamos agora, todos juntos, a oração que Cristo nos entregou como modelo de toda oração: *Pai nosso...*

Pai nosso que estais nos céus,
santificado seja o vosso nome;
venha a nós o vosso reino,
seja feita a vossa vontade,
assim na terra como no céu;
o pão nosso de cada dia nos dai hoje;
perdoai-nos as nossas ofensas,
assim como nós perdoamos
a quem nos tem ofendido,
e não nos deixeis cair em tentação,
mas livrai-nos do mal.

ORAÇÃO CONCLUSIVA

Depois do Pai-nosso diz-se imediatamente, sem o convite Oremos, a oração conclusiva. No Ofício dos dias de semana ela se encontra no Saltério e nos demais ofícios, no Próprio. A conclusão da oração é descrita adiante, no Ofício da Hora Média, p. 745.

Se um sacerdote ou diácono preside o Ofício, é ele quem despede o povo, dizendo:

O Senhor esteja convosco.
R. Ele está no meio de nós.

Abençoe-vos Deus todo-poderoso,
Pai e Filho e Espírito Santo.
R. Amém.

Pode usar também outra fórmula de bênção, como na Missa.

Hora Média

743

Havendo despedida, acrescenta-se:

Ide em **paz** e o Se**nhor** vos acompanhe.
R. **Graças a Deus.**

Do 1º ao 2º Domingo da Páscoa inclusive:

Ide em **paz,** e o Se**nhor** vos acompanhe. Alel**uia,** aleluia.
R. **Graças a Deus.** Alel**uia,** aleluia.

Não havendo sacerdote, ou diácono, e na recitação individual, conclui--se assim:

O Se**nhor** nos aben**çoe,** nos **livre** de todo o **mal**
e nos con**duza** à vida eter**na.**
R. Amém.

Hora Média

V. Vinde, ó **Deus,** em meu auxílio.
R. R. Socor**rei**-me sem de**mo**ra.
    Glória ao **Pai** e ao **Filho** e ao Es**pírito Santo.** *
    Como era no princípio, agora e sempre. A**mém.** (Aleluia).

O Aleluia entre parênteses é omitido só na Quaresma.

Depois se diz o hino correspondente. Na Quaresma e no Tempo pascal, o hino é próprio, p. 273 e 463. Não havendo hino próprio e no Tempo comum, se diz um dos seguintes:

Hino

Ó Deus, verdade e força
que o mundo governais,
da aurora ao meio-dia,
a terra iluminais.

De nós se afaste a ira,
discórdia e divisão.
Ao corpo dai saúde,
e paz ao coração.

Ouvi-nos, Pai bondoso,
por Cristo Salvador,
que vive com o Espírito
convosco pelo Amor.

Ou:

O louvor de Deus cantemos
com fervor no coração,

pois agora a hora sexta
nos convida à oração.

Nesta hora foi-nos dada
gloriosa salvação
pela morte do Cordeiro,
que na cruz trouxe o perdão.

Ante o brilho de tal luz
se faz sombra o meio-dia.
Tanta graça e tanto brilho
vinde haurir, com alegria.

Seja dada a glória ao Pai
e ao Unigênito também,
com o Espírito Paráclito,
pelos séculos. Amém.

Nesta Hora, não se faz menção das memórias dos Santos.

SALMODIA

Depois do hino, reza-se a salmodia com suas antífonas próprias. Propõem-se duas salmodias do Saltério: uma corrente e outra complementar.

A salmodia corrente consta de três salmos ou partes de salmos, distribuí-
da ao longo do Saltério.

A Salmodia complementar consta de salmos invariáveis, escolhidos
dentre os denominados salmos graduais, p. 1135.

Normalmente toma-se a salmodia corrente, mesmo nas festas.

Nas solenidades rezam-se os salmos da salmodia complementar; mas,
no domingo, tomam-se os salmos do domingo da I Semana, p. 768.

No Tríduo pascal, nos dias da oitava da Páscoa e algumas solenidades do
Senhor, propõem-se salmos especiais. Nas solenidades e no Tempo do
Advento, Natal, Quaresma e Páscoa, as antífonas são próprias. No Tempo pascal, os salmos têm só uma antífona: Aleluia, Aleluia, Aleluia. Não
havendo antífona própria e no Tempo comum, a salmodia é do Saltério.

LEITURA BREVE

Depois da salmodia, faz-se a leitura breve.

No Ofício dos domingos e dias de semana do Tempo do Advento, Natal,
Quaresma e Páscoa, a leitura breve é do Próprio do Tempo; no Tempo
comum é do Saltério.

Nas solenidades e festas, a leitura breve está no Próprio ou no Comum.

Vésperas

Depois da leitura breve, se for oportuno, pode-se guardar algum tempo de silêncio meditativo. Em seguida, se apresenta um brevíssimo responso, ou versículo, que é indicado no mesmo lugar da leitura breve.

ORAÇÃO CONCLUSIVA

Em seguida, diz-se a oração própria do dia, precedida do convite Oremos, e se acrescenta a conclusão correspondente, isto é:

Se a oração se dirige ao Pai:

Por Cristo, nosso Senhor.

Se se dirige ao Pai, com menção do Filho na parte final:

Que vive e reina para sempre.

Se se dirige ao Filho:

Vós, que viveis e reinais para sempre.

No fim da Oração responde-se:

Amém.

No Ofício dos domingos do Tempo comum, bem como nas solenidades e festas, a oração é própria do dia.

Nas memórias e nos Ofícios dos dias de semana, diz-se a oração da Hora correspondente, como no Saltério.

Depois, pelo menos na celebração comunitária, acrescenta-se a aclamação:

Bendigamos ao Se**nhor**.

R. **Graças a Deus**.

Vésperas

V. Vinde, ó **Deus**, em meu auxílio.

R. Soco**rrei**-me sem de**mora**.

Glória ao **Pai** e ao **Filho** e ao Es**pí**rito **San**to. *

Como **era** no prin**cí**pio, a**go**ra e sempre. A**mém**. (Ale**luia**).

O Aleluia entre parênteses é omitido só na Quaresma.

HINO

Em seguida, diz-se o hino correspondente.

No início de cada Tempo indicam-se os hinos próprios para o Ofício dos domingos e dias de semana.

No Ofício dos domingos do Tempo comum e dos dias de semana, o hino encontra-se no Saltério.

Ordinário da Liturgia das Horas

Nas solenidades e festas, o hino se encontra no Próprio ou no Comum. Não havendo hino próprio na memória dos Santos, toma-se o hino livremente do Comum ou do dia de semana correspondente.

SALMODIA

Terminado o hino, segue-se a salmodia que consta de dois salmos ou partes de salmos, e de um cântico do Novo Testamento, cada qual com sua antífona.

No Ofício dos domingos do Tempo do Advento, Natal, Quaresma e em todo o Tempo pascal, as antífonas estão no Próprio e os salmos no Saltério.

No Tempo comum, rezam-se os salmos e o cântico do Saltério; não havendo antífonas próprias, rezam-se as do Saltério.

Têm antífonas próprias: os domingos do Advento, Natal, como também os dias de semana de 17 a 24 de dezembro, os domingos da Quaresma e da Páscoa, os dias da Semana Santa e da oitava da Páscoa, e todo o Tempo pascal.

Nas solenidades, festas, Tríduo pascal e na oitava de Natal e da Páscoa, os salmos e as antífonas são do Próprio do Tempo ou do Comum.

Nas memórias dos Santos, os salmos, o cântico e as antífonas são do dia de semana corrente, a não ser que haja salmos e antífonas próprios.

Terminada a salmodia, faz-se a leitura breve ou longa.

LEITURA BREVE

No Ofício dos domingos e dias de semana no Tempo do Advento, Natal, Quaresma e Páscoa a leitura breve encontra-se no Próprio do Tempo; no Tempo Comum, encontra-se no Saltério corrente.

Nas solenidades e festas, a leitura breve encontra-se no Próprio ou no Comum.

Não havendo leitura breve própria para as memórias dos Santos, toma-se livremente do Comum ou do dia de semana.

LEITURA MAIS LONGA

Pode-se escolher à vontade uma leitura mais longa, principalmente na celebração com o povo, segundo a norma n. 46 da Instrução.

Na celebração com o povo, conforme as circunstâncias, pode-se acrescentar uma breve homilia para explicar a leitura.

RESPOSTA À PALAVRA DE DEUS

Depois da leitura ou da homilia, se for oportuno, pode-se guardar algum tempo de silêncio.

Em seguida, apresenta-se um canto responsorial ou responsório breve, que se encontra logo depois da leitura breve.

Vésperas

Outros cantos do mesmo gênero podem ser cantados em seu lugar, uma vez que sejam aprovados pela Conferência Episcopal.

CÂNTICO EVANGÉLICO (MAGNÍFICAT) Lc 1,46-55

Depois se diz o Cântico evangélico com a antífona correspondente.

No Ofício do Tempo do Advento, Natal, Quaresma, Páscoa e dos domingos do Tempo comum toma-se a antífona para o Magníficat do Próprio; no Ofício dos dias de semana, do Saltério. Nas solenidades e festas dos Santos, não havendo antífona própria, toma-se do Comum; nas memórias, pode-se escolher livremente a antífona do dia de semana ou do Comum.

A alegria da alma no Senhor

– [46]A minha alma engrandece ao Senhor, *
[47]e se alegrou o meu espírito em **Deus,** meu Salvador,

– [48]pois ele **viu** a pequenez de sua serva, *
desde agora as gerações hão de chamar-me de bendita.

– [49]O Poderoso fez em **mim** maravilhas *
e **San**to é o seu **no**me!

– [50]Seu amor, de geração em geração,*
chega a todos que o respeitam.

– [51]Demonstrou o poder de seu braço*
dispersou os orgulhosos.

– [52]Derrubou os poderosos de seus tronos *
e os humildes exaltou.

– [53]De bens saciou os famintos *
e despediu, sem nada, os ricos.

– [54]Acolheu Israel, seu servidor, *
fiel ao seu amor,

– [55]como havia prometido aos nossos pais, *
em favor de Abraão e de seus filhos, para sempre.

– Glória ao Pai e ao Filho e ao Espírito Santo. *
Como era no princípio, agora e sempre. Amém.

Glória ao Pai para o canto, como no Cântico Evangélico (Benedictus) das Laudes, p. 740.

Repete-se a antífona.

PRECES OU INTERCESSÕES

Terminado o cântico, fazem-se as preces ou intercessões.

748   Ordinário da Liturgia das Horas

No Ofício dos domingos e dias de semana do Tempo do Advento, Natal, Quaresma, no Tríduo pascal, na oitava da Páscoa e no Tempo pascal, as preces encontram-se no Próprio do Tempo; para o Tempo comum, encontram-se no Saltério.

Nas solenidades e festas, as preces estão no Próprio ou no Comum.

Nas memórias dos Santos podem-se tomar livremente as preces do Comum ou do dia de semana.

Após as preces, todos rezam o Pai-nosso, que pode ser precedido de breve monição, como à p. 741.

Pai nosso que estais nos céus,
santificado seja o vosso nome;
venha a nós o vosso reino,
seja feita a vossa vontade,
assim na terra como no céu;
o pão nosso de cada dia nos dai hoje;
perdoai-nos as nossas ofensas,
assim como nós perdoamos
a quem nos tem ofendido,
e não nos deixeis cair em tentação,
mas livrai-nos do mal.

ORAÇÃO CONCLUSIVA

Depois do Pai-nosso diz-se imediatamente, sem o convite Oremos, a oração conclusiva. No Ofício dos dias de semana do Tempo comum ela se encontra no Saltério corrente e nos outros Ofícios, no Próprio.

Se um sacerdote ou diácono preside o Ofício, é ele quem despede o povo, dizendo:

O Senhor esteja convosco.

R. Ele está no meio de nós,

Abençoe-vos Deus todo-poderoso,
Pai e Filho e Espírito Santo.

R. Amém.

Pode usar também outra fórmula de bênção, como na Missa

Havendo despedida, acrescenta-se:

Ide em paz e o Senhor vos acompanhe.

R. Graças a Deus.

Completas

Do 1º ao 2º Domingo da Páscoa inclusive:

Ide em **paz** e o Se**nhor** vos acompanhe. Aleluia, aleluia.
R. **Graças** a **Deus**. Aleluia, aleluia.

Não havendo sacerdote, ou diácono, e na recitação individual, conclui-
-se assim:

O Se**nhor** nos abe**nçoe**, nos **livre** de todo o **mal**
e nos co**nduza** à vida et**erna**.
R. Amém.

Completas

V. Vinde, ó **Deus**, em meu auxílio.
R. Soco**rrei**-me sem de**mora**.
  Glória ao **Pai** e ao **Filho** e ao Es**pírito San**to.
  Como era no prin**cípio**, a**gora** e sempre. A**mém**. (Alel**uia**).

O Aleluia entre parênteses é omitido só na Quaresma.

Depois, recomenda-se o exame de consciência, que na celebração comunitária pode ser inserido num Ato penitencial como a seguir:

1. Após breve silêncio, todos juntos confessam, dizendo:

Confesso a Deus todo-poderoso
e a vós, irmãos (e irmãs),
que pequei muitas vezes
por pensamentos e palavras,
atos e omissões

e batendo no peito, dizem:

por minha culpa, minha tão grande culpa.

Em seguida, continuam:

E peço à Virgem Maria,
aos anjos e santos,
e a vós, irmãos (e irmãs),
que rogueis por mim a Deus, nosso Senhor.

Segue-se a absolvição de quem preside:

Deus todo-poderoso tenha compaixão de nós,
perdoe os nossos pecados
e nos conduza à vida eterna.

Todos:

Amém.

750 Ordinário da Liturgia das Horas

2. Ou quem preside diz:

Tende compaixão de nós, Senhor.

Todos respondem:

Porque somos pecadores.

Quem preside:

Manifestai, Senhor, a vossa misericórdia.

Todos:

E dai-nos a vossa salvação.

Segue-se a absolvição de quem preside:

Deus todo-poderoso tenha compaixão de nós,
perdoe os nossos pecados
e nos conduza à vida eterna.

Todos:

Amém.

3. Ou: Quem preside ou outra pessoa designada propõe as seguintes invocações ou outras semelhantes com Kyrie eléison (Senhor, tende piedade de nós):

Senhor,
que viestes salvar os corações arrependidos,
tende piedade de nós.

Todos:

Senhor, tende piedade de nós (Kyrie eléison).

Quem preside:

Cristo,
que viestes chamar os pecadores,
tende piedade de nós.

Todos:

Cristo, tende piedade de nós (Christe eléison).

O que preside:

Senhor,
que intercedeis por nós junto do Pai,
tende piedade de nós.

Completas

Todos:

Senhor, tende piedade de nós (Kyrie eléison);

Segue-se a absolvição de quem preside:

Deus todo-poderoso tenha compaixão de nós,
perdoe os nossos pecados
e nos conduza à vida eterna.
Todos:

Amém.

Hino

Fora do Tempo pascal:

Agora que o clarão da luz se apaga,
a vós nós imploramos, Criador:
com vossa paternal misericórdia,
guardai-nos sob a luz do vosso amor.

Os nossos corações sonhem convosco:
no sono, possam eles vos sentir.
Cantemos novamente a vossa glória
ao brilho da manhã que vai surgir.

Saúde concedei-nos nesta vida,
as nossas energias renovai;
da noite a pavorosa escuridão
com vossa claridade iluminai.

Ó Pai, prestai ouvido às nossas preces,
ouvi-nos por Jesus, nosso Senhor,
que reina para sempre em vossa glória,
convosco e o Espírito de Amor.

Ou:

Ó Cristo, dia e esplendor,
na treva o oculto aclarais.
Sois luz de luz, nós o cremos,
luz aos fiéis anunciais.

Guardai-nos, Deus, nesta noite,
velai do céu nosso sono;
em vós na paz descansemos
em um tranquilo abandono.

Se os olhos pesam de sono,
vele, fiel, nossa mente.
A vossa destra proteja
quem vos amou fielmente.

Defensor nosso, atendei-nos
freai os planos malvados.
No bem guiai vossos servos,
com vosso sangue comprados.

Ó Cristo, Rei piedoso,
a vós e ao Pai toda a glória,
com o Espírito Santo,
eterna honra e vitória.

Tempo pascal:

Ó Jesus Redentor,
do universo Senhor,
Verbo eterno do Pai,
Luz da Luz invisível,
que dos vossos remidos
vigilante cuidais.

Vós, artista do mundo
e de todos os tempos
o sinal divisor,
no silêncio da noite
renovai nosso corpo
que lutando cansou.

Afastai o inimigo,
vós, que os fundos abismos
destruís, ó Jesus!
Não consiga o maligno
seduzir os remidos
pelo sangue da Cruz.

Quando o corpo cansado
for de noite embalado
pelo sono e a calma,
de tal modo adormeça
que ao dormir nossa carne
não cochile nossa alma.

Escutai-nos, ó Verbo,
por quem Deus fez o mundo,
e o conduz e mantém.
Com o Pai e o Espírito,
vós reinais sobre os vivos
pelos séculos. Amém.

SALMODIA

Depois das I Vésperas dos domingos e solenidades, dizem-se os salmos 4 e 133(134), p. 1116 e 1117; e depois das II Vésperas, o salmo 90(91), p. 1119.

Também nos dias da oitava do Natal e da Páscoa se diz esta ou aquela das salmodias das Completas de domingo.

Nos outros dias, os salmos com suas antífonas encontram-se no Saltério. É permitido também substituir as Completas do dia por uma ou outra do domingo.

LEITURA BREVE

Depois da salmodia, faz-se a leitura breve, que se encontra também cada dia no lugar correspondente do Saltério.

Segue-se o responsório breve.

RESPONSÓRIO BREVE

Fora do Tempo pascal :

R. **Senhor**, em vossas **mãos**,
 * Eu en**tre**go o meu es**pí**rito. R. **Senhor**.
V. Vós **sois** o Deus fi**el** que sal**vas**tes vosso **povo**.
 * Eu en**tre**go. Glória ao **Pai**. R. **Senhor**.

No Tríduo pascal, em lugar do responsório breve se diz a antífona: Jesus Cristo se humilhou. Durante a oitava da Páscoa, em lugar do responsório breve, a antífona: Este é o dia, como no Próprio do Tempo.

Tempo pascal:

R. **Se**nhor, em vossas **mãos**, eu en**tre**go o meu es**pí**rito.
 * Ale**lui**a, ale**lui**a. R. **Se**nhor.
V. Vós **sois** o Deus fi**el** que sal**vas**tes vosso **povo**. * Ale**lui**a.
 Glória ao **Pai**. R. **Se**nhor.

754   Ordinário da Liturgia das Horas

CÂNTICO EVANGÉLICO (NUNC DIMÍTTIS)   Lc 2,29-32

Segue-se o Cântico de Simeão com sua antífona:

Ant. Salvai-nos, Senhor, quando velamos,
       guardai-nos também quando dormimos!
       Nossa mente vigie com o Cristo,
       nosso corpo repouse em sua paz! (T. P. Aleluia).

Cristo, luz das nações e glória de seu povo

– 29 Deixai, agora, vosso servo ir em paz, *
     conforme prometestes, ó Senhor.
– 30 Pois meus olhos viram vossa salvação *
     31 que preparastes ante a face das nações:
– 32 uma Luz que brilhará para os gentios *
     e para a glória de Israel, o vosso povo.
–   Glória ao Pai e ao Filho e ao Espírito Santo. *
     Como era no princípio, agora e sempre. Amém.

Repete-se a antífona.

ORAÇÃO CONCLUSIVA

Em seguida, se diz a oração própria para cada dia, como no Saltério,
precedida do convite Oremos. No fim responde-se: Amém.

Segue-se a bênção, inclusive quando se reza sozinho:

O Senhor todo-poderoso nos conceda uma noite tranquila
e, no fim da vida, uma morte santa.
R. Amém.

Antífonas finais de Nossa Senhora

Por fim, canta-se ou reza-se uma das seguintes antífonas de Nossa Senhora:

Ó Mãe do Redentor, do céu ó porta,
ao povo que caiu, socorre e exorta,
pois busca levantar-se, Virgem pura,
nascendo o Criador da criatura:
tem piedade de nós e ouve, suave,
o anjo te saudando com seu Ave!

ou

Ave, Rainha do céu;
ave, dos anjos Senhora;
ave, raiz, ave, porta;
da luz do mundo és aurora.
Exulta, ó Virgem tão bela,
as outras seguem-te após;
nós te saudamos: adeus!
E pede a Cristo por nós!
Virgem Mãe, ó Maria!

ou

Salve, Rainha, Mãe de misericórdia,
vida, doçura, esperança nossa, Salve!
A vós bradamos, os degredados filhos de Eva,
a vós suspiramos gemendo e chorando
neste vale de lágrimas!
Eia, pois, Advogada nossa,
esses vossos olhos misericordiosos a nós volvei,
e depois deste desterro mostrai-nos Jesus,
bendito fruto do vosso ventre!
Ó clemente, ó piedosa,
ó doce sempre Virgem Maria.

ou

À vossa proteção recorremos, santa Mãe de Deus;
não desprezeis as nossas súplicas em nossas necessidades,
mas livrai-nos sempre de todos os perigos,
ó Virgem gloriosa e bendita.

No Tempo pascal:

Rainha do céu, alegrai-vos, aleluia,
pois o Senhor que merecestes trazer em vosso seio, aleluia,
ressuscitou, como disse, aleluia;
rogai a Deus por nós, aleluia.

Pode-se usar outro canto de Nossa Senhora, aprovado pela Conferência
Episcopal.

SALTÉRIO

DISTRIBUÍDO EM QUATRO SEMANAS

É a seguinte a relação entre o ciclo de quatro semanas e o ano litúrgico:

O 1º domingo do Advento começa com a I Semana do Saltério. E assim se prossegue com as semanas seguintes do Saltério, até a festa do Batismo do Senhor, exclusive.

O 1º domingo da Quaresma começa com a I Semana do Saltério. Na Quarta-feira de Cinzas e nos dias seguintes tomam-se os salmos da IV Semana do Saltério. Após, a oitava da Páscoa, retoma-se a II Semana do Saltério, na segunda-feira após o 2º Domingo da Páscoa.

Na primeira semana do Tempo comum, toma-se a I Semana do Saltério. Na semana imediata após a solenidade de Pentecostes, toma-se a Semana do Saltério correspondente à semana do Tempo Comum, tendo-se em conta que depois de cada quatro semanas se volta à I do Saltério, a saber, na 5ª, na 9ª etc. semana do Tempo comum.

O sinal – (travessão) ao pé da página indica o fim de uma estrofe do salmo.

I SEMANA

I DOMINGO

I Vésperas

V. Vinde, ó **Deus**, em meu au**xí**lio.

R. Socor**rei**-me sem de**mo**ra.

Glória ao **Pai** e ao **Fi**lho e ao Es**pí**rito **San**to. *

Como **e**ra no prin**cí**pio, a**go**ra e sempre. A**mém**. (T.P. Ale**lui**a).

O Aleluia entre parênteses só se omite na Quaresma.

Hino

Nos domingos do Advento, Natal, Quaresma e Páscoa, o hino é próprio e encontra-se no Próprio do Tempo correspondente. Nos domingos do Tempo comum se diz:

Ó Deus, autor de tudo,
que a terra e o céu guiais,
de luz vestis o dia,
à noite o sono dais.

O corpo, no repouso,
prepara-se a lutar.
As mentes já se acalmam,
se faz sereno o olhar.

Senhor, vos damos graças
no ocaso deste dia.
A noite vem caindo,
mas vosso amor nos guia.

Sonora, a voz vos louve,
vos cante o coração.
O amor vos renda amor,
e a mente, adoração.

E assim, chegando a noite,
com grande escuridão,
a fé, em meio às trevas,
espalhe o seu clarão.

Ouvi-nos, Pai piedoso,
e Filho, Sumo Bem,
com vosso Santo Espírito
reinando sempre. Amém.

Domingo – I Vésperas

Ou:

Santo entre todos, já fulgura
o dia oitavo, resplendente,
que consagrais em vós, ó Cristo,
vós, o primeiro dos viventes.

Às nossas almas, por primeiro,
vinde trazer ressurreição,
e da segunda morte livres,
os nossos corpos surgirão.

Ao vosso encontro, sobre as nuvens,
em breve, ó Cristo, nós iremos.
Ressurreição e vida nova,
convosco sempre viveremos.

Dai-nos, à luz da vossa face,
participar da divindade,
vos conhecendo como sois,
Luz, verdadeira suavidade.

Por vós entregues a Deus Pai,
que seu Espírito nos dá,
à perfeição da caridade
o Trino Deus nos levará.

Salmodia

Nos domingos do Advento, Natal, Quaresma e Páscoa, as antífonas são próprias do Tempo correspondente.

Ant. 1 Minha ora**ção** suba a **vós** como in**cen**so, Se**nhor**!

Salmo 140(141),1-9

Oração nas dificuldades da vida

Da mão do anjo, subia até Deus a fumaça do incenso, com as orações dos santos (Ap 8,4).

– [1] Senhor, eu **cla**mo por **vós**, socor**rei**-me; *
quando eu **gri**to, escutai minha voz!

– [2] Minha ora**ção** suba a vós como incenso, *
e minhas **mãos**, como oferta da tarde!

– [3] Ponde uma **guar**da em minha boca, Senhor, *
e vi**gi**as às portas dos lábios! –

760   I Semana

– [4]Meu coração não deixeis inclinar-se *
às obras **más** nem às tramas do crime;
– que eu não seja aliado dos ímpios *
nem partilhe de suas delícias!

= [5]Se o **justo** me bate, é um favor; †
porém **jamais** os perfumes dos ímpios *
sejam **usados** na minha cabeça!
– Continuarei a orar fielmente, *
enquanto eles se entregam ao mal!

= [6]Seus juízes, que tinham ouvido †
as suaves palavras que eu disse, *
do rochedo já foram lançados.

= [7]Como a **mó** rebentada por terra, †
os seus ossos estão espalhados *
e dispersos à boca do abismo.

– [8]A vós, Senhor, se dirigem meus olhos, *
em vós me abrigo: poupai minha vida!
– [9]Senhor, guardai-me do laço que armaram *
e da armadilha dos homens malvados!

– Glória ao **Pai** e ao **Filho** e ao Espírito **Santo**. *
Como era no princípio, **agora** e sempre. **Amém.**

Para o canto, outra doxologia, como no Ordinário, p. 740.

Habitualmente se diz o versículo Glória ao Pai no fim de todos os salmos
e cânticos, a não ser que se indique o contrário.

Ant. Minha oração suba a **vós** como incenso, Senhor!

Ant. 2 Sois **vós** meu **abrigo**, Senhor,
minha herança na **terra** dos vivos.

Salmo 141(142)

Vós sois o meu refúgio, Senhor!

*Tudo o que este salmo descreve se realizou no Senhor durante a
sua Paixão (Sto. Hilário).*

– [2]Em voz **alta** ao Senhor eu imploro, *
em voz **alta** suplico ao Senhor!
= [3]Eu derramo na sua presença †
o lamento da minha aflição, *
diante dele coloco minha dor! –

Domingo – I Vésperas

– **4**Quando em **mim** desfalece a minh'alma, *
conhe**ceis**, ó Senhor, meus caminhos!
– Na es**tra**da por onde eu andava *
contra **mim** ocultaram ciladas.
– **5**Se me **vol**to à direita e procuro, *
não en**con**tro quem cuide de mim,
– e não **ten**ho aonde fugir; *
não im**por**ta a ninguém minha vida!
= **6**A vós **grito**, Senhor, a vós clamo †
e vos **digo**: "Sois vós meu abrigo, *
minha he**ran**ça na terra dos vivos".
– **7**Escu**tai** meu clamor, minha prece, *
porque **fui** por demais humilhado!
– **8**Arran**cai**-me, Senhor, da prisão, *
e em lou**vor** bendirei vosso nome!
– Muitos **jus**tos virão rodear-me *
pelo **bem** que fizestes por mim.

Ant. Sois **vós** meu a**bri**go, Se**nh**or,
minha he**ran**ça na **ter**ra dos **vi**vos.

Ant. 3 O Se**nhor** Jesus **Cris**to se humi**lhou**;
por isso **Deus** o exal**tou** eterna**men**te.

Nos cânticos que se seguem, o refrão entre parênteses é opcional.

Cântico   Fl 2,6-1

Cristo, o Servo de Deus

= **6**Embora **fos**se de di**vi**na condi**ção**, †
Cristo Je**sus** não se apegou ciosamente *
a ser i**gual** em natureza a Deus Pai.

(R. Jesus **Cris**to é Se**nhor** para a **gló**ria de Deus **Pai!**)

= **7**Po**rém** esvaziou-se de sua glória †
e assu**miu** a condição de um escravo, *
fa**zen**do-se aos homens semelhante.

(R.)

= Reconhe**ci**do exteriormente como homem, †
8humi**lhou**-se, obedecendo até à morte, *
até à **mor**te humilhante numa cruz.

(R.)

762   I Semana

= [9] Por isso **Deus** o exaltou sobremaneira †
e deu-lhe o **no**me mais excelso, mais sublime, *
e ele**va**do muito acima de outro nome.   (R.)

=[10] Para **que** perante o nome de Jesus †
se **do**bre reverente todo joelho, *
seja nos **céus**, seja na terra ou nos abismos.   (R.)

=[11] E toda **lín**gua reconheça, confessando, †
para a **gló**ria de Deus Pai e seu louvor: *
"Na ver**da**de Jesus Cristo é o Senhor!"   (R.)

Ant. O Se**nh**or Jesus **Cris**to se humi**lhou**;
por isso **Deus** o exal**tou** eterna**men**te.

Leitura breve   Rm 11,33-36

Nos domingos do Advento, Natal, Quaresma e Páscoa, a leitura breve,
o responsório e as preces são do respectivo Tempo. Nos domingos do
Tempo comum se diz:

Ó profundidade da riqueza, da sabedoria e da ciência de Deus!
Como são inescrutáveis os seus juízos e impenetráveis os seus
caminhos! De fato, quem conheceu o pensamento do Senhor?
Ou quem foi seu conselheiro? Ou quem se antecipou em dar-lhe
alguma coisa, de maneira a ter direito a uma retribuição? Na verdade, tudo é dele, por ele, e para ele. A ele, a glória para sempre.
Amém!

Responsório breve
R. Quão nume**ro**sas, ó Se**nhor**, são vossas **o**bras
    * E **que** sabe**do**ria em todas **e**las! R. Quão nume**ro**sas.
V. Encheu-se a **ter**ra com as **vos**sas cria**tu**ras.
    * E **que** sabe**do**ria. Glória ao **Pai**. R. Quão nume**ro**sas.
Antífona do Magníficat como no Próprio.

Preces
Ao Deus único, Pai e Filho e Espírito Santo, demos glória; e pe-
çamos humildemente:
R. **Ouvi, Senhor, a oração de vosso povo!**

Pai santo, Senhor todo-poderoso, fazei brotar a justiça na terra,
– para que o vosso povo se alegre na prosperidade e na paz.   R.

Dai a todos os povos fazerem parte do vosso Reino,
– para que sejam salvos.   R.

Concedei aos esposos a perseverança na harmonia e no cumprimento de vossa vontade,
– para que vivam sempre no amor mútuo. R.
Dignai-vos recompensar todos aqueles que nos fazem o bem,
– e dai-lhes a vida eterna. R.

(intenções livres)

Olhai com bondade os que morreram vítimas do ódio, da violência ou da guerra,
– e acolhei-os no repouso celeste. R.

Pai nosso...

Oração como no Próprio do Tempo.
A conclusão da Hora como no Ordinário.

Laudes

V. Vinde, ó **Deus**, em meu auxílio.
R. Socorrei-me sem demora.
Glória ao **Pai** e ao **Filho** e ao Espírito **Santo**.
Como era no princípio, agora e sempre. Amém. (Aleluia).
O Aleluia entre parênteses só se omite na Quaresma.

Hino

Nos domingos do Advento, Natal, Quaresma e Páscoa, o hino é próprio e encontra-se no Próprio do Tempo correspondente. Nos domingos do Tempo comum se diz:

Ó Criador do universo,
a sombra e a luz alternais,
e, dando tempos ao tempo,
dos seres todos cuidais.

Qual pregoeiro do dia,
canta nas noites o galo.
Separa a noite e a noite,
brilhando a luz no intervalo.

Também por ele acordada,
a estrela d'alva, brilhante,
expulsa o erro e a treva
com sua luz radiante.

Seu canto os mares acalma,
ao navegante avigora;
a própria Pedra da Igreja
ouvindo o cântico chora.

Jesus, olhai os que tombam.
O vosso olhar nos redime:
se nos olhais, nos erguemos,
e prantos lavam o crime.

Ó luz divina, brilhai,
tirai do sono o torpor.
O nosso alento primeiro
entoe o vosso louvor.

Ó Cristo, Rei piedoso,
a vós e ao Pai, Sumo Bem,
glória e poder, na unidade
do Espírito Santo. Amém.

Salmodia

Ant. 1 Desde a aurora ansioso vos busco,
para ver vossa glória e poder.

Salmo 62(63),2-9

Sede de Deus

Vigia diante de Deus, quem rejeita as obras das trevas. (cf. 1Ts 5,5)

– [2] Sois **vós**, ó Se**nhor**, o meu **Deus**! *
Desde a au**ro**ra ansioso vos busco!

= A minh'**alma** tem sede de vós, †
minha **car**ne também vos deseja, *
como **ter**ra sedenta e sem água!

– [3] Venho, as**sim**, contemplar-vos no templo, *
para **ver** vossa glória e poder.

– [4] Vosso **amor** vale mais do que a vida: *
e por **is**so meus lábios vos louvam. –

Domingo – Laudes

– [5]Quero, **pois**, vos louvar pela vida *
e elevar para vós minhas mãos!
– [6]A minh'**alma** será saciada, *
como em **gran**de banquete de festa;
– cantar**á** a alegria em meus lábios, *
ao can**tar** para vós meu louvor!

– [7]Penso em **vós** no meu leito, de noite, *
nas vig**í**lias suspiro por vós!
– [8]Para **mim** fostes sempre um socorro; *
de vossas asas à sombra eu exulto!
– [9]Minha **alma** se agarra em vós; *
com po**der** vossa mão me sustenta.

Ant. Desde a au**ro**ra ansi**o**so vos **bus**co,
para **ver** vossa **gló**ria e po**der**.

Ant. 2 A uma só **voz**, os três **jo**vens
cantavam no **mei**o das **cha**mas:
Ben**di**to o Se**nhor**, ale**luia**!

Cântico   Dn 3,57-88.56

Louvor das criaturas ao Senhor

Louvai o nosso Deus, todos os seus servos (Ap 19,5)

– [57]**Obras** do Senhor, bendi**zei** o Senhor, *
louvai-o e exaltai-o pelos **séculos** sem fim!
– [58]**Céus** do Senhor, bendi**zei** o Senhor! *
[59]**Anjos** do Senhor, bendi**zei** o Senhor!

– (R. Louvai-o e exaltai-o pelos **séculos** sem **fim**!
ou
R. A Ele **glória** e louvor eternamen**te**!)

– [60]**Á**guas do alto céu, bendi**zei** o Senhor! *
[61]**Potên**cias do Senhor, bendi**zei** o Senhor!
– [62]**Lua** e sol, bendi**zei** o Senhor! *
[63]**Astros** e estrelas, bendi**zei** o Senhor!   (R.)

– [64]**Chu**vas e orvalhos, bendi**zei** o Senhor! *
[65]**Bri**sas e ventos, bendi**zei** o Senhor!
– [66]**Fogo** e calor, bendi**zei** o Senhor! *
[67]**Frio** e ardor, bendi**zei** o Senhor!   (R.)

766 I Semana

—68 Orvalhos e garoas, bendizei o Senhor! *
69 Geada e frio, bendizei o Senhor!
—70 Gelos e neves, bendizei o Senhor! *
71 Noites e dias, bendizei o Senhor! (R.)

—72 Luzes e trevas, bendizei o Senhor! *
73 Raios e nuvens, bendizei o Senhor
—74 Ilhas e terra, bendizei o Senhor! *
Louvai-o e exaltai-o pelos séculos sem fim! (R.)

—75 Montes e colinas, bendizei o Senhor! *
76 Plantas da terra, bendizei o Senhor!
—77 Mares e rios, bendizei o Senhor! *
78 Fontes e nascentes, bendizei o Senhor! (R.)

—79 Baleias e peixes, bendizei o Senhor! *
80 Pássaros do céu, bendizei o Senhor!
—81 Feras e rebanhos, bendizei o Senhor! *
82 Filhos dos homens, bendizei o Senhor! (R.)

—83 Filhos de Israel, bendizei o Senhor! *
Louvai-o e exaltai-o pelos séculos sem fim!
—84 Sacerdotes do Senhor, bendizei o Senhor! *
85 Servos do Senhor, bendizei o Senhor! (R.)

—86 Almas dos justos, bendizei o Senhor! *
87 Santos e humildes, bendizei o Senhor!
—88 Jovens Misael, Ananias e Azarias, *
Louvai-o e exaltai-o pelos séculos sem fim! (R.)

— Ao Pai e ao Filho e ao Espírito Santo *
louvemos e exaltemos pelos séculos sem fim!
—56 Bendito sois, Senhor, no firmamento dos céus! *
Sois digno de louvor e de glória eternamente! (R.)

No fim deste cântico não se diz Glória ao Pai.

Ant. A uma só voz, os três jovens
cantavam no meio das chamas:
Bendito o Senhor, aleluia!

Ant. 3 Os filhos de Sião rejubilem no seu Rei. Aleluia.

Domingo – Laudes

Salmo 149

A alegria e o louvor dos santos

Os filhos da Igreja, novo povo de Deus, se alegrem no seu Rei,
Cristo Jesus (Hesíquio).

— ¹Cantai ao Senhor **Deus** um canto **novo**, *
  e o seu lou**vor** na assembleia dos fiéis!
— ²**Alegre-se** Israel em Quem o fez, *
  e Si**ão** se rejubile no seu Rei!
— ³Com **danças** glorifiquem o seu nome, *
  toquem **harpa** e tambor em sua honra!
— ⁴Porque, de **fato**, o Senhor ama seu povo *
  e co**roa** com vitória os seus humildes.
— ⁵**Exultem** os fiéis por sua glória, *
  e can**tando** se levantem de seus leitos,
— ⁶com louv**ores** do Senhor em sua boca *
  e es**padas** de dois gumes em sua mão,
— ⁷para exer**cer** sua vingança entre as nações *
  e infli**gir** o seu castigo entre os povos,
— ⁸colo**cando** nas algemas os seus reis, *
  e seus **nobres** entre ferros e correntes,
— ⁹para apli**car**-lhes a sentença já escrita: *
  Eis a **gló**ria para todos os seus santos.

Ant. Os **filhos** de Si**ão** reju**bilem** no seu **Rei**. Ale**luia**.

Leitura breve
Ap 7,10b-12

Nos domingos do Advento, Natal, Quaresma e Páscoa, a leitura breve, o responsório e as preces são do respectivo Tempo. Nos domingos do Tempo comum se diz:

A salvação pertence ao nosso Deus, que está sentado no trono, e ao Cordeiro. O louvor, a glória e a sabedoria, a ação de graças, a honra, o poder e a força pertencem ao nosso Deus para sempre. Amém.

Responsório breve
R. Cristo, **Filho** do Deus **vivo**,
  * Tende **pena** e compai**xão**! R. Cristo.
V. Glori**oso** estais sen**tado**, à di**reita** de Deus **Pai**.
  * Tende **pena**. Glória ao **Pai**. R. Cristo.

Antífona do Benedictus como no Próprio do Tempo.

768   I Semana

Preces

Louvemos a Cristo Senhor, luz que ilumina todo homem e sol
que não tem ocaso; e aclamemos com alegria:

R. **Senhor, vós sois nossa vida e salvação!**

Criador do universo, nós vos agradecemos este dia que recebemos de vossa bondade,
– e em que celebramos a vossa ressurreição.   R.

Que o vosso Espírito nos ensine hoje a cumprir vossa vontade,
– e vossa Sabedoria sempre nos conduza.   R.

Dai-nos celebrar este domingo cheios de alegria,
– participando da mesa de vossa Palavra e de vosso Corpo.   R.

Nós vos damos graças,
– por vossos inúmeros benefícios.   R.

(intenções livres)

Pai nosso...

Oração como no Próprio do Tempo.
A conclusão da Hora como no Ordinário.

Hora Média

V. Vinde, ó **Deus**, em meu auxílio.
R. Socorrei-me sem demora.
    Glória ao **Pai** e ao **Filho** e ao Espírito **Santo**.
    Como era no princípio, agora e sempre. **Amém**. (Aleluia).

HINO como no Ordinário, p. 743.

Salmodia

No Tempo do Advento, Natal, Quaresma e Páscoa, as antífonas são próprias do Tempo correspondente.

Ant. 1 É melhor buscar refúgio no Senhor,
        pois eterna é a sua misericórdia. Aleluia.

Salmo 117(118)

Canto de alegria e salvação

*Ele é a pedra, que vós, os construtores, desprezastes, e que se
tornou a pedra angular* (At 4,11).

I

– ¹ Dai graças ao Senhor, porque ele é **bom**! *
    "Eterna é a sua misericórdia!" –

– ² A casa de Israel agora o diga: *
"Eterna é a sua misericórdia!"
– ³ A casa de Aarão agora o diga: *
"Eterna é a sua misericórdia!"
– ⁴ Os que temem o Senhor agora o digam: *
"Eterna é a sua misericórdia!"
– ⁵ Na minha angústia eu clamei pelo Senhor, *
e o Senhor me atendeu e libertou!
– ⁶ O Senhor está comigo, nada temo; *
o que pode contra mim um ser humano?
– ⁷ O Senhor está comigo, é o meu auxílio, *
hei de ver meus inimigos humilhados.
– ⁸ "É melhor buscar refúgio no Senhor *
do que pôr no ser humano a esperança;
– ⁹ é melhor buscar refúgio no Senhor *
do que contar com os poderosos deste mundo!"

Ant.   É melhor buscar refúgio no Senhor,
          pois eterna é a sua misericórdia. Aleluia.

Ant. 2 O Senhor é minha força e o meu canto, aleluia.

II

– ¹⁰ Povos pagãos me rodearam todos eles, *
mas em nome do Senhor os derrotei;
– ¹¹ de todo lado todos eles me cercaram, *
mas em nome do Senhor os derrotei;
= ¹² como um enxame de abelhas me atacaram, †
como um fogo de espinhos me queimaram, *
mas em nome do Senhor os derrotei.
– ¹³ Empurraram-me, tentando derrubar-me, *
mas veio o Senhor em meu socorro.
– ¹⁴ O Senhor é minha força e o meu canto, *
e tornou-se para mim o Salvador.
– ¹⁵ "Clamores de alegria e de vitória *
ressoem pelas tendas dos fiéis.
= ¹⁶ A mão direita do Senhor fez maravilhas, †
a mão direita do Senhor me levantou, *
a mão direita do Senhor fez maravilhas!" –

770   I Semana

– ¹⁷Não morre**rei**, mas, ao contrário, viverei *
    para can**tar** as grandes obras do Senhor!
– ¹⁸O Se**nhor** severamente me provou, *
    mas **não** me abandonou às mãos da morte.

Ant. O Se**nhor** é minha **força** e o meu **can**to, ale**lui**a.

Ant. 3 Dou-vos **graças**, ó Se**nhor**,
        porque me ou**vis**tes, ale**lui**a.

III

– ¹⁹Abri-me **vós**, abri-me as portas da justiça; *
    quero en**trar** para dar graças ao Senhor!
– ²⁰"Sim, **esta** é a porta do Senhor, *
    por **ela** só os justos entrarão!"
– ²¹Dou-vos **graças**, ó Senhor, porque me ouvistes *
    e vos tor**nas**tes para mim o Salvador!

– ²²"A **pe**dra que os pedreiros rejeitaram *
    tor**nou**-se agora a pedra angular.
– ²³Pelo Se**nhor** é que foi feito tudo isso: *
    Que mara**vi**lhas ele fez a nossos olhos!
– ²⁴Este é o **dia** que o Senhor fez para nós, *
    ale**gre**mo-nos e nele exultemos!

– ²⁵Ó Se**nhor**, dai-nos a vossa salvação, *
    ó Se**nhor**, dai-nos também prosperidade!"
– ²⁶Ben**di**to seja, em nome do Senhor, *
    a**que**le que em seus átrios vai entrando!
–   Desta **ca**sa do Senhor vos bendizemos. *
    ²⁷Que o Se**nhor** e nosso Deus nos ilumine!

–   Empu**nhai** ramos nas mãos, formai cortejo, *
    aproxi**mai**-vos do altar, até bem perto!
– ²⁸Vós sois meu **Deus,** eu vos bendigo e agradeço! *
    Vós sois meu **Deus**, eu vos exalto com louvores!
– ²⁹Dai **graças** ao Senhor, porque ele é bom! *
    "Eterna é a sua misericórdia!"

Ant. Dou-vos **graças**, ó Se**nhor**,
       porque me ou**vis**tes, ale**lui**a.

Leitura breve   Gl 6,b-8
Nos domingos do Advento, Natal, Quaresma e Páscoa, a leitura breve e
o versículo são do respectivo Tempo. No Tempo comum se diz:

O que o homem tiver semeado, é isso que vai colher. Quem semeia na sua própria carne, da carne colherá corrupção. Quem semeia no espírito, do espírito colherá a vida eterna.

V. É eterna, Senhor, vossa palavra.
R. De geração em geração, vossa verdade.

Oração como no Próprio do Tempo.
A conclusão da Hora como no Ordinário.

II Vésperas

V. Vinde, ó **Deus**, em meu auxílio.
R. Socorrei-me sem demora.
Glória ao **Pai** e ao **Filho** e ao Espírito **Santo**.
Como era no princípio, agora e sempre. Amém. (Aleluia).

Hino

Nos domingos do Advento, Natal, Quaresma e Páscoa, o hino é próprio e encontra-se no Próprio do Tempo correspondente. Nos domingos do Tempo comum se diz:

Criador generoso da luz,
que criastes a luz para o dia,
com os raios primeiros da luz,
sua origem o mundo inicia.

Vós chamastes de "dia" o decurso
da manhã luminosa ao poente.
Eis que as trevas já descem à terra:
escutai nossa prece, clemente.

Para que sob o peso dos crimes
nossa mente não fique oprimida,
e, esquecendo as coisas eternas,
não se exclua do prêmio da vida.

Sempre à porta celeste batendo,
alcancemos o prêmio da vida,
evitemos do mal o contágio
e curemos da culpa a ferida.

I Semana

Escutai-nos, ó Pai piedoso,
com o único Filho também,
que reinais com o Espírito Santo
pelos séculos dos séculos. Amém.

Salmodia

Nos domingos do Advento, Natal, Quaresma e Páscoa, as antífonas são próprias do Tempo correspondente.

Ant. 1 O Senhor estenderá desde Sião
o seu cetro de poder vitorioso,
e reinará eternamente, aleluia.

Salmo 109(110),1-5.7

O Messias, Rei e Sacerdote

É preciso que ele reine, até que todos os seus inimigos estejam debaixo de seus pés (1Cor 15,25).

— ¹Palavra do Senhor ao meu Senhor: *
"Assenta-te ao lado meu direito,
— até que eu ponha os inimigos teus *
como escabelo por debaixo de teus pés!"

= ²O Senhor estenderá desde Sião †
vosso cetro de poder, pois ele diz: *
"Domina com vigor teus inimigos;

= ³Tu és príncipe desde o dia em que nasceste; †
na glória e esplendor da santidade, *
como o orvalho, antes da aurora, eu te gerei!"

= ⁴Jurou o Senhor e manterá sua palavra: †
"Tu és sacerdote eternamente, *
segundo a ordem do rei Melquisedec!"

— ⁵À vossa destra está o Senhor, ele vos diz: *
"No dia da ira esmagarás os reis da terra!

— ⁷Beberás água corrente no caminho, *
por isso seguirás de fronte erguida!"

Ant. O Senhor estenderá desde Sião
o seu cetro de poder vitorioso,
e reinará eternamente, aleluia.

Domingo – II Vésperas

Ant. 2 Ante a face do Senhor treme, ó terra, aleluia!

Salmo 113A(114)

Israel liberta-se do Egito

Sabei que também vós, que renunciastes a este mundo, saístes do Egito (Sto. Agostinho).

– [1] Quando o **povo** de Israel saiu do Egito, *
   e os filhos de Jacó, de um povo estranho,
– [2] Judá tornou-se o templo do Senhor, *
   e Israel se transformou em seu domínio.
– [3] O **mar**, à vista disso, pôs-se em fuga, *
   e as águas do Jordão retrocederam;
– [4] as montanhas deram pulos como ovelhas, *
   e as colinas, parecendo cordeirinhos.
– [5] Ó **mar**, o que tens tu, para fugir? *
   E tu, Jordão, por que recuas desse modo?
– [6] Por que dais **pulos** como ovelhas, ó montanhas? *
   E vós, colinas, parecendo cordeirinhos?
– [7] Treme, ó **terra**, ante a face do Senhor, *
   ante a **face** do Senhor Deus de Jacó!
– [8] O rochedo ele mudou em grande lago, *
   e da pedra fez brotar águas correntes!

Ant. Ante a face do Senhor treme, ó terra, aleluia!

Ant. 3 De seu **reino** tomou **posse**
   nosso **Deus** onipotente. Aleluia.

Fora da Quaresma se diz o Cântico do Apocalipse, a seguir.

Neste cântico se dizem os Aleluias entre parênteses somente quando se canta; na recitação, basta dizer o Aleluia no começo e no fim das estrofes.

Cântico   cf. Ap 19,1-2.5-7

= Aleluia, (Aleluia!).
 [1] Ao nosso **Deus** a salva**ção**, *
   honra, glória e poder! (Aleluia!).
– [2] Pois são verdade e justiça *
   os juízos do Senhor.

R. Aleluia, (Aleluia!).

774   I Semana

=Aleluia, (Aleluia!).
   5Celebrai o nosso Deus, *
   servidores do Senhor! (Aleluia!).
– E vós todos que o temeis, *
   vós os grandes e os pequenos!

R. Aleluia, (Aleluia!).

= Aleluia, (Aleluia!).
   6De seu reino tomou posse *
   nosso Deus onipotente! (Aleluia!).
– 7Exultemos de alegria, *
   demos glória ao nosso Deus!

R. Aleluia, (Aleluia!).

= Aleluia, (Aleluia!).
   Eis que as núpcias do Cordeiro *
   redivivo se aproximam! (Aleluia!).
– Sua Esposa se enfeitou, *
   se vestiu de linho puro.

R. Aleluia, (Aleluia!).

Ant. De seu reino tomou posse nosso Deus onipotente. Aleluia.

Nos domingos da Quaresma se diz o Cântico da Carta de São Pedro com a antífona própria.

Cântico   1Pd 2,21-24

A paixão voluntária de Cristo, Servo de Deus

=21O Cristo por nós padeceu, †
   deixou-nos o exemplo a seguir. *
   Sigamos, portanto, seus passos!
–22Pecado nenhum cometeu, *
   nem houve engano em seus lábios.

(R. Por suas chagas nós fomos curados.)

=23Insultado, ele não insultava; †
   ao sofrer e ao ser maltratado, *
   ele não ameaçava vingança;
– entregava, porém, sua causa *.
   Àquele que é justo juiz.

(R.)

Domingo – II Vésperas

–[24] Carrega**gou** sobre si nossas culpas *
em seu **cor**po, no lenho da cruz,
= para que, **mor**tos aos nossos pecados, †
na jus**ti**ça de Deus nós vivamos. *
Por suas **cha**gas nós fomos curados. (R.)

Leitura breve
2Cor 1,3-4

Nos domingos do Advento, Natal, Quaresma e Páscoa, a leitura breve, o responsório e as preces são do respectivo Tempo. Nos domingos do Tempo comum se diz:

Bendito seja o Deus e Pai de nosso Senhor Jesus Cristo, o Pai das misericórdias e Deus de toda consolação. Ele nos consola em todas as nossas aflições, para que, com a consolação que nós mesmos recebemos de Deus, possamos consolar os que se acham em toda e qualquer aflição.

Responsório breve
R. Ó Se**nhor**, vós sois ben**di**to
* No ce**les**te firma**men**to. R. Ó Se**nhor**.
V. Vós sois **dig**no de lou**vor** e de **gló**ria eterna**men**te.
* No ce**les**te. Glória ao **Pai**. R. Ó Se**nhor**.

Antífona do Magníficat como no Próprio.

Preces

Como membros de Cristo que é nossa cabeça, adoremos o Senhor; e aclamemos com alegria:
R. **Senhor, venha a nós o vosso Reino!**

Cristo, nosso Salvador, fazei de vossa Igreja instrumento de concórdia e unidade para o gênero humano,
– e sinal de salvação para todos os povos. R.

Assisti com vossa contínua presença o Santo Padre e o Colégio universal dos Bispos,
– e concedei-lhes o dom da unidade, da caridade e da paz. R.

Fazei-nos viver cada vez mais intimamente unidos a vós,
– para proclamarmos com o testemunho da vida a chegada do vosso Reino. R.

Concedei ao mundo a vossa paz,
– e fazei reinar em toda parte a segurança e a tranquilidade. R.

(intenções livres)

776 I Semana

Dai aos que morreram a glória da ressurreição,
– e concedei que também nós um dia possamos participar com
eles da felicidade eterna. R.

Pai nosso...

Oração como no Próprio do Tempo.
A conclusão da Hora como no Ordinário.

I SEGUNDA-FEIRA

Laudes

V. Vinde, ó **Deus**. Glória ao **Pai**. Como era. (Aleluia).
Hino

Clarão da glória do Pai,
ó Luz, que a Luz origina,
sois Luz da Luz, fonte viva,
sois Luz que ao dia ilumina.

Brilhai, ó Sol verdadeiro,
com vosso imenso esplendor,
e dentro em nós derramai
do Santo Espírito o fulgor.

Também ao Pai suplicamos,
ao Pai a glória imortal,
ao Pai da graça potente,
que a nós preserve do mal.

Na luta fortes nos guarde
vencendo o anjo inimigo.
Nas quedas, dê-nos a graça,
de nós afaste o perigo.

As nossas mentes governe
num corpo casto e sadio.
A nossa fé seja ardente,
e não conheça desvio.

O nosso pão seja o Cristo,
e a fé nos seja a bebida.
O Santo Espírito bebamos
nas fontes puras da vida.

Segunda-feira – Laudes

Alegre passe este dia,
tão puro quanto o arrebol.
A fé, qual luz cintilante,
refulja em nós como o sol.

A aurora em si traz o dia.
Vós, como aurora, brilhai:
ó Pai, vós todo no Filho,
e vós, ó Verbo, no Pai.

Salmodia

Ant. 1 Eu dirijo a minha **prece** a vós, Se**nhor**,
e de ma**nhã** já me escu**tais**.

T.P.: Sob a **vos**sa prote**ção** se regozijem
os que amam vosso **no**me, ale**lu**ia.

Salmo 5,2-10.12-13

Oração da manhã para pedir ajuda

*Aqueles que acolherem interiormente a Palavra de Cristo nele
exultarão eternamente.*

– [5]Escu**tai**, ó Senhor **Deus**, minhas pala**vras**, *
aten**dei** o meu gemido!
– [3]Ficai a**ten**to ao clamor da minha prece, *
ó meu **Rei** e meu Senhor!
– [4]É a **vós** que eu dirijo a minha prece; *
de ma**nhã** já me escu**tais**!
– Desde **ce**do eu me preparo para vós, *
e perma**ne**ço à vossa espera.
– [5]Não sois um **Deus** a quem agrade a iniquidade, *
não pode o **mau** morar con**vos**co;
– [6]nem os **ím**pios poderão permanecer *
pe**ran**te os vossos olhos.
– [7]Detes**tais** o que pratica a iniquidade *
e des**truís** o mentiroso.
– Ó Se**nhor**, abomi**nais** o sanguinário, *
o per**ver**so e enganador. –

778   I Semana

– ⁸ Eu, po**rém**, por vossa graça generosa, *
    posso en**trar** em vossa casa.
– E, vol**ta**do reverente ao vosso templo, *
    com res**pei**to vos adoro.
– ⁹ Que me **pos**sa conduzir vossa justiça, *
    por **cau**sa do inimigo!
– À minha **fren**te aplainai vosso caminho, *
    e gui**ai** meu caminhar!
– ¹⁰ Não há, nos **lá**bios do inimigo, lealdade: *
    seu cora**ção** trama ciladas;
– sua gar**gan**ta é um sepulcro escancarado *
    e sua **lín**gua é lisonjeira.
– ¹² Mas **exul**te de alegria todo aquele *
    que em **vós** se refugia;
– sob a **vos**sa proteção se regozijem, *
    os que **a**mam vosso nome!
– ¹³ Porque ao **jus**to abençoais com vosso amor, *
    e o prote**geis** como um escudo!

Ant. Eu di**ri**jo a minha **pre**ce a vós, Se**nhor**,
       e de ma**nhã** já me escu**tais**.

T.P.: Sob a **vos**sa prote**ção** se rego**zi**jem
      os que **a**mam vosso **no**me, ale**lui**a.

Ant. 2 Nós que**re**mos vos lou**var**, ó nosso **Deus**,
       e cele**brar** o vosso **no**me glori**o**so.

T.P.: A vós, Se**nhor**, perten**ce** a rea**le**za ,
      pois sobre a **ter**ra como **Rei**, vos ele**vais**. Ale**lui**a...

Cântico   1Cr 29,10-13

Honra e glória, só a Deus

Bendito seja o Deus e Pai de Nosso Senhor Jesus Cristo (Ef
1,3).

= ¹⁰ Ben**di**to sejais **vós**, ó Senhor **Deus**, †
    Senhor **Deus** de Israel, o nosso Pai, *
    desde **sem**pre e por toda a eternidade!

= ¹¹ A vós perten**cem** a grandeza e o poder, †
    toda a **gló**ria, esplendor e majestade, *
    pois tudo é **vos**so: o que há no céu e sobre a terra! –

Segunda-feira – Laudes

= A vós, **Senhor**, também pertence a realeza, †
pois sobre a **terra**, como rei, vos elevais! *
¹²Toda **glória** e riqueza vêm de vós!

= Sois o **Senhor** e dominais o universo, †
em vossa **mão** se encontra a força e o poder, *
em vossa **mão** tudo se afirma e tudo cresce!

= ¹³Agora, **pois**, ó nosso Deus, eis-nos aqui! †
e, agrade**cidos**, nós queremos vos louvar *
e cele**brar** o vosso nome glorioso!

Ant. Nós que**remos** vos lou**var**, ó nosso **Deus**,
e cele**brar** o vosso **nome** glorioso.

T.P.: A vós, **Senhor**, perten**ce** a realeza ,
pois sobre a **terra** como **Rei**, vos ele**vais**. Aleluia.

Ant. 3 Ado**rai** o **Senhor** no seu **templo** sagrado.

T.P.: O **Senhor** reinará para **sempre**, ale**luia**.

Salmo 28(29)

A voz poderosa de Deus

Do céu veio uma voz que dizia: Este é o meu Filho amado, no
qual eu pus o meu agrado (Mt 3,17).

− ¹Filhos de **Deus**, tribu**tai** ao **Senhor**, *
tribu**tai**-lhe a glória e o poder!

− ²Dai-lhe a **glória** devida ao seu nome; *
ado**rai**-o com santo ornamento!

− ³Eis a **voz** do Senhor sobre as águas, *
sua **voz** sobre as águas imensas!

= ⁴Eis a **voz** do Senhor com poder! †
Eis a **voz** do Senhor majestosa, *
sua **voz** no trovão reboando!

− ⁵Eis que a **voz** do Senhor quebra os cedros, *
o **Senhor** quebra os cedros do Líbano.

− ⁶Faz o **Líbano** saltar qual novilho, *
e o **Sarion** como um touro selvagem!

= ⁷Eis que a **voz** do Senhor lança raios, †
⁸voz de **Deus** faz tremer o deserto, *
faz tre**mer** o deserto de Cades.

780   I Semana

= ⁹ Voz de **Deus** que contorce os carvalhos, †
    voz de **Deus** que devasta as florestas! *
    No seu **tem**plo os fiéis bradam: "Glória!"
–¹⁰ É o Se**nhor** que domina os dilúvios, *
    o Se**nhor** reinará para sempre.
–¹¹ Que o Se**nhor** fortaleça o seu povo, *
    e aben**çoe** com paz o seu povo!

Ant. Ado**rai** o Se**nhor** no seu **tem**plo sa**gra**do.

T.P.: O Se**nhor** reinará para **sem**pre, ale**luia**.

Leitura breve   2Ts 3,10b-13
Quem não quer trabalhar, também não deve comer. Ora, ouvimos
dizer que entre vós há alguns que vivem à toa, muito ocupados
em não fazer nada. Em nome do Senhor Jesus Cristo, ordenamos
e exortamos a estas pessoas que, trabalhando, comam na tranquilidade o seu próprio pão. E vós mesmos, irmãos, não vos canseis
de fazer o bem.

Responsório breve
R. O Se**nhor** seja ben**di**to,
    * Bendito **se**ja eterna**men**te! R. O Se**nhor**.
V. Só o Se**nhor** faz mara**vi**lhas. * Bendito **se**ja.
    Glória ao **Pai**. R. O Se**nhor**.

Cântico evangélico, ant.
Bendito **se**ja o Se**nhor**, nosso **Deus**!

Preces
Glorifiquemos a Cristo, em quem habita toda a plenitude da gra-
ça e do Espírito Santo; e imploremos com amor e confiança:
R. **Dai-nos, Senhor, o vosso Espírito!**

Concedei-nos que este dia seja agradável, pacífico e sem mancha,
– para que, ao chegar a noite, vos possamos louvar com alegria e
pureza de coração.   R.

Brilhe hoje sobre nós a vossa luz,
– e dirigi o trabalho de nossas mãos.   R.

Mostrai-nos vosso rosto de bondade, para vivermos este dia em
paz,
– e que a vossa mão poderosa nos proteja.   R.

Segunda-feira – Hora Média

Olhai com benignidade aqueles que se confiaram às nossas orações,

–e enriquecei-os com todos os bens da alma e do corpo. R.

(intenções livres)

Pai nosso...

Oração

Inspirai, Senhor, as nossas ações e ajudai-nos a realizá-las, para que em vós comece e termine tudo aquilo que fizermos. Por nosso Senhor Jesus Cristo, vosso Filho, na unidade do Espírito Santo.

Hora Média

V. Vinde, ó **Deus**. Glória ao **Pai**. Como era. (Ale**luia**).
HINO como no Ordinário. p. 743.

Salmodia
Ant. 1 A **lei** do S**e**nhor alegra o cora**ção** e ilu**mi**na os olhos.

Salmo 18B(19B)

Hino a Deus, Senhor da lei

Sede perfeitos como o vosso Pai celeste é perfeito (Mt 5,48).

– [8]A **lei** do Senhor **Deus** é perfei**ta**, *
confor**to** para a **al**ma!
– O teste**mu**nho do Senhor é fiel, *
sabedo**ri**a dos humildes.
– [9]Os pre**cei**tos do Senhor são precisos, *
ale**gri**a ao coração.
– O manda**men**to do Senhor é brilhante, *
para os **o**lhos é uma luz.
– [10]É **pu**ro o temor do Se**n**hor, *
imu**tá**vel para sempre.
– Os julga**men**tos do Senhor são corretos *
e **jus**tos igualmente.
– [11]Mais dese**já**veis do que o ouro são eles, *
do que o **ou**ro refina**do**.
– Suas pa**la**vras são mais doces que o mel, *
que o **mel** que sai dos favos. –

782

– [12] E vosso **servo**, instruído por elas, *
se em**penha** em guardá-las.
– [13] Mas quem **po**de perceber suas faltas?*
Perdo**ai** as que não vejo!

– [14] E preser**vai** o vosso servo do orgulho: *
não do**mi**ne sobre mim!
– E assim **pu**ro, eu serei preservado *
dos de**li**tos mais perversos.

– [15] Que vos a**gra**de o cantar dos meus lábios *
e a **voz** da minha alma;
– que ela **che**gue até vós, ó Senhor,*
meu Ro**che**do e Redentor!

Ant. A **lei** do Se**nhor** alegra o cora**ção** e ilumi**na** os **o**lhos.

Ant. 2 O Se**nhor** se ergue**rá** para jul**gar**
os **po**vos com jus**ti**ça e reti**dão**.

Salmo 7

Oração do justo caluniado

Eis que o Juiz está às portas (Tg 5,9).

I

– [2] Senhor meu **Deus**, em vós procuro o meu refúgio: *
vinde sal**var**-me do inimigo, libertai-me!
= [3] Não acon**te**ça que agarrem minha vida †
como um le**ão** que despedaça a sua presa, *
sem que nin**guém** venha salvar-me e libertar-me!
– [4] Senhor **Deus**, se algum mal eu pratiquei, *
se man**chei** as minhas mãos na iniquidade,
– [5] se a**ca**so fiz o mal a meu amigo, *
eu que pou**pei** quem me oprimia sem razão;
= [6] que o ini**mi**go me persiga e me alcance, †
que esma**gue** minha vida contra o pó, *
e arra**s**te minha honra pelo chão!
– [7] Er**guei**-vos, ó Senhor, em vossa ira; *
levan**tai**-vos contra a fúria do inimigo! –

Segunda-feira – Vésperas

— Levantai-vos, defendei-me no juízo, *
  [8]porque **vós** já decretastes a sentença!
= Que vos cir**cun**de a assembleia das nações; †
  to**mai** vosso lugar acima dela! *
  [9]O Se**nhor** é o juiz dos povos todos.

— Jul**gai**-me, Senhor Deus, como eu mereço*
  e se**gun**do a inocência que há em mim!
= [10]Ponde um **fim** à iniquidade dos perversos, †
  e confir**mai** o vosso justo, ó Deus-justiça,*
  vós que son**dais** os nossos rins e corações.

Ant. O Se**nhor** se ergue**rá** para jul**gar**
  os **po**vos com jus**ti**ça e reti**dão**.

Ant. 3 Deus é ju**iz**, ele **jul**ga com jus**ti**ça,
  e **sal**va os que têm **re**to cora**ção**.

II

— [11]O Deus **vi**vo é um es**cu**do prote**tor**, *
  e salva **aque**les que têm reto coração.
— [12]Deus é ju**iz**, e ele julga com justiça, *
  mas é um **Deus** que ameaça cada dia.

= [13]Se para **ele** o coração não converterem, †
  prepara**rá** a sua espada e o seu arco, *
  e contra **e**les voltará as suas armas.
— [14]Setas mor**tais** ele prepara e os alveja, *
  e dis**pa**ra suas flechas como raios.

— [15]Eis que o **ím**pio concebeu a iniquidade, *
  engravi**dou** e deu à luz a falsidade.
— [16]Um bu**ra**co ele cavou e aprofundou,*
  mas ele **mes**mo nessa cova foi cair.

— [17]O mal que **fez** lhe cairá sobre a cabeça, *
  recai**rá** sobre seu crânio a violência!
— [18]Mas eu da**rei** graças a Deus que fez justiça, *
  e canta**rei** salmodiando ao Deus Altíssimo.

Ant. Deus é ju**iz**, ele **jul**ga com justiça,
  e **sal**va os que têm **re**to cora**ção**.

I Semana

Leitura breve   Tg 1,19b-20.26

Todo homem deve ser pronto para ouvir, mas moroso para falar e moroso para se irritar. Pois a cólera do homem não é capaz de realizar a justiça de Deus. Se alguém julga ser religioso e não refreia a sua língua, engana-se a si mesmo: a sua religião é vã.

V. Bendi**rei** o Senhor **Deus** em todo o **tempo**.
R. Seu lou**vor** estará **sem**pre em minha **boca**.

Oração

Ó Deus, senhor e guarda da vinha e da colheita, que repartis as tarefas e dais ajusta recompensa, fazei-nos carregar o peso do dia, sem jamais murmurar contra a vossa vontade. Por Cristo, nosso senhor.

Vésperas

V. Vinde, ó **Deus**. Glória ao **Pai**. Como era. (Ale**luia**).

Hino

Ó Deus, organizando
o líquido elemento,
as águas dividistes
firmando o firmamento.

As nuvens fazem sombra,
os rios dão frescor;
assim tempera a água,
dos astros o calor.

Em nós vertei a graça,
a água benfazeja;
do fogo das paixões,
constante, nos proteja.

Que a fé encontre a luz
e espalhe o seu clarão;
que nada impeça a alma
no impulso da ascensão!

Ao Pai e ao Filho, glória;
ao Espírito também:
louvor, honra e vitória
agora e sempre. Amém.

Segunda-feira – Vésperas

Salmodia

Ant. 1 Os olhos do Senhor se voltam para o pobre.

T.P.: Confiai, diz o Senhor, pois eu venci o mundo. Aleluia.

Salmo 10(11)

Confiança inabalável em Deus

Bem-aventurados os que têm fome e sede de justiça porque serão saciados (Mt 5,6).

= [1] No Senhor encontro abrigo; †
como, então, podeis dizer-me: *
"Voa aos montes, passarinho!

– [2] Eis os ímpios de arcos tensos, *
pondo as flechas sobre as cordas,
– e alvejando em meio à noite *
os de reto coração!

= [3] Quando os próprios fundamentos †
do universo se abalaram, *
o que pode ainda o justo?"

– [4] Deus está no templo santo, *
e no céu tem o seu trono;
– volta os olhos para o mundo, *
seu olhar penetra os homens.

– [5] Examina o justo e o ímpio, *
e detesta o que ama o mal.

= [6] Sobre os maus fará chover †
fogo, enxofre e vento ardente, *
como parte de seu cálice.

– [7] Porque justo é nosso Deus, *
o Senhor ama a justiça.
– Quem tem reto coração *
há de ver a sua face.

Ant. Os olhos do Senhor se voltam para o pobre.

T.P.: Confiai, diz o Senhor, pois eu venci o mundo. Aleluia.

Ant. 2 Felizes os de puro coração,
porque eles haverão de ver a Deus.

786   **I Semana**

T.P. O homem **jus**to morar**á** na vossa **ca**sa
    e no **vos**so Monte **San**to habitar**á**. Ale**lu**ia.

Salmo 14(15)

Quem é digno aos olhos de Deus?

Vós vos aproximastes do monte Sião e da Cidade do Deus vivo (Hb 12,22).

— ¹"**Se**nhor, quem morar**á** em vossa **ca**sa *
   e em **vos**so Monte santo habitar**á**?"
— ²**É aqu**ele que caminha sem pecado *
   e pra**ti**ca a justiça fielmente;
— que **pen**sa a verdade no seu íntimo *
   ³e não **sol**ta em calúnias sua língua;
— que em **na**da prejudica o seu irmão, *
   nem **co**bre de insultos seu vizinho;
— ⁴que não **dá** valor algum ao homem ímpio, *
   mas **hon**ra os que respeitam o Senhor;
— que susten**ta** o que jurou, mesmo com dano; *
   ⁵não empres**ta** o seu dinheiro com usura,
— nem se **dei**xa subornar contra o inocente. *
   Ja**mais** vacilará quem vive assim!

Ant. Felizes os de **pu**ro cora**ção**,
    porque **e**les have**rão** de ver a **Deus**.

T.P. O homem **jus**to morar**á** na vossa **ca**sa
    e no **vos**so Monte **San**to habitar**á**. Ale**lu**ia.

Ant. 3 No seu **Fi**lho o **Pai** nos esco**lheu**,
    para **ser**mos seus **fi**lhos ado**ti**vos.

T.P.: Quando eu **for** eleva**do** da **ter**ra,
    atrai**rei** para **mim** todo ser. Ale**lu**ia.

Nos cânticos que se seguem, o refrão entre parênteses é opcional.

Cântico   Ef 1,3-10

O plano divino da salvação

— ³**Ben**dito e louva**do** seja **Deus**, *
   o **Pai** de Jesus Cristo, Senhor nosso,
— que do alto **céu** nos abençoou em Jesus Cristo *
   com **bên**ção espiritual de toda sorte!

Terça-feira – Laudes

(R. Bendito sejais **vós**, nosso **Pai**,
que **nos** abençoastes em **Cristo!**)

– [4] Foi em **Cristo** que Deus Pai nos escolheu, *
já bem **antes** de o mundo ser criado,
– para que **fôssemos**, perante a sua face, *
sem **mácula** e santos pelo amor. (R.)

= [5] Por **livre** decisão de sua vontade, †
predesti**nou**-nos, através de Jesus Cristo, *
a sermos **nele** os seus filhos adotivos,
– [6] para o lou**vor** e para a glória de sua graça, *
que em seu **Filho** bem-amado nos doou. (R.)

– [7] É **nele** que nós temos redenção, *
dos pe**cados** remissão pelo seu sangue.
= Sua **graça** transbordante e inesgotável †
[8] Deus der**rama** sobre nós com abundância, *
de sa**ber** e inteligência nos dotando. (R.)

– [9] E as**sim**, ele nos deu a conhecer *
o mis**tério** de seu plano e sua vontade,
– que propu**sera** em seu querer benevolente, *
[10] na pleni**tude** dos tempos realizar:
– o de**sígnio** de, em Cristo, reunir *
todas as **coisas**: as da terra e as do céu. (R.)

Ant. No seu **Filho** o **Pai** nos esco**lheu**,
para **sermos** seus **filhos** adotivos.

T.P.: Quando eu **for** elevado da **terra**,
atrai**rei** para **mim** todo **ser**. Ale**luia**.

Leitura breve
Cl 1,9b-11

Que chegueis a conhecer plenamente a vontade de Deus, com toda a sabedoria e com o discernimento da luz do Espírito. Pois deveis levar uma vida digna do Senhor, para lhe serdes agradáveis em tudo. Deveis produzir frutos em toda a boa obra e crescer no conhecimento de Deus, animados de muita força, pelo poder de sua glória, de muita paciência e constância, com alegria.

788   I Semana

Responsório breve

R. Curai-me, Senhor,
  * Pois pequei contra vós. R. Curai-me.
V. Eu vos digo: Meu Deus, tende pena de mim!
   * Pois pequei. Glória ao Pai. R. Curai-me.

Cântico evangélico, ant.

A minh'alma engrandece o Senhor,
porque olhou para a minha humildade.

Preces

Demos graças a Deus Pai que, lembrando a sua aliança, não cessa
de nos fazer o bem. Cheios de confiança, elevemos a ele nossa
oração, dizendo:

R. Dai-nos, Senhor, vossos bens com fartura!

Salvai, Senhor, o vosso povo,
– abençoai a vossa herança.   R.

Congregai na unidade os que têm o nome de cristãos,
– para que o mundo acredite em Cristo, o Salvador que nos
enviastes.   R.

Concedei a vossa graça a todos os nossos amigos e conhecidos,
– para que em toda parte deem o testemunho de Cristo. R.

Manifestai o vosso amor aos agonizantes,
– e dai-lhes a vossa salvação.   R.

                             (intenções livres)

Sede misericordioso para com os nossos irmãos e irmãs falecidos,
– e abri-lhes as portas do paraíso.   R.

Pai nosso...

Oração

Este nosso serviço de louvor proclame, Senhor, vossa grandeza;
e como, para nos salvar, olhastes com amor a humildade da Virgem Maria, assim elevai-nos à plenitude da redenção. Por nosso
Senhor Jesus Cristo, vosso Filho, na unidade do Espírito Santo.

I TERÇA-FEIRA

Laudes

V. Vinde, ó **Deus**. Glória ao **Pai**. Como era.(Aleluia).

Hino

Já vem brilhante aurora
o sol anunciar.
De cor reveste as coisas,
faz tudo cintilar.

Ó Cristo, Sol eterno,
vivente para nós,
saltamos de alegria,
cantando para vós.

Do Pai Ciência e Verbo,
por quem se fez a luz,
as mentes, para vós,
levai, Senhor Jesus.

Que nós, da luz os filhos,
solícitos andemos.
Do Pai eterno a graça
nos atos expressemos.

Profira a nossa boca
palavras de verdade,
trazendo à alma o gozo
que vem da lealdade.

A vós, ó Cristo, a glória
e a vós, ó Pai, também,
com vosso Santo Espírito,
agora e sempre. Amém.

Salmodia

Ant. 1 Quem tem mãos **puras** e inocente **coração**
subirá até o monte do **Senhor**.

T.P.: **Aquele** que desceu ao nosso **meio**
é o **mesmo** que subiu aos altos **céus** Aleluia.

Salmo 23(24)

Entrada do Senhor no templo

Na Ascensão, as portas do céu se abriram para o Cristo (Sto. Irineu).

– ¹Ao Senhor pertence a terra e o que ela encerra, *
o mundo inteiro com os seres que o povoam;
– ²porque ele a tornou firme sobre os mares, *
e sobre as águas a mantém inabalável.
– ³"Quem subirá até o monte do Senhor, *
quem ficará em sua santa habitação?"
= ⁴"Quem tem mãos puras e inocente coração, †
quem não dirige sua mente para o crime, *
nem jura falso para o dano de seu próximo.
– ⁵Sobre este desce a bênção do Senhor *
e a recompensa de seu Deus e Salvador".
– ⁶"É assim a geração dos que o procuram, *
e do Deus de Israel buscam a face".
= ⁷"Ó portas, levantai vossos frontões! †
Elevai-vos bem mais alto, antigas portas, *
a fim de que o Rei da glória possa entrar!"

= ⁸Dizei-nos: "Quem é este Rei da glória?" †
"É o Senhor, o valoroso, o onipotente, *
o Senhor, o poderoso nas batalhas!"

= ⁹"Ó portas, levantai vossos frontões! †
Elevai-vos bem mais alto, antigas portas, *
a fim de que o Rei da glória possa entrar!"

= ¹⁰Dizei-nos: "Quem é este Rei da glória?" †
"O Rei da glória é o Senhor onipotente, *
o Rei da glória é o Senhor Deus do universo!"

Ant. Quem tem mãos puras e inocente coração
subirá até o monte do Senhor.

T.P.: Aquele que desceu ao nosso meio
é o mesmo que subiu aos altos céus Aleluia.

Ant. 2 Vossas obras celebrem a Deus
e exaltem o Rei sempiterno.

T.P.: Fazei festa e, alegres, louvai o Senhor. Aleluia.

Terça-feira – Laudes

Cântico — Tb 13,2-8

Deus castiga e salva

Bendito seja Deus, Pai de Nosso Senhor Jesus Cristo. Em sua grande misericórdia nos fez nascer de novo, para uma esperança viva (1Pd 1,3).

– ² Vós sois **grande**, **Senhor**, para **sempre**, *
  e o vosso **reino** se estende nos séculos!
– Porque **vós** castigais e salvais, *
  fazeis des**cer** aos abismos da terra,
– e de **lá** nos trazeis novamente: *
  de vossa **mão** nada pode escapar.

– ³ Vós que **sois** de Israel, dai-lhe graças *
  e por **en**tre as nações celebrai-o!
– O Se**nhor** dispersou-vos na terra *
  ⁴ para nar**rar**des sua glória entre os povos,
– e fa**zê**-los saber, para sempre, *
  que não **há** outro Deus além dele.

– ⁵ Casti**gou**-nos por nossos pecados, *
  seu **amor** haverá de salvar-nos.
– ⁶ Compreen**dei** o que fez para nós, *
  dai-lhe **graças**, com todo o respeito!
– Vossas **obras** celebrem a Deus *
  e e**xal**tem o Rei sempiterno!

– Nesta **terra** do meu cativeiro, *
  have**rei** de honrá-lo e louvá-lo,
– pois mos**trou** o seu grande poder, *
  sua **glória** à nação pecadora!
– Conver**tei**-vos, enfim, pecadores, *
  diante **dele** vivei na justiça;

– e sa**bei** que, se ele vos ama, *
  tam**bém** vos dará seu perdão!
– ⁷ Eu de**sejo**, de toda a minh'alma, *
  ale**grar**-me em Deus, Rei dos céus.
– ⁸ Bendi**zei** o Senhor, seus eleitos, *
  fazei **fes**ta e alegres louvai-o!

792   **I Semana**

Ant. Vossas obras celebrem a **Deus**
e exaltem o **Rei** sempiterno.

T.P.: Fazei **festa** e, alegres, louvai o Senhor. Aleluia.

Ant. 3 Ó justos, alegrai-vos no Senhor!
Aos retos fica **bem** glorificá-lo. †

T.P.: Transborda em toda a terra sua graça. Aleluia.

Salmo 32(33)

Hino à providência de Deus

Por ele foram feitas todas as coisas (Jo 1,3).

– ¹Ó justos, alegrai-vos no Senhor! *
Aos retos fica bem glorificá-lo.

– ²† Dai graças ao Senhor ao som da harpa, *
na lira de dez cordas celebrai-o!

– ³Cantai para o Senhor um canto novo, *
com arte sustentai a louvação!

– ⁴Pois reta é a palavra do Senhor, *
e tudo o que ele faz merece fé.

– ⁵Deus ama o direito e a justiça, *
transborda em toda a terra a sua graça.

– ⁶A palavra do Senhor criou os céus, *
e o sopro de seus lábios, as estrelas.

– ⁷Como num odre junta as águas do oceano, *
e mantém no seu limite as grandes águas.

– ⁸Adore ao Senhor a terra inteira, *
e o respeitem os que habitam o universo!

– ⁹Ele falou e toda a terra foi criada, *
ele ordenou e as coisas todas existiram.

– ¹⁰O Senhor desfaz os planos das nações *
e os projetos que os povos se propõem.

= ¹¹Mas os desígnios do Senhor são para sempre, †
e os pensamentos que ele traz no coração, *
de geração em geração, vão perdurar. –

Terça-feira – Hora Média

– [12] Feliz o **po**vo cujo Deus é o Senhor, *
   e a na**ção** que escolheu por sua herança!
– [13] Dos altos **céus** o Senhor olha e observa; *
   ele se in**cli**na para olhar todos os homens.
– [14] Ele con**tem**pla do lugar onde reside *
   e vê a **to**dos os que habitam sobre a terra.
– [15] Ele for**mou** o coração de cada um *
   e por **to**dos os seus atos se interessa.

– [16] Um rei não **ven**ce pela força do exército, *
   nem o guer**rei**ro escapará por seu vigor.
– [17] Não são ca**va**los que garantem a vitória; *
   nin**guém** se salvará por sua força.

– [18] Mas o Se**nhor** pousa o olhar sobre os que o temem, *
   e que con**fiam** esperando em seu amor,
– [19] para da **mor**te libertar as suas vidas *
   e alimen**tá**-los quando é tempo de penúria.

– [20] No Se**nhor** nós esperamos confiantes, *
   porque **ele** é nosso auxílio e proteção!
– [21] Por isso o **nos**so coração se alegra nele, *
   seu santo **no**me é nossa única esperança.

– [22] Sobre **nós** venha, Senhor, a vossa graça, *
   da mesma **for**ma que em vós nós esperamos!

Ant. Ó **jus**tos, ale**grai**-vos no Se**nhor**!
   Aos **re**tos fica **bem** glorificá-lo.

T.P.: Trans**bor**da em toda a **ter**ra sua **gra**ça. Ale**lu**ia.

Leitura breve   Rm 13,11b.12-13a

Já é hora de despertar. Com efeito, agora a salvação está mais
perto de nós do que quando abraçamos a fé. A noite já vai adiantada, o dia vem chegando: despojemo-nos das ações das trevas e
vistamos as armas da luz. Procedamos honestamente, como em
pleno dia.

Responsório breve

R. Ó meu **Deus**, sois o ro**che**do que me a**bri**ga,
   * Meu es**cu**do e prote**ção**: em vós espero! R. Ó meu **Deus**.
V. Minha **ro**cha, meu a**bri**go e Salva**dor**. * Meu escu**do**.
   Glória ao **Pai**. R. Ó meu **Deus**.

794   I Semana

Cântico evangélico, ant.
O Senhor fez surgir um poderoso Salvador,
como falara pela boca de seus santos e profetas.

Preces

Irmãos e irmãs, chamados a participar de uma vocação celeste,
bendigamos a Jesus Cristo, pontífice da nossa fé; e aclamemos:
R. **Senhor, nosso Deus e Salvador!**

Rei todo-poderoso, que pelo batismo nos conferistes um sacerdócio régio,
– fazei da nossa vida um contínuo sacrifício de louvor. R.

Ajudai-nos, Senhor, a guardar os vossos mandamentos,
– para que, pela força do Espírito Santo, permaneçamos em vós e
vós permaneçais em nós.   R.

Dai-nos a vossa sabedoria eterna,
– para que ela sempre nos acompanhe e dirija os nossos trabalhos.   R.

Não permitais que neste dia sejamos motivo de tristeza para ninguém,
– mas causa de alegria para todos os que convivem conosco.   R.

(intenções livres)

Pai nosso...

Oração

Acolhei, Senhor, as preces desta manhã, e por vossa bondade iluminai as profundezas de nosso coração, para que não se prendam
por desejos tenebrosos os que foram renovados pela luz de vossa
graça. Por nosso Senhor Jesus Cristo, vosso Filho, na unidade do
Espírito Santo.

Hora Média

Vinde, ó **Deus**. Glória ao **Pai**. Como era. (Ale**luia**).

HINO como no Ordinário, p. 743.

Salmodia
Ant. 1 Feliz o **ho**mem que na **lei**
do Senhor **Deus** vai progre**din**do.

Terça-feira – Hora Média

Salmo 118(119),1-8
I (Aleph)

Meditação sobre a Palavra de Deus na Lei

Isto é amar a Deus: observar os seus mandamentos (1Jo 5,3).

– ¹Feliz o **ho**mem sem pecado em seu ca**mi**nho, *
que na **lei** do Senhor Deus vai progredindo!
– ²Feliz o **ho**mem que observa seus preceitos, *
e de **to**do o coração procura a Deus!
– ³Que não pra**ti**ca a maldade em sua vida, *
mas vai an**dan**do nos caminhos do Senhor.
– ⁴Os **vos**sos mandamentos vós nos destes, *
para **se**rem fielmente observados.
– ⁵Oxa**lá** seja bem firme a minha vida *
em cum**prir** vossa vontade e vossa lei!
– ⁶En**tão** não ficarei envergonhado *
ao repas**sar** todos os vossos mandamentos.
– ⁷Quero lou**var**-vos com sincero coração, *
pois apren**di** as vossas justas decisões.
– ⁸Quero guar**dar** vossa vontade e vossa lei; *
Se**nhor**, não me deixeis desamparado!

Ant. Feliz o **ho**mem que na **lei**
do Senhor **Deus** vai progre**din**do.

Ant. 2 Meu cora**ção**, por vosso auxílio, reju**bi**le!

Salmo 12(13)

Lamentação do justo que confia em Deus

Que o Deus da esperança vos encha de alegria (Rm 15,13).

– ²Até **quan**do, ó Se**nhor**, me esquece**reis**? *
Até **quan**do escondereis a vossa face?
= ³Até **quan**do estará triste a minha alma? †
e o cora**ção** angustiado cada dia? *
Até **quan**do o inimigo se erguerá?
= ⁴**Olhai**, Senhor, meu Deus, e respondei-me! †
Não dei**xeis** que se me apague a luz dos olhos *
e se **fechem**, pela morte, adormecidos! _

796   I Semana

= ⁵ Que o inimigo não me diga: "Eu triunfei!" †
  Nem exulte o opressor por minha queda,*
  ⁶ uma vez que confiei no vosso amor!

– Meu coração, por vosso auxílio, rejubile, *
  e que eu vos cante pelo bem que me fizestes!

Ant. Meu coração, por vosso auxílio, rejubile!

Ant. 3 À humanidade, quando imersa no pecado,
        o Senhor manifestou sua bondade.

Salmo 13(14)

A insensatez dos ímpios

Onde se multiplicou o pecado, aí superabundou a graça
(Rm 5,20).

– ¹ Diz o insensato e seu próprio coração: *
  "Não há Deus! Deus não existe!"

– Corromperam-se em ações abomináveis. *
  Já não há quem faça o bem!

– ² O Senhor, ele se inclina lá dos céus *
  sobre os filhos de Adão,

– para ver se resta um homem de bom senso *
  que ainda busque a Deus.

– ³ Mas todos eles igualmente se perderam, *
  corrompendo-se uns aos outros;

– não existe mais nenhum que faça o bem, *
  não existe um sequer.

– ⁴ Será que não percebem os malvados *
  quando exploram o meu povo?

– Eles devoram o meu povo como pão, *
  e não invocam o Senhor.

– ⁵ Mas um dia vão tremer de tanto medo, *
  porque Deus está com o justo.

– ⁶ Podeis rir da esperança dos humildes, *
  mas o Senhor é o seu refúgio!

– ⁷ Que venha, venha logo de Sião*
  a salvação de Israel! –

Terça-feira – Vésperas

– Quando o Senhor reconduzir do cativeiro *
os deportados de seu povo,
– que júbilo e que festa em Jacó, *
que alegria em Israel!

Ant. À humanidade, quando imersa no pecado,
o Senhor manifestou sua bondade.

Leitura breve
Pr 3,13-15

Feliz o homem que encontrou a sabedoria, o homem que alcançou a prudência! Ganhá-la vale mais do que a prata, e o seu lucro mais do que o ouro. É mais valiosa do que as pérolas; nada que desejas a iguala.

V. Vós amais os corações que são sinceros.
R. Na intimidade me ensinais sabedoria.

Oração

Ó Deus, que revelastes a Pedro vosso plano de salvação para todos os povos, fazei que nossos trabalhos vos agradem e, pela vossa graça, sirvam ao vosso desígnio de amor e redenção. Por Cristo, nosso Senhor.

Vésperas

R. Vinde, ó Deus. Glória ao Pai. Como era. (Aleluia).

Hino

Ó grande Autor da terra,
que, as águas repelindo,
do mundo o solo erguestes,
a terra produzindo,

de plantas revestida,
ornada pelas flores,
e dando muitos frutos,
diversos em sabores.

Lavai as manchas da alma
na fonte, pela graça.
O pranto em nossos olhos
as más ações desfaça.

798   I Semana

Seguindo as vossas leis,
lutemos contra o mal,
felizes pelo dom
da vida perenal.

Ouvi-nos, Pai bondoso,
e vós, dileto Filho,
unidos pelo Espírito
na luz de eterno brilho.

Salmodia

Ant. 1 Ó **Senhor,** exaltai o vosso Ungido!

T.P.: Agora che**gou** o **rei**no de **Deus**
     e o po**der** de seu **Cristo,** aleluia.

Salmo 19(20)

Oração pela vitória do rei

Quem invocar o nome do Senhor, será salvo (At 2,21).

— ² Que o Se**nhor** te es**cu**te no **di**a da afli**ção,** *
   e o **Deus** de Jacó te proteja por seu nome!
— ³ Que do **seu** santuário te en**vi**e seu auxílio *
   e te a**ju**de do alto, do **Mon**te de Sião!
— ⁴ Que de **to**dos os teus sacrifícios se recorde, *
   e os **teus** holocaustos a**cei**te com agrado!
— ⁵ A**ten**da os desejos que **tens** no coração; *
   plena**men**te ele cumpra as **tu**as esperanças!

= ⁶ Com a **vos**sa vitória en**tão** exultaremos, †
   levan**tan**do as bandeiras em **no**me do Senhor. *
   Que o Se**nhor** te escute e aten**da** os teus pedido**s**!

— ⁷ E a**go**ra estou certo de que **Deus** dará a vitória, *
   que o Se**nhor** há de dar a vi**tó**ria a seu Ungido;
— que have**rá** de atendê-lo do ex**cel**so santuário, *
   pela **for**ça e poder de sua **mão** vitoriosa.

— ⁸ Uns con**fi**am nos carros e **ou**tros nos cavalos; *
   nós, po**rém,** somos fortes no **no**me do Senhor.
— ⁹ Todos **eles,** tombando, ca**í**ram pelo chão; *
   nós fi**ca**mos de pé e as**sim** resistiremos. —

Quarta-feira – Laudes

– ¹⁰Ó Senhor, dai vitória e salvai o nosso rei, *
e escutai-nos no dia em que **nós** vos invocarmos.

Ant. Ó Senhor, exaltai o vosso Ungido!

T.P.: Agora chegou o reino de **Deus**
e o poder de seu **Cristo**, aleluia.

Ant. 2 Cantaremos celebrando a vossa **força**.

T.P.: Recebestes, Senhor, o poder,
e exercestes o vosso Reinado. Aleluia.

Salmo 20(21),2-8.14

Ação de graças pela vitória do Rei

O Cristo ressuscitado recebeu a vida para sempre
(Sto. Irineu).

– ²Ó Senhor, em vossa **força** o rei se alegra; *
quanto exulta de alegria em vosso auxílio!

– ³O que sonhou seu coração, lhe concedestes; *
não recusastes os pedidos de seus lábios.

– ⁴Com **bênção** generosa o preparastes; *
de ouro puro coroastes sua fronte.

– ⁵A vida ele pediu e vós lhe destes *
longos dias, vida longa pelos séculos.

– ⁶É grande a sua glória em vosso auxílio; *
de esplendor e majestade o revestistes.

– ⁷Transformastes o seu nome numa bênção, *
e o cobristes de alegria em vossa face.

– ⁸Por isso o rei confia no Senhor, *
e por seu amor fiel não cairá.

– ¹⁴Levantai-vos com poder, ó Senhor Deus, *
e cantaremos celebrando a vossa força!

Ant. Cantaremos celebrando a vossa **força**.

T.P.: Recebestes, Senhor, o poder,
e exercestes o vosso Reinado. Aleluia.

Ant. 3 Fizestes de **nós** para **Deus** sacerdotes e povo de **reis**.

T.P.: Toda a vossa criatura vos sirva, ó Senhor;
pois mandastes, e o universo foi criado, aleluia.

800 I Semana

Cântico — Ap 4,11; 5,9.10.12

Hino dos remidos

—[4,11] Vós sois **digno**, Se**nhor** nosso **Deus**, *
de rece**ber** honra, glória e poder!

(R. **Poder**, honra e **glória** ao Cor**dei**ro de **Deus**!)

= [5,9] Porque **to**das as coisas criastes, †
é por **vos**sa vontade que existem, *
e sub**sis**tem porque vós mandais.   (R.)

= Vós sois **digno**, Senhor nosso Deus, †
de o **livro** nas mãos receber *
e de **abrir** suas folhas lacradas!   (R.)

— Porque **fos**tes por nós imolado; *
para **Deus** nos remiu vosso sangue

— dentre **to**das as tribos e línguas, *
dentre os **po**vos da terra e nações.   (R.)

= [10] Pois fi**zes**tes de nós, para Deus, †
sacer**do**tes e povo de reis, *
e i**re**mos reinar sobre a terra.   (R.)

= [12] O Cor**dei**ro imolado é digno †
de rece**ber** honra, glória e poder, *
sabedo**ria**, louvor, divindade!   (R.)

Ant. Fi**zes**tes de **nós** para **Deus** sacer**do**tes e **po**vo de **reis**.

T.P.: Toda a **vos**sa criatura vos **sir**va, ó Se**nhor**;
pois man**das**tes, e o universo foi criado, ale**lu**ia.

Leitura breve   1Jo 3,1a.2

Vede que grande presente de amor o Pai nos deu: de sermos chamados filhos de Deus! E nós o somos! Caríssimos, desde já somos
filhos de Deus, mas nem sequer se manifestou o que seremos!
Sabemos que, quando Jesus se manifestar, seremos semelhantes a
ele, porque o veremos tal como ele é.

Responsório breve

R. Vossa palavra, ó Se**nhor**,
   * Per**ma**nece eterna**mente**. R. Vossa palavra.
V. Vossa ver**da**de é para **sempre**. *Per**ma**nece.
   Glória ao **Pai**. R. Vossa palavra.

Cântico evangélico, ant.

E**xul**te meu es**pí**rito em **Deus** meu Sal**va**dor!

Preces

Louvemos o Senhor Jesus Cristo que vive no meio de nós, povo que ele conquistou; e supliquemos:
R. **Ouvi, Senhor, a nossa oração!**

Senhor, rei e dominador de todos os povos, vinde em ajuda de todas as nações e de seus governantes,
— para que busquem, na concórdia, o bem comum, de acordo com a vossa vontade. R.

Vós, que, subindo aos céus, levastes convosco os cativos,
— restituí a liberdade de filhos de Deus aos nossos irmãos e irmãs prisioneiros no corpo ou no espírito. R.

Concedei aos nossos jovens a realização de suas esperanças,
— para que saibam responder ao vosso chamado com grandeza de alma. R.

Fazei que as crianças imitem vosso exemplo,
— e cresçam sempre em sabedoria e em graça. R.

(intenções livres)

Acolhei os que morreram na glória do vosso Reino,
— onde também nós esperamos reinar convosco para sempre. R.

Pai nosso...

Oração

Nós vos damos graças, Senhor Deus todo-poderoso, que nos fizestes chegar a esta hora; aceitai bondoso, qual sacrifício vespertino, nossas mãos erguidas em oração, que confiantes vos apresentamos. Por nosso Senhor Jesus Cristo, vosso Filho, na unidade do Espírito Santo.

I QUARTA-FEIRA

Laudes

V. Vinde, ó **Deus**. Glória ao **Pai**. Como era. (Aleluia).
Hino

Ó noite, ó treva, ó nuvem,
não mais fiqueis aqui!

Já surge a doce aurora,
o Cristo vem: parti!

Rompeu-se o véu da terra,
cortado por um raio:
as coisas tomam cores,
já voltam do desmaio.

Assim também se apague
a noite do pecado,
e o Cristo em nossas almas
comece o seu reinado.

Humildes, vos pedimos
em nosso canto ou choro:
ouvi, ó Cristo, a prece,
que sobe a vós, em coro.

Os fogos da vaidade
a vossa luz desfaz.
Estrela da manhã,
quão doce vossa paz.

Louvor ao Pai, ó Cristo,
louvor a vós também;
reinais, no mesmo Espírito,
agora e sempre. Amém.

Salmodia

Ant. 1 Em vossa **luz** contem**pla**mos a **luz**.

T.P.: Em **vós** está a **fon**te da **vi**da! Ale**lui**a.

Salmo 35(36)

A malícia do pecador e a bondade de Deus

Quem me segue, não andará nas trevas, mas terá a luz da vida (Jo 8,12).

– ² O pe**ca**do sus**sur**ra ao **ím**pio *
lá no **fun**do do seu coração;
– o te**mor** do Senhor, nosso Deus, *
não e**xis**te perante seus olhos.
– ³ Lison**jei**a a si mesmo, pensando: *
"Ninguém **vê** nem condena o meu crime!" –

Quarta-feira – Laudes

803

– [4]Traz na boca maldade e engano; *
   já não **quer** refletir e agir bem.
= [5]Arquiteta a maldade em seu leito, †
   nos caminhos errados insiste *
   e não **quer** afastar-se do mal.–
– [6]Vosso amor chega aos céus, ó Senhor, *
   chega às **nu**vens a vossa verdade.
– [7]Como as **al**tas montanhas eternas *
   é a **vos**sa justiça, Senhor;
– e os **vos**sos juízos superam *
   os **abis**mos profundos dos mares.

– Os ani**mais** e os homens salvais: *
   [8]quão preciosa é, Senhor, vossa graça!
– Eis que os **fi**lhos dos homens se abrigam *
   sob a **som**bra das asas de Deus.
– [9]Na abun**dân**cia de vossa morada, *
   eles **vêm** saciar-se de bens.

– Vós lhes **dais** de beber água viva, *
   na tor**ren**te das vossas delícias.
– [10]Pois em **vós** está a fonte da vida, *
   e em vossa **luz** contemplamos a luz.
– [11]Conser**vai** aos fiéis vossa graça, *
   e aos **re**tos, a vossa justiça!

– [12]Não me **pi**sem os pés dos soberbos, *
   nem me ex**pul**sem as mãos dos malvados!
– [13]Os per**ver**sos, tremendo, caíram *
   e não **po**dem erguer-se do chão.

Ant. Em vossa **luz** contem**pla**mos a luz.
T.P.: Em **vós** está a **fon**te da **vi**da! Ale**lui**a.

Ant. 2 Vós sois **gran**de, Se**nhor**-Ado**nai**,
   admi**rá**vel, de **for**ça inven**cí**vel!

T.P.: Envia**stes**, Se**nhor**, vosso Es**pí**rito
   e **tu**do pass**ou** a exis**tir**. Ale**lui**a.

804   I Semana

Cântico   Jt 16,1-2.13-15

Deus, Criador do mundo e protetor do seu povo

Entoaram um cântico novo (Ap 5,9).

— ¹ Cantai ao Senhor com pandeiros, *
   entoai seu louvor com tambores!
— Elevai-lhe um salmo festivo, *
   invocai o seu nome e exaltai-o!
— ² É o Senhor que põe fim às batalhas, *
   o seu nome glorioso é "Senhor"!
—¹³ Cantemos louvores a Deus, *
   novo hino ao Senhor entoemos!
— Vós sois grande, Senhor-Adonai, *
   admirável, de força invencível!
—¹⁴ Toda a vossa criatura vos sirva, *
   pois mandastes e tudo foi feito!
— Vosso sopro de vida enviastes, *
   e eis que tudo passou a existir;
— não existe uma coisa ou pessoa, *
   que resista à vossa palavra!
—¹⁵ Desde as bases, os montes se abalam, *
   e as águas também estremecem;
— como cera, derretem-se as pedras *
   diante da vossa presença.
— Mas aqueles que a vós obedecem *
   junto a vós serão grandes em tudo.

Ant. Vós sois grande, Senhor-Adonai,
       admirável, de força invencível!

T.P.: Enviastes, Senhor, vosso Espírito
       e tudo passou a existir. Aleluia.

Ant. 3 Gritai a Deus aclamações de alegria!

T.P.: É Deus o grande Rei de toda a terra:
       com arte celebrai os seus louvores! Aleluia.

Salmo 46(47)

O Senhor, Rei do universo

Está sentado à direita de Deus Pai, e o seu Reino não terá fim.

– ² Povos **to**dos do uni**ver**so, batei **pal**mas, *
gritai a **Deus** aclamações de alegria!
– ³ Porque su**bli**me é o Senhor, o Deus Altíssimo, *
o so**be**rano que domina toda a terra.
– ⁴ Os **po**vos sujeitou ao nosso jugo *
e colo**cou** muitas nações aos nossos pés.
– ⁵ Foi ele que escolheu a nossa herança, *
a **gló**ria de Jacó, seu bem-amado.
– ⁶ Por **en**tre aclamações Deus se elevou, *
o S**en**hor subiu ao toque da trombeta.
– ⁷ Salmodi**ai** ao nosso Deus ao som da harpa, *
salmodi**ai** ao som da harpa ao nosso Rei!
– ⁸ Porque **Deus** é o grande Rei de toda a terra, *
ao som da **har**pa acompanhai os seus louvores!
– ⁹ Deus **rei**na sobre todas as nações, *
está sen**ta**do no seu trono glorioso.
– ¹⁰ Os **che**fes das nações se reuniram *
com o **po**vo do Deus santo de Abraão,
– pois só **Deus** é realmente o Altíssimo, *
e os pode**ro**sos desta terra lhe pertencem!

Ant. Gritai a **Deus** aclama**ções** de ale**gri**a!

T.P.: É **Deus** o grande **Rei** de toda a **ter**ra:
com **ar**te cele**brai** os seus lou**vo**res! Ale**lu**ia.

Leitura breve   Tb 4,14b-15a.16ab.19a

Meu filho, sê vigilante em todas as tuas obras e mostra-te prudente em tua conversação. Não faças a ninguém o que para ti
não desejas. Dá de teu pão a quem tem fome, e de tuas vestes aos
que estão despidos. Dá de esmola todo o teu supérfluo. Bendize
o Senhor em todo o tempo, e pede-lhe para que sejam retos os
teus caminhos e tenham êxito todos os teus passos e todos os teus
projetos.

806   I Semana

Responsório breve

R. Para os **vossos** mandamentos,
   * Inclinai meu coração! R. Para os **vossos**.
V. Dai-me a vida em vossa **Lei**! * Inclinai.
   Glória ao **Pai**. R. Para os **vossos**.

Cântico evangélico, ant.

Mostrai-nos, ó Senhor, misericórdia,
recordando a vossa santa Aliança.

Preces

Demos graças e louvores a Cristo pela sua admirável con-
descendência em chamar de irmãos àqueles que santificou. Por
isso, supliquemos:

R. **Santificai, Senhor, os vossos irmãos e irmãs!**

Fazei que vos consagremos de coração puro o princípio deste dia
em honra da vossa ressurreição,
– e que o santifiquemos com trabalhos que sejam do vosso agrado.   R.

Vós, que nos dais este novo dia, como sinal do vosso amor, para
nossa alegria e salvação,
– renovai-nos a cada dia para glória do vosso nome.   R.

Ensinai-nos hoje a reconhecer vossa presença em todos os nossos
irmãos e irmãs,
– e a vos encontrarmos sobretudo nos pobres e infelizes. R.

Concedei que durante todo este dia vivamos em paz com todos,
– e a ninguém paguemos o mal com o mal.   R.

(intenções livres)

Pai nosso...

Oração

Deus, nosso Salvador, que nos gerastes filhos da luz, ajudai-nos
a viver como seguidores da justiça e praticantes da verdade, para
sermos vossas testemunhas diante dos homens. Por nosso Senhor
Jesus Cristo, vosso Filho, na unidade do Espírito Santo.

Hora Média

V. Vinde, ó **Deus**. Glória ao **Pai**. Como era. (Aleluia).

HINO como no Ordinário, p. 743.

Quarta-feira – Hora Média

Salmodia

Ant. 1 Ó **Se**nhor, vós sois ben**dito** para **sem**pre:
os **vos**sos mandamentos ensi**nai**-me!

Salmo 118(119),9-16
II (Beth)

Meditação sobre a Palavra de Deus na Lei

Se me amais, guardareis os meus mandamentos (Jo 14,15).

– [9] Como um **jo**vem pode**rá** ter vida **pu**ra? *
Obser**van**do, ó Senhor, vossa palavra.

–[10] De **to**do o coração eu vos procuro, *
não dei**xeis** que eu abandone a vossa lei!

–[11] Conser**vei** no coração vossas palavras, *
a **fim** de que eu não peque contra vós.

–[12] Ó **Se**nhor, vós sois bendito para sempre; *
os **vos**sos mandamentos ensinai-me!

–[13] Com meus **lá**bios, ó Senhor, eu enumero *
os de**cre**tos que ditou a vossa boca.

–[14] **Se**guindo vossa lei me rejubilo *
muito **mais** do que em todas as riquezas.

–[15] Eu **que**ro meditar as vossas ordens, *
eu **que**ro contemplar vossos caminhos!

–[16] Minha ale**gria** é fazer vossa vontade; *
eu não **pos**so esquecer vossa palavra.

Ant. Ó **Se**nhor, vós sois ben**dito** para **sem**pre:
os **vos**sos manda**men**tos ensi**nai**-me!

Ant. 2 Fir**mai** os meus **pas**sos em **vos**sos cami**nhos**.

Salmo 16(17)

Dos ímpios salvai-me, Senhor

Nos dias de sua vida terrestre, dirigiu preces e súplicas... E foi atendido (Hb 5,7).

I

– [1] Ó **Se**nhor, ouvi a **mi**nha justa **cau**sa,*
escu**tai**-me e atendei o meu clamor!

808 I Semana

— Inclinai o vosso ouvido à minha prece, *
   pois não existe falsidade nos meus lábios!
— ²De vossa face é que me venha o julgamento, *
   pois vossos olhos sabem ver o que é justo.
= ³Provai meu coração durante a noite, †
   visitai-o, examinai-o pelo fogo, *
   mas em mim não achareis iniquidade.
— ⁴Não cometi nenhum pecado por palavras, *
   como é costume acontecer em meio aos homens.
— Seguindo as palavras que dissestes, *
   andei sempre nos caminhos da Aliança.
— ⁵Os meus passos eu firmei na vossa estrada, *
   e por isso os meus pés não vacilaram.
— ⁶Eu vos chamo, ó meu Deus, porque me ouvis, *
   inclinai o vosso ouvido e escutai-me!
= ⁷Mostrai-me vosso amor maravilhoso, †
   vós que salvais e libertais do inimigo *
   quem procura a proteção junto de vós.
— ⁸Protegei-me qual dos olhos a pupila *
   e guardai-me, à proteção de vossas asas,
— ⁹longe dos ímpios violentos que me oprimem, *
   dos inimigos furiosos que me cercam.

Ant. Firmai os meus passos em vossos caminhos.

Ant. 3 Levantai-vos, ó Senhor, e salvai a minha vida!

II

— ¹⁰A abundância lhes fechou o coração, *
   em sua boca há só palavras orgulhosas.
— ¹¹Os seus passos me perseguem, já me cercam, *
   voltam seus olhos contra mim: vão derrubar-me,
— ¹²como um leão impaciente pela presa, *
   um leãozinho espreitando de emboscada.
— ¹³Levantai-vos, ó Senhor, contra o malvado, *
   com vossa espada abatei-o e libertai-me!
— ¹⁴Com vosso braço defendei-me desses homens, *
   que já encontram nesta vida a recompensa. −

Quarta-feira – Vésperas

= Saciais com vossos bens o ventre deles, †
e seus filhos também hão de saciar-se *
e ainda as sobras deixarão aos descendentes.
– [15]Mas eu verei, justificado, a vossa face *
e ao despertar me saciará vossa presença.

Ant. Levantai-vos, ó Senhor, e salvai a minha vida!

Leitura breve   1Pd 1,15-16

Como é santo aquele que vos chamou, tornai-vos santos, também vós, em todo o vosso proceder. Pois está na Escritura: Sede santos, porque eu sou santo.

V. Que se vistam de alegria os vossos santos,
R. E os vossos sacerdotes, de justiça.

Oração

Deus onipotente e misericordioso, que nos dais novo alento no meio deste dia, olhai com bondade os trabalhos começados e, perdoando nossas faltas, fazei que eles atinjam os fins que vos agradam. Por Cristo, nosso Senhor.

Vésperas

V. Vinde, ó **Deus**. Glória ao **Pai**. Como era. (Aleluia).

Hino

Santíssimo Deus do céu,
que o céu encheis de cor
e dais à luz beleza
de ígneo resplendor;

criais no quarto dia
a rota chamejante
do sol e das estrelas,
da lua fulgurante.

Assim, à luz e às trevas
limites vós fixais.
Dos meses o começo
marcastes com sinais.

Fazei a luz brilhar
em nosso coração.
Tirai da mente as trevas,
da culpa a servidão.

810   I Semana

Ouvi-nos, Pai bondoso,
e vós, único Filho,
reinando com o Espírito
na luz de eterno brilho.

Salmodia

Ant. 1 O **Senhor** é minha **luz** e salva**ção**;
de **quem** eu terei **me**do? †

T.P.: Deus **Pai** exal**tou** com po**der** o seu **Cristo**
e fez **de**le o **Senhor**, Salva**dor**, ale**luia**.

Salmo 26(27)

Confiança em Deus no perigo

I

Esta é a morada de Deus entre os homens (Ap 21,3).

– [1] O **Senhor** é minha **luz** e salva**ção**; *
de **quem** eu terei **me**do?
– † O **Senhor** é a proteção da minha vida; *
perante **quem** eu tremerei?
– [2] Quando a**van**çam os malvados contra mim, *
que**ren**do devorar-me,
– são **e**les, inimigos e opressores, *
que tro**pe**çam e sucumbem.
– [3] Se os ini**mi**gos se acamparem contra mim, *
não teme**rá** meu coração;
– se contra **mim** uma batalha estourar, *
mesmo as**sim** confia**rei**.
– [4] Ao **Senhor** eu peço apenas uma coisa, *
e é só **is**to que eu desejo:
– habi**tar** no santuário do Senhor *
por **to**da a minha vida;
– sabo**rear** a suavidade do Senhor *
e contem**plá**-lo no seu templo.
– [5] Pois um a**bri**go me dará sob o seu teto *
nos **di**as da desgraça;
– no inte**ri**or de sua tenda há de esconder-me *
e prote**ger**-me sobre a rocha. –

Quarta-feira – Vésperas

– ⁶E agora minha fronte se levanta *
em **mei**o aos inimigos.
– Ofertar**ei** um sacrifício de alegria, *
no **tem**plo do Senhor.
– Cantarei **sal**mos ao Senhor ao som da harpa *
e **hi**nos de louvor.

Ant. O **Senhor** é minha **luz** e salva**ção**;
de **quem** eu terei **me**do?

T.P.: Deus **Pai** exal**tou** com po**der** o seu **Cristo**
e fez **de**le o Se**nhor**, Salvador, ale**lui**a.

Ant. 2 **Se**nhor, é vossa **face** que eu pro**cu**ro;
não me escon**dais** a vossa **face**!

T.P.: Sei que a bon**da**de do Se**nhor** eu hei de **ver**
na **ter**ra dos vi**ven**tes. Ale**lui**a.

II

Alguns se levantaram e testemunharam falsamente contra Jesus
(Mc 14,57).

– ⁷Ó Se**nhor**, ouvi a **voz** do meu a**pe**lo, *
aten**dei** por compai**xão**!
– ⁸Meu cora**ção** fala convosco confiante, *
e os meus **o**lhos vos procuram.
– Se**nhor**, é vossa face que eu procuro; *
não me escon**dais** a vossa face!
– ⁹Não afas**teis** em vossa ira o vosso servo, *
sois **vós** o meu auxílio!
– Não me esque**çais** nem me deixeis abandonado, *
meu **Deus** e Salvador!
– ¹⁰Se meu **pai** e minha mãe me abandonarem, *
o Se**nhor** me acolherá!
– ¹¹Ensi**nai**-me, ó Senhor, vossos caminhos *
e mos**trai**-me a estrada certa!
– Por **cau**sa do inimigo, protegei-me, *
¹²não me entre**gueis** a seus desejos!
– Porque **fal**sas testemunhas se ergueram *
e vo**mi**tam violência. –

812 I Semana

—[13] Sei que a bondade do Senhor eu hei de ver *
na terra dos viventes.
—[14] Espera no Senhor e tem coragem, *
espera no Senhor!

Ant. Senhor, é vossa face que eu procuro;
não me escondais a vossa face!

T.P.: Sei que a bondade do Senhor eu hei de ver
na terra dos viventes. Aleluia.

Ant. 3 É o Primogênito de toda criatura,
e em tudo Ele tem a primazia.

T.P.: Todas as coisas vêm de Cristo, são por ele e nele existem;
a ele glória pelos séculos! Aleluia.

Cântico   cf. Cl 1,12-20

**Cristo, o Primogênito de toda a criatura
e o Primogênito dentre os mortos**

=[12] Demos graças a Deus Pai onipotente, †
que nos chama a partilhar, na sua luz, *
da herança a seus santos reservada!

(R. Glória a vós, Primogênito dentre os mortos!)

=[13] Do império das trevas arrancou-nos †
e transportou-nos para o reino de seu Filho, *
para o reino de seu Filho bem-amado,

—[14] no qual nós encontramos redenção, *
dos pecados remissão pelo seu sangue.   (R.)

—[15] Do Deus, o Invisível, é a imagem, *
o Primogênito de toda criatura;

=[16] porque nele é que tudo foi criado: †
o que há nos céus e o que existe sobre a terra, *
o visível e também o invisível.   (R.)

= Sejam Tronos e Poderes que há nos céus, †
sejam eles Principados, Potestades: *
por ele e para ele foram feitos;

—[17] antes de toda criatura ele existe, *
e é por ele que subsiste o universo.   (R.)

Quinta-feira – Vésperas

=[18] Ele é a **Cabeça** da Igreja, que é seu Corpo, †
é o prin**cí**pio, o Primogênito dentre os mortos, *
a **fim** de ter em tudo a primazia.

–[19] Pois foi do **agra**do de Deus Pai que a plenitude *
habi**tasse** no seu Cristo inteiramente. (R.)

–[20] **Aprou**ve-lhe também, por meio dele, *
reconcili**ar** consigo mesmo as criaturas,

= pacifi**cando** pelo sangue de sua cruz †
tudo a**quilo** que por ele foi criado, *
o que há nos **céus** e o que existe sobre a terra. (R.)

Ant. É o Primo**gê**nito de **to**da criatura,
e em **tudo** Ele **tem** a primazia.

T.P.: Todas as **coi**sas vêm de **Cris**to, são por **el**e e nele **exis**tem;
a ele **gló**ria pelos **sé**culos! Ale**lui**a.

Leitura breve Tg 1,22.25
Sede praticantes da Palavra e não meros ouvintes, enganando-
-vos a vós mesmos. Aquele, porém, que se debruça sobre a Lei da
liberdade, agora levada à perfeição, e nela persevera, não como
um ouvinte distraído, mas praticando o que ela ordena, esse será
feliz naquilo que faz.

Responsório breve
R. Liber**tai**-me, ó Se**nhor**,
* Ó meu **Deus**, tende pie**da**de! R. Liber**tai**-me.
V. Não jun**teis** a minha **vi**da à dos **maus** e sangui**ná**rios.
* Ó meu **Deus**. Glória ao **Pai**. R. Liber**tai**-me.

Cântico evangélico, ant.
O Pode**ro**so fez em **mim** mara**vi**lhas, e **san**to é seu **no**me.

Preces
Em tudo seja glorificado o nome do Senhor, que ama com infinito
amor o povo que escolheu. Suba até ele a nossa oração:
R. **Mostrai-nos, Senhor, o vosso amor!**

Lembrai-vos, Senhor, da vossa Igreja;
– guardai-a de todo o mal e tornai-a perfeita em vosso amor. R.

Fazei que os povos vos reconheçam como único Deus verdadeiro,
– e em vosso Filho Jesus Cristo, o Salvador que enviastes. R.

814　　　　　　　　　　　I Semana

Concedei todo o bem e prosperidade a nossos parentes;
– dai-lhes vossa bênção e a recompensa eterna.　　　　R.
R. **Mostrai-nos, Senhor, o vosso amor!**

Confortai os que vivem sobrecarregados no trabalho,
– e defendei a dignidade dos marginalizados.　　　　R.

(intenções livres)

Abri as portas da vossa misericórdia para aqueles que hoje partiram desta vida,
– e acolhei-os com bondade no vosso reino.　　　　R.
Pai nosso...

Oração

Acolhei, Senhor, as nossas súplicas e concedei-nos dia e noite a vossa proteção, a fim de que, nas mudanças do tempo, sempre nos sustente o vosso amor imutável. Por nosso Senhor Jesus Cristo, vosso Filho, na unidade do Espírito Santo.

I QUINTA-FEIRA

Laudes

V. Vinde, ó **Deus**. Glória ao **Pai**. Como era. (Aleluia).

Hino

Já surge a luz dourada,
a treva dissipando,
que as almas do abismo
aos poucos vai levando.

Dissipa-se a cegueira
que a todos envolvia;
alegres caminhemos
na luz de um novo dia.

Que a luz nos traga paz,
pureza ao coração:
longe a palavra falsa,
o pensamento vão.

Decorra calmo o dia:
a mão, a língua, o olhar.
Não deixe nosso corpo
na culpa se manchar.

Quinta-feira – Laudes

Do alto, nossos atos
Deus vê, constantemente;
solícito nos segue
da aurora ao sol poente.

A glória seja ao Pai,
ao Filho seu também;
ao Espírito igualmente,
agora e sempre. Amém.

Salmodia

Ant. 1 **Desper**tem a **harp**a e a **lir**a, eu **ir**ei acor**dar** a au**ror**a.

T.P.: Ele**vai**-vos ó **Deus** sobre os **céus**, ale**lui**a.

Salmo 56(57)

Oração da manhã no tempo de aflição

Este salmo canta a Paixão do Senhor (Sto. Agostinho).

– [2] Pie**da**de, Se**nhor**, pie**da**de, *
pois em **vós** se abriga a minh'alma!
– De vossas **as**as, à sombra, me achego, *
até que **pas**se a tormenta, Senhor!

– [3] Lanço um **grit**o ao Senhor Deus Altíssimo, *
a este **Deus** que me dá todo o bem.
= [4] Que me en**vie** do céu sua ajuda †
e con**fun**da os meus opressores! *
Deus me en**vie** sua graça e verdade!

– [5] Eu me en**con**tro em meio a leões, *
que, fa**min**tos, devoram os homens;
– os seus **den**tes são lanças e flechas, *
suas **lín**guas, espadas cortantes.

– [6] Ele**vai**-vos, ó Deus, sobre os céus, *
vossa **glór**ia refulja na terra!

– [7] Prepa**rar**am um laço a meus pés, *
e as**sim** oprimiram minh'alma;
– uma **co**va me abriram à frente, *
mas na **co**va acabaram caindo.

– [8] Meu cora**ção** está pronto, meu Deus, *
está **pron**to o meu coração!

816   I Semana

– [9] Vou cantar e tocar para vós: *
desperta, minh'alma, desperta!
– Despertem a harpa e a lira, *
eu irei acordar a aurora!
– [10] Vou louvar-vos, Senhor, entre os povos, *
dar-vos graças, por entre as nações!
– [11] Vosso amor é mais alto que os céus, *
mais que as nuvens a vossa verdade!
– [12] Elevai-vos, ó Deus, sobre os céus, *
vossa glória refulja na terra!

Ant. Despertem a harpa e a lira,
eu irei acordar a aurora.

T.P.: Elevai-vos ó Deus sobre os céus, aleluia.

Ant. 2 O meu povo há de fartar-se de meus bens.

T.P.: O Senhor redimiu o seu povo, aleluia.

Cântico   Jr 31,10-14

A felicidade do povo libertado

Jesus iria morrer... para reunir os filhos de Deus dispersos (Jo
11,51.52).

– [10] Ouvi, nações, a palavra do Senhor *
e anunciai-a nas ilhas mais distantes:
– "Quem dispersou Israel, vai congregá-lo, *
e o guardará qual pastor a seu rebanho!"
– [11] Pois, na verdade, o Senhor remiu Jacó *
e o libertou do poder do prepotente.
= [12] Voltarão para o monte de Sião, †
entre brados e cantos de alegria *
afluirão para as bênçãos do Senhor:
– para o trigo, o vinho novo e o azeite; *
para o gado, os cordeirinhos e as ovelhas.
– Terão a alma qual jardim bem irrigado, *
de sede e fome nunca mais hão de sofrer.
– [13] Então a virgem dançará alegremente, *
também o jovem e o velho exultarão;
– mudarei em alegria o seu luto, *
serei consolo e conforto após a pena.

Quinta-feira – Laudes

– [14] Saciarei os sacerdotes de delícias, *
e meu povo há de fartar-se de meus bens!

Ant. O meu povo há de fartar-se de meus bens.

T.P.: O Senhor redimiu o seu povo, aleluia.

Ant. 3 Grande é o Senhor e muito digno de louvores
na cidade onde ele mora. †

T.P.: Como é grande o nosso Deus
desde sempre e para sempre! Aleluia.

Salmo 47(48)

Ação de graças pela salvação do povo

Ele me levou em espírito a uma montanha grande e alta. Mostrou-me a cidade santa, Jerusalém (Ap 21,10).

– [2] Grande é o Senhor e muito digno de louvores *
na cidade onde ele mora;
– [3] † seu monte santo, esta colina encantadora *
é a alegria do universo.

– Monte Sião, no extremo norte situado, *
és a mansão do grande Rei!
– [4] Deus revelou-se em suas fortes cidadelas *
um refúgio poderoso.

– [5] Pois eis que os reis da terra se aliaram, *
e todos juntos avançaram;
– [6] mal a viram, de pavor estremeceram, *
debandaram perturbados.

– [7] Como as dores da mulher sofrendo parto, *
uma angústia os invadiu,
– [8] semelhante ao vento leste impetuoso, *
que despedaça as naus de Társis.

– [9] Como ouvimos dos antigos, contemplamos: *
Deus habita esta cidade,
– a cidade do Senhor onipotente, *
que ele a guarde eternamente! –

818   I Semana

— [10] Recordamos, Senhor Deus, vossa bondade *
em **meio** ao vosso templo;
— [11] com vosso **nome** vai também vosso louvor *
aos con**fins** de toda a terra.

— Vossa di**reita** está repleta de justiça, *
[12] exulte o **monte** de Sião!
— Alegrem-se as cidades de Judá *
com os **vos**sos julgamentos!

— [13] Vinde a **Sião**, fazei a volta ao seu redor *
e con**tai** as suas torres;
— [14] obser**vai** com atenção suas muralhas, *
visi**tai** os seus palácios,

— para con**tar** às gerações que hão de vir *
[15] como é **gran**de o nosso Deus!
— O nosso **Deus** é desde sempre e para sempre: *
será **ele** o nosso guia!

Ant. Grande é o **Senhor** e muito **digno** de lou**vo**res
na ci**da**de onde ele **mora**.

T.P.: Como é **gran**de o nosso **Deus**
desde **sempre** e para **sempre**! Ale**lui**a.

Leitura breve   Is 66,1-2

Isto diz o Senhor: O céu é o meu trono e a terra é o apoio de meus
pés. Que casa é esta que edificareis para mim, e que lugar é este
para meu descanso? Tudo isso foi minha mão que fez, tudo isso
é meu, diz o Senhor. Mas eu olho para este, para o pobrezinho de
alma abatida, que treme ao ouvir a minha palavra.

Responsório breve

R. Clamo de **to**do o cora**ção**:
* Aten**dei**-me, ó Se**nhor**! R. Clamo.
V. Quero cum**prir** vossa von**ta**de. * Aten**dei**-me.
Glória ao **Pai**. R. Clamo de **to**do.

Cântico evangélico, ant.

Sir**va**mos ao Se**nhor** em jus**ti**ça e santi**da**de,
e de **nos**sos ini**mi**gos have**rá** de nos sal**var**.

Quinta-feira – Hora Média

Preces

Demos graças a Cristo que nos concede a luz deste novo dia; e lhe peçamos:

R. **Senhor, abençoai-nos e santificai-nos!**

Senhor, que vos entregastes como vítima pelos nossos pecados,
– aceitai os trabalhos que já começamos e os nossos planos de ação para hoje. R.

Senhor, que alegrais nossos olhos com a luz deste novo dia,
– sede vós mesmo a luz dos nossos corações. R.

Tornai-nos generosos para com todos,
– para sermos imagens fiéis da vossa bondade. R.

Fazei-nos desde a manhã sentir o vosso amor,
– para que a vossa alegria seja hoje a nossa força. R.

(intenções livres)

Pai nosso...

Oração

Deus eterno e todo-poderoso, ouvi as súplicas que vos dirigimos de manhã, ao meio-dia e à tarde; expulsai de nossos corações as trevas do pecado e fazei-nos alcançar a verdadeira luz, Jesus Cristo. Que convosco vive e reina, na unidade do Espírito Santo.

Hora Média

V. Vinde, ó **Deus**. Glória ao **Pai**. Como era. (Aleluia).

HINO como no Ordinário, p. 743.

Salmodia

Ant. 1 Abri meus olhos, e então contemplarei
as maravilhas que encerra a vossa lei.

Salmo 118(119),17-24
III (Ghimel)

Meditação sobre a Palavra de Deus na Lei

O meu alimento é fazer a vontade daquele que me enviou (Jo 4,34).

– [17]Sede **bom** com vosso **servo**, e vive**rei**, *
e guarda**rei** vossa palavra, ó Senhor.
– [18]Abri meus **olhos**, e então contemplarei *
as mara**vi**lhas que encerra a vossa lei! –

820   I Semana

—[19] Sou apenas peregrino sobre a terra, *
de **mim** não oculteis vossos preceitos!
—[20] Minha **alma** se consome o tempo todo *
em dese**jar** as vossas justas decisões.

—[21] Ame**açais** os orgulhosos e os malvados;*
maldito **se**ja quem transgride a vossa lei!
—[22] Li**vrai**-me do insulto e do desprezo, *
pois eu **guar**do as vossas ordens, ó Senhor.

—[23] Que os pode**ro**sos reunidos me condenem; *
o que me im**por**ta é o vosso julgamento!
—[24] Minha ale**gri**a é a vossa Aliança, *
meus conse**lhei**ros são os vossos mandamentos.

Ant.   Abri meus **o**lhos, e en**tão** contempla**rei**
as mara**vi**lhas que en**cer**ra a vossa **lei**.

Ant. 2   Vossa ver**da**de, ó Se**nhor**, me ori**en**te e me con**duza**.

Salmo 24(25)

Prece de perdão e confiança

A esperança não decepciona (Rm 5,5).

I

= [1] Senhor meu **Deus**, a vós e**le**vo a minha **al**ma, †
[2] em vós con**fio**: que eu não seja envergonhado *
nem tri**un**fem sobre mim os inimigos!
— [3] Não se enver**go**nha quem em vós põe a esperança, *
mas sim, quem **ne**ga por um nada a sua fé.

— [4] Mos**trai**-me, ó Senhor, vossos caminhos, *
e fa**zei**-me conhecer a vossa estrada!
= [5] Vossa ver**da**de me oriente e me conduza, †
porque **sois** o Deus da minha salvação; *
em vós es**pe**ro, ó Senhor, todos os dias!

— [6] Recor**dai**, Senhor meu Deus, vossa ternura *
e a **vos**sa compaixão que são eternas!
— [7] Não recor**deis** os meus pecados quando jovem, *
nem vos lem**breis** de minhas faltas e delitos!
— De mim lem**brai**-vos, porque sois misericórdia *
e sois bon**da**de sem limites, ó Senhor! –

Quinta-feira – Hora Média

– ⁸O Senhor é piedade e retidão, *
e reconduz ao bom caminho os pecadores.
– ⁹Ele dirige os humildes na justiça, *
e aos pobres ele ensina o seu caminho.
– ¹⁰Verdade e amor são os caminhos do Senhor *
para quem guarda sua Aliança e seus preceitos.
– ¹¹Ó Senhor, por vosso nome e vossa honra, *
perdoai os meus pecados que são tantos!

Ant. Vossa verdade, ó Senhor, me oriente e me conduza.

Ant. 3 Voltai-vos para mim, tende piedade,
porque sou pobre, estou sozinho e infeliz!

II

– ¹²Qual é o homem que respeita o Senhor? *
Deus lhe ensina os caminhos a seguir.
– ¹³Será feliz e viverá na abundância, *
e os seus filhos herdarão a nova terra.
– ¹⁴o Senhor se torna íntimo aos que o temem *
e lhes dá a conhecer sua Aliança.
– ¹⁵Tenho os olhos sempre fitos no Senhor, *
pois ele tira os meus pés das armadilhas.
– ¹⁶Voltai-vos para mim, tende piedade,*
porque sou pobre, estou sozinho e infeliz!
– ¹⁷Aliviai meu coração de tanta angústia, *
e libertai-me das minhas aflições!
– ¹⁸Considerai minha miséria e sofrimento *
e concedei vosso perdão aos meus pecados!
– ¹⁹Olhai meus inimigos que são muitos, *
e com que ódio violento eles me odeiam!
– ²⁰Defendei a minha vida e libertai-me; *
em vós confio, que eu não seja envergonhado!
– ²¹Que a retidão e a inocência me protejam, *
pois em vós eu coloquei minha esperança!
– ²²Libertai, ó Senhor Deus, a Israel *
de toda sua angústia e aflição!

Ant. Voltai-vos para mim, tende piedade,
porque sou pobre, estou sozinho e infeliz!

I Semana

Leitura breve — Am 5,8

Aquele que fez as estrelas das Plêiades e o Órion e transforma as trevas em manhã e, de noite, escurece o dia, aquele que reúne as águas do mar e as derrama pela face da terra, seu nome é Senhor.

V. Diante **de**le vão a **gló**ria e a majes**ta**de,
R. E o seu **tem**plo, que be**le**za e esplen**dor**!

Oração

Deus onipotente, em vós não há trevas nem escuridão; fazei que vossa luz resplandeça sobre nós e, acolhendo vossos preceitos com alegria, sigamos fielmente o vosso caminho. Por Cristo, nosso Senhor.

Vésperas

V. Vinde, ó **Deus**. Glória ao **Pai**. Como era. (Ale**lu**ia).

Hino

Deus de supremo poder,
da água os seres gerastes.
Com uns enchestes os mares,
de outros o ar povoastes.

Uns mergulhastes nas águas,
outros soltastes no ar,
com o impulso que os leva
a toda a terra ocupar.

Dai graça a todos os servos,
no vosso sangue lavados,
para vencermos o tédio,
a morte e todo pecado.

Não nos deprimam as culpas,
nem nos inflame a vaidade;
não caia a mente abatida,
nem caia a mente elevada.

Ouvi-nos, Pai piedoso,
e vós, Imagem do Pai,
que com o Espírito Santo
eternamente reinais.

Quinta-feira – Vésperas

Salmodia

Ant. 1 Senhor meu **Deus**, clamei por **vós** e me curastes!
A vós louvor eternamente!

T.P.: Transformastes o meu pranto em uma festa, aleluia.

Salmo 29(30)

Ação de graças pela libertação da morte

Cristo, após sua gloriosa ressurreição, dá graças ao Pai (Cassiodoro).

– ²Eu vos exalto, ó Senhor, pois me livrastes, *
e não deixastes rir de mim meus inimigos!

– ³Senhor, clamei por vós, pedindo ajuda, *
e vós, meu Deus, me devolvestes a saúde!

– ⁴Vós tirastes minha alma dos abismos *
e me salvastes, quando estava já morrendo!

– ⁵Cantai salmos ao Senhor, povo fiel, *
dai-lhe graças e invocai seu santo nome!

– ⁶Pois sua ira dura apenas um momento, *
mas sua bondade permanece a vida inteira;

– se à tarde vem o pranto visitar-nos, *
de manhã vem saudar-nos a alegria.

– ⁷Nos momentos mais felizes eu dizia: *
"Jamais hei de sofrer qualquer desgraça!"

– ⁸Honra e poder me concedia a vossa graça, *
mas escondestes vossa face e perturbei-me.

– ⁹Por vós, ó meu Senhor, agora eu clamo, *
e imploro a piedade do meu Deus:

– ¹⁰"Que vantagem haverá com minha morte, *
e que lucro, se eu descer à sepultura?

– Por acaso, pode o pó agradecer-vos *
e anunciar vossa leal fidelidade?

– ¹¹Escutai-me, Senhor Deus, tende piedade! *
Sede, Senhor, o meu abrigo protetor!

– ¹²Transformastes o meu pranto em uma festa, *
meus farrapos, em adornos de alegria,

824 I Semana

=[13] para minh'alma vos louvar ao som da harpa †
e ao invés de se calar, agradecer-vos: *
Senhor meu **Deus**, eternamente hei de louvar-vos!

Ant. Senhor meu **Deus**, clamei por **vós** e me curastes!
A vós louvor eternamente!

T.P.: Transformastes o meu **pran**to em uma **festa**, aleluia.

Ant. 2 Feliz o homem a **quem** o Senhor
não olha **mais** como sendo culpado!

T.P.: Fomos **reconciliados** com Deus **Pai**
pela **mor**te de seu **Filho**, aleluia.

Salmo 31(32)

Feliz o homem que foi perdoado!

Davi declara feliz o homem a quem Deus credita a justiça independentemente das obras (Rm 4,6).

— [1] Feliz o **ho**mem que **foi** perdoado *
e cuja **fal**ta já foi encoberta!

= [2] Feliz o **ho**mem a quem o Senhor †
não olha **mais** como sendo culpado, *
e em cuja **al**ma não há falsidade!

= [3] Enquanto **eu** silenciei meu pecado, †
dentro de **mim** definhavam meus ossos *
e eu ge**mia** por dias inteiros,

— [4] porque sentia pesar sobre mim *
a vossa **mão**, ó Senhor, noite e dia;
e minhas **for**ças estavam fugindo, *
tal como a **sei**va da planta no estio.

— [5] Eu confes**sei**, afinal, meu pecado, *
e minha **fal**ta vos fiz conhecer.
Disse: "**Eu** irei confessar meu pecado!" *
E perdo**as**tes, Senhor, minha falta.

— [6] Todo fi**el** pode, assim, invocar-vos, *
durante o **tem**po da angústia e aflição,
porque, a**in**da que irrompam as águas, *
não pode**rão** atingi-lo jamais. —

Quinta-feira – Vésperas

– [7] Sois para **mim** proteção e refúgio; *
na minha ang**ú**stia me haveis de salvar,
– e envolve**reis** a minha alma no gozo *
da salva**ção** que me vem só de vós.

= [8] "Vou in**struir-te** e te dar um conselho; †
vou te **dar** um conselho a seguir, *
e sobre **ti** pousarei os meus olhos:

= [9] Não queiras **ser** semelhante ao cavalo, †
ou ao ju**men**to, animais sem razão; *
eles pre**cisam** de freio e cabresto

– para do**mar** e amansar seus impulsos, *
pois de outro **mo**do não chegam a ti".

= [10] Muito so**frer** é a parte dos ímpios; †
mas quem con**fia** em Deus, o Senhor, *
é envol**vido** por graça e perdão.

= [11] Regozi**jai**-vos, ó justos, em Deus, †
e no Se**nhor** exultai de alegria! *
Corações **retos**, cantai jubilosos!

Ant. Feliz o ho**mem** a **quem** o Senhor
não olha **mais** como sen**do** cul**pado!**

T.P.: Fomos **reconciliados** com Deus **Pai**
pela **morte** de seu **Filho**, ale**luia.**

Ant. 3 O Se**nhor** lhe deu o **reino**, a **gló**ria e o po**der**;
as na**ções** hão de ser**vi**-lo

T.P.: Quem se**rá** igual a **vós**, entre os **fortes**, ó Se**nhor**?
Quem se**rá** igual a **vós**, tão i**lustre** em santi**dade**? Ale**luia.**

Cântico Ap 11,17-18; 12,10b-12a

O julgamento de Deus

– [11,17] Graças vos **damos**, Senhor **Deus** onipo**tente**, *
a vós que **sois**, a vós que éreis e sereis,

– porque assu**mistes** o poder que vos pertence, *
e en**fim** tomastes posse como rei!

(R. **Nós** vos damos **graças**, nosso **Deus!**)

=	[18] As nações se enfureceram revoltadas, †
	mas chegou a vossa ira contra elas *
	e o tempo de julgar vivos e mortos,
=	e de dar a recompensa aos vossos servos, †
	aos profetas e aos que temem vosso nome, *
	aos santos, aos pequenos e aos grandes. (R.)

= [12.10] Chegou agora a salvação e o poder †
 e a realeza do Senhor e nosso Deus, *
 e o domínio de seu Cristo, seu Ungido.

— Pois foi expulso o delator que acusava *
 nossos irmãos, dia e noite, junto a Deus. (R.)

= [11] Mas o venceram pelo sangue do Cordeiro †
 e o testemunho que eles deram da Palavra, *
 pois desprezaram sua vida até à morte.

— [12] Por isso, ó céus, cantai alegres e exultai *
 e vós todos os que neles habitais! (R.)

Ant. O Senhor lhe deu o reino, a glória e o poder;
 as nações hão de servi-lo.

T.P.: Quem será igual a vós, entre os fortes, ó Senhor?
 Quem será igual a vós, tão ilustre em santidade? Aleluia.

Leitura breve
1Pd 1,6-9

Isto é motivo de alegria para vós, embora seja necessário que agora fiqueis por algum tempo aflitos, por causa de várias provações. Deste modo, a vossa fé será provada como sendo verdadeira – mais preciosa que o ouro perecível, que é provado no fogo – e alcançará louvor, honra e glória, no dia da manifestação de Jesus Cristo. Sem ter visto o Senhor, vós o amais. Sem o ver ainda, nele acreditais. Isso será para vós fonte de alegria indizível e gloriosa, pois obtereis aquilo em que acreditais: a vossa salvação.

Responsório breve
R. O Senhor nos saciou
 * Com a fina flor do trigo. R. O Senhor.
V. Com o mel que sai da rocha, nos fartou, nos satisfez.
 * Com a fina. Glória ao Pai. R. O Senhor.

Quinta-feira – Vésperas

Cântico evangélico, ant.

O Senhor derrubou os poderosos de seus tronos
e elevou os humildes.

Preces

Louvemos a Deus, nosso auxílio e esperança; e lhe peçamos com humildade:

R. **Velai, Senhor, sobre os vossos filhos e filhas!**

Senhor nosso Deus, que firmastes com o vosso povo uma aliança eterna,
– fazei que nos recordemos sempre de vossas maravilhas.   R.

Aumentai nos sacerdotes o espírito de caridade,
– e conservai os fiéis na unidade do espírito pelo vínculo da paz.   R.

Fazei que edifiquemos sempre em união convosco a cidade terrena,
– para que não trabalhem em vão os que a constroem.

Enviai operários à vossa messe,
– para que vosso nome seja glorificado entre todos os povos. R.

(intenções livres)

Admiti no convívio dos vossos santos nossos parentes, amigos e benfeitores falecidos,
– e fazei que um dia nos encontremos com eles no vosso reino.   R.

Pai nosso...

Oração

Ó Deus, que iluminais a noite e fazeis brilhar a luz depois das trevas, concedei-nos passar esta noite livres do tentador e, ao raiar um novo dia, dar-vos graças em vossa presença. Por nosso Senhor Jesus Cristo, vosso Filho, na unidade do Espírito Santo.

SEXTA-FEIRA

Laudes

V. Vinde, ó **Deus**. Glória ao **Pai**. Como era. (Ale**lui**a)·

Hino

Sois do céu a glória eterna,
esperança dos mortais,
sois da casta Virgem prole,
Unigênito do Pai.

Dai àqueles que despertam
seja a mente vigilante.
Em louvor e ação de graças,
nossa voz seja vibrante.

Nasce o astro luminoso,
nova luz ele anuncia.
Foge a noite, foi a treva,
vossa luz nos alumia.

Nossa mente torne clara,
faça a noite cintilar,
purifique nosso íntimo
até a vida terminar.

Cresça a nossa fé primeira
dentro em nosso interior;
a esperança acompanhe,
e maior seja o amor.

A vós, Cristo, rei piedoso,
e a vós, Pai, glória também
com o Espírito Paráclito
pelos séculos. Amém.

Salmodia

Ant. 1 Aceita**reis** o verda**dei**ro sacri**fí**cio
no al**tar** do cora**ção** arrepen**di**do.

T.P.: Lem**brai**-vos de **mim**, Senhor meu **Deus**,
quando ti**ver**des chegado em vosso **rei**no! Ale**lui**a.

Salmo 50(51)

Tende piedade, ó meu Deus!

Renovai o vosso espírito e a vossa mentalidade. Revesti o homem novo (Ef 4,23-24).

– [3] Tende piedade, ó meu **Deus**, misericórdia! *
Na imensidão de vosso amor, purificai-me!
– [4] Lavai-me todo inteiro do pecado, *
e apagai completamente a minha culpa!
– [5] Eu reconheço toda a minha iniquidade, *
o meu pecado está sempre à minha frente.
– [6] Foi contra **vós**, só contra vós, que eu pequei, *
e pratiquei o que é mau aos vossos olhos!
– Mostrais assim quanto sois justo na sentença, *
e quanto é reto o julgamento que fazeis.
– [7] Vede, Senhor, que eu nasci na iniquidade *
e pecador já minha mãe me concebeu.
– [8] Mas vós amais os corações que são sinceros, *
na intimidade me ensinais sabedoria.
– [9] Aspergi-me e serei puro do pecado, *
e mais **branco** do que a neve ficarei.
– [10] Fazei-me ouvir cantos de festa e de alegria, *
e exultarão estes meus ossos que esmagastes.
– [11] Desviai o vosso olhar dos meus pecados *
e apagai todas as minhas transgressões!
– [12] Criai em **mim** um coração que seja puro, *
dai-me de novo um espírito decidido.
– [13] Ó Senhor, não me afasteis de vossa face, *
nem retireis de mim o vosso Santo Espírito!
– [14] Dai-me de novo a alegria de ser salvo *
e confirmai-me com espírito generoso!
– [15] Ensinarei vosso caminho aos pecadores, *
e para **vós** se voltarão os transviados.
– [16] Da morte como pena, libertai-me, *
e minha língua exaltará vossa justiça!

830 I Semana

– [17] Abri meus **lábios**, ó Senhor, para cantar, *
e minha **bo**ca anunciará vosso louvor!
– [18] Pois não **são** de vosso agrado os sacrifícios, *
e, se o**fer**to um holocausto, o rejeitais.
– [19] Meu sacri**fí**cio é minha alma penitente, *
não despre**zeis** um coração arrependido!
– [20] Sede be**nig**no com Sião, por vossa graça, *
reconstruí Jerusalém e os seus muros!
– [21] E aceita**reis** o verdadeiro sacrifício, *
os holo**caus**tos e oblações em vosso altar!

Ant. Aceita**reis** o verda**dei**ro sacri**fí**cio
no al**tar** do cora**ção** arrependido.

T.P.: Lem**brai**-vos de **mim**, Senhor meu **Deus**,
quando tiver**des** chegado em vosso **rei**no! Ale**lu**ia.

Ant. 2 Será vitoriosa no Se**nhor**
e gloriosa toda a **ra**ça de Israel.

T.P.: Senhor **Deus** de Israel, ó Salva**dor**,
Deus escon**di**do real**men**te sois, Se**nhor**. Ale**lu**ia. †

Cântico Is 45,15-25

Todos os povos se converterão ao Senhor

Ao nome de Jesus todo joelho se dobre (Fl 2,10)

– [15] Senhor **Deus** de Israel, ó Salva**dor**, *
Deus escon**di**do, realmente, sois, Senhor!
= [16] Todos a**que**les que odeiam vosso nome, †
como a**que**les que fabricam os seus ídolos, *
serão co**ber**tos de vergonha e confusão.

– [17] Quem sal**vou** Israel foi o Senhor, *
e é para **sem**pre esta sua salvação.
– E não se**reis** envergonhados e humilhados, *
não o se**reis** eternamente pelos séculos!

– [18] Assim **fa**la o Senhor que fez os céus, *
o mesmo **Deus** que fez a terra e a fixou,
– e a cri**ou** não para ser como um deserto, *
mas a for**mou** para torná-la habitável: –

Sexta-feira – Laudes

= "Somente **eu** sou o Senhor, e não há outro! †
[19] Não fa**lei** às escondidas e em segredo, *
nem fa**lei** de algum lugar em meio às trevas;
— nem di**sse** à descendência de Jacó: *
'Procu**rai**-me e buscai-me inutilmente!'

— Eu, po**rém**, sou o Senhor, falo a verdade *
e anun**cio** a justiça e o direito!
—[20] Reu**ni**-vos, vinde todos, achegai-vos, *
pequeno **res**to que foi salvo entre as nações:

= como são **lou**cos os que levam os seus ídolos †
e os que **o**ram a uma estátua de madeira, *
a um **deus** que é incapaz de os salvar!
—[21] Apresen**tai** as vossas provas e argumentos, *
delibe**rai** e consultai-vos uns aos outros:

— Quem pre**dis**se essas coisas no passado? *
Quem reve**lou** há tanto tempo tudo isso?
= Não fui **eu**, o Senhor Deus, e nenhum outro? †
Não e**xis**te outro deus fora de mim! *
Sou o Deus **jus**to e Salvador, e não há outro!

—[22] Vol**tai**-vos para mim e sereis salvos, *
homens **to**dos dos confins de toda a terra!
— Porque **eu** é que sou Deus e não há outro, *
[23] e isso eu **ju**ro por meu nome, por mim mesmo!

— É ver**da**de o que sai da minha boca, *
minha palavra é palavra irrevogável!
= Diante de **mim** se dobrará todo joelho, †
e por meu **no**me hão de jurar todas as línguas: *
—[24] 'Só no Se**nhor** está a justiça e a fortaleza!'

— Ao Se**nhor** hão de voltar envergonhados *
todos a**que**les que o detestam e o renegam.
—[25] Mas se**rá** vitoriosa no Senhor *
e glori**o**sa toda a raça de Israel".

Ant. Se**rá** vitoriosa no Se**nhor** e glori**o**sa toda a **ra**ça de Israel.

T.P.: Senhor **Deus** de Israel, ó Salva**dor**,
Deus escon**di**do real**men**te sois, Se**nhor**. Ale**lu**ia.

Ant. 3 Vinde **todos** ao **Senhor** com **can**tos de alegria!

T.P.: Ser**vi** ao Se**nhor** com alegria. Aleluia.

Salmo 99(100)

A alegria dos que entram no templo

O Senhor ordena aos que foram salvos cantar um hino de vitória (Sto. Atanásio).

= ^{2} Acla**mai** o Se**nhor**, ó terra inteira, †
ser**vi** ao Senhor com alegria, *
ide a ele cantando jubilosos!

= ^{3} Sa**bei** que o Senhor, só ele, é Deus, †
Ele **mes**mo nos fez, e somos seus, *
nós **so**mos seu povo e seu rebanho.

= ^{4} **Entrai** por suas portas dando graças, †
e em seus **átrios** com hinos de louvor; *
dai-lhe **graças**, seu nome bendizei!

= ^{5} Sim, é **bom** o Senhor e nosso Deus, †
sua bon**da**de perdura para sempre, *
seu **amor** é fiel eternamente!

Ant. Vinde **todos** ao **Senhor** com **can**tos de alegria!

T.P.: Ser**vi** ao Se**nhor** com alegria. Aleluia.

Leitura breve   Ef 4,29-32

Nenhuma palavra perniciosa deve sair dos vossos lábios, mas sim alguma palavra boa, capaz de edificar oportunamente e de trazer graça aos que a ouvem. Não contristeis o Espírito Santo com o qual Deus vos marcou como com um selo para o dia da libertação. Toda a amargura, irritação, cólera, gritaria, injúrias, tudo isso deve desaparecer do meio de vós, como toda a espécie de maldade. Sede bons uns para com os outros, sede compassivos; perdoai-vos mutuamente, como Deus vos perdoou por meio de Cristo.

Responsório breve

R. Fazei-me **ce**do sen**tir**,
* Ó Se**nhor**, vosso **amor**! R. Fazei-me.
V. Indi**cai**-me o ca**mi**nho, que eu **de**vo se**guir**.
* Ó Se**nhor**. Glória ao **Pai**. R. Fazei-me.

Sexta-feira – Hora Média

Cântico evangélico, ant.
O **Senhor** visi**tou** o seu povo e o liber**tou**.

Preces

Adoremos a Cristo, que por sua cruz trouxe a salvação do gênero humano; e rezemos, dizendo:
R. **Mostrai-nos, Senhor, a vossa misericórdia!**

Cristo, sol nascente e luz sem ocaso, iluminai os nossos passos,
– e, desde o amanhecer, afastai de nós toda inclinação para o mal.
R.

Vigiai sobre nossos pensamentos, palavras e ações,
– para que vivamos todo este dia de acordo com a vossa vontade.
R.

Desviai o vosso olhar dos nossos pecados,
– e apagai todas as nossas transgressões.
R.

Pela vossa cruz e ressurreição,
– dai-nos a consolação do Espírito Santo.
R.

(intenções livres)

Pai nosso...

Oração

Senhor nosso Deus, que dissipais as trevas da ignorância com a luz de Cristo, vossa Palavra, fortalecei a fé em nossos corações, para que nenhuma tentação apague a chama acesa por vossa graça. Por nosso Senhor Jesus Cristo, vosso Filho, na unidade do Espírito Santo.

Hora Média

Vinde, ó **Deus**. Glória ao **Pai**. Como **era**. (Ale**luia**).
HINO como no Ordinário, p. 743.

Salmodia

Ant. 1 De **vos**sos manda**men**tos corro a estra**da**,
porque **vós** me dila**tais** o cora**ção**.

834 I Semana

Salmo 118(119),25-32
IV (Daleth)

Meditação sobre a Palavra de Deus na Lei

Ao entrar no mundo, afirma: Eu vim, ó Deus, para fazer a tua vontade (Hb 10,5.7).

—[25] A minha alma está prostrada na poeira, *
vossa palavra me devolva a minha vida!

—[26] Eu vos narrei a minha sorte e me atendestes, *
ensinai-me, ó Senhor, vossa vontade!

—[27] Fazei-me conhecer vossos caminhos, *
e então meditarei vossos prodígios!

—[28] A minha alma chora e geme de tristeza, *
vossa palavra me console e reanime!

—[29] Afastai me do caminho da mentira *
e dai-me a vossa lei como um presente!

—[30] Escolhi seguir a trilha da verdade, *
diante de mim eu coloquei vossos preceitos.

—[31] De coração quero apegar-me a, vossa lei; *
ó Senhor, não me deixeis desiludido!

—[32] De vossos mandamentos corro a estrada, *
porque vós me dilatais o coração.

Ant. De vossos mandamentos corro a estrada,
porque vós me dilatais o coração.

Ant. 2 Confiando no Senhor, não vacilei.

Salmo 25(26)

Prece confiante do Inocente

Em Cristo Deus nos escolheu para que sejamos santos e irrepreensíveis (Ef 1,4).

— [1] Fazei justiça, Senhor: sou inocente, *
e confiando no Senhor não vacilei.

— [2] Provai-me, Senhor, e examinai-me *
sondai meu coração e o meu íntimo!

— [3] Pois tenho sempre vosso amor ante meus olhos; *
vossa verdade escolhi por meu caminho.

Sexta-feira – Hora Média

– [4]Não me assento com os homens mentirosos, *
e não quero associar-me aos impostores;
– [5]eu detesto a companhia dos malvados, *
e com os ímpios não desejo reunir-me.
– [6]Eis que lavo minhas mãos como inocente *
e caminho ao redor de vosso altar,
– [7]celebrando em alta voz vosso louvor, *
e as vossas maravilhas proclamando.
– [8]Senhor, eu amo a casa onde habitais *
e o lugar em que reside a vossa glória.
– [9]Não junteis a minha alma à dos malvados, *
nem minha vida à dos homens sanguinários;
– [10]eles têm as suas mãos cheias de crime; *
sua direita está repleta de suborno.
– [11]Eu, porém, vou caminhando na inocência; *
libertai-me, ó Senhor, tende piedade!
– [12]Está firme o meu pé na estrada certa; *
ao Senhor eu bendirei nas assembleias.

Ant. Confiando no Senhor, não vacilei.

Ant. 3 Confiou no Senhor Deus meu coração,
e ele me ajudou e me alegrou.

Salmo 27(28)1-3.6-9
Súplica e ação de graças

Pai, eu te dou graças, porque me ouvistes (Jo 11,41).

– [1]A vós eu clamo, ó Senhor, ó meu rochedo, *
não fiqueis surdo à minha voz!
– Se não me ouvirdes, eu terei a triste sorte *
dos que descem ao sepulcro!
– [2]Escutai o meu clamor, a minha súplica, *
quando eu grito para vós;
– quando eu elevo, ó Senhor, as minhas mãos *
para o vosso santuário.
– [3]Não deixeis que eu pereça com os malvados, *
com quem faz a iniquidade;

836 I Semana

— eles **fa**lam sobre paz com o seu próximo, *
mas têm o **mal** no coração.
— [6] Bendito **seja** o Senhor, porque ouviu *
o cl**am**or da minha súplica!
— [7] Minha **força** e escudo é o Senhor; *
meu cora**ção** nele confia.
— Ele aju**dou**-me e alegrou meu coração; *
eu canto em **fes**ta o seu louvor.
— [8] O Se**nhor** é a fortaleza do seu povo *
e a salva**ção** do seu Ungido.
— [9] Sal**vai** o vosso povo e libertai-o; *
aben**çoai** a vossa herança!
— Sede **vós** o seu pastor e o seu guia *
pelos **séculos** eternos!

Ant. Confi**ou** no Senhor **Deus** meu cora**ção**,
e **e**le me aju**dou** e me ale**grou**.

Leitura breve 2Cor 13,4

É verdade que Cristo foi crucificado, em razão da sua fraqueza, mas está vivo, pelo poder de Deus. Nós também somos fracos nele, mas com ele viveremos, pelo poder de Deus para convosco.

V. A minha **al**ma está pros**tra**da na po**ei**ra.
R. Vossa pala**vra** me de**vol**va a minha vida!

Oração

Senhor Jesus Cristo, que, nesta hora, com o mundo envolto em trevas, fostes elevado na cruz, como vítima inocente para a salvação de todos, concedei-nos sempre vossa luz, que nos guie para a vida eterna. Vós, que viveis e reinais para sempre.

Vésperas

V. Vinde, ó **Deus**. Glória ao **Pai**. Como era. (**Aleluia**).

Hino

Deus, escultor do homem,
que a tudo, só, criastes,
e que do pó da terra
os animais formastes.

Sexta-feira – Vésperas

Sob o comando do homem
a todos colocastes,
para que a vós servissem
servindo a quem criastes.

Afastai, pois, os homens,
de uma fatal cilada;
que o Criador não perca
a criatura amada.

Dai-nos no céu o prêmio,
dando na terra a graça,
e assim chegar possamos
à paz que nunca passa.

A vós, Deus uno e trino,
em nosso amor cantamos;
nas criaturas todas
somente a vós buscamos.

Salmodia

Ant. 1 Curai-me, Senhor: eu pequei contra vós!

T.P.: Por nossa causa Jesus Cristo se fez pobre
e assim com sua pobreza enriqueceu-nos. Aleluia.

Salmo 40(41)

Prece de um enfermo

Um de vós, que come comigo, vai me trair (Mc 14,18).

– [2]Feliz de quem pensa no pobre e no fraco: *
o Senhor o liberta no dia do mal!

= [3]O Senhor vai guardá-lo e salvar sua vida, †
o Senhor vai torná-lo feliz sobre a terra, *
e não vai entregá-lo à mercê do inimigo.

– [4]Deus irá amparã-lo em seu leito de dor, *
e lhe vai transformar a doença em vigor.

– [5]Eu digo: "Meu Deus, tende pena de mim, *
curai-me, Senhor, pois pequei contra vós!"

– [6]O meu inimigo me diz com maldade: *
"Quando há de morrer e extinguir-se o seu nome?"

838   I Semana

= ⁷ Se alguém me visita, é com dupla intenção: †
recolhe más notícias no seu coração, *
e, apenas saindo, ele corre a espalhá-las.

– ⁸ Vaticinam desgraças os meus inimigos, *
reunidos sussurram o mal contra mim:

– ⁹ "Uma peste incurável caiu sobre ele, *
e do leito em que jaz nunca mais se erguerá!"

– ¹⁰ Até mesmo o amigo em quem mais confiava, *
que comia o meu pão, me calcou sob os pés.

– ¹¹ Vós ao menos, Senhor, tende pena de mim, *
levantai-me: que eu possa pagar-lhes o mal.

– ¹² Eu, então, saberei que vós sois meu amigo, *
porque não triunfou sobre mim o inimigo.

– ¹³ Vós, porém, me havereis de guardar são e salvo *
e me pôr para sempre na vossa presença.

– ¹⁴ Bendito o Senhor, que é Deus de Israel, *
desde sempre, agora e sempre. Amém!

Ant. Curai-me, Senhor: eu pequei contra vós!

T.P.: Por nossa causa Jesus Cristo se fez pobre
e assim com sua pobreza enriqueceu-nos. Aleluia.

Ant. 2 Conosco está o Senhor do universo!
O nosso refúgio é o Deus de Jacó!

T.P.: Um rio d'água viva vem trazer alegria
à Cidade de Deus. Aleluia.

Salmo 45(46)

O Senhor é refúgio e vigor

*Ele será chamado pelo nome de Emanuel, que significa: Deus
está conosco* (Mt 1.23).

– ² O Senhor para nós é refúgio e vigor, *
sempre pronto, mostrou-se um socorro na angústia;

– ³ Assim não tememos, se a terra estremece, *
se os montes desabam, caindo nos mares,

– ⁴ se as águas trovejam e as ondas se agitam, *
se, em feroz tempestade, as montanhas se abalam: –

Sexta-feira – Vésperas

– ⁵Os **braços** de um rio vêm **trazer** alegria *
à **Cidade** de Deus, à **morada** do Altíssimo.
– ⁶**Quem** a **pode** abalar? Deus **está** no seu meio! *
Já bem **antes** da aurora, ele **vem** ajudá-la.
– ⁷Os **povos** se agitam, os **reinos** desabam; *
troveja sua voz e a **terra** estremece.
– ⁸**Conosco** está o **Senhor** do universo! *
O **nosso** refúgio é o **Deus** de Jacó!
– ⁹**Vinde ver**, contemplai os **prodígios** de Deus *
e a **obra** estupenda que **fez** no universo:
= **reprime** as guerras na **face** da terra, †
¹⁰**ele quebra** os arcos, as **lanças** destrói *
e **queima** no fogo os **escudos** e as armas:
– ¹¹**"Parai** e sabei, **conhecei** que eu sou Deus, *
que **domino** as nações, que **domino** a terra!"
– ¹²**Conosco** está o **Senhor** do **universo**! *
O **nosso** refúgio é o **Deus** de Jacó!

Ant. **Conosco** está o **Senhor** do **universo**!
O **nosso** refúgio é o **Deus** de Jacó!

T.P.: Um **rio** d'água **viva** vem **trazer** alegria
à **Cidade** de **Deus**. Aleluia.

Ant. 3 Os **povos virão** adorar-vos, **Senhor**.

T.P.: Ao **Senhor** quero **cantar** pois fez **brilhar** a sua **glória**. Aleluia.

Cântico   Ap 15,3-4

Hino de adoração

– ³**Como** são **grandes** e **admiráveis** vossas **obras**, *
ó **Senhor** e nosso Deus onipotente!
– Vossos **caminhos** são verdade, são justiça, *
ó **Rei** dos povos todos do universo!
– (R. São **grandes** vossas **obras**, ó **Senhor**!)
= ⁴**Quem**, **Senhor**, não haveria de temer-vos, †
e **quem** não honraria o vosso nome? *
Pois **somente** vós, Senhor, é que sois santo!   (R.)
= As nações **todas** hão de vir perante vós †
e, **prostradas**, haverão de adorar-vos, *
pois vossas **justas** decisões são manifestas.   (R.)

840   I Semana

Ant. Os **po**vos vi**rão** ado**rar**-vos, Se**nhor**.

T.P.: Ao Se**nhor** quero can**tar** pois fez bri**lhar** a sua glória. Aleluia.

Leitura breve   Rm 15,1-3

Nós que temos convicções firmes devemos suportar as fraquezas dos menos fortes e não buscar a nossa própria satisfação. Cada um de nós procure agradar ao próximo para o bem, visando a edificação. Com efeito, Cristo também não procurou a sua própria satisfação, mas, como está escrito: Os ultrajes dos que te ultrajavam caíram sobre mim.

Responsório breve

R. Jesus **Cris**to nos a**mou**.
 * E em seu **san**gue nos la**vou**. R. Jesus **Cris**to.
V. Fez-nos **reis** e sacer**do**tes para **Deus**, o nosso **Pai**.
 * E em seu **san**gue. Glória ao **Pai**. R. Jesus **Cris**to.

Cântico evangélico, ant.

O Se**nhor** nos aco**lheu** a **nós**, seus servi**do**res,
fiel ao seu a**mor**.

Preces

Bendigamos a Deus, que ouve benignamente os desejos dos humildes e sacia de bens os famintos; e peçamos com fé:
R. **Mostrai-nos, Senhor, a vossa misericórdia!**

Senhor, Pai de bondade, nós vos pedimos por todos os membros sofredores de vossa Igreja,
– pelos quais vosso Filho Jesus Cristo ofereceu no madeiro da cruz o sacrifício vespertino.   R.

Libertai os prisioneiros, dai a vista aos cegos,
– e protegei os órfãos e as viúvas.   R.

Dai aos fiéis a vossa força,
– para que possam resistir às tentações do demônio.   R.

Vinde, Senhor, em nosso auxílio, quando chegar a hora de nossa morte,
– para perseverarmos na vossa graça e partirmos deste mundo em paz.   R.

(intenções livres)

Conduzi à luz em que habitais nossos irmãos e irmãs que morreram,
– para que vos possam contemplar eternamente. R.
Pai nosso...

Oração

Concedei-nos, Senhor, a sabedoria da cruz, para que, instruídos pela paixão de vosso Filho, sejamos capazes de sempre levar seu jugo suave. Por nosso Senhor Jesus Cristo, vosso Filho, na unidade do Espírito Santo.

I SÁBADO

Laudes

V. Vinde, ó **Deus**. Glória ao **Pai**. Como **era**. (**Aleluia**).

Hino

No céu refulge a aurora
e nasce um novo dia.
As trevas se dissipem:
a luz nos alumia.

Bem longe os fantasmas,
os sonhos e ilusões!
Do mal que vem das trevas
quebremos os grilhões.

Na aurora derradeira
possamos, preparados,
cantar de Deus a glória,
na sua luz banhados.

Louvor e glória ao Pai,
ao Filho seu também,
e ao Divino Espírito
agora e sempre. Amém.

Salmodia

Ant. 1 A vós di**ri**jo os meus **o**lhos já bem **an**tes da au**ro**ra.

T.P.: Dai-me a **vi**da, Se**nhor**, por vosso **a**mor. Ale**lu**ia.

I Semana

Salmo 118(119),145-152
XIX (Coph)

Meditação sobre a Palavra de Deus na Lei

O *amor é o cumprimento perfeito da Lei* (Rm 13,10).

— [145]Clamo de todo o coração: Senhor, ouvi-me! *
Quero cumprir vossa vontade fielmente!

— [146]Clamo a **vós**: Senhor, salvai-me, eu vos suplico, *
e então eu guardarei vossa Aliança!

— [147]Chego antes que a aurora e vos imploro, *
e espero confiante em vossa lei.

— [148]Os meus olhos antecipam as vigílias, *
para de noite meditar vossa palavra.

— [149]Por vosso amor ouvi atento a minha voz *
e dai-me a vida, como é vossa decisão!

— [150]Meus opressores se aproximam com maldade; *
como estão longe, ó Senhor, de vossa lei!

— [151]Vós estais perto, ó Senhor, perto de mim; *
todos os vossos mandamentos são verdade!

— [152]Desde criança aprendi vossa Aliança *
que firmastes para sempre, eternamente.

Ant. A vós dirijo os meus olhos já bem antes da aurora.

T.P.: Dai-me a vida, Senhor, por vosso amor. Aleluia.

Ant. 2 O Senhor é minha força, é a razão do meu cantar,
pois foi ele neste dia para mim libertação!

T.P.: Os que venceram entoavam o Canto de Moisés,
o servo do Senhor, e o canto do Cordeiro. Aleluia.

Cântico   Ex 15,1-4b.8-13.17-18

Hino de vitória após a passagem do Mar Vermelho

*Todos aqueles que saíram vitoriosos do confronto com a besta
entoavam o cântico de Moisés, o servo de Deus* (Ap 15,2-3).

— [1]Ao Senhor quero cantar, pois fez brilhar a sua glória: *
precipitou no mar Vermelho o cavalo e o cavaleiro!

— [2]O Senhor é minha força, é a razão do meu cantar, *
pois foi ele neste dia para mim libertação! —

Sábado – Laudes

843

= Ele é meu **Deus** e o louvarei, Deus de meu **pai** e o honrarei.†
    [3] O **Senhor** é um Deus guerreiro, o seu **nome** é "Onipotente":*
    [4] os sol**dados** e os carros do Faraó jogou no mar.

= [8] Ao so**prar** a vossa ira, amontoaram-se as águas, †
    levan**taram**-se as ondas e for**maram** uma muralha, *
    e i**móveis** se fizeram, em meio ao **mar**, as grandes vagas.

= [9] O ini**migo** tinha dito: "Hei de se**gui**-los e alcançá-los! †
    Reparti**rei** os seus despojos e minh'**alma** saciarei; *
    arranca**rei** da minha espada e minha **mão** os matará!"

– [10] Mas so**prou** o vosso vento, e o **mar** os recobriu; *
    afun**daram** como chumbo entre as águas agitadas.

= [11] Quem se**rá** igual a vós, entre os **fortes**, ó Senhor? †
    Quem se**rá** igual a vós, tão i**lustre** em santidade, *
    tão ter**rível** em proezas, em pro**dígios** glorioso?

= [12] Esten**destes** vossa mão, e a **terra** os devorou; †
    [13] mas o **povo** libertado condu**zistes** com carinho *
    e o le**vastes** com poder à vossa **santa** habitação.

= [17] Vós, Se**nhor**, o levareis e o planta**reis** em vosso monte, *
    no lu**gar** que preparastes para a **vossa** habitação,
    no Santuário construído pelas vossas próprias mãos. *
    [18] O **Senhor** há de reinar eterna**mente**, pelos séculos!

Ant. O Senhor é minha **força**, é a ra**zão** do meu can**tar**, pois foi
    ele neste **dia** para **mim** libertação!

T.P.: Os que venceram entoavam o **Canto** de Moi**sés**,
    o **servo** do Se**nhor**, e o **canto** do Cordeiro. Aleluia.

Ant. 3 Cantai louvores ao Se**nhor**, todas as **gentes**! †

T.P.: Foi comprovado o seu **amor** para co**nosco**, ale**luia**.

Salmo 116(117)

Louvor ao Deus misericordioso

*Eu digo:... os pagãos glorificam a Deus, em razão da sua mise-
ricórdia* (Rm 15,8.9)

– [1] Cantai louvores ao Se**nhor**, todas as **gentes**, *
    † povos **todos**, feste**jai**-o!

– [2] Pois comprovado é seu amor para co**nosco**, *
    para **sempre** ele é fiel!

Ant. Cantai louvores ao Senhor, todas as gentes!

T.P.: Foi comprovado o seu amor para conosco, aleluia.

Leitura breve 2Pd 1,10-11

Irmãos, cuidai cada vez mais de confirmar a vossa vocação e eleição. Procedendo assim, jamais tropeçareis. Desta maneira vos será largamente proporcionado o acesso ao reino eterno de nosso Senhor e Salvador, Jesus Cristo.

Responsório breve

R. A vós grito, ó Senhor, a vós clamo
  * E vos digo: Sois vós meu abrigo! R. A vós grito.
V. Minha herança na terra dos vivos. * E vos digo.
  Glória ao Pai. R. A vós grito.

Cântico evangélico, ant.

Iluminai, ó Senhor, os que jazem nas trevas
e na sombra da morte.

Preces

Bendigamos a Cristo que se fez em tudo semelhante a seus irmãos para ser um sumo-sacerdote fiel e misericordioso junto de Deus, em nosso favor. Peçamos-lhe, dizendo:

R. **Dai-nos, Senhor, as riquezas da vossa graça!**

Sol de justiça, que no batismo nos destes a luz da vida,
 —nós vos consagramos este novo dia. R.

Nós vos bendiremos em cada momento deste dia,
 —e glorificaremos vosso nome em todas as nossas ações. R.

Vós, que tivestes por mãe a Virgem Maria, sempre dócil à vossa palavra,
 —dirigi hoje os nossos passos segundo a vossa vontade. R.

Concedei-nos que, enquanto peregrinamos em meio às coisas deste mundo passageiro, aspiremos à imortalidade celeste,
 —e que, pela fé, esperança e caridade, saboreemos desde já as alegrias do vosso reino. R.

(intenções livres)

Pai nosso...

Sábado – Hora Média

Oração

Fazei, Senhor, brilhar em nossos corações o esplendor da ressurreição, para que, livres das trevas da morte, cheguemos à luz da vida eterna. Por nosso Senhor Jesus Cristo, vosso Filho, na unidade do Espírito Santo.

Hora Média

V. Vinde, ó **Deus**. Glória ao **Pai**. Como era. (Ale**lui**a).
HINO como no Ordinário, p. 743.

Salmodia

Ant. 1 Gui**ai**-me no ca**mi**nho de **vos**sos manda**men**tos.

Salmo 118(119),33-40
V (He)

Meditação sobre a Palavra de Deus na Lei

Seja feita a tua vontade assim na terra como nos céus (Mt 6,10).

–[33] Ens**inai**-me a vi**ver** vossos preceitos; *
quero guar**dá**-los fielmente até o fim!

–[34] Dai-me o sa**ber**, e cumprirei a vossa lei, *
e de **to**do o coração a guardarei.

–[35] Guiai meus **pas**sos no caminho que traçastes, *
pois só **ne**le encontrarei felicidade.

–[36] Incli**nai** meu coração às vossas leis, *
e **nun**ca ao dinheiro e à avareza.·

–[37] Desvi**ai** o meu olhar das coisas vãs, *
dai-me a vida pelos vossos mandamentos!

–[38] Cumpri, Se**nhor**, vossa promessa ao vosso servo,*
vossa pro**mes**sa garantida aos que vos temem.

–[39] Li**vrai**-me do insulto que eu receio, *
porque **vos**sos julgamentos são suaves.

–[40] Como an**sei**o pelos vossos mandamentos!*
Dai-me a **vi**da, ó Senhor, porque sois justo!

Ant. Gui**ai**-me no ca**mi**nho de **vos**sos manda**men**tos.

Ant. 2 Aos que **bus**cam o Se**nhor** não falta **na**da.

846 I Semana

Salmo 33(34)

O Senhor é a salvação dos justos

Vós provastes que o Senhor é bom (1Pd 2,3).

I

– ² Bendi**rei** o Senhor **Deus** em todo **tem**po, *
seu lou**vor** estará sempre em minha boca,
– ³ Minha **alma** se gloria no Senhor, *
que **ou**çam os humildes e se alegrem!
– ⁴Co**mi**go engrandecei ao Senhor Deus, *
exal**temos** todos juntos o seu nome!
– ⁵Todas as **ve**zes que o busquei; ele me ouviu, *
e de **to**dos os temores me livrou.
– ⁶Contem**plai** a sua face e alegrai-vos, *
e vosso **ros**to não se cubra de vergonha!
– ⁷Este infe**liz** gritou a Deus, e foi ouvido, *
e o Se**nhor** o libertou de toda angústia.
– ⁸O **an**jo do Senhor vem acampar *
ao re**dor** dos que o temem, e os salva.
– ⁹Provai e **ve**de quão suave é o Senhor! *
Feliz o **ho**mem que tem nele o seu refúgio!
– ¹⁰Respei**tai** o Senhor Deus, seus santos todos, *
porque **na**da faltará aos que o temem.
– ¹¹Os **ri**cos empobrecem, passam fome, *
mas aos que **bus**cam o Senhor não falta nada.

Ant. Aos que **bus**cam o Se**nhor** não falta **na**da.

Ant. 3 Procura a **paz** e vai com ela em seu ca**mi**nho.

II

– ¹²Meus **fi**lhos, vinde a**go**ra e escu**tai**-me: *
vou ensi**nar**-vos o temor do Senhor Deus.
– ¹³Qual o **ho**mem que não ama sua vida, *
procu**ran**do ser feliz todos os dias?
– ¹⁴A**fas**ta a tua língua da maldade, *
e teus **lá**bios, de palavras mentirosas.
– ¹⁵A**fas**ta-te do mal e faze o bem, *
procura a **paz** e vai com ela em seu caminho. ⁓

Sábado – Hora Média

847

–[16] O **Senhor** pousa seus olhos sobre os justos, *
e seu ouvido está atento ao seu chamado;
–[17] mas ele **volta** a sua face contra os maus, *
para da **terra** apagar sua lembrança.
–[18] Clamam os **justos**, e o Senhor bondoso escuta *
e de **todas** as angústias os liberta.
–[19] Do **coração** atribulado ele está perto *
e **conforta** os de espírito abatido.
–[20] Muitos **males** se abatem sobre os justos, *
mas o Senhor de todos eles os liberta.
–[21] Mesmo os seus **ossos** ele os guarda e os protege, *
e nenhum **deles** haverá de se quebrar.
–[22] A malícia do iníquo leva à morte, *
e **quem** odeia o justo é castigado.
–[23] Mas o Senhor liberta a vida dos seus servos, *
e **castigado** não será quem nele espera.

Ant. Procura a **paz** e vai com **ela** em seu caminho.

Leitura breve Jr 17,9-10

Em tudo é enganador o coração, e isto é incurável; quem poderá
conhecê-lo? Eu sou o Senhor, que perscruto o coração e provo
os sentimentos, que dou a cada qual conforme o seu proceder e
conforme o fruto de suas obras.

V. Perdo**ai** as minhas **faltas** que não **vejo**.
R. E preser**vai** o vosso **servo** do orgulho!

Oração

Senhor nosso Deus, luz ardente de amor eterno, concedei que,
inflamados na vossa caridade, num mesmo amor amemos a vós,
acima de tudo, e aos irmãos e irmãs por vossa causa. Por Cristo,
nosso Senhor.

II SEMANA

II DOMINGO

I Vésperas

V. Vinde, ó **Deus**. Glória ao **Pai**. Como era. (Aleluia).

Hino

Ó Deus, fonte de todas as coisas,
vós enchestes o mundo de dons
e, depois de criar o universo,
concluístes que tudo era bom.

Terminando tão grande trabalho,
decidistes entrar em repouso,
ensinando aos que cansam na luta,
que o descanso é também dom precioso.

Concedei aos mortais que suplicam,
os seus erros lavarem no pranto
e andarem nos vossos caminhos,
descobrindo da vida o encanto.

Deste modo, ao chegar para a terra
a aflição do temível Juiz,
possam todos, repletos de paz,
se alegrar pela vida feliz.

Esse dom concedei-nos, Deus Pai,
pelo Filho Jesus, Sumo Bem,
no Espírito Santo Paráclito,
que reinais para sempre. Amém.

Ou:

Salve o dia que é glória dos dias,
feliz dia, de Cristo vitória,
dia pleno de eterna alegria,
o primeiro.

Luz divina brilhou para os cegos;
nela o Cristo triunfa do inferno,
vence a morte, reconciliando
terra e céus.

Domingo – I Vésperas

A sentença eterna do Rei
tudo sob o pecado encerrou,
para que na fraqueza
brilhasse maior graça.

O poder e a ciência de Deus
misturaram rigor e clemência,
quando o mundo já estava caindo
nos abismos.

Surge livre o Reino da morte
quem o gênero humano restaura,
reconduz em seus ombros a ovelha
ao redil.

Reine a paz entre os anjos e os homens,
e no mundo a total plenitude.
Ao Senhor triunfante convém
toda a glória.

Mãe Igreja, tua voz faça coro
à harmonia da pátria celeste.
Cantem hoje Aleluias de glória
os fiéis.

Triunfando do império da morte,
triunfal alegria gozemos.
Paz na terra e nos céus alegria.
Assim seja.

Salmodia

Nos domingos do Advento, Natal, Quaresma e Páscoa, as antífonas são próprias do Tempo correspondente.

Ant. 1 Vossa palavra, Senhor,
é uma **luz** para os meus **pas**sos. Ale**lu**ia.

Salmo 118(119),105-112

XIV (Nun)

Meditação sobre a Palavra de Deus na Lei

Este é o meu mandamento: amai-vos uns aos outros (Jo 15,12).

— [105] Vossa pa**la**vra é uma **luz** para os meus **pas**sos, *
é uma **lâm**pada luzente em meu caminho.

850   I Semana

–[106] Eu **fiz** um juramento e vou cumpri-lo: *
"Hei de guar**dar** os vossos justos julgamentos!"
–[107] Ó Se**nhor**, estou cansado de sofrer; *
vossa pala**vr**a me devolva a minha vida!
–[108] Que vos agra**de** a oferenda dos meus lábios; *
ensi**nai**-me, ó Senhor, vossa vontade!
–[109] Constante**mente** está em perigo a minha vida, *
mas não es**queço**, ó Senhor, a vossa lei.
–[110] Os pecado**res** contra mim armaram laços; *
eu, po**rém**, não reneguei vossos preceitos.
–[111] Vossa pala**vra** é minha herança para sempre, *
porque **ela** é que me alegra o coração!
–[112] Acostu**mei** meu coração a obedecer-vos, *
a obede**cer**-vos para sempre, até o fim!

Ant. Vossa palavra, Se**nhor**,
é uma **luz** para os meus **passos**. Ale**luia**.

Ant. 2 Junto a **vós**, felici**da**de sem li**mi**tes, ale**luia**.

Salmo 15(16)

O Senhor é minha herança

Deus ressuscitou a Jesus, libertando-o das angústias da morte
(At 2,24).

= [1] Guardai-me, ó **Deus**, porque em **vós** me refu**gio**! †
[2] Digo ao Se**nhor**: "Somente vós sois meu Senhor: *
nenhum **bem** eu posso achar fora de vós!"
– [3] Deus me inspi**rou** uma admirável afeição *
pelos **san**tos que habitam sua terra.
– [4] Multi**pli**cam, no entanto, suas dores *
os que **cor**rem para deuses estrangeiros;
– seus sacrifícios sanguinários não partilho, *
nem seus **no**mes passarão pelos meus lábios.
– [5] Ó Se**nhor**, sois minha herança e minha taça, *
meu de**sti**no está seguro em vossas mãos!
– [6] Foi demar**ca**da para mim a melhor terra, *
e eu e**xul**to de alegria em minha herança! –

Domingo – I Vésperas

– ⁷Eu ben**di**go o Senhor que me aconselha, *
  e até de **noi**te me adverte o coração.
– ⁸Tenho **sem**pre o Senhor ante meus olhos, *
  pois se o **ten**ho a meu lado, não vacilo.
= ⁹Eis por **que** meu coração está em festa, †
  minha **al**ma rejubila de alegria, *
  e até meu **cor**po no repouso está tranquilo;
– ¹⁰pois não ha**veis** de me deixar entregue à morte, *
  nem vosso **a**migo conhecer a corrupção.
= ¹¹Vós me ensi**nais** vosso caminho para a vida; †
  junto a **vós**, felicidade sem limites, *
  delícia **e**terna e alegria ao vosso lado!

Ant. Junto a **vós**, felici**da**de sem li**mi**tes, ale**lui**a.

Ant. 3 Ao **no**me de Jesus, nosso Se**nhor**,
  se **do**bre reve**ren**te todo joelho,
  seja nos **céus**, seja na **terra**, ale**lui**a.

Cântico

Fl 2,6-11

Cristo, o Servo de Deus

= ⁶Embora **fos**se de di**vi**na condi**ção**, †
  Cristo Je**sus** não se apegou ciosamente *
  a ser i**gual** em natureza a Deus Pai.
(R. Jesus **Cris**to é Se**nhor** para a **gló**ria de Deus **Pai!**)
= ⁷Po**rém** esvaziou-se de sua glória †
  e assu**miu** a condição de um escravo, *
  fa**zen**do-se aos homens semelhante.   (R.)
= Reconhe**ci**do exteriormente como homem, †
  ⁸humi**lhou**-se, obedecendo até à morte, *
  até à **mor**te humilhante numa cruz.   (R.)
= ⁹Por isso **Deus** o exaltou sobremaneira †
  e deu-lhe o **no**me mais excelso, mais sublime, *
  e ele**va**do muito acima de outro nome.   (R.)
= ¹⁰Para **que** perante o nome de Jesus †
  se **do**bre reverente todo joelho, *
  seja nos **céus**, seja na terra ou nos abismos.   (R.)

852   **II Semana**

= ¹¹E toda **lín**gua reconheça, confessando, †
    para a **gló**ria de Deus Pai e seu louvor: *
    "Na ver**da**de Jesus Cristo é o Senhor!"   (R.)

Ant. Ao **no**me de Je**sus**, nosso Se**nhor**,
    se **do**bre reve**ren**te todo joelho,
    seja nos **céus**, seja na **ter**ra, ale**lui**a.

Leitura breve   Cl 1,2b-6a

A vós, graça e paz da parte de Deus nosso Pai. Damos graças a
Deus, Pai de nosso Senhor Jesus Cristo, sempre rezando por vós,
pois ouvimos acerca da vossa fé em Cristo Jesus e do amor que
mostrais para com todos os santos, animados pela esperança na
posse do céu. Disso já ouvistes falar no Evangelho, cuja palavra
de verdade chegou até vós. E como no mundo inteiro, assim também entre vós ela está produzindo frutos e se desenvolve.

Responsório breve

R. Do nas**cer** do sol a**té** o seu o**ca**so,
    * Louva**do** seja o **no**me do Se**nhor**! **R.** Do nas**cer**.
V. Sua **gló**ria vai a**lém** dos altos **céus**. * Louva**do**.
    Glória ao **Pai**. **R.** Do nas**cer**.
Antífona do Magníficat como no Próprio do Tempo.

Preces

Demos graças a Deus que auxilia e protege o povo que escolheu como sua herança para que viva feliz. Recordando seu amor,
aclamemos dizendo:
R. Senhor, nós confiamos em vós!

Deus de bondade, nós vos pedimos pelo nosso Papa **N.** e pelo
nosso bispo **N.**;
– protegei-os com o vosso poder e santificai-os com a vossa graça.   **R.**

Confortai os doentes e tornai-os participantes da paixão de Cristo
por seus sofrimentos,
– para que sintam continuamente a sua consolação.   **R.**

Olhai com amor para os que não têm onde morar,
– e fazei que encontrem uma digna habitação.   **R.**

Dignai-vos multiplicar e conservar os frutos da terra,
– para que a ninguém falte o pão de cada dia.   **R.**

Domingo – Laudes 853

Ou:
(Defendei o nosso povo de todo mal,
– para que desfrute da vossa paz e prosperidade). R.
(intenções livres)

Envolvei com vossa misericórdia os que morreram,
– e dai-lhes um lugar no céu. R.
Pai nosso...
Oração como no Próprio do Tempo.

Laudes

V. Vinde, ó **Deus**. Glória ao **Pai**. Como era. (Aleluia).

Hino

Eis que da noite já foge a sombra
e a luz da aurora refulge, ardente.
Nós, reunidos, a Deus oremos
e invoquemos o Onipotente.

Deus, compassivo, nos salve a todos
e nos afaste de todo o mal.
O Pai bondoso, por sua graça,
nos dê o reino celestial.

Assim nos ouça o Deus Uno e Trino,
Pai, Filho e Espírito Consolador.
Por toda a terra vibram acordes
dum canto novo em seu louvor.

Salmodia
Ant. 1 Ben**di**to o que **vem** em **no**me do Senhor! Aleluia.

Nos domingos do Advento, Natal, Quaresma e Páscoa, as antífonas são
próprias do Tempo correspondente.

Salmo 117(118)

Canto de alegria e salvação

*Ele é a pedra, que vós, os construtores, desprezastes, e que se
tornou a pedra angular* (At 4,11).

– [1] Dai gra**ç**as ao Se**nhor**, porque ele é **bom**! *
"Et**er**na é a sua misericórdia!" –

– [2] A casa de Israel agora o diga: *
   "Eterna é a sua misericórdia!"
– [3] A casa de Aarão agora o diga: *
   "Eterna é a sua misericórdia!"
– [4] Os que temem o Senhor agora o digam: *
   "Eterna é a sua misericórdia!"

– [5] Na minha angústia eu clamei pelo Senhor, *
   e o Senhor me atendeu e libertou!
– [6] O Senhor está comigo, nada temo; *
   o que pode contra mim um ser humano?
– [7] O Senhor está comigo, é o meu auxílio, *
   hei de ver meus inimigos humilhados.

– [8] "É melhor buscar refúgio no Senhor *
   do que pôr no ser humano a esperança;
– [9] é melhor buscar refúgio no Senhor *
   do que contar com os poderosos deste mundo!"

–[10] Povos pagãos me rodearam todos eles, *
   mas em nome do Senhor os derrotei;
–[11] de todo lado todos eles me cercaram, *
   mas em nome do Senhor os derrotei;
=[12] como um enxame de abelhas me atacaram, †
   como um fogo de espinhos me queimaram, *
   mas em nome do Senhor os derrotei.

–[13] Empurraram-me, tentando derrubar-me, *
   mas veio o Senhor em meu socorro.
–[14] O Senhor é minha força e o meu canto, *
   e tornou-se para mim o Salvador.

–[15] "Clamores de alegria e de vitória *
   ressoem pelas tendas dos fiéis.
=[16] A mão direita do Senhor fez maravilhas, †
   a mão direita do Senhor me levantou, *
   a mão direita do Senhor fez maravilhas!"

–[17] Não morrerei, mas, ao contrário, viverei *
   para cantar as grandes obras do Senhor!
–[18] O Senhor severamente me provou, *
   mas não me abandonou às mãos da morte.–

Domingo – Laudes

— [19] Abri-me **vós**, abri-me as portas da justiça; *
    quero en**trar** para dar graças ao Senhor!
— [20] "Sim, **est**a é a porta do Senhor, *
    por **el**a só os justos entrarão!"
— [21] Dou-vos **graças**, ó Senhor, porque me ouvistes *
    e vos tor**nas**tes para mim o Salvador!
— [22] "A **pe**dra que os pedreiros rejeitaram *
    tor**nou**-se agora a pedra angular.
— [23] Pelo Se**nhor** é que foi feito tudo isso: *
    Que maravilhas ele fez a nossos olhos!
— [24] Este é o **dia** que o Senhor fez para nós, *
    ale**gre**mo-nos e nele exultemos!
— [25] Ó Se**nhor**, dai-nos a vossa salvação, *
    ó Se**nhor**, dai-nos também prosperidade!"
— [26] Ben**di**to seja, em nome do Senhor, *
    a**que**le que em seus átrios vai entrando!
— Desta **ca**sa do Senhor vos bendizemos. *
    [27] Que o Se**nhor** e nosso Deus nos ilumine!

— Empu**nhai** ramos nas mãos, formai cortejo, *
    aproxi**mai**-vos do altar, até bem perto!
— [28] Vós sois meu **Deus,** eu vos bendigo e agradeço! *
    Vós sois meu **Deus**, eu vos exalto com louvores!
— [29] Dai **graças** ao Senhor, porque ele é bom! *
    "Eterna é a sua misericórdia!"

Ant. Ben**di**to o que **vem** em **no**me do Se**nhor**! Ale**lu**ia.

Ant. 2 Can**te**mos um **hi**no ao Se**nhor**, ale**lu**ia.

Cântico

Dn 3,52-57

Louvor das criaturas ao Senhor

O Criador é bendito para sempre (Rm 1,25).

— [52] Sede ben**di**to, Senhor **Deus** de nossos **pais**! *
    A vós lou**vor**, honra e glória eternamente!
— Sede ben**di**to, nome santo e glorioso! *
    A vós lou**vor**, honra e glória eternamente!
— [53] No templo **san**to onde refulge a vossa glória! *
    A vós lou**vor**, honra e glória eternamente!

856   II Semana

—[54] E em vosso **tro**no de poder vitorioso! *
A vós lou**vor**, honra e glória eternamente!
—[55] Sede ben**di**to, que sondais as profundezas! *
A vós lou**vor**, honra e glória eternamente!
— E super**ior** aos querubins vos assentais! *
A vós lou**vor**, honra e glória eternamente!
—[56] Sede ben**di**to no celeste firmamento! *
A vós lou**vor**, honra e glória eternamente!
—[57] Obras **to**das do Senhor, glorificai-o! *
A ele lou**vor**, honra e glória eternamente!

Ant. Cantemos um **hi**no ao Se**nhor**, ale**lui**a.

Ant. 3 Lou**vai** o Senhor **Deus**
       por seus **fei**tos grandiosos. Ale**lui**a.

Salmo 150

Louvai o Senhor

Salmodiai com o espírito e salmodiai com a mente, isto é: glorificai a Deus com a alma e com o corpo (Hesíquio).

— [1] Lou**vai** o Senhor **Deus** no santuário, *
lou**vai**-o no alto céu de seu poder!
— [2] Lou**vai**-o por seus feitos grandiosos, *
lou**vai**-o em sua grandeza majestosa!
— [3] Lou**vai**-o com o toque da trombeta, *
lou**vai**-o com a harpa e com a cítara!
— [4] Lou**vai**-o com a dança e o tambor, *
lou**vai**-o com as cordas e as flautas!
— [5] Lou**vai**-o com os címbalos sonoros, *
lou**vai**-o com os címbalos de júbilo!
— Louve a **Deus** tudo o que vive e que respira, *
tudo **can**te os louvores do Senhor!

Ant. Lou**vai** o Senhor **Deus**
       por seus **fei**tos grandi**o**sos. Ale**lui**a.

Leitura breve   Ez 36,25-27
Derramarei sobre vós uma água pura, e sereis purificados. Eu vos purificarei de todas as impurezas e de todos os ídolos. Eu vos darei

Domingo – Hora Média

um coração novo e porei um espírito novo dentro de vós. Arrancarei do vosso corpo o coração de pedra e vos darei um coração de carne; porei o meu espírito dentro de vós e farei com que sigais a minha lei e cuideis de observar os meus mandamentos.

Responsório breve

R. Nós vos louvamos, dando **graças**, ó Se**nhor**,
* Dando **graças**, invocamos vosso **no**me.
   R. Nós vos louvamos.
V. E publicamos os prodígios que fizestes. * Dando **graças**.
   Glória ao **Pai**. R. Nós vos louvamos.
Antífona do Benedictus como no Próprio do Tempo.

Preces

Demos graças a nosso Salvador, que veio a este mundo para ser Deus-conosco; e o aclamemos, dizendo:
R. **Cristo, rei da glória, sede nossa luz e alegria!**

Senhor Jesus Cristo, luz que vem do alto e primícias da ressurreição futura,
– dai-nos a graça de vos seguirmos, para que, livres das sombras da morte, caminhemos sempre na luz da vida.   R.

Mostrai-nos vossa bondade, refletida em todas as criaturas,
– para contemplarmos em todas elas a vossa glória.   R.

Não permitais, Senhor, que hoje sejamos vencidos pelo mal,
– mas tornai-nos vencedores do mal pelo bem.   R.

Vós, que no Jordão fostes batizado por João Batista e ungido pelo Espírito Santo,
– santificai todas as nossas ações deste dia com a graça do mesmo Espírito.   R.

(intenções livres)

Pai nosso...
Oração como no Próprio do Tempo.

Hora Média

V. Vinde, ó **Deus**. Glória ao **Pai**. Como era. (Aleluia).
HINO como no Ordinário, p. 743.

858

II Semana

Salmodia

Ant. 1 Pelos **pra**dos e cam**pi**nas verde**jan**tes,
    o Se**nhor** me con**duz** a descan**sar**. Ale**lui**a.

Salmo 22(23)

O Bom Pastor

*O Cordeiro será o seu pastor e os conduzirá às fontes de água
da vida* (Ap 7,17).

– ¹ O Se**nhor** é o pas**tor** que me con**duz**; *
  não me **fal**ta coisa alguma.
– ² Pelos **pra**dos e campinas verdejantes *
  ele me **le**va a descansar.
– Para as **á**guas repousantes me encaminha, *
  ³ e res**tau**ra as minhas forças.
– Ele me **gui**a no caminho mais seguro, *
  pela **hon**ra do seu nome.
– ⁴ Mesmo que eu **pas**se pelo vale tenebroso, *
  nenhum **mal** eu temerei;
– estais co**mi**go com bastão e com cajado; *
  eles me **dão** a segurança!
– ⁵ Prepa**rais** à minha frente uma mesa, *
  bem à **vis**ta do inimigo,
– e com **ó**leo vós ungis minha cabeça; *
  o meu **cá**lice transborda.
– ⁶ Felici**da**de e todo bem hão de seguir-me *
  por **to**da a minha vida;
– e, na **ca**sa do Senhor, habitarei *
  pelos **tem**pos infinitos.

Ant. Pelos **pra**dos e cam**pi**nas verde**jan**tes,
    o Se**nhor** me con**duz** a descan**sar**. Ale**lui**a.

Ant. 2 O **no**me do Se**nhor** é grandioso em Isra**el**. Ale**lui**a.

Salmo 75(76)

Ação de graças pela vitória

Verão o Filho do Homem vindo sobre as nuvens do céu
(Mt 24,30).

I

– [2] Em Judá o Senhor **Deus** é conhecido, *
e seu **no**me é grandioso em Israel.
– [3] Em Sa**lém** ele fixou a sua tenda, *
em Sião edificou sua morada.

– [4] E **ali** quebrou os arcos e as flechas, *
os es**cu**dos, as espadas e outras armas.
– [5] Resplen**den**te e majestoso apareceis *
sobre **mon**tes de despojos conquistados.

= [6] Despo**jas**tes os guerreiros valorosos †
que já **dor**mem o seu sono derradeiro, *
inca**pa**zes de apelar para os seus braços.
– [7] Ante as **vos**sas ameaças, ó Senhor,*
estarreceram-se os carros e os cavalos.

Ant. O **no**me do Se**nhor** é grandioso em Is**rael**. Ale**lui**a.

Ant. 3 A **ter**ra apavo**rou**-se e emude**ceu**,
quando **Deus** se levan**tou** para jul**gar**. Ale**lui**a.

II

– [8] Sois ter**rí**vel, real**men**te, Senhor **Deus**! *
E quem **po**de resistir à vossa ira?
– [9] Lá do **céu** pronunciastes a sentença, *
e a **ter**ra apavorou-se e emudeceu,
–[10] quando **Deus** se levantou para julgar *
e liber**tar** os oprimidos desta terra.

–[11] Mesmo a re**vol**ta dos mortais vos dará glória, *
e os que so**bra**ram do furor vos louvarão.
–[12] Ao vosso **Deus** fazei promessas e as cumpri; *
vós que o cer**cais**, trazei ofertas ao Terrível;
–[13] ele es**ma**ga os reis da terra em seu orgulho, *
e faz tre**mer** os poderosos deste mundo!

Ant. A **ter**ra apavo**rou**-se e emude**ceu**,
quando **Deus** se levan**tou** para jul**gar**. Ale**lui**a.

Leitura breve   Rm 8,26
O Espírito vem em socorro da nossa fraqueza. Pois nós não sabemos o que pedir, nem como pedir; é o próprio Espírito que intercede em nosso favor, com gemidos inefáveis.

860 II Semana

V. Que meu **grito**, ó Se**nhor**, chegue até **vós**.
R. Fazei-me **sábio**, como **vós** o prome**testes**.
Oração como no Próprio do Tempo.

II Vésperas

V. Vinde, ó **Deus**. Glória ao **Pai**. Como era. (Aleluia).
Hino

Ó luz, ó Deus Trindade,
ó Unidade e fonte:
na luz do sol que morre,
a vossa em nós desponte.

A vós de madrugada,
de tarde vos cantamos;
a vós na eternidade,
louvar sem fim possamos.

Ao Pai e ao Filho glória,
ao Espírito também,
louvor, honra e vitória
agora e sempre. Amém.

Salmodia

Nos domingos do Advento, Natal, Quaresma e Páscoa, as antífonas são próprias do Tempo correspondente.

Ant. 1 Jesus **Cris**to é sacer**dote** eterna**mente**
segun**do** a ordem do **rei** Melquise**dec**. Alel**u**ia.

Salmo 109(110),1-5.7

O Messias, rei e sacerdote

É preciso que ele reine, até que todos os seus inimigos estejam debaixo de seus pés (1Cor 15,25).

— ¹ Pala**vra** do Se**nhor** ao meu Se**nhor**: *
"Assen**ta**-te ao lado meu direito,
— a**té** que eu ponha os inimigos teus *
como escabe**lo** por debaixo de teus pés!"

= ² O Se**nhor** estenderá desde Sião †
vosso **cetro** de poder, pois ele diz: *
"Domi**na** com vigor teus inimigos; —

Domingo – II Vésperas

= ³Tu és **príncipe** desde o dia em que nasceste; †
na **glória** e esplendor da santidade, *
como o orvalho, antes da aurora, eu te gerei!"

= ⁴Jurou o Se**nhor** e manterá sua palavra: †
"Tu **és** sacerdote eternamente, *
se**gun**do a ordem do rei Melquisedec!"

– ⁵À vossa **destra** está o Senhor, ele vos diz: *
⁷"No dia da **ira** esmagarás os reis da terra!

– ⁷Bebe**rás** água corrente no caminho, *
por **isso** seguirás de fronte erguida!"

Ant. Jesus **Cristo** é sacer**dote** eterna**mente**
se**gun**do a ordem do **rei** Melquise**dec**. Ale**luia**.

Ant. 2 É nos **céus** que está o nosso **Deus**;
ele **faz** tudo a**qui**lo que **quer**. Ale**luia**.

Salmo 113B(115)

Louvor ao Deus verdadeiro

Vós vos convertestes, abandonando os falsos deuses, para servir ao Deus vivo e verdadeiro (1Ts 1,9).

= ¹Não a **nós**, ó Se**nhor**, não a **nós**, †
ao vosso **no**me, porém, seja a glória, *
porque **sois** todo amor e verdade!

– ²Por que **hão** de dizer os pagãos: *
"Onde es**tá** o seu Deus, onde está?"

– ³É nos **céus** que está o nosso Deus, *
ele **faz** tudo aquilo que quer.

– ⁴São os **deu**ses pagãos ouro e prata, *
todos **e**les são obras humanas.

– ⁵Têm **bo**ca e não podem falar, *
têm **o**lhos e não podem ver;

– ⁶têm na**riz** e não podem cheirar, *
tendo ou**vi**dos, não podem ouvir.

= ⁷Têm **mãos** e não podem pegar, †
têm **pés** e não podem andar; *
nenhum **som** sua garganta produz.

– ⁸Como **e**les, serão seus autores, *
que os fa**bri**cam e neles confiam.–

862   II Semana

– [9]Confia, Israel, no Senhor. *
    Ele é teu auxílio e escudo!
– [10]Confia, Aarão, no Senhor. *
    Ele é teu auxílio e escudo!
– [11]Vós que o **temeis**, confiai no Senhor. *
    Ele é vosso auxílio e escudo!
– [12]O Se**nhor** se recorda de nós, *
    o Se**nhor** abençoa seu povo.
– O Se**nhor** abençoa Israel, *
    o Se**nhor** abençoa Aarão;
– [13]aben**ço**a aqueles que o temem, *
    aben**ço**a pequenos e grandes!
– [14]O Se**nhor** multiplique a vós todos, *
    a vós **to**dos, também vossos filhos!
– [15]Abençoados sejais do Senhor, *
    do Se**nhor** que criou céu e terra!
– [16]Os **céus** são os céus do Senhor, *
    mas a **te**rra ele deu para os homens.
– [17]Não vos **louv**am os mortos, Senhor, *
    nem a**que**les que descem ao silêncio.
– [18]Nós, os **vivo**s, porém, bendizemos *
    ao Se**nhor** desde agora e nos séculos.

Ant. É nos **céus** que está o nosso **Deus**;
    ele **faz** tudo a**qui**lo que **quer**. Ale**lui**a.

Ant. 3 Cele**brai** o nosso **Deus**, servi**do**res do Se**nhor**,
    vós, os **gran**des e os pe**que**nos! Ale**lui**a.

No cântico seguinte dizem-se os Aleluias entre parênteses somente
quando se canta; na recitação, basta dizer o Aleluia no começo e no fim
das estrofes.

                    Cântico   cf. Ap 19,1-2.5-7

As núpcias do Cordeiro

= Aleluia, (Aleluia!).
    [1]Ao nosso **Deus** a salva**ção**, *
    honra, **gló**ria e poder! (Aleluia!).
– [2]Pois são ver**da**de e justiça *
    os juízos do Senhor.
R. Aleluia, (Aleluia!).

Domingo – II Vésperas

= Aleluia, (Aleluia!).
⁵ Celebrai o nosso Deus, *
servidores do Senhor! (Aleluia!).
– E vós todos que o temeis, *
vós os grandes e os pequenos!

R. Aleluia, (Aleluia!).

= Aleluia, (Aleluia!).
⁶ De seu reino tomou posse *
nosso Deus onipotente! (Aleluia!).
– ⁷ Exultemos de alegria, *
demos glória ao nosso Deus!

R. Aleluia, (Aleluia!).

= Aleluia, (Aleluia!).
Eis que as núpcias do Cordeiro *
redivivo se aproximam! (Aleluia!).
– Sua Esposa se enfeitou, *
se vestiu de linho puro.

R. Aleluia, (Aleluia!).

Ant. Celebrai o nosso Deus, servidores do Senhor,
vós, os grandes e os pequenos! Aleluia.

Nos domingos da Quaresma se diz o Cântico da Carta de São Pedro com a antífona própria.

Cântico   1Pd 2,21-24

=²¹ O Cristo por nós padeceu, †
deixou-nos o exemplo a seguir. *
Sigamos, portanto, seus passos!
–²² Pecado nenhum cometeu, *
nem houve engano em seus lábios.

(R. Por suas chagas nós fomos curados.)

=²³ Insultado, ele não insultava; †
ao sofrer e ao ser maltratado, *
ele não ameaçava vingança;
– entregava, porém, sua causa *.
Àquele que é justo juiz.

(R.)

864   II Semana

– ²⁴Carregou sobre si nossas culpas *
    em seu **cor**po, no lenho da cruz,
= para que, **mor**tos aos nossos pecados, †
    na jus**ti**ça de Deus nós vivamos. *
    Por suas **cha**gas nós fomos curados.   (R.)

Leitura breve   2Ts 2,13-14

Quanto a nós, devemos continuamente dar graças a Deus por vossa causa, irmãos amados do Senhor, pois Deus vos escolheu desde o começo, para serdes salvos pelo Espírito que santifica e pela fé na verdade. Deus vos chamou para que, por meio do nosso evangelho, alcanceis a glória de nosso Senhor Jesus Cristo.

Responsório breve

R. É **gran**de o **Se**nhor,
  * E é **gran**de o seu po**der**. R. É **gran**de.
V. Seu sa**ber** é sem li**mi**tes. * E é **gran**de.
    Glória ao **Pai**. R. É **gran**de.

Antífona do Magníficat como no Próprio do Tempo.

Preces

Louvor e honra a Cristo que vive eternamente para interceder por nós, e que dá a salvação àqueles que, por seu intermédio, se aproximam de Deus. Firmes nesta fé, imploremos:

R. **Lembrai-vos, Senhor, do vosso povo!**

Sol de justiça, ao cair desta tarde, nós vos pedimos por todos os homens e mulheres,
– para que vivam as alegrias da vossa luz que não se apaga.
                                                        R.

Conservai a aliança que selastes com o vosso sangue,
– e santificai a vossa Igreja, para que seja imaculada.   R.

Senhor, do lugar em que habitais,
– lembrai-vos desta vossa comunidade.   R.

Dirigi no caminho da paz e do bom êxito os que se encontram em viagem,
– para que cheguem ao seu destino com saúde e alegria.   R.

                                    (intenções livres)

Segunda-feira – Laudes 865

Recebei, Senhor, as almas dos nossos irmãos e irmãs que morreram,
– e concedei-lhes vosso perdão e a glória eterna. R.
Pai nosso...
Oração como no Próprio do Tempo.

II SEGUNDA-FEIRA

Laudes

V. Vinde, ó **Deus**. Glória ao **Pai**. Como era. (**Aleluia**).
Hino

Doador da luz esplêndida,
pelo vosso resplendor,
ao passar da noite o tempo,
surge o dia em seu fulgor.

Verdadeira Estrela d'alva,
não aquela que anuncia
de outro astro a luz chegando
e a seu brilho se anuvia,

mas aquela luminosa,
mais que o sol em seu clarão,
mais que a luz e mais que o dia,
aclarando o coração.

Casta, a mente vença tudo,
que os sentidos pedem tanto;
vosso Espírito guarde puro
nosso corpo, templo santo.

A vós, Cristo, Rei clemente,
e a Deus Pai, Eterno Bem,
com o Espírito Paráclito,
honra e glória eterna. Amém.

Salmodia
Ant. 1 Quando te**rei** a ale**gri**a de **ver** vossa **face**, **Senhor**?
T.P.: As**sim** como a **corça** suspira pelas **águas** cor**ren**tes,
suspira igual**mente** minh'**alma** por **vós**, ó meu **Deus**!
Ale**lu**ia.

866   II Semana

Salmo 41(42)

Sede de Deus e saudades do templo

Quem tem sede, venha e quem quiser, receba de graça a água da vida (Ap 22,17).

— ²Assim como a corça suspira *
  pelas águas correntes,
— suspira igualmente minh'alma *
  por vós, ó meu Deus!

— ³Minha alma tem sede de Deus, *
  e deseja o Deus vivo.
— Quando terei a alegria de ver *
  a face de Deus?

— ⁴O meu pranto é o meu alimento *
  de dia e de noite,
— enquanto insistentes repetem: *
  "Onde está o teu Deus?"

— ⁵Recordo saudoso o tempo *
  em que ia com o povo.
— Peregrino e feliz caminhando *
  para a casa de Deus,
— entre gritos, louvor e alegria *
  da multidão jubilosa.

— ⁶Por que te entristeces, minh'alma, *
  a gemer no meu peito?
— Espera em Deus! Louvarei novamente *
  o meu Deus Salvador!

— ⁷Minh'alma está agora abatida, *
  e então penso em vós,
— do Jordão e das terras do Hermon *
  e do monte Misar.

— ⁸Como o abismo atrai outro abismo *
  ao fragor das cascatas,
— vossas ondas e vossas torrentes *
  sobre mim se lançaram.

— ⁹Que o Senhor me conceda de dia *
  sua graça benigna

Segunda-feira – Laudes

867

– e de **noite**, cantando, eu bendigo *
 ao meu **Deus**, minha vida.
– [10]Digo a **Deus**: "Vós que sois meu amparo, *
 por **que** me esqueceis?
– Por que **ando** tão triste e abatido *
 pela opres**são** do inimigo?"
– [11]Os meus **os**sos se quebram de dor, *
 ao insul**tar**-me o inimigo;
– ao di**zer** cada dia de novo: *
 "Onde es**tá** o teu Deus?"
– [12]Por **que** te entristeces, minh'alma, *
 a ge**mer** no meu peito?
– Espera em **Deus**! Louvarei novamente *
 o meu **Deus** Salvador!

Ant. Quando te**rei** a aleg**ria** de **ver** vossa **face**, Senhor?

T.P.: **Assim** como a **corça** sus**pi**ra pelas **águas** cor**ren**tes,
 sus**pi**ra igual**men**te minh'**al**ma por **vós**, ó meu **Deus**!
 Ale**lu**ia.

Ant. 2 Mos**trai**-nos, ó Se**nhor**, vossa **luz**, vosso per**dão**!

T.P.: En**chei** Jerusa**lém** com vossos **fei**tos,
 e se pro**cla**mem vossas **gran**des mara**vi**lhas. Ale**lu**ia.

Cântico   Eclo 36,1-7.13-16

Súplica pela cidade santa, Jerusalém
A vida eterna é esta: que eles te conheçam a ti, o único Deus ver-
dadeiro, e àquele que tu enviaste, Jesus Cristo (Jo 17,3).

– [1]Tende pie**da**de e compai**xão**, Deus do uni**ver**so, *
 e mos**trai**-nos vossa luz, vosso perdão!
– [2]Espa**lhai** vosso temor sobre as nações, *
 sobre os **po**vos que não querem procurar-vos,
– para que **sai**bam que só vós é que sois Deus, *
 e pro**cla**mem vossas grandes maravilhas.
– [3]Levan**tai** a vossa mão contra os estranhos, *
 para que **ve**jam como é grande a vossa força.
– [4]Como em **nós** lhes demonstrastes santidade, *
 assim mos**trai**-nos vossa glória através deles,

868   II Semana

– ⁵para que **saibam** e confessem como nós *
   que não **há** um outro Deus, além de vós!
– ⁶**Renovai** vossos prodígios e portentos, *
   ⁷**glorificai** o vosso braço poderoso!
– ¹³**Reuni** todas as tribos de Jacó, *
   e recebam, como outrora, a vossa herança.
= ¹⁴Deste **povo** que é vosso, tende pena, †
   e de Israel de quem fizestes primogênito, *
   e a quem chamastes com o vosso próprio nome!
– ¹⁵Apiedai-vos de Sião, vossa cidade, *
   o lugar santificado onde habitais!
– ¹⁶**Enchei** Jerusalém com vossos feitos, *
   e vosso **povo**, com a luz de vossa glória!

Ant. Mostrai-nos, ó Senhor, vossa luz, vosso perdão!

T.P.: Enchei Jerusalém com vossos feitos,
   e se proclamem vossas grandes maravilhas. Aleluia.

Ant. 3 Sede bendito, Senhor, no mais alto dos céus.

T.P.: A glória de Deus ilumina a santa Cidade celeste:
   sua luz é o Cordeiro. Aleluia.

Salmo 18(19)A

Louvor ao Deus Criador

O sol que nasce do alto nos visitará para dirigir nossos passos no caminho da paz (Lc 1,78-79).

– ²Os céus proclamam a glória do Senhor, *
   e o firmamento, a obra de suas mãos;
– ³o dia ao dia transmite esta mensagem, *
   a noite à noite publica esta notícia.
– ⁴Não são discursos nem frases ou palavras, *
   nem são vozes que possam ser ouvidas;
– ⁵seu som ressoa e se espalha em toda a terra, *
   chega aos confins do universo a sua voz.
– ⁶Armou no alto uma tenda para o sol; *
   ele desponta no céu e se levanta
– como um esposo do quarto nupcial, *
   como um herói exultante em seu caminho. –

Segunda-feira – Laudes

– [7] De um extremo do céu põe-se a correr *
e vai traçando o seu rastro luminoso,
– até que possa chegar ao outro extremo, *
e nada pode fugir ao seu calor.

Ant. Sede bendito, Senhor, no mais alto dos céus.

T.P.: A glória de Deus ilumina a santa Cidade celeste:
sua luz é o Cordeiro. Aleluia.

Leitura breve
Jr 15,16

Quando encontrei tuas palavras, alimentei-me; elas se tornaram
para mim uma delícia e a alegria do coração, o modo como invocar teu nome sobre mim, Senhor Deus dos exércitos.

Responsório breve
R. Ó justos, alegrai-vos no Senhor!
* Aos retos fica bem glorificá-lo. R. Ó justos.
V. Cantai para o Senhor um canto novo. * Aos retos.
Glória ao Pai. R. Ó justos.

Cântico evangélico, ant.
Bendito seja o Senhor Deus,
que visitou e libertou a nós que somos o seu povo.

Preces
Demos graças a nosso Salvador, que fez de nós um povo de
reis e sacerdotes para oferecermos sacrifícios agradáveis a Deus.
Por isso o invoquemos:

R. **Conservai-nos, Senhor, em vosso serviço!**

Cristo, sacerdote eterno, que nos tornastes participantes do vosso
sacerdócio santo,
– ensinai-nos a oferecer sempre sacrifícios espirituais agradáveis
a Deus. R.

Dai-nos os frutos do vosso Espírito:
– paciência, bondade, mansidão. R.

Fazei que vos amemos acima de todas as coisas e pratiquemos
o bem,
– para que nossas obras vos glorifiquem. R.

870   II Semana

Ajudai-nos a procurar sempre o bem dos nossos irmãos e irmãs,
– para que eles alcancem mais facilmente a salvação.
R. **Conservai-nos, Senhor, em vosso serviço!**

(intenções livres)

Pai nosso...

Oração

Senhor Deus todo-poderoso, que nos fizestes chegar ao começo
deste dia, salvai-nos hoje com o vosso poder, para não cairmos
em nenhum pecado e fazermos sempre a vossa vontade em nossos pensamentos, palavras e ações. Por nosso Senhor Jesus Cristo, vosso Filho, na unidade do Espírito Santo.

Hora Média

V. Vinde, ó **Deus**. Glória ao **Pai**. Como era. (Aleluia).
HINO como no Ordinário, p. 743.

Salmodia
Ant. 1 Felizes os que **ou**vem a palavra do Se**nhor**
       e a praticam cada **dia!**

Salmo 118(119),41-48
VI (Váu)

Meditação sobre a Palavra de Deus na Lei
*Minha mãe e meus irmãos são aqueles que ouvem a Palavra de
Deus e a põem em prática* (Lc 8,21).

–41 Senhor, que **desça** sobre **mim** a vossa **graça** *
     e a **vos**sa salvação que prometestes!
–42 Esta se**rá** minha resposta aos que me insultam: *
     "Eu **con**to com a palavra do Senhor!"
–43 Não reti**reis** vossa verdade de meus lábios, *
     pois eu con**fio** em vossos justos julgamentos!
–44 Cumpri**rei** constantemente a vossa lei: *
     para **sem**pre, eternamente a cumprirei!
–45 É **am**plo e agradável meu caminho, *
     porque **bus**co e pesquiso as vossas ordens.
–46 Quero fa**lar** de vossa lei perante os reis, *
     e da**rei** meu testemunho sem temor.–

Segunda-feira – Hora Média

871

– [47] Muito me alegro com os vossos mandamentos, *
que eu amo, amo tanto, mais que tudo!
– [48] Elevarei as minhas mãos para louvar-vos *
e com prazer meditarei vossa vontade.

Ant. 1 Felizes os que ouvem a palavra do Senhor
e a praticam cada dia!

Ant. 2 Meu alimento é fazer a vontade do Pai.

Salmo 39(40),2-14.17-18
Ação de graças e pedido de auxílio

Tu não quiseste vítima nem oferenda, mas formaste-me um corpo (Hb 10,5).

I

– [2] Esperando, esperei no Senhor, *
e inclinando-se, ouviu meu clamor.

– [3] Retirou-me da cova da morte *
e de um charco de lodo e de lama.

– Colocou os meus pés sobre a rocha, *
devolveu a firmeza a meus passos.

– [4] Canto novo ele pôs em meus lábios, *
um poema em louvor ao Senhor.

– Muitos vejam, respeitem, adorem *
e esperem em Deus, confiantes.

= [5] É feliz quem a Deus se confia; †
quem não segue os que adoram os ídolos *
e se perdem por falsos caminhos.

– [6] Quão imensos, Senhor, vossos feitos!*
Maravilhas fizestes por nós!

– Quem a vós poderá comparar-se *
nos desígnios a nosso respeito?

– Eu quisera, Senhor, publicá-los, *
mas são tantos! Quem pode contá-los?

– [7] Sacrifício e ablação não quisestes, *
mas abristes, Senhor, meus ouvidos;

= não pedistes ofertas nem vítimas, †
holocaustos por nossos pecados. *
[8] E então eu vos disse: "Eis que venho!" –

872 II Semana

= Sobre **mim** está escrito no livro: †
 ⁹ "Com pra**zer** faço a vossa vontade, *
 guardo em **meu** coração vossa lei!"

Ant. Meu ali**men**to é fa**zer** a vontade do **Pai**.

Ant. 3 Eu sou **po**bre, infe**liz**, desva**lido**,
  porém, **guar**da o Se**nhor** minha **vi**da.

II

=¹⁰ Boas-**no**vas de **vos**sa Jus**ti**ça †
 anunci**ei** numa grande assembleia; *
 vós sa**beis**: não fechei os meus lábios!

=¹¹ Procla**mei** toda a **vos**sa justiça, †
 sem retê-la no meu coração; *
 vosso auxílio e lealdade narrei.

– Não ca**lei** vossa graça e verdade *
 na pre**sen**ça da grande assembleia.

–¹² Não ne**gueis** para mim vosso amor!*
 Vossa **gra**ça e verdade me guardem!

=¹³ Pois des**gra**ças sem conta me cercam, †
 minhas **cul**pas me agarram, me prendem, *
 e as**sim** já nem posso enxergar.

= Meus pe**ca**dos são mais numerosos †
 que os ca**be**los da minha cabeça; *
 desfa**le**ço e me foge o alento!

–¹⁴ Di**gnai**-vos, Senhor, libertar-me, *
 vinde **lo**go, Senhor, socorrer-me!

–¹⁷ Mas se a**le**gre e em vós rejubile *
 todo **ser** que vos busca, Senhor!

– Digam **sem**pre: "É grande o Senhor!" *
 os que **bus**cam em vós seu auxílio.

=¹⁸ Eu sou **po**bre, infeliz, desvalido, †
 porém, **guar**da o Senhor minha vida, *
 e por **mim** se desdobra em carinho.

– Vós me **sois** salvação e auxílio: *
 vinde **lo**go, Senhor, não tardeis!

Ant. Eu sou **po**bre, infe**liz**, desva**lido**,
  porém, **guar**da o Se**nhor** minha **vi**da.

Segunda-feira – Vésperas

Leitura breve
Jr 32,40

Estabelecerei com eles um pacto eterno, a fim de que não se afastem de mim; para isso não cessarei de favorecê-los e infundirei em seus corações o temor de Deus.

V. A minha **glória** e salva**ção** estão em **Deus**.
R. O meu refúgio e rocha **fir**me é o Se**nhor**.

Oração

Ó Deus, senhor e guarda da vinha e da colheita, que repartis as tarefas e dais a justa recompensa, fazei-nos carregar o peso do dia, sem jamais murmurar contra a vossa vontade. Por Cristo, nosso Senhor.

Vésperas

V. Vinde, ó **Deus**. Glória ao **Pai**. Como **era**. (Ale**luia**).

Hino

Fonte da luz, da luz origem,
as nossas preces escutai:
da culpa as trevas expulsando,
com vossa luz nos clareai.

Durante a faina deste dia
nos protegeu o vosso olhar.
De coração vos damos graças
em todo tempo e lugar.

Se o pôr do sol nos trouxe as trevas,
outro sol fulge, coruscante,
e envolve até os próprios anjos
com o seu brilho radiante.

Todas as culpas deste dia
apague o Cristo bom e manso,
e resplandeça o coração
durante as horas do descanso.

Glória a vós, Pai, louvor ao Filho,
poder ao Espírito também.
No resplendor do vosso brilho,
regeis o céu e a terra. Amém.

874

Salmodia

Ant. Sois tão belo, o mais belo entre os filhos dos homens!
Vossos lábios espalham a graça, o encanto.

T.P.: Bendito o que nos vem em nome do Senhor! Aleluia.

Salmo 44(45)

As núpcias do Rei

O noivo está chegando. Ide ao seu encontro! (Mt 25,6).

I

= ² Transborda um poema do meu coração; †
vou cantar-vos, ó Rei, esta minha canção; *
minha língua é qual pena de um ágil escriba.

= ³ Sois tão belo, o mais belo entre os filhos dos homens! †
Vossos lábios espalham a graça, o encanto, *
porque Deus, para sempre, vos deu sua bênção.

– ⁴ Levai vossa espada de glória no flanco, *
herói valoroso, no vosso esplendor;
– ⁵ saí para a luta no carro de guerra *
em defesa da fé, da justiça e verdade!

= Vossa mão vos ensine valentes proezas, †
⁶ vossas flechas agudas abatam os povos *
e firam no seu coração o inimigo!

= ⁷ Vosso trono, ó Deus, é eterno, é sem fim; †
vosso cetro real é sinal de justiça: *
⁸ Vós amais a justiça e odiais a maldade.

= É por isso que Deus vos ungiu com seu óleo, †
deu-vos mais alegria que aos vossos amigos. *
⁹ Vossas vestes exalam preciosos perfumes.

– De ebúrneos palácios os sons vos deleitam. *
¹⁰ As filhas de reis vêm ao vosso encontro,
– e à vossa direita se encontra a rainha *
com veste esplendente de ouro de Ofir.

Ant. Sois tão belo, o mais belo entre os filhos dos homens!
Vossos lábios espalham a graça, o encanto.

T.P.: Bendito o que nos vem em nome do Senhor! Aleluia.

Segunda-feira – Vésperas

Ant. 2 Eis que **vem** o esposo chegando:
Saí ao encontro de Cristo!

T.P.: Felizes os que são convidados
para a Ceia nupcial do Cordeiro! Aleluia.

II

—11 Escutai, minha filha, olhai, ouvi isto: *
"Esquecei vosso povo e a casa paterna!
—12 Que o Rei se encante com vossa beleza! *
Prestai-lhe homenagem: é vosso Senhor!
—13 O povo de Tiro vos traz seus presentes, *
os grandes do povo vos pedem favores.
—14 Majestosa, a princesa real vem chegando, *
vestida de ricos brocados de ouro.
—15 Em vestes vistosas ao Rei se dirige, *
e as virgens amigas lhe formam cortejo;
—16 entre cantos de festa e com grande alegria, *
ingressam, então, no palácio real".
—17 Deixareis vossos pais, mas tereis muitos filhos; *
fareis deles os reis soberanos da terra.
—18 Cantarei vosso nome de idade em idade, *
para sempre haverão de louvar-vos os povos!

Ant. Eis que **vem** o esposo chegando:
Saí ao encontro de Cristo!

T.P.: Felizes os que são convidados
para a Ceia nupcial do Cordeiro! Aleluia.

Ant. 3 Eis que agora se cumpre o desígnio do Pai:
Reunir no seu Cristo o que estava disperso.

T.P.: Todos nós recebemos de sua plenitude
graça após graça. Aleluia.

Cântico   Ef 1,3-10

O plano divino da salvação

— 3 Bendito e louvado seja Deus, *
o Pai de Jesus Cristo, Senhor nosso,
— que do alto céu nos abençoou em Jesus Cristo *
com bênção espiritual de toda sorte!

876 II Semana

(R. Bendito sejais **vós**, nosso **Pai,**
que **nos** abençoastes em **Cristo!**)

– [4] Foi em **Cristo** que Deus Pai nos escolheu, *
já bem **antes** de o mundo ser criado,
– para que **fôssemos**, perante a sua face, *
sem **mácula** e santos pelo amor. (R.)

= [5] Por **livre** decisão de sua vontade, †
predesti**nou**-nos, através de Jesus Cristo, *
a sermos **nele** os seus filhos adotivos,
– [6] para o **louvor** e para a glória de sua graça, *
que em seu **Filho** bem-amado nos doou. (R.)

– [7] É **nele** que nós temos redenção, *
dos pe**cados** remissão pelo seu sangue.
= Sua **graça** transbordante e inesgotável †
[8] Deus derr**ama** sobre nós com abundância, *
de sa**ber** e inteligência nos dotando. (R.)

– [9] E as**sim**, ele nos deu a conhecer *
o mis**tério** de seu plano e sua vontade,
– que propu**sera** em seu querer benevolente, *
[10] na pleni**tude** dos tempos realizar:
– o de**sígnio** de, em Cristo, reunir *
todas as **coisas**: as da terra e as do céu. (R)

Ant. Eis que **agora** se **cum**pre o de**sígnio** do **Pai**:
reu**nir** no seu **Cristo** o que esta**va** dis**per**so.

T.P.: Todos **nós** rece**be**mos de **sua** pleni**tude**
graça após **graça**. Ale**lui**a.

Leitura breve 1Ts 2,13
Agradecemos a Deus sem cessar por vós terdes acolhido a pregação da palavra de Deus, não como palavra humana, mas como aquilo que de fato é: Palavra de Deus, que está produzindo efeito em vós que abraçastes a fé.

Responsório breve
R. Ó **Senhor**, suba à **vossa** presença
* A **minha** oração, como incenso. R. Ó **Senhor**.
V. Minhas **mãos** como oferta da **tarde**. * A **minha** oração.
Glória ao **Pai**. R. Ó **Senhor**.

Terça-feira – Laudes

Cântico evangélico, ant.

A minh'**alma** vos engrandeça eternamente, Senhor meu **Deus**.

Preces

Louvemos a Jesus Cristo, que alimenta e fortalece a sua Igreja. Oremos cheios de confiança, dizendo:
R. **Ouvi, Senhor, a oração do vosso povo!**

Senhor Jesus, fazei que todos os homens se salvem,
– e cheguem ao conhecimento da verdade. R.

Protegei o Santo Padre, o Papa N. e o nosso bispo N.;
– ajudai-os com o vosso poder. R.

Favorecei os que procuram trabalho justo e estável,
– para que vivam felizes e tranquilos. R.

Sede, Senhor, o refúgio dos pobres e oprimidos,
– ajudai-os na tribulação. R.

(intenções livres)

Nós vos recomendamos aqueles que durante a vida exerceram o ministério sagrado,
– para que vos louvem eternamente no céu. R.

Pai nosso...

Oração

Deus todo-poderoso, que a nós, servos inúteis, sustentastes nos trabalhos deste dia, aceitai este louvor, qual sacrifício vespertino, em ação de graças por vossos benefícios. Por nosso Senhor Jesus Cristo, vosso Filho, na unidade do Espírito Santo.

II TERÇA-FEIRA

Laudes

V. Vinde, ó **Deus**. Glória ao **Pai**. Como era. (Ale**luia**).
Hino

Da luz Criador,
vós mesmo sois luz
e dia sem fim.

Vós nunca da noite
provastes as trevas:
Só Deus é assim.

A noite já foge
e o dia enfraquece
dos astros a luz.
A estrela da aurora,
surgindo formosa,
no céu já reluz.

Os leitos deixando,
a vós damos graças
com muita alegria,
porque novamente,
por vossa bondade,
o sol traz o dia.

Ó Santo, pedimos
que os laços do Espírito
nos prendam a vós,
e, assim, não ouçamos
as vozes da carne
que clamam em nós.

Às almas não fira
a flecha da ira
que traz divisões.
Livrai vossos filhos
da própria malícia
dos seus corações.

Que firmes na mente
e castos no corpo,
de espírito fiel,
sigamos a Cristo,
Caminho e Verdade,
doçura do céu.

O Pai piedoso
nos ouça, bondoso,
e o Filho também.

Terça-feira – Laudes

No laço do Espírito
unidos, dominam
os tempos. Amém.

Salmodia

Ant. 1 Enviai-me, ó Senhor, vossa luz, vossa verdade!

T.P.: Aproximemo-nos do Monte de Sião
e da Cidade do Deus vivo, aleluia.

Salmo 42(43)

Saudades do templo

Eu vim ao mundo como luz (Jo 12,46).

– ¹Fazei justiça, meu Deus, e defendei-me *
contra a gente impiedosa;
– do homem perverso e mentiroso *
libertai-me, ó Senhor!

– ²Sois vós o meu Deus e meu refúgio: *
por que me afastais?
– Por que ando tão triste e abatido *
pela opressão do inimigo?

– ³Enviai vossa luz, vossa verdade: *
elas serão o meu guia;
– que me levem ao vosso Monte santo, *
até a vossa morada!

– ⁴Então irei aos altares do Senhor, *
Deus da minha alegria.
– Vosso louvor cantarei, ao som da harpa, *
meu Senhor e meu Deus!

– ⁵Por que te entristeces, minh'alma, *
a gemer no meu peito?
– Espera em Deus! Louvarei novamente *
o meu Deus Salvador!

Ant. Enviai-me, ó Senhor, vossa luz, vossa verdade!

T.P.: Aproximemo-nos do Monte de Sião
e da Cidade do Deus vivo, aleluia.

880

Ant. 2 Salvai-nos, ó Senhor, todos os dias!

T.P.: Vós livrastes, ó Senhor, minha vida do sepulcro. Aleluia.

Cântico   Is 38,10-14.17-20

Angústias de um agonizante e alegria da cura

Eu sou aquele que vive. Estive morto... Eu tenho a chave da morte (Ap 1,18).

— [10] Eu dizia: "É necessário que eu me vá *
no apogeu de minha vida e de meus dias;
— para a mansão triste dos mortos descerei, *
sem viver o que me resta dos meus anos".

= [11] Eu dizia: "Não verei o Senhor Deus †
sobre a terra dos viventes nunca mais; *
nunca mais verei um homem neste mundo!"

— [12] Minha morada foi à força arrebatada, *
desarmada como a tenda de um pastor.
— Qual tecelão, eu ia tecendo a minha vida, *
mas agora foi cortada a sua trama.

— [13] Vou me acabando de manhã até à tarde, *
passo a noite a gemer até a aurora.
— Como um leão que me tritura os ossos todos, *
assim eu vou me consumindo dia e noite.

— [14] O meu grito é semelhante ao da andorinha, *
o meu gemido se parece ao da rolinha.
— Os meus olhos já se cansam de elevar-se, *
de pedir-vos: "Socorrei-me, Senhor Deus!"

— [17] Mas vós livrastes minha vida do sepulcro, *
e lançastes para trás os meus pecados.
— [18] Pois a mansão triste dos mortos não vos louva, *
nem a morte poderá agradecer-vos;
— para quem desce à sepultura é terminada *
a esperança em vosso amor sempre fiel.

— [19] Só os vivos é que podem vos louvar, *
como hoje eu vos louvo agradecido.

Terça-feira – Laudes   881

– O **pai** há de contar para seus filhos *
vossa ver**da**de e vosso amor sempre fiel.
=²⁰ Senhor, sal**vai**-me! Vinde logo em meu auxílio, †
e a vida in**teira** cantaremos nossos salmos, *
agrade**cen**do ao Senhor em sua casa.

Ant. Sal**vai**-nos, ó Se**nhor,** todos os **dias**!

T.P.: Vós li**vras**tes, ó Se**nhor**, minha **vi**da do se**pul**cro. Ale**lui**a.

Ant. 3 Ó Se**nhor**, convém can**tar** vosso lou**vor**
com um **hi**no em Si**ão**! †

T.P.: Visi**tais** a nossa **ter**ra e trans**bor**da de far**tura**. Ale**lui**a.

Salmo 64(65)

Solene ação de graças

Sião significa a cidade celeste (Orígenes).

– ² Ó Se**nhor**, convém can**tar** vosso lou**vor** *
com um **hi**no em Si**ão**!
– ³ † E cum**prir** os nossos votos e promessas, *
pois ou**vis** a oração.

– Toda **car**ne há de **vol**tar para o Senhor, *
por **cau**sa dos pecados.
– ⁴ E por **mais** que nossas **cul**pas nos o**pri**mam, *
perdo**ais** as nossas faltas.

– ⁵ É fe**liz** quem esco**lheis** e convi**dais** *
para mo**rar** em vossos átrios!
– Saciamo-nos dos bens de vossa casa *
e do **vos**so templo santo.

– ⁶ Vossa bon**da**de nos responde com pro**dí**gios, *
nosso **Deus** e Salvador!
– Sois a espe**ran**ça dos confins de toda a terra *
e dos **mares** mais dis**tantes**.

– ⁷ As mon**ta**nhas susten**tais** com vossa força: *
estais ves**ti**do de poder.
– ⁸ Acal**mais** o mar bravio e as ondas fortes *
e o tu**mul**to das nações. –

– [9] Os habitantes mais longínquos se admiram *
com as vossas maravilhas.
– Os extremos do nascente e do poente *
inundais de alegria.
– [10] Visitais a nossa terra com as chuvas, *
e transborda de fartura.
– Rios de Deus que vêm do céu derramam águas, *
e preparais o nosso trigo.
– [11] É assim que preparais a nossa terra: *
vós a regais e aplainais,
– os seus sulcos com a chuva amoleceis *
e abençoais as sementeiras.
– [12] O ano todo coroais com vossos dons, *
os vossos passos são fecundos;
– transborda a fartura onde passais, *
[13] brotam pastos no deserto.
– As colinas se enfeitam de alegria, *
[14] e os campos, de rebanhos;
– nossos vales se revestem de trigais: *
tudo canta de alegria!

Ant. Ó Senhor, convém cantar vosso louvor
com um hino em Sião!

T.P.: Visitais a nossa terra e transborda de fartura. Aleluia.

Leitura breve   1Ts 5,4-5
Vós, meus irmãos, não estais nas trevas, de modo que esse dia
vos surpreenda como um ladrão. Todos vós sois filhos da luz e
filhos do dia. Não somos da noite, nem das trevas.

Responsório breve
R. Por vosso amor, ó Senhor, ouvi minha voz,
* Confiante eu confio na vossa palavra. R. Por vosso amor.
V. Chego antes que a aurora e clamo a vós. * Confiante.
Glória ao Pai. R. Por vosso amor.

Cântico evangélico, ant.

Salvai-nos, ó Senhor, da mão dos inimigos!

Preces

Bendigamos a Cristo, nosso Salvador, que pela sua ressurreição iluminou o mundo; e o invoquemos com humildade, dizendo:

R. **Guardai-nos, Senhor, em vossos caminhos!**

Senhor Jesus, nesta oração da manhã celebramos a vossa ressurreição,
– e vos pedimos que a esperança da vossa glória ilumine todo o nosso dia. R.

Recebei, Senhor, nossas aspirações e propósitos,
– como primícias deste dia. R.

Fazei-nos crescer hoje em vosso amor,
– a fim de que tudo concorra para o nosso bem e de todas as pessoas. R.

Fazei, Senhor, que a nossa vida brilhe como luz diante dos homens,
– para que vejam as nossas boas obras e glorifiquem a Deus Pai. R.

(intenções livres)

Pai nosso...

Oração

Senhor Jesus Cristo, luz verdadeira que iluminais a todos os seres humanos para salvá-los, concedei-nos a força de preparar diante de vós os caminhos da justiça e da paz. Vós, que sois Deus com o Pai, na unidade do Espírito Santo.

Hora Média

V. Vinde, ó **Deus**. Glória ao **Pai**. Como era. (Aleluia).

HINO como no Ordinário, p. 743.

Salmodia

Ant. 1 Nesta **terra** de exílio guardarei vossos preceitos.

884   II Semana

Salmo 118(119),49-56
VII (Zain)

Meditação sobre a Palavra de Deus na Lei

A quem iremos, Senhor? Tu tens palavras de vida eterna (Jo 6,68).

—⁴⁹ Lembrai-vos da promessa ao vosso servo,*
pela qual me cumulastes de esperança!

—⁵⁰ O que me anima na aflição é a certeza: *
vossa palavra me dá a vida, ó Senhor.

—⁵¹ Por mais que me insultem os soberbos, *
eu não me desviarei de vossa lei.

—⁵² Recordo as leis que vós outrora proferistes, *
e esta lembrança me consola o coração.

—⁵³ Apodera-se de mim a indignação, *
vendo que os ímpios abandonam vossa lei.

—⁵⁴ As vossas leis são para mim como canções *
que me alegram nesta terra de exílio.

—⁵⁵ Até de noite eu relembro vosso nome *
e observo a vossa lei, ó meu Senhor!

—⁵⁶ Quanto a mim, uma só coisa me interessa: *
cumprir vossos preceitos, ó Senhor!

Ant. Nesta terra de exílio guardarei vossos preceitos.

Ant. 2 O Senhor trará de volta os deportados de seu povo,
e exultaremos de alegria.

Salmo 52(53)

A insensatez dos ímpios

Todos pecaram e estão privados da glória de Deus (Rm 3,23).

— ¹ Diz o insensato em seu próprio coração: *
"Não há Deus! Deus não existe!"

— ² Corromperam-se em ações abomináveis, *
já não há quem faça o bem!

— ³ Senhor, ele se inclina lá dos céus *
sobre os filhos de Adão,

— para ver se resta um homem de bom senso *
que ainda busque a Deus. —

Terça-feira – Hora Média

– ⁴Mas todos eles igualmente se perderam, *
corrompendo-se uns aos outros;
– não existe mais nenhum que faça o bem, *
não existe um sequer!
– ⁵Será que não percebem os malvados*
quanto exploram o meu povo?
– Eles devoram o meu povo como pão, *
e não invocam o Senhor.
– ⁶Eis que se põem a tremer de tanto medo, *
onde não há o que temer;
– porque Deus fez dispersar até os ossos *
dos que te assediavam.
– Eles ficaram todos cheios de vergonha, *
porque Deus os rejeitou.
– ⁷Que venha, venha logo de Sião *
a salvação de Israel!
– Quando o Senhor reconduzir do cativeiro *
os deportados de seu povo,
– que júbilo e que festa em Jacó, *
que alegria em Israel!

Ant. O Senhor trará de volta os deportados de seu povo, e exultaremos de alegria.

Ant. 3 Quem me protege e me ampara é meu Deus,
é o Senhor quem sustenta minha vida.

Salmo 53(54),3-6.8-9

Pedido de auxílio

*O profeta reza para escapar, em nome do Senhor, à maldade de seus
perseguidores* (Cassiodoro).

– ³Por vosso nome, salvai-me, Senhor: *
e dai-me a vossa justiça!
– ⁴Ó meu Deus, atendei minha prece *
e escutai as palavras que eu digo!
= ⁵Pois contra mim orgulhosos se insurgem, †
e violentos perseguem-me a vida: *
não há lugar para Deus aos seus olhos.

886   II Semana

– [6] Quem me protege e me ampara é meu Deus; *
   é o Senhor quem sustenta minha vida!
– [8] Quero ofertar-vos o meu sacrifício *
   de coração e com muita alegria;
– quero louvar, ó Senhor, vosso nome, *
   quero cantar vosso nome que é bom!
– [9] Pois me livrastes de toda a angústia, *
   e humilhados vi meus inimigos!

Ant. Quem me protege e me ampara é meu **Deus**,
     é o Senhor quem sustenta minha **vida**.

Leitura breve   1Cor 12,12-13

Como o corpo é um, embora tenha muitos membros, e como todos os membros do corpo, embora sejam muitos, formam um só
corpo, assim também acontece com Cristo. De fato, todos nós,
judeus ou gregos, escravos ou livres, fomos batizados num único
Espírito, para formarmos um único corpo, e todos nós bebemos
de um único Espírito.

V. Guardai-me, Pai santo, em vosso nome,
R. Para sermos perfeitos na unidade!

Oração

Ó Deus, que revelastes a Pedro vosso plano de salvação para
todos os povos, fazei que nossos trabalhos vos agradem e, pela
vossa graça, sirvam ao vosso desígnio de amor e redenção. Por
Cristo, nosso Senhor.

Vésperas

V. Vinde, ó **Deus**. Glória ao **Pai**. Como era. (Aleluia).
Hino

    Autor e origem do tempo,
    por sábia ordem nos dais
    o claro dia no trabalho,
    e a noite, ao sono e à paz.

    As mentes castas guardai
    dentro da calma da noite
    e que não venha a feri-las
    do dardo mau o açoite.

Os corações libertai
de excitações persistentes.
Não quebre a chama da carne
a força viva das mentes.

Ouvi-nos, Pai piedoso,
e vós, ó Filho de Deus,
que com o Espírito Santo
reinais eterno nos céus.

Salmodia

Ant. 1 Não po**deis** servir a **Deus** e ao di**nheiro**.

T.P.: Procu**rai** o que é do **alto**,
 e **não** o que é da ter**ra**. Ale**lui**a.

Salmo 48(49)

A ilusão das riquezas

Dificilmente um rico entrará no Reino dos Céus (Mt 19,23).

I

– [2] Ouvi **isto**, povos **to**dos do uni**ver**so, *
 muita aten**ção**, ó habitantes deste mundo;
– [3] pode**ro**sos e humildes, escutai-me, *
 ricos e **po**bres, todos juntos, sede atentos!
– [4] Minha **bo**ca vai dizer palavras sábias, *
 que medi**tei** no coração profundamente;
– [5] e, incli**nan**do meus ouvidos às parábolas, *
 decifra**rei** ao som da harpa o meu enigma:
– [6] Por que te**mer** os dias maus e infelizes, *
 quando a ma**lí**cia dos perversos me circunda?
– [7] Por que te**mer** os que confiam nas riquezas *
 e se glo**ri**am na abundância de seus bens?
– [8] Ninguém se **li**vra de sua morte por dinheiro *
 nem a **Deus** pode pagar o seu resgate.
– [9] A isen**ção** da própria morte não tem preço; *
 não há ri**que**za que a possa adquirir,
– [10] nem dar ao **ho**mem uma vida sem limites *
 e garan**tir**-lhe uma existência imortal. –

888   II Semana

= [11] Morrem os **sábios** e os ricos igualmente; †
    morrem os **lou**cos e também os insensatos, *
    e deixam **tu**do o que possuem aos estranhos;
= [12] os seus se**pul**cros serão sempre as suas casas, †
    suas mo**ra**das através das gerações, *
    mesmo se **de**ram o seu nome a muitas terras.
– [13] Não dura **mui**to o homem rico e poderoso; *
    é seme**lhan**te ao gado gordo que se abate.

Ant. Não po**deis** servir a **Deus** e ao di**nhei**ro.

T.P.: Procu**rai** o que é do **al**to,
    e **não** o que é da **ter**ra. Ale**lui**a.

Ant. 2 Ajun**tai** vosso te**sou**ro no **céu**, diz o Se**nhor**.

T.P.: O Se**nhor** me arreba**tou** das mãos da **mor**te, ale**lui**a.

II

– [14] Este é o **fim** do que **espera** estulta**men**te, *
    o fim da**que**les que se alegram com sua sorte;
= [15] são um re**ba**nho recolhido ao cemitério, †
    e a própria **mor**te é o pastor que os apascenta; *
    são empur**ra**dos e deslizam para o abismo.
–   Logo seu **cor**po e seu semblante se desfazem, *
    e entre os **mor**tos fixarão sua morada.
– [16] Deus, po**rém**, me salvará das mãos da morte *
    e junto a **si** me tomará em suas mãos.
– [17] Não te inquietes, quando um homem fica rico *
    e au**men**ta a opulência de sua casa;
– [18] pois, ao mor**rer**, não levará nada consigo, *
    nem seu pres**tí**gio poderá acompanhá-lo.
– [19] Felici**ta**va-se a si mesmo enquanto vivo: *
    "Todos te a**plau**dem, tudo bem, isto que é vida!"
– [20] Mas vai-se **e**le para junto de seus pais, *
    que nunca **mais** e nunca mais verão a luz!
– [21] Não dura **mui**to o homem rico e poderoso: *
    é seme**lhan**te ao gado gordo que se abate.

Ant. Ajun**tai** vosso te**sou**ro no **céu**, diz o Se**nhor**.

T.P.: O Se**nhor** me arreba**tou** das mãos da **mor**te, ale**lui**a.

Ant. 3 Toda **gló**ria ao Cordeiro imolado!
Toda **honra** e po**der** para **sempre**!

T.P.: A vós per**ten**cem, ó Se**nhor**, a grandeza e o po**der**,
o esplen**dor** e a vi**tória**. Ale**luia**.

Cântico   Ap 4,11; 5,9.10.12

Hino dos remidos

— [4,11] Vós sois **digno**, Se**nhor** nosso **Deus**, *
de rece**ber** honra, glória e poder!

(**R.** **Poder**, honra e **gló**ria ao Cordeiro de **Deus**!)

= [5,9] Porque **to**das as coisas criastes, †
é por **vo**ssa vontade que existem, *
e sub**sis**tem porque vós mandais.   (**R.**)

= Vós sois **digno**, Senhor nosso Deus, †
de o **livro** nas mãos receber *
e de a**brir** suas folhas lacradas!   (**R.**)

— Porque **fos**tes por nós imolado; *
para **Deus** nos remiu vosso sangue

— dentre **to**das as tribos e línguas, *
dentre os **po**vos da terra e nações.   (**R.**)

= [10] Pois fi**zes**tes de nós, para Deus, †
sacer**do**tes e povo de reis, *
e i**re**mos reinar sobre a terra.   (**R.**)

= [12] O Cor**dei**ro imolado é digno †
de rece**ber** honra, glória e poder, *
sabedo**ria**, louvor, divindade!   (**R.**)

Ant. Toda **gló**ria ao Cordeiro imolado!
Toda **honra** e po**der** para **sempre**!

T.P.: A vós per**ten**cem, ó Se**nhor**, a gran**de**za e o po**der**,
o esplen**dor** e a vi**tória**. Ale**luia**.

Leitura breve   Rm 3,23-25a

Todos pecaram e estão privados da glória de Deus, e a justificação se dá gratuitamente, por sua graça, em virtude da redenção
realizada em Jesus Cristo. Deus destinou Jesus Cristo a ser, por
seu próprio sangue, instrumento de expiação mediante a realidade da fé. Assim Deus mostrou sua justiça.

Responsório breve

R. Junto a **vós**, felici**da**de,
  * Felici**da**de sem li**mi**tes! R. Junto a **vós**.
V. De**lí**cia e**ter**na, ó Se**nhor**. * Felici**da**de.
  Glória ao **Pai**. R. Junto a **vós**.

Cântico evangélico, ant.

Ó Se**nhor**, fazei co**nos**co maravilhas,
pois **san**to e pode**ro**so é vosso **no**me!

Preces

Louvemos a Cristo, pastor e guia de nossas almas, que ama e protege o seu povo; e, pondo nele toda a nossa esperança, supliquemos:

R. **Senhor, protegei o vosso povo!**

Pastor eterno, protegei o nosso Bispo N.,
– e todos os pastores da vossa Igreja.   R.

Olhai com bondade para os que sofrem perseguição,
– e apressai-vos em libertá-los de seus sofrimentos.   R.

Tende compaixão dos pobres e necessitados,
– e dai pão aos que têm fome.   R.

Iluminai os que têm a responsabilidade de fazer as leis das nações,
– para que em tudo possam discernir com sabedoria e equidade.

R.

(intenções livres)

Socorrei, Senhor, os nossos irmãos e irmãs falecidos, que remistes com vosso sangue,
– para que mereçam tomar parte convosco no banquete das núpcias eternas.   R.

Pai nosso...

Oração

Ó Deus, senhor do dia e da noite, fazei brilhar sempre em nossos corações o sol da justiça, para que possamos chegar à luz em que habitais. Por nosso Senhor Jesus Cristo, vosso Filho, na unidade do Espírito Santo.

II QUARTA-FEIRA

Laudes

V. Vinde, ó **Deus**. Glória ao **Pai**. Como era.(Aleluia).

Hino

Criador das alturas celestes,
vós fixastes caminhos de luz
para a lua, rainha da noite,
para o sol, que de dia reluz.

Vai-se a treva, fugindo da aurora,
e do dia se espalha o clarão.
Nova força também nos desperta
e nos une num só coração.

O nascer deste dia convida
a cantarmos os vossos louvores.
Do céu jorra uma paz envolvente,
harmonia de luz e de cores.

Ao clarão desta luz que renasce,
fuja a treva e se apague a ilusão.
A discórdia não trema nos lábios,
a maldade não turve a razão.

Quando o sol vai tecendo este dia,
brilhe a fé com igual claridade,
cresça a espera nos bens prometidos
e nos una uma só caridade.

Escutai-nos, ó Pai piedoso,
e vós, Filho, do Pai esplendor,
que reinais, com o Espírito Santo,
na manhã sem ocaso do amor.

Salmodia

Ant. 1 São **santos**, ó **Senhor**, vossos **caminhos**;
haverá **deus** que se **compare** ao nosso **Deus**?

T.P.: As **águas**, ó **Senhor**, vos avistaram;
conduzistes vosso **povo** pelo **mar**. Aleluia.

892

II Semana

Salmo 76(77)

Lembrando as maravilhas do Senhor

Somos afligidos de todos os lados, mas não vencidos (2Cor 4,8)

2
— Quero clamar ao Senhor Deus em alta voz, *
em alta voz eu clamo a Deus: que ele me ouça!
3
= No meu dia de aflição busco o Senhor; †
sem me cansar ergo, de noite, as minhas mãos, *
e minh'alma não se deixa consolar.
4
— Quando me lembro do Senhor, solto gemidos, *
5
e, ao recordá-lo, minha alma desfalece.
— Não me deixastes, ó meu Deus, fechar os olhos, *
e, perturbado, já nem posso mais falar!
6
— Eu reflito sobre os tempos de outrora, *
7
e dos anos que passaram me recordo;
— meu coração fica a pensar durante a noite, *
e, de tanto meditar, eu me pergunto:
8
— Será que Deus vai rejeitar-nos para sempre? *
9
E nunca mais nos há de dar o seu favor?
— Por acaso, seu amor foi esgotado? *
Sua promessa, afinal, terá falhado?
10
— Será que Deus se esqueceu de ter piedade? *
11
Será que a ira lhe fechou o coração?
— Eu confesso que é esta a minha dor: *
"A mão de Deus não é a mesma: está mudada!"
12
— Mas, recordando os grandes feitos do passado, *
13
vossos prodígios eu relembro, ó Senhor;
— eu medito sobre as vossas maravilhas *
e sobre as obras grandiosas que fizestes.
14
— São santos, ó Senhor, vossos caminhos! *
15
Haverá deus que se compare ao nosso Deus?
— Sois o Deus que operastes maravilhas, *
16
vosso poder manifestastes entre os povos.
— Com vosso braço redimistes vosso povo, *
os filhos de Jacó e de José.
17
— Quando as águas, ó Senhor, vos avistaram, *
elas tremeram e os abismos se agitaram

Quarta-feira – Laudes

= [18] e as **nu**vens derramaram suas águas, †
a tempes**ta**de fez ouvir a sua voz, *
por todo **la**do se espalharam vossas flechas.

= [19] Ribom**bou** a vossa voz entre trovões, †
vossos **ra**ios toda a terra iluminaram, *
a terra in**tei**ra estremeceu e se abalou.

= [20] **Abriu**-se em pleno mar vosso caminho †
e a vossa es**tra**da, pelas águas mais profundas; *
[21] mas nin**guém** viu os sinais dos vossos passos.

− Como um re**ba**nho conduzistes vosso povo *
e o gui**as**tes por Moisés e Aarão.

Ant. São **san**tos, ó Se**nhor**, vossos ca**mi**nhos;
haverá **deus** que se com**pa**re ao nosso **Deus**?

T.P.: As águas, ó Se**nhor**, vos avistaram;
condu**zis**tes vosso **po**vo pelo **mar**. Ale**lui**a.

Ant. 2 **Exul**ta no Se**nhor** meu cora**ção**.
É ele quem e**xal**ta os humil**ha**dos.

T.P.: É o Se**nhor** quem dá a **mor**te e dá a **vi**da, ale**lui**a.

Cântico

1Sm 2,1-10

Os humildes se alegram em Deus

*Derrubou do trono os poderosos e elevou os humildes. Encheu
de bens os famintos (Lc 1,52-53).*

− [1] **Exul**ta no Se**nhor** meu cora**ção**, *
e se e**le**va a minha fronte no meu Deus;

− minha **bo**ca desafia os meus rivais *
porque me a**le**gro com a vossa salvação.

− [2] Não há **san**to como é santo o nosso Deus, *
ninguém é **for**te à semelhança do Senhor!

− [3] Não fa**leis** tantas palavras orgulhosas, *
nem profiram arrogâncias vossos lábios!

− Pois o Se**nhor** é o nosso Deus que tudo sabe. *
Ele co**nhe**ce os pensamentos mais ocultos.

− [4] O arco dos **for**tes foi dobrado, foi quebrado, *
mas os **fra**cos se vestiram de vigor. −

894   II Semana

– ⁵Os saciados se empregaram por um pão, *
   mas os pobres e os famintos se fartaram.
– Muitas vezes deu à luz a que era estéril, *
   mas a mãe de muitos filhos definhou.
– ⁶É o Senhor que dá a morte e dá a vida, *
   faz descer à sepultura e faz voltar;
– ⁷é o Senhor que faz o pobre e faz o rico, *
   é o Senhor que nos humilha e nos exalta.
– ⁸O Senhor ergue do pó o homem fraco, *
   e do lixo ele retira o indigente,
– para fazê-los assentar-se com os nobres *
   num lugar de muita honra e distinção.
– As colunas desta terra lhe pertencem, *
   e sobre elas assentou o universo.
– ⁹Ele vela sobre os passos de seus santos, *
   mas os ímpios se extraviam pelas trevas.
– ¹⁰Ninguém triunfa se apoiando em suas forças; *
   os inimigos do Senhor serão vencidos;
– sobre eles faz troar o seu trovão, *
   o Senhor julga os confins de toda a terra.
– O Senhor dará a seu Rei a realeza *
   e exaltará o seu Ungido com poder.

Ant. Exulta no Senhor meu coração.
      É ele quem exalta os humilhados.

T.P.: É o Senhor quem dá a morte e dá a vida, aleluia.

Ant. 3 Deus é Rei! Exulte a terra de alegria! †

T.P.: Uma luz já se levanta para os justos,
       e a alegria para os retos corações. Aleluia.

Salmo 96(97)
A glória do Senhor como juiz

Este salmo expressa a salvação do mundo e a fé dos povos todos
em Deus (Sto. Atanásio).

– ¹Deus é Rei! Exulte a terra de alegria, *
   † e as ilhas numerosas rejubilem!

Quarta-feira – Laudes

– ² Treva e **nu**vem o rodeiam no seu trono, *
que se **apoia** na justiça e no direito.
– ³ Vai um **fo**go caminhando à sua frente *
e de**vo**ra ao redor seus inimigos.
– ⁴ Seus re**lâm**pagos clareiam toda a terra; *
toda a **ter**ra, ao contemplá-los, estremece.
– ⁵ As mon**ta**nhas se derretem como cera *
ante a **fa**ce do Senhor de toda a terra;
– ⁶ e as**sim** proclama o céu sua justiça, *
todos os **po**vos podem ver a sua glória.

= ⁷ "Os que a**do**ram as estátuas se envergonhem †
e os que **põem** a sua glória nos seus ídolos; *
aos pés de **Deus** vêm se prostrar todos os deuses!"

= ⁸ Sião es**cu**ta transbordante de alegria, †
e e**xul**tam as cidades de Judá, *
porque são **jus**tos, ó Senhor, vossos juízos!

= ⁹ Porque **vós** sois o Altíssimo, Senhor, †
muito a**ci**ma do universo que criastes, *
e de **mui**to superais todos os deuses.

=¹⁰ O Senhor **a**ma os que detestam a maldade, †
ele pro**te**ge seus fiéis e suas vidas, *
e da **mão** dos pecadores os liberta.

–¹¹ Uma **luz** já se levanta para os justos, *
e a ale**gri**a, para os retos corações.
–¹² Homens **jus**tos, alegrai-vos no Senhor, *
cele**brai** e bendizei seu santo nome!

Ant. Deus é **Rei**! Exulte a **ter**ra de ale**gri**a!

T.P.: Uma **luz** já se le**van**ta para os **jus**tos,
e a alegria para os **re**tos cora**ções**. Ale**lu**ia.

Leitura breve   Rm 8,35.37
Quem nos separará do amor de Cristo? Tribulação? Angústia?
Perseguição? Fome? Nudez? Perigo? Espada? Mas, em tudo isso,
somos mais que vencedores, graças àquele que nos amou!

896   II Semana

Responsório breve

R. Bendi**rei** o Senhor **Deus**,
   * Bendi**rei** em todo o **tempo**. R. Bendi**rei**.
V. Seu lou**vor** em minha **boca**, seu louvor eternamente.
   * Bendi**rei**. Glória ao **Pai**. R. Bendi**rei**.

Cântico evangélico, ant.

Sir**v**amos ao Se**nhor** em santi**da**de
en**quan**to perdu**ra**rem nossos **di**as.

Preces

Bendito seja Deus, nosso Salvador, que prometeu permanecer conosco todos os dias até o fim do mundo. Dando-lhe graças, peçamos:
R. **Ficai conosco, Senhor!**

Ficai conosco, Senhor, durante todo o dia,
– e que jamais se ponha em nossa vida o sol da vossa justiça. R.

Nós vos consagramos este dia como uma oferenda agradável,
– e nos comprometemos a praticar somente o bem.   R.

Fazei, Senhor, que todo este dia transcorra como um dom da vossa luz,
– para que sejamos sal da terra e luz do mundo.   R.

Que a caridade do Espírito Santo inspire nossos corações e nossas palavras,
– a fim de permanecermos sempre em vossa justiça e em vosso louvor.   R.

           (intenções livres)

Pai nosso...

Oração

Acendei, Senhor, em nossos corações a claridade de vossa luz, para que, andando sempre no caminho de vossos mandamentos, sejamos livres de todo erro. Por nosso Senhor Jesus Cristo, vosso Filho, na unidade do Espírito Santo.

Hora Média

V. Vinde, ó **Deus**. Glória ao **Pai**. Como era. (Aleluia).

HINO como no Ordinário, p.743.

Quarta-feira – Hora Média

Salmodia

Ant. 1 Fico pensando, ó Senhor, nos meus caminhos;
escolhi por vossa lei guiar meus passos.

Salmo 118(119),57-64
VIII (Heth)
Meditação sobre a Palavra de Deus na Lei

*Sois uma carta de Cristo, gravada não em tábuas de pedra, mas
em vossos corações* (2Cor 3,3).

– [57] É esta a parte que escolhi por minha herança: *
observar vossas palavras, ó Senhor!

– [58] De todo o coração eu vos suplico: *
piedade para mim que o prometestes!

– [59] Fico pensando, ó Senhor, nos meus caminhos; *
escolhi por vossa lei guiar meus passos.

– [60] Eu me apresso, sem perder um só instante, *
em praticar todos os vossos mandamentos.

– [61] Mesmo que os ímpios me amarrem com seus laços, *
nem assim hei de esquecer a vossa lei.

– [62] Alta noite eu me levanto e vos dou graças *
pelas vossas decisões leais e justas.

– [63] Sou amigo dos fiéis que vos respeitam *
e daqueles que observam vossas leis.

– [64] Transborda em toda a terra o vosso amor; *
ensinai-me, ó Senhor, vossa vontade!

Ant. Fico pensando, ó Senhor, nos meus caminhos;
escolhi por vossa lei guiar meus passos.

Ant. 2 O temor e o tremor me penetram;
dignai-vos me ouvir, respondei-me!

Salmo 54(55),2-15.17-24
Oração depois da traição de um amigo

Jesus começou a sentir pavor e angústia (Mc 14,33).

I

– [2] Ó meu Deus, escutai minha prece, *
não fujais desta minha oração!

898   II Semana

– ³ Dig**nai**-vos me ouvir, respondei-me: *
     a ang**ús**tia me faz delirar!

– ⁴ Ao cla**mor** do inimigo estremeço, *
     e ao **gri**to dos ímpios eu tremo.

–   Sobre **mim** muitos males derramam, *
     contra **mim** furiosos investem.

– ⁵ Meu cora**ção** dentro em mim se angustia, *
     e os ter**ro**res da morte me abatem;

– ⁶ o te**mor** e o tremor me penetram, *
     o pa**vor** me envolve e deprime!

= ⁷ É por **is**so que eu digo na angústia: †
     Quem me **de**ra ter asas de pomba *
     e vo**ar** para achar um descanso!

– ⁸ Fugi**ri**a, então, para longe, *
     e me i**ri**a esconder no deserto.

– ⁹ Acha**ri**a depressa um refúgio *
     contra o **ven**to, a procela, o tufão".

=¹⁰ Ó Se**nhor**, confundi as más línguas; †
     disper**sai**-as, porque na cidade *
     só se **vê** violência e discórdia!

=¹¹ Dia e **noi**te circundam seus muros, †
     ¹²dentro **de**la há maldades e crimes, *
     a injus**ti**ça, a opressão moram nela!

–   Viol**ên**cia, imposturas e fraudes *
     já não **dei**xam suas ruas e praças.

Ant. O te**mor** e o tre**mor** me pe**ne**tram;
      dig**nai**-vos me ou**vir**, respon**dei**-me!

Ant. 3 Eu, po**rém**, clamo a **Deus** em meu **pran**to,
      e o Se**nhor** me have**rá** de sal**var**.

II

–¹³ Se o ini**mi**go viesse insul**tar**-me, *
     pode**ri**a aceitar certamente;

–   se contra **mim** investisse o inimigo, *
     pode**ri**a, talvez, esconder-me.

–¹⁴ Mas és **tu**, companheiro e amigo, *
     tu, meu **ín**timo e meu familiar,

Quarta-feira – Hora Média

– [15]com quem **ti**ve agradável convívio *
   com o **po**vo, indo à casa de Deus!
– [17]Eu, po**rém**, clamo a Deus em meu pranto, *
   e o Se**nhor** me haverá de salvar!
– [18]Desde a **tar**de, à manhã, ao meio-dia, *
   faço ou**vir** meu lamento e gemido.
– [19]O Se**nhor** há de ouvir minha voz, *
   liber**tan**do a minh'alma na paz,
– derro**tan**do os meus agressores, *
   porque **mui**tos estão contra mim!
– [20]Deus me **ou**ve e haverá de humilhá-los, *
   porque é **Rei** e Senhor desde sempre.
– Para os **ím**pios não há conversão, *
   pois não **te**mem a Deus, o Senhor.
– [21]Erguem a **mão** contra os próprios amigos, *
   vio**lan**do os seus compromissos;
– [22]sua **bo**ca está cheia de unção, *
   mas o **seu** coração traz a guerra;
– suas pa**la**vras mais brandas que o óleo, *
   na ver**da**de, porém, são punhais.
– [23]Lança **so**bre o Senhor teus cuidados, *
   porque **e**le há de ser teu sustento,
– e ja**mais** ele irá permitir *
   que o **jus**to para sempre vacile!
– [24]Vós, po**rém**, ó Senhor, os lançais *
   no a**bis**mo e na cova da morte.
– Assassinos e homens de fraude *
   não ve**rão** a metade da vida.
– Quanto a **mim**, ó Senhor, ao contrário: *
   ponho em **vós** toda a minha esperança!

Ant. Eu, po**rém**, clamo a **Deus** em meu **pran**to,
   e o Se**nhor** me have**rá** de sal**var**.

Leitura breve
Is 55,8-9

Meus pensamentos não são como os vossos pensamentos e vossos caminhos não são como os meus caminhos, diz o Senhor. Estão
meus caminhos tão acima dos vossos caminhos e meus pensamen-

tos acima dos vossos pensamentos, quanto está o céu acima da terra.

V. Senhor **Deus** do universo, quem será igual a **vós**?
R. Ó Senhor, sois poderoso, irradiais fidelidade.

Oração

Deus onipotente e misericordioso, que nos dais novo alento no meio deste dia, olhai com bondade os trabalhos começados e, perdoando nossas faltas, fazei que eles atinjam os fins que vos agradam. Por Cristo, nosso Senhor.

Vésperas

V. Vinde, ó **Deus**. Glória ao **Pai**. Como era. (Aleluia).

Hino

Devagar, vai o sol se escondendo,
deixa os montes, o campo e o mar,
mas renova o presságio da luz,
que amanhã vai de novo brilhar.

Os mortais se admiram do modo
pelo qual, generoso Senhor,
destes leis ao transcurso do tempo,
alternância de sombra e fulgor.

Quando reina nos céus o silêncio
e declina o vigor para a lida,
sob o peso das trevas a noite
nosso corpo ao descanso convida.

De esperança e de fé penetrados,
saciar-nos possamos, Senhor,
de alegria na glória do Verbo
que é do Pai o eterno esplendor.

Este é o sol que jamais tem ocaso
e também o nascer desconhece.
Canta a terra, em seu brilho envolvida,
nele o céu em fulgor resplandece.

Dai-nos, Pai, gozar sempre da luz
que este mundo ilumina e mantém,
e cantar-vos, e ao Filho, e ao Espírito,
canto novo nos séculos. Amém.

Quarta-feira – Vésperas

Salmodia

Ant. 1 Aguardemos a bendita esperança
e a vinda gloriosa do Senhor.

T.P.: Que o vosso coração não se perturbe:
crede em mim unicamente, aleluia.

Salmo 61(62)

A paz em Deus

*Que o Deus da esperança vos encha da alegria e da paz em
vossa vida de fé* (Rm 15,13).

– [2] Só em **Deus** a minha alma tem repouso, *
porque **dele** é que me vem a salvação!
– [3] Só **ele** é meu rochedo e salvação, *
a fortaleza onde encontro segurança!

– [4] Até **quando** atacareis um pobre homem, *
todos **juntos**, procurando derrubá-lo,
– como a parede que começa a inclinar-se, *
ou um **muro** que está prestes a cair?

– [5] Combinaram empurrar-me lá do alto, *
e se comprazem em mentir e enganar,
– enquanto eles bendizem com os lábios, *
no coração, bem lá do fundo, amaldiçoam.

– [6] Só em **Deus** a minha alma tem repouso, *
porque **dele** é que me vem a salvação!
– [7] Só **ele** é meu rochedo e salvação, *
a fortaleza, onde encontro segurança!

– [8] A minha **glória** e salvação estão em Deus; *
o meu re**fúgio** e rocha firme é o Senhor!
= [9] Povo **todo**, esperai sempre no Senhor, †
e **abri** diante dele o coração: *
nosso **Deus** é um refúgio para nós!

– [10] Todo **homem** a um sopro se assemelha, *
o filho do **homem** é mentira e ilusão;
– se sub**issem** todos eles na balança, *
pesariam até menos do que o vento: –

902   II Semana

–[11] Não confieis na opressão e na violência *
       nem vos gabeis de vossos roubos e enganos!
–   E se crescerem vossas posses e riquezas, *
       a elas não prendais o coração!
=[12] Uma palavra Deus falou, duas ouvi: †
       "O poder e a bondade a Deus pertencem, *
       pois pagais a cada um conforme as obras".

Ant. Aguardemos a bendita esperança
     e a vinda gloriosa do Senhor.

T.P.: Que o vosso coração não se perturbe:
      crede em mim unicamente, aleluia.

Ant. 2 Que Deus nos dê a sua graça e sua bênção,
       e sua face resplandeça sobre nós! †

T.P.: Que as nações vos glorifiquem, ó Senhor,
      e exultem pela vossa salvação! Aleluia.

Salmo 66(67)
Todos os povos celebram o Senhor

Sabei que esta salvação de Deus já foi comunicada aos pagãos!
(At 28,28).

–[2] Que Deus nos dê a sua graça e sua bênção, *
      e sua face resplandeça sobre nós!
–[3] †Que na terra se conheça o seu caminho *
      e a sua salvação por entre os povos.
–[4] Que as nações vos glorifiquem, ó Senhor, *
      que todas as nações vos glorifiquem!
–[5] Exulte de alegria a terra inteira, *
      pois julgais o universo com justiça;
–   os povos governais com retidão, *
      e guiais, em toda a terra, as nações.
–[6] Que as nações vos glorifiquem, ó Senhor, *
      que todas as nações vos glorifiquem!
–[7] A terra produziu sua colheita: *
      o Senhor e nosso Deus nos abençoa.
–[8] Que o Senhor e nosso Deus nos abençoe, *
      e o respeitem os confins de toda a terra!

Quarta-feira – Vésperas

Ant. Que Deus nos dê a sua **graça** e sua **bênção**,
e sua **face** resplandeça sobre **nós**!

T.P.: Que as **nações** vos glorifiquem, ó Se**nhor**,
e e**xul**tem pela **vos**sa salv**ação**! Ale**lui**a.

Ant. 3 Em **Cris**to é que **tu**do foi criado,
e é por **el**e que sub**sis**te o uni**ver**so.

T.P.: O céu se **en**che com a **su**a maje**sta**de
e a **ter**ra com sua **gló**ria, ale**lui**a.

Cântico cf. Cl 1,12-20

**Cristo, o Primogênito de toda a criatura
e o Primogênito dentre os mortos**

=¹² Demos **graças** a Deus **Pai** onipote**nte**, †
que nos **cha**ma a partilhar, na sua luz, *
da he**ran**ça a seus santos reservada!

(R. Glória a **vós**, Primogênito dentre os **mor**tos!)

=¹³ Do im**pé**rio das trevas arrancou-nos †
e transpor**tou**-nos para o reino de seu Filho, *
para o **rei**no de seu Filho bem-amado,
—¹⁴ no **qual** nós encontramos redenção, *
dos pe**ca**dos remissão pelo seu sangue. (R.)

—¹⁵ Do **Deus**, o Invisível, é a imagem, *
o Primogênito de toda criatura;
=¹⁶ porque **ne**le é que tudo foi criado: †
o que há nos **céus** e o que existe sobre a terra, *
o vi**sí**vel e também o invisível. (R.)

= Sejam **Tro**nos e Poderes que há nos céus, †
sejam **e**les Principados, Potestades: *
por **e**le e para ele foram feitos;
—¹⁷ antes de **to**da criatura ele existe, *
e é por **e**le que subsiste o universo. (R.)

=¹⁸ Ele é a Cabeça da Igreja, que é seu Corpo, †
é o prin**cí**pio, o Primogênito dentre os mortos, *
a **fim** de ter em tudo a primazia.
—¹⁹ Pois foi do a**gra**do de Deus Pai que a plenitude *
hab**itas**se no seu Cristo inteiramente. (R.)

904   II Semana

—[20] **Aprou**ve-lhe também, por meio dele, *
reconcili**ar** consigo mesmo as criaturas,
= pacifi**can**do pelo sangue de sua cruz †
tudo **aqui**lo que por ele foi criado, *
o que há nos **céus** e o que existe sobre a terra.   (R.)

Ant. Em **Cris**to é que **tu**do foi cri**a**do,
e é por **e**le que sub**sis**te o uni**ver**so.

T.P.: O céu se **en**che com a **su**a majes**ta**de
e a **ter**ra com sua **gló**ria, ale**lui**a.

Leitura breve   1Pd 5,5b-7

Revesti-vos todos de humildade no relacionamento mútuo, porque Deus resiste aos soberbos, mas dá a sua graça aos humildes.
Rebaixai-vos, pois, humildemente, sob a poderosa mão de Deus,
para que, na hora oportuna, ele vos exalte. Lançai sobre ele toda
a vossa preocupação, pois é ele quem cuida de vós.

Responsório breve

R. Prote**gei**-nos, Se**nhor**
    * Como a pu**pi**la dos **o**lhos. R. Prote**gei**-nos.
V. Guar**dai**-nos, defen**dei**-nos, sob a **vos**sa prote**ção**.
    * Como a pu**pi**la. Gló**ria** ao **Pai**. R. Prote**gei**-nos.

Cântico evangélico, ant.

Ó Se**nhor**, manifes**tai** o po**der** de vosso **bra**ço,
disper**sai** os so**ber**bos e ele**vai** os hu**mil**des.

Preces

Irmãos e irmãs caríssimos, exultemos em Deus nosso Salvador,
cuja alegria é enriquecer-nos com seus dons; e peçamos com
todo fervor:

R. **Dai-nos, Senhor, a vossa graça e a vossa paz!**

Deus eterno, para quem mil anos são o dia de ontem que passou,
– lembrai-nos sempre que a vida é como a erva que de manhã
floresce e à tarde fica seca.   R.

Alimentai o vosso povo com o maná, para que não passe fome,
– e dai-lhe a água viva para que nunca mais tenha sede. R.

Fazei que os vossos fiéis procurem e saboreiem as coisas do alto,
– e vos glorifiquem com o seu trabalho e o seu descanso   R.

Concedei, Senhor, bom tempo às colheitas,
– para que a terra produza muito fruto. R.
Ou:

(Livrai-nos, Senhor, de todos os perigos,
– e abençoai os nossos lares). R.

(intenções livres)

Dai aos que morreram contemplar a vossa face,
– e fazei-nos também participar, um dia, da mesma felicidade. R.
Pai nosso...

Oração

Ó Deus, vosso nome é santo e vossa misericórdia se celebra de geração em geração; atendei às súplicas do povo e concedei-lhe proclamar sempre a vossa grandeza. Por nosso Senhor Jesus Cristo, vosso Filho, na unidade do Espírito Santo.

II QUINTA-FEIRA

Laudes

V. Vinde, ó **Deus**. Glória ao **Pai**. Como era. (**Aleluia**).

Hino

Já o dia nasceu novamente.
Supliquemos, orando, ao Senhor
que nos guarde do mal neste dia
e por atos vivamos o amor.

Ponha freios à língua e a modere,
da discórdia evitando a paixão;
que nos vele o olhar e o defenda
da vaidade e de toda a ilusão.

Sejam puros os seres no íntimo,
dominando os instintos do mal.
Evitemos do orgulho o veneno,
moderando o impulso carnal.

Para que, no final deste dia,
quando a noite, em seu curso, voltar,
abstinentes e puros, possamos
sua glória e louvores cantar.

906 II Semana

Glória ao Pai, ao seu Unigênito
e ao Espírito Santo também.
Suba aos Três o louvor do universo
hoje e sempre, nos séculos. Amém.

Salmodia

Ant. 1 Despertai vosso poder, ó nosso **Deus**,
e vinde logo nos trazer a salvação!

T.P.: Eu sou a videira e vós os ramos. Aleluia.

Salmo 79(80)

Visitai, Senhor, a vossa vinha

Vem, Senhor Jesus! (Ap 22,20).

– 2 Ó Pastor de Israel, prestai ouvidos. *
Vós, que a José apascentais qual um rebanho!
= Vós, que sobre os querubins vos assentais, †
aparecei cheio de glória e esplendor *
3 ante Efraim e Benjamim e Manassés!
– Despertai vosso poder, ó nosso Deus, *
e vinde logo nos trazer a salvação!

= 4 Convertei-nos, ó Senhor Deus do universo, †
e sobre nós iluminai a vossa face! *
Se voltardes para nós, seremos salvos!

– 5 Até quando, ó Senhor, vos irritais, *
apesar da oração do vosso povo?
– 6 Vós nos destes a comer o pão das lágrimas, *
e a beber destes um pranto copioso.
– 7 Para os vizinhos somos causa de contenda, *
de zombaria para os nossos inimigos.

= 8 Convertei-nos, ó Senhor Deus do universo, †
e sobre nós iluminai a vossa face! *
Se voltardes para nós, seremos salvos!

– 9 Arrancastes do Egito esta videira *
e expulsastes as nações para plantá-la;
–10 diante dela preparastes o terreno, *
lançou raízes e encheu a terra inteira. –

Quinta-feira – Laudes

—[11] Os **montes** recobriu com sua sombra, *
e os **cedros** do Senhor com os seus ramos;
—[12] até o **mar** se estenderam seus sarmentos, *
até o **rio** os seus rebentos se espalharam.
—[13] Por que **razão** vós destruístes sua cerca, *
para que **todos** os passantes a vindimem,
—[14] o java**li** da mata virgem a devaste, *
e os ani**mais** do descampado nela pastem?
=[15] Vol**tai**-vos para nós, Deus do universo! †
Olhai dos altos céus e observai. *
Visi**tai** a vossa vinha e protegei-a!
—[16] Foi a **vossa** mão direita que a plantou; *
prote**gei**-a, e ao rebento que firmastes!
—[17] E a**que**les que a cortaram e a queimaram, *
vão pere**cer** ante o furor de vossa face.
—[18] Pousai a **mão** por sobre o vosso Protegido, *
o filho do **ho**mem que escolhestes para vós!
—[19] E nunca **mais** vos deixaremos, Senhor Deus! *
Dai-nos **vi**da, e louvaremos vosso nome!
=[20] Conver**tei**-nos, ó Senhor Deus do universo, †
e sobre **nós** iluminai a vossa face! *
Se vol**tar**des para nós, seremos salvos!

Ant. Desper**tai** vosso po**der,** ó nosso **Deus,**
e vinde **lo**go nos tra**zer** a salvação!

T.P.: Eu **sou** a vi**dei**ra e **vós** os **ra**mos. Aleluia.

Ant. 2 Publi**cai** em toda **ter**ra as mara**vi**lhas do Se**nhor!**

T.P.: Com ale**gri**a bebe**reis** das **á**guas abun**dan**tes
do manan**ci**al do Salva**dor.** Aleluia.

Cântico
Is 12,1-6
Exultação do povo redimido

Se alguém tem sede, venha a mim, e beba (Jo 7,37).

— [1] Dou-vos **graças,** ó Se**nhor,** porque, es**tan**do irritado, *
acal**mou**-se a vossa ira e en**fim** me consolastes.
— [2] Eis o **Deus,** meu Salvador, eu con**fio** e nada temo; *
o Se**nhor** é minha força, meu lou**vor** e salvação.

908   **II Semana**

– ³Com alegria bebereis no manancial da salvação, *
⁴e direis naquele dia: "Dai louvores ao Senhor,
– invocai seu santo nome, anunciai suas maravilhas, *
entre os povos proclamai que seu nome é o mais sublime.
– ⁵Louvai cantando ao nosso Deus, que fez prodígios e portentos, *
publicai em toda a terra suas grandes maravilhas!
– ⁶Exultai cantando alegres, habitantes de Sião, *
porque é grande em vosso meio o Deus Santo de Israel!"

Ant. Publicai em toda a terra as maravilhas do Senhor!

T.P.: Com alegria bebereis das águas abundantes
do manancial do Salvador. Aleluia.

Ant. 3 Exultai no Senhor, nossa força! †

T.P.: O Senhor nos saciou com a flor do trigo, aleluia.

Salmo 80(81)
Solene renovação da Aliança

*Cuidai, irmãos, que não se ache em algum de vós um coração
transviado pela incredulidade* (Hb 3,12).

– ²Exultai no Senhor, nossa força, *
† e ao Deus de Jacó aclamai!
– ³Cantai salmos, tocai tamborim, *
harpa e lira suaves tocai!
– ⁴Na lua nova soai a trombeta, *
na lua cheia, na festa solene!
– ⁵Porque isto é costume em Jacó, *
um preceito do Deus de Israel;
– ⁶uma lei que foi dada a José, *
quando o povo saiu do Egito.
= Eis que ouço uma voz que não conheço: †
⁷"Aliviei as tuas costas de seu fardo, *
cestos pesados eu tirei de tuas mãos.
= ⁸Na angústia a mim clamaste, e te salvei, †
de uma nuvem trovejante te falei, *
e junto às águas de Meriba te provei. –

Quinta-feira – Laudes

– [9] Ouve, meu **po**vo, porque vou te advertir! *
Israel, ah! se quisesses me escutar:
–[10] Em teu **me**io não exista um deus estranho *
nem a**do**res a um deus desconhecido!
=[11] Porque eu **sou** o teu Deus e teu Senhor, †
que da **ter**ra do Egito te arranquei. *
Abre **bem** a tua boca e eu te sacio!
–[12] Mas meu **po**vo não ouviu a minha voz, *
Isra**el** não quis saber de obedecer-me.
–[13] Deixei, en**tão**, que eles seguissem seus caprichos, *
abando**nei**-os ao seu duro coração.
–[14] Quem me **dera** que meu povo me escutasse! *
Que Israel andasse sempre em meus caminhos!
–[15] Seus ini**mi**gos, sem demora, humilharia *
e volta**ria** minha mão contra o opressor.
–[16] Os que o**dei**am o Senhor o adulariam, *
seria **este** seu destino para sempre;
–[17] eu lhe da**ria** de comer a flor do trigo, *
e com o **mel** que sai da rocha o fartaria".

Ant. Exul**tai** no **Senhor**, nossa **força**!

T.P.: O **Se**nhor nos saci**ou** com a flor do **trigo**, ale**lui**a.

Leitura breve
Rm 14,17-19

O Reino de Deus não é comida nem bebida, mas é justiça e paz e alegria no Espírito Santo. É servindo a Cristo, dessa maneira, que seremos agradáveis a Deus e teremos a aprovação dos homens. Portanto, busquemos tenazmente tudo o que contribui para a paz e a edificação de uns pelos outros.

Responsório breve
R. Penso em **vós** no meu **lei**to, de **noi**te,
 * Nas vi**gí**lias, sus**pi**ro por **vós**. **R.** Penso em **vós**.
V. Para **mim** fostes **sem**pre um so**cor**ro! * Nas vi**gí**lias.
 Glória ao **Pai**. **R.** Penso em **vós**.

Cântico evangélico, ant.
Anunci**ai** ao vosso **po**vo a sal**va**ção
e perdo**ai**-nos, ó **Se**nhor, nossos pe**ca**dos!

Preces

Bendigamos a Deus, nosso Pai, que protege os seus filhos e filhas e não despreza as suas súplicas; e peçamos-lhe humildemente:
R. **Iluminai, Senhor, os nossos caminhos!**

Nós vos damos graças, Senhor, porque nos iluminastes por meio de vosso Filho Jesus Cristo;
– concedei-nos a sua luz ao longo de todo este dia. R.

Que a vossa Sabedoria hoje nos conduza,
– para que andemos sempre pelos caminhos de uma vida nova. R.

Ajudai-nos a suportar com paciência as dificuldades por amor de vós,
– a fim de vos servirmos cada vez melhor na generosidade de coração. R.

Dirigi e santificai nossos pensamentos, palavras e ações deste dia,
– e dai-nos um espírito dócil às vossas inspirações. R.

(intenções livres)

Pai nosso...

Oração

Senhor, luz verdadeira e fonte da luz, concedei-nos perseverar na meditação de vossa Palavra e viver iluminados pelo esplendor de vossa verdade. Por nosso Senhor Jesus Cristo, vosso Filho, na unidade do Espírito Santo.

Hora Média

V. Vinde, ó **Deus**. Glória ao **Pai**. Como era. (**Aleluia**).
HINO como no Ordinário, p. 743.

Salmodia

Ant. 1 A **lei** de vossa **boca**, para **mim**,
vale **mais** do que mil**hões** em ouro e pra**ta**.

Salmo 118(119),65-72
IX (Teth)

Meditação sobre a Palavra de Deus na Lei

O seu mandamento é vida eterna (Jo 12,50).

– ⁶⁵Tratastes com bon**da**de o vosso **servo**, *
como ha**ví**eis prometido, ó Senhor.

Quinta-feira – Hora Média

911

– [66] Dai-me bom **senso**, retidão,sabedoria, *
pois tenho **fé** nos vossos santos mandamentos!

– [67] Antes de **ser** por vós provado, eu me perdera; *
mas **agora** sigo firme em vossa lei!

– [68] Porque sois **bom** e realizais somente o bem, *
ensi**nai**-me a fazer vossa vontade!

– [69] Forjam ca**lúnias** contra mim os orgulhosos, *
mas de **todo** o coração vos sou fiel!

– [70] Seus co**rações** são insensíveis como pedra, *
mas eu en**con**tro em vossa lei minhas delícias.

– [71] Para **mim** foi muito bom ser humilhado, *
porque as**sim** eu aprendi vossa vontade!

– [72] A **lei** de vossa boca, para mim, *
vale **mais** do que milhões em ouro e prata.

Ant. A **lei** de vossa **boca**, para **mim**,
vale **mais** do que mi**lhões** em ouro e pra**ta**.

Ant. 2 É no Se**nhor** que eu confio e nada **te**mo:
Que pode**ria** contra **mim** um ser mor**tal**?

Salmo 55(56),2-7b.9-14

Confiança na palavra do Senhor

Neste salmo se manifesta o Cristo em sua Paixão (S. Jerônimo).

= [2] Tende **pena** e compai**xão** de mim,ó **Deus**, †
pois há **tan**tos que me calcam sob os pés, *
e agres**so**res me oprimem todo dia!

– [3] Meus ini**mi**gos de contínuo me espezinham, *
são nume**ro**sos os que lutam contra mim!

– [4] Quando o **me**do me invadir, ó Deus Altíssimo, *
porei em **vós** a minha inteira confiança.

= [5] Confio em **Deus** e louvarei sua promessa, †
é no Se**nhor** que eu confio e nada temo: *
que pode**ria** contra mim um ser mortal?

– [6] Eles **fa**lam contra mim o dia inteiro, *
eles de**se**jam para mim somente o mal!

– [7b] Armam ci**la**das e me espreitam reunidos, *
seguem meus **pas**sos, perseguindo a minha vida! –

912 II Semana

= ⁹Do meu exílio registrastes cada passo, †
   em vosso odre recolhestes cada lágrima, *
   e anotastes tudo isso em vosso livro.
= ¹⁰Meus inimigos haverão de recuar †
   em qualquer dia em que eu vos invocar; *
   tenho certeza: o Senhor está comigo!

= ¹¹Confio em **Deus** e louvarei sua promessa; †
   ¹²é no Se**nhor** que eu confio e nada temo: *
   que pode**ria** contra mim um ser mortal?

– ¹³Devo cum**prir**, ó Deus, os votos que vos fiz *
   e vos ofe**rto** um sacrifício de louvor,

– ¹⁴porque da **mor**te arrancastes minha vida *
   e não dei**xas**tes os meus pés escorregarem,
– para que eu **an**de na presença do Senhor, *
   na pre**sen**ça do Senhor na luz da vida.

Ant. É no Se**nhor** que eu confio e nada **te**mo:
      Que pode**ria** contra **mim** um ser mor**tal**?

Ant. 3 Vosso a**mor**, ó Se**nhor**, é mais **al**to que os **céus**.

Salmo 56(57)
Oração da manhã numa aflição

Este salmo canta a Paixão do Senhor (Sto. Agostinho).

– ²Pie**da**de, Se**nhor**, pie**da**de, *
   pois em **vós** se abriga a minh'alma!
– De vossas **a**sas, à sombra, me achego, *
   até que **pas**se a tormenta, Senhor!

– ³Lanço um **gri**to ao Senhor Deus Altíssimo, *
   a este **Deus** que me dá todo o bem.

= ⁴Que me en**vie** do céu sua ajuda †
   e con**fun**da os meus opressores! *
   Deus me en**vie** sua graça e verdade!

– ⁵Eu me en**con**tro em meio a leões, *
   que, fa**min**tos, devoram os homens;
– os seus **den**tes são lanças e flechas, *
   suas **lín**guas, espadas cortantes. –

Quinta-feira – Vésperas 913

– [6] Elevai-vos, ó Deus, sobre os céus, *
vossa **glória** refulja na terra!
– [7] Prepararam um laço a meus pés, *
e assim oprimiram minh'alma;
– uma cova me abriram à frente, *
mas na cova acabaram caindo.
– [8] Meu coração está pronto, meu Deus, *
está pronto o meu coração!
– [9] Vou cantar e tocar para vós: *
desperta, minh'alma, desperta!
– Despertem a harpa e a lira, *
eu irei acordar a aurora!
– [10] Vou louvar-vos, Senhor, entre os povos, *
dar-vos graças, por entre as nações!
– [11] Vosso amor é mais alto que os céus, *
mais que as nuvens a vossa verdade!
– [12] Elevai-vos, ó Deus, sobre os céus, *
vossa glória refulja na terra!

Ant. Vosso amor, ó Senhor, é mais alto que os céus.

Leitura breve Gl 5,16-17

Procedei segundo o Espírito. Assim, não satisfareis aos desejos da carne. Pois a carne tem desejos contra o espírito, e o espírito tem desejos contra a carne. Há uma oposição entre carne e espírito, de modo que nem sempre fazeis o que gostaríeis de fazer.

V. Senhor, sois **bom** e realizais somente o **bem.**
R. Ensinai-me a fazer vossa vontade!

Oração

Deus onipotente, em vós não há trevas nem escuridão; fazei que vossa luz resplandeça sobre nós e, acolhendo vossos preceitos com alegria, sigamos fielmente o vosso caminho. Por Cristo, nosso Senhor.

Vésperas

V. Vinde, ó **Deus.** Glória ao **Pai.** Como era. (Aleluia).
Hino

Ó Deus, autor da luz
da aurora matutina,

914 II Semana

mostrai-nos vossa glória,
que o dia já declina.

A tarde traz o ocaso,
o sol já vai morrendo,
e deixa o mundo às trevas,
às leis obedecendo.

Aos servos que vos louvam,
cansados do labor,
as trevas não envolvam,
pedimos, ó Senhor.

Assim, durante a noite,
guardados pela graça,
na luz da vossa luz,
a treva se desfaça.

Ouvi-nos, Pai bondoso,
e vós, Jesus, também.
A vós e ao Santo Espírito
louvor eterno. Amém.

Salmodia

Ant. 1 Fiz de **ti** uma **luz** para as na**ções**:
levar**ás** a salva**ção** a toda a **ter**ra.

T.P.: Ele **foi** constituído por Deus **Pai**
juiz dos **vi**vos e dos **mor**tos, ale**lui**a.

Salmo 71(72)
O poder régio do Messias

*Abriram seus cofres e ofereceram-lhe presentes: ouro, incenso
e mirra* (Mt 2,11).

I

– [1] Dai ao **Rei** vossos po**de**res, Senhor **Deus**, *
vossa jus**ti**ça ao descendente da realeza!
– [2] Com jus**ti**ça ele governe o vosso povo, *
com equi**da**de ele julgue os vossos pobres.
– [3] Das mon**ta**nhas venha a paz a todo o povo, *
e **des**ça das colinas a justiça!

Quinta-feira – Vésperas

= ⁴Este **Rei** defenderá os que são pobres, †
os **filhos** dos humildes salvará, *
e por **terra** abaterá os opressores!

– ⁵Tanto **tempo** quanto o sol há de viver, *
quanto a **lua** através das gerações!

– ⁶Virá do **alto**, como o orvalho sobre a relva, *
como a **chu**va que irriga toda a terra.

– ⁷Nos seus **dias** a justiça florirá *
e grande **paz**, até que a lua perca o brilho!

– ⁸De mar a **mar** estenderá o seu domínio, *
e desde o **rio** até os confins de toda a terra!

– ⁹Seus inimigos vão curvar-se diante dele, *
vão lamber o pó da terra os seus rivais.

– ¹⁰Os reis de **Tár**sis e das ilhas hão de vir *
e ofere**cer**-lhe seus presentes e seus dons;

– e tam**bém** os reis de Seba e de Sabá *
hão de trazer-lhe oferendas e tributos.

– ¹¹Os **reis** de toda a terra hão de ador**á**-lo, *
e **to**das as nações hão de servi-lo.

Ant. Fiz de **ti** uma **luz** para as na**ções**:
leva**rás** a salva**ção** a toda a **terra**.

T.P.: Ele **foi** constituído por Deus **Pai**
juiz dos **vi**vos e dos **mor**tos, ale**lui**a.

Ant. 2 O Se**nhor** fará justiça para os **pobres**
e os salva**rá** da vio**lên**cia e opre**ssão**.

T.P.: Todos os **po**vos serão **nele** abençoados, ale**lui**a.

II

– ¹²Liberta**rá** o indi**gen**te que su**pli**ca, *
e o **po**bre ao qual ninguém quer ajudar.

– ¹³Terá **pe**na do indigente e do infeliz, *
e a **vi**da dos humildes salvará.

– ¹⁴Há de liv**rá**-los da violência e opressão, *
pois vale **mui**to o sangue deles a seus olhos!

= ¹⁵Que ele **vi**va e tenha o ouro de Sabá! †
Hão de re**zar** também por ele sem cessar, *
bendi**zê**-lo e honrá-lo cada dia. –

916

— [16]Haverá grande fartura sobre a terra, *
   até mesmo no mais alto das montanhas;
— as colheitas florirão como no Líbano, *
   tão abundantes como a erva pelos campos!
— [17]Seja bendito o seu nome para sempre! *
   E que dure como o sol sua memória!
— Todos os povos serão nele abençoados, *
   todas as gentes cantarão o seu louvor!
— [18]Bendito seja o Senhor Deus de Israel, *
   porque só ele realiza maravilhas!
— [19]Bendito seja o seu nome glorioso! *
   Bendito seja eternamente! Amém, amém!

Ant. O Senhor fará justiça para os pobres
      e os salvará da violência e opressão.

T.P.: Todos os povos serão nele abençoados, aleluia.

Ant. 3 Chegou agora a salvação e o reino do Senhor.

T.P.: Jesus Cristo ontem, hoje e eternamente, aleluia.

Cântico   Ap 11,17-18; 12,10b-12a

O julgamento de Deus

— [11,17]Graças vos damos, Senhor Deus onipotente, *
   a vós que sois, a vós que éreis e sereis,
—   porque assumistes o poder que vos pertence, *
   e enfim tomastes posse como rei!

(R. Nós vos damos graças, nosso Deus!)

=   [18]As nações se enfureceram revoltadas, †
   mas chegou a vossa ira contra elas *
   e o tempo de julgar vivos e mortos,
=   e de dar a recompensa aos vossos servos, †
   aos profetas e aos que temem vosso nome, *
   aos santos, aos pequenos e aos grandes.   (R.)

= [12,10]Chegou agora a salvação e o poder †
   e a realeza do Senhor e nosso Deus, *
   e o domínio de seu Cristo, seu Ungido.
—   Pois foi expulso o delator que acusava *
   nossos irmãos, dia e noite, junto a Deus.   (R.)

Quinta-feira – Vésperas

= ¹¹ Mas o venceram pelo sangue do Cordeiro †
e o testemunho que eles deram da Palavra, *
pois desprezaram sua vida até à morte.
– ¹² Por isso, ó **céus**, cantai alegres e exultai *
e vós **to**dos os que neles habitais! (R.)

Ant. Chegou agora a salvação e o reino do Senhor.

T.P.: Jesus Cristo ontem, hoje e eternamente, aleluia.

Leitura breve 1Pd 1,22-23

Pela obediência à verdade, purificastes as vossas almas, para praticar um amor fraterno sem fingimento. Amai-vos, pois, uns aos outros, de coração e com ardor. Nascestes de novo, não de uma semente corruptível, mas incorruptível, mediante a palavra de Deus, viva e permanente.

Responsório breve

R. O Senhor é o meu **Pas**tor:
* Não me **fal**ta coisa alguma. R. O Senhor.
V. Pelos **pra**dos me con**duz**. * Não me **fal**ta.
Glória ao **Pai**. R. O Senhor.

Cântico evangélico, ant.

O Senhor saciou com os seus **bens**
os fa**min**tos e se**den**tos de justiça.

Preces

Elevemos os corações cheios de gratidão a nosso Senhor e Salvador, que abençoa o seu povo com toda sorte de bênçãos espirituais; e peçamos com fé:

R. **Abençoai, Senhor, o vosso povo!**

Deus de misericórdia, protegei o Santo Padre, o Papa N., e o nosso Bispo N.,
– e fortalecei-os para que guiem fielmente a vossa Igreja. R.

Protegei, Senhor, o nosso país,
– e afastai para longe dele todos os males. R.

Multiplicai, como rebentos de oliveira ao redor de vossa mesa, os filhos que querem se consagrar ao serviço do vosso reino,
– a fim de vos seguirem mais de perto na castidade, pobreza e obediência. R.

918   II Semana

Conservai o propósito de vossas filhas que vos consagraram
sua virgindade,
– para que sigam a vós, Cordeiro divino, aonde quer que vades.
R. **Abençoai, Senhor, o vosso povo!**

(intenções livres)

Que os nossos irmãos e irmãs falecidos descansem na vossa eterna paz,
– e confirmai a sua união conosco por meio da comunhão de bens
espirituais.   R.
Pai nosso...

Oração

Celebrando, Senhor, o louvor da tarde, pedimos à vossa bondade
nos conceda meditar sempre a vossa lei e alcançar a luz da vida
eterna. Por nosso Senhor Jesus Cristo, vosso Filho, na unidade
do Espírito Santo.

II SEXTA-FEIRA

Laudes

V. Vinde, ó **Deus**. Glória ao **Pai**. Como era. (Aleluia).

Hino

>   Deus, que criastes a luz,
>   sois luz do céu radiosa.
>   O firmamento estendestes
>   com vossa mão poderosa.
>
>   A aurora esconde as estrelas,
>   e o seu clarão vos bendiz.
>   A brisa espalha o orvalho,
>   a terra acorda feliz.
>
>   A noite escura se afasta,
>   as trevas fogem da luz.
>   A estrela d'alva fulgura,
>   sinal de Cristo Jesus.

Sexta-feira – Laudes

Ó Deus, sois dia dos dias,
sois luz da luz, na Unidade,
num só poder sobre os seres,
numa só glória, Trindade.

Perante vós, Salvador,
a nossa fronte inclinamos.
A vós, ao Pai e ao Espírito
louvor eterno cantamos.

Salmodia

Ant. 1 Ó Senhor, não desprezeis um coração arrependido!

T.P.: Meu filho, tem fé e confia;
teus pecados estão perdoados. Aleluia.

Salmo 50(51)
Tende piedade, ó meu Deus!

Renovai o vosso espírito e a vossa mentalidade. Revesti o homem novo (Ef 4,23-24).

— [3]Tende piedade, ó meu **Deus**, misericórdia! *
Na imensidão de vosso amor, purificai-me!

— [4]Lavai-me todo inteiro do pecado, *
e apagai completamente a minha culpa!

— [5]Eu reconheço toda a minha iniquidade, *
o meu pecado está sempre à minha frente.

— [6]Foi contra vós, só contra vós, que eu pequei, *
e pratiquei o que é mau aos vossos olhos!

— Mostrais assim quanto sois justo na sentença, *
e quanto é reto o julgamento que fazeis.

— [7]Vede, Senhor, que eu nasci na iniquidade *
e pecador já minha mãe me concebeu.

— [8]Mas vós amais os corações que são sinceros, *
na intimidade me ensinais sabedoria.

— [9]Aspergi-me e serei puro do pecado, *
e mais branco do que a neve ficarei.

— [10]Fazei-me ouvir cantos de festa e de alegria, *
e exultarão estes meus ossos que esmagastes.

920

— ¹¹Desviai o vosso olhar dos meus pecados *
e apagai todas as minhas transgressões!
— ¹²Criai em **mim** um coração que seja puro, *
dai-me de **no**vo um espírito decidido.
— ¹³Ó Se**nhor**, não me afasteis de vossa face, *
nem reti**reis** de mim o vosso Santo Espírito!
— ¹⁴Dai-me de **no**vo a alegria de ser salvo *
e confir**mai**-me com espírito generoso!
— ¹⁵Ensina**rei** vosso caminho aos pecadores, *
e para **vós** se voltarão os transviados.
— ¹⁶Da **mor**te como pena, libertai-me, *
e minha **língua** exaltará vossa justiça!
— ¹⁷Abri meus **lábios**, ó Senhor, para cantar, *
e minha **bo**ca anunciará vosso louvor!
— ¹⁸Pois não **são** de vosso agrado os sacrifícios, *
e, se o**fer**to um holocausto, o rejeitais.
— ¹⁹Meu sacrifício é minha alma penitente, *
não despre**zeis** um coração arrependido!
— ²⁰Sede be**nig**no com Sião, por vossa graça, *
reconstruí Jerusalém e os seus muros!
— ²¹E aceita**reis** o verdadeiro sacrifício, *
os holo**caus**tos e oblações em vosso altar!

Ant. Ó Se**nhor**, não despre**zeis** um cora**ção** arrepen**di**do!

T.P.: Meu **fi**lho, tem **fé** e confi**a**;
teus pecados es**tão** perdo**a**dos. Ale**lui**a.

Ant. 2 Ó Se**nhor**, mesmo na **có**lera, lem**brai**-vos
de **ter** miseri**cór**dia!

T.P.: Para sal**var** o vosso **po**vo,
vós sa**ís**tes para sal**var** o vosso Ungido. Ale**lui**a.

Cântico   Hab 3,2-4.13a.15-19

Deus há de vir para julgar

Erguei a cabeça, porque vossa libertação está próxima (Lc
21,28).

— ²Eu ou**vi** vossa mensagem, ó Se**nhor**, *
e en**chi**-me de te**mor**.

Sexta-feira – Laudes

– Manifestai a vossa obra pelos tempos *
e tornai-a conhecida.
– Ó Senhor, mesmo na cólera, lembrai-vos *
de ter misericórdia!
– ³Deus virá lá das montanhas de Temã, *
e o Santo, de Farã.
– O céu se enche com a sua majestade, *
e a terra, com sua glória.
– ⁴Seu esplendor é fulgurante como o sol, *
saem raios de suas mãos.
– Nelas se oculta o seu poder como num véu, *
seu poder vitorioso.
– ¹³Para salvar o vosso povo vós saístes, *
para salvar o vosso Ungido.
– ¹⁵E lançastes pelo mar vossos cavalos *
no turbilhão das grandes águas.
– ¹⁶Ao ouvi-lo, estremeceram-me as entranhas *
e tremeram os meus lábios.
– A cárie penetrou-me até os ossos, *
e meus passos vacilaram.
– Confiante espero o dia da aflição, *
que virá contra o opressor.
– ¹⁷Ainda que a figueira não floresça *
nem a vinha dê seus frutos,
– a oliveira não dê mais o seu azeite, *
nem os campos, a comida;
– mesmo que faltem as ovelhas nos apriscos *
e o gado nos currais:
– ¹⁸mesmo assim eu me alegro no Senhor, *
exulto em Deus, meu Salvador!
– ¹⁹O meu Deus e meu Senhor é minha força *
e me faz ágil como a corça;
– para as alturas me conduz com segurança *
ao cântico de salmos.

Ant. Ó Se**nhor**, mesmo na **có**lera, lem**brai**-vos
de **ter** miseri**cór**dia!

T.P.: Para sal**var** o vosso **po**vo,
vós sa**ís**tes para sal**var** o vosso Un**gi**do. Ale**lui**a·

Ant. 3 Glori**fi**ca o Se**nhor**, Jerusa**lém**:
ó Si**ão,** canta lou**vo**res ao teu **Deus!** †

T.P.: Ó Si**ão,** canta lou**vo**res ao teu **Deus,**
a **paz** ele ga**ran**te em teus li**mi**tes. Ale**lui**a.

Salmo 147(147B)
Restauração de Jerusalém

Vem! Vou mostrar-te a noiva, a esposa do Cordeiro! (Ap 21,9).

— [12] Glori**fi**ca o Se**nhor**, Jerusa**lém!** *
Ó Si**ão,** canta lou**vo**res ao teu Deus!

— [13] †Pois refor**çou** com segu**ran**ça as tuas **por**tas, *
e os teus **fi**lhos em teu **sei**o aben**çoou;**

— [14] a **paz** em teus li**mi**tes garan**tiu** *
e te **dá** como ali**men**to a flor do **tri**go.

— [15] Ele en**vi**a suas **or**dens para a **ter**ra, *
e a pa**la**vra que ele **diz** corre ve**loz;**

— [16] ele **faz** cair a **ne**ve como **lã** *
e espa**lha** a ge**a**da como **cin**za.

— [17] Como de **pão** lança as mi**ga**lhas do gra**ni**zo, *
a seu **fri**o as **á**guas **fi**cam conge**la**das.

— [18] Ele en**vi**a sua pa**la**vra e as der**re**te, *
sopra o **ven**to e de **no**vo as **á**guas **cor**rem.

— [19] Anun**ci**a a Ja**có** sua pa**la**vra, *
seus pre**cei**tos e suas **leis** a Isra**el.**

— [20] Ne**nhum po**vo rece**beu** tanto ca**ri**nho, *
a ne**nhum ou**tro reve**lou** os seus pre**cei**tos.

Ant. Glori**fi**ca o Se**nhor**, Jerusa**lém**:
ó Si**ão,** canta lou**vo**res ao teu **Deus!**

T.P.: Ó Si**ão,** canta lou**vo**res ao teu **Deus,**
a **paz** ele ga**ran**te em teus li**mi**tes. Ale**lui**a.

Sexta-feira – Laudes

Leitura breve   Ef 2,13-16

Agora, em Jesus Cristo, vós que outrora estáveis longe, vos tornastes próximos, pelo sangue de Cristo. Ele, de fato, é a nossa paz: do que era dividido, ele fez uma unidade. Em sua carne ele destruiu o muro de separação: a inimizade. Ele aboliu a Lei com seus mandamentos e decretos. Ele quis, assim, a partir do judeu e do pagão, criar em si um só homem novo, estabelecendo a paz. Quis reconciliá-los com Deus, ambos em um só corpo, por meio da cruz; assim ele destruiu em si mesmo a inimizade.

Responsório breve

R. Lanço um **gri**to ao Se**nhor**, Deus Al**tíssimo**,
   * Este **Deus** que me **dá** todo **bem**. R. Lanço um **gri**to.
V. Que me en**vie** do **céu** sua a**juda**! * Este **Deus**.
   Glória ao **Pai**. R. Lanço um **gri**to.

Cântico evangélico, ant.

Pelo a**mor** do cora**ção** de nosso **Deus**,
o Sol nas**cen**te nos **veio** visi**tar**.

Preces

Adoremos a Jesus Cristo que, derramando seu sangue no sacrifício da cruz, ofereceu-se ao Pai pelo Espírito Santo, a fim de purificar nossa consciência das obras mortas do pecado; e digamos de coração sincero:

R. **Em vossas mãos, Senhor, está a nossa paz!**

Vós, que nos destes, em vossa bondade, o começo deste novo dia,
– dai-nos também a graça de começarmos a viver uma vida nova.   R.

Vós, que tudo criastes com vosso poder, e tudo conservais com a vossa providência,
– ajudai-nos a descobrir a vossa presença em todas as criaturas.   R.

Vós, que, pelo sangue derramado na cruz, selastes conosco uma nova e eterna aliança,
– fazei que, obedecendo sempre aos vossos mandamentos, permaneçamos fiéis a esta mesma aliança.   R.

924 — II Semana

Vós, que, pregado na cruz, deixastes correr do vosso lado aberto sangue e água,
– por meio desta fonte de vida, lavai-nos de todo pecado e dai alegria à cidade de Deus. R.

(intenções livres)

Pai nosso...

Oração

Recebei, ó Deus todo-poderoso, o louvor desta manhã; e concedei que no céu, unidos a vossos santos, cantemos eternamente com maior entusiasmo a vossa grande glória. Por nosso Senhor Jesus Cristo, vosso Filho, na unidade do Espírito Santo.

Hora Média

V. Vinde, ó **Deus**. Glória ao **Pai**. Como era.(Ale**luia**).

HINO como no Ordinário, p. 743.

Salmodia

Ant. 1 Vosso **amor** seja um con**solo** para **mim**,
conforme a vosso **ser**vo prometestes.

Salmo 118(119),73-80
X (Iod)

Meditação sobre a Palavra de Deus na Lei

Meu Pai, se este cálice não pode passar sem que eu o beba, seja feita a tua vontade! (Mt 26,42).

—73 Vossas **mãos** me mode**la**ram, me fi**zer**am, *
fazei-me **sá**bio e aprenderei a vossa lei!
—74 Vossos fi**éis** hão de me ver com alegria, *
pois nas pa**la**vras que dissestes esperei.
—75 Sei que os **vos**sos julgamentos são corretos, *
e com jus**ti**ça me provastes, ó Senhor!
—76 Vosso a**mor** seja um consolo para mim, *
con**for**me a vosso servo prometestes.
—77 Venha a **mim** o vosso amor e viverei, *
porque **ten**ho em vossa lei o meu prazer!
—78 Humilha**ção** para os soberbos que me oprimem! *
Eu, po**rém**, meditarei vossos preceitos.—

Sexta-feira – Hora Média

– [79]Que se **vol**tem para mim os que vos temem *
e co**nhe**cem, ó Senhor, vossa Aliança!
– [80]Meu cora**ção** seja perfeito em vossa lei, *
e não se**rei**, de modo algum, envergonhado!

Ant. Vosso a**mor** seja um con**so**lo para **mim**,
con**for**me a vosso **ser**vo prome**testes**.

Ant. 2 Prote**gei**-me, ó meu **Deus**,
contra os **meus** persegui**do**res!

Salmo 58(59),2-5.10-11.17-18

Oração do justo perseguido

Essas palavras ensinam a todos o amor filial do Salvador para com seu Pai (Eusébio de Cesareia).

– [2]Liber**tai**-me do ini**mi**go, ó meu **Deus**, *
e prote**gei**-me contra os meus perseguidores!
– [3]Liber**tai**-me dos obreiros da maldade, *
defen**dei**-me desses homens sanguinários!

– [4]Eis que **fi**cam espreitando a minha vida, *
pode**ro**sos armam tramas contra mim.
= [5]Mas eu, Se**nhor**, não cometi pecado ou crime; †
eles in**ves**tem contra mim sem eu ter culpa: *
desper**tai** e vinde logo ao meu encontro!

= [10]Minha **for**ça, é a vós que me dirijo, †
porque **sois** o meu refúgio e proteção, *
[11]Deus cle**men**te e compassivo, meu amor!
– Deus vi**rá** com seu amor ao meu encontro, *
e hei de **ver** meus inimigos humilhados.

– [17]Eu, en**tão**, hei de cantar vosso poder, *
e de man**hã** celebrarei vossa bondade,
– porque **fos**tes para mim o meu abrigo, *
o meu re**fú**gio no dia da aflição.

= [18]Minha **for**ça, cantarei vossos louvores, †
porque **sois** o meu refúgio e proteção, *
Deus cle**men**te e compassivo, meu amor!

Ant. Prote**gei**-me, ó meu **Deus**,
contra os **meus** perseguidores!

926   II Semana

Ant. 3 Feliz o **ho**mem que por **Deus** é corrigido;
se ele **fe**re, também **cui**da da ferida.

Salmo 59(60)

Oração depois de uma derrota

No mundo tereis tribulações. Mas tende coragem! Eu venci o mundo! (Jo 16,33).

= ³Rejei**tas**tes, ó **Deus**, vosso **po**vo †
e arra**sas**tes as nossas fileiras; *
vós es**tá**veis irado: voltai-vos!

– ⁴Aba**las**tes, partistes a terra, *
repa**rai** suas brechas, pois treme.

– ⁵ Dura**men**te provastes o povo, *
e um **vi**nho atordoante nos destes.

– ⁶Aos fi**éis** um sinal indicastes, *
e os pu**ses**tes a salvo das flechas.

– ⁷Sejam **li**vres os vossos amados, *
vossa **mão** nos ajude: ouvi-nos!

= ⁸Deus fa**lou** em seu santo lugar: †
"Exulta**rei**, repartindo Siquém, *
e o **va**le em Sucot medirei.

= ⁹Gala**ad**, Manassés me pertencem, †
Efra**im** é o meu capacete, *
e Ju**dá**, o meu cetro real.

= ¹⁰É Moab minha bacia de banho, †
sobre E**dom** eu porei meu calçado, *
vence**rei** a nação Filisteia!"

– ¹¹Quem me **le**va à cidade segura, *
e a E**dom** quem me vai conduzir,

– ¹² se vós, **Deus**, rejeitais vosso povo *
e não **mais** conduzis nossas tropas?

– Dai-nos, **Deus**, vosso auxílio na angústia; *
nada **va**le o socorro dos homens!

– ¹³Mas com **Deus** nós faremos proezas, *
e ele **vai** esmagar o opressor.

Ant. Feliz o **ho**mem que por **Deus** é corrigido;
se ele **fe**re, também **cui**da da fe**ri**da.

Leitura breve
Br 4,28-29

Como por livre vontade vos desviastes de Deus, agora, voltando, buscai-o com zelo dez vezes maior; aquele que trouxe sofrimento para vós, para vós trará, com a vossa salvação, eterna alegria.

V. No Se**nhor** se encontra toda a **graça**.
R. No Se**nhor**, copiosa reden**ção**.

Oração

Senhor Jesus Cristo, que, nesta hora, com o mundo envolto em trevas, fostes elevado na cruz, como vítima inocente para a salvação de todos, concedei-nos sempre vossa luz, que nos guie para a vida eterna. Vós, que viveis e reinais para sempre.

Vésperas

V. Vinde, ó **Deus**. Glória ao **Pai**. Como era. (Ale**luia**).

Hino

Onze horas havendo passado,
chega a tarde e o dia termina;
entoemos louvores a Cristo,
que é imagem da glória divina.

Já passaram as lutas do dia,
o trabalho por vós contratado;
dai aos bons operários da vinha
dons de glória no Reino esperado.

Ó Senhor, aos que agora chamais
e que ireis premiar no futuro,
por salário, dai força na luta,
e, na paz, um repouso seguro.

Glória a vós, Cristo, Rei compassivo,
glória ao Pai e ao Espírito também.
Unidade e Trindade indivisa,
Deus e Rei pelos séculos. Amém.

928 II Semana

Salmodia

Ant. 1 Libertai minha vida da morte,
e meus pés do tropeço, Senhor!

T.P.: O Senhor libertou minha vida da morte. Aleluia.

Salmo 114(116A)
Ação de graças

É preciso que passemos por muitos sofrimentos para entrar no Reino de Deus (At 14,22).

— [1] Eu amo o Senhor, porque ouve *
o grito da minha oração.
— [2] Inclinou para mim seu ouvido, *
no dia em que eu o invoquei.
— [3] Prendiam-me as cordas da morte, *
apertavam-me os laços do abismo;
= invadiam-me angústia e tristeza: †
[4] eu então invoquei o Senhor: *
"Salvai, ó Senhor, minha vida!"

— [5] O Senhor é justiça e bondade, *
nosso Deus é amor-compaixão.
— [6] É o Senhor quem defende os humildes: *
eu estava oprimido, e salvou-me.
— [7] Ó minh'alma, retorna à tua paz, *
o Senhor é quem cuida de ti!

= [8] Libertou minha vida da morte, †
enxugou de meus olhos o pranto *
e livrou os meus pés do tropeço.
— [9] Andarei na presença de Deus, *
junto a ele na terra dos vivos.

Ant. Libertai minha vida da morte,
e meus pés do tropeço, Senhor!

T.P.: O Senhor libertou minha vida da morte. Aleluia.

Ant. 2 Do Senhor é que me vem o meu socorro,
do Senhor que fez o céu e fez a terra.

T.P.: O Senhor guarda seu povo como a pupila de seus olhos. Aleluia.

Sexta-feira – Vésperas

Salmo 120(121)

Deus protetor de seu povo

Nunca mais terão fome nem sede. Nem os molestará o sol nem algum calor ardente (Ap 7,16).

– ¹ Eu levanto os meus olhos para os **mon**tes: *
de **on**de pode vir o meu socorro?
– ² "Do Se**nhor** é que me vem o meu socorro, *
do Se**nhor** que fez o céu e fez a terra!"

– ³ Ele não **dei**xa tropeçarem os meus pés, *
e não **dor**me quem te guarda e te vigia.
– ⁴ Oh! **não**! ele não dorme nem cochila, *
a**que**le que é o guarda de Israel!

– ⁵ O Se**nhor** é o teu guarda, o teu vigia, *
é uma **som**bra protetora à tua direita.
– ⁶ Não **vai** ferir-te o sol durante o dia, *
nem a **lu**a através de toda a noite.

– ⁷ O Se**nhor** te guardará de todo o mal, *
ele **mes**mo vai cuidar da tua vida!
– ⁸ Deus te **guar**da na partida e na chegada. *
Ele te **guar**da desde agora e para sempre!

Ant. Do Se**nhor** é que me **vem** o meu so**cor**ro,
do Se**nhor** que fez o **céu** e fez a **ter**ra.

T.P.: O Se**nhor** guarda seu **po**vo como a pu**pi**la de seus **o**lhos.
Ale**lu**ia.

Ant. 3 Vossos ca**mi**nhos são ver**da**de, são jus**ti**ça,
ó **Rei** dos povos **to**dos do uni**ver**so!

T.P.: O Se**nhor** é minha **for**ça, é a ra**zão** do meu can**tar**,
pois foi ele neste **dia** para **mim** liberta**ção**. Ale**lu**ia.

Cântico

Ap 15,3-4

Hino de adoração

– ³ Como são **gran**des e admi**rá**veis vossas **o**bras, *
ó Se**nhor** e nosso Deus onipotente!
– Vossos ca**mi**nhos são verdade, são justiça, *
ó **Rei** dos povos todos do universo!

930   **II Semana**

(R. São **grand**es vossas **o**bras, ó Se**nhor**!)

= ⁴Quem, Se**nhor**, não haveria de temer-vos, †
    e **quem** não honraria o vosso nome? *
    Pois so**men**te vós, Senhor, é que sois santo!   (R.)

= As nações **to**das hão de vir perante vós †
    e, pros**tra**das, haverão de adorar-vos, *
    pois vossas **ju**stas decisões são manifestas.   (R.)

Ant. Vossos cam**in**hos são ver**da**de, são justiça,
    ó **Rei** dos povos **to**dos do uni**ver**so!

T.P.: O Se**nhor** é minha **for**ça, é a ra**zão** do meu can**tar**,
    pois foi **ele** neste **dia** para **mim** liberta**ção**. Ale**lui**a.

Leitura breve   1Cor 2,7-10a

Falamos da misteriosa sabedoria de Deus, sabedoria escondida, que, desde a eternidade, Deus destinou para nossa glória. Nenhum dos poderosos deste mundo conheceu essa sabedoria. Pois, se a tivessem conhecido, não teriam crucificado o Senhor da glória. Mas, como está escrito, o que Deus preparou para os que o amam é algo que os olhos jamais viram, nem os ouvidos ouviram, nem coração algum jamais pressentiu. A nós Deus revelou esse mistério através do Espírito.

Responsório breve

R. O **Cris**to mor**reu** pelos **nos**sos pe**ca**dos;
   * Pelos **ím**pios, o **ju**sto e condu**ziu**-nos a **Deus**.
    R. O **Cris**to.
V. Foi **mor**to na **car**ne, mas **vive** no Es**pí**rito. * Pelos **ím**pios.
    Glória ao **Pai**. R. O **Cris**to.

Cântico evangélico, ant.

Ó Se**nhor**, sede fi**el** ao vosso a**mor**,
como ha**ví**eis prome**ti**do a nossos **pais**.

Preces

Bendigamos a Cristo nosso Senhor, que se compadeceu dos que choravam e enxugou suas lágrimas. Cheios de confiança lhe peçamos:

R. **Senhor, tende compaixão do vosso povo!**

Senhor Jesus Cristo, que consolais os humildes e os aflitos,
– olhai para as lágrimas dos pobres e oprimidos. R.

Deus de misericórdia, ouvi o gemido dos agonizantes,
– e enviai os vossos anjos para que os aliviem e confortem. R.

Fazei que todos os exilados sintam a ação da vossa providência,
– para que regressem à sua pátria e também alcancem, um dia, a
pátria eterna. R.

Mostrai os caminhos do vosso amor aos que vivem no pecado,
– para que se reconciliem convosco e com a Igreja. R.

(intenções livres)

Salvai, na vossa bondade, os nossos irmãos e irmãs que morreram,
– e dai-lhes a plenitude da redenção. R.

Pai nosso...

Oração

Ó Deus, cuja inefável sabedoria maravilhosamente se revela no
escândalo da cruz, concedei-nos de tal modo contemplar a bendita paixão de vosso Filho, que confiantes nos gloriemos sempre na
sua cruz. Por nosso Senhor Jesus Cristo, vosso Filho, na unidade
do Espírito Santo.

II SÁBADO

Laudes

V. Vinde, ó **Deus**. Glória ao **Pai**. Como era. (**Aleluia**).

Hino

Raiando o novo dia,
as vozes elevamos,
de Deus a graça e glória
em Cristo proclamamos.

Por ele o Criador
compôs a noite e o dia,

criando a lei eterna
que os dois alternaria.

A vós, Luz dos fiéis,
nenhuma lei domina.
Fulgis de dia e de noite,
clarão da luz divina.

Ó Pai, por vossa graça,
vivamos hoje bem,
servindo a Cristo e cheios
do vosso Espírito. Amém.

Salmodia

Ant. 1 Anunciamos de manhã vossa bondade,
e o vosso amor fiel, a noite inteira.

T.P.: Alegrastes-me, Senhor, com vossos feitos,
rejubilo de alegria em vossas obras. Aleluia.

Salmo 91(92)
Louvor ao Deus Criador

Louvores se proclamam pelos feitos do Cristo (Sto. Atanásio).

– ²Como é **bom** agradecermos ao Senhor *
e cantar salmos de louvor ao Deus Altíssimo!
– ³Anunciar pela manhã vossa bondade, *
e o vosso amor fiel, a noite inteira,
– ⁴ao som da lira de dez cordas e da harpa, *
com canto acompanhado ao som da cítara.
– ⁵Pois me alegrastes, ó Senhor, com vossos feitos, *
e rejubilo de alegria em vossas obras.
– ⁶Quão imensas, ó Senhor, são vossas obras, *
quão profundos são os vossos pensamentos!
– ⁷Só o homem insensato não entende, *
só o estulto não percebe nada disso!
– ⁸Mesmo que os ímpios floresçam como a erva, *
ou prosperem igualmente os malfeitores,
– são destinados a perder-se para sempre. *
⁹Vós, porém, sois o Excelso eternamente! –

Sábado – Laudes

10 Eis que os vossos inimigos, ó Senhor, †
eis que os vossos inimigos vão perder-se, *
e os malfeitores serão todos dispersados.

11 Vós me destes toda a força de um touro, *
e sobre mim um óleo puro derramastes;

12 triunfante, posso olhar meus inimigos, *
vitorioso, escuto a voz de seus gemidos.

13 O justo crescerá como a palmeira, *
florirá igual ao cedro que há no Líbano;

14 na casa do Senhor estão plantados, *
nos átrios de meu Deus florescerão.

15 Mesmo no tempo da velhice darão frutos, *
cheios de seiva e de folhas verdejantes;

16 e dirão: "É justo mesmo o Senhor Deus: *
meu Rochedo, não existe nele o mal!"

Ant. Anunciamos de manhã vossa bondade,
e o vosso amor fiel, a noite inteira.

T.P.: Alegrastes-me, Senhor, com vossos feitos,
rejubilo de alegria em vossas obras. Aleluia.

Ant. 2 Vinde todos e dai glória ao nosso Deus!

T.P.: Sou eu que dou a morte e dou a vida;
se eu firo, também curo, aleluia.

Cântico   Dt 32,1-12
Os benefícios de Deus ao povo

*Quantas vezes quis reunir teus filhos, como a galinha reúne os
pintinhos debaixo das asas!* (Mt 23,37).

– 1 Ó céus, vinde, escutai; eu vou falar, *
ouça a terra as palavras de meus lábios!

– 2 Minha doutrina se derrame como chuva, *
minha palavra se espalhe como orvalho,

– como torrentes que transbordam sobre a relva *
e aguaceiros a cair por sobre as plantas.

– 3 O nome do Senhor vou invocar; *
vinde todos e dai glória ao nosso Deus!

934   II Semana

— [4] Ele é a **Ro**cha: suas obras são perfeitas, *
seus ca**mi**nhos todos eles são justiça;
— é **el**e o Deus fiel, sem falsidade, *
o Deus **jus**to, sempre reto em seu agir.
— [5] Os filhos **seus** degenerados o ofenderam, *
essa **ra**ça corrompida e depravada!
— [6] É as**sim** que agradeces ao Senhor Deus, *
povo **lou**co, povo estulto e insensato?
— Não é **el**e o teu Pai que te gerou, *
o Cria**dor** que te firmou e te sustenta?
— [7] **Re**corda-te dos dias do passado *
e re**lem**bra as antigas gerações;
— per**gun**ta, e teu pai te contará, *
inter**ro**ga, e teus avós te ensinarão.
— [8] Quando o Al**tís**simo os povos dividiu *
e pela **ter**ra espalhou os filhos de Adão,
— as fron**tei**ras das nações ele marcou *
de a**cor**do com o número de seus filhos;
— [9] mas a **par**te do Senhor foi o seu povo, *
e Ja**có** foi a porção de sua herança.
— [10] Foi num de**ser**to que o Senhor achou seu povo, *
num lu**gar** de solidão desoladora;
— cer**cou**-o de cuidados e carinhos *
e o guar**dou** como a pupila de seus olhos.
— [11] Como a **á**guia, esvoaçando sobre o ninho, *
in**ci**ta os seus filhotes a voar,
— ele esten**deu** as suas asas e o tomou, *
e le**vou**-o carregado sobre elas.
— [12] O Se**nhor**, somente ele, foi seu guia, *
e ja**mais** um outro deus com ele estava.

Ant. Vinde **to**dos e dai **gló**ria ao nosso **Deus!**

T.P.: Sou **eu** que dou a **mor**te e dou a **vi**da;
se eu **fi**ro, também **cu**ro, ale**lui**a.

Ant. 3 Ó Se**nhor** nosso **Deus**, como é **gran**de
vosso **no**me por **to**do o universo! †

T.P.: Coro**as**tes vosso **Cris**to de **gló**ria e esplen**dor**. Ale**lui**a.

Sábado – Laudes

Salmo 8

Majestade de Deus e dignidade do homem

Ele pôs tudo sob os seus pés e fez dele, que está acima de tudo,
a Cabeça da Igreja (Ef 1,22).

– ² Ó Senhor nosso Deus, como é grande *
vosso nome por todo o universo!

–† Desdobrastes nos céus vossa glória *
com grandeza, esplendor, majestade.

= ³ O perfeito louvor vos é dado †
pelos lábios dos mais pequeninos, *
de crianças que a mãe amamenta.

– Eis a força que opondes aos maus, *
reduzindo o inimigo ao silêncio.

– ⁴ Contemplando estes céus que plasmastes *
e formastes com dedos de artista;

– vendo a lua e estrelas brilhantes, *
⁵ perguntamos: "Senhor, que é o homem,

– para dele assim vos lembrardes *
e o tratardes com tanto carinho?"

– ⁶ Pouco abaixo de um deus o fizestes, *
coroando-o de glória e esplendor;

– ⁷ vós lhe destes poder sobre tudo, *
vossas obras aos pés lhe pusestes:

– ⁸ as ovelhas, os bois, os rebanhos, *
todo o gado e as feras da mata;

– ⁹ passarinhos e peixes dos mares, *
todo ser que se move nas águas.

–¹⁰ Ó Senhor nosso Deus, como é grande *
vosso nome por todo o universo!

Ant. Ó Senhor nosso Deus, como é grande
vosso nome por todo o universo!

T.P.: Coroastes vosso Cristo de glória e esplendor. Aleluia.

Leitura breve   Rm 12,14-16a

Abençoai os que vos perseguem, abençoai e não amaldiçoeis.
Alegrai-vos com os que se alegram, chorai com os que choram.

936   II Semana

Mantende um bom entendimento uns com os outros; não vos deixeis levar pelo gosto de grandeza, mas acomodai-vos às coisas humildes.

Responsório breve

R. A alegria cantará sobre meus lábios,
* E a minh'alma libertada exultará. R. A alegria.
V. Também celebrarei vossa justiça. * E a minh'alma.
Glória ao Pai. R. A alegria.

Cântico evangélico, ant.

Guiai nossos passos no caminho da paz!

Preces

Celebremos a bondade e a sabedoria de Jesus Cristo, que quer ser amado e servido em todos os nossos irmãos e irmãs, principalmente nos que sofrem; e lhe peçamos:

R. Senhor, tornai-nos perfeitos na caridade!

Recordamos, Senhor, nesta manhã, a vossa ressurreição,
– e vos pedimos que estendais à humanidade inteira os benefícios da vossa redenção. R.

Fazei, Senhor, que demos hoje bom testemunho de vós,
– e, por vosso intermédio, ofereçamos ao Pai um sacrifício santo e agradável. R.

Ensinai-nos, Senhor, a descobrir a vossa imagem em todos os seres humanos,
– e a vos servir em cada um deles. R.

Cristo, verdadeiro tronco da videira do qual somos os ramos,
– fortalecei a nossa união convosco para produzirmos muitos frutos e glorificarmos a Deus Pai. R.

(intenções livres)

Pai nosso...

Oração

Cantem vossa glória, Senhor, os nossos lábios, cantem nossos corações e nossa vida; e já que é vosso dom tudo o que somos, para vós se oriente também todo o nosso viver. Por nosso Senhor Jesus Cristo, vosso Filho, na unidade do Espírito Santo.

Hora Média

V. Vinde, ó **Deus**. Glória ao **Pai**. Como era. (Aleluia).

HINO como no Ordinário, p. 743.

Salmodia

Ant. 1 O céu e a **ter**ra passa**rão**, diz o Se**nhor**,
porém ja**mais** minhas pa**lav**ras passa**rão**.

Salmo118(119),81-88
XI (Caph)

Meditação sobre a Palavra de Deus na Lei

*Sua misericórdia se estende de geração em geração, a todos os
que o respeitam* (Lc 1,50).

– [81] Desfaleço pela **vo**ssa salva**ção**, *
vossa pa**lav**ra é minha única esperança!
– [82] Os meus **o**lhos se gastaram desejando-a; *
até **quan**do esperarei vosso consolo?

– [83] Fiquei tos**tado** como um odre no fumeiro, *
mesmo as**sim** não esqueci vossos preceitos.
– [84] Quantos **di**as restarão ao vosso servo? *
E **quan**do julgareis meus opressores?

– [85] Os so**ber**bos já cavaram minha cova; *
eles não a**gem** respeitando a vossa lei.
– [86] Todos os **vo**ssos mandamentos são verdade; *
quando a ca**lú**nia me persegue, socorrei-me!

– [87] Eles **qua**se me arrancaram desta terra, *
mesmo as**sim** eu não deixei vossos preceitos!
– [88] **Segun**do o vosso amor, vivificai-me, *
e guarda**rei** vossa Aliança, ó Senhor!

Ant. O céu e a **ter**ra passa**rão**, diz o Se**nhor**,
porém ja**mais** minhas pa**lav**ras passa**rão**.

Ant. 2 Sois, Se**nhor**, meu re**fú**gio e forta**le**za,
torre **for**te na presença do ini**mi**go.

938   **II Semana**

Salmo 60(61)
Oração do exilado

Oração do justo que espera a vida eterna (Sto. Hilário).

— [2] Escu**tai**, ó Senhor **Deus**, minha ora**ção**, *
aten**dei** à minha prece, ao meu clamor!
— [3] Dos con**fins** do universo a vós eu clamo, *
e em **mim** o coração já desfalece.

— Condu**zi**-me às alturas do rochedo, *
e dei**xai**-me descansar nesse lugar!
— [4] Porque **sois** o meu refúgio e fortaleza, *
torre **for**te na presença do inimigo.

— [5] Quem me **de**ra morar sempre em vossa casa *
e abri**gar**-me à proteção de vossas asas!
— [6] Pois ou**vis**tes, ó Senhor, minhas promessas, *
e me fi**zes**tes tomar parte em vossa herança.

— [7] Acrescen**tai** ao nosso rei dias aos dias, *
e seus **a**nos durem muitas gerações!
— [8] Reine **sem**pre na presença do Senhor, *
vossa verda**de** e vossa graça o conservem!

— [9] Então **sem**pre cantarei o vosso nome *
e cumpri**rei** minhas promessas dia a dia.

Ant. Sois, Se**nhor**, meu re**fú**gio e forta**le**za,
torre **for**te na pre**sen**ça do ini**mi**go.

Ant. 3 Ó Se**nhor**, salvai-me a **v**ida do ini**mi**go aterra**dor**!

Salmo 63(64)
Pedido de ajuda contra os perseguidores

Este salmo se aplica de modo especial à Paixão do Senhor (Sto. Agostinho).

— [2] Ó Deus, ou**vi** a minha **voz**, o meu la**men**to! *
Salvai-me a **v**ida do inimigo aterrador!
— [3] Prote**gei**-me das intrigas dos perversos *
e do tu**mul**to dos obreiros da maldade! —

Sábado – Hora Média

— ⁴ Eles afiam suas línguas como espadas, *
   lançam palavras venenosas como flechas,
— ⁵ para ferir os inocentes às ocultas *
   e atingi-los de repente, sem temor.
— ⁶ Uns aos outros se encorajam para o mal *
   e combinam às ocultas, traiçoeiros,
— onde pôr as armadilhas preparadas, *
   comentando entre si: "Quem nos verá?"
— ⁷ Eles tramam e disfarçam os seus crimes. *
   É um abismo o coração de cada homem!
— ⁸ Deus, porém, os ferirá com suas flechas, *
   e cairão todos feridos, de repente.
— ⁹ Sua língua os levará à perdição, *
   e quem os vir meneará sua cabeça;
— ¹⁰ com temor proclamará a ação de Deus, *
   e tirará uma lição de sua obra.
= ¹¹ O homem justo há de alegrar-se no Senhor †
   e junto dele encontrará o seu refúgio, *
   e os de reto coração triunfarão.

Ant. Ó Senhor, salvai-me a vida do inimigo aterrador!

Leitura breve   1Rs 2,2b-3
Sê corajoso e porta-te como um homem. Observa os preceitos do
Senhor, teu Deus, andando em seus caminhos, observando seus
estatutos, seus mandamentos, seus preceitos e seus ensinamentos, como estão escritos na lei de Moisés. E assim serás bem sucedido em tudo o que fizeres e em todos os teus projetos.

V. Conduzi-me em vossa lei, vosso caminho,
R. Pois só nele encontrarei felicidade.

Oração

Senhor nosso Deus, luz ardente de amor eterno, concedei que,
inflamados na vossa caridade, num mesmo amor amemos a vós,
acima de tudo, e aos irmãos e irmãs por vossa causa. Por Cristo,
nosso Senhor.

III SEMANA

III DOMINGO

I Vésperas

V. Vinde, ó **Deus**. Glória ao **Pai**. Como era.(Aleluia).

Hino

Ó Deus, autor de tudo,
que a terra e o céu guiais,
de luz vestis o dia,
à noite o sono dais.

O corpo, no repouso,
prepara-se a lutar.
As mentes já se acalmam,
se faz sereno o olhar.

Senhor, vos damos graças
no ocaso deste dia.
A noite vem caindo,
mas vosso amor nos guia.

Sonora, a voz vos louve,
vos cante o coração.
O amor vos renda amor,
e a mente, adoração.

E assim, chegando a noite,
com grande escuridão,
a fé, em meio às trevas,
espalhe o seu clarão.

Ouvi-nos, Pai piedoso,
e Filho, Sumo Bem,
com vosso Santo Espírito
reinando sempre. Amém.

Ou:

Santo entre todos, já fulgura
o dia oitavo, resplendente,
que consagrais em vós, ó Cristo,
vós, o primeiro dos viventes.

Domingo – I Vésperas

Às nossas almas, por primeiro,
vinde trazer ressurreição,
e da segunda morte livres,
os nossos corpos surgirão.

Ao vosso encontro, sobre as nuvens,
em breve, ó Cristo, nós iremos.
Ressurreição e vida nova,
convosco sempre viveremos.

Dai-nos, à luz da vossa face,
participar da divindade,
vos conhecendo como sois,
Luz, verdadeira suavidade.

Por vós entregues a Deus Pai,
que seu Espírito nos dá,
à perfeição da caridade
o Trino Deus nos levará.

Salmodia

Nos domingos do Advento, Natal, Quaresma e Páscoa, as antífonas são próprias do Tempo correspondente.

Ant. 1 Do nascer do sol até o seu ocaso,
louvado seja o nome do Senhor!

Salmo 112(113)

O nome do Senhor é digno de louvor

Derrubou do trono os poderosos e elevou os humildes (Lc 1,52).

– [1]Louvai, louvai, ó servos do Senhor, *
louvai, louvai o nome do Senhor!

– [2]Bendito seja o nome do Senhor, *
agora e por toda a eternidade!

– [3]Do nascer do sol até o seu ocaso, *
louvado seja o nome do Senhor!

– [4]O Senhor está acima das nações, *
sua glória vai além dos altos céus.

= [5]Quem pode comparar-se ao nosso Deus, †
ao Senhor, que no alto céu tem o seu trono *
[6]e se inclina para olhar o céu e a terra? –

942   III Semana

– ⁷Levanta da poeira o indigente *
   e do lixo ele retira o pobrezinho,
– ⁸para fazê-lo assentar-se com os nobres, *
   assentar-se com os nobres do seu povo.
– ⁹Faz a estéril, mãe feliz em sua casa, *
   vivendo rodeada de seus filhos.

Ant. Do nascer do sol até o seu ocaso,
     louvado seja o nome do Senhor!

Ant. 2 Elevo o cálice da minha salvação,
      invocando o nome santo do Senhor.

Salmo 115(116B)
Ação de graças no templo

"Por meio de Jesus, ofereçamos a Deus um perene sacrifício de louvor" (Hb 13,15).

– ¹⁰Guardei a minha fé, mesmo dizendo: *
   "É demais o sofrimento em minha vida!"
– ¹¹Confiei, quando dizia na aflição: *
   "Todo homem é mentiroso! Todo homem!"

– ¹²Que poderei retribuir ao Senhor Deus *
   por tudo aquilo que ele fez em meu favor?
– ¹³Elevo o cálice da minha salvação, *
   invocando o nome santo do Senhor.
– ¹⁴Vou cumprir minhas promessas ao Senhor *
   na presença de seu povo reunido.

– ¹⁵É sentida por demais pelo Senhor *
   a morte de seus santos, seus amigos.
= ¹⁶Eis que sou o vosso servo, ó Senhor, †
   vosso servo que nasceu de vossa serva; *
   mas me quebrastes os grilhões da escravidão!

– ¹⁷Por isso oferto um sacrifício de louvor, *
   invocando o nome santo do Senhor.
– ¹⁸Vou cumprir minhas promessas ao Senhor *
   na presença de seu povo reunido;
– ¹⁹nos átrios da casa do Senhor, *
   em teu meio, ó cidade de Sião!

Domingo – I Vésperas

Ant. Elevo o **cá**lice da **mi**nha salva**ção**,
invo**can**do o nome **san**to do **Se**nhor.

Ant. 3 O **Se**nhor Jesus **Cris**to se humil**hou**,
por isso **Deus** o exal**tou** eterna**men**te.

Cântico   Fl 2,6-11
Cristo, o Servo de Deus

= [6]Embora **fos**se de divi**na** condi**ção**, †
Cristo Je**sus** não se apegou ciosamente *
a ser i**gual** em natureza a Deus Pai.

(R. Jesus **Cris**to é Se**nhor** para a **gló**ria de Deus **Pai!)**

= [7]Po**rém** esvaziou-se de sua glória †
e assu**miu** a condição de um escravo, *
fa**zen**do-se aos homens semelhante.   **(R.)**

= [8]Reconhe**ci**do exteriormente como homem, †
humi**lhou**-se, obedecendo até à morte, *
até à **mor**te humilhante numa cruz.   **(R.)**

= [9]Por isso **Deus** o exaltou sobremaneira †
e deu-lhe o **no**me mais excelso, mais sublime, *
e eleva**do** muito acima de outro nome.   **(R.)**

=[10]Para **que** perante o nome de Jesus †
se **do**bre reverente todo joelho, *
seja nos **céus**, seja na terra ou nos abismos.   **(R.)**

=[11]E toda **lín**gua reconheça, confessando, †
para a **gló**ria de Deus Pai e seu louvor: *
"Na ver**da**de Jesus Cristo é o Senhor!"   **(R.)**

Ant. O **Se**nhor Jesus **Cris**to se humi**lhou**,
por isso **Deus** o exal**tou** eterna**men**te.

Leitura breve   Hb 13,20-21

O Deus da paz, que fez subir dentre os mortos aquele que se tornou, pelo sangue de uma aliança eterna, o grande pastor das ovelhas, nosso Senhor Jesus, vos torne aptos a todo bem, para fazerdes a sua vontade; que ele realize em nós o que lhe é agradável, por Jesus Cristo, ao qual seja dada a glória pelos séculos dos séculos. Amém!

944   III Semana

Responsório breve

R. Quão numerosas, ó Senhor, são vossas obras
* E que sabedoria em todas elas! R. Quão numerosas.
V. Encheu-se a terra com as vossas criaturas.
* E que sabedoria. Glória ao Pai. R. Quão numerosas.

Antífona do Magníficat como no Próprio do Tempo.

Preces

Recordando a bondade de Cristo que, compadecido do povo faminto, realizou em favor dele maravilhas de amor, com gratidão elevemos a ele as nossas preces; e digamos:

R. Mostrai-nos, Senhor, o vosso amor!

Reconhecemos, Senhor, que todos os benefícios recebidos neste dia vieram de vossa bondade;
— que eles não voltem para vós sem produzir frutos em nosso coração.   R.

Luz e salvação da humanidade, protegei aqueles que dão testemunho de vós em toda a terra,
— e acendei neles o fogo do vosso Espírito.   R.

Fazei que todos os seres humanos respeitem a dignidade de seus irmãos e irmãs, de acordo com a vossa vontade,
— a fim de que, todos juntos, respondam com generosidade às mais urgentes necessidades do nosso tempo.   R.

Médico das almas e dos corpos, aliviai os enfermos e assisti os agonizantes,
— e visitai-nos e confortai-nos com a vossa misericórdia.   R.

(intenções livres)

Dignai-vos receber na companhia dos santos os nossos irmãos e irmãs que morreram,
— cujos nomes estão escritos no livro da vida.   R.
Pai nosso...

Oração como no Próprio do Tempo.

Domingo — Laudes

Laudes

V. Vinde, ó **Deus**. Glória ao **Pai**. Como era. (Ale**luia**).

Hino

Ó Criador do universo,
a sombra e a luz alternais,
e, dando tempo ao tempo,
dos seres todos cuidais.

Qual pregoeiro do dia,
canta nas noites o galo.
Separa a noite e a noite,
brilhando a luz no intervalo.

Também por ele acordada,
a estrela d'alva, brilhante,
expulsa o erro e a treva
com sua luz radiante.

Seu canto os mares acalma,
ao navegante avigora;
a própria Pedra da Igreja
ouvindo o cântico chora.

Jesus, olhai os que tombam.
O vosso olhar nos redime:
se nos olhais, nos erguemos,
e prantos lavam o crime.

Ó luz divina, brilhai,
tirai do sono o torpor.
O nosso alento primeiro
entoe o vosso louvor.

Ó Cristo, Rei piedoso,
a vós e ao Pai, Sumo Bem,
glória e poder, na unidade
do Espírito Santo. Amém.

Salmodia

Nos domingos do Advento, Natal, Quaresma e Páscoa, as antífonas são
próprias do Tempo correspondente.

Ant. 1 Admi**rá**vel é o Se**nhor** nos altos **céus**! Ale**luia**.

946   III Semana

Salmo 92(93) ·

A grandeza do Deus Criador

O Senhor, nosso Deus, o Todo-poderoso passou a reinar. Fique-mos alegres e contentes, e demos glória a Deus! (Ap 19,6-7).

– ¹Deus é **Rei** e se ves**tiu** de majes**ta**de, *
revestiu-se de poder e de esplendor!

= Vós fir**mas**tes o universo inabalável, †
²vós fir**mas**tes vosso trono desde a origem, *
desde sempre, ó Senhor, vós existis!

= ³Levantaram as torrentes, ó Senhor, †
levantaram as torrentes sua voz, *
levantaram as torrentes seu fragor.

= ⁴Muito **mais** do que o fragor das grandes águas, †
muito **mais** do que as ondas do oceano, *
poderoso é o Senhor nos altos céus!

= ⁵Verdadeiros são os vossos testemunhos, †
refulge a santidade em vossa casa *
pelos séculos dos séculos, Senhor!

Ant. Admirável é o Senhor nos altos **céus**! Aleluia.

Ant. 2 Sois **digno** de louvor e de **glória** eternamente. Aleluia.

Cântico   Dn 3,57-88.56
Louvor das criaturas ao Senhor

Louvai o nosso Deus, todos os seus servos (Ap 19,5)

– ⁵⁷Obras do Senhor, bendizei o Senhor, *
louvai-o e exaltai-o pelos **séculos** sem fim!
– ⁵⁸Céus do Senhor, bendizei o Senhor! *
⁵⁹Anjos do Senhor, bendizei o Senhor!

(R. Louvai-o e exaltai-o pelos **séculos** sem **fim**!
ou
R. A Ele **glória** e louvor eternamente!)

– ⁶⁰Águas do alto céu, bendizei o Senhor! *
⁶¹Potências do Senhor, bendizei o Senhor!
– ⁶²Lua e sol, bendizei o Senhor! *
⁶³Astros e estrelas, bendizei o Senhor!   (R.)

Domingo – Laudes

– [64]**Chu**vas e orvalhos, bendi**zei** o Senhor! *
   [65]**Bri**sas e ventos, bendi**zei** o Senhor!
– [66]**Fogo** e calor, bendi**zei** o Senhor! *
   [67]**Frio** e ardor, bendi**zei** o Senhor!

(R.)

– [68]Orvalhos e garoas, bendi**zei** o Senhor! *
   [69]Geada e frio, bendi**zei** o Senhor!
– [70]**Gelos** e neves, bendi**zei** o Senhor! *
   [71]**Noites** e dias, bendi**zei** o Senhor!

(R.)

– [72]**Lu**zes e trevas, bendi**zei** o Senhor! *
   [73]**Rai**os e nuvens, bendi**zei** o Senhor
– [74]Ilhas e terra, bendi**zei** o Senhor! *
   Louvai-o e exaltai-o pelos **séculos** sem fim!

(R.)

– [75]**Mon**tes e colinas, bendi**zei** o Senhor! *
   [76]**Plan**tas da terra, bendi**zei** o Senhor!
– [77]**Mares** e rios, bendi**zei** o Senhor! *
   [78]**Fon**tes e nascentes, bendi**zei** o Senhor!

(R.)

– [79]**Bale**ias e peixes, bendi**zei** o Senhor! *
   [80]**Pás**saros do céu, bendi**zei** o Senhor!
– [81]**Feras** e rebanhos, bendi**zei** o Senhor! *
   [82]**Filhos** dos homens, bendi**zei** o Senhor!

(R.)

– [83]**Filhos** de Israel, bendi**zei** o Senhor! *
   Louvai-o e exaltai-o pelos **séculos** sem fim!
– [84]Sacer**do**tes do Senhor, bendi**zei** o Senhor! *
   [85]**Ser**vos do Senhor, bendi**zei** o Senhor!

(R.)

– [86]**Almas** dos justos, bendi**zei** o Senhor! *
   [87]**San**tos e humildes, bendi**zei** o Senhor!
– [88]**Jo**vens Misael, Ananias e Azarias, *
   Louvai-o e exaltai-o pelos **séculos** sem fim!

(R.)

–   Ao **Pai** e ao Filho e ao Es**pírito** Santo *
   louvemos e exaltemos pelos **séculos** sem fim!
– [56]**Bendi**to sois, Senhor, no firma**men**to dos céus! *
   Sois **digno** de louvor e de **gló**ria eternamente!

(R.)

No fim deste cântico não se diz o Glória ao Pai.

Ant. Sois **digno** de lou**vor** e de **gló**ria eterna**men**te. Ale**lui**a.

Ant. 3 Lou**vai** o Senhor **Deus** nos altos **céus**, ale**lui**a. †

Salmo 148

Glorificação do Deus Criador

Ao que está sentado no trono e ao Cordeiro, o louvor e a honra, a glória e o poder para sempre (Ap 5,13).

— [1] Louvai o Senhor **Deus** nos altos **céus**, *
louvai-o no excelso firmamento!

— [2] Louvai-o, anjos seus, todos louvai-o, *
louvai-o, legiões celestiais!

— [3] Louvai-o, sol e lua, e bendizei-o, *
louvai-o, vós estrelas reluzentes!

— [4] Louvai-o, céus dos céus, e bendizei-o, *
e vós, **águas** que estais por sobre os céus.

— [5] Louvem **to**dos e bendigam o seu nome, *
porque man**dou** e logo tudo foi criado.

— [6] Institu**iu** todas as coisas para sempre, *
e deu a **tu**do uma lei que é imutável.

— [7] Louvai o Senhor Deus por toda a terra, *
grandes **peix**es e abismos mais profundos;

— [8] fogo e gran**iz**o, e vós neves e neblinas, *
fura**cões** que executais as suas ordens.

— [9] Montes **to**dos e colinas, bendizei-o, *
cedros **to**dos e vós, árvores frutíferas;

— [10] feras do **mat**o e vós, mansos animais, *
todos os **rép**teis e os pássaros que voam.

— [11] Reis da **ter**ra, povos todos, bendizei-o, *
e vós, **prín**cipes e todos os juízes;

— [12] e vós, **jo**vens, e vós, moças e rapazes, *
anci**ãos** e criancinhas, bendizei-o!

— [13] Louvem o **no**me do Senhor, louvem-no todos, *
porque so**men**te o seu nome é excelso!

— A majes**ta**de e esplendor de sua glória *
ultra**pass**am em grandeza o céu e a terra.

— [14] Ele exal**tou** seu povo eleito em poderio, *
ele é o mo**tivo** de louvor para os seus santos.

Domingo – Laudes

– É um **hino** para os filhos de Israel, *
este **povo** que ele ama e lhe pertence.

Ant. Louvai o Senhor **Deus** nos altos **céus**, ale**lui**a.

Leitura breve   Ez 37,12b-14
Assim fala o Senhor Deus: Ó meu povo, vou abrir as vossas sepulturas e conduzir-vos para a terra de Israel; e quando eu abrir
as vossas sepulturas e vos fizer sair delas, sabereis que eu sou o
Senhor. Porei em vós o meu espírito para que vivais e vos colocarei em vossa terra. Então sabereis que eu, o Senhor, digo e faço
- oráculo do Senhor.

Responsório breve
R. Cristo, **Filho** do Deus **vivo**,
  * Tende **pena** e compai**xão**! R. Cristo.
V. Glori**oso** estais sent**ado**, à di**rei**ta de Deus **Pai**.
  * Tende **pena**. Glória ao **Pai**. R. Cristo.
Antífona do Benedictus como no Próprio do Tempo.

Preces
Roguemos a Deus que enviou o Espírito Santo para ser Luz san-
tíssima do coração de todos os fiéis; e digamos:
R. **Iluminai, Senhor, o vosso povo!**
Bendito sejais, Senhor Deus, nossa luz,
– que para vossa glória nos fizestes chegar a este novo dia.
                                                                      R.
Vós, que iluminastes o mundo com a ressurreição do vosso Filho,
– fazei brilhar, pelo ministério da Igreja, esta luz pascal sobre a
humanidade inteira.   R.
Vós, que, pelo Espírito da verdade, esclarecestes os discípulos
de vosso Filho,
– enviai à vossa Igreja este mesmo Espírito, para que ela permaneça sempre fiel à vossa mensagem.   R.
Luz dos povos, lembrai-vos daqueles que ainda vivem nas trevas,
– e abri-lhes os olhos do coração para que vos reconheçam
como único Deus verdadeiro.   R.
                                              (intenções livres)

Pai nosso...
Oração como no Próprio do Tempo.

950   III Semana

Hora Média

V. Vinde, ó **Deus**. Glória ao **Pai**. Como era. (Aleluia)

HINO como no Ordinário, p. 743.

Salmodia

Ant. 1 Na minha an**gús**tia eu clamei pelo **Senhor**,
e o **Senhor** me aten**deu**, ale**luia**.

Salmo 117(118)

Canto de alegria e salvação

*Ele é a pedra, que vós, os construtores, desprezastes, e que se
tornou a pedra angular (At 4,11).*

I

— Dai **graças** ao **Senhor**, porque ele é **bom**! *
"Eterna é a sua misericórdia!"
— A ca**sa** de Israel agora o diga: *
"Eterna é a sua misericórdia!"
— A ca**sa** de Aarão agora o diga: *
"Eterna é a sua misericórdia!"
— Os que temem o Senhor agora o digam: *
"Eterna é a sua misericórdia!"
— Na minha an**gús**tia eu clamei pelo Senhor, *
e o **Senhor** me atendeu e libertou!
— O Se**nhor** está comigo, nada temo; *
o que **po**de contra mim um ser humano?
— O Se**nhor** está comigo, é o meu auxílio, *
hei de **ver** meus inimigos humilhados.
— É me**lhor** buscar refúgio no Senhor *
do que **pôr** no ser humano a esperança;
— é me**lhor** buscar refúgio no Senhor *
do que con**tar** com os poderosos deste mundo!

Ant. Na minha an**gús**tia eu cla**mei** pelo **Senhor**,
e o **Senhor** me aten**deu**, ale**luia**.

Ant. 2 A mão di**rei**ta do **Senhor** me levan**tou**. ale**luia**.

II

– [10] Povos pagãos me rodearam todos eles, *
mas em nome do Senhor os derrotei;
– [11] de todo lado todos eles me cercaram, *
mas em nome do Senhor os derrotei;
= [12] como um enxame de abelhas me atacaram, †
como um fogo de espinhos me queimaram, *
mas em nome do Senhor os derrotei.
– [13] Empurraram-me, tentando derrubar-me, *
mas veio o Senhor em meu socorro.
– [14] O Senhor é minha força e o meu canto, *
e tornou-se para mim o Salvador.
– [15] "Clamores de alegria e de vitória *
ressoem pelas tendas dos fiéis.
= [16] A mão direita do Senhor fez maravilhas, †
a mão direita do Senhor me levantou, *
a mão direita do Senhor fez maravilhas!"
– [17] Não morrerei, mas, ao contrário, viverei *
para cantar as grandes obras do Senhor!
– [18] O Senhor severamente me provou, *
mas não me abandonou às mãos da morte.

Ant. A mão direita do Senhor me levantou. aleluia.

Ant. 3 Que o Senhor e nosso Deus nos ilumine, aleluia!

III

– [19] Abri-me vós, abri-me as portas da justiça; *
quero entrar para dar graças ao Senhor!
– [20] "Sim, esta é a porta do Senhor, *
por ela só os justos entrarão!"
– [21] Dou-vos graças, ó Senhor, porque me ouvistes *
e vos tornastes para mim o Salvador!
– [22] "A pedra que os pedreiros rejeitaram *
tornou-se agora a pedra angular.
– [23] Pelo Senhor é que foi feito tudo isso: *
Que maravilhas ele fez a nossos olhos!
– [24] Este é o dia que o Senhor fez para nós, *
alegremo-nos e nele exultemos! –

952   III Semana

– ^{25}Ó Senhor, dai-nos a vossa salvação, *
  ó Senhor, dai-nos também prosperidade!”
– ^{26}Bendito seja, em nome do Senhor, *
  aquele que em seus átrios vai entrando!
– Desta casa do Senhor vos bendizemos. *
  ^{27}Que o Senhor e nosso Deus nos ilumine!

– Empunhai ramos nas mãos, formai cortejo, *
  aproximai-vos do altar, até bem perto!
– ^{28}Vós sois meu **Deus**, eu vos bendigo e agradeço! *
  Vós sois meu **Deus**, eu vos exalto com louvores!
– ^{29}Dai **graças** ao Senhor, porque ele é bom! *
  “Eterna é a sua misericórdia!”

Ant. Que o Senhor e nosso **Deus** nos ilumine, aleluia!

Leitura breve   Rm 8,22-23

Sabemos que toda a criação, até ao tempo presente, está gemendo como que em dores de parto. E não somente ela, mas nós também, que temos os primeiros frutos do Espírito, estamos interiormente gemendo, aguardando a adoção filial e a libertação para o nosso corpo.

V. Bendize, ó minha **alma**, ao Senhor!
R. Do sepulcro ele salva tua vida!

Oração como no Próprio do Tempo.

II Vésperas

V. Vinde, ó **Deus**. Glória ao **Pai**. Como era. (Aleluia).
Hino

    Criador generoso da luz,
    que criastes a luz para o dia,
    com os raios primeiros da luz,
    sua origem o mundo inicia.

    Vós chamastes de “dia” o decurso
    da manhã luminosa ao poente.
    Eis que as trevas já descem à terra:
    escutai nossa prece, clemente.

Para que sob o peso dos crimes
nossa mente não fique oprimida,
e, esquecendo as coisas eternas,
não se exclua do prêmio da vida.

Sempre à porta celeste batendo,
alcancemos o prêmio da vida,
evitemos do mal o contágio
e curemos da culpa a ferida.

Escutai-nos, ó Pai piedoso,
com o único Filho também,
que reinais com o Espírito Santo
pelos séculos dos séculos. Amém.

Salmodia

Nos domingos do Advento, Natal, Quaresma e Páscoa, as antífonas são próprias do Tempo correspondente.

Ant. 1 Palavra do Senhor ao meu Senhor:
Assenta-te ao lado meu direito. Aleluia. †

Salmo 109(110),1-5.7

O Messias, Rei e Sacerdote

É preciso que ele reine, até que todos os seus inimigos estejam debaixo de seus pés (1Cor 15,25).

— ¹Palavra do Senhor ao meu Senhor: *
"Assenta-te ao lado meu direito,
— † até que eu ponha os inimigos teus *
como escabelo por debaixo de teus pés!"

= ²O Senhor estenderá desde Sião †
vosso cetro de poder, pois ele diz: *
"Domina com vigor teus inimigos;

= ³Tu és príncipe desde o dia em que nasceste; †
na glória e esplendor da santidade, *
como o orvalho, antes da aurora, eu te gerei!"

= ⁴Jurou o Senhor e manterá sua palavra: †
"Tu és sacerdote eternamente, *
segundo a ordem do rei Melquisedec!" —

954   III Semana

– [5] À vossa **de**stra está o Senhor, ele vos diz: *
"No dia da **i**ra esmagarás os reis da terra!
– [7] Bebe**rá**s água corrente no caminho, *
por **i**sso seguirás de frente erguida!"

Ant. Pala**v**ra do Se**nhor** ao meu Se**nho**r:
Assen**ta**-te ao **la**do meu di**rei**to. Ale**lu**ia.

Ant. 2 O Se**nhor** bom e cle**men**te nos dei**xou**
a lem**bran**ça de suas **gran**des maravilhas. Ale**lu**ia.

Salmo 110(111)

As grandes obras do Senhor

*Grandes e maravilhosas são as tuas obras, Senhor Deus todo-
-poderoso!* (Ap 15,3).

– [1] Eu agra**de**ço a Deus de **to**do o cora**ção** *
junto com **to**dos os seus justos reunidos!
– [2] Que grandi**o**sas são as obras do Senhor, *
elas me**re**cem todo o amor e admiração!

– [3] Que be**le**za e esplendor são os seus feitos! *
Sua jus**ti**ça permanece eternamente!
– [4] O Se**nhor** bom e clemente nos deixou *
a lem**bran**ça de suas grandes maravilhas.

– [5] Ele **dá** o alimento aos que o temem *
e ja**mais** esquecerá sua Aliança.
– [6] Ao seu **po**vo manifesta seu poder, *
dando a ele a herança das nações.

– [7] Suas **o**bras são verdade e são justiça, *
seus pre**cei**tos, todos eles, são estáveis,
– [8] confir**ma**dos para sempre e pelos séculos, *
reali**za**dos na verdade e retidão.

= [9] Envi**ou** libertação para o seu povo, †
confir**mou** sua Aliança para sempre. *
Seu nome é **san**to e é digno de respeito.

= [10] Temer a **Deus** é o princípio do saber †
e é **sá**bio todo aquele que o pratica. *
Perma**ne**ça eternamente o seu louvor.

Domingo – II Vésperas

Ant. O **Senhor** bom e clemente nos dei**xou**
a lembrança de suas **gran**des maravilhas. Aleluia.

Ant. 3 De seu **reino** tomou **pos**se
nosso **Deus** onipotente. Aleluia.

No cântico seguinte dizem-se os Aleluias entre parênteses somente quando se canta; na recitação, basta dizer o Aleluia no começo, entre as estrofes e no fim.

Cântico   cf. Ap 19,1-2.5-7

= Aleluia, (Aleluia!).
  [1] Ao nosso **Deus** a salva**ção**, *
  honra, **glória** e poder! (Aleluia!).
– [2] Pois são verda**de** e justiça *
  os juízos do Senhor.

R. Aleluia, (Aleluia!).

= Aleluia, (Aleluia!).
  [5] Celebrai o nosso Deus, *
  servidores do Senhor! (Aleluia!).
– E vós todos que o temeis, *
  vós os grandes e os pequenos!

R. Aleluia, (Aleluia!).

= Aleluia, (Aleluia!).
  [6] De seu **reino** tomou posse *
  nosso **Deus** onipotente! (Aleluia!).
– [7] Exultemos de alegria, *
  demos **glória** ao nosso Deus!

R. Aleluia, (Aleluia!).

= Aleluia, (Aleluia!).
  Eis que as **núp**cias do Cordeiro *
  redivivo se aproximam! (Aleluia!).
– Sua Esposa se enfeitou, *
  se vestiu de linho puro.

R. Aleluia, (Aleluia!).

Ant. De seu **reino** tomou **pos**se
nosso **Deus** onipotente. Aleluia.

956   III Semana

Nos domingos da Quaresma se diz o Cântico da Carta de São Pedro com a antífona própria.

Cântico   1Pd 2,21-24

= 21 O **Cris**to por **nós** pade**ceu**, †
deixou-nos o exemplo a seguir. *
Sigamos, portanto, seus passos!
– 22 Pecado nenhum cometeu, *
nem houve engano em seus lábios.

(R. Por suas chagas nós fomos curados.)

= 23 Insultado, ele não insultava; †
ao sofrer e ao ser maltratado, *
ele não ameaçava vingança;
– entregava, porém, sua causa *.
Àquele que é justo juiz.   (R.)

– 24 Carregou sobre si nossas culpas *
em seu corpo, no lenho da cruz,
= para que, mortos aos nossos pecados, †
na justiça de Deus nós vivamos. *
Por suas chagas nós fomos curados.   (R.)

Leitura breve   1Pd 1,3-5

Bendito seja Deus, Pai de nosso Senhor Jesus Cristo. Em sua grande misericórdia, pela ressurreição de Jesus Cristo dentre os mortos, ele nos fez nascer de novo, para uma esperança viva, para uma herança incorruptível, que não estraga, que não se mancha nem murcha, e que é reservada para vós nos céus. Graças à fé, e pelo poder de Deus, vós fostes guardados para a salvação que deve manifestar-se nos últimos tempos.

Responsório breve

R. Ó Senhor, vós sois bendito
   * No celeste firmamento. R. Ó Senhor.
V. Vós sois digno de louvor e de glória eternamente.
   * No celeste. Glória ao Pai. R. Ó Senhor.

Antífona do Magníficat como no Próprio do Tempo.

Preces

Com alegria, invoquemos a Deus Pai que, tendo no princípio criado o mundo, recriou-o pela redenção e não cessa de renová-lo por seu amor; e digamos:

R. Renovai, Senhor, as maravilhas do vosso amor!

Nós vos damos graças, Senhor Deus, porque revelais o vosso poder na criação inteira,
– e manifestais a vossa providência nos acontecimentos da história. **R.**

Por vosso Filho, que no triunfo da cruz anunciou a paz ao mundo,
– livrai-nos do desespero e do vão temor. **R.**

A todos os que amam a justiça e por ela trabalham,
– ajudai-os a colaborar com sinceridade na construção de uma sociedade renovada na verdadeira concórdia. **R.**

Socorrei os oprimidos, libertai os prisioneiros, consolai os aflitos, dai pão aos famintos, fortalecei os fracos,
– para que em todos eles se manifeste a vitória da cruz. **R.**

(intenções livres)

Vós, que ressuscitastes gloriosamente vosso Filho depois de morto e sepultado,
– concedei aos que morreram entrar juntamente com ele na vida eterna. **R.**

Pai nosso...

Oração como no Próprio do Tempo.

III SEGUNDA-FEIRA

Laudes

V. Vinde, ó **Deus**. Glória ao **Pai**. Como era. (Aleluia).

Hino

Clarão da glória do Pai,
ó Luz, que a Luz origina,
sois Luz da Luz, fonte viva,
sois Luz que ao dia ilumina.

Brilhai, ó Sol verdadeiro,
com vosso imenso esplendor,
e dentro em nós derramai
do Santo Espírito o fulgor.

Também ao Pai suplicamos,
ao Pai a glória imortal,
ao Pai da graça potente,
que a nós preserve do mal.

Na luta fortes nos guarde
vencendo o anjo inimigo.
Nas quedas, dê-nos a graça,
de nós afaste o perigo.

As nossas mentes governe
num corpo casto e sadio.
A nossa fé seja ardente,
e não conheça desvio.

O nosso pão seja o Cristo,
e a fé nos seja a bebida.
O Santo Espírito bebamos
nas fontes puras da vida.

Alegre passe este dia,
tão puro quanto o arrebol.
A fé, qual luz cintilante,
refulja em nós como o sol.

A aurora em si traz o dia.
Vós, como aurora, brilhai:
ó Pai, vós todo no Filho,
e vós, ó Verbo, no Pai.

Salmodia

Ant. 1 **Felizes os que habitam vossa casa, ó Senhor!**

T.P.: **Meu coração e minha carne rejubilam
e exultam de alegria no Deus vivo. Aleluia.**

Segunda-feira – Laudes

Salmo 83(84)
Saudades do templo do Senhor

Não temos aqui cidade permanente, mas estamos à procura daquela que está para vir (Hb 13,14).

— ²Quão amável, ó Senhor, é vossa casa, *
quanto a amo, Senhor Deus do universo!
— ³Minha alma desfalece de saudades *
e anseia pelos átrios do Senhor!
— Meu coração e minha carne rejubilam *
e exultam de alegria no Deus vivo!

= ⁴Mesmo o pardal encontra abrigo em vossa casa, †
e a andorinha aí prepara o seu ninho, *
para nele seus filhotes colocar:
— vossos altares, ó Senhor Deus do universo! *
vossos altares, ó meu Rei e meu Senhor!

— ⁵Felizes os que habitam vossa casa; *
para sempre haverão de vos louvar!
— ⁶Felizes os que em vós têm sua força, *
e se decidem a partir quais peregrinos!

= ⁷Quando passam pelo vale da aridez, †
o transformam numa fonte borbulhante, *
pois a chuva o vestirá com suas bênçãos.
— ⁸Caminharão com ardor sempre crescente *
e hão de ver o Deus dos deuses em Sião.

— ⁹Deus do universo, escutai minha oração! *
Inclinai, Deus de Jacó, o vosso ouvido!
— ¹⁰Olhai, ó Deus, que sois a nossa proteção, *
vede a face do eleito, vosso Ungido!

— ¹¹Na verdade, um só dia em vosso templo *
vale mais do que milhares fora dele!
— Prefiro estar no limiar de vossa casa, *
a hospedar-me na mansão dos pecadores!

— ¹²O Senhor Deus é como um sol, é um escudo, *
e largamente distribui a graça e a glória.
— O Senhor nunca recusa bem algum *
àqueles que caminham na justiça.

960   III Semana

– [13] Ó Senhor, Deus poderoso do universo, *
feliz quem põe em vós sua esperança!

Ant. Felizes os que habitam vossa casa, ó Senhor!

T.P.: Meu coração e minha carne rejubilam
e exultam de alegria no Deus vivo. Aleluia.

Ant. 2 Vinde, subamos a montanha do Senhor!

T.P.: A casa do Senhor foi elevada;
a ela acorrerão todas as gentes. Aleluia.

Cântico   Is 2,2-5

**A montanha da casa do Senhor
é mais alta do que todas as montanhas**

Todas as nações virão prostrar-se diante de Ti (Ap 15,4).

– [2] Eis que **vai** acontecer no fim dos **tempos**, *
que o **mon**te onde está a casa do Senhor
– será er**gui**do muito acima de outros montes, *
e ele**va**do bem mais alto que as colinas.

– Para ele acorrerão todas as gentes, *
[3] muitos **po**vos chegarão ali dizendo:
– "Vinde, su**b**amos a montanha do Senhor, *
vamos à **ca**sa do Senhor Deus de Israel,

– para que **e**le nos ensine seus caminhos, *
e tril**he**mos todos nós suas veredas.
– Pois de Si**ão** a sua Lei há de sair, *
Jerusa**lém** espalhará sua Palavra".

– [4] Será ele o Juiz entre as nações *
e o **ár**bitro de povos numerosos.
– Das es**pa**das farão relhas de arado *
e das **lan**ças forjarão as suas foices.

– Uma na**ção** não se armará mais contra a outra, *
nem have**rão** de exercitar-se para a guerra.
– [5] Vinde, ó **ca**sa de Jacó, vinde, achegai-vos, *
cami**nhe**mos sob a luz do nosso Deus!

Ant. Vinde, su**b**amos a montanha do Senhor!

T.P.: A **ca**sa do Senhor foi ele**va**da;
a ela acorre**rão** todas as **gen**tes. Ale**lui**a.

Ant. 3 Cantai ao Senhor **Deus**, bendizei seu santo **nome!**

T.P.: Publicai entre as nações: Reina o Senhor!

Salmo 95(96)

Deus, Rei e Juiz de toda a terra

Cantavam um cântico novo diante do trono, na presença do Cordeiro (cf. Ap 14,3).

= ¹ Cantai ao Senhor **Deus** um canto novo, †
cantai ao Senhor Deus, ó terra inteira! *
² Cantai e bendizei seu santo nome!

= Dia após **dia** anunciai sua salvação, †
³ manifestai a sua glória entre as nações, *
e entre os povos do universo seus prodígios!

= ⁴ Pois Deus é **gran**de e muito digno de louvor, †
é mais terrível e maior que os outros deuses, *
⁵ porque um **na**da são os deuses dos pagãos.

= Foi o Se**nhor** e nosso Deus quem fez os céus: †
⁶ diante **de**le vão a glória e a majestade, *
e o seu **tem**plo, que beleza e esplendor!

= ⁷ Ó família das nações, dai ao Senhor, †
ó nações, dai ao Senhor poder e glória, *
⁸ dai-lhe a **gló**ria que é devida ao seu nome!

= Oferecei um sacrifício nos seus átrios, †
⁹ adorai-o no esplendor da santidade, *
terra inteira, estremecei diante dele!

= ¹⁰ Publicai entre as nações: "Reina o Senhor!" †
Ele firmou o universo inabalável, *
e os povos ele julga com justiça.

– ¹¹ O céu se rejubile e exulte a terra, *
aplauda o **mar** com o que vive em suas águas;

– ¹² os campos com seus frutos rejubilem *
e exultem as florestas e as matas

– ¹³ na presença do Senhor, pois ele vem, *
porque vem para julgar a terra inteira.

– Governará o mundo todo com justiça, *
e os povos julgará com lealdade.

962   III Semana

Ant. Cantai ao Senhor **Deus,** bendizei seu santo **no**me!

T.P.: Publicai entre as nações: Reina o Senhor!

Leitura breve   Tg 2,12-13

Falai e procedei como pessoas que vão ser julgadas pela Lei da liberdade. Pensai bem: O juízo vai ser sem misericórdia para quem não praticou misericórdia; a misericórdia, porém, triunfa do juízo.

Responsório breve

R. O Senhor seja bendito,
    * Bendito seja eternamente! **R.** O Senhor.
V. Só o Senhor faz maravilhas. * Bendito seja.
    Glória ao **Pai. R.** O Senhor.

Cântico evangélico, ant.

Bendito seja o Senhor nosso **Deus!**

Preces

Roguemos a Deus Pai, que colocou os seres humanos no mundo para trabalharem em harmonia para sua glória; e peçamos com fervor:

R. Senhor, ouvi-nos, para louvor da vossa glória!

Deus, Criador do universo, nós vos bendizemos por tantos bens da criação que nos destes,
– e pela vida que nos conservastes até este dia.   **R.**

Olhai para nós ao iniciarmos o trabalho cotidiano,
– para que, colaborando na vossa obra, tudo façamos de acordo com a vossa vontade.   **R.**

Fazei que o nosso trabalho de hoje seja proveitoso para os nossos irmãos e irmãs,
– a fim de que todos juntos construamos uma sociedade mais justa e fraterna aos vossos olhos.   **R.**

A nós e a todos os que neste dia se encontrarem conosco,
– concedei a vossa alegria e vossa paz.   **R.**

               (intenções livres)

Pai nosso...

Oração

Senhor nosso Deus, Rei do céu e da terra, dirigi e santificai nossos corações e nossos corpos, nossos sentimentos, palavras e ações,

Segunda-feira – Hora Média

na fidelidade à vossa lei e na obediência à vossa vontade, para que, hoje e sempre, por vós auxiliados, alcancemos a liberdade e a salvação. Por nosso Senhor Jesus Cristo, vosso Filho, na unidade do Espírito Santo.

Hora Média

V. Vinde, ó **Deus**. Glória ao **Pai**. Como era. (Ale**luia**).

HINO como no Ordinário, p. 743.

Salmodia

Ant. 1 Procu**rei** vossa von**tade**, ó Se**nhor**;
por meio **de**la conser**vais** a minha **vi**da.

Salmo 118(119),89-96
XII (Lamed)
Meditação sobre a Palavra de Deus na Lei

Eu vos dou um novo mandamento: Amai-vos uns aos outros, como eu vos amei (cf. Jo 13,34).

– [89]É eter**na**, ó Se**nhor**, vossa pa**lavra**, *
ela é tão **firme** e es**tável** como o céu.

– [90]De ge**ração** em ge**ração** vossa ver**dade** *
perma**nece** como a terra que fir**mastes**.

– [91]Porque man**dastes**, tudo existe até a**gora**; *
todas as **coi**sas, ó Senhor, vos obe**decem**!

– [92]Se não **fosse** a vossa lei minhas de**lícias**, *
eu já te**ria** perecido na a**flição**!

– [93]Eu ja**mais** esquecerei vossos pre**ceitos**, *
por meio **de**les conser**vais** a minha vida.

– [94]Vinde sal**var**-me, ó Senhor, eu vos per**tenço**!
Porque **sem**pre procu**rei** vossa vontade.

– [95]Es**prei**tam-me os maus para per**der**-me, *
mas conti**nuo** sempre atento à vossa lei.

– [96]Vi que **toda** a perfeição tem seu limite, *
e só a **vos**sa Aliança é infinita.

Ant. Procu**rei** vossa von**tade**, ó Se**nhor**;
por meio **de**la conser**vais** a minha **vi**da.

Ant. 2 Em vós con**fio**, ó Se**nhor**, desde a **mi**nha juven**tu**de

964   III Semana

Salmo 70(71)

Senhor, minha esperança desde a minha juventude!

Sede alegres por causa da esperança fortes nas tribulações (Rm 12,12).

I

– ¹ Eu procuro meu refúgio em vós, Senhor: *
   que eu não seja envergonhado para sempre!
– ² Porque sois justo, defendei-me e libertai-me!
   Escutai a minha voz, vinde salvar-me!
– ³ Sede uma rocha protetora para mim, *
   um abrigo bem seguro que me salve!
– Porque sois a minha força e meu amparo, *
   o meu refúgio, proteção e segurança!
– ⁴ Libertai-me, ó meu Deus, das mãos do ímpio, *
   das garras do opressor e do malvado!
– ⁵ Porque sois, ó Senhor Deus, minha esperança, *
   em vós confio desde a minha juventude!
= ⁶ Sois meu apoio desde antes que eu nascesse, †
   desde o seio maternal, o meu amparo:*
   para vós o meu louvor eternamente!
– ⁷ Muita gente considera-me um prodígio, *
   mas sois vós o meu auxílio poderoso!
– ⁸ Vosso louvor é transbordante de meus lábios, *
   cantam eles vossa glória o dia inteiro.
– ⁹ Não me deixeis quando chegar minha velhice, *
   não me falteis quando faltarem minhas forças!
– ¹⁰ Porque falam contra mim os inimigos, *
   fazem planos os que tramam minha morte
– ¹¹ e dizem: "Deus o abandonou, vamos matá-lo; *
   agarrai-o, pois não há quem o defenda!"
– ¹² Não fiqueis longe de mim, ó Senhor Deus! *
   Apressai-vos, ó meu Deus, em socorrer-me!
– ¹³ Que sejam humilhados e pereçam *
   os que procuram destruir a minha vida!
– Sejam cobertos de infâmia e de vergonha *
   os que desejam a desgraça para mim!

Segunda-feira – Hora Média

Ant. Em vós confio, ó Senhor, desde a minha juventude.

Ant. 3 Na velhice, com os meus cabelos brancos,
eu vos suplico, ó Senhor, não me deixeis!

II

— [14] Eu, porém, sempre em vós confiarei, *
sempre mais aumentarei vosso louvor!
— [15] Minha boca anunciará todos os dias *
vossa justiça e vossas graças incontáveis.
— [16] Cantarei vossos portentos, ó Senhor, *
lembrarei vossa justiça sem igual!

— [17] Vós me ensinastes desde a minha juventude, *
e até hoje canto as vossas maravilhas.
— [18] E na velhice, com os meus cabelos brancos, *
eu vos suplico, ó Senhor, não me deixeis!

— [19] Ó meu Deus, vossa justiça e vossa força *
são tão grandes, vão além dos altos céus!
— Vós fizestes realmente maravilhas. *
Quem, Senhor, pode convosco comparar-se?

= [20] Vós permitistes que eu sofresse grandes males, †
mas vireis restituir a minha vida *
e tirar-me dos abismos mais profundos.
— [21] Confortareis a minha idade avançada, *
e de novo me havereis de consolar.

— [22] Então, vos cantarei ao som da harpa, *
celebrando vosso amor sempre fiel;
— para louvar-vos tocarei a minha cítara, *
glorificando-vos, ó Santo de Israel!

— [23] A alegria cantará sobre meus lábios, *
e a minha alma libertada exultará!
— [24] Igualmente a minha língua todo o dia, *
cantando, exaltará vossa justiça!
— Pois ficaram confundidos e humilhados *
todos aqueles que tramavam contra mim.

Ant. Na velhice, com os meus cabelos brancos,
eu vos suplico, ó Senhor, não me deixeis!

966 III Semana

Leitura breve Rm 6,22

Agora libertados do pecado, e como escravos de Deus, frutificais para a santidade até a vida eterna, que é a meta final.

V. Vireis, ó **Deus**, restituir a minha **vida**,
R. Para que, em **vós**, se rejubile o vosso **povo**.

Oração

Ó Deus, senhor e guarda da vinha e da colheita, que repartis as tarefas e dais a justa recompensa, fazei-nos carregar o peso do dia, sem jamais murmurar contra a vossa vontade. Por Cristo, nosso Senhor.

Vésperas

V. Vinde, ó **Deus**. Glória ao **Pai**. Como era. (Aleluia).

Hino

Ó Deus, organizando
o líquido elemento,
as águas dividistes
firmando o firmamento.

As nuvens fazem sombra,
os rios dão frescor;
assim tempera a água,
dos astros o calor.

Em nós vertei a graça,
a água benfazeja;
do fogo das paixões,
constante, nos proteja.

Que a fé encontre a luz
e espalhe o seu clarão;
que nada impeça a alma
no impulso da ascensão!

Ao Pai e ao Filho, glória;
ao Espírito também:
louvor, honra e vitória
agora e sempre. Amém.

Segunda-feira – Vésperas

Salmodia

Ant. 1 Nossos olhos estão fitos no Senhor,
até que ele tenha pena de seus servos.

T.P.: O Senhor há de ser tua luz sempiterna
e teu Deus há de ser tua glória, aleluia.

Salmo 122(123)

Deus, esperança do seu povo

*Dois cegos... começaram a gritar: Senhor, Filho de Davi, tem
piedade de nós! (Mt 20,30).*

– [1] Eu levanto os meus olhos para vós, *
que habitais nos altos céus.
– [2] Como os olhos dos escravos estão fitos *
nas mãos do seu senhor,

– como os olhos das escravas estão fitos *
nas mãos de sua senhora,

– assim os nossos olhos, no Senhor, *
até de nós ter piedade.

– [3] Tende piedade, ó Senhor, tende piedade; *
já é demais esse desprezo!
– [4] Estamos fartos do escárnio dos ricaços *
e do desprezo dos soberbos!

Ant. Nossos olhos estão fitos no Senhor,
até que ele tenha pena de seus servos.

T.P.: O Senhor há de ser tua luz sempiterna
e teu Deus há de ser tua glória, aleluia.

Ant. 2 O nosso auxílio está no nome do Senhor,
do Senhor que fez o céu e fez a terra.

T.P.: O laço arrebentou-se de repente
e fomos libertados, aleluia.

968   III Semana

Salmo 123(124)

O nosso auxílio está no nome do Senhor

O Senhor disse a Paulo: Não tenhas medo, porque eu estou contigo (At 18,9-10).

— ¹Se o Senhor não estivesse ao nosso lado, *
   que o diga Israel neste momento;
— ²se o Senhor não estivesse ao nosso lado, *
   quando os homens investiram contra nós,
— ³com certeza nos teriam devorado *
   no furor de sua ira contra nós.

— ⁴Então as águas nos teriam submergido, *
   a correnteza nos teria arrastado,
— ⁵e então, por sobre nós teriam passado *
   essas águas sempre mais impetuosas.
— ⁶Bendito seja o Senhor, que não deixou *
   cairmos como presa de seus dentes!

— ⁷Nossa alma como um pássaro escapou *
   do laço que lhe armara o caçador;
— o laço arrebentou-se de repente, *
   e assim conseguimos libertar-nos.
— ⁸O nosso auxílio está no nome do Senhor, *
   do Senhor que fez o céu e fez a terra!

Ant. O nosso auxílio está no nome do Senhor,
   do Senhor que fez o céu e fez a terra.

T.P.: O laço arrebentou-se de repente
   e fomos libertados, aleluia.

Ant. 3 No seu Filho, o Pai nos escolheu
   para sermos seus filhos adotivos.

T.P.: Quando eu for elevado da terra
   atrairei para mim todo ser. Aleluia.

Cântico   Ef 1,3-10

O plano divino da salvação

— ³Bendito e louvado seja Deus, *
   o Pai de Jesus Cristo, Senhor nosso,
— que do alto céu nos abençoou em Jesus Cristo *
   com bênção espiritual de toda sorte!

Segunda-feira – Vésperas

(R. Bendito sejais **vós**, nosso **Pai**,
que **nos** abençoastes em **Cristo!**)

– [4]Foi em **Cris**to que Deus Pai nos escolheu, *
já bem **antes** de o mundo ser criado,
– para que **fôssemos**, perante a sua face, *
sem **mácula** e santos pelo amor. (R.)

= [5]Por **livre** decisão de sua vontade, †
predesti**nou**-nos, através de Jesus Cristo, *
a sermos **nele** os seus filhos adotivos,
– [6]para o lou**vor** e para a glória de sua graça, *
que em seu **Filho** bem-amado nos doou. (R.)

– [7]É **nele** que nós temos redenção, *
dos pe**cados** remissão pelo seu sangue.
= Sua **graça** transbordante e inesgotável †
[8]Deus der**rama** sobre nós com abundância, *
de sa**ber** e inteligência nos dotando. (R.)

– [9]E as**sim**, ele nos deu a conhecer *
o mis**tério** de seu plano e sua vontade,
– que propusera em seu querer benevolente, *
[10]na pleni**tu**de dos tempos realizar:
– o de**sígnio** de, em Cristo, reunir *
todas as **coisas:** as da terra e as do céu. (R)

Ant. No seu **Filho**, o **Pai** nos esco**lheu**
para **ser**mos seus **filhos** ado**tivos**.

T.P.: Quando eu **for** elevado da **ter**ra
atrai**rei** para **mim** todo **ser**. Ale**luia**.

Leitura breve
Tg 4,11-12

Não faleis mal dos outros, irmãos. Quem fala mal de seu irmão ou o julga, fala mal da Lei e julga-a. Ora, se julgas a Lei, não és cumpridor da Lei, mas sim, seu juiz. Um só é o legislador e juiz: aquele que é capaz de salvar e de fazer perecer. Tu, porém, quem és, para julgares o teu próximo?

Responsório breve

R. **Curai**-me, Se**nhor**, * Pois pe**quei** contra **vós**.
R. **Curai**-me.
V. Eu vos **digo**: Meu **Deus**, tende **pena** de **mim!**
* Pois pe**quei**. Glória ao **Pai**. R. **Curai**-me.

Cântico evangélico, ant.

A minh'alma engrandece o Senhor,
porque olhou para a minha humildade.

Preces

Jesus Cristo quer salvar todos os seres humanos; por isso o invoquemos de coração sincero; e digamos:

R. **Atraí, Senhor, todas as coisas para vós!**

Bendito sejais, Senhor, porque nos libertastes da escravidão do pecado pelo vosso sangue precioso;
– tornai-nos participantes da gloriosa liberdade dos filhos de Deus. R.

Concedei a vossa graça ao nosso bispo N. e a todos os bispos da Igreja,
– para que administrem os vossos mistérios com alegria e fervor. R.

Fazei que todos aqueles que se dedicam à busca da verdade possam encontrá-la,
– e, encontrando-a, se esforcem por buscá-la sempre mais. R.

Assisti, Senhor, os órfãos, as viúvas e todos os que vivem abandonados,
– para que, sentindo-vos próximo deles, unam-se mais plenamente a vós. R.

(intenções livres)

Recebei com bondade na Jerusalém celeste os nossos irmãos e irmãs que partiram desta vida,
– onde vós, com o Pai e o Espírito Santo, sereis tudo em todos. R.

Pai nosso...

Oração

Ó Deus, nosso Pai, luz que não se apaga: olhando para nós reunidos nesta oração vespertina, iluminai nossas trevas e perdoai nossas culpas. Por nosso Senhor Jesus Cristo, vosso Filho, na unidade do Espírito Santo.

III TERÇA-FEIRA

Laudes

V. Vinde, ó **Deus**. Glória ao **Pai**. Como era. (**Aleluia**).

Hino

Já vem brilhante aurora
o sol anunciar.
De cor reveste as coisas,
faz tudo cintilar.

Ó Cristo, Sol eterno,
vivente para nós,
saltamos de alegria,
cantando para vós.

Do Pai Ciência e Verbo,
por quem se fez a luz,
as mentes, para vós,
levai, Senhor Jesus.

Que nós, da luz os filhos,
solícitos andemos.
Do Pai eterno a graça
nos atos expressemos.

Profira a nossa boca
palavras de verdade,
trazendo à alma o gozo
que vem da lealdade.

A vós, ó Cristo, a glória
e a vós, ó Pai, também,
com vosso Santo Espírito,
agora e sempre. Amém.

Salmodia

Ant. 1 Abençoastes, ó Se**nhor**, a vossa **terra**,
perdoastes o pecado ao vosso **povo**.

T.P.: Vinde, Se**nhor**, restituir a nossa **vida**
para que em **vós** se rejubile o vosso **povo**! Aleluia.

Salmo 84(85)

A nossa salvação está próxima

No Salvador caído por terra, Deus abençoou a sua terra (Orígenes).

– ²Favorecestes, ó Senhor, a vossa terra, *
libertastes os cativos de Jacó.
– ³Perdoastes o pecado ao vosso povo, *
encobristes toda a falta cometida;
– ⁴retirastes a ameaça que fizestes, *
acalmastes o furor de vossa ira.
– ⁵Renovai-nos, nosso Deus e Salvador, *
esquecei a vossa mágoa contra nós!
– ⁶Ficareis eternamente irritado? *
Guardareis a vossa ira pelos séculos?
– ⁷Não vireis restituir a nossa vida, *
para que em vós se rejubile o vosso povo?
– ⁸Mostrai-nos, ó Senhor, vossa bondade, *
concedei-nos também vossa salvação!

– ⁹Quero ouvir o que o Senhor irá falar: *
é a paz que ele vai anunciar;
– a paz para o seu povo e seus amigos, *
para os que voltam ao Senhor seu coração.
– ¹⁰Está perto a salvação dos que o temem, *
e a glória habitará em nossa terra.

– ¹¹A verdade e o amor se encontrarão, *
a justiça e a paz se abraçarão;
– ¹²da terra brotará a fidelidade, *
e a justiça olhará dos altos céus.

– ¹³O Senhor nos dará tudo o que é bom, *
e a nossa terra nos dará suas colheitas;
– ¹⁴a justiça andará na sua frente *
e a salvação há de seguir os passos seus

Ant. Abençoastes, ó Senhor, a vossa terra,
perdoastes o pecado ao vosso povo.

Terça-feira – Laudes

T.P.: Vinde, Senhor, restituir a nossa vida
para que em vós se rejubile o vosso povo! Aleluia.

Ant. 2 Durante a noite a minha alma vos deseja,
e meu espírito vos busca desde a aurora.

T.P.: Confiamos no Senhor e nos deu a sua paz. Aleluia.

Cântico   Is 26,1-4.7-9.12

Hino depois da vitória

A muralha da cidade tinha doze alicerces (cf. Ap 21,14).

– ¹ Nossa cidade invencível é Sião, *
sua muralha e sua trincheira é o Salvador.

– ² Abri as portas, para que entre um povo justo, *
um povo reto que ficou sempre fiel.

– ³ Seu coração está bem firme e guarda a paz, *
guarda a paz, porque em vós tem confiança.

– ⁴ Tende sempre confiança no Senhor, *
pois é ele nossa eterna fortaleza!

– ⁷ O caminho do homem justo é plano e reto, *
porque vós o preparais e aplainais;

– ⁸ foi trilhando esse caminho de justiça *
que em vós sempre esperamos, ó Senhor!

– Vossa lembrança e vosso nome, ó Senhor, *
são o desejo e a saudade de noss'alma!

– ⁹ Durante a noite a minha alma vos deseja, *
e meu espírito vos busca desde a aurora.

– Quando os vossos julgamentos se cumprirem, *
aprenderão todos os homens a justiça.

–¹² Ó Senhor e nosso Deus, dai-nos a paz, *
pois agistes sempre em tudo o que fizemos!

Ant. Durante a noite a minha alma vos deseja,
e meu espírito vos busca desde a aurora.

T.P.: Confiamos no Senhor e nos deu a sua paz. Aleluia.

Ant. 3 Ó Senhor, que vossa face resplandeça sobre nós!

T.P.: A terra produziu sua colheita: alegrem-se os povos. Aleluia.

974 III Semana

Salmo 66(67)
Todos os povos celebram o Senhor

Sabei que esta salvação de Deus já foi comunicada aos pagãos!
(At 28,28).

– ²Que Deus nos **dê** a sua **graça** e sua **bênção**, *
  e sua **face** resplandeça sobre nós!
– ³Que na **terra** se conheça o seu caminho *
  e a **sua** salvação por entre os povos.
– ⁴Que as na**ções** vos glorifiquem, ó Senhor, *
  que **to**das as nações vos glorifiquem!
– ⁵**Exul**te de alegria a terra inteira, *
  pois jul**gais** o universo com justiça;
– os **po**vos governais com retidão, *
  e gui**ais**, em toda a terra, as nações.
– ⁶Que as na**ções** vos glorifiquem, ó Senhor, *
  que **to**das as nações vos glorifiquem!
– ⁷A **terra** produziu sua colheita: *
  o S**e**nhor e nosso Deus nos abençoa.
– ⁸Que o S**e**nhor e nosso Deus nos abençoe, *
  e o res**pei**tem os confins de toda a terra!

Ant. Ó Se**nhor**, que vossa **face** resplan**de**ça sobre **nós**!

T.P.: A **terra** produ**ziu** sua **colhei**ta: alegrem-se os **po**vos. Aleluia.

Leitura breve   1Jo 4,14-15
Nós vimos, e damos testemunho, que o Pai enviou o seu Filho
como Salvador do mundo. Todo aquele que proclama que Jesus é
o Filho de Deus, Deus permanece com ele, e ele com Deus.

Responsório breve
R. Ó meu **Deus**, sois o ro**ch**edo que me a**briga**,
  * Meu escudo e prote**ção**: em vós espero! R. Ó m**eu** **Deus**.
V. Minha **rocha**, meu a**brigo** e Salva**dor**. * Meu es**cudo**.
  Glória ao **Pai**. R. Ó meu **Deus**.

Cântico evangélico, ant.
O Se**nhor** fez sur**gir** um pode**roso** Salva**dor**,
como falara pela **bo**ca de seus **san**tos e profetas.

Preces

Adoremos a Jesus Cristo que, pelo seu sangue derramado, conquistou o povo da nova Aliança; e supliquemos humildemente:

R. **Lembrai-vos, Senhor, do vosso povo!**

Cristo, nosso Rei e Redentor, ouvi o louvor da vossa Igreja, no princípio deste dia,
– e ensinai-a a glorificar continuamente a vossa majestade. R.

Cristo, nossa esperança e nossa força, ensinai-nos a confiar em vós,
– e nunca permitais que sejamos confundidos. R.

Vede nossa fraqueza e socorrei-nos sem demora,
– porque sem vós nada podemos fazer. R.

Lembrai-vos dos pobres e abandonados, para que este novo dia não seja um peso para eles,
– mas lhes traga conforto e alegria. R.

(intenções livres)

Pai nosso...

Oração

Deus todo-poderoso, autor da bondade e beleza das criaturas, concedei que em vosso nome iniciemos, alegres, este dia e que o vivamos no amor generoso e serviçal a vós e a nossos irmãos e irmãs. Por nosso Senhor Jesus Cristo, vosso Filho, na unidade do Espírito Santo.

Hora Média

V. Vinde, ó **Deus**. Glória ao **Pai**. Como era. (Aleluia).
HINO como no Ordinário, p. 743.

Salmodia

Ant. 1 A plenitude da lei é o amor.

Salmo 118(119),97-104
XIII (Mem)

Meditação sobre a Palavra de Deus na Lei

Este é o mandamento que dele recebemos: aquele que ama a Deus, ame também o seu irmão! (1Jo 4,21).

– [97] Quanto eu amo, ó Senhor, a vossa lei! *
Permaneço o dia inteiro a meditá-la.

976   III Semana

—⁹⁸ Vossa **lei** me faz mais sábio que os rivais, *
porque **e**la me acompanha eternamente.

—⁹⁹ Fiquei mais **sá**bio do que todos os meus mestres, *
porque me**di**to sem cessar vossa Aliança.

—¹⁰⁰ Sou mais pru**den**te que os próprios anciãos, *
porque **cum**pro, ó Senhor, vossos preceitos.

—¹⁰¹ De **to**do mau caminho afasto os passos, *
para que eu **si**ga fielmente as vossas ordens.

—¹⁰² De **vos**sos julgamentos não me afasto, *
porque vós **mes**mo me ensinastes vossas leis.

—¹⁰³ Como é **do**ce ao paladar vossa palavra, *
muito mais **do**ce do que o mel na minha boca!

—¹⁰⁴ De vossa **lei** eu recebi inteligência, *
por isso o**dei**o os caminhos da mentira.

Ant. A pleni**tu**de da **lei** é o a**mor**.

Ant. 2 Recor**dai**-vos deste **po**vo que ou**tro**ra adqui**ris**tes!

Salmo 73(74)

Lamentação sobre o templo devastado

Não tenhais medo dos que matam o corpo (Mt 10,28).

I

— ¹ Ó Senhor, por que ra**zão** nos rejei**tas**tes para **sem**pre *
e vos i**rais** contra as ovelhas do re**ba**nho que guiais?

= ² Recor**dai**-vos deste **po**vo que ou**tro**ra adquiristes, †
desta **tri**bo que remistes para **ser** a vossa herança, *
e do **mon**te de Sião que escol**hes**tes por morada!

— ³ Dirigi-vos até lá para **ver** quanta ruína: *
no santu**á**rio o inimigo destru**iu** todas as coisas;

— ⁴ e, ru**gin**do como feras, no lo**cal** das grandes festas, *
lá pu**se**ram suas bandeiras vossos **ím**pios inimigos.

— ⁵ Pare**ci**am lenhadores derru**ban**do uma floresta, *

— ⁶ ao que**bra**rem suas portas com mar**te**los e com malhos.

— ⁷ Ó Se**nhor**, puseram fogo mesmo em **vos**so santuário! *
Rebai**xa**ram, profanaram o lu**gar** onde habitais! —

Terça-feira – Hora Média 977

– [8] Entre si eles diziam: "Destruamos de uma vez!" *
E os templos desta terra incendiaram totalmente.
– [9] Já não vemos mais prodígios, já não temos mais profetas, *
ninguém sabe, entre nós, até quando isto será!
– [10] Até quando, Senhor Deus, vai blasfemar o inimigo? *
Porventura ultrajará eternamente o vosso nome?
– [11] Por que motivo retirais a vossa mão que nos ajuda? *
Por que retendes escondido vosso braço poderoso?
– [12] No entanto, fostes vós o nosso Rei desde o princípio, *
e só vós realizais a salvação por toda a terra.

Ant. Recordai-vos deste povo que outrora adquiristes!

Ant. 3 Levantai-vos, Senhor Deus,
e defendei a vossa causa!

II

– [13] Com vossa força poderosa dividistes vastos mares *
e quebrastes as cabeças dos dragões nos oceanos.
– [14] Fostes vós que ao Leviatã esmagastes as cabeças *
e o jogastes como pasto para os monstros do oceano.
– [15] Vós fizestes irromper fontes de águas e torrentes *
e fizestes que secassem grandes rios caudalosos.
– [16] Só a vós pertence o dia, só a vós pertence a noite; *
vós criastes sol e lua, e os fixastes lá nos céus.
– [17] Vós marcastes para a terra o lugar de seus limite. *
vós formastes o verão, vós criastes o inverno.

– [18] Recordai-vos, ó Senhor, das blasfêmias do inimigo
e de um povo insensato que maldiz o vosso nome!
– [19] Não entregueis ao gavião a vossa ave indefesa. *
não esqueçais até o fim a humilhação dos vossos pobres!

– [20] Recordai vossa Aliança! A medida transbordou, *
porque nos antros desta terra só existe violência!
– [21] Que não se escondam envergonhados o humilde e o pequeno, *
mas glorifiquem vosso nome o infeliz e o indigente!

– [22] Levantai-vos, Senhor Deus, e defendei a vossa causa! *
Recordai-vos do insensato que blasfema o dia todo!
– [23] Escutai o vozerio dos que gritam contra vós, *
e o clamor sempre crescente dos rebeldes contra vós!

978   III Semana

Ant. Levantai-vos, Senhor **Deus**, e defendei a vossa causa!

Leitura breve   Dt 15,7-8

Se um dos teus irmãos, que mora em alguma de tuas cidades, na terra que o Senhor teu Deus te vai dar, cair na pobreza, não lhe endureças o teu coração nem lhe feches a mão. Ao contrário, abre a mão para o teu irmão pobre e empresta-lhe o bastante para a necessidade que o oprime.

V. Escutastes os desejos dos pequenos.
R. Seu coração fortalecestes e os ouvistes.

Oração

Ó Deus, que revelastes a Pedro vosso plano de salvação para todos os povos, fazei que nossos trabalhos vos agradem e, pela vossa graça, sirvam ao vosso desígnio de amor e redenção. Por Cristo, nosso Senhor.

Vésperas

V. Vinde, ó **Deus**. Glória ao **Pai**. Como era. (Aleluia).
Hino

Ó grande Autor da terra,
que, as águas repelindo,
do mundo o solo erguestes,
a terra produzindo,

de plantas revestida,
ornada pelas flores,
e dando muitos frutos,
diversos em sabores.

Lavai as manchas da alma
na fonte, pela graça.
O pranto em nossos olhos
as más ações desfaça.

Seguindo as vossas leis,
lutemos contra o mal,
felizes pelo dom
da vida perenal.

Terça-feira – Vésperas

Ouvi-nos, Pai bondoso,
e vós, dileto Filho,
unidos pelo Espírito
na luz de eterno brilho.

Salmodia

Ant. 1 Deus nos cerca de carinho e proteção.

T.P.: Paz a vós! Não temais, pois sou eu, aleluia.

Salmo 124(125)
Deus, protetor de seu povo

A paz para o Israel de Deus (cf. Gl 6,16).

– ¹Quem confia no Senhor é como o monte de Sião: *
  nada o pode abalar, porque é firme para sempre.

= ²Tal e qual Jerusalém, toda cercada de montanhas, †
  assim Deus cerca seu povo de carinho e proteção, *
  desde agora e para sempre, pelos séculos afora.

= ³O Senhor não vai deixar prevalecer por muito tempo †
  o domínio dos malvados sobre a sorte dos seus justos, *
  para os justos não mancharem suas mãos na iniquidade.

= ⁴Fazei o bem, Senhor, aos bons e aos que têm reto coração, †
  ⁵mas os que seguem maus caminhos, castigai-os com o maus! *
  Que venha a paz a Israel! Que venha a paz ao vosso povo!

Ant. Deus nos cerca de carinho e proteção.

T.P.: Paz a vós! Não temais, pois sou eu, aleluia.

Ant. 2 Tornai-nos, Senhor, como crianças,
         para podermos entrar em vosso Reino!

T.P.: Confia no Senhor, povo santo, aleluia.

Salmo 130(131)
Confia no Senhor como criança

Aprendei de mim, porque sou manso e humilde de coração
(Mt 11,29).

– ¹Senhor, meu coração não é orgulhoso, *
  nem se eleva arrogante o meu olhar;

– não ando à procura de grandezas, *
  nem tenho pretensões ambiciosas! –

980 · III Semana

– ² Fiz calar e sossegar a minha alma; *
ela está em grande paz dentro de mim,
– como a criança bem tranquila, amamentada *
no regaço acolhedor de sua mãe.
– ³ Confia no Senhor, ó Israel, *
desde agora e por toda a eternidade!

Ant. Tornai-nos, Senhor, como crianças,
para podermos entrar em vosso Reino!

T.P.: Confia no Senhor, povo santo, aleluia.

Ant. 3 Fizestes de nós para Deus sacerdotes e povo de reis.

T.P.: Que vos sirva toda a vossa criatura,
pois mandastes e o universo foi criado. Aleluia.

Cântico · Ap 4,11; 5,9.10.12

Hino dos remidos

–^{4,11} Vós sois digno, Senhor nosso Deus, *
de receber honra, glória e poder!

(R. Poder, honra e glória ao Cordeiro de Deus!)

= Porque todas as coisas criastes, †
é por vossa vontade que existem, *
e subsistem porque vós mandais. (R.)

= ^{5,9} Vós sois digno, Senhor nosso Deus, †
de o livro nas mãos receber *
e de abrir suas folhas lacradas! (R.)

– Porque fostes por nós imolado; *
para Deus nos remiu vosso sangue
– dentre todas as tribos e línguas, *
dentre os povos da terra e nações. (R.)

= ¹⁰ Pois fizestes de nós, para Deus, †
sacerdotes e povo de reis, *
e iremos reinar sobre a terra. (R.)

= ¹² O Cordeiro imolado é digno †
de receber honra, glória e poder, *
sabedoria, louvor, divindade! (R.)

Ant. Fizestes de nós para Deus sacerdotes e povo de reis.

Terça-feira – Vésperas

T.P.: Que vos **sir**va toda a **vos**sa criatura,
pois man**das**tes e o uni**ver**so foi criado Ale**lui**a.

Leitura breve   Rm 12,9-12

O amor seja sincero. Detestai o mal, apegai-vos ao bem. Que o amor fraterno vos una uns aos outros com terna afeição, prevenin-do-vos com atenções recíprocas. Sede zelosos e diligentes, fervo-rosos de espírito, servindo sempre ao Senhor, alegres por causa da esperança, fortes nas tribulações, perseverantes na oração.

Responsório breve

R. Vossa pa**la**vra, ó Se**nhor**,
  * Per**ma**nece eterna**men**te. R. Vossa pa**la**vra.
V. Vossa ver**da**de é para **sem**pre. * Per**ma**nece.
  Glória ao **Pai**. R. Vossa pa**la**vra.

Cântico evangélico, ant.

E**xul**te meu es**pí**rito em **Deus**, meu Salva**dor**!

Preces

Invoquemos a Deus, esperança do seu povo; e aclamemos com alegria:

R. **Senhor, sois a esperança do vosso povo!**

Nós vos damos graças, Senhor, porque nos enriquecestes em tudo, por Jesus Cristo,
– com o dom da palavra e do conhecimento.   R.

Concedei a vossa sabedoria aos que governam as nações,
– para que o vosso conselho ilumine seus corações e seus atos.   R.

Vós, que tornais os artistas capazes de exprimir a vossa beleza, por meio da sua sensibilidade e imaginação,
– fazei de suas obras uma mensagem de alegria e de esperança para o mundo.   R.

Vós, que não permitis sermos tentados acima de nossas forças,
– fortalecei os fracos e levantai os caídos.   R.

(intenções livres)

Vós, que, por vosso Filho, prometestes aos seres humanos res-suscitarem para a vida eterna no último dia,
– não esqueçais para sempre os que já partiram deste mundo. R.

Pai nosso...

982   III Semana

Oração

Pai cheio de bondade, suba até vós nossa oração da tarde e desça sobre nós a vossa bênção, para que, agora e sempre, possamos alcançar a graça da salvação. Por nosso Senhor Jesus Cristo, vosso Filho, na unidade do Espírito Santo.

III QUARTA-FEIRA

Laudes

V. Vinde, ó **Deus**. Glória ao **Pai**. Como era. (Aleluia).

Hino

Ó noite, ó treva, ó nuvem,
não mais fiqueis aqui!
Já surge a doce aurora,
o Cristo vem: parti!

Rompeu-se o véu da terra,
cortado por um raio:
as coisas tomam cores,
já voltam do desmaio.

Assim também se apague
a noite do pecado,
e o Cristo em nossas almas
comece o seu reinado.

Humildes, vos pedimos
em nosso canto ou choro:
ouvi, ó Cristo, a prece,
que sobe a vós, em coro.

Os fogos da vaidade
a vossa luz desfaz.
Estrela da manhã,
quão doce vossa paz.

Louvor ao Pai, ó Cristo,
louvor a vós também;
reinais, no mesmo Espírito,
agora e sempre. Amém.

Quarta-feira – Laudes

Salmodia

Ant. 1 Alegrai vosso servo, Senhor,
pois a **vós** eu elevo a minh'alma.

T.P.: As nações que criastes virão
adorar vosso **nome**, aleluia.

Salmo 85(86)
Oração do pobre nas dificuldades

*Bendito seja o Deus que nos consola em todas as nossas aflições
(2Cor 1,3.4).*

– ¹Inclinai, ó Senhor, vosso ouvido, *
escutai, pois sou pobre e infeliz!
= ²Protegei-me, que sou vosso amigo, †
e salvai vosso servo, meu Deus, *
que espera e confia em vós!
– ³Piedade de mim, ó Senhor, *
porque clamo por vós todo o dia!
– ⁴Animai e alegrai vosso servo, *
pois a **vós** eu elevo a minh'alma.
– ⁵Ó Senhor, vós sois bom e clemente, *
sois perdão para quem vos invoca.
– ⁶Escutai, ó Senhor, minha prece, *
o lamento da minha oração!
– ⁷No meu dia de angústia eu vos chamo, *
porque sei que me haveis de escutar.
– ⁸Não existe entre os deuses nenhum *
que convosco se possa igualar;
– não existe outra obra no mundo *
comparável às vossas, Senhor!
– ⁹As nações que criastes virão *
adorar e louvar vosso nome.
– ¹⁰Sois tão grande e fazeis maravilhas: *
vós somente sois Deus e Senhor!
– ¹¹Ensinai-me os vossos caminhos, *
e na vossa verdade andarei;

984   III Semana

– meu cora**ção** orientai para vós: *
que res**peite**, Senhor, vosso nome!

–¹²Dou-vos **graças** com toda a minh'alma, *
sem ces**sar** louvarei vosso nome!

–¹³Vosso a**mor** para mim foi imenso: *
reti**rai**-me do abismo da morte!

=¹⁴Contra **mim** se levantam soberbos, †
e malva**dos** me querem matar; *
não vos **levam** em conta, Senhor!

–¹⁵Vós, po**rém**, sois clemente e fiel, *
sois a**mor**, paciência e perdão.

=¹⁶Tende **pena** e olhai para mim! †
Confir**mai** com vigor vosso servo, *
de vossa **serva** o filho salvai.

–¹⁷Conce**dei**-me um sinal que me prove *
a ver**da**de do vosso amor.

– O ini**mi**go humilhado verá *
que me **destes** ajuda e consolo.

Ant. Ale**grai** vosso **servo**, Se**nhor**,
pois a **vós** eu ele**vo** a minh'**alma**.

T.P.: As na**ções** que criastes vi**rão**
ado**rar** vosso **nome**, ale**luia**.

Ant. 2 Fe**liz** de quem ca**minha** na justiça,
diz a ver**da**de e não engana o seme**lhan**te!

T.P.: Os **nos**sos **o**lhos ve**rão** o **Cris**to, **Rei** glorioso. Aleluia.

Cântico   Is 33,13-16
Deus julgará com justiça

*A promessa é para vós e vossos filhos, e para todos aqueles que
estão longe (At 2,39).*

–¹³Vós que estais **lon**ge, escutai o que eu **fiz**! *
Vós que estais **perto**, conhecei o meu poder!

–¹⁴Os peca**dores** em Sião se apavoraram, *
e aba**teu**-se sobre os ímpios o terror:

– "Quem fica**rá** junto do fogo que devora? *
Ou quem de **vós** suportará a eterna chama?" –

Quarta-feira – Laudes

– [15] É aquele que caminha na justiça, *
diz a verdade e não engana o semelhante;
– o que despreza um benefício extorquido *
e recusa um presente que suborna;
– o que fecha o seu ouvido à voz do crime *
e cerra os olhos para o mal não contemplar.
– [16] Esse homem morará sobre as alturas, *
e seu refúgio há de ser a rocha firme.
– O seu pão não haverá de lhe faltar, *
e a água lhe será assegurada.

Ant. Feliz de quem caminha na justiça,
diz a verdade e não engana o semelhante!

T.P.: Os nossos olhos verão o Cristo, Rei glorioso. Aleluia.

Ant. 3 Aclamai ao Senhor e nosso Rei!

T.P.: Todo homem há de ver a salvação de nosso Deus. Aleluia.

Salmo 97(98)
Deus, vencedor como juiz

Este salmo significa a primeira vinda do Senhor e a fé de todos os povos (Sto. Atanásio).

– [1] Cantai ao Senhor Deus um canto novo, *
porque ele fez prodígios!
– Sua mão e o seu braço forte e santo *
alcançaram-lhe a vitória.
– [2] O Senhor fez conhecer a salvação, *
e às nações, sua justiça;
– [3] recordou o seu amor sempre fiel *
pela casa de Israel.
– Os confins do universo contemplaram *
a salvação do nosso Deus.
– [4] Aclamai o Senhor Deus, ó terra inteira, *
alegrai-vos e exultai!
– [5] Cantai salmos ao Senhor ao som da harpa *
e da cítara suave!
– [6] Aclamai, com os clarins e as trombetas, *
ao Senhor, o nosso Rei!

986   III Semana

– [7]Aplauda o **mar** com todo ser que nele vive, *
  o mundo inteiro e toda gente!
– [8]As montanhas e os rios batam palmas *
  e exultem de alegria,
– [9]na presença do Senhor, pois ele vem, *
  vem julgar a terra inteira.
– Julgará o universo com justiça *
  e as nações com equidade.

Ant. Aclamai ao Senhor e nosso **Rei!**
T.P.: Todo homem há de ver a salvação de nosso **Deus**. Aleluia.

Leitura breve   Jó 1,21; 2,10b
Nu eu saí do ventre de minha mãe e nu voltarei para lá. O Senhor
deu, o Senhor tirou; como foi do agrado do Senhor, assim foi
feito. Bendito seja o nome do Senhor! Se recebemos de Deus os
bens, não deveríamos receber também os males?

Responsório breve
R. Para os vossos mandamentos,
  * Inclinai meu coração! R. Para os vossos.
V. Dai-me a vida em vossa Lei! * Inclinai.
  Glória ao Pai. R. Para os vossos.

Cântico evangélico, ant.
Mostrai-nos, ó Senhor, misericórdia,
recordando vossa santa Aliança.

Preces
Oremos a Cristo que nos alimenta e protege a Igreja, pela qual
deu sua vida; e digamos com fé:
R. **Lembrai-vos, Senhor, da vossa Igreja!**

Bendito sejais, Senhor Jesus Cristo, Pastor da Igreja, que nos dais
hoje luz e vida;
  – ensinai-nos a vos agradecer tão precioso dom.   R.

Velai com bondade sobre o rebanho reunido em vosso nome,
  – para que não se perca nenhum daqueles que o Pai vos confiou.   R.

Conduzi a Igreja pelo caminho dos vossos mandamentos,
– e que o Espírito Santo a mantenha sempre fiel. R.

Alimentai a Igreja com a vossa Palavra e o vosso Pão,
– para que, fortalecida por este alimento, ela vos siga com alegria. R.

(intenções livres)

Pai nosso...

Oração

Senhor, que nos criastes em vossa sabedoria e nos governais em vossa providência, iluminai nossos corações com a luz do vosso Espírito, para que por toda a vida vos sejamos dedicados. Por nosso Senhor Jesus Cristo, vosso Filho, na unidade do Espírito Santo.

Hora Média

V. Vinde, ó **Deus**. Glória ao **Pai**. Como **era**. (Ale**luia**).

HINO como no Ordinário, p. 743.

Salmodia

Ant. 1 Quem me **segue** não ca**mi**nha em meio às **tre**vas,
mas te**rá** a luz da **vi**da, diz Je**sus**.

Salmo 118(119),105-112
XIV (Nun)
Meditação sobre a Palavra de Deus na Lei

Outrora éreis trevas, mas agora sois luz no Senhor. Vivei como filhos da luz (Ef 5,8).

—[105] Vossa palavra é uma **luz** para os meus **pas**sos, *
é uma **lâm**pada luzente em meu caminho.

—[106] Eu **fiz** um juramento e vou cumpri-lo: *
"Hei de guar**dar** os vossos justos julgamentos!"

—[107] Ó Se**nhor**, estou cansado de sofrer; *
vossa pa**la**vra me devolva a minha vida!

—[108] Que vos **agra**de a oferenda dos meus lábios; *
ensi**nai**-me, ó Senhor, vossa vontade!

—[109] Constante**men**te está em perigo a minha vida, *
mas não es**que**ço, ó Senhor, a vossa lei.

988   III Semana

–¹¹⁰ Os pecadores contra mim armaram laços; *
    eu, porém, não reneguei vossos preceitos.
–¹¹¹ Vossa palavra é minha herança para sempre, *
    porque ela é que me alegra o coração!
–¹¹² Acostumei meu coração a obedecer-vos, *
    a obedecer-vos para sempre, até o fim!

Ant. Quem me segue não caminha em meio às trevas, mas terá
    a luz da vida, diz Jesus.

Ant. 2 Quanto a **mim**, eu sou um **pobre** e infeliz,
    socorrei-me sem demora, ó meu **Deus**!

Salmo 69(70)
Ó Deus, vinde logo em meu auxílio!
Senhor, salvai-nos, pois estamos perecendo! (Mt 8,25).

– ²Vinde, ó **Deus**, em meu auxílio, sem demora, *
    apressai-vos, ó Senhor, em socorrer-me!
– ³Que sejam confundidos e humilhados *
    os que procuram acabar com minha vida!

– Que voltem para trás envergonhados *
    os que se alegram com os males que eu padeço!
– ⁴Que se retirem, humilhados, para longe, *
    todos aqueles que me dizem: "É bem feito!"

– ⁵Mas se alegrem e em vós se rejubilem *
    todos aqueles que procuram encontrar-vos;
– e repitam todo dia: "Deus é grande!" *
    os que buscam vosso auxílio e salvação.

– ⁶Quanto a **mim**, eu sou um pobre e infeliz: *
    socorrei-me sem demora, ó meu Deus!
– Sois meu **Deus** libertador e meu auxílio: *
    não tardeis em socorrer-me, ó Senhor!

Ant. Quanto a **mim**, eu sou um **pobre** e infeliz,
    socorrei-me sem demora, ó meu **Deus**!

Ant. 3 O Senhor não julgará pela aparência,
    mas com toda a justiça e equidade.

Quarta-feira – Hora Média

Salmo 74(75)

O Senhor, Juiz supremo

Derrubou do trono os poderosos e elevou os humildes (Lc 1,52).

= ² Nós vos louvamos, dando **graç**as, ó Se**nhor**, †
dando **graç**as, invocamos vosso nome *
e publi**ca**mos os prodígios que fizestes!

– ³ "No mo**men**to que eu tiver determinado, *
vou jul**gar** segundo as normas da justiça;

– ⁴ mesmo que a **terra** habitada desmorone, *
fui eu **mes**mo que firmei suas colunas!

– ⁵ "Ó orgu**lhos**os, não sejais tão arrogantes! *
não levan**teis** vossa cabeça, ó insolentes!

– ⁶ Não levan**teis** a vossa fronte contra os céus, *
não fa**leis** esses insultos contra Deus!"

– ⁷ Porque não **vem** do oriente o julgamento, *
nem do oci**den**te, do deserto ou das montanhas;

– ⁸ mas é **Deus** quem vai fazer o julgamento:*
o Se**nhor** exalta a um e humilha a outro.

– ⁹ Em sua **mão** o Senhor Deus tem uma taça *
com um **vin**ho de mistura inebriante;

– Deus lhes im**põe** que até o fim eles o bebam; *
todos os **ím**pios sobre a terra hão de sorvê-lo.

– ¹⁰ Eu, po**rém**, exultarei eternamente, *
cantarei **sal**mos ao Senhor Deus de Jacó.

– ¹¹ "A **for**ça dos iníquos quebrarei, *
mas a **fron**te do homem justo exaltarei!"

Ant. O Se**nhor** não julga**rá** pela aparê**ncia**,
mas com **to**da a jus**ti**ça e equi**da**de.

Leitura breve   1Cor 13,8-9.13

A caridade não acabará nunca. As profecias desaparecerão, as
línguas cessarão, a ciência desaparecerá. Com efeito, o nosso conhecimento é limitado e a nossa profecia é imperfeita. Atualmen-
te permanecem estas três coisas: fé, esperança, caridade. Mas a
maior delas é a caridade.

V. Sobre **nós**, venha, Se**nhor**, a vossa **graça**.
R. Da mesma **for**ma que em **vós** nós esperamos.

Oração

Deus onipotente e misericordioso, que nos dais novo alento no meio deste dia, olhai com bondade os trabalhos começados e, perdoando nossas faltas, fazei que eles atinjam os fins que vos agradam. Por Cristo, nosso Senhor.

Vésperas

V. Vinde, ó **Deus**. Glória ao **Pai**. Como era. (Alel**uia**).

Hino

Santíssimo Deus do céu,
que o céu encheis de cor
e dais à luz beleza
de ígneo resplendor;

criais no quarto dia
a rota chamejante
do sol e das estrelas,
da lua fulgurante.

Assim, à luz e às trevas
limites vós fixais.
Dos meses o começo
marcastes com sinais.

Fazei a luz brilhar
em nosso coração.
Tirai da mente as trevas,
da culpa a servidão.

Ouvi-nos, Pai bondoso,
e vós, único Filho,
reinando com o Espírito
na luz de eterno brilho.

Salmodia

Ant. 1 Os que em **lágrimas** se**mei**am, ceifa**rão** com ale**gria**.

T.P.: Vossa tristeza vai mu**dar**-se em ale**gria**, alel**uia**.

Salmo 125(126)

Alegria e esperança em Deus

Assim como participais dos nossos sofrimentos, participais também da nossa consolação (2Cor 1,7).

– [1] Quando o Senhor reconduziu nossos cativos, *
parecíamos sonhar;
– [2] encheu-se de sorriso nossa boca, *
nossos lábios, de canções.

– Entre os gentios se dizia: "Maravilhas *
fez com eles o Senhor!"
– [3] Sim, maravilhas fez conosco o Senhor, *
exultemos de alegria!

– [4] Mudai a nossa sorte, ó Senhor, *
como torrentes no deserto.
– [5] Os que lançam as sementes entre lágrimas, *
ceifarão com alegria.

– [6] Chorando de tristeza sairão, *
espalhando suas sementes;
– cantando de alegria voltarão, *
carregando os seus feixes!

Ant. Os que em lágrimas semeiam, ceifarão com alegria.
T.P.: Vossa tristeza vai mudar-se em alegria, aleluia.

Ant. 2 Ó Senhor, construí a nossa casa, vigiai nossa cidade!
T.P.: Quer vivamos, quer morramos, ao Senhor pertencemos.
Aleluia.

Salmo 126(127)

O trabalho sem Deus é inútil

Vós sois a construção de Deus (1Cor 3,9).

– [1] Se o Senhor não construir a nossa casa, *
em vão trabalharão seus construtores;
– se o Senhor não vigiar nossa cidade, *
em vão vigiarão as sentinelas! –

992 III Semana

– ² É inútil levantar de madrugada, *
ou à noite retardar vosso repouso,
– para ganhar o pão sofrido do trabalho, *
que a seus amados Deus concede enquanto dormem.
– ³ Os filhos são a bênção do Senhor, *
o fruto das entranhas, sua dádiva.
– ⁴ Como flechas que um guerreiro tem na mão, *
são os filhos de um casal de esposos jovens.
– ⁵ Feliz aquele pai que com tais flechas *
consegue abastecer a sua aljava!
– Não será envergonhado ao enfrentar *
seus inimigos junto às portas da cidade.

Ant. Ó Senhor, construí a nossa casa, vigiai nossa cidade!

T.P.: Quer vivamos, quer morramos, ao Senhor pertencemos.
Aleluia.

Ant. 3 É o Primogênito de toda criatura
e em tudo ele tem a primazia.

T.P.: Todas as coisas vêm de Cristo, são por ele e nele existem;
a ele glória pelos séculos! Aleluia.

Cântico   cf. Cl 1,12-20

**Cristo, o Primogênito de toda a criatura
e o Primogênito dentre os mortos**

=¹² Demos graças a Deus Pai onipotente, †
que nos chama a partilhar, na sua luz, *
da herança a seus santos reservada!

(R. Glória a vós, Primogênito dentre os mortos!)

=¹³ Do império das trevas arrancou-nos †
e transportou-nos para o reino de seu Filho, *
para o reino de seu Filho bem-amado,
–¹⁴ no qual nós encontramos redenção, *
dos pecados remissão pelo seu sangue.   (R.)

–¹⁵ Do Deus, o Invisível, é a imagem, *
o Primogênito de toda criatura;

Quarta-feira – Vésperas

=[16] porque **ne**le é que tudo foi criado: †
o que há nos **céus** e o que existe sobre a terra, *
o vis**í**vel e também o invisível. (R.)

= Sejam **Tron**os e **Po**deres que há nos céus, †
sejam eles Principados, Potestades: *
por ele e para ele foram feitos;

–[17] antes de **to**da criatura ele existe, *
e é por ele que subsiste o universo. (R.)

=[18] Ele é a Cabeça da Igreja, que é seu Corpo, †
é o princ**í**pio, o Primogênito dentre os mortos, *
a **fim** de ter em tudo a primazia.

–[19] Pois foi do **agra**do de Deus Pai que a plenitude *
habi**tas**se no seu Cristo inteiramente. (R.)

–[20] **Aprou**ve-lhe também, por meio dele, *
reconcili**ar** consigo mesmo as criaturas,

= pacifi**can**do pelo sangue de sua cruz †
tudo a**qui**lo que por ele foi criado, *
o que há nos **céus** e o que existe sobre a terra. (R.)

Ant. É o Primogênito de toda cria**tura**
e em **tudo** ele **tem** a prima**zi**a.

T.P.: Todas as **coi**sas vêm de **Cris**to, são por ele e nele **exis**tem;
a ele **gló**ria pelos **sé**culos! Ale**lui**a.

Leitura breve   Ef 3,20-21

A Deus, que tudo pode realizar superabundantemente, e muito
mais do que nós pedimos ou concebemos, e cujo poder atua em
nós, a ele a glória, na Igreja e em Jesus Cristo, por todas as gerações, para sempre. Amém.

Responsório breve

R. Liber**tai**-me, ó Se**nhor**,
* Ó meu **Deus**, tende pie**dade**! R. Liber**tai**-me.
V. Não jun**teis** a minha **vi**da à dos **maus** e sanguin**á**rios.
* Ó meu **Deus**. Glória ao **Pai**. R. Liber**tai**-me.

Cântico evangélico, ant.

O Pode**roso** fez em **mim** maravilhas, e **San**to é seu **no**me.

Preces

Bendigamos a Deus, que enviou seu Filho ao mundo como Salvador e Mestre do seu povo; e peçamos humildemente:
R. **Que vosso povo vos louve, Senhor!**

Nós vos damos graças, Senhor, porque nos escolhestes como primícias da salvação,
– e nos chamastes para tomar parte na glória de nosso Senhor Jesus Cristo. R.

A todos os que invocam o vosso santo nome, concedei que vivam unidos na verdade de vossa palavra,
– e sejam sempre fervorosos no vosso amor. R.

Criador de todas as coisas, vosso Filho quis trabalhar no meio de nós com suas próprias mãos;
– lembrai-vos de todos aqueles que trabalham para comer o pão com o suor do seu rosto. R.

Lembrai-vos também dos que se dedicam ao serviço do próximo,
– para que nem o fracasso nem a incompreensão dos outros os façam desistir de seus propósitos. R.

(intenções livres)

Concedei a vossa misericórdia aos nossos irmãos e irmãs falecidos,
– e não os deixeis cair em poder do espírito do mal. R.

Pai nosso...

Oração

Suba até vós, Deus de bondade, o clamor da Igreja suplicante e fazei que vosso povo, libertado de seus pecados, vos sirva com amor e nunca lhe falte a vossa proteção. Por nosso Senhor Jesus Cristo, vosso Filho, na unidade do Espírito Santo.

III QUINTA-FEIRA

Laudes

V. Vinde, ó **Deus**. Glória ao **Pai**. Como era. (Aleluia).

Hino

Já surge a luz dourada,
a treva dissipando,
que as almas do abismo
aos poucos vai levando.

Dissipa-se a cegueira
que a todos envolvia;
alegres caminhemos
na luz de um novo dia.

Que a luz nos traga paz,
pureza ao coração:
longe a palavra falsa,
o pensamento vão.

Decorra calmo o dia:
a mão, a língua, o olhar.
Não deixe nosso corpo
na culpa se manchar.

Do alto, nossos atos
Deus vê, constantemente;
solícito nos segue
da aurora ao sol poente.

A glória seja ao Pai,
ao Filho seu também;
ao Espírito igualmente,
agora e sempre. Amém.

Salmodia

Ant. 1 Dizem **coisas** gloriosas da **Ci**dade do **Senhor**.

T.P.: Entre **rit**mos festivos, a dan**çar**, nós cantaremos:
Estão em **ti** as nossas **fontes**, ó **Ci**dade do Se**nhor**! Aleluia.

Salmo 86(87)

Jerusalém, mãe de todos os povos

A Jerusalém celeste é livre, e é a nossa mãe (Gl 4,26).

– ¹O Se**nhor** ama a ci**da**de *
 que fun**dou** no Monte santo;
– ²ama as **por**tas de Sião *
 mais que as **ca**sas de Jacó. –

III Semana

– ³ Dizem **coi**sas gloriosas *
   da Ci**da**de do Senhor:
– ⁴ "Lembro o Egito e Babilônia *
   entre os **meus** veneradores.

= Na Filis**tei**a ou em Tiro †
   ou no país da Etiópia, *
   este ou aquele ali nasceu".

= ⁵ De Sião, porém, se diz: †
   "Nasceu **ne**la todo homem; *
   Deus é **su**a segurança".

= ⁶ Deus anota no seu livro, †
   onde ins**cre**ve os povos todos: *
   "Foi ali que estes nasceram".

– ⁷ E por **isso** todos juntos *
   a can**tar** se alegrarão;
– e, dan**ç**ando, exclamarão: *
   "Estão em **ti** as nossas fontes!"

Ant. Dizem **coi**sas gloriosas da Ci**da**de do Se**nhor.**

T.P.: Entre **rit**mos festivos, a dan**ç**ar, nós cantaremos:
   Estão em **ti** as nossas **fon**tes, ó Ci**da**de do Se**nhor!** Ale**lui**a.

Ant. 2 O Se**nhor**, o nosso **Deus**, vem com po**der**,
   e o **preço** da vi**tó**ria vem com **ele.**

T.P.: Como o pas**tor**, ele apas**cen**ta o seu re**ba**nho
   e carrega os cordei**ri**nhos nos seus **braços.** Ale**lui**a.

Cântico   Is 40, 10-17

O Bom Pastor é o Deus Altíssimo e Sapientíssimo

*Eis que venho em breve, para retribuir a cada um segundo as
suas obras (Ap 22,12).*

– ¹⁰ Olhai e **ve**de: o nosso **Deus** vem com po**der**, *
   domina**rá** todas as coisas com seu braço.
– Eis que o **preço** da vitória vem com ele, *
   e o precedem os troféus que conquistou.

(R. Bendi**to seja A**que**le que há de **vir!)**

– ¹¹ Como o pas**tor**, ele apascenta o seu rebanho. *
   Ele **to**ma os cordeirinhos em seus braços,

Quinta-feira – Laudes

– leva ao **co**lo as ovelhas que amamentam, *
e re**ú**ne as dispersas com sua mão. **(R.)**

– [12] Quem, no **côn**cavo da mão, mediu o mar? *
Quem me**diu** o firmamento com seu palmo?

= Quem me**diu** com o alqueire o pó da terra? †
Quem pe**sou**, pondo ao gancho, as montanhas, *
e as co**li**nas, colocando-as na balança? **(R.)**

– [13] Quem instru**í**ra o espírito do Senhor? *
Que conse**lhei**ro o teria orientado?

– [14] Com **quem** aprendeu ele a bem julgar, *
e os ca**mi**nhos da justiça a discernir?

– Quem as ve**re**das da prudência lhe ensinou *
ou os ca**mi**nhos da ciência lhe mostrou? **(R.)**

– [15] Eis as na**ções**: qual gota d'água na vasilha, *
um grão de a**rei**a na balança diante dele;

– e as **i**lhas pesam menos do que o pó *
perante **e**le, o Senhor onipotente. **(R.)**

– [16] Não basta**ri**a toda a lenha que há no Líbano *
para quei**mar** seus animais em holocausto.

– [17] As nações **to**das são um nada diante dele, *
a seus **o**lhos, elas são quais se não fossem. **(R.)**

Ant. O Se**nhor**, o nosso **Deus**, vem com po**der**,
e o **pre**ço da vi**tó**ria vem com **e**le.

T.P.: Como o pas**tor**, ele apas**cen**ta o seu re**ba**nho
e carrega os cordei**ri**nhos nos seus **bra**ços. Ale**lu**ia.

Ant. 3 Acla**mai** o Se**nhor** nosso **Deus**,
e ado**rai**-o com **to**do o res**pei**to!

T.P.: Como é **gran**de o Se**nhor** em Sião!
Muito a**ci**ma dos **po**vos se e**le**va. Ale**lu**ia.

Salmo 98(99)
Santo é o Senhor nosso Deus

Vós, Senhor, que estais acima dos Querubins, quando vos fizestes semelhante a nós, restaurastes o mundo decaído (Sto. Atanásio).

= [1] **Deus** é **Rei**: diante **de**le estre**me**çam os **po**vos! †
Ele **rei**na entre os anjos: que a **ter**ra se a**ba**le! *
[2] Porque **gran**de é o Se**nhor** em Sião! –

998

= Muito acima de todos os povos se eleva; †
³ glorifiquem seu nome terrível e grande, *
porque ele é santo e é forte!

= ⁴ Deus é **Rei** poderoso. Ele ama o que é justo †
e garante o direito, a justiça e a ordem; *
tudo isso ele exerce em Jacó.

= ⁵ Exaltai o Senhor nosso **Deus**, †
e prostrai-vos perante seus pés, *
pois é santo o Senhor nosso Deus!

= ⁶ Eis Moisés e Aarão entre os **seus** sacerdotes. †
E também Samuel invocava seu nome, *
e ele mesmo, o Senhor, os ouvia.

= ⁷ Da coluna de nuvem falava com eles. †
E guardavam a lei e os preceitos divinos, *
que o Senhor nosso Deus tinha dado.

= ⁸ Respondíeis a eles, Senhor nosso Deus, †
porque éreis um Deus paciente com eles, *
mas sabíeis punir seu pecado.

= ⁹ Exaltai o Senhor nosso **Deus**, †
e prostrai-vos perante seu monte, *
pois é santo o Senhor nosso Deus!

Ant. Aclamai o Senhor nosso **Deus**,
e adorai-o com todo o respeito!

T.P.: Como é grande o Senhor em Sião!
Muito acima dos povos se eleva. Aleluia.

Leitura breve   1Pd 4,10-11

Como bons administradores da multiforme graça de Deus, cada
um coloque à disposição dos outros o dom que recebeu. Se alguém tem o dom de falar, proceda como com palavras de Deus.
Se alguém tem o dom do serviço, exerça-o como capacidade pro-
porcionada por Deus, a fim de que, em todas as coisas, Deus seja
glorificado, em virtude de Jesus Cristo.

Responsório breve

R. Clamo de **todo** o cora**ção**:
* Atendei-me, ó Senhor! R. Clamo.

Quinta-feira – Hora Média

V. Quero cum**prir** vossa von**ta**de. * Aten**dei**-me.
Glória ao **Pai**. R. Clamo de **to**do.

Cântico evangélico, ant.
Sir**va**mos ao Se**nhor** na jus**ti**ça e santi**da**de,
e de **nos**sos ini**mi**gos have**rá** de nos sal**var**.

Preces
Demos graças a Deus Pai, que no seu amor conduz e alimenta o seu povo; e digamos com alegria:
R. **Glória a vós, Senhor, para sempre!**

Pai clementíssimo, nós vos louvamos por vosso amor para conosco,
– porque nos criastes de modo admirável, e de modo ainda mais admirável nos renovastes. R.

No começo deste dia, infundi em nossos corações o desejo de vos servir,
– para que sempre vos glorifiquemos em todos os nossos pensamentos e ações. R.

Purificai os nossos corações de todo mau desejo,
– e fazei que estejamos sempre atentos à vossa vontade. R.

Dai-nos um coração aberto às dificuldades de nossos irmãos e irmãs,
– para que jamais lhes falte o nosso amor fraterno. R.

(intenções livres)

Pai nosso...

Oração
Deus eterno e todo-poderoso, sobre os povos que vivem na sombra da morte fazei brilhar o Sol da justiça, que nos visitou nascendo das alturas, Jesus Cristo nosso Senhor. Que convosco vive e reina, na unidade do Espírito Santo.

Hora Média

V. Vinde, ó **Deus**. Glória ao **Pai**. Como **e**ra. (Ale**lui**a).
HINO como no Ordinário, p. 743.
Salmodia
Ant. 1 Susten**tai**-me e vive**rei** como dis**ses**tes, ó Se**nhor**!

Salmo 118(119),113-120
XV (Samech)

Meditação sobre a Palavra de Deus na Lei

Felizes aqueles que ouvem a palavra de Deus e a põem em prá-tica (Lc 11,28).

—[113] Eu detesto os corações que são fingidos, *
    mas muito amo, ó Senhor, a vossa lei!

—[114] Vós sois meu protetor e meu escudo, *
    vossa palavra é para mim a esperança.

—[115] Longe de mim, homens perversos! Afastai-vos, *
    quero guardar os mandamentos do meu Deus!

—[116] Sustentai-me e viverei, como dissestes; *
    não podeis decepcionar minha esperança!

—[117] Amparai-me, sustentai me e serei salvo, *
    e sempre exultarei em vossa lei!

—[118] Desprezais os que abandonam vossas ordens, *
    pois seus planos são engano e ilusão!

—[119] Rejeitais os pecadores como lixo, *
    por isso eu amo ainda mais vossa Aliança!

—[120] Perante vós sinto tremer a minha carne, *
    porque temo vosso justo julgamento!

Ant. Sustentai-me e viverei como dissestes, ó Senhor!

Ant. 2 Ajudai-nos, nosso Deus e Salvador,
    por vosso nome, perdoai nossos pecados!

Salmo 78(79),1-5.8-11.13
Lamentação sobre Jerusalém

Se tu também conhecesses... o que te pode trazer a paz (Lc 19,42).

= [1] Invadiram vossa herança os infiéis,†
    profanaram, ó Senhor, vosso templo, *
    Jerusalém foi reduzida a ruínas!

— [2] Lançaram aos abutres como pasto *
    os cadáveres dos vossos servidores;

e às **feras** da floresta entregaram *
os **corpos** dos fiéis, vossos eleitos.
=³ Derramaram o seu sangue como água †
em **torno** das muralhas de Sião, *
e não **houve** quem lhes desse sepultura!
=⁴ Nós nos tor**namos** o opróbrio dos vizinhos, †
um **objeto** de desprezo e zombaria *
para os **povos** e àqueles que nos cercam.
=⁵ Mas até **quando**, ó Senhor, veremos isto? †
Conserva**reis** eternamente a vossa ira? *
Como **fogo** arderá a vossa cólera?
=⁸ Não lem**breis** as nossas culpas do passado, †
mas venha **logo** sobre nós vossa bondade, *
pois estamos humilhados em extremo.
=⁹ Aju**dai**-nos, nosso Deus e Salvador! †
Por vosso **nome** e vossa glória, libertai-nos! *
Por vosso **nome**, perdoai nossos pecados!
—¹⁰ Por que **há** de se dizer entre os pagãos: *
"Onde se en**contra** o seu Deus? Onde ele está?"
= Diante **deles** possam ver os nossos olhos †
a vin**gança** que tirais por vossos servos, *
a vin**gança** pelo sangue derramado.
=¹¹ Até **vós** chegue o gemido dos cativos: †
liber**tai** com vosso braço poderoso*
os que **foram** condenados a morrer!
=¹³ Quanto a **nós**, vosso rebanho e vosso povo, †
celebra**remos** vosso nome para sempre, *
de gera**ção** em geração vos louvaremos.

Ant. Aju**dai**-nos, nosso **Deus** e Salva**dor**,
por vosso **nome**, perdo**ai** nossos pe**cados!**

Ant. 3 Vol**tai**-vos para **nós**, Deus do uni**ver**so,
o**lhai** dos altos **céus** e obser**vai**,
visi**tai** a vossa **vinha** e prote**gei-a!**

Salmo 79(80)

Visitai, Senhor, a vossa vinha

Vem, Senhor Jesus! (Ap 22,20).

— ²Ó Pas**tor** de Israel, prestai ou**vi**dos. *
   Vós, que a Jo**sé** apascentais qual um rebanho!

= Vós, que **so**bre os querubins vos assentais, †
   apare**cei** cheio de glória e esplendor *
   ³ante Efra**im** e Benjamim e Manassés!

— Desper**tai** vosso poder, ó nosso Deus, *
   e vinde **lo**go nos trazer a salvação!

= ⁴Conver**tei**-nos, ó Senhor Deus do universo, †
   e sobre **nós** iluminai a vossa face! *
   Se vol**tar**des para nós, seremos salvos!

— ⁵Até **quan**do, ó Senhor, vos irritais, *
   ape**sar** da oração do vosso povo?

— ⁶Vós nos **des**tes a comer o pão das lágrimas, *
   e a be**ber** destes um pranto copioso.

— ⁷Para os vi**zi**nhos somos causa de contenda, *
   de zomba**ri**a para os nossos inimigos.

= ⁸Conver**tei**-nos, ó Senhor Deus do universo, †
   e sobre **nós** iluminai a vossa face! *
   Se vol**tar**des para nós, seremos salvos!

— ⁹Arran**cas**tes do Egito esta videira *
   e expul**sas**tes as nações para plantá-la;

— ¹⁰diante **de**la preparastes o terreno, *
   lançou raízes e encheu a terra inteira.

— ¹¹Os **mon**tes recobriu com sua sombra, *
   e os **ce**dros do Senhor com os seus ramos;

— ¹²até o **mar** se estenderam seus sarmentos, *
   até o **rio** os seus rebentos se espalharam.

— ¹³Por que ra**zão** vós destruístes sua cerca, *
   para que **to**dos os passantes a vindimem,

— ¹⁴o java**li** da mata virgem a devaste, *
   e os ani**mais** do descampado nela pastem? —

Quinta-feira – Vésperas

=15 **Voltai**-vos para nós, Deus do universo! †
Olhai dos altos céus e observai. *
Visi**tai** a vossa vinha e protegei-a!

−16 Foi a **vos**sa mão direita que a plantou; *
pro**tegei**-a, e ao rebento que firmastes!

−17 E **aque**les que a cortaram e a queimaram, *
vão pere**cer** ante o furor de vossa face.

−18 Pousai a **mão** por sobre o vosso Protegido, *
o filho do **ho**mem que escolhestes para vós!

−19 E nunca **mais** vos deixaremos, Senhor Deus! *
Dai-nos vida, e louvaremos vosso nome!

=20 Convertei-nos, ó Senhor Deus do universo, †
e sobre **nós** iluminai a vossa face! *
Se vol**tardes** para nós, seremos salvos!

Ant. Vol**tai**-vos para **nós**, Deus do uni**ver**so,
olhai dos altos **céus** e obser**vai**,
visi**tai** a vossa **vin**ha e pro**tegei**-a!

Leitura breve   Dt 4,7
Qual é a grande nação cujos deuses lhe são tão próximos como o
Senhor nosso Deus, sempre que o invocamos?

V. Deus está **per**to da pes**so**a que o invoca.
R. Ele es**cu**ta os seus cla**mo**res e a **sal**va.

Oração

Deus onipotente, em vós não há trevas nem escuridão; fazei que
vossa luz resplandeça sobre nós e acolhendo vossos preceitos
com alegria, sigamos fielmente o vosso caminho. Por Cristo,
nosso Senhor.

Vésperas

V. Vinde, ó **Deus**. Glória ao **Pai**. Como era. (Ale**luia**).

Hino

Deus de supremo poder,
da água os seres gerastes.
Com uns enchestes os mares,
de outros o ar povoastes.

Uns mergulhastes nas águas,
outros soltastes no ar,
com o impulso que os leva
a toda a terra ocupar.

Dai graça a todos os servos,
no vosso sangue lavados,
para vencermos o tédio,
a morte e todo pecado.

Não nos deprimam as culpas,
nem nos inflame a vaidade;
não caia a mente abatida,
nem caia a mente elevada.

Ouvi-nos, Pai piedoso,
e vós, Imagem do Pai,
que com o Espírito Santo
eternamente reinais.

Salmodia

Ant. 1 **Exul**tem de alegria os vossos **san**tos
ao en**tra**rem, ó **S**e**nhor**, em vossa casa.

T.P.: O **S**e**nhor** lhe deu o **tro**no de seu **pai**, o Rei **Da**vi. Ale**lu**ia.

Salmo 131(132)

As promessas do Senhor à casa de Davi

O Senhor Deus lhe dará o trono de seu pai Davi (Lc 1,32).

I

— ¹Recor**dai**-vos, ó **S**e**nhor**, do rei **Da**vi *
   e de **quan**to vos foi ele dedicado;
— ²do jura**men**to que ao Senhor havia feito *
   e de seu **vo**to ao Poderoso de Jacó:
— ³"Não entra**rei** na minha tenda, minha casa, *
   nem subi**rei** à minha cama em que repouso,
— ⁴não deixa**rei** adormecerem os meus olhos, *
   nem cochi**la**rem em descanso minhas pálpebras,
— ⁵até que eu **a**che um lugar para o Senhor, *
   uma **ca**sa para o Forte de Jacó!" —

Quinta-feira – Vésperas

– ⁶Nós soubemos que a arca estava em Éfrata *
e nos campos de Iaar a encontramos:
– ⁷Entremos no lugar em que ele habita, *
ante o escabelo de seus pés o adoremos!
– ⁸Subi, Senhor, para o lugar de vosso pouso, *
subi vós, com vossa arca poderosa!
– ⁹Que se vistam de alegria os vossos santos, *
e os vossos sacerdotes, de justiça!
–¹⁰Por causa de Davi, o vosso servo, *
não afasteis do vosso Ungido a vossa face!

Ant. Exultem de alegria os vossos santos
ao entrarem, ó Senhor, em vossa casa.

T.P.: O Senhor lhe deu o trono de seu pai, o Rei Davi. Aleluia.

Ant. 2 O Senhor escolheu Jerusalém
para ser sua morada entre os povos.

T.P.: Só Jesus é poderoso, Rei dos reis, Senhor dos fortes. Aleluia.

II

–¹¹O Senhor fez a Davi um juramento, *
uma promessa que jamais renegará:
– "Um herdeiro que é fruto do teu ventre *
colocarei sobre o trono em teu lugar!
–¹²Se teus filhos conservarem minha Aliança *
e os preceitos que lhes dei a conhecer,
– os filhos deles igualmente hão de sentar-se *
eternamente sobre o trono que te dei!"
–¹³Pois o Senhor quis para si Jerusalém *
e a desejou para que fosse sua morada:
–¹⁴"Eis o lugar do meu repouso para sempre, *
eu fico aqui: este é o lugar que preferi!"
–¹⁵"Abençoarei suas colheitas largamente, *
e os seus pobres com o pão saciarei!
–¹⁶Vestirei de salvação seus sacerdotes, *
e de alegria exultarão os seus fiéis!"
–¹⁷"De Davi farei brotar um forte Herdeiro, *
acenderei ao meu Ungido uma lâmpada.

1006 III Semana

– ¹⁸Cobrirei de confusão seus inimigos, *
  mas sobre ele brilhará minha coroa!"

Ant. O Senhor escolheu Jerusalém
  para ser sua morada entre os povos.

T.P.: Só Jesus é poderoso, Rei dos reis, Senhor dos fortes. Aleluia.

Ant. 3 O Senhor lhe deu o reino, a glória e o poder;
  as nações hão de servi-lo.

T.P.: Quem será igual a vós, entre os fortes, ó Senhor?
  Quem será igual a vós, tão ilustre em santidade? Aleluia.

Cântico Ap 11,17-18; 12.10b-12a

O julgamento de Deus

– ¹¹.¹⁷ Graças vos damos, Senhor Deus onipotente, *
  a vós que sois, a vós que éreis e sereis,
–   porque assumistes o poder que vos pertence, *
  e enfim tomastes posse como rei!

(R. Nós vos damos graças, nosso Deus!)

= ¹⁸ As nações se enfureceram revoltadas, †
  mas chegou a vossa ira contra elas *
  e o tempo de julgar vivos e mortos,
=   e de dar a recompensa aos vossos servos, †
  aos profetas e aos que temem vosso nome, *
  aos santos, aos pequenos e aos grandes. (R.)

= ¹².¹⁰ Chegou agora a salvação e o poder †
  e a realeza do Senhor e nosso Deus, *
  e o domínio de seu Cristo, seu Ungido.
–   Pois foi expulso o delator que acusava *
  nossos irmãos, dia e noite, junto a Deus. (R.)

= ¹¹ Mas o venceram pelo sangue do Cordeiro †
  e o testemunho que eles deram da Palavra, *
  pois desprezaram sua vida até à morte.
– ¹² Por isso, ó céus, cantai alegres e exultai *
  e vós todos os que neles habitais! (R.)

Ant. O Senhor lhe deu o reino, a glória e o poder;
  as nações hão de servi-lo.

Quinta-feira – Vésperas 1007

T.P.: Quem será igual a vós, entre os fortes, ó Senhor?
Quem será igual a vós, tão ilustre em santidade? Aleluia.

Leitura breve

1Pd 3,8-9

Sede todos unânimes, compassivos, fraternos, misericordiosos e humildes. Não pagueis o mal com o mal, nem ofensa com ofensa. Ao contrário, abençoai, porque para isto fostes chamados: para serdes herdeiros da bênção.

Responsório breve

R. O Senhor nos saciou
 * Com a fina flor do trigo. R. O Senhor.
V. Com o mel que sai da rocha nos fartou, nos satisfez.
 * Com a fina. Glória ao Pai. R. O Senhor.

Cântico evangélico, ant.

O Senhor derrubou os poderosos de seus tronos
e elevou os humildes.

Preces

Oremos a Cristo, pastor, protetor e consolador de seu povo; e digamos com toda a confiança:

R. **Senhor, nosso refúgio, escutai-nos!**

Bendito sejais, Senhor, que nos chamastes para fazer parte da vossa santa Igreja;
– conservai-nos sempre nela. R.

Vós, que confiastes ao nosso Papa N. a solicitude por todas as Igrejas,
– concedei-lhe uma fé inquebrantável, uma esperança viva e uma caridade generosa. R.

Dai aos pecadores a graça da conversão e aos que caíram o dom da fortaleza,
– e a todos concedei penitência e salvação. R.

Vós, que quisestes habitar num país estrangeiro,
– lembrai-vos daqueles que se encontram longe da família e da pátria. R.

(intenções livres)

1008　　　III Semana

A todos os mortos que depositaram sua esperança em vós,
– concedei-lhes a paz eterna. R.

Pai nosso...

Oração

Recebei, Senhor, a nossa ação de graças, neste dia que termina,
e em vossa misericórdia perdoai-nos as faltas que por fragilidade
cometemos. Por nosso Senhor Jesus Cristo, vosso Filho, na unidade do Espírito Santo.

III SEXTA-FEIRA

Laudes

V. Vinde, ó **Deus**. Glória ao **Pai**. Como era. (Aleluia).

Hino

Sois do céu a glória eterna,
esperança dos mortais,
sois da casta Virgem prole,
Unigênito do Pai.

Dai àqueles que despertam
seja a mente vigilante.
Em louvor e ação de graças,
nossa voz seja vibrante.

Nasce o astro luminoso,
nova luz ele anuncia.
Foge a noite, foi a treva,
vossa luz nos alumia.

Nossa mente torne clara,
faça a noite cintilar,
purifique nosso íntimo
até a vida terminar.

Cresça a nossa fé primeira
dentro em nosso interior;
a esperança acompanhe,
e maior seja o amor.

Sexta-feira – Laudes

A vós, Cristo, rei piedoso,
e a vós, Pai, glória também
com o Espírito Paráclito
pelos séculos. Amém.

Salmodia

Ant. 1 Foi contra **vós**, só contra **vós** que eu pe**quei**.
Ó meu **Deus**, misericórdia e compaixão!

T.P.: Do meu pecado todo inteiro,
ó Senhor purificai-me! Aleluia.

Salmo 50(51)

Tende piedade, ó meu Deus!

Renovai o vosso espírito e a vossa mentalidade. Revesti o homem novo (Ef 4,23-24).

– [3] Tende pie**da**de, ó meu **Deus**, misericór**dia**! *
Na imensi**dão** de vosso amor, purificai-me!
– [4] La**vai**-me todo inteiro do pecado, *
e apa**gai** completamente a minha culpa!
– [5] Eu reco**nhe**ço toda a minha iniquidade, *
o meu pe**ca**do está sempre à minha frente.
– [6] Foi contra **vós**, só contra vós, que eu pe**quei**, *
e prati**quei** o que é mau aos vossos olhos!
– Mostrais as**sim** quanto sois justo na sentença, *
e quanto é **re**to o julgamento que fazeis.
– [7] Vede, Se**nhor**, que eu nasci na iniquidade *
e peca**dor** já minha mãe me concebeu.
– [8] Mas vós a**mais** os corações que são sinceros, *
na intimi**da**de me ensinais sabedoria.
– [9] Asper**gi**-me e serei puro do pecado, *
e mais **bran**co do que a neve ficarei.
– [10] Fazei-me ou**vir** cantos de festa e de alegria, *
e exulta**rão** estes meus ossos que esmagastes.
– [11] Des**vi**ai o vosso olhar dos meus pecados *
e apa**gai** todas as minhas transgressões! –

1010   III Semana

– ¹² Criai em **mim** um coração que seja puro, *
   dai-me de **no**vo um espírito decidido.
– ¹³ Ó Se**nhor**, não me afasteis de vossa face, *
   nem reti**reis** de mim o vosso Santo Espírito!

– ¹⁴ Dai-me de **no**vo a alegria de ser salvo *
   e confir**mai**-me com espírito generoso!
– ¹⁵ Ensina**rei** vosso caminho aos pecadores, *
   e para **vós** se voltarão os transviados.

– ¹⁶ Da **mor**te como pena, libertai-me, *
   e minha **lín**gua exaltará vossa justiça!
– ¹⁷ Abri meus **lá**bios, ó Senhor, para cantar, *
   e minha **bo**ca anunciará vosso louvor!

– ¹⁸ Pois não **são** de vosso agrado os sacrifícios, *
   e, se o**fer**to um holocausto, o rejeitais.
– ¹⁹ Meu sacri**fí**cio é minha alma penitente, *
   não despre**zeis** um coração arrependido!

– ²⁰ Sede be**nig**no com Sião, por vossa graça, *
   reconstru**í** Jerusalém e os seus muros!
– ²¹ E aceita**reis** o verdadeiro sacrifício, *
   os holo**caus**tos e oblações em vosso altar!

Ant. Foi contra **vós**, só contra **vós** que eu pe**quei.**
   Ó meu **Deus,** misericór**di**a e compaixão!

T.P.: Do meu pe**ca**do todo inteiro,
   ó Se**nhor** purifi**cai**-me! Ale**lui**a.

Ant. 2 Conhe**ce**mos nossas **cul**pas, pois pe**ca**mos contra **vós.**

T.P.: Jesus to**mou** nossos pe**ca**dos sobre **si** em sua **cruz.** Ale**lui**a.

Cântico   Jr 14,17-21

Lamentação em tempo de fome e de guerra

O Reino de Deus está próximo. Convertei-vos e crede no Evangelho! (Mc 1,15).

–¹⁷Os meus **o**lhos, noite e **di**a, *
   chorem **lá**grimas sem fim;

Sexta-feira – Laudes

=   pois so**freu** um golpe horrível, †
    foi fe**ri**da gravemente *
    a virgem **fi**lha do meu povo!

– [18]Se eu **sai**o para os campos, *
    eis os **mor**tos à espada;
– se eu **en**tro na cidade, *
    eis as **ví**timas da fome!

=   Até o profeta e o sacerdote †
    peram**bu**lam pela terra *
    sem sa**ber** o que se passa.

– [19]Rejei**tas**tes, por acaso, *
    a Ju**dá** inteiramente?
– Por a**ca**so a vossa alma *
    desgos**tou**-se de Sião?
– Por que fe**ris**tes vosso povo *
    de um **mal** que não tem cura?

– Espe**rá**vamos a paz, *
    e não che**gou** nada de bom;
– e o **tem**po de reerguer-nos, *
    mas só **ve**mos o terror!

= [20]Conhe**ce**mos nossas culpas †
    e as de **nos**sos ancestrais, *
    pois pe**ca**mos contra vós!
– Por a**mor** de vosso nome, *
    ó Se**nhor**, não nos deixeis!

– [21]Não dei**xeis** que se profane *
    vosso **tro**no glorioso!
– Recor**dai**-vos, ó Senhor! *
    Não rom**pais** vossa Aliança!

Ant. Conhe**ce**mos nossas **cul**pas, pois pe**ca**mos contra **vós**.

T.P.: Jesus to**mou** nossos pe**ca**dos sobre **si** em sua **cruz**. Ale**lui**a.

Ant. 3 O Se**nhor**, somente ele é nosso **Deus**,
    e nós **so**mos o seu **po**vo e seu re**ban**ho.

T.P.: Ide a ele can**tan**do jubi**lo**sos, alelu**ia**.

III Semana

Salmo 99(100)

A alegria dos que entram no templo

O Senhor ordena aos que foram salvos que cantem o hino de vitória (Sto. Atanásio).

= 2 Aclamai o Senhor, ó terra inteira, †
servi ao Senhor com alegria, *
ide a ele cantando jubilosos!

= 3 Sabei que o Senhor, só ele, é Deus, †
Ele mesmo nos fez, e somos seus, *
nós somos seu povo e seu rebanho

= 4 Entrai por suas portas dando graças, †
e em seus átrios com hinos de louvor; *
dai-lhe graças, seu nome bendizei!

= 5 Sim, é bom o Senhor e nosso Deus, †
sua bondade perdura para sempre, *
seu amor é fiel eternamente!

Ant. O Senhor, somente ele é nosso Deus,
e nós somos o seu povo e seu rebanho.

T.P.: Ide a ele cantando jubilosos, aleluia.

Leitura breve   2Cor 12,9b-10

De bom grado, eu me gloriarei das minhas fraquezas, para que a força de Cristo habite em mim. Eis por que eu me comprazo nas fraquezas, nas injúrias, nas necessidades, nas perseguições e nas angústias sofridas por amor a Cristo. Pois, quando eu me sinto fraco, é então que sou forte.

Responsório breve

R. Fazei-me cedo sentir,
 * Ó Senhor, vosso amor! R. Fazei-me.
V. Indicai-me o caminho, que eu devo seguir.
 * Ó Senhor. Glória ao Pai. R. Fazei-me.

Cântico evangélico, ant.

O Senhor visitou o seu povo e o libertou.

Preces

Levantemos o nosso olhar para Cristo que nasceu, morreu e ressuscitou pelo seu povo; e peçamos com fé:

Sexta-feira – Hora Média   1013

R. **Salvai, Senhor, os que remistes com o vosso sangue!**

Nós vos bendizemos, Jesus, Salvador da humanidade, que não hesitastes em sofrer por nós a paixão e a cruz,
– e nos remistes com o vosso sangue precioso.   **R.**

Vós, que prometestes dar aos vossos fiéis a água que jorra para a vida eterna,
– derramai o vosso Espírito sobre todos os homens e mulheres.   **R.**

Vós, que enviastes vossos discípulos para pregar o evangelho a todas as nações,
– ajudai-nos a proclamar pela terra inteira a vitória da vossa cruz.   **R.**

Aos doentes e infelizes que associastes aos sofrimentos da vossa paixão,
– concedei-lhes força e paciência.   **R.**

Pai nosso...

Oração

Pai todo-poderoso, derramai vossa graça em nossos corações para que, caminhando à luz dos vossos preceitos, sigamos sempre a vós, como Pastor e Guia. Por nosso Senhor Jesus Cristo, vosso Filho, na unidade do Espírito Santo.

Hora Média

V. Vinde, ó **Deus.** Glória ao **Pai.** Como era. (Ale**luia**).
HINO como no Ordinário, p. 743.

Salmodia

Ant. 1 Nós o **v**imos despre**za**do e sem be**le**za,
homem das **do**res, habitu**a**do ao sofri**men**to.

Salmo 21(22)

Aflição do justo e sua libertação

Jesus deu um forte grito: Meu Deus, meu Deus, por que me abandonastes? (Mt 27,46).

I

– ²Meu **Deus**, meu Deus, por **que** me abando**nas**tes? *
E ficais **lon**ge de meu grito e minha prece?

1014 III Semana

– [3] Ó meu **Deus**, clamo de dia e não me ouvis, *
clamo de **noi**te e para mim não há resposta!
– [4] **Vós**, no en**tan**to, sois o santo em vosso Templo, *
que habi**tais** entre os louvores de Israel.
– [5] Foi em **vós** que esperaram nossos pais; *
espe**raram** e vós mesmo os libertastes.
– [6] Seu cla**mor** subiu a vós e foram salvos; *
em vós confi**aram**, e não foram enganados.
– [7] Quanto a **mim**, eu sou um verme e não um homem; *
sou o o**pró**brio e o desprezo das nações.
– [8] Riem de **mim** todos aqueles que me veem, *
torcem os **lá**bios e sacodem a cabeça:
– [9] "Ao Se**nhor** se confiou, ele o liberte *
e agora o **sal**ve, se é verdade que ele o ama!"
–[10] Desde a **mi**nha concepção me conduzistes, *
e no **seio** maternal me agasalhastes.
–[11] Desde **quan**do vim à luz vos fui entregue; *
desde o **ven**tre de minha mãe sois o meu Deus!
–[12] Não fi**queis** longe de mim, porque padeço; *
ficai **per**to, pois não há quem me socorra!

Ant. Nós o **vi**mos despreza**do** e sem be**le**za,
homem das **do**res, habitua**do** ao sofri**men**to.

Ant. 2 Eles repar**tem** entre **si** as minhas **ves**tes,
e sor**tei**am entre **si** a minha **tú**nica.

II

–[13] Por **tou**ros nume**ro**sos fui cer**ca**do, *
e as **fe**ras de Basã me rodearam; *
–[14] escanca**ra**ram contra mim as suas **bo**cas, *
como le**ões** devoradores a rugir.
–[15] Eu me **sin**to como a água derramada, *
e meus **os**sos estão todos deslocados;
– como a **ce**ra se tornou meu coração
e **den**tro do meu peito se derrete.
=[16] Minha gar**gan**ta está igual ao barro seco, †
minha **lín**gua está colada ao céu da boca, *
e por **vós** fui conduzido ao pó da morte! *

Sexta-feira – Hora Média

— [17] Cães numerosos me rodeiam furiosos, *
    e por um **ban**do de malvados fui cercado.

— Transpas**sa**ram minhas mãos e os meus pés *
    [18] e eu **pos**so contar todos os meus ossos.

= Eis que me **ol**ham, e, ao ver-me, se deleitam! †
    [19] Eles re**par**tem entre si as minhas vestes *
    e sor**tei**am entre si a minha túnica.

— [20] Vós, po**rém**, ó meu Senhor, não fiqueis longe, *
    ó minha **for**ça, vinde logo em meu socorro!

— [21] Da es**pa**da libertai a minha alma, *
    e das **gar**ras desses cães, a minha vida!

— [22] Arran**cai**-me da goela do leão, *
    e a mim tão **po**bre, desses touros que me atacam!

— [23] Anuncia**rei** o vosso nome a meus irmãos *
    e no **mei**o da assembleia hei de louvar-vos!

Ant. Eles re**par**tem entre **si** as minhas **ves**tes,
    e sor**tei**am entre **si** a minha **tú**nica.

Ant. 3 Que se **pros**trem e a**do**rem o **Se**nhor,
    todos os **po**vos e as fa**mí**lias das na**ções**!

III

= [24] Vós que te**meis** ao Senhor **Deus**, dai-lhe lou**vo**res; †
    glorifi**cai**-o, descendentes de Jacó, *
    e respei**tai**-o toda a raça de Israel!

— [25] Porque **Deus** não desprezou nem rejeitou *
    a mi**sé**ria do que sofre sem amparo;

— não desvi**ou** do humilhado a sua face, *
    mas o ou**viu** quando gritava por socorro.

— [26] Sois meu lou**vor** em meio à grande assembleia; *
    cumpro meus **vo**tos ante aqueles que vos temem!

= [27] Vossos **po**bres vão comer e saciar-se, †
    e os que pro**cu**ram o Senhor o louvarão: *
    "Seus cora**ções** tenham a vida para sempre!"

— [28] Lembrem-se **dis**so os confins de toda a terra, *
    para que **vol**tem ao Senhor e se convertam,

1016   **III Semana**

— e se **pros**trem, adorando, diante dele *
todos os **po**vos e as famílias das nações.

— [29]**Pois ao Se**nhor é que pertence a realeza; *
ele do**mi**na sobre todas as nações.

— [30]Somente a ele adorarão os poderosos, *
e os que **vol**tam para o pó o louvarão.

— Para **e**le há de viver a minha alma, *
[31]toda a **mi**nha descendência há de servi-lo;

— às fu**tu**ras gerações anunciará *
[32]o po**der** e a justiça do Senhor;

— ao povo **no**vo que há de vir, ela dirá: *
"Eis a **o**bra que o Senhor realizou!"

Ant. Que se **pros**trem e a**do**rem o Se**nhor,**
todos os **po**vos e as fa**mí**lias das na**ções!**

Leitura breve   Rm 3,21-22a

Agora, sem depender do regime da Lei, a justiça de Deus se manifestou, atestada pela Lei e pelos Profetas; justiça de Deus essa,
que se realiza mediante a fé em Jesus Cristo, para todos os que têm
a fé.

V. Os pre**cei**tos do Se**nhor** são pre**ci**sos, ale**gri**a ao co**ração.**
R. O manda**men**to do Se**nhor** é bri**lhan**te, para os **o**lhos uma **luz.**

Oração

Senhor Jesus Cristo, que, nesta hora, com o mundo envolto em
trevas, fostes elevado na cruz, como vítima inocente para a salvação de todos, concedei-nos sempre vossa luz, que nos guie para a
vida eterna. Vós, que viveis e reinais para sempre.

Vésperas

V. Vinde, ó **Deus**. Glória ao **Pai**. Como era. (**Aleluia**).

Hino

Deus, escultor do homem,
que a tudo, só, criastes,
e que do pó da terra
os animais formastes.

Sexta-feira – Vésperas

Sob o comando do homem
a todos colocastes,
para que a vós servissem
servindo a quem criastes.

Afastai, pois, os homens,
de uma fatal cilada;
que o Criador não perca
a criatura amada.

Dai-nos no céu o prêmio,
dando na terra a graça,
e assim chegar possamos
à paz que nunca passa.

A vós, Deus uno e trino,
em nosso amor cantamos;
nas criaturas todas
somente a vós buscamos.

Salmodia

Ant. 1 O **Senhor**, nosso **Deus**, é tão **gran**de,
e mai**or** do que **to**dos os **deu**ses.

T.P.: Sou **eu** o **Sen**hor que te **sal**va,
o **teu** Reden**tor**, ale**lu**ia.

Salmo 134(135)

Louvor ao Senhor por suas maravilhas

*Povo que ele conquistou, proclamai as obras admiráveis daquele
que vos chamou das trevas para a sua luz maravilhosa (cf. 1Pd
2,9).*

I

– ¹Louvai o Se**nhor**, bendi**zei**-o; *
louvai o Senhor, servos seus,
– ²que cele**brais** o louvor em seu templo *
e habi**tais** junto aos átrios de Deus!
– ³Louvai o Senhor, porque é bom; *
can**tai** ao seu nome suave!
– ⁴Esco**lheu** para si a Jacó, *
prefe**riu** Israel por herança. –

1018   III Semana

– ⁵ Eu bem **sei** que o Senhor é tão grande, *
que é ma**ior** do que todos os deuses.
= ⁶ Ele **faz** tudo quanto lhe agrada, †
nas al**tu**ras dos céus e na terra, *
no oce**a**no e nos fundos abismos.
= ⁷ Traz as **nu**vens do extremo da terra, †
trans**for**ma os raios em chuva, *
das ca**ver**nas libera os ventos.
– ⁸ No E**gi**to feriu primogênitos, *
desde **ho**mens até animais.
– ⁹ Fez mi**la**gres, prodígios, portentos, *
pe**ran**te Faraó e seus servos.
– ¹⁰ Aba**teu** numerosas nações *
e ma**tou** muitos reis poderosos:
= ¹¹ a Se**on** que foi rei amorreu, †
e a **Og** que foi rei de Basã, *
como a **to**dos os reis cananeus.
– ¹² Ele **deu** sua terra em herança, *
em he**ran**ça a seu povo, Israel.

Ant. 1 O Se**nhor**, nosso **Deus,** é tão gran**de,**
e maior do que **to**dos os **deu**ses.

T.P.: Sou **eu** o Se**nhor** que te **sal**va,
o **teu** Reden**tor,** ale**lui**a.

Ant. 2 Israel, bendi**zei** o Se**nhor,**
can**tai** ao seu **no**me suave!

T.P.: Ben**di**to o **Rei**no que **vem** de Da**vi,** nosso **Pai,** ale**lui**a.

II

– ¹³ Ó Se**nhor**, vosso **no**me é e**ter**no; *
para **sem**pre é a vossa lembrança!
– ¹⁴ O Se**nhor** faz justiça a seu povo *
e é bon**do**so com aqueles que o servem.
– ¹⁵ São os **deu**ses pagãos ouro e prata, *
todos **e**les são obras humanas.
– ¹⁶ Têm **bo**ca e não podem falar, *
têm **o**lhos e não podem ver; –

Sexta-feira – Vésperas

–[17] tendo ouvidos, não podem ouvir, *
nem existe respiro em sua boca.
–[18] Como eles serão seus autores, *
que os fabricam e neles confiam!
–[19] Israel, bendizei o Senhor; *
sacerdotes, louvai o Senhor;
–[20] levitas, cantai ao Senhor; *
fiéis, bendizei o Senhor!
–[21] Bendito o Senhor de Sião, *
que habita em Jerusalém!

Ant. Israel, bendizei o Senhor,
cantai ao seu nome suave!

T.P.: Bendito o Reino que vem de Davi, nosso Pai, aleluia.

Ant. 3 Os povos virão adorar-vos, Senhor.

T.P.: Ao Senhor quero cantar, pois fez brilhar a sua glória.
Aleluia.

Cântico   Ap 15,3-4

Hino de adoração

– [3] Como são grandes e admiráveis vossas obras, *
ó Senhor e nosso Deus onipotente!
– Vossos caminhos são verdade, são justiça, *
ó Rei dos povos todos do universo!

(R. São grandes vossas obras, ó Senhor!)

= [4] Quem, Senhor, não haveria de temer-vos, †
e quem não honraria o vosso nome? *
Pois somente vós, Senhor, é que sois santo!   (R.)

= As nações todas hão de vir perante vós †
e, prostradas, haverão de adorar-vos, *
pois vossas justas decisões são manifestas.   (R.)

Ant. Os povos virão adorar-vos, Senhor.

T.P.: Ao Senhor quero cantar, pois fez brilhar a sua glória.
Aleluia.

1020   III Semana

Leitura breve   Tg 1,2-4

Meus irmãos, quando deveis passar por diversas provações, considerai isso motivo de grande alegria, por saberdes que a comprovação da fé produz em vós a perseverança. Mas é preciso que a perseverança gere uma obra de perfeição, para que vos torneis perfeitos e íntegros, sem falta ou deficiência alguma.

Responsório breve

R. Jesus **Cristo** nos a**mou**.
* E em seu **sangue** nos la**vou**. R. Jesus **Cristo**.
V. Fez-nos **reis** e sacer**dotes** para **Deus**, o nosso **Pai**.
* E em seu **sangue**. Glória ao **Pai**. R. Jesus **Cristo**.

Cântico evangélico, ant.

O Se**nhor** nos aco**lheu** a **nós**, seus servi**dores**,
fiel ao seu a**mor**.

Preces

Invoquemos o Senhor Jesus, a quem o Pai entregou à morte pelos nossos pecados e ressuscitou para nossa justificação; e digamos humildemente:

R. **Senhor, tende piedade do vosso povo!**

Ouvi, Senhor, as nossas súplicas e perdoai os pecados dos que se reconhecem culpados perante vós,
– e, em vossa bondade, dai-nos a reconciliação e a paz.   R.

Vós, que dissestes por meio do apóstolo Paulo: "Onde o pecado foi grande, muito maior foi a graça",
– perdoai generosamente os nossos numerosos pecados.   R.

Muito pecamos, Senhor, mas confiamos na vossa infinita misericórdia;
– convertei-nos inteiramente ao vosso amor.   R.

Salvai, Senhor, o vosso povo de seus pecados,
– e sede bondoso para conosco.   R.

(intenções livres)

Vós, que abristes as portas do paraíso para o ladrão arrependido que vos reconheceu como Salvador,
– não as fecheis para os nossos irmãos e irmãs que morreram. R.

Pai nosso...

Oração

Deus, nosso Pai, que destes Jesus Cristo, vosso Filho, como preço de nossa salvação, concedei-nos viver de tal modo, que, participando de sua paixão, compartilhemos de sua ressurreição. Por nosso Senhor Jesus Cristo, vosso Filho, na unidade do Espírito Santo.

III SÁBADO

Laudes

V. Vinde, ó **Deus**. Glória ao **Pai**. Como era. (Aleluia).

Hino

No céu refulge a aurora
e nasce um novo dia.
As trevas se dissipem:
a luz nos alumia.

Bem longe os fantasmas,
os sonhos e ilusões!
Do mal que vem das trevas
quebremos os grilhões.

Na aurora derradeira
possamos, preparados,
cantar de Deus a glória,
na sua luz banhados.

Louvor e glória ao Pai,
ao Filho seu também,
e ao Divino Espírito
agora e sempre. Amém.

Salmodia

Ant. 1 Vós estais **per**to, ó **Se**nhor, perto de **mim;**
todos os **vos**sos manda**men**tos são ver**da**de.

T.P.: As pa**la**vras que vos **disse** são es**pí**rito, são **vi**da. Ale**lui**a.

1022

III Semana

Salmo 118(119),145-152
XIX (Coph)

Meditação sobre a Palavra de Deus na Lei

O amor é o cumprimento perfeito da Lei (Rm 13,10).

— [145] Clamo de **todo** o cora**ção**: Senhor, ou**vi**-me! *
Quero cum**prir** vossa vontade fielmente!
— [146] Clamo a **vós**: Senhor, salvai-me, eu vos suplico, *
e en**tão** eu guardarei vossa Aliança!
— [147] Chego **antes** que a aurora e vos imploro, *
e es**pero** confiante em vossa lei.
— [148] Os meus **o**lhos antecipam as vigílias, *
para de **noite** meditar vossa palavra.
— [149] Por vosso **amor** ouvi atento a minha voz *
e dai-me a **vida**, como é vossa decisão!
— [150] Meus opres**sores** se aproximam com maldade; *
como estão **longe**, ó Senhor, de vossa lei!
— [151] Vós estais **perto**, ó Senhor, perto de mim; *
todos os **vossos** mandamentos são verdade!
— [152] Desde crian**ça** aprendi vossa Aliança *
que fir**mastes** para sempre, eternamente.

Ant. Vós estais **perto**, ó S**enhor**, perto de **mim**:
todos os **vossos** mandamen**tos** são verda**de**.

T.P.: As palavras que vos **disse** são es**pírito**, são **vida**. Aleluia.

Ant. 2 Que a **vossa** Sabedoria, ó S**enhor**,
esteja junto a **mim** no meu trabalho.

T.P.: Cons**truístes** vosso **templo** e vosso al**tar**,
ó S**enhor**, no Monte **Santo**, aleluia.

Cântico   Sb 9,1-6.9-11

Senhor, dai-me a Sabedoria!

*Eu vos darei palavras tão acertadas que nenhum dos inimigos
vos poderá resistir* (Lc 21,15).

— [1] Deus de meus **pais**, Senhor bon**doso** e compas**sivo**, *
vossa Pala**vra** poderosa criou tudo,
— [2] vosso sa**ber** o ser humano modelou *
para ser **rei** da criação que é vossa obra,

Sábado – Laudes

– ^{3} reger o **mun**do com justiça, paz e ordem, *
e exer**cer** com retidão seu julgamento:

– ^{4} Dai-me **vos**sa sabedoria, ó Senhor, *
sabedo**ria** que partilha o vosso trono.

– Não me exclu**ais** de vossos filhos como indigno: *
^{5} sou vosso **ser**vo e minha mãe é vossa serva;

– sou homem **fraco** e de existência muito breve, *
inca**paz** de discernir o que é justo.

– ^{6} Até **mes**mo o mais perfeito dentre os homens *
não é **na**da, se não tem vosso saber.

– ^{9} Mas junto a **vós**, Senhor, está a sabedoria, *
que co**nhe**ce as vossas obras desde sempre;

= convosco es**ta**va ao criardes o universo, †
ela **sa**be o que agrada a vossos olhos, *
o que é **re**to e conforme às vossas ordens.

– ^{10} Envi**ai**-a lá de cima, do alto céu, *
mandai-a **vir** de vosso trono glorioso,

– para que es**te**ja junto a mim no meu trabalho *
e me en**si**ne o que agrada a vossos olhos!

= ^{11} Ela, que **tu**do compreende e tudo sabe, †
há de gui**ar** meus passos todos com prudência, *
com seu po**der** há de guardar a minha vida.

Ant. Que a **vos**sa Sabedo**ria**, ó S**enhor**,
esteja junto a **mim** no meu tra**ba**lho.

T.P.: Constru**ís**tes vosso **tem**plo e vosso al**tar**,
ó S**enhor**, no Monte **San**to, ale**lui**a.

Ant. 3 O S**enhor** para **sem**pre é fiel.

T.P.: Sou o C**a**minho, a Ver**da**de e a **Vi**da, ale**lui**a.

Salmo 116(117)

Louvor ao Deus misericordioso

Eu digo:... os pagãos glorificam a Deus, em razão da sua mise-ricórdia (Rm 15,8.9).

– ^{1} Cantai louvo**res** ao S**enhor**, todas as **gen**tes, *
povos **to**dos, feste**jai**-o!

– ^{2} Pois comprovado é seu amor para co**nos**co, *
para **sem**pre ele é fiel!

1024   III Semana

Ant. O Senhor para sempre é fiel.
T.P.: Sou o Caminho, a Verdade e a Vida, aleluia.

Leitura breve   Fl 2,14-15
Fazei tudo sem reclamar ou murmurar, para que sejais livres de
repreensão e ambiguidade, filhos de Deus sem defeito, no meio
desta geração depravada e pervertida, na qual brilhais como os
astros no universo.

Responsório breve
R. A vós **grito**, ó **Senhor,** a vós **clamo**
    * E vos **digo**: Sois **vós** meu **abrigo!** R. A vós **grito**.
V. Minha he**rança** na **terra** dos **vivos**. * E vos **digo**.
    Glória ao **Pai**. R. A vós **grito**.

Cântico evangélico, ant.
Iluminai, ó Senhor, os que jazem nas trevas
e na sombra da morte.

Preces
Invoquemos a Deus, que elevou a Virgem Maria, Mãe de Cristo,
acima de todas as criaturas do céu e da terra; e digamos cheios
de confiança:
R. **Interceda por nós a Mãe do vosso Filho.**

Pai de misericórdia, nós vos damos graças porque nos destes
Maria como mãe e exemplo:
– por sua intercessão, santificai os nossos corações.   R.

Vós, que fizestes de Maria a serva fiel e atenta à vossa Palavra,
– por sua intercessão, fazei de nós servos e discípulos de vosso
Filho.   R.

Vós, que fizestes de Maria a Mãe do vosso Filho por obra do
Espírito Santo,
– por sua intercessão, concedei-nos os frutos do mesmo Espírito.   R.

Vós, que destes força a Maria para permanecer junto da cruz, e a
enchestes de alegria com a ressurreição de vosso Filho,
– por sua intercessão, confortai-nos nas tribulações e reavivai a
nossa esperança   R.

(intenções livres)

Pai nosso...

Sábado – Hora Média 1025

Oração

Senhor nosso Deus, fonte de salvação, fazei que o testemunho de nossa vida exalte sempre a vossa glória e mereçamos cantar nos céus vosso louvor eternamente. Por nosso Senhor Jesus Cristo, vosso Filho, na unidade do Espírito Santo.

Hora Média

V. Vinde, ó **Deus**. Glória ao **Pai**. Como era. (Aleluia).

HINO como no Ordinário, p. 743.

Salmodia

Ant. 1 Assegu**rai** tudo o que é **bom**
ao vosso **ser**vo, ó Se**nhor**!

Salmo 118(119),121-128
XVI (Ain)

Meditação sobre a Palavra de Deus na Lei

Sua mãe conservava no coração todas essas coisas (Lc 2,51).

—[121] Prati**quei** a equi**da**de e a jus**ti**ça; *
não me entre**gueis** nas mãos daqueles que me oprimem!

—[122] Assegu**rai** tudo que é bom ao vosso servo, *
não permi**tais** que me oprimam os soberbos!

—[123] Os meus **o**lhos se gastaram de esperar-vos *
e de aguar**dar** vossa justiça e salvação.

—[124] Con**for**me o vosso amor, Senhor, tratai-me, *
e tam**bém** vossos desígnios ensinai-me!

—[125] Sou vosso **ser**vo: concedei-me inteligência, *
para que eu **pos**sa compreender vossa Aliança!

—[126] Já é **tem**po de intervirdes, ó Senhor; *
es**tá sen**do violada a vossa Lei!

—[127] Por isso **a**mo os mandamentos que nos destes, *
mais que o **ou**ro, muito mais que o ouro fino!

—[128] Por isso eu **si**go bem direito as vossas leis, *
detesto **to**dos os caminhos da mentira.

Ant. Assegu**rai** tudo o que é **bom** ao vosso **ser**vo, ó Se**nhor**!

Ant. 2 Contem**plai** o Se**nhor** e have**reis** de ale**grar**-vos.

Salmo 33(34)

O Senhor é a salvação dos justos

Provastes que o Senhor é bom (1Pd 2,3).

I

– ² Bendi**rei** o Senhor **Deus** em todo **tem**po, *
    seu lou**vor** estará sempre em minha boca,
– ³ Minha **al**ma se gloria no Senhor, *
    que **ou**çam os humildes e se alegrem!
– ⁴ C**omi**go engrandecei ao Senhor Deus, *
    exal**te**mos todos juntos o seu nome!
– ⁵ Todas as **ve**zes que o busquei, ele me ouviu, *
    e de **to**dos os temores me livrou.
– ⁶ Contem**plai** a sua face e alegrai-vos, *
    e vosso **ros**to não se cubra de vergonha!
– ⁷ Este infe**liz** gritou a Deus, e foi ouvido, *
    e o Se**nhor** o libertou de toda angústia.
– ⁸ O **an**jo do Senhor vem acampar *
    ao re**dor** dos que o temem, e os salva.
– ⁹ Provai e **ve**de quão suave é o Senhor! *
    Feliz o **ho**mem que tem nele o seu refúgio!
–¹⁰ Respei**tai** o Senhor Deus, seus santos todos, *
    porque **na**da faltará aos que o temem.
–¹¹ Os **ri**cos empobrecem, passam fome, *
    mas aos que **bus**cam o Senhor não falta nada.

Ant. Contem**plai** o Se**nhor** e have**reis** de ale**grar**-vos.

Ant. 3 O Se**nhor** está bem **per**to do cora**ção** atribu**la**do.

II

–¹² Meus **fi**lhos, vinde a**go**ra e escu**tai**-me: *
    vou ensi**nar**-vos o temor do Senhor Deus.
–¹³ Qual o **ho**mem que não ama sua vida, *
    procu**ran**do ser feliz todos os dias?
–¹⁴ A**fas**ta a tua língua da maldade, *
    e teus **lá**bios, de palavras mentirosas.
–¹⁵ A**fas**ta-te do mal e faze o bem, *
    procura a **paz** e vai com ela em seu caminho. –

Sábado – Hora Média

1027

– ¹⁶O Se**nhor** pousa seus olhos sobre os justos, *
e seu ou**vi**do está atento ao seu chamado;
– ¹⁷mas ele **vol**ta a sua face contra os maus, *
para da **ter**ra apagar sua lembrança.
– ¹⁸Clamam os **jus**tos, e o Senhor bondoso escuta *
e de **to**das as angústias os liberta.
– ¹⁹Do cora**ção** atribulado ele e**s**tá perto *
e con**for**ta os de espírito abatido.
– ²⁰Muitos **ma**les se abatem sobre os ju**s**tos, *
mas o Se**nhor** de todos eles os liberta.
– ²¹Mesmo os seus **os**sos ele os guarda e os protege, *
e nenhum **de**les haverá de se quebrar.
– ²²A ma**lí**cia do iníquo leva à morte, *
e **quem** odeia o justo é castigado.
– ²³Mas o Se**nhor** liberta a vida dos seus servos, *
e cas**ti**gado não será quem nele espera.

Ant. 3 O Se**nhor** está bem **per**to do cora**ção** atribulado.

Leitura breve   Gl 5,26; 6,2
Não busquemos vanglória, provocando-nos ou invejando-nos
uns aos outros. Carregai os fardos uns dos outros: assim cumpri-
reis a lei de Cristo.

V. Vinde e **ve**de como é **bom**, como é suave
os ir**mãos** viverem **jun**tos bem unidos.
R. Pois a **e**les o Se**nhor** dá sua **bên**ção
e a **vi**da pelos **sé**culos sem **fim**.

Oração

Senhor nosso Deus, luz ardente de amor eterno, concedei que,
inflamados na vossa caridade, num mesmo amor amemos a vós,
acima de tudo, e aos irmãos e irmãs por vossa causa. Por Cristo,
nosso Senhor.

IV SEMANA

IV DOMINGO

I Vésperas

V. Vinde, ó **Deus**. Glória ao **Pai**. Como era. (Aleluia)·

Hino

Ó Deus, fonte de todas as coisas,
vós enchestes o mundo de dons
e, depois de criar o universo,
concluístes que tudo era bom.

Terminando tão grande trabalho,
decidistes entrar em repouso,
ensinando aos que cansam na luta,
que o descanso é também dom precioso.

Concedei aos mortais que suplicam,
os seus erros lavarem no pranto
e andarem nos vossos caminhos,
descobrindo da vida o encanto.

Deste modo, ao chegar para a terra
a aflição do temível Juiz,
possam todos, repletos de paz,
se alegrar pela vida feliz.

Esse dom concedei-nos, Deus Pai,
pelo Filho Jesus, Sumo Bem,
no Espírito Santo Paráclito,
que reinais para sempre. Amém.

Ou:

Salve o dia que é glória dos dias,
feliz dia, de Cristo vitória,
dia pleno de eterna alegria,
o primeiro.

Luz divina brilhou para os cegos;
nela o Cristo triunfa do inferno,
vence a morte, reconciliando
terra e céus.

Domingo – I Vésperas

A sentença eterna do Rei
tudo sob o pecado encerrou,
para que na fraqueza brilhasse
maior graça.

O poder e a ciência de Deus
misturaram rigor e clemência,
quando o mundo já estava caindo
nos abismos.

Surge livre o Reino da morte
quem o gênero humano restaura,
reconduz em seus ombros a ovelha
ao redil.

Reine a paz entre os anjos e os homens,
e no mundo a total plenitude.
Ao Senhor triunfante convém
toda a glória.

Mãe Igreja, tua voz faça coro
à harmonia da pátria celeste.
Cantem hoje Aleluias de glória
os fiéis.

Triunfando do império da morte,
triunfal alegria gozemos.
Paz na terra e nos céus alegria.
Assim seja.

Salmodia

Nos domingos do Advento, Natal, Quaresma e Páscoa, as antífonas são próprias do Tempo correspondente.

Ant. 1 **Ro**gai que viva em **paz** Jerusa**lém**.

Salmo 121(122)

Jerusalém, cidade santa

Vós vos aproximastes do monte Sião e da cidade do Deus vivo, a Jerusalém celeste (Hb 12,22).

— ¹Que ale**gria**, quando ou**vi** que me **dis**seram: *
"Vamos à **ca**sa do Se**nhor**!"

1030   IV Semana

– ² E **agora** nossos pés já se detêm, *
    Jerusa**lém**, em tuas portas.
– ³ Jerusa**lém**, cidade bem edificada *
    num con**jun**to harmonioso;
– ⁴ para **lá** sobem as tribos de Israel, *
    as **tribos** do Senhor.

–   Para lou**var**, segundo a lei de Israel, *
    o **no**me do Senhor.
– ⁵ A **sede** da justiça lá está *
    e o **trono** de Davi.

– ⁶ R**ogai** que viva em paz Jerusalém, *
    e em segu**rança** os que te amam!
– ⁷ Que a **paz** habite dentro de teus muros, *
    tranquili**da**de em teus palácios!

– ⁸ Por a**mor** a meus irmãos e meus amigos, *
    peço: "A **paz** esteja em ti!"
– ⁹ Pelo a**mor** que tenho à casa do Senhor, *
    eu te de**se**jo todo bem

Ant.   R**ogai** que viva em **paz** Jerusalém.

Ant. 2   Desde a au**ro**ra até à **noite**
        no Se**nhor** ponho a espe**rança**.

Salmo 129(130)

Das profundezas eu clamo

Ele vai salvar o seu povo dos seus pecados (Mt 1,21).

– ¹ Das profun**de**zas eu **cla**mo a vós, Se**nhor**, *
    ² escu**tai** a minha **voz**!

–   Vossos ou**vi**dos estejam bem atentos *
    ao cla**mor** da minha prece!

– ³ Se le**var**des em conta nossas faltas, *
    quem have**rá** de subsistir?

– ⁴ Mas em **vós** se encontra o perdão, *
    eu vos **te**mo e em vós espero.

– ⁵ No Se**nhor** ponho a minha esperança, *
    espero em sua palavra.

Domingo – I Vésperas

– ⁶A minh'**al**ma espera no Senhor *
mais que o vi**gi**a pela aurora.

– ⁷Es**pe**re Israel pelo Se**n**hor *
mais que o vi**gi**a pela aurora!

– Pois no Se**n**hor se encontra toda graça *
e copiosa redenção.

– ⁸Ele **vem** libertar a Israel *
de **to**da a sua culpa.

Ant. Desde a au**ro**ra até à **noi**te
no Se**n**hor ponho a espe**ran**ça.

Ant. 3 Ao **no**me de Jesus nosso Se**n**hor
se **do**bre reve**ren**te todo joelho
seja nos **céus**, seja na **ter**ra ou nos **abis**mos.

Cântico   Fl 2,6-11

Cristo, o Servo de Deus

= ⁶Embora **fos**se de di**vi**na condi**ção**, †
Cristo Je**sus** não se apegou ciosamente *
a ser i**gual** em natureza a Deus Pai.

(**R.** Jesus **Cris**to é Se**n**hor para a **gló**ria de Deus **Pai!**)

= ⁷Po**rém** esvaziou-se de sua glória †
e assu**miu** a condição de um escravo, *
fazendo-se aos homens semelhante. **(R.)**

= Reconhe**ci**do exteriormente como homem, †
⁸humi**lhou**-se, obedecendo até à morte, *
até à **mor**te humilhante numa cruz. **(R.)**

= ⁹Por isso **Deus** o exaltou sobremaneira †
e deu-lhe o **no**me mais excelso, mais sublime, *
e eleva**do** muito acima de outro nome. **(R.)**

=¹⁰Para **que** perante o nome de Jesus †
se **do**bre reverente todo joelho, *
seja nos **céus**, seja na terra ou nos abismos. **(R.)**

=¹¹E toda **lín**gua reconheça, confessando, †
para a **gló**ria de Deus Pai e seu louvor: *
"Na verda**de** Jesus Cristo é o Senhor!" **(R.)**

1032   **IV Semana**

Ant. Ao **no**me de Je**sus** nosso **Se**n**hor**
se **do**bre reve**ren**te todo joelho
seja nos **céus,** seja na **ter**ra ou nos **abis**mos.

Leitura breve   2Pd 1,19-21

Assim se nos tornou ainda mais firme a palavra da profecia, que fazeis bem em ter diante dos olhos, como lâmpada que brilha em lugar escuro, até clarear o dia e levantar-se a estrela da manhã em vossos corações. Pois deveis saber, antes de tudo, que nenhuma profecia da Escritura é objeto de interpretação pessoal, visto que jamais uma profecia foi proferida por vontade humana. Mas foi sob o impulso do Espírito Santo que homens falaram da parte de Deus.

Responsório breve

R. Do nas**cer** do sol **até** o seu o**caso,**
    * Louva**do** seja o **no**me do **Se**n**hor!** **R.** Do nas**cer.**
V. Sua **gló**ria vai **além** dos altos **céus.** * Louva**do.**
    Glória ao **Pai. R.** Do nas**cer.**

Antífona do Magníficat como no Próprio do Tempo.

Preces

Invoquemos a Jesus Cristo, alegria de todos os que nele esperam; e digamos:
R. Ouvi-nos, Senhor, e atendei-nos!

Testemunha fiel e primogênito dentre os mortos, que nos purificastes do pecado com o vosso sangue,
– fazei-nos sempre lembrar as vossas maravilhas.   **R.**

Aqueles que escolhestes como mensageiros do vosso evangelho,
– tornai-os fiéis e zelosos administradores dos mistérios do reino.   **R.**

Rei da paz, mandai o vosso Espírito sobre aqueles que governam
os povos,
– a fim de que olhem com mais atenção para os pobres e necessitados.   **R.**

Socorrei os que são vítimas da discriminação por causa da raça,
cor, condição, língua ou religião,
– e fazei que sejam reconhecidos os seus direitos e a sua dignidade.   **R.**

                         (intenções livres)

Domingo – Laudes   1033

Aos que morreram em vosso amor, tornai participantes da felicidade eterna,
– juntamente com a Virgem Maria e todos os santos.   R.

Pai nosso...
Oração como no Próprio do Tempo.

Laudes

V. Vinde, ó **Deus**. Glória ao **Pai**. Como era. (Aleluia).

Hino

    Eis que da noite já foge a sombra
    e a luz da aurora refulge, ardente.
    Nós, reunidos, a Deus oremos
    e invoquemos o Onipotente.

    Deus, compassivo, nos salve a todos
    e nos afaste de todo o mal.
    O Pai bondoso, por sua graça,
    nos dê o reino celestial.

    Assim nos ouça o Deus Uno e Trino,
    Pai, Filho e Espírito Consolador.
    Por toda a terra vibram acordes
    dum canto novo em seu louvor.

Salmodia

Nos domingos do Advento, Natal, Quaresma e Páscoa, as antífonas são
próprias do Tempo correspondente.

Ant. 1 Dai **graças** ao Se**nhor,** porque ele é **bom!**
    E**ter**na é a **sua** mise**ri**có**r**dia. Ale**lui**a. †

Salmo 117(118)
Canto de alegria e salvação

*Ele é a pedra, que vós, os construtores, desprezastes, e que se
tornou a pedra angular* (At 4,11).
– ¹Dai **graças** ao Se**nhor**, porque ele é **bom!** *
    "E**ter**na é a sua mise**ri**córdia!" –

– [2] † A casa de Israel agora o diga: *
"Eterna é a sua misericórdia!"
– [3] A casa de Aarão agora o diga: *
"Eterna é a sua misericórdia!"
– [4] Os que temem o Senhor agora o digam: *
"Eterna é a sua misericórdia!"

– [5] Na minha angústia eu clamei pelo Senhor, *
e o Senhor me atendeu e libertou!
– [6] O Senhor está comigo, nada temo; *
o que pode contra mim um ser humano?
– [7] O Senhor está comigo, é o meu auxílio, *
hei de ver meus inimigos humilhados.

– [8] "É melhor buscar refúgio no Senhor *
do que pôr no ser humano a esperança;
– [9] é melhor buscar refúgio no Senhor *
do que contar com os poderosos deste mundo!"

– [10] Povos pagãos me rodearam todos eles, *
mas em nome do Senhor os derrotei;
– [11] de todo lado todos eles me cercaram, *
mas em nome do Senhor os derrotei;
= [12] como um enxame de abelhas me atacaram, †
como um fogo de espinhos me queimaram, *
mas em nome do Senhor os derrotei.

– [13] Empurraram-me, tentando derrubar-me, *
mas veio o Senhor em meu socorro.
– [14] O Senhor é minha força e o meu canto, *
e tornou-se para mim o Salvador.
– [15] "Clamores de alegria e de vitória *
ressoem pelas tendas dos fiéis.
= [16] A mão direita do Senhor fez maravilhas, †
a mão direita do Senhor me levantou, *
a mão direita do Senhor fez maravilhas!"

– [17] Não morrerei, mas, ao contrário, viverei *
para cantar as grandes obras do Senhor!
– [18] O Senhor severamente me provou, *
mas não me abandonou às mãos da morte. –

Domingo – Laudes

−[19] Abri-me **vós**, abri-me as portas da justiça; *
quero en**trar** para dar graças ao Senhor!

−[20] "Sim, **esta** é a porta do Senhor, *
por **e**la só os justos entrarão!"

−[21] Dou-vos **graças**, ó Senhor, porque me ouvistes *
e vos tor**nas**tes para mim o Salvador!

−[22] "A **pe**dra que os pedreiros rejeitaram *
tor**nou**-se agora a pedra angular.

−[23] Pelo Se**nhor** é que foi feito tudo isso: *
Que mara**vil**has ele fez a nossos olhos!

−[24] Este é o **dia** que o Senhor fez para nós, *
ale**gre**mo-nos e nele exultemos!

−[25] Ó Se**nhor**, dai-nos a vossa salvação, *
ó Se**nhor**, dai-nos também prosperidade!"

−[26] Ben**di**to seja, em nome do Senhor, *
a**que**le que em seus átrios vai entrando!

− Desta **ca**sa do Senhor vos bendizemos. *
[27] Que o Se**nhor** e nosso Deus nos ilumine!

− Empu**nhai** ramos nas mãos, formai cortejo, *
aproxi**mai**-vos do altar, até bem perto!

−[28] Vós sois meu **Deus**, eu vos bendigo e agradeço! *
Vós sois meu **Deus**, eu vos exalto com louvores!

−[29] Dai **graças** ao Senhor, porque ele é bom! *
"E**ter**na é a sua misericórdia!"

Ant. Dai **graças** ao Se**nhor**, porque ele é **bom**!
E**ter**na é a **sua** miseri**cór**dia. Ale**lui**a.

Ant. 2 Obras **to**das do Se**nhor**, ale**lui**a,
bendi**zei** o Se**nhor**, ale**lui**a!

Cântico   Dn 3,52-57

Louvor das criaturas ao Senhor

O Criador é bendito para sempre (Rm 1,25).

−[52] Sede ben**di**to, Senhor **Deus** de nossos **pais**! *
A vós lou**vor**, honra e glória eternamente!

− Sede ben**di**to, nome santo e glorioso! *
A vós lou**vor**, honra e glória eternamente! −

1036   IV Semana

— [53]No templo **san**to onde refulge a vossa glória! *
A vós lou**vor**, honra e glória eternamente!
— [54]E em vosso **tro**no de poder vitorioso! *
A vós lou**vor**, honra e glória eternamente!
— [55]Sede ben**di**to, que sondais as profundezas! *
A vós lou**vor**, honra e glória eternamente!
— E superi**or** aos querubins vos assentais! *
A vós lou**vor**, honra e glória eternamente!
— [56]Sede ben**di**to no celeste firmamento! *
A vós lou**vor**, honra e glória eternamente!
— [57]Obras **to**das do Senhor, glorificai-o! *
A ele lou**vor**, honra e glória eternamente!

Ant. Obras **to**das do Se**nhor**, ale**lui**a,
bendi**zei** o Se**nhor**, ale**lui**a!

Ant. 3 Louve a **Deus** tudo o que **vi**ve e que res**pi**ra, ale**lui**a!

Salmo 150
Louvai o Senhor

*Salmodiai com o espírito e salmodiai com a mente, isto é: glori-
ficai a Deus com a alma e o corpo* (Hesíquio).

— [1]Lou**vai** o Senhor **Deus** no santu**á**rio, *
lou**vai**-o no alto céu de seu poder!
— [2]Lou**vai**-o por seus feitos grandiosos, *
lou**vai**-o em sua grandeza majestosa!

— [3]Lou**vai**-o com o toque da trombeta, *
lou**vai**-o com a harpa e com a cítara!
— [4]Lou**vai**-o com a dança e o tambor, *
lou**vai**-o com as cordas e as flautas!

— [5]Lou**vai**-o com os címbalos sonoros, *
lou**vai**-o com os címbalos de júbilo!
— Louve a **Deus** tudo o que vive e que respira, *
tudo **can**te os louvores do Senhor!

Ant. Louve a **Deus** tudo o que **vi**ve e que res**pi**ra, ale**lui**a!

Domingo – Laudes

Leitura breve   2Tm 2,8.11-13

Lembra-te de Jesus Cristo, da descendência de Davi, ressuscitado dentre os mortos. Merece fé esta palavra: se com ele morremos, com ele viveremos. Se com ele ficamos firmes, com ele reinaremos. Se nós o negamos, também ele nos negará. Se lhe somos infiéis, ele permanece fiel, pois não pode negar-se a si mesmo.

Responsório breve

R. Nós vos louvamos, dando **graças**, ó Se**nhor**,

* Dando **graças**, invo**ca**mos vosso **no**me.

   R. Nós vos lou**va**mos.

V. E publi**ca**mos os pro**dí**gios que fi**zes**tes. * Dando **graças**.

   Glória ao **Pai.** R. Nós vos lou**va**mos.

Antífona do Benedictus como no Próprio do Tempo.

Preces

Ao Deus de todo poder e bondade, que nos ama e sabe do que temos necessidade, abramos o coração com alegria; e o aclamemos com louvores, dizendo:

R. **Nós vos louvamos, Senhor, e em vós confiamos!**

Nós vos bendizemos, Deus todo-poderoso e Rei do universo, porque, mesmo sendo pecadores, viestes à nossa procura,

– para conhecermos vossa verdade e servirmos à vossa majestade.   R.

Deus, que abristes para nós as portas da vossa misericórdia,

– não nos deixeis jamais afastar do caminho da vida.   R.

Ao celebrar a ressurreição do vosso amado Filho,

– fazei que este dia transcorra para nós cheio de alegria espiritual.   R.

Dai, Senhor, a vossos fiéis o espírito de oração e de louvor,

– para que vos demos graças sempre e em todas as coisas.   R.

                   (intenções livres)

Pai nosso...

Oração como no Próprio do Tempo.

IV Semana

Hora Média

V. Vinde, ó **Deus**. Glória ao **Pai**. Como era. (Ale**lu**ia).
HINO como no Ordinário, p. 743.

Salmodia

Ant. 1 Quem co**mer** deste **pão** vive**rá** eternamente. Ale**lu**ia.

Salmo 22(23)

O Bom Pastor

O Cordeiro será o seu pastor e os conduzirá até às fontes da água viva (Ap 7,17).

– ¹O Se**nhor** é o pa**stor** que me con**duz**; *
  não me **fal**ta coisa alguma.
– ²Pelos **pra**dos e campinas verdejantes *
  ele me **le**va a descansar.
– Para as **águas** repousantes me encaminha, *
  ³e res**tau**ra as minhas forças.

– Ele me **gui**a no caminho mais seguro, *
  pela **hon**ra do seu nome.
– ⁴Mesmo que eu **pas**se pelo vale tenebroso, *
  nenhum **mal** eu temerei;
– estais co**mi**go com bastão e com cajado; *
  eles me **dão** a segurança!

– ⁵Prepa**rais** à minha frente uma mesa, *
  bem à **vis**ta do inimigo,
– e com **ó**leo vós ungis minha cabeça; *
  o meu **cá**lice transborda.

– ⁶Felici**da**de e todo bem hão de seguir-me *
  por **to**da a minha vida;
– e, na **ca**sa do Senhor, habitarei *
  pelos **tem**pos infinitos.

Ant. Quem co**mer** deste **pão** vive**rá** eternamente. Ale**lu**ia.

Ant. 2 O Se**nhor** há de **vir** para **ser** glorifi**ca**do
  e admi**ra**do nos seus **san**tos. Ale**lu**ia.

Domingo – Hora Média

1039

Salmo 75(76)

Ação de graças pela vitória

Verão o Filho do Homem vindo sobre as nuvens do céu (Mt 24,30).

I

– ² Em Judá o Senhor **Deus** é conhecido, *
e seu nome é grandioso em Israel.
– ³ Em Salém ele fixou a sua tenda, *
em Sião edificou sua morada.
– ⁴ E ali quebrou os arcos e as flechas, *
os escudos, as espadas e outras armas.
– ⁵ Resplendente e majestoso apareceis *
sobre montes de despojos conquistados.

= ⁶ Despojastes os guerreiros valorosos †
que já dormem o seu sono derradeiro, *
incapazes de apelar para os seus braços.
– ⁷ Ante as vossas ameaças, ó Senhor, *
estarreceram-se os carros e os cavalos.

Ant. O Senhor há de vir para ser glorificado
e admirado nos seus santos. Aleluia.

Ant. 3 Ao vosso **Deus** fazei promessas e as cumpri;
ao Senhor trazei ofertas, aleluia.

II

– ⁸ Sois terrível, realmente, Senhor **Deus!** *
E quem pode resistir à vossa ira?
– ⁹ Lá do céu pronunciastes a sentença, *
e a terra apavorou-se e emudeceu,
–¹⁰ quando **Deus** se levantou para julgar *
e libertar os oprimidos desta terra.
–¹¹ Mesmo a revolta dos mortais vos dará glória, *
e os que sobraram do furor vos louvarão.
–¹² Ao vosso **Deus** fazei promessas e as cumpri; *
vós que o cercais, trazei ofertas ao Terrível;
–¹³ ele esmaga os reis da terra em seu orgulho, *
e faz tremer os poderosos deste mundo!

Ant. Ao vosso **Deus** fazei prome**s**sas e as cumpr**i**;
ao Se**nhor** trazei o**fer**tas, ale**lui**a.

Leitura breve   Dt 10,12

O que é que o Senhor teu Deus te pede? Apenas que o temas e
andes em seus caminhos; que ames e sirvas ao Senhor teu Deus,
com todo o teu coração e com toda a tua alma.

V. Se**nhor**, quem morar**á** em vossa **ca**sa,
e em **vos**so Monte **san**to habitar**á**?
R. É a**que**le que ca**mi**nha sem pe**ca**do,
e que **pen**sa a ver**da**de no seu **ín**timo.

Oração como no Próprio do Tempo.

II Vésperas

V. Vinde, ó **Deus**. Glória ao **Pai**. Como era. (Ale**lui**a).

Hino

Ó luz, ó Deus Trindade,
ó Unidade e fonte:
na luz do sol que morre,
a vossa em nós desponte.

A vós de madrugada,
de tarde vos cantamos;
a vós na eternidade,
louvar sem fim possamos.

Ao Pai e ao Filho glória,
ao Espírito também,
louvor, honra e vitória
agora e sempre. Amém.

Salmodia

Nos domingos do Advento, Natal, Quaresma e Páscoa, as antífonas são
próprias do Tempo correspondente.

Ant. 1 Na **gló**ria e esplen**dor** da santi**da**de,
eu te ge**rei** antes da au**ro**ra, ale**lui**a.

Domingo – II Vésperas 1041

Salmo 109(110),1-5.7

O Messias, Rei e Sacerdote

É preciso que ele reine, até que todos os seus inimigos estejam debaixo de seus pés (1Cor 15,25).

– [1] Palavra do Senhor ao meu Senhor: *
"Assenta-te ao lado meu direito,
– até que eu ponha os inimigos teus *
como escabelo por debaixo de teus pés!"

= [2] O Senhor estenderá desde Sião †
vosso cetro de poder, pois ele diz: *
"Domina com vigor teus inimigos;

= [3] Tu és príncipe desde o dia em que nasceste; †
na glória e esplendor da santidade, *
como o orvalho, antes da aurora, eu te gerei!"

= [4] Jurou o Senhor e manterá sua palavra: †
"Tu és sacerdote eternamente, *
segundo a ordem do rei Melquisedec!"

– [5] À vossa destra está o Senhor, ele vos diz: *
"No dia da ira esmagarás os reis da terra!

– [7] Beberás água corrente no caminho, *
por isso seguirás de fronte erguida!"

Ant. Na glória e esplendor da santidade,
eu te gerei antes da aurora, aleluia.

Ant. 2 Felizes os famintos e sedentos de justiça:
serão todos saciados.

Salmo 111(112)

A felicidade do justo

Vivei como filhos da luz. E o fruto da luz chama-se: bondade, justiça, verdade (Ef 5,8-9).

– [1] Feliz o homem que respeita o Senhor *
e que ama com carinho a sua lei!

– [2] Sua descendência será forte sobre a terra, *
abençoada a geração dos homens retos! –

1042   IV Semana

- ³Haverá **glória** e riqueza em sua casa, *
  e perma**ne**ce para sempre o bem que fez.
- ⁴Ele é cor**re**to, generoso e compassivo, *
  como **luz** brilha nas trevas para os justos.
- ⁵Feliz o **ho**mem caridoso e prestativo, *
  que re**sol**ve seus negócios com justiça.
- ⁶Porque ja**mais** vacilará o homem reto, *
  sua lem**bran**ça permanece eternamente!
- ⁷Ele não **te**me receber notícias más: *
  confiando em **Deus**, seu coração está seguro.
- ⁸Seu cora**ção** está tranquilo e nada teme, *
  e con**fu**sos há de ver seus inimigos.
= ⁹Ele re**par**te com os pobres os seus bens, †
  perma**ne**ce para sempre o bem que fez, *
  e cresce**rão** a sua glória e seu poder.
=¹⁰O **ím**pio, vendo isso, se enfurece, †
  range os **den**tes e de inveja se consome; *
  mas os desejos do malvado dão em nada.

Ant. Felizes os fa**min**tos e se**den**tos de justiça:
     serão **to**dos saciados.

Ant. 3 Cele**brai** o nosso **Deus**, servi**do**res do Se**nhor**,
     vós os **gran**des e os pe**que**nos! Ale**lui**a.

No cântico seguinte dizem-se os Aleluias entre parênteses somente
quando se canta; na recitação, basta dizer o Aleluia no começo, entre as
estrofes e no fim.

          Cântico   cf. Ap 19,1-2.5-7

As núpcias do Cordeiro

= Ale**lui**a, (Ale**lui**a!).
    ¹Ao nosso **Deus** a salva**ção**, *
    honra, **gló**ria e poder! (Aleluia!).
- ²Pois são ver**da**de e justiça *
    os juízos do Senhor.

R. Ale**lui**a, (Ale**lui**a!).

= Ale**lui**a, (Ale**lui**a!).
    ⁵Cele**brai** o nosso Deus, *

Domingo – II Vésperas

servidores do Senhor! (Aleluia!).
— E vós todos que o temeis, *
vós os grandes e os pequenos!

R. Aleluia, (Aleluia!).

= Aleluia, (Aleluia!).
= ⁶De seu reino tomou posse *
nosso Deus onipotente! (Aleluia!).
— ⁷Exultemos de alegria, *
demos glória ao nosso Deus!

R. Aleluia, (Aleluia!).

= Aleluia, (Aleluia!).
Eis que as núpcias do Cordeiro *
redivivo se aproximam! (Aleluia!).
— Sua Esposa se enfeitou, *
se vestiu de linho puro.

R. Aleluia, (Aleluia!).

Ant. Celebrai o nosso Deus, servidores do Senhor,
vós os grandes e os pequenos! Aleluia.

Nos domingos da Quaresma se diz o Cântico da Carta de São Pedro com
a antífona própria.

Cântico
1Pd 2,21-24

=²¹O Cristo por nós padeceu, †
deixou-nos o exemplo a seguir. *
Sigamos, portanto, seus passos!
—²²Pecado nenhum cometeu, *
nem houve engano em seus lábios.

(R. Por suas chagas nós fomos curados.)

=²³Insultado, ele não insultava; †
ao sofrer e ao ser maltratado, *
ele não ameaçava vingança;
— entregava, porém, sua causa *.
Àquele que é justo juiz.

(R.)

—²⁴Carregou sobre si nossas culpas *
em seu corpo, no lenho da cruz,

1044   IV Semana

=   para que, **mor**tos aos nossos pecados, †
     na justiça de Deus nós vivamos. *
     Por suas **cha**gas nós fomos curados.   (R.)

Leitura breve   Hb 12,22-24

Vós vos aproximastes do monte Sião e da cidade do Deus vivo, a Jerusalém celeste; da reunião festiva de milhões de anjos; da assembleia dos primogênitos, cujos nomes estão escritos nos céus; de Deus, o Juiz de todos; dos espíritos dos justos, que chegaram à perfeição; de Jesus, mediador da nova aliança, e da aspersão do sangue mais eloquente que o de Abel.

Responsório breve

R. É **gran**de o Se**nhor**,
   * E é **gran**de o seu po**der**. R. É **gran**de.
V. Seu sa**ber** é sem li**mi**tes.* E é **gran**de.
   Glória ao **Pai**. R. É **gran**de.

Antífona do Magníficat como no Próprio do Tempo.

Preces

Alegramo-nos no Senhor, de quem procede todo bem. Por isso, peçamos de coração sincero:
R. **Ouvi, Senhor, a nossa oração!**

Pai e Senhor do universo, que enviastes vosso Filho ao mundo para que em toda parte fosse glorificado o vosso nome,
– confirmai o testemunho da vossa Igreja entre os povos.   R.

Fazei-nos dóceis à pregação dos apóstolos,
– para vivermos de acordo com a verdade da nossa fé.

Vós, que amais os justos,
– fazei justiça aos oprimidos.   R.

Libertai os prisioneiros e abri os olhos aos cegos,
– levantai os que caíram e protegei os estrangeiros.   R.
                             (intenções livres)

Realizai a promessa feita aos que adormeceram na vossa paz,
– e fazei que alcancem, por vosso Filho, a santa ressurreição.
                                     R.

Pai nosso...
Oração como no Próprio do Tempo.

IV SEGUNDA-FEIRA

Laudes

V. Vinde, ó **Deus**. Glória ao **Pai**. Como era. (**Aleluia**).

Hino

Doador da luz esplêndida,
pelo vosso resplendor,
ao passar da noite o tempo,
surge o dia em seu fulgor.

Verdadeira Estrela d'alva,
não aquela que anuncia
de outro astro a luz chegando
e a seu brilho se anuvia,

mas aquela luminosa,
mais que o sol em seu clarão,
mais que a luz e mais que o dia,
aclarando o coração.

Casta, a mente vença tudo,
que os sentidos pedem tanto;
vosso Espírito guarde puro
nosso corpo, templo santo.

A vós, Cristo, Rei clemente,
e a Deus Pai, Eterno Bem,
com o Espírito Paráclito,
honra e glória eterna. Amém.

Salmodia

Ant. 1 Saciai-nos de manhã com vosso amor!

T.P.: Que a bondade do Senhor e nosso **Deus**
repouse sobre **nós** e nos conduza. Aleluia.

Salmo 89(90)

O esplendor do Senhor esteja sobre nós

Para o Senhor, um dia é como mil anos, e mil anos como um dia (2Pd 3,8).

— [1] Vós **fostes** um ref**ú**gio para **nós**, *
ó Se**nhor**, de geração em geração.

= [2] Já bem **an**tes que as montanhas fossem feitas †
ou a **ter**ra e o mundo se formassem, *
desde **sem**pre e para sempre vós sois Deus.

— [3] Vós fa**zeis** voltar ao pó todo mortal, *
quando di**zeis**: "Voltai ao pó, filhos de Adão!"

— [4] Pois mil **an**os para vós são como ontem, *
qual vi**gí**lia de uma noite que passou.

— [5] Eles **pass**am como o sono da manhã, *
[6] são i**guais** à erva verde pelos campos:

— De manhã ela floresce vicejante, *
mas à **tar**de é cortada e logo seca.

— [7] Por vossa **ira** perecemos realmente, *
vosso fu**ror** nos apavora e faz tremer;

— [8] pus**estes** nossa culpa à nossa frente, *
nossos se**gre**dos ao clarão de vossa face.

— [9] Em vossa **ira** se consomem nossos dias, *
como um **so**pro se acabam nossos anos.

—[10] Pode du**rar** setenta anos nossa vida, *
os mais **fort**es talvez cheguem a oitenta;

— a maior **part**e é ilusão e sofrimento: *
passam de**press**a e também nós assim passamos.

—[11] Quem ava**lia** o poder de vossa ira, *
o res**pei**to e o temor que mereceis?

—[12] Ensi**nai**-nos a contar os nossos dias, *
e dai ao **nos**so coração sabedoria!

—[13] Senhor, vol**tai**-vos! Até quando tardareis? *
Tende pie**da**de e compaixão de vossos servos!

—[14] Saci**ai**-nos de manhã com vosso amor, *
e exulta**re**mos de alegria todo o dia! —

Segunda-feira – Laudes 1047

– [15] Alegrai-nos pelos dias que sofremos, *
pelos anos que passamos na desgraça!
– [16] Manifestai a vossa obra a vossos servos, *
e a seus filhos revelai a vossa glória!
– [17] Que a bondade do Senhor e nosso Deus *
repouse sobre nós e nos conduza!
– Tornai fecundo, ó Senhor, nosso trabalho, *
fazei dar frutos o labor de nossas mãos.

Ant. Saciai-nos de manhã com vosso amor!

T.P.: Que a bondade do Senhor e nosso Deus
repouse sobre nós e nos conduza. Aleluia.

Ant. 2 Louvores ao Senhor dos confins de toda a terra!

T.P.: Diante deles mudarei em luz as trevas, aleluia.

Cântico   Is 42,10-16

Hino ao Deus vencedor e salvador

Cantavam um cântico novo diante do trono (Ap 14,3).

– [10] Cantai ao Senhor Deus um canto novo, *
louvor a ele dos confins de toda a terra!
– Louve ao Senhor o oceano e o que há nele, *
louvem as ilhas com os homens que as habitam!
– [11] Ergam um canto os desertos e as cidades, *
e as tendas de Cedar louvem a Deus!
– Habitantes dos rochedos, aclamai; *
dos altos montes sobem gritos de alegria!
– [12] Todos eles deem glória ao Senhor, *
e nas ilhas se proclame o seu louvor!
– [13] Eis o Senhor como herói que vai chegando, *
como guerreiro com vontade de lutar;
– solta seu grito de batalha aterrador *
como valente que enfrenta os inimigos.
– [14] "Por muito tempo me calei, guardei silêncio, *
fiquei calado e, paciente, me contive;
– mas grito agora qual mulher que está em parto, *
ofegante e sem alento em meio às dores. –

1048   IV Semana

– [15] As montanhas e as colinas destruirei, *
    farei secar toda a verdura que as reveste;
– mudarei em terra seca os rios todos, *
    farei secar todos os lagos e açudes.
– [16] Conduzirei, então, os cegos pela mão *
    e os levarei por um caminho nunca visto;
– hei de guiá-los por atalhos e veredas *
    até então desconhecidos para eles.
– Diante deles mudarei em luz as trevas, *
    farei planos os caminhos tortuosos.
– Tudo isso hei de fazer em seu favor, *
    e jamais eu haverei de abandoná-los!"

Ant. Louvores ao Senhor dos confins de toda a terra!

T.P.: Diante deles mudarei em luz as trevas, aleluia.

Ant. 3 Louvai o Senhor, bendizei-o,
       vós que estais junto aos átrios de Deus!

T..P: Ele faz tudo quanto lhe agrada, aleluia.

Salmo 134(135),1-12

Louvor ao Senhor por suas maravilhas

Povo que ele conquistou, proclamai as obras admiráveis daquele que vos chamou das trevas para a sua luz maravilhosa (cf. 1Pd 2,9).

– [1] Louvai o Senhor, bendizei-o; *
    louvai o Senhor, servos seus,
– [2] que celebrais o louvor em seu templo *
    e habitais junto aos átrios de Deus!
– [3] Louvai o Senhor, porque é bom; *
    cantai ao seu nome suave!
– [4] Escolheu para si a Jacó, *
    preferiu Israel por herança.
– [5] Eu bem sei que o Senhor é tão grande, *
    que é maior do que todos os deuses.
= [6] Ele faz tudo quanto lhe agrada, †
    nas alturas dos céus e na terra, *
    no oceano e nos fundos abismos. –

Segunda-feira – Laudes

= ⁷Traz as **nu**vens do extremo da terra, †
transfo**r**ma os raios em chuva, *
das ca**ver**nas libera os ventos.

– ⁸No E**gi**to feriu primogênitos, *
desde **ho**mens até animais.

– ⁹Fez mi**la**gres, prodígios, portentos, *
pe**ran**te Faraó e seus servos.

– ¹⁰A**ba**teu numerosas nações *
e ma**tou** muitos reis poderosos:

= ¹¹A Se**on** que foi rei amorreu, †
e a **Og** que foi rei de Basã, *
como a **to**dos os reis cananeus.

– ¹²Ele **deu** sua terra em herança, *
em he**ran**ça a seu povo, Israel.

Ant. Lou**vai** o Se**nhor**, bendi**zei**-o,
vós que es**tais** junto aos **átrios** de **Deus**!

T..P: Ele **faz** tudo **quan**to lhe a**gra**da, ale**luia**.

Leitura breve
Jt 8,25-26a.27

Demos graças ao Senhor nosso Deus, que nos submete a provações, como fez com nossos pais. Lembrai-vos de tudo o que Deus
fez a Abraão, de como provou Isaac, de tudo o que aconteceu a
Jacó. Assim como os provou pelo fogo, para lhes experimentar o
coração, assim também ele não se está vingando de nós. É antes
para advertência que o Senhor açoita os que dele se aproximam.

Responsório breve
R. Ó **jus**tos, ale**grai**-vos no Se**nhor**!
* Aos **re**tos fica **bem** glorificá-lo. **R.** Ó **jus**tos.
V. Can**tai** para o Se**nhor** um canto **no**vo. * Aos **re**tos.
Glória ao **Pai**. **R.** Ó **jus**tos.

Cântico evangélico, ant.
Bendito **se**ja o Senhor **Deus,** que visi**tou** e liber**tou**
a nós que **so**mos o seu **po**vo!

Preces
Oremos a Cristo, que ouve e salva os que nele esperam; e o acla-
memos:
R. Nós vos louvamos, Senhor, e em vós esperamos!

1050   IV Semana

Nós vos damos graças, Senhor, que sois rico em misericórdia,
– pela imensa caridade com que nos amastes.
R. **Nós vos louvamos, Senhor, e em vós esperamos!**

Vós, que estais sempre agindo no mundo em união com o Pai,
– renovai todas as coisas pelo poder do Espírito Santo.   R.

Abri os nossos olhos e os de nossos irmãos e irmãs,
– para que contemplemos hoje as vossas maravilhas.   R.

Vós, que neste dia nos chamais para o vosso serviço,
– tornai-nos fiéis servidores da vossa graça em favor de nossos
irmãos e irmãs.   R.

(intenções livres)

Pai nosso...

Oração

Senhor nosso Deus, que confiastes ao ser humano a missão de
guardar e cultivar a terra, e colocastes o sol a seu serviço, dai-nos a
graça de neste dia trabalhar com ardor pelo bem dos nossos irmãos
e irmãs para o louvor de vossa glória. Por nosso Senhor Jesus
Cristo, vosso Filho, na unidade do Espírito Santo.

Hora Média

V. Vinde, ó **Deus**. Glória ao **Pai**. Como era. (Aleluia).
HINO como no Ordinário, p. 743.

Salmodia

Ant. 1 Conforme a vossa **lei**, firmai meus **pa**ssos, ó Senhor!

Salmo 118(119),129-136
XVII (Phe)

Meditação sobre a Palavra de Deus na Lei

O amor é o cumprimento perfeito da Lei (Rm 13,10).

–[129] Maravilhosos são os **vos**sos testemunhos, *
eis por **que** meu coração os observa!
–[130] Vossa palavra, ao revelar-se, me ilumina, *
ela **dá** sabedoria aos pequeninos.

–[131] Abro a **bo**ca e aspiro largamente, *
pois estou ávido de vossos mandamentos.

Segunda-feira – Hora Média 1051

—[132] Senhor, vol**tai**-vos para mim, tende piedade, *
como fa**zeis** para os que amam vosso nome!
—[133] Con**for**me a vossa lei firmai meus passos, *
para que **não** domine em mim a iniquidade!
—[134] Liber**tai**-me da opressão e da calúnia, *
para que eu **pos**sa observar vossos preceitos!
—[135] Fazei bri**lhar** vosso semblante ao vosso servo, *
e ensi**nai**-me vossas leis e mandamentos!
—[136] Os meus **o**lhos derramaram rios de pranto, *
porque os **ho**mens não respeitam vossa lei.

Ant. Con**for**me a vossa **lei**, firmai meus **pas**sos, ó Se**nhor**!

Ant. 2 Há um **só** legisla**dor** e um só ju**iz**;
quem és **tu** para jul**gar** o teu ir**mão**?

Salmo 81(82)
Admoestação aos juízes iníquos

Não queirais julgar antes do tempo. Aguardai que o Senhor ve-
nha (1Cor 4,5).

— [1] Deus se le**van**ta no conselho dos juízes *
e pro**fe**re entre os deuses a sentença:
— [2] "Até **quan**do julgareis injustamente, *
favore**cen**do sempre a causa dos perversos?
— [3] Fazei justiça aos indefesos e aos órfãos, *
ao **po**bre e ao humilde absolvei!
— [4] Liber**tai** o oprimido, o infeliz, *
da **mão** dos opressores arrancai-os!"
= [5] Mas eles não percebem nem entendem, †
pois ca**mi**nham numa grande escuridão, *
aba**lan**do os fundamentos do universo!
— [6] Eu **dis**se: "Ó juízes, vós sois deuses, *
sois **fi**lhos todos vós do Deus Altíssimo!
— [7] E, con**tu**do, como homens morrereis, *
cai**reis** como qualquer dos poderosos!"
— [8] Levan**tai**-vos, ó Senhor, julgai a terra! *
porque a **vós** é que pertencem as nações!

1052   IV Semana

Ant. Há um **só** legisla**dor** e um só ju**iz**;
       quem és **tu** para jul**gar** o teu ir**mão**?

Ant. 3 Cla**mei** pelo Se**nhor**, e ele me escu**tou**.

Salmo 119(120)

Desejo da paz

Sede fortes nas tribulações, perseverantes na oração (Rm 12,12).

– ¹Cla**mei** pelo Se**nhor** na minha an**gús**tia, *
   e **e**le me escutou, quando eu dizia:
– ²"**Se**nhor, li**vrai**-me desses lábios mentirosos, *
   e da **lín**gua enganadora libertai-me!
– ³Qual **será** a tua paga, o teu castigo, *
   ó **lín**gua enganadora, qual será?
– ⁴Serão **fle**chas aguçadas de guerreiros, *
   a**ce**sas em carvões incandescentes.
– ⁵Ai de **mim**! sou exilado em Mosoc, *
   devo acam**par** em meio às tendas de Cedar!
– ⁶Já se pro**lon**ga por demais o meu desterro *
   entre este **po**vo que não quer saber de paz!
– ⁷Quando eu **fa**lo sobre paz, quando a promovo, *
   é a **guer**ra que eles tramam contra mim!"

Ant. Cla**mei** pelo Se**nhor**, e ele me escu**tou**.

Leitura breve   Sb 15,1.3
Tu, nosso Deus, és bom e verdadeiro, és paciente e tudo gover-
nas com misericórdia. Conhecer-te é a justiça perfeita, acatar teu
poder é a raiz da imortalidade.

V. Vós, Se**nhor**, sois cle**men**te e **fiel**.
R. Sois a**mor**, paci**ên**cia e per**dão**.

Oração

Ó Deus, senhor e-guarda da vinha e da colheita, que repartis as
tarefas e dais a justa recompensa, fazei-nos carregar o peso do
dia, sem jamais murmurar contra a vossa vontade. Por Cristo,
nosso Senhor.

Segunda-feira – Vésperas

Vésperas

V. Vinde, ó **Deus**. Glória ao **Pai**. Como era. (Aleluia).

Hino

Fonte da luz, da luz origem,
as nossas preces escutai:
da culpa as trevas expulsando,
com vossa luz nos clareai.

Durante a faina deste dia
nos protegeu o vosso olhar.
De coração damos graças
em todo tempo e lugar.

Se o pôr do sol nos trouxe as trevas,
outro sol fulge, coruscante,
e envolve até os próprios anjos
com o seu brilho radiante.

Todas as culpas deste dia
apague o Cristo bom e manso,
e resplandeça o coração
durante as horas do descanso.

Glória a vós, Pai, louvor ao Filho,
poder ao Espírito também.
No resplendor do vosso brilho,
regeis o céu e a terra. Amém.

Salmodia

Ant. 1 Demos **graças** ao Se**nhor**, porque e**ter**no é seu **amor**!

T.P.: Quem **vive** em Jesus **Cristo** é uma **nova** cria**tura**. Ale**luia**.

Salmo 135(136)

**Hino pascal pelas maravilhas do Deus criador
e libertador**

Anunciar as maravilhas de Deus é louvá-lo (Cassiodoro).

I

– [1] Demos **graças** ao Se**nhor**, porque ele é **bom**: *
Porque e**ter**no é seu amor!
– [2] Demos **graças** ao Se**nhor**, Deus dos **deus**es: *
Porque e**ter**no é seu **amor**!

1054   IV Semana

– ³Demos **graç**as ao Senhor dos senhores: *
  Porque e**ter**no é seu amor!
– ⁴Somente **e**le é que fez grandes maravilhas: *
  Porque e**ter**no é seu amor!
– ⁵Ele cri**ou** o firmamento com saber: *
  Porque e**ter**no é seu amor!
– ⁶Esten**deu** a terra firme sobre as águas: *
  Porque e**ter**no é seu amor!
– ⁷Ele cri**ou** os luminares mais brilhantes: *
  Porque e**ter**no é seu amor!
– ⁸Criou o **sol** para o dia presidir: *
  Porque e**ter**no é seu amor!
– ⁹Criou a **lua** e as estrelas para a noite: *
  Porque e**ter**no é seu amor!

Ant. Demos **graç**as ao Se**nhor**, porque e**ter**no é seu a**mor**!

T.P.: Quem **v**ive em Jesus **Cristo** é uma **no**va cria**tu**ra. Ale**lui**a.

Ant. 2 Como são **gran**des e admi**rá**veis vossas **obr**as,
     ó Se**nhor** e nosso **Deus** onipo**ten**te!

T.P.: A**me**mos a **Deus**, pois Ele, o Se**nhor**,
     nos a**mou** por primei**ro**, ale**lui**a.

II

– ¹⁰Ele fe**riu** os primogênitos do Egito: *
  Porque e**ter**no é seu a**mor**!
– ¹¹E ti**rou** do meio deles Israel: *
  Porque e**ter**no é seu amor!
– ¹²Com mão **for**te e com braço estendido: *
  Porque e**ter**no é seu amor!
– ¹³Ele cor**tou** o mar Vermelho em duas partes: *
  Porque e**ter**no é seu amor!
– ¹⁴Fez pas**sar** no meio dele Israel: *
  Porque e**ter**no é seu amor!
– ¹⁵E afo**gou** o Faraó com suas tropas: *
  Porque e**ter**no é seu amor!
– ¹⁶Ele gui**ou** pelo deserto o seu povo: *
  Porque e**ter**no é seu amor!

Segunda-feira – Vésperas

– [17] E feriu por causa dele grandes reis: *
Porque eterno é seu amor!
– [18] Reis poderosos fez morrer por causa dele: *
Porque eterno é seu amor!

– [19] A Seon que fora rei dos amorreus: *
Porque eterno é seu amor!
– [20] E a Og, o soberano de Basã: *
Porque eterno é seu amor!

– [21] Repartiu a terra deles como herança: *
Porque eterno é seu amor!
– [22] Como herança a Israel, seu servidor: *
Porque eterno é seu amor!
– [23] De nós, seu povo humilhado, recordou-se: *
Porque eterno é seu amor!

– [24] De nossos inimigos libertou-nos: *
Porque eterno é seu amor!
– [25] A todo ser vivente ele alimenta: *
Porque eterno é seu amor!
– [26] Demos graças ao Senhor, o Deus dos céus: *
Porque eterno é seu amor!

Ant. Como são grandes e admiráveis vossas obras,
ó Senhor e nosso Deus onipotente!

T.P.: Amemos a Deus, pois Ele, o Senhor,
nos amou por primeiro, aleluia.

Ant. 3 Na plenitude dos tempos,
quis o Pai reunir todas as coisas no Cristo.

T.P.: Todos nós recebemos de sua plenitude
graça após graça. Aleluia.

Cântico
Ef 1,3-10
O plano divino da salvação

– [3] Bendito e louvado seja Deus, *
o Pai de Jesus Cristo, Senhor nosso,
– que do alto céu nos abençoou em Jesus Cristo *
com bênção espiritual de toda sorte!

IV Semana

(R. **Bendi**to sejais **vós**, nosso **Pai**,
    que **nos** abençoastes em **Cris**to!)

– ⁴ Foi em **Cris**to que Deus Pai nos escolheu, *
    já bem **an**tes de o mundo ser criado,

–   para que **fôs**semos, perante a sua face, *
    sem **má**cula e santos pelo amor.   **(R.)**

= ⁵ Por **li**vre decisão de sua vontade, †
    predesti**nou**-nos, através de Jesus Cristo, *
    a sermos **ne**le os seus filhos adotivos,

– ⁶ para o lou**vor** e para a glória de sua graça, *
    que em seu **Fi**lho bem-amado nos doou.   **(R.)**

– ⁷ É **ne**le que nós temos redenção, *
    dos pe**ca**dos remissão pelo seu sangue.

=   Sua **gra**ça transbordante e inesgotável †
    ⁸ Deus der**ra**ma sobre nós com abundância, *
    de sa**ber** e inteligência nos dotando.   **(R.)**

– ⁹ E as**sim**, ele nos deu a conhecer *
    o mis**té**rio de seu plano e sua vontade,

–   que propu**se**ra em seu querer benevolente, *
    ¹⁰ na pleni**tu**de dos tempos realizar:

–   o de**sí**gnio de, em Cristo, reunir *
    todas as **coi**sas: as da terra e as do céu.   **(R)**

Ant. Na pleni**tu**de dos **tem**pos,
    quis o **Pai** reu**nir** todas as **coi**sas no **Cris**to.

T.P.: Todos **nós** rece**be**mos de **su**a plenitude
    graça após **gra**ça. Ale**lu**ia.

Leitura breve   1Ts 3,12-13

O Senhor vos conceda que o amor entre vós e para com todos aumente e transborde sempre mais, a exemplo do amor que temos
por vós. Que assim ele confirme os vossos corações numa santidade sem defeito aos olhos de Deus, nosso Pai, no dia da vinda
de nosso Senhor Jesus, com todos os seus santos.

Responsório breve

R. Ó Se**nhor**, suba à **vos**sa presença
    * A **mi**nha ora**ção**, como in**cen**so. R. Ó Se**nhor**.

Segunda-feira – Vésperas

V. Minhas **mãos** como oferta da **tar**de. * A **mi**nha ora**ção**.
Glória ao **Pai.** R. Ó Se**nhor**.

Cântico evangélico, ant.

A minh'**al**ma vos engrand**ec**e
eter**na**mente, Senhor, meu **Deus**!

Preces

Oremos a Jesus Cristo, que nunca abandona os que nele confiam;
e digamos humildemente:

R. **Senhor Deus, ouvi a nossa oração!**

Senhor Jesus Cristo, nossa luz, iluminai a vossa Igreja,
– a fim de que ela anuncie a todos os povos o grande mistério da
piedade manifestado na vossa encarnação. R.

Protegei os sacerdotes e ministros da vossa Igreja,
– para que, pregando aos outros, sejam também eles fiéis ao vosso serviço. R.

Vós, que, pelo vosso sangue, destes a paz ao mundo,
– afastai o pecado da discórdia e o flagelo da guerra. R.

Dai a riqueza da vossa graça aos que vivem no matrimônio,
– para que sejam mais perfeitamente um sinal do mistério de vossa Igreja. R.

(intenções livres)

Concedei a todos os que morreram o perdão dos pecados,
– a fim de que por vossa misericórdia vivam na companhia dos
santos. R.

Pai nosso...

Oração

Ficai conosco, Senhor Jesus, porque a tarde cai e sendo nosso
companheiro na estrada, aquecei-nos os corações e reanimai nossa esperança, para vos reconhecermos com os irmãos nas Escrituras e no partir do pão. Vós, que sois Deus com o Pai, na unidade do Espírito Santo.

IV TERÇA-FEIRA

Laudes

V. Vinde, ó **Deus**. Glória ao **Pai**. Como era. (Aleluia).

Hino

Da luz Criador,
vós mesmo sois luz
e dia sem fim.
Vós nunca da noite
provastes as trevas:
Só Deus é assim.

A noite já foge
e o dia enfraquece
dos astros a luz.
A estrela da aurora,
surgindo formosa,
no céu já reluz.

Os leitos deixando,
a vós damos graças
com muita alegria,
porque novamente,
por vossa bondade,
o sol traz o dia.

Ó Santo, pedimos
que os laços do Espírito
nos prendam a vós,
e, assim, não ouçamos
as vozes da carne
que clamam em nós.

Às almas não fira
a flecha da ira
que traz divisões.
Livrai vossos filhos
da própria malícia
dos seus corações.

Que firmes na mente
e castos no corpo,
de espírito fiel,

Terça-feira – Laudes

sigamos a Cristo,
Caminho e Verdade,
doçura do céu.

O Pai piedoso
nos ouça, bondoso,
e o Filho também.
No laço do Espírito
unidos, dominam
os tempos. Amém.

Salmodia

Ant. 1 Cantarei os meus hinos a **vós**, ó **Senhor**;
desejo tri**lhar** o ca**mi**nho do **bem**.

T.P.: Quem fizer a von**ta**de do **Pai**,
no **rei**no dos **céus** entrará Ale**lu**ia.

Salmo 100(101)

Propósitos de um rei justo

Se me amais, guardai os meus mandamentos (Jo 14,15).

– ¹Eu **que**ro can**tar** o a**mor** e a jus**ti**ça, *
can**tar** os meus hinos a **vós**, ó Senhor!
– ²De**se**jo trilhar o ca**mi**nho do **bem**, *
mas **quan**do vireis até **mim**, ó Senhor?

– Vive**rei** na pureza do **meu** coração, *
no **mei**o de toda a **mi**nha família.
– ³Di**an**te dos olhos eu **nun**ca terei *
qual**quer** coisa má, injus**ti**ça ou pecado.

– De**tes**to o crime de **quem** vos renega; *
que **não** me atraia de **mo**do nenhum!
– ⁴Bem **lon**ge de mim, cora**ções** depravados, *
nem **no**me eu conheço de **quem** é malvado.

– ⁵Fa**rei** que se cale di**an**te de mim *
quem é **fal**so e às ocultas di**fa**ma seu próximo;
– o cora**ção** orgulhoso, o **o**lhar arrogante *
não **vou** suportar e não **que**ro nem ver. –

1060   IV Semana

– ⁶ Aos fiéis desta terra eu volto meus olhos; *
    que eles estejam bem perto de mim!
–   Aquele que vive fazendo o bem *
    será meu ministro, será meu amigo.
– ⁷ Na minha morada não pode habitar *
    o homem perverso e aquele que engana;
–   aquele que mente e que faz injustiça *
    perante meus olhos não pode ficar.
– ⁸ Em cada manhã haverei de acabar *
    com todos os ímpios que vivem na terra;
–   farei suprimir da cidade de Deus *
    a todos aqueles que fazem o mal.

Ant. Cantarei os meus hinos a vós, ó Senhor;
    desejo trilhar o caminho do bem.

T.P.: Quem fizer a vontade do Pai,
    no reino dos céus entrará Aleluia.

Ant. 2 Senhor Deus, não nos tireis vosso favor!

T.P.: Que os povos da terra aprendam de nós
    vosso amor, aleluia.

               Cântico   Dn 3,26.27.29.34-41

Oração de Azarias na fornalha

*Arrependei-vos e convertei-vos, para que vossos pecados sejam
perdoados!* (At 3,19).

–²⁶ Sede bendito, Senhor Deus de nossos pais. *
    Louvor e glória ao vosso nome para sempre!
–²⁷ Porque em tudo o que fizestes vós sois justo, *
    reto no agir, e no julgar sois verdadeiro.
–²⁹ Sim, pecamos afastando-nos de vós, *
    agimos mal em tudo aquilo que fizemos.
–³⁴ Não nos deixeis eternamente, vos pedimos, *
    por vosso nome: não rompais vossa Aliança!
–³⁵ Senhor Deus, não nos tireis vosso favor, †
    por Abraão, o vosso amigo, por Isaac, *
    o vosso servo, e por Jacó, o vosso santo!

Terça-feira – Laudes

= ³⁶Pois a eles prometestes descendência †
   numerosa como os astros que há nos céus, *
   incontável como a areia que há nas praias.

= ³⁷Eis, Senhor, mais reduzidos nós estamos †
   do que todas as nações que nos rodeiam; *
   por nossos crimes nos humilham em toda a terra!

– ³⁸Já não temos mais nem chefe nem profeta; *
   não há mais nem oblação nem holocaustos,

–   não há lugar de oferecer-vos as primícias, *
   que nos façam alcançar misericórdia!

= ³⁹Mas aceitai o nosso espírito abatido, †
   e recebei o nosso ânimo contrito *
   ⁴⁰como holocaustos de cordeiros e de touros.

=   Assim, hoje, nossa oferta vos agrade, †
   pois não serão, de modo algum, envergonhados *
   os que põem a esperança em vós, Senhor!

= ⁴¹De coração vos seguiremos desde agora, *
   com respeito procurando a vossa face!

Ant. Senhor Deus, não nos tireis vosso favor!

T.P.: Que os povos da terra aprendam de nós
   vosso amor, aleluia.

Ant. 3 Um canto novo, meu Deus, vou cantar-vos.

T.P.: O Senhor é meu refúgio e o meu Libertador. Aleluia.

Salmo 143(144),1-10
Oração pela vitória e pela paz

Tudo posso naquele que me dá força (Fl 4,13)

= ¹Bendito seja o Senhor, meu rochedo, †
   que adestrou minhas mãos para a luta, *
   e os meus dedos treinou para a guerra!

– ²Ele é meu amor, meu refúgio, *
   libertador, fortaleza e abrigo.

–   é meu escudo: é nele que espero, *
   ele submete as nações a meus pés. –

1062   IV Semana

= ³ Que é o **ho**mem, Senhor, para vós? †
   Por que **de**le cuidais tanto assim, *
   e no **fi**lho do homem pensais?
– ⁴ Como o **so**pro de vento é o homem, *
   os seus **di**as são sombra que passa.
– ⁵ Incli**nai** vossos céus e descei, *
   tocai os **mon**tes, que eles fumeguem.
– ⁶ Fulmi**nai** o inimigo com raios, *
   lançai **fle**chas, Senhor, dispersai-o!
= ⁷ Lá do **al**to estendei vossa mão, †
   reti**rai**-me do abismo das águas, *
   e sal**vai**-me da mão dos estranhos;
– ⁸ sua **bo**ca só tem falsidade, *
   sua **mão** jura falso e engana.
– ⁹ Um canto **no**vo, meu Deus, vou cantar-vos, *
   nas dez **cor**das da harpa louvar-vos,
–¹⁰ a vós que **dais** a vitória aos reis *
   e sal**vais** vosso servo Davi.

Ant. Um canto **no**vo, meu **Deus**, vou can**tar**-vos.

T.P.: O Se**nhor** é meu re**fú**gio e o **meu** Liberta**dor**. Aleluia.

Leitura breve   Is 55,1
Ó vós todos que estais com sede, vinde às águas; vós que não tendes dinheiro, apressai-vos, vinde e comei, vinde comprar sem dinheiro, tomar vinho e leite, sem nenhuma paga.

Responsório breve
R. Por vosso a**mor**, ó Se**nhor**, ou**vi** minha **voz**,
   * Confi**an**te eu con**fio** na **vos**sa palavra. R. Por vosso a**mor**.
V. Chego **an**tes que a aurora e cla**mo** a **vós**. * Confi**an**te.
   Glória ao **Pai**. R. Por vosso a**mor**.

Cântico evangélico, ant.
Salvai-nos, ó Se**nhor**, da **mão** dos ini**mi**gos!

Preces
Concedendo-nos a alegria de louvá-lo nesta manhã, Deus fortalece a nossa esperança; por isso, dirijamos-lhe a nossa oração cheios de confiança:

Terça-feira – Hora Média   1063

R. **Ouvi-nos, Senhor, para a glória de vosso nome!**

Nós vos agradecemos, Deus e Pai de nosso Salvador Jesus Cristo,
– pelo conhecimento e pela imortalidade que recebemos por
meio dele.   R.

Concedei-nos a humildade de coração,
– para nos ajudarmos uns aos outros no amor de Cristo.   R.

Derramai o Espírito Santo sobre nós, vossos servos,
– para que seja sincero o nosso amor fraterno.   R.

Vós, que confiastes aos seres humanos a tarefa de governar o
mundo,
– concedei que o nosso trabalho vos dê glória e santifique os nossos irmãos e irmãs.   R.

(intenções livres)

Pai nosso...

Oração

Senhor, aumentai em nós o dom da fé, para que em nossos lábios vosso louvor seja perfeito e produza sempre a abundância
de frutos celestes. Por nosso Senhor Jesus Cristo, vosso Filho, na
unidade do Espírito Santo.

Hora Média

V. Vinde, ó **Deus**. Glória ao **Pai**. Como era. (Aleluia).

HINO como no Ordinário, p. 743.

Salmodia

Ant. 1 Se compreen**der**des o que vos **digo**,
sereis fe**li**zes se o prati**car**des.

Salmo 118(119),137-144
XVIII (Sade)

Meditação sobre a Palavra de Deus na Lei

*Feliz aquele que lê e aqueles que escutam as palavras desta profe-
cia e também praticam o que nela está escrito (Ap 1,3).*

–[137] Vós sois **jus**to, na ver**da**de, ó Se**nhor**, *
e os **vos**sos julgamentos são corretos!
–[138] Com jus**ti**ça ordenais vossos preceitos, *
com ver**da**de a toda prova os ordenais. –

1064   IV Semana

– ¹³⁹O meu zelo me devora e me consome, *
  por esquecerem vossa lei meus inimigos.
– ¹⁴⁰Vossa palavra foi provada e comprovada, *
  por isso o vosso servo tanto a ama.
– ¹⁴¹Embora eu seja tão pequeno e desprezado, *
  jamais esqueço vossas leis, vossos preceitos.
– ¹⁴²Vossa justiça é justiça eternamente *
  e vossa lei é a verdade inabalável.
– ¹⁴³Angústia e sofrimento me assaltaram; *
  minhas delícias são os vossos mandamentos.
– ¹⁴⁴Justiça eterna é a vossa Aliança; *
  ajudai-me a compreendê-la e viverei!

Ant. Se compreenderdes o que vos digo,
  sereis felizes se o praticardes.

Ant. 2 Chegue a minha oração até vós, ó Senhor!

Salmo 87(88)

Prece de um homem gravemente enfermo

Esta é a vossa hora, a hora do poder das trevas (Lc 22,53).

I

– ² A vós clamo, Senhor, sem cessar, todo o dia, *
  e de noite se eleva até vós meu gemido.
– ³Chegue a minha oração até a vossa presença, *
  inclinai vosso ouvido a meu triste clamor!
– ⁴Saturada de males se encontra a minh'alma, *
  minha vida chegou junto às portas da morte.
– ⁵Sou contado entre aqueles que descem à cova, *
  toda gente me vê como um caso perdido!
– ⁶O meu leito já tenho no reino dos mortos, *
  como um homem caído que jaz no sepulcro,
– de quem mesmo o Senhor se esqueceu para sempre *
  e excluiu por completo da sua atenção.
– ⁷Ó Senhor, me pusestes na cova mais funda, *
  nos locais tenebrosos da sombra da morte.
– ⁸Sobre mim cai o peso do vosso furor, *
  vossas ondas enormes me cobrem, me afogam.

Terça-feira – Hora Média

Ant. Chegue a **minha** oração até **vós**, ó **Senhor**!

Ant. 3 Clamo a **vós**, ó Senhor, sem cessar todo o **dia**,
oh! **não** escondais vossa **face** de **mim**!

II

– [9]Afastastes de **mim** meus **par**entes e a**migos**, *
para eles tornei-me objeto de horror.
– Eu estou aqui preso e não **posso** sair, *
[10]e meus **o**lhos se gastam de **tan**ta aflição.
– Clamo a **vós**, ó Senhor, sem cessar, todo o dia, *
minhas **mãos** para vós se levantam em prece.
– [11]Para os **mor**tos, acaso faríeis milagres? *
poderiam as sombras er**guer**-se e louvar-vos?
– [12]No sepulcro haverá quem vos **cant**e o amor *
e proclame entre os mortos a **vossa** verdade?
– [13]Vossas **o**bras serão conhecidas nas trevas, *
vossa **gra**ça, no reino onde **tu**do se esquece?
– [14]Quanto a **mim**, ó Senhor, clamo a **vós** na aflição, *
minha **pre**ce se eleva até **vós** desde a aurora.
– [15]Por que **vós**, ó Senhor, rejei**tais** a minh'alma? *
E por **que** escondeis vossa **face** de mim?
– [16]Mori**bun**do e infeliz desde o **tem**po da infância, *
esgo**tei**-me ao sofrer sob o **vos**so terror.
– [17]Vossa **i**ra violenta ca**iu** sobre mim *
e o **vos**so pavor redu**zi**u-me a um nada!
– [18]Todo **dia** me cercam quais **on**das revoltas, *
todos **jun**tos me assaltam, me **pren**dem, me apertam.
– [19]Afas**tas**tes de mim os **par**entes e amigos, *
e por **meus** familiares só **ten**ho as trevas!

Ant. Clamo a **vós**, ó Se**nhor**, sem cessar todo o **dia**,
oh! **não** escondais vossa **face** de **mim**!

Leitura breve
Dt 30,11.14

Este mandamento que hoje te dou não é difícil demais, nem está fora do teu alcance. Ao contrário, esta palavra está bem ao teu alcance, está em tua boca e em teu coração, para que a possas cumprir.

1066   IV Semana

V. Vossa palavra é uma **luz** para os meus **passos**.
R. É uma **lâmp**ada luz**en**te em meu **cam**inho.

Oração

Ó Deus, que revelastes a Pedro vosso plano de salvação para todos os povos, fazei que nossos trabalhos vos agradem e pela vossa graça, sirvam ao vosso desígnio de amor e redenção. Por Cristo, nosso Senhor.

Vésperas

V. Vinde, ó **Deus**. Glória ao **Pai**. Como era. (Alel**ui**a).
Hino

Autor e origem do tempo,
por sábia ordem nos dais
o claro dia no trabalho,
e a noite, o sono e à paz.

As mentes castas guardai
dentro da calma da noite
e que não venha a feri-las
do dardo mau o açoite.

Os corações libertai
de excitações persistentes.
Não quebre a chama da carne
a força viva das mentes.

Ouvi-nos, Pai piedoso,
e vós, ó Filho de Deus,
que com o Espírito Santo
reinais eterno nos céus.

Salmodia
Ant. 1 Se de **ti**, Jerusa**lém**, algum **dia** eu me esque**cer**,
que resseque a minha **mão**!

T.P.: Cantai **ho**je para **nós** algum **can**to de Si**ão**! Ale**lui**a.

Salmo 136(137),1-6

Junto aos rios da Babilônia

Este cativeiro do povo deve-se entender como símbolo do nosso cativeiro espiritual (Sto. Hilário).

Terça-feira – Vésperas 1067

= ¹ Junto aos **rios** da Babilônia †
nos sent**á**vamos chorando, *
com saud**a**des de Sião.

– ² Nos sal**guei**ros por ali *
pend**u**ramos nossas harpas.

– ³ Pois foi **lá** que os opressores *
nos pe**di**ram nossos cânticos;

– nossos **guar**das exigiam *
ale**gria** na tristeza:

– "Cantai **ho**je para nós *
algum **can**to de Sião!"

= ⁴ Como havemos de cantar †
os can**ta**res do Senhor *
numa **ter**ra estrangeira?

= ⁵ Se de ti, Jerusalém, †
algum **dia** eu me esquecer, *
que resseque a minha mão!

= ⁶ Que se **cole** a minha língua †
e se **pren**da ao céu da boca, *
se de **ti** não me lembrar!

– Se não **for** Jerusalém *
minha **gran**de alegria!

Ant. Se de **ti**, Jerusa**lém**, algum **dia** eu me esque**cer**,
que resseque a minha **mão**!

T.P.: Cantai **ho**je para **nós** algum **can**to de Sião! Ale**lu**ia.

Ant. 2 Pe**ran**te os vossos **anjos** vou can**tar**-vos, ó meu **Deus**!

T.P.: No **meio** da desgraça me faz**eis** tornar à **vi**da. Ale**lu**ia.

Salmo 137(138)

Ação de graças

Os reis da terra levarão à Cidade Santa a sua glória (cf. Ap 21,14).

– ¹ Ó Se**nhor**, de cora**ção** eu vos dou **graças**, *
porque ou**vis**tes as palavras dos meus lábios!

– Pe**ran**te os vossos anjos vou cantar-vos *
² e **an**te o vosso templo vou prostrar-me.

1068 IV Semana

– Eu agradeço vosso amor, vossa verdade, *
 porque fizestes muito mais que prometestes;
– ³naquele dia em que gritei, vós me escutastes *
 e aumentastes o vigor da minha alma.
– ⁴Os reis de toda a terra hão de louvar-vos, *
 quando ouvirem, ó Senhor, vossa promessa.
– ⁵Hão de cantar vossos caminhos e dirão: *
 "Como a glória do Senhor é grandiosa!"
– ⁶Altíssimo é o Senhor, mas olha os pobres, *
 e de longe reconhece os orgulhosos.
– ⁷Se no meio da desgraça eu caminhar, *
 vós me fazeis tornar à vida novamente;
– quando os meus perseguidores me atacarem *
 e com ira investirem contra mim,
– estendereis o vosso braço em meu auxílio *
 e havereis de me salvar com vossa destra.
– ⁸Completai em mim a obra começada; *
 ó Senhor, vossa bondade é para sempre!
– Eu vos peço: não deixeis inacabada *
 esta obra que fizeram vossas mãos!

Ant. Perante os vossos anjos vou cantar-vos, ó meu Deus!

T.P.: No meio da desgraça me fazeis tornar à vida. Aleluia.

Ant. 3 O Cordeiro imolado é digno
 de receber honra, glória e poder.

T.P.: A vós pertencem a grandeza e o poder,
 toda a glória e majestade, aleluia.

Cântico   Ap 4,11; 5,9.10.12
Hino dos remidos

– ⁴,¹¹ Vós sois digno, Senhor nosso Deus, *
 de receber honra, glória e poder!

(R. Poder, honra e glória ao Cordeiro de Deus!)

= ⁵,⁹ Porque todas as coisas criastes, †
 é por vossa vontade que existem, *
 e subsistem porque vós mandais.

(R.)

Terça-feira – Vésperas

= Vós sois **digno**, Senhor nosso Deus, †
de o **livro** nas mãos receber *
e de a**brir** suas folhas lacradas! (R.)

– Porque **fostes** por nós imolado; *
para **Deus** nos remiu vosso sangue

– dentre **to**das as tribos e línguas, *
dentre os **po**vos da terra e nações. (R.)

= ¹⁰ Pois fi**zes**tes de nós, para Deus, †
sacer**do**tes e povo de reis, *
e i**re**mos reinar sobre a terra. (R.)

= ¹² O Cor**dei**ro imolado é digno †
de rece**ber** honra, glória e poder, *
sabedo**ri**a, louvor, divindade! (R.)

Ant. O Cor**dei**ro imola**do** é **di**gno
de rece**ber** honra, **gló**ria e po**der**.

T.P.: A vós per**ten**cem a gran**de**za e o po**der**,
toda a **gló**ria e majes**ta**de, ale**lui**a.

Leitura breve   Cl 3,16

Que a palavra de Cristo, com toda a sua riqueza, habite em vós.
Ensinai e admoestai-vos uns aos outros com toda a sabedoria. Do
fundo dos vossos corações, cantai a Deus salmos, hinos e cânticos espirituais, em ação de graças.

Responsório breve

R. Junto a **vós**, felici**da**de,
* Felici**da**de sem li**mi**tes! R. Junto a **vós**.
V. De**lí**cia e**ter**na, ó Se**nhor** * Felici**da**de.
Glória ao **Pai**. R. Junto a **vós**

Cântico evangélico, ant.

Ó Se**nhor**, fazei co**nos**co maravilhas,
pois **san**to e podero**so** é vosso **No**me.

Preces

Exaltemos a Jesus Cristo, que dá ao seu povo força e poder; e lhe
peçamos de coração sincero:
R. **Ouvi-nos, Senhor, e vos louvaremos para sempre!**

1070   IV Semana

Jesus Cristo, nossa força, que nos chamastes ao conhecimento da verdade,
– concedei a vossos fiéis a perseverança na fé.

R. **Ouvi-nos, Senhor, e vos louvaremos para sempre!**

Dirigi, Senhor, segundo o vosso coração, todos os que nos governam,
– e inspirai-lhes bons propósitos, para que nos conduzam na paz.   R.

Vós, que saciastes as multidões no deserto,
– ensinai-nos a repartir o pão com aqueles que têm fome.   R.

Fazei que os governantes não se preocupem apenas com seu próprio país,
– mas respeitem as outras nações e sejam solícitos para com todas elas.   R.

(intenções livres)

Ressuscitai para a vida eterna os nossos irmãos e irmãs que morreram,
– quando vierdes manifestar a vossa glória naqueles que creram em vós.   R.

Pai nosso...

Oração

Diante de vossa face, imploramos, Senhor, que vossa bondade nos conceda meditar sempre no coração aquilo que vos dizemos com nossos lábios. Por nosso Senhor Jesus Cristo, vosso Filho, na unidade do Espírito Santo.

IV QUARTA-FEIRA

Laudes

V. Vinde, ó **Deus**. Glória ao **Pai**. Como era. (Aleluia).

Hino

     Criador das alturas celestes,
     vós fixastes caminhos de luz
     para a lua, rainha da noite,
     para o sol, que de dia reluz.

Quarta-feira – Laudes

Vai-se a treva, fugindo da aurora,
e do dia se espalha o clarão.
Nova força também nos desperta
e nos une num só coração.

O nascer deste dia convida
a cantarmos os vossos louvores.
Do céu jorra uma paz envolvente,
harmonia de luz e de cores.

Ao clarão desta luz que renasce,
fuja a treva e se apague a ilusão.
A discórdia não trema nos lábios,
a maldade não turve a razão.

Quando o sol vai tecendo este dia,
brilhe a fé com igual claridade,
cresça a espera nos bens prometidos
e nos una uma só caridade.

Escutai-nos, ó Pai piedoso,
e vós, Filho, do Pai esplendor,
que reinais, com o Espírito Santo,
na manhã sem ocaso do amor.

Salmodia

Ant. 1 Meu cora**ção** está **pron**to, meu **Deus**,
está **pron**to o **meu** cora**ção**! †

T.P.: Ele**vai**-vos, ó **Deus**, sobre os **céus**. Ale**lu**ia.

Salmo 107(108)
Louvor a Deus e pedido de ajuda

*Porque o filho de Deus foi exaltado acima dos céus, sua glória
foi anunciada por toda a terra* (Arnóbio).

– ²Meu cora**ção** está **pron**to, meu **Deus**, *
está **pron**to o meu coração
– †Vou can**tar** e tocar para vós: *
des**per**ta, minh'alma, desperta!

1072 IV Semana

– ³ Despertem a harpa e a lira, *
eu irei acordar a aurora!

– ⁴ Vou louvar-vos, Senhor, entre os povos, *
dar-vos graças por entre as nações!

– ⁵ Vosso amor é mais alto que os céus, *
mais que as nuvens a vossa verdade!

– ⁶ Elevai-vos, ó Deus, sobre os céus, *
vossa glória refulja na terra!

– ⁷ Sejam livres os vossos amados, *
vossa mão nos ajude, ouvi-nos!

= ⁸ Deus falou em seu santo lugar: †
"Exultarei, repartindo Siquém, *
e o vale em Sucot medirei.

= ⁹ Galaad, Manassés me pertencem, †
Efraim é o meu capacete, *
e Judá, o meu cetro real.

=¹⁰ É Moab minha bacia de banho, †
sobre Edom eu porei meu calçado, *
vencerei a nação filisteia!"

–¹¹ Quem me leva à cidade segura, *
e a Edom quem me vai conduzir,

–¹² se vós, Deus, rejeitais vosso povo *
e não mais conduzis nossas tropas?

–¹³ Dai-nos, Deus, vosso auxílio na angústia, *
nada vale o socorro dos homens!

–¹⁴ Mas com Deus nós faremos proezas, *
e ele vai esmagar o opressor.

Ant. Meu coração está pronto, meu Deus,
está pronto o meu coração!

T.P.: Elevai-vos, ó Deus, sobre os céus. Aleluia.

Ant. 2 Deus me envolveu de salvação qual uma veste,
e com o manto da justiça me cobriu.

T.P.: O Senhor Deus fará brotar sua justiça
e o louvor perante os povos, aleluia.

Quarta-feira – Laudes

Cântico   Is 61,10-62,5

A alegria do profeta sobre a nova Jerusalém

Vi a cidade Santa, a nova Jerusalém,... vestida qual esposa enfei-
tada para o seu marido (cf. Ap 21,2).

– ^{61,10} Eu exulto de alegria no Senhor, *
    e minh'alma rejubila no meu Deus.

–   Pois me envolveu de salvação, qual uma veste, *
    e com o manto da justiça me cobriu,

–   como o noivo que coloca o diadema, *
    como a noiva que se enfeita com suas jóias.

– ^{11} Como a terra faz brotar os seus rebentos *
    e o jardim faz germinar suas sementes,

–   o Senhor Deus fará brotar sua justiça *
    e o louvor perante todas as nações.

– ^{62,1} Por ti, Sião, não haverei de me calar, *
    nem por ti, Jerusalém, terei sossego,

–   até que brilhe a tua justiça como aurora *
    e a tua salvação como um farol.

– ^{2} Então os povos hão de ver tua justiça, *
    e os reis de toda terra, a tua glória;

–   todos eles te darão um nome novo: *
    enunciado pelos lábios do Senhor.

– ^{3} Serás coroa esplendorosa em sua mão, *
    diadema régio entre as mãos do teu Senhor.

– ^{4} Nunca mais te chamarão "Desamparada", *
    nem se dirá de tua terra "Abandonada";

–   mas haverão de te chamar "Minha querida", *
    e se dirá de tua terra "Desposada".

–   Porque o Senhor se agradou muito de ti, *
    e tua terra há de ter o seu esposo.

– ^{5} Como um jovem que desposa a bem-amada, *
    teu Construtor, assim também, vai desposar-te;

–   como a esposa é a alegria do marido, *
    serás assim a alegria do teu Deus.

Ant. Deus me envolveu de salvação qual uma veste,
    e com o manto da justiça me cobriu.

1074   IV Semana

T.P.: O Senhor **Deus** fará bro**tar** sua justiça
e o lou**vor** perante os **povos**, ale**luia**.

Ant. 3 Bendi**rei** ao S**enhor** toda a **vida**.

T.P.: Ó Si**ão**, o teu **Deus** reina**rá**,
reina**rá** para **sem**pre, ale**luia**.

Salmo 145(146)

Felicidade dos que esperam no Senhor

Louvamos o Senhor em nossa vida, isto é, em nosso proceder
(Arnóbio).

= ¹ Ben**dize**, minh'**al**ma, ao S**enhor**! †
² Bendi**rei** ao Senhor toda a vida, *
cantarei ao meu Deus sem cessar!

– ³ Não po**nhais** vossa fé nos que mandam, *
não há **ho**mem que possa salvar.

= ⁴ Ao fal**tar**-lhe o respiro ele volta †
para a **ter**ra de onde saiu; *
nesse **dia** seus planos perecem.

= ⁵ É fe**liz** todo homem que busca †
seu au**xí**lio no Deus de Jacó, *
e que **põe** no Senhor a esperança.

– ⁶ O S**enhor** fez o céu e a terra, *
fez o **mar** e o que neles existe.

– O S**enhor** é fiel para sempre, *
⁷ faz jus**ti**ça aos que são oprimidos;

– ele **dá** alimento aos famintos, *
é o S**enhor** quem liberta os cativos.

= ⁸ O S**enhor** abre os olhos aos cegos, †
o S**enhor** faz erguer-se o caído, *
o S**enhor** ama aquele que é justo.

= ⁹ É o S**enhor** quem protege o estrangeiro, †
quem am**pa**ra a viúva e o órfão, *
mas con**fun**de os caminhos dos maus. –

Quarta-feira – Laudes

=¹⁰ O Senhor reinará para sempre! †
Ó Sião, o teu Deus reinará *
para sempre e por todos os séculos!

Ant. Bendirei ao Senhor toda a vida.

T.P.: Ó Sião, o teu **Deus** reinará,
reinará para sempre, aleluia.

Leitura breve
Dt 4,39-40a

Reconhece, hoje, e grava-o em teu coração, que o Senhor é o Deus lá em cima do céu e cá embaixo na terra, e que não há outro além dele. Guarda suas leis e seus mandamentos que hoje te prescrevo.

Responsório breve

R. Bendirei o Senhor **Deus**,
  * Bendirei em todo o **tempo**. R. Bendirei.
V. Seu louvor em minha **boca**, seu louvor eterna**mente**.
  * Bendirei. Glória ao **Pai**. R. Bendirei.

Cântico evangélico, ant.

Sirvamos ao Senhor em santidade,
enquanto perdurarem nossos dias.

Preces

Jesus Cristo, esplendor do Pai, nos ilumina com a sua palavra. Cheios de amor o invoquemos:

R. **Rei da eterna glória, ouvi-nos!**

Sois bendito, Senhor, autor e consumador da nossa fé,
– porque nos chamastes das trevas para a vossa luz admirável. R.

Vós, que abristes os olhos aos cegos e fizestes os surdos ouvirem,
– aumentai a nossa fé. R.

Fazei-nos, Senhor, permanecer firmes no vosso amor,
– e que nunca nos separemos uns dos outros. R.

Dai-nos força para resistir à tentação, paciência na tribulação,
– e sentimentos de gratidão na prosperidade. R.

(intenções livres)

Pai nosso...

1076

IV Semana

Oração

Lembrai-vos, Senhor, de vossa santa aliança, consagrada pelo Sangue do Cordeiro, para que vosso povo obtenha o perdão dos pecados e avance continuamente no caminho da salvação. Por nosso Senhor Jesus Cristo, vosso Filho, na unidade do Espírito Santo.

Hora Média

V. Vinde, ó **Deus**. Glória ao **Pai**. Como era. (Aleluia).
HINO como no Ordinário, p. 743.

Salmodia

Ant. 1 Clamo de **to**do o cora**ção**: Senhor, ou**vi**-me,
pois es**pe**ro confi**an**te em vossa **lei!**

Salmo 118(119),145-152
XIX(Coph)

Meditação sobre a Palavra de Deus na Lei

Naquele que guarda a sua palavra, o amor de Deus é plenamente realizado (1Jo 2,5).

145 Clamo de **to**do o cora**ção**: Senhor, ou**vi**-me! *
Quero cum**prir** vossa vontade fielmente!

146 Clamo a **vós**: Senhor, salvai-me, eu vos suplico, *
e en**tão** eu guardarei vossa Aliança!

147 Chego **an**tes que a aurora e vos imploro, *
e es**pe**ro confiante em vossa lei.

148 Os meus **o**lhos antecipam as vigílias, *
para de **noi**te meditar vossa palavra.

149 Por vosso a**mor** ouvi atento a minha voz *
e dai-me a **vi**da, como é vossa decisão!

150 Meus opres**so**res se aproximam com maldade; *
como estão **lon**ge, ó Senhor, de vossa lei!

151 Vós estais **per**to, ó Senhor, perto de mim; *
todos os **vos**sos mandamentos são verdade!

152 Desde cri**an**ça aprendi vossa Aliança *
que fir**mas**tes para sempre, eternamente.

Quarta-feira – Hora Média 1077

Ant.Clamo de **to**do o cora**ção**: Senhor, ou**vi**-me,
pois es**pero** confi**ante** em vossa **lei!**

Ant. 2**Deus sabe** o que pe**nsam** os **ho**mens:
pois um **na**da é o **seu** pensa**mento.**

Salmo 93(94)

O Senhor faz justiça

O Senhor se vinga de tudo:... pois Deus não nos chamou à impureza, mas à santidade (cf. 1Ts 4,6-7).

I

– ¹Senhor **Deus** justi**ceir**o, bri**lhai**, *
reve**lai**-vos, ó Deus vingador!
– ²Levan**tai**-vos, Juiz das nações, *
e pa**gai** seu salário aos soberbos!
– ³Até **quan**do os injustos, Senhor, *
até **quan**do haverão de vencer?
– ⁴Arro**gan**tes derramam insultos *
e se **ga**bam do mal que fizeram.
– ⁵Eis que o**pri**mem, Senhor, vosso povo *
e hum**il**ham a vossa herança;
– ⁶estran**gei**ro e viúva trucidam, *
e assa**ssi**nam o pobre e o órfão!
– ⁷Eles **di**zem: "O Senhor não nos vê*
e o **Deus** de Jacó não percebe!"
– ⁸Enten**dei**, ó estultos do povo; *
insen**sa**tos, quando é que vereis?
– ⁹O que **fez** o ouvido, não ouve? *
Quem os **o**lhos formou, não verá?
– ¹⁰Quem e**du**ca as nações, não castiga? *
Quem os **ho**mens ensina, não sabe?
– ¹¹Ele **sa**be o que pensam os homens: *
pois um **na**da é o seu pensamento!

Ant.**Deus sabe** o que pe**nsam** os **ho**mens:
pois um **na**da é o **seu** pensa**mento.**

Ant. 3 Para **mim** o Se**nhor**, com cer**teza**,
é re**fú**gio, é a**bri**go, é ro**che**do.

III

— ¹²É fe**liz**, ó Se**nhor**, quem for**mais** *
e edu**cais** nos caminhos da Lei,
— ¹³para **dar**-lhe um alívio na angústia, *
quando ao ímpio se abre uma cova.
— ¹⁴O Se**nhor** não rejeita o seu povo *
e não **po**de esquecer sua herança:
— ¹⁵vol**tarão** a juízo as sentenças; *
quem é **re**to andará na justiça.
— ¹⁶Quem por **mim** contra os maus se levanta *
e a meu **la**do estará contra eles?
— ¹⁷Se o Se**nhor** não me desse uma ajuda, *
no si**lên**cio da morte estaria!
— ¹⁸Quando eu **pen**so: "Estou quase caindo!" *
Vosso a**mor** me sustenta, Senhor!
— ¹⁹Quando o **meu** coração se angustia, *
conso**lais** e alegrais minha alma.
= ²⁰Pode a**ca**so juntar-se convosco †
o impos**tor** tribunal da injustiça, *
que age **mal**, tendo a lei por pretexto?
— ²¹Eles **po**dem agir contra o justo, *
conde**nan**do o inocente a morrer:
— ²²Para **mim** o Senhor, com certeza, *
é re**fú**gio, é abrigo, é rochedo!
= ²³O Se**nhor**, nosso Deus, os arrasa, †
faz vol**tar** contra eles o mal, *
²⁴sua **pró**pria maldade os condena.

Ant. Para **mim** o Se**nhor**, com cer**teza**,
é re**fú**gio, é a**bri**go, é ro**che**do.

Leitura breve   Cl 3,17

Tudo o que fizerdes, em palavras ou obras, seja feito em nome
do Senhor Jesus Cristo. Por meio dele dai graças a Deus, o Pai.

Quarta-feira – Vésperas

V. Eu oferto um sacrifício de louvor,
R. Invocando o nome santo do Senhor.

Oração

Deus onipotente e misericordioso, que nos dais novo alento no meio deste dia, olhai com bondade os trabalhos começados e, perdoando nossas faltas, fazei que eles atinjam os fins que vos agradam. Por Cristo, nosso Senhor.

Vésperas

V. Vinde, ó **Deus**. Glória ao **Pai**. Como era. (Ale**luia**).

Hino

Devagar, vai o sol se escondendo,
deixa os montes, o campo e o mar,
mas renova o presságio da luz,
que amanhã vai de novo brilhar.

Os mortais se admiram do modo
pelo qual, generoso Senhor,
destes leis ao transcurso do tempo,
alternância de sombra e fulgor.

Quando reina nos céus o silêncio
e declina o vigor para a lida,
sob o peso das trevas da noite
nosso corpo ao descanso convida.

De esperança e de fé penetrados,
saciar-nos possamos, Senhor,
de alegria na glória do Verbo
que é do Pai o eterno esplendor.

Este é o sol que jamais tem ocaso
e também o nascer desconhece.
Canta a terra, em seu brilho envolvida,
nele o céu em fulgor resplandece.

Dai-nos, Pai, gozar sempre da luz
que este mundo ilumina e mantém,
e cantar-vos, e ao Filho, e ao Espírito,
canto novo nos séculos. Amém.

1080   IV Semana

Salmodia

Ant. 1 Vosso sa**ber** é por de**mais** maravi**lho**so, ó Se**nhor**.

T.P.: A **noi**te será **clara** como o **dia**, ale**lui**a.

Salmo 138(139),1-18.23-24

Deus tudo vê

*Quem conheceu o pensamento do Senhor? Ou quem foi seu con-
selheiro? (Rm 11,34).*

I

— ¹Se**nhor**, vós me son**dais** e conhe**ceis**, *
  ²sa**beis** quando me sento ou me levanto;
=   de **lon**ge penetrais meus pensamentos, †
  ³perce**beis** quando me deito e quando eu ando, *
  os meus ca**mi**nhos vos são todos conhecidos.

— ⁴A pa**la**vra nem chegou à minha língua, *
  e já, Se**nhor**, a conheceis inteiramente.

— ⁵Por de**trás** e pela frente me envolveis; *
  pu**ses**tes sobre mim a vossa mão.

— ⁶Esta ver**da**de é por demais maravilhosa, *
  é tão su**bli**me que não posso compreendê-la.

— ⁷Em que lu**gar** me ocultarei de vosso espírito? *
  E para **on**de fugirei de vossa face?

— ⁸Se eu su**bir** até os céus, aí estais; *
  se eu des**cer** até o abismo, estais presente.

— ⁹Se a au**ro**ra me emprestar as suas asas, *
  para eu vo**ar** e habitar no fim dos mares;

— ¹⁰mesmo **lá** vai me guiar a vossa mão *
  e segu**rar**-me com firmeza a vossa destra.

— ¹¹Se eu pen**sas**se: "A escuridão venha esconder-me *
  e que a **luz** ao meu redor se faça noite!"

= ¹²Mesmo as **tre**vas para vós não são escuras, †
  a própria **noi**te resplandece como o dia, *
  e a escuri**dão** é tão brilhante como a luz.

Ant. Vosso sa**ber** é por de**mais** maravi**lho**so, ó Se**nhor**.

T.P.: A **noi**te será **clara** como o **dia**, ale**lui**a.

Quarta-feira – Vésperas

Ant. 2 Eu, o Senhor, vejo o mais íntimo
e conheço os corações,
recompenso a cada um conforme as obras realizadas.

T.P.: Eu conheço as minhas ovelhas
e elas conhecem a mim. Aleluia.

II

– [13]Fostes vós que me formastes as entranhas, *
e no seio de minha mãe vós me tecestes.
= [14]Eu vos louvo e vos dou graças, ó Senhor, †
porque de modo admirável me formastes! *
Que prodígio e maravilha as vossas obras!

– Até o mais íntimo, Senhor, me conheceis; *
[15]nenhuma sequer de minhas fibras ignoráveis,
– quando eu era modelado ocultamente, *
era formado nas entranhas subterrâneas.

– [16]Ainda informe, os vossos olhos me olharam, *
e por vós foram previstos os meus dias;
– em vosso livro estavam todos anotados, *
antes mesmo que um só deles existisse.

– [17]Quão insondáveis são os vossos pensamentos! *
Incontável, ó Senhor, é o seu número!
– [18]Se eu os conto, serão mais que os grãos de areia; *
se chego ao fim, ainda falta conhecer-vos.

– [23]Senhor, sondai-me, conhecei meu coração, *
examinai-me e provai meus pensamentos!
– [24]Vede bem se não estou no mau caminho, *
e conduzi-me no caminho para a vida!

Ant. Eu, o Senhor, vejo o mais íntimo e conheço os corações,
recompenso a cada um conforme as obras realizadas.

T.P.: Eu conheço as minhas ovelhas
e elas conhecem a mim. Aleluia.

Ant. 3 Em Cristo é que tudo foi criado,
é por ele que subsiste o universo.

T.P.: O céu se enche com sua majestade
e a terra com sua glória, aleluia.

Cântico
cf. Cl 1,12-20

Cristo, o Primogênito de toda a criatura e o Primogênito dentre os mortos

= ¹²Demos **graças** a Deus **Pai** onipo**tente**, †
que nos **cha**ma a partilhar, na sua luz, *
da he**rança** a seus santos reservada!

(R. Glória a **vós**, Primo**gê**nito dentre os **mor**tos!)

= ¹³Do im**pério** das trevas arrancou-nos †
e transpor**tou**-nos para o reino de seu Filho, *
para o **rei**no de seu Filho bem-amado,
– ¹⁴no **qual** nós encontramos redenção, *
dos pe**ca**dos remissão pelo seu sangue.   (R.)

– ¹⁵Do **Deus**, o Invisível, é a imagem, *
o Primo**gê**nito de toda criatura;
= ¹⁶porque **ne**le é que tudo foi criado: †
o que há nos **céus** e o que existe sobre a terra, *
o vi**sí**vel e também o invisível.   (R.)

= Sejam **Tro**nos e Poderes que há nos céus, †
sejam **e**les Principados, Potestades: *
por **e**le e para ele foram feitos;
– ¹⁷antes de **to**da criatura ele existe, *
e é por **e**le que subsiste o universo.   (R.)

= ¹⁸Ele é a Ca**be**ça da Igreja, que é seu Corpo, †
é o prin**cí**pio, o Primogênito dentre os mortos, *
a **fim** de ter em tudo a primazia.
– ¹⁹Pois foi do a**gra**do de Deus Pai que a plenitude *
habi**tas**se no seu Cristo inteiramente.   (R.)

– ²⁰A**prou**ve-lhe também, por meio dele, *
reconcili**ar** consigo mesmo as criaturas,
= pacifi**can**do pelo sangue de sua cruz †
tudo a**qui**lo que por ele foi criado, *
o que há nos **céus** e o que existe sobre a terra.   (R.)

Ant. Em **Cris**to é que **tu**do foi criado,
e é por **e**le que sub**sis**te o uni**ver**so.

T.P.: O céu se **en**che com **su**a majes**ta**de
e a **ter**ra com sua **gló**ria, ale**lui**a.

Quarta-feira – Vésperas

Leitura breve
1Jo 2,3-6

Para saber que o conhecemos, vejamos se guardamos os seus mandamentos. Quem diz: "Eu conheço a Deus", mas não guarda os seus mandamentos, é mentiroso, e a verdade não está nele. Naquele, porém, que guarda a sua palavra, o amor de Deus é plenamente realizado. O critério para saber se estamos com Jesus é este: quem diz que permanece nele, deve também proceder como ele procedeu.

Responsório breve
R. Protegei-nos, Senhor,
   * Como a pupila dos olhos. R. Protegei-nos.
V. Guardai-nos, defendei-nos, sob a vossa proteção.
   * Como a pupila. Glória ao Pai. R. Protegei-nos.

Cântico evangélico, ant.
Ó Senhor, manifestai o poder de vosso braço,
dispersai os soberbos e elevai os humildes!

Preces
Aclamemos ao Eterno Pai, cuja misericórdia para com o seu povo é sem limites; e digamos com alegria de coração:

R. **Senhor, alegrem-se todos os que em vós esperam!**

Senhor, que enviastes o vosso Filho não para julgar o mundo mas para salvá-lo,
– concedei que a sua morte gloriosa produza em nós muitos frutos.   R.

Vós, que constituístes os sacerdotes como ministros de Cristo e dispensadores dos vossos mistérios,
– dai-lhes um coração fiel, ciência e caridade.   R.

Àqueles que chamastes para uma vida de castidade perfeita por amor do reino dos céus,
– concedei-lhes a graça de seguirem fiel e generosamente as pegadas de vosso Filho.   R.

Vós, que no princípio criastes o homem e a mulher,
– conservai todas as famílias no amor sincero.   R.

(intenções livres)

1084   IV Semana

Vós, que, pelo sacrifício de Cristo, tirastes o pecado do mundo,
—perdoai os pecados de todos os que morreram.
R. **Senhor, alegrem-se todos os que em vós esperam!**
Pai nosso...

Oração

Senhor, que aos famintos saciais de bens celestes, lembrai-vos
de vossa misericórdia e concedei à nossa pobreza tornar-se rica
de vossos dons. Por nosso Senhor Jesus Cristo, vosso Filho, na
unidade do Espírito Santo.

IV QUINTA-FEIRA

Laudes

V. Vinde, ó **Deus**. Glória ao **Pai**. Como era. (Aleluia).
Hino

Já o dia nasceu novamente.
Supliquemos, orando, ao Senhor
que nos guarde do mal neste dia
e por atos vivamos o amor.

Ponha freios à língua e a modere,
da discórdia evitando a paixão;
que nos vele o olhar e o defenda
da vaidade e de toda a ilusão.

Sejam puros os seres no íntimo,
dominando os instintos do mal.
Evitemos do orgulho o veneno,
moderando o impulso carnal.

Para que, no final deste dia,
quando a noite, em seu curso, voltar,
abstinentes e puros, possamos
sua glória e louvores cantar.

Glória ao Pai, ao seu Unigênito
e ao Espírito Santo também.
Suba aos Três o louvor do universo
hoje e sempre, nos séculos. Amém.

Quinta-feira – Laudes

Salmodia

Ant. 1 **Fazei**-me sen**tir** vosso **amor** desde **ce**do!

T.P.: Ó Se**nhor**, por vosso **no**me e vosso **amor**,
reno**vai** a minha **vi**da, ale**lui**a.

Salmo 142(143),1-11

Prece na aflição

Ninguém é justificado por observar a Lei de Moisés, mas por crer em Jesus Cristo (Gl 2,16).

– [1] Ó Se**nhor**, escu**tai** minha **pre**ce, *
ó meu **Deus**, atendei minha **sú**plica!

– Respon**dei**-me, ó vós, Deus fiel, *
escu**tai**-me por vossa justiça!

= [2] Não cha**meis** vosso servo a juízo, †
pois di**an**te da vossa presença *
não é **jus**to nenhum dos viventes.

– [3] O ini**mi**go persegue a minha alma, *
ele es**ma**ga no chão minha vida

– e me **faz** habitante das trevas, *
como a**que**les que há muito morreram.

– [4] Já em **mim** o alento se extingue, *
o cora**ção** se comprime em meu peito!

– [5] Eu me **lem**bro dos dias de outrora †
e re**pas**so as vossas ações, *
recor**dan**do os vossos prodígios.

= [6] Para **vós** minhas mãos eu estendo; †
minha **al**ma tem sede de vós, *
como a **ter**ra sedenta e sem água.

– [7] Escu**tai**-me depressa, Senhor, *
o es**pí**rito em mim desfalece!

= Não escon**dais** vossa face de mim! †
Se o fi**zer**des, já posso contar-me *
entre a**que**les que descem à cova!

– [8] Fazei-me **ce**do sentir vosso amor, *
porque em **vós** coloquei a esperança!

1086   IV Semana

– Indicai-me o caminho a seguir, *
   pois a vós eu elevo a minha alma!
– ⁹ Libertai-me dos meus inimigos, *
   porque sois meu refúgio, Senhor!
–¹⁰ Vossa vontade ensinai-me a cumprir, *
   porque sois o meu Deus e Senhor!
– Vosso Espírito bom me dirija *
   e me guie por terra bem plana!

–¹¹ Por vosso nome e por vosso amor *
   conservai, renovai minha vida!
– Pela vossa justiça e clemência, *
   arrancai a minha alma da angústia!

Ant. Fazei-me sentir vosso amor desde cedo!

T.P.: Ó Senhor, por vosso nome e vosso amor,
     renovai a minha vida, aleluia.

Ant. 2 O Senhor vai fazer correr a paz como um rio
     para a nova Sião.

T.P.: Hei de ver-vos novamente
     e o vosso coração haverá de se alegrar. Aleluia.

Cântico   Is 66,10-14a
Consolação e alegria na Cidade Santa

A Jerusalém celeste é livre, e é a nossa mãe (Gl 4,26),

=¹⁰ Alegrai-vos com Sião †
   e exultai por sua causa, *
   todos vós que a amais;
– tomai parte no seu júbilo, *
   todos vós que a lamentais!

=¹¹ Podereis alimentar-vos, †
   saciar-vos com fartura *
   com seu leite que consola;
– podereis deliciar-vos *
   nas riquezas de sua glória.

=¹² Pois assim fala o Senhor: †
   "Vou fazer correr a paz *
   para ela como um rio,

Quinta-feira – Laudes

– e as riquezas das nações *
qual torrente a transbordar.
= Vós sereis amamentados †
e ao colo carregados *
e afagados com carícias;
–[13] como a **mãe** consola o filho, *
em Sião vou consolar-vos.

=[14] Tudo isso vós vereis, †
e os **vos**sos corações *
de alegria pulsarão;
– vossos **mem**bros, como plantas, *
tomarão novo vigor.

Ant. O Se**nhor** vai fa**zer** correr a **paz** como um **rio**
para a **nova** Sião.

T.P.: Hei de **ver**-vos nova**men**te
e o **vos**so cora**ção** have**rá** de se ale**grar**. Ale**lu**ia.

Ant. 3 Can**tai** ao nosso **Deus**, porque é suave.

T.P.: O Se**nhor** reconstru**iu** Jerusa**lém**
e con**for**ta os cora**ções** despeda**ça**dos. Ale**lu**ia.

Salmo 146(147A)
Poder e bondade de Deus

A vós, ó Deus, louvamos, a vós, Senhor, cantamos.

= [1] Lou**vai** o Senhor **Deus**, porque ele é **bom**, †
can**tai** ao nosso Deus, porque é suave: *
ele é **di**gno de louvor, ele o merece!

– [2] O Se**nhor** reconstruiu Jerusalém, *
e os dis**per**sos de Israel juntou de novo;

– [3] ele con**for**ta os corações despedaçados, *
ele en**fai**xa suas feridas e as cura;

– [4] fixa o **nú**mero de todas as estrelas *
e cha**ma** a cada uma por seu nome.

– [5] É **gran**de e onipotente o nosso Deus, *
seu sa**ber** não tem medidas nem limites.

1088   IV Semana

– [6] O Senhor **Deus** é o amparo dos humildes, *
mas **do**bra até o chão os que são ímpios.
– [7] Ento**ai**, cantai a Deus ação de graças, *
to**cai** para o Senhor em vossas harpas!
– [8] Ele re**ves**te todo o céu com densas nuvens, *
e a **chu**va para a terra ele prepara;
– faz cres**cer** a verde relva sobre os montes *
e as **plan**tas que são úteis para o homem;
– [9] ele **dá** aos animais seu alimento, *
e ao **cor**vo e aos seus filhotes que o invocam.
–[10] Não é a **for**ça do cavalo que lhe agrada, *
nem se de**lei**ta com os músculos do homem,
–[11] mas **agra**dam ao Senhor os que o respeitam, *
os que con**fi**am, esperando em seu amor!

Ant. **Can**tai ao nosso **Deus**, porque é suave.
T.P.: O Se**nhor** reconstru**iu** Jerusa**lém**
e con**for**ta os cora**ções** despeda**ça**dos. Ale**lui**a.

Leitura breve   Rm 8,18-21
Eu entendo que os sofrimentos do tempo presente nem merecem ser comparados com a glória que deve ser revelada em nós. De fato, toda a criação está esperando ansiosamente o momento de se revelarem os filhos de Deus. Pois a criação ficou sujeita à vaidade, não por sua livre vontade, mas por sua dependência daquele que a sujeitou; também ela espera ser libertada da escravidão da corrupção e, assim, participar da liberdade e da glória dos filhos de Deus.

Responsório breve
R. Penso em **vós** no meu **lei**to, de **noi**te,
   * Nas vi**gí**lias, sus**pi**ro por **vós**. R. Penso em **vós**.
V. Para **mim** fostes **sem**pre um so**cor**ro! * Nas vi**gí**lias.
   Glória ao **Pai**. R. Penso em **vós**.

Cântico evangélico, ant.
Anunci**ai** ao vosso **po**vo a salva**ção**,
e perdo**ai**-nos, ó Se**nhor**, nossos pe**ca**dos!

Quinta-feira – Hora Média

1089

Preces

Bendigamos a Deus, vida e salvação do seu povo; e o invoque-mos, dizendo:

R. **Senhor, vós sois a nossa vida!**

Bendito sejais, Deus e Pai de nosso Senhor Jesus Cristo, que na vossa misericórdia nos fizestes renascer para uma viva esperança,
– mediante a ressurreição de Jesus Cristo dentre os mortos. R.

Vós, que em Cristo renovastes o homem, criado à vossa imagem,
– tornai-nos semelhantes à imagem do vosso Filho. R.

Derramai em nossos corações, feridos pelo ódio e pela inveja,
– a caridade do Espírito Santo. R.

Dai trabalho aos desempregados, alimento aos famintos, alegria aos tristes,
– e a toda a humanidade graça e salvação. R.

(intenções livres)

Pai nosso...

Oração

Concedei-nos, ó Senhor, conhecer profundamente o mistério da salvação, para que, sem temor e livres dos inimigos, vos sirva-mos na justiça e santidade, todos os dias da vida. Por nosso Senhor Jesus Cristo, vosso Filho, na unidade do Espírito Santo.

Hora Média

V. Vinde, ó **Deus**. Glória ao **Pai**. Como era. (Ale**lui**a).
HINO como no Ordinário, p. 743.

Salmodia

Ant. 1 Se me a**mais**, diz o Se**nhor**,
guarda**reis** os meus pre**cei**tos.

Salmo 118(119),153-160
XX (Res)

Meditação sobre a palavra de Deus na Lei
Tu tens palavras de vida eterna (Jo 6,69).

–[153] Vede, Se**nhor**, minha mi**sé**ria, e li**vrai**-me, *
porque **nun**ca me esqueci de vossa lei!

1090   IV Semana

—[154] Defendei a minha causa e libertai-me! *
Pela palavra que me destes, dai-me a vida!
—[155] Como estão longe de salvar-se os pecadores, *
pois não procuram, ó Senhor, vossa vontade!
—[156] É infinita, Senhor Deus, vossa ternura: *
conforme prometestes, dai-me a vida!
—[157] Tantos são os que me afligem e perseguem, *
mas eu nunca deixarei vossa Aliança!
—[158] Quando vejo os renegados, sinto nojo, *
porque foram infiéis à vossa lei.
—[159] Quanto eu amo, ó Senhor, vossos preceitos! *
vossa bondade reanime a minha vida!
—[160] Vossa palavra é fundada na verdade, *
os vossos justos julgamentos são eternos.

Ant. Se me amais, diz o Senhor,
guardareis os meus preceitos.

Ant. 2 O Senhor te abençoe,
e possas ver a paz cada dia de tua vida.

Salmo 127(128)

A paz do Senhor na família

De Sião, isto é, da sua Igreja, o Senhor te abençoe (Arnóbio).

— [1] Feliz és tu se temes o Senhor *
e trilhas seus caminhos!
— [2] Do trabalho de tuas mãos hás de viver, *
serás feliz, tudo irá bem!
— [3] A tua esposa é uma videira bem fecunda *
no coração da tua casa;
— os teus filhos são rebentos de oliveira *
ao redor de tua mesa.
— [4] Será assim abençoado todo homem *
que teme o Senhor.
— [5] O Senhor te abençoe de Sião, *
cada dia de tua vida;
— para que vejas prosperar Jerusalém *
[6] e os filhos dos teus filhos. —

Quinta-feira – Hora Média

– Ó Senhor, que venha a paz a Israel, *
que venha a **paz** ao vosso povo!

Ant. O Senhor te abençoe,
e **pos**sas ver a **paz** cada **dia** de tua **vida**.

Ant. 3 O Senhor lutará contra os **teus** inimigos.

Salmo 128(129)
A renovada esperança do povo oprimido

A Igreja fala dos sofrimentos que ela suporta (Sto. Agostinho).

– ¹ Quanto **eu** fui perseguido desde **jovem**, *
que o **di**ga Israel neste momento!
– ² Quanto **eu** fui perseguido desde jovem, *
mas **nun**ca me puderam derrotar!

– ³ **A**raram lavradores o meu dorso, *
rasgando longos sulcos com o arado.
– ⁴ Mas o Senhor, que sempre age com justiça, *
fez em pedaços as correias dos malvados.

– ⁵ Que **vol**tem para trás envergonhados *
todos **aque**les que odeiam a Sião!
– ⁶ Sejam **e**les como a erva dos telhados, *
que bem **an**tes de arrancada já secou!

– ⁷ Esta ja**mais** enche a mão do ceifador *
nem o regaço dos que juntam os seus feixes;
= ⁸ para **es**tes nunca dizem os que passam: †
"Sobre **vós** desça a bênção do Senhor! *
Em **no**me do Senhor vos bendizemos!"

Ant. O Senhor lutará contra os **teus** inimigos.

Leitura breve
Sb 1,1-2

Amai a justiça, vós que governais a terra; tende bons sentimentos para com o Senhor e procurai-o com simplicidade de coração. Ele se deixa encontrar pelos que não exigem provas, e se manifesta aos que nele confiam.

V. Con**fi**a no Senhor e faze o **bem**.
R. E, sobre a **ter**ra, habitarás em segurança.

1092 IV Semana

Oração

Deus onipotente, em vós não há trevas nem escuridão; fazei que vossa luz resplandeça sobre nós e, acolhendo vossos preceitos com alegria, sigamos fielmente o vosso caminho. Por Cristo, nosso Senhor.

Vésperas

V. Vinde, ó **Deus**. Glória ao **Pai**. Como era. (Aleluia).

Hino

Ó Deus, autor da luz
da aurora matutina,
mostrai-nos vossa glória,
que o dia já declina.

A tarde traz o ocaso,
o sol já vai morrendo,
e deixa o mundo às trevas,
às leis obedecendo.

Aos servos que vos louvam,
cansados do labor,
as trevas não envolvam,
pedimos, ó Senhor.

Assim, durante a noite,
guardados pela graça,
na luz da vossa luz,
a treva se desfaça.

Ouvi-nos, Pai bondoso,
e vós, Jesus, também.
A vós e ao Santo Espírito
louvor eterno. Amém.

Salmodia

Ant. 1 Ele **é** meu **amor**, meu re**fúg**io,
meu es**cu**do: é **ne**le que es**pe**ro.

T.P.: O Se**nhor** é meu re**fú**gio e o **meu** Liberta**dor**. Aleluia.

Salmo 143(144)

Oração pela vitória e pela paz

As suas mãos foram treinadas para a luta, quando venceu o mundo conforme disse: Eu venci o mundo (Sto. Hilário).

I

= ¹Bendito seja o Senhor, meu rochedo, †
  que adestrou minhas mãos para a luta, *
  e os meus dedos treinou para a guerra!

– ²Ele é meu amor, meu refúgio, *
  libertador, fortaleza e abrigo.

– É meu escudo: é nele que espero, *
  ele submete as nações a meus pés.

= ³Que é o homem, Senhor, para vós? †
  Por que dele cuidais tanto assim, *
  e no filho do homem pensais?

– ⁴Como o sopro de vento é o homem, *
  os seus dias são sombra que passa.

– ⁵Inclinai vossos céus e descei, *
  tocai os montes, que eles fumeguem.

– ⁶Fulminai o inimigo com raios, *
  lançai flechas, Senhor, dispersai-o!

= ⁷Lá do alto estendei vossa mão, †
  retirai-me do abismo das águas, *
  e salvai-me da mão dos estranhos;

– ⁸sua boca só tem falsidade, *
  sua mão jura falso e engana.

Ant. Ele é meu amor, meu refúgio,
     meu escudo: é nele que espero.

T.P.: O Senhor é meu refúgio e o meu Libertador. Aleluia.

Ant. 2 Feliz o povo que tem o Senhor por seu Deus!

T.P.: Demos graças ao Pai que nos deu a vitória
      por nosso Senhor Jesus Cristo, aleluia.

1094 IV Semana

II

– ^{9}Um canto **novo**, meu **Deus**, vou can**tar**-vos, *
  nas dez **cor**das da harpa louvar-vos,
– ^{10}a vós que **dais** a vitória aos reis *
  e sal**vais** vosso servo Davi.

– ^{11}Da es**pa**da maligna livrai-me *
  e sal**vai**-me da mão dos estranhos;
– sua **bo**ca só tem falsidade, *
  sua **mão** jura falso e engana.

– ^{12}Que nossos **fi**lhos, quais plantas viçosas, *
  cresçam sa**di**os, e fortes floresçam!
– As nossas **fi**lhas, colunas robustas *
  que um ar**tis**ta esculpiu para o templo.

– ^{13}Nossos ce**lei**ros transbordem de cheios, *
  abaste**ci**dos de todos os frutos!
– Nossas o**ve**lhas em muitos milhares *
  se multi**pli**quem nas nossas campinas!

=^{14}O nosso **ga**do também seja gordo! †
  Não haja **bre**chas em nossas muralhas, *
  nem des**ter**ro ou gemido nas praças!
– ^{15}Feliz o **po**vo a quem isso acontece, *
  e que **tem** o Senhor por seu Deus!

Ant. Feliz o **po**vo que **tem** o Senhor por seu **Deus**!

T.P.: Demos **gra**ças ao **Pai** que nos **deu** a vi**tó**ria
  por **nos**so Se**nhor** Jesus **Cris**to, ale**lui**a.

Ant. 3 Chegou a**go**ra a salva**ção** e o po**der**
  e a rea**le**za do Se**nhor** e nosso **Deus**.

T.P.: Jesus **Cris**to ontem, **ho**je e eterna**men**te, ale**lui**a.

Cântico   Ap 11,17-18; 12,10b-12a

O julgamento de Deus

– $^{11.17}$Graças vos **da**mos, Senhor **Deus** onipotente, *
  a vós que **sois**, a vós que éreis e sereis,
–   porque assu**mis**tes o poder que vos pertence, *
  e en**fim** tomastes posse como rei!

(R. **Nós** vos damos **gra**ças, nosso **Deus**!)

Quinta-feira – Vésperas

= [18] As nações se enfureceram revoltadas, †
mas chegou a vossa ira contra elas *
e o tempo de julgar vivos e mortos,

= e de dar a recompensa aos vossos servos, †
aos profetas e aos que temem vosso nome, *
aos santos, aos pequenos e aos grandes. (R.)

= [12.10] Chegou agora a salvação e o poder †
e a realeza do Senhor e nosso Deus, *
e o domínio de seu Cristo, seu Ungido.

– Pois foi expulso o delator que acusava *
nossos irmãos, dia e noite, junto a Deus. (R.)

= [11] Mas o venceram pelo sangue do Cordeiro †
e o testemunho que eles deram da Palavra, *
pois desprezaram sua vida até à morte.

– [12] Por isso, ó céus, cantai alegres e exultai *
e vós todos os que neles habitais! (R.)

Ant. Chegou agora a salvação e o poder
e a realeza do Senhor e nosso Deus.

T.P.: Jesus Cristo ontem, hoje e eternamente, aleluia.

Leitura breve
cf. Cl 1,23

Permanecei inabaláveis e firmes na fé, sem vos afastardes da esperança que vos dá o evangelho, que ouvistes, que foi anunciado a toda criatura debaixo do céu.

Responsório breve

R. O Senhor é o meu Pastor:
* Não me falta coisa alguma. R. O Senhor.
V. Pelos prados me conduz. * Não me falta.
Glória ao Pai. R. O Senhor.

Cântico evangélico, ant.

O Senhor saciou com os seus bens
os famintos e sedentos de justiça.

Preces

Oremos a Cristo, luz dos povos e alegria de todo ser vivente; e digamos com fé:
R. **Senhor, dai-nos luz, paz e salvação!**

1096   IV Semana

Luz sem ocaso e Palavra eterna do Pai, que viestes para salvar a humanidade inteira,
– iluminai os catecúmenos da Igreja com a luz da vossa verdade.
R. **Senhor, dai-nos luz, paz e salvação!**

Desviai, Senhor, o vosso olhar dos nossos pecados,
– porque em vós se encontra o perdão.   R.

Vós quereis que os seres humanos, com a sua inteligência, investiguem os segredos da natureza;
– fazei que as ciências e as artes contribuam para a vossa glória e o bem-estar de todas as pessoas.   R.

Protegei aqueles que se dedicam no mundo ao serviço de seus irmãos e irmãs,
– para que possam realizar o seu ideal com liberdade e sem atropelos.   R.

(intenções livres)

Senhor, que tendes as chaves da morte e da vida,
– fazei entrar na vossa luz os nossos irmãos e irmãs que adormeceram na esperança da ressurreição.   R.

Pai nosso...

Oração

Atendei, Senhor, benignamente nossas preces vespertinas, e concedei que, seguindo com perseverança os passos de vosso Filho, recolhamos os frutos da justiça e da paz. Por nosso Senhor Jesus Cristo, vosso Filho, na unidade do Espírito Santo.

IV SEXTA-FEIRA

Laudes

V. Vinde, ó **Deus**. Glória ao **Pai**. Como era. (Aleluia).
Hino

> Deus, que criastes a luz, sois luz
> do céu radiosa.
> O firmamento estendestes
> com vossa mão poderosa.

Sexta-feira – Laudes

A aurora esconde as estrelas,
e o seu clarão vos bendiz.
A brisa espalha o orvalho,
a terra acorda feliz.

A noite escura se afasta,
as trevas fogem da luz.
A estrela d'alva fulgura,
sinal de Cristo Jesus.

Ó Deus, sois dia dos dias,
sois luz da luz, na Unidade,
num só poder sobre os seres,
numa só glória, Trindade.

Perante vós, Salvador,
a nossa fronte inclinamos.
A vós, ao Pai e ao Espírito
louvor eterno cantamos.

Salmodia

Ant. 1 Criai em **mim** um co**ra**ção que seja **pu**ro,
dai-me de **no**vo um es**pí**rito de**ci**dido!

T.P.: O **Cris**to por **nós** se entre**gou**
como o**fer**ta agra**dá**vel a **Deus**. Ale**lu**ia.

Salmo 50(51)

Tende piedade, ó meu Deus!

Renovai o vosso espírito e a vossa mentalidade. Revesti o homem novo (Ef 4,23-24).

– [3]Tende pie**da**de, ó meu **Deus**, miseri**cór**dia! *
Na imensi**dão** de vosso amor, purificai-me!
– [4]La**vai**-me todo inteiro do pecado, *
e apa**gai** completamente a minha culpa!
– [5]Eu reco**nhe**ço toda a minha iniquidade, *
o meu pe**ca**do está sempre à minha frente.
– [6]Foi contra **vós**, só contra vós, que eu pequei, *
e prati**quei** o que é mau aos vossos olhos! –

1098   IV Semana

– Mostrais assim quanto sois justo na sentença, *
e quanto é reto o julgamento que fazeis.
– 7 Vede, Senhor, que eu nasci na iniquidade *
e pecador já minha mãe me concebeu.
– 8 Mas vós amais os corações que são sinceros, *
na intimidade me ensinais sabedoria.
– 9 Aspergi-me e serei puro do pecado, *
e mais branco do que a neve ficarei.
– 10 Fazei-me ouvir cantos de festa e de alegria, *
e exultarão estes meus ossos que esmagastes.
– 11 Desviai o vosso olhar dos meus pecados *
e apagai todas as minhas transgressões!
– 12 Criai em mim um coração que seja puro, *
dai-me de novo um espírito decidido.
– 13 Ó Senhor, não me afasteis de vossa face, *
nem retireis de mim o vosso Santo Espírito!
– 14 Dai-me de novo a alegria de ser salvo *
e confirmai-me com espírito generoso!
– 15 Ensinarei vosso caminho aos pecadores, *
e para vós se voltarão os transviados.
– 16 Da morte como pena, libertai-me, *
e minha língua exaltará vossa justiça!
– 17 Abri meus lábios, ó Senhor, para cantar, *
e minha boca anunciará vosso louvor!
– 18 Pois não são de vosso agrado os sacrifícios, *
e, se oferto um holocausto, o rejeitais.
– 19 Meu sacrifício é minha alma penitente, *
não desprezeis um coração arrependido!
– 20 Sede benigno com Sião, por vossa graça, *
reconstruí Jerusalém e os seus muros!
– 21 E aceitareis o verdadeiro sacrifício, *
os holocaustos e oblações em vosso altar!

Ant. Criai em mim um coração que seja puro,
dai-me de novo um espírito decidido!

T.P.: O Cristo por nós se entregou
como oferta agradável a Deus. Aleluia.

Ant. 2 Jerusalém, exulta alegre,
pois em ti serão unidas as nações ao teu Senhor!

T.P.: Jerusalém, cidade santa, brilharás qual luz fulgente. Aleluia.

Cântico   Tb 13,8-11.13-14ab.15-16ab

Ação de graças pela libertação do povo

Mostrou-me a cidade santa, Jerusalém... brilhando com a glória de Deus (Ap 21,10-11).

– [8]Dai graças ao Senhor, vós todos, seus eleitos; *
celebrai dias de festa e rendei-lhe homenagem.

– [9]Jerusalém, cidade santa, o Senhor te castigou, *
por teu mau procedimento, pelo mal que praticaste.

– [10]Dá louvor ao teu Senhor, pelas tuas boas obras, *
para que ele, novamente, arme, em ti, a sua tenda.

– Reúna em ti os deportados, alegrando-os sem fim! *
ame em ti todo infeliz pelos séculos sem fim!

= [11]Resplenderás, qual luz brilhante, até os extremos desta terra; †
virão a ti nações de longe, dos lugares mais distantes, *
invocando o santo nome, trazendo dons ao Rei do céu.

– Em ti se alegrarão as gerações das gerações *
e o nome da Eleita durará por todo o sempre.

– [13]Então, te alegrarás pelos filhos dos teus justos, *
todos unidos, bendizendo ao Senhor, o Rei eterno.

– [14]Haverão de ser ditosos todos quantos que te amam, *
encontrando em tua paz sua grande alegria.

= [15]Ó minh'alma, vem bendizer ao Senhor, o grande Rei, †
– [16]pois será reconstruída sua casa em Sião, *
que para sempre há de ficar pelos séculos, sem fim.

Ant. Jerusalém, exulta alegre,
pois em ti serão unidas as nações ao teu Senhor!

T.P.: Jerusalém, cidade santa, brilharás qual luz fulgente. Aleluia.

Ant. 3 Ó Sião, canta louvores ao teu Deus;
ele envia suas ordens para a terra.

T.P.: Vi a nova Sião vir descendo dos céus. Aleluia.

Salmo 147(147B)
Restauração de Jerusalém

Vou mostrar-te a noiva, a esposa do Cordeiro! (Ap 21,9).

– ¹²Glorifica o Se**nhor**, Jerusa**lém**! *
Ó Si**ão**, canta louvores ao teu Deus!
– ¹³Pois refor**çou** com segurança as tuas portas, *
e os teus **fi**lhos em teu seio abençoou;
– ¹⁴a **paz** em teus limites garantiu *
e te **dá** como alimento a flor do trigo.
– ¹⁵Ele en**vi**a suas ordens para a terra, *
e a pa**la**vra que ele diz corre veloz;
– ¹⁶ele **faz** cair a neve como lã *
e es**pa**lha a geada como cinza.
– ¹⁷Como de **pão** lança as migalhas do granizo, *
a seu **fri**o as águas ficam congeladas.
– ¹⁸Ele en**vi**a sua palavra e as derrete, *
sopra o **ven**to e de novo as águas correm.
– ¹⁹Anun**ci**a a Jacó sua palavra, *
seus pre**cei**tos e suas leis a Israel.
– ²⁰Nenhum **po**vo recebeu tanto carinho, *
a nenhum **outro** revelou os seus preceitos.

Ant. Ó Si**ão**, canta lou**vo**res ao teu **Deus**;
ele en**vi**a suas or**de**ns para a **terra**.

T.P.: Vi a **no**va Si**ão** vir descendo dos **céus**. Ale**lui**a.

Leitura breve
Gl 2,19b-20

Com Cristo, eu fui pregado na cruz. Eu vivo, mas não eu, é Cristo que vive em mim. Esta minha vida presente, na carne, eu a vivo na fé, crendo no Filho de Deus, que me amou e por mim se entregou.

Responsório breve
R. Lanço um **gri**to ao Se**nhor**, Deus Al**tís**simo,
*Este **Deus** que me **dá** todo **bem**. R. Lanço um **gri**to.
V. Que me envie do **céu** sua a**ju**da! *Este **Deus**.
Gló**ria** ao **Pai**. R. Lanço um **gri**to.

Sexta-feira – Hora Média

Cântico evangélico, ant.

Pelo amor do coração de nosso **Deus**,
o Sol nascente nos **veio** visitar.

Preces

Cheios de confiança em Deus, que ama e protege todos aqueles
que redimiu por seu Filho Jesus Cristo, façamos nossa oração; e
digamos:

R. **Confirmai, Senhor, o que em nós realizastes!**

Deus de misericórdia, dirigi nossos passos nos caminhos da santidade,
– para pensarmos somente o que é verdadeiro, justo e digno de
ser amado. R.

Por amor do vosso nome, não nos abandoneis para sempre,
– mas lembrai-vos, Senhor, da vossa aliança. R.

De coração contrito e humilde, sejamos acolhidos por vós,
– pois não serão confundidos aqueles que em vós esperam.
R.

Vós, que, em Cristo, nos chamastes para uma missão profética,
– dai-nos a graça de proclamarmos sem temor as maravilhas do
vosso poder. R.

(intenções livres)

Pai nosso...

Oração

Derramai, Senhor, sobre o povo suplicante a abundância da vossa
graça, para que, seguindo os vossos mandamentos, receba estímulo e ajuda na vida presente e felicidade sem fim na pátria futura. Por nosso Senhor Jesus Cristo, vosso Filho, na unidade do
Espírito Santo.

Hora Média

V. Vinde, ó **Deus**. Glória ao **Pai**. Como era. (Aleluia).

HINO como no Ordinário, p. 743.

Salmodia

Ant. 1 Os que **amam** vossa **lei**, ó Se**nhor**, têm grande **paz.**

IV Semana

Salmo 118(119),161-168
XXI (Sin)
Meditação sobre a Palavra de Deus na Lei

Sede praticantes da Palavra e não meros ouvintes (Tg 1,22).

—161 Os poderosos me perseguem sem motivo; *
meu coração, porém, só teme a vossa lei.
—162 Tanto me alegro com as palavras que dissestes, *
quanto alguém ao encontrar grande tesouro.
—163 Eu odeio e detesto a falsidade, *
porém amo vossas leis e mandamentos!
—164 Eu vos louvo sete vezes cada dia, *
porque justos são os vossos julgamentos.
—165 Os que amam vossa lei têm grande paz, *
e não há nada que os faça tropeçar.
—166 Ó Senhor, de vós espero a salvação, *
pois eu cumpro sem cessar vossos preceitos.
—167 Obedeço fielmente às vossas ordens, *
e as estimo ardentemente mais que tudo.
—168 Serei fiel à vossa lei,vossa Aliança; *
os meus caminhos estão todos ante vós.

Ant. Os que amam vossa **lei**, ó Se**nhor**, têm grande **paz.**

Ant. 2 A multi**dão** dos fi**éis** era um **só** cora**ção**
e **u**ma só **al**ma.

Salmo 132(133)
Alegria da união fraterna

Amemo-nos uns aos outros, porque o amor vem de Deus
(1Jo 4,7).

— 1 Vinde e vede como é **bom**, como é suave *
os irmãos viverem juntos bem unidos!
— 2 É como um óleo perfumado na cabeça, *
que escorre e vai descendo até à barba;
— vai descendo até a barba de Aarão, *
e vai chegando até à orla do seu manto. —

Sexta-feira – Hora Média   1103

– ³ É também como o orvalho do Hermon, *
   que cai suave sobre os montes de Sião.
– Pois a eles o Senhor dá sua bênção *
   e a vida pelos séculos sem fim.

Ant. A multidão dos fiéis era um só coração
      e uma só alma.

Ant. 3 Salvai-me, ó Senhor, das mãos do ímpio,
       vós que sois a minha força e salvação!

Salmo 139(140),2-9.13-14
Tu és o meu refúgio
O Filho do Homem é entregue nas mãos dos pecadores (Mt 26,45).

– ² Livrai-me, ó Senhor, dos homens maus, *
   dos homens violentos defendei-me,
– ³ dos que tramam só o mal no coração *
   e planejam a discórdia todo o dia!
– ⁴ Como a serpente eles afiam suas línguas, *
   e em seus lábios têm veneno de uma víbora.

= ⁵ Salvai-me, ó Senhor, das mãos do ímpio,†
   defendei-me contra o homem violento, *
   contra aqueles que planejam minha queda!
= ⁶ Os soberbos contra mim armaram laços, †
   estenderam-me uma rede sob os pés *
   e puseram em meu caminho seus tropeços.

– ⁷ Mas eu digo ao Senhor: "Vós sois meu Deus, *
   inclinai o vosso ouvido à minha prece!"
– ⁸ Senhor meu Deus, sois meu auxílio poderoso, *
   vós protegeis minha cabeça no combate!
– ⁹ Não atendais aos maus desejos dos malvados! *
   Senhor, fazei que os seus planos não se cumpram!
–¹³ Sei que o Senhor fará justiça aos infelizes, *
   defenderá a causa justa de seus pobres.
–¹⁴ Sim, os justos louvarão o vosso nome, *
   e junto a vós habitarão os homens retos.

Ant. Salvai-me, ó Senhor, das mãos do ímpio,
      vós que sois a minha força e salvação!

1104   IV Semana

Leitura breve   1Jo 3,16

Nisto conhecemos o amor: Jesus deu a sua vida por nós. Portanto, também nós devemos dar a vida pelos irmãos.

V. Dai **graças** ao Se**nhor** porque ele é **bom**.
R. Porque e**ter**na é a s**ua** miseri**cór**dia.

Oração

Senhor Jesus Cristo, que, nesta hora, com o mundo envolto em trevas, fostes elevado na cruz, como vítima inocente para a salvação de todos, concedei-nos sempre vossa luz, que nos guie para a vida eterna. Vós, que viveis e reinais para sempre.

Vésperas

V. Vinde, ó **Deus**. Glória ao **Pai**. Como era. (Ale**lui**a).

Hino

Onze horas havendo passado,
chega a tarde e o dia termina;
entoemos louvores a Cristo,
que é imagem da glória divina.

Já passaram as lutas do dia,
o trabalho por vós contratado;
dai aos bons operários da vinha
dons de glória no Reino esperado.

Ó Senhor, aos que agora
chamais e que ireis premiar no futuro,
por salário, dai força na luta,
e, na paz, um repouso seguro.

Glória a vós, Cristo, Rei compassivo,
glória ao Pai e ao Espírito também.
Unidade e Trindade indivisa,
Deus e Rei pelos séculos. Amém.

Salmodia

Ant. 1 Todos os **di**as have**rei** de bendi**zer**-vos
        e con**tar** as vossas **gran**des maravilhas.

T.P.: Tanto **Deus** amou o **mun**do que lhe **deu** seu Filho **único**.
      Ale**lui**a.

Sexta-feira – Vésperas

Salmo 144(145)
Louvor à grandeza de Deus
Justo és tu, Senhor, aquele que é e que era, o Santo (Ap 16,5).

I

– 1 Ó meu **Deus**, quero exal**tar**-vos, ó meu **Rei**, *
e bendi**zer** o vosso nome pelos séculos.

– 2 Todos os **dia**s haverei de bendi**zer**-vos, *
hei de lou**var** o vosso nome para sempre.

– 3 Grande é o Se**nhor** e muito digno de louvores, *
e nin**guém** pode medir sua grandeza.

– 4 Uma i**da**de conta à outra vossas obras *
e pu**bli**ca os vossos feitos poderosos;

– 5 proclamam **to**dos o esplendor de vossa glória *
e di**vul**gam vossas obras portentosas!

– 6 Narram **to**dos vossas obras poderosas, *
e de **vos**sa imensidade todos falam.

– 7 Eles re**cor**dam vosso amor tão grandioso *
e e**xal**tam, ó Senhor, vossa justiça.

– 8 Miseri**cór**dia e piedade é o Senhor, *
ele é a**mor**, é paciência, é compaixão.

– 9 O Se**nhor** é muito bom para com todos, *
sua ter**nu**ra abraça toda criatura.

–10 Que vossas **o**bras, ó Senhor, vos glorifiquem, *
e os vossos **san**tos com louvores vos bendigam!

–11 Narrem a **gló**ria e o esplendor do vosso reino *
e **sai**bam proclamar vosso poder!

–12 Para espa**lhar** vossos prodígios entre os homens *
e o ful**gor** de vosso reino esplendoroso.

–13 O vosso **rei**no é um reino para sempre, *
vosso po**der**, de geração em geração.

Ant. Todos os **dia**s have**rei** de bendi**zer**-vos
e con**tar** as vossas **gran**des maravilhas.

T.P.: Tanto **Deus** amou o **mun**do que lhe **deu** seu Filho **único**.
Ale**lui**a.

IV Semana

Ant. 2 Todos os olhos, ó Senhor, em vós esperam,
estais perto de quem pede vossa ajuda.

T.P.: Ao Senhor, Rei eterno, imortal e invísivel
honra, glória e poder. Aleluia.

II

— [13b] O Senhor é amor fiel em sua palavra, *
é santidade em toda obra que ele faz.
— [14] Ele sustenta todo aquele que vacila *
e levanta todo aquele que tombou.
— [15] Todos os olhos, ó Senhor, em vós esperam *
e vós lhes dais no tempo certo o alimento;
— [16] vós abris a vossa mão prodigamente *
e saciais todo ser vivo com fartura.
— [17] É justo o Senhor em seus caminhos, *
é santo em toda obra que ele faz.
— [18] Ele está perto da pessoa que o invoca, *
de todo aquele que o invoca lealmente.
— [19] O Senhor cumpre os desejos dos que o temem, *
ele escuta os seus clamores e os salva.
— [20] O Senhor guarda todo aquele que o ama, *
mas dispersa e extermina os que são ímpios.
= [21] Que a minha boca cante a glória do Senhor †
e que bendiga todo ser seu nome santo *
desde agora, para sempre e pelos séculos.

Ant. Todos os olhos, ó Senhor, em vós esperam,
estais perto de quem pede vossa ajuda.

T.P.: Ao Senhor, Rei eterno, imortal e invísivel
honra, glória e poder. Aleluia.

Ant. 3 Vossos caminhos são verdade, são justiça,
ó Rei dos povos todos do universo!

T.P.: O Senhor é minha força, é a razão do meu cantar,
pois foi ele neste dia para mim libertação. Aleluia.

Sexta-feira – Vésperas

Cântico
Ap 15,3-4

Hino de adoração

– ³Como são **grand**es e admi**rá**veis vossas **o**bras, *
ó Se**nhor** e nosso Deus onipotente!

– Vossos ca**min**hos são ver**da**de, são jus**ti**ça, *
ó **Rei** dos povos todos do universo!

(R. São **grand**es vossas **o**bras, ó Se**nhor**!)

= ⁴Quem, Se**nhor**, não haveria de temer-vos, †
e **quem** não honraria o vosso nome? *
Pois so**men**te vós, Senhor, é que sois santo! (R.)

= As nações **to**das hão de vir perante vós †
e, pros**tra**das, haverão de adorar-vos, *
pois vossas **jus**tas decisões são manifestas. (R.)

Ant. Vossos ca**min**hos são ver**da**de, são jus**ti**ça,
ó **Rei** dos povos **to**dos do uni**ver**so!

T.P.: O Se**nhor** é minha **for**ça, é a ra**zão** do meu can**tar**,
pois foi ele neste **di**a para **mim** liberta**ção**. Ale**lu**ia.

Leitura breve
Rm 8,1-2

Não há mais condenação para aqueles que estão em Cristo Jesus.
Pois a lei do Espírito que dá a vida em Jesus Cristo te libertou da
lei do pecado e da morte.

Responsório breve

R. O **Cris**to mor**reu** pelos **nos**sos pecados;
* **Pe**los **ím**pios, o **jus**to e condu**ziu**-nos a **Deus.**
R. O **Cris**to.
V. Foi **mor**to na **car**ne, mas **vi**ve no Es**pí**rito. * **Pe**los **ím**pios.
Glória ao **Pai.** R. O **Cris**to.

Cântico evangélico, ant.

Ó Se**nhor**, sede **fi**el ao vosso a**mor**,
como ha**ví**eis prome**ti**do a nossos **pais**!

Preces

Aclamemos a Cristo Jesus, esperança daqueles que conhecem o
seu nome; e peçamos confiantes:

R. **Kyrie, eleison!** ou: (**Senhor, tende piedade de nós!**)

1108   IV Semana

Cristo Jesus, vós conheceis a fragilidade da nossa natureza, sempre inclinada para o pecado;
– fortalecei-a com a vossa graça.

R. **Kyrie, eleison!** ou: **(Senhor, tende piedade de nós!)**

Tende compaixão da nossa fraqueza humana, sempre propensa ao mal;
– por vossa misericórdia, dai-nos o vosso perdão.   R.

Vós aceitais, benigno, a penitência para reparar a ofensa;
– afastai de nós os castigos que merecemos pelos nossos pecados.   R.

Vós, que perdoastes a pecadora arrependida e carregastes nos ombros a ovelha desgarrada,
– não nos recuseis a vossa misericórdia.   R.

(intenções livres)

Vós, que, pelo sacrifício da cruz, abristes as portas do céu,
– acolhei na eternidade todos aqueles que nesta vida esperaram em vós.   R.

Pai nosso...

Oração

Deus onipotente e misericordioso, que quisestes salvar o mundo pela paixão de vosso Cristo, concedei que vosso povo se ofereça a vós em sacrifício e seja saciado com vosso amor imenso. Por nosso Senhor Jesus Cristo, vosso Filho, na unidade do Espírito Santo.

IV SÁBADO

Laudes

V. Vinde, ó **Deus**. Glória ao **Pai**. Como era. Aleluia.

Hino

Raiando o novo dia,
as vozes elevamos,
de Deus a graça e glória
em Cristo proclamamos.

Sábado – Laudes

Por ele o Criador
compôs a noite e o dia,
criando a lei eterna
que os dois alternaria.

A vós, Luz dos fiéis,
nenhuma lei domina.
Fulgis de dia e de noite,
clarão da luz divina.

Ó Pai, por vossa graça,
vivamos hoje bem,
servindo a Cristo e cheios
do vosso Espírito. Amém.

Salmodia

Ant. 1 Como é **bom** salmodi**ar**
em louvor ao Deus Altíssimo!

T.P.: Quão i**men**sas, ó S**enhor**, são vossas **o**bras, ale**lui**a.

Salmo 91(92)
Louvor ao Deus Criador

Louvores se proclamam pelos feitos do Cristo (Sto. Atanásio).

– [2]Como é **bom** agrade**cer**mos ao S**enhor** *
e cantar **sal**mos de louvor ao Deus Altíssimo!
– [3]Anunci**ar** pela manhã vossa bondade, *
e o **vos**so amor fiel, a noite inteira,
– [4]ao som da **li**ra de dez cordas e da harpa, *
com **can**to acompanhado ao som da cítara.

– [5]Pois me ale**gras**tes, ó Senhor, com vossos feitos, *
e reju**bi**lo de alegria em vossas obras.
– [6]Quão i**men**sas, ó Senhor, são vossas obras, *
quão pro**fun**dos são os vossos pensamentos!
– [7]Só o **ho**mem insensato não entende, *
só o es**tul**to não percebe nada disso!
– [8]Mesmo que os **ím**pios floresçam como a erva, *
ou pros**pe**rem igualmente os malfeitores,
– são desti**na**dos a perder-se para sempre. *
[9]Vós, po**rém**, sois o Excelso eternamente! –

1110   IV Semana

=¹⁰ Eis que os **vos**sos inimigos, ó Senhor, †
eis que os **vos**sos inimigos vão perder-se, *
e os malfei**tor**es serão todos dispersados.

–¹¹ Vós me **des**tes toda a força de um touro, *
e sobre **mim** um óleo puro derramastes;

–¹² triun**fan**te, posso olhar meus inimigos, *
vitorioso, escuto a voz de seus gemidos.

–¹³ O **jus**to crescerá como a palmeira, *
florirá igual ao cedro que há no Líbano;

–¹⁴ na **ca**sa do Senhor estão plantados, *
nos **átrios** de meu Deus florescerão.

–¹⁵ Mesmo no **tem**po da velhice darão frutos, *
cheios de **sei**va e de folhas verdejantes;

–¹⁶ e di**rão**: "É justo mesmo o Senhor Deus: *
meu Ro**che**do, não existe nele o mal!"

Ant. Como é **bom** salmodi**ar** em lou**vor** ao Deus Al**tí**ssimo!

T.P.: Quão imen**sas**, ó Se**nhor**, são vossas **obras**, ale**lu**ia.

Ant. 2   Dar-vos-**ei** um novo es**pí**rito e um **no**vo cora**ção**.

T.P.: Have**rei** de derra**mar** sobre **vós** uma água **pu**ra. Ale**lu**ia.

Cântico   Ez 36,24-28
Deus renovará o seu povo

Eles serão o seu povo, e o próprio Deus estará com eles (Ap 21,3).

=²⁴ Have**rei** de reti**rar**-vos do **mei**o das na**ções**, †
have**rei** de reunir-vos de **to**dos os países, *
e de **vol**ta eu levarei a todos **vós** à vossa terra.

=²⁵ Have**rei** de derramar sobre **vós** uma água pura, †
e de **vos**sas imundícies se**reis** purificados; *
sim, se**reis** purificados de **to**da idolatria.

=²⁶ Dar-vos-**ei** um novo espírito e um **no**vo coração; †
tira**rei** de vosso peito este co**ra**ção de pedra, *
no lu**gar** colocarei novo co**ra**ção de carne.

=²⁷ Have**rei** de derramar meu Es**pí**rito em vós †
e fa**rei** que caminheis obede**cen**do a meus preceitos, *
que obser**veis** meus mandamentos e guar**deis** a minha Lei. –

Sábado – Laudes

=28 E havereis de habitar aquela **terra** prometida, †
que nos **tempos** do passado eu do**ei** a vossos pais, *
e se**reis** sempre o meu povo e eu se**rei** o vosso Deus!

Ant. Dar-vos-**ei** um novo es**pí**rito e um **no**vo cora**ção**.

T.P.: Have**rei** de derra**mar** sobre **vós** uma água **pura**. A**le**luia.

Ant. 3 O per**fei**to lou**vor** vos é **da**do
pelos **lá**bios dos **mais** peque**ni**nos.

T.P.: Tudo é **vos**so, mas **vós** sois de **Cris**to
e **Cris**to é de **Deus**, ale**lu**ia.

Salmo 8
Majestade de Deus e dignidade do homem

Ele pôs tudo sob os seus pés e fez dele, que está acima de tudo,
a Cabeça da Igreja (Ef 1,22).

– 2 Ó Se**nhor** nosso **Deus**, como é **gran**de *
vosso **no**me por todo o universo!

– Desdo**bras**tes nos céus vossa glória *
com gran**de**za, esplendor, majestade.

= 3 O per**fei**to louvor vos é dado †
pelos **lá**bios dos mais pequeninos, *
de cri**an**ças que a mãe amamenta.

– Eis a **for**ça que opondes aos maus, *
redu**zin**do o inimigo ao silêncio.

– 4 Contem**plan**do estes céus que plasmastes *
e for**mas**tes com dedos de artista;

– vendo a **lua** e estrelas brilhantes, *
5 pergun**ta**mos: "Senhor, que é o homem,

– para **de**le assim vos lembrardes *
e o tra**tar**des com tanto carinho?"

– 6 Pouco a**bai**xo de um deus o fizestes, *
coro**an**do-o de glória e esplendor;

– 7 vós lhe **des**tes poder sobre tudo, *
vossas obras aos pés lhe pusestes: _

1112 IV Semana

– [8]as ovelhas, os bois, os rebanhos, *
   todo o **gado** e as feras da mata;
– [9]**passa**rinhos e peixes dos mares, *
   todo **ser** que se move nas águas.
– [10]Ó **Se**nhor nosso Deus, como é grande *
   vosso **no**me por todo o universo!

Ant. O perfei**to** louv**or** vos é da**do**
   pelos **lá**bios dos **mais** pequeninos.

T.P.: Tudo é **vos**so, mas **vós** sois de **Cris**to
   e **Cris**to é de **Deus**, aleluia.

Leitura breve   2Pd 3,13-15a

O que nós esperamos, de acordo com a sua promessa, são novos
céus e uma nova terra, onde habitará a justiça. Caríssimos, vivendo nesta esperança, esforçai-vos para que ele vos encontre numa
vida pura e sem mancha e em paz. Considerai também como salvação a longanimidade de nosso Senhor.

Responsório breve

R. A alegria canta**rá** sobre meus **lá**bios,
   * E a minh'**al**ma liber**ta**da exultará. R. A alegria.
V. Tam**bém** celebra**rei** vossa justiça. * E a minh'**al**ma. Glória
   ao **Pai**. R. A alegria.

Cântico evangélico, ant.

Gui**ai** nossos **pas**sos no ca**mi**nho da **paz**.

Preces

Adoremos a Deus, que por meio de seu Filho trouxe ao mundo
vida e esperança; e peçamos humildemente:
R. **Senhor, ouvi-nos!**

Senhor, Pai de todos os seres humanos, que nos fizestes chegar
ao princípio deste dia,
– dai-nos viver unidos a Cristo para louvor da vossa glória.   R.

Conservai e aumentai em nós a fé, a esperança e a caridade,
– que derramastes em nossos corações.   R.

Fazei que os nossos olhos estejam sempre voltados para vós,
– para correspondermos com generosidade e alegria ao vosso
chamado.   R.

Sábado – Hora Média

1113

Defendei-nos das ciladas e seduções do mal,
– e protegei os nossos passos de todo tropeço.   R.

(intenções livres)

Pai nosso...

Oração

Deus onipotente e eterno, luz esplendorosa e dia que não termina,
nós vos pedimos nesta manhã que, vencidas as trevas do pecado,
nossos corações sejam iluminados com o fulgor da vossa vinda.
Por nosso Senhor Jesus Cristo, vosso Filho, na unidade do Espírito Santo.

Hora Média

V. Vinde, ó **Deus**. Glória ao **Pai**. Como era. (Aleluia).
HINO como no Ordinário, p. 743.

Salmodia

Ant. 1 Estendei a vossa **mão** para aju**dar**-me,
   pois esco**lhi** sempre se**guir** vossos pre**cei**tos.

Salmo 118(119),169-176
XXII (Táu)

Meditação sobre a Palavra de Deus na Lei

Sua misericórdia se estende de geração em geração, a todos
os que o respeitam (Lc 1,50).

– [169]Que o meu gri**to**, ó Se**nhor**, chegue até **vós**; *
   fazei-me **sá**bio como vós o prometestes!
– [170]Que a minha **prece** chegue até à vossa face; *
   con**for**me prometestes, libertai-me!

– [171]Que pror**rom**pam os meus lábios em canções, *
   pois me fi**zes**tes conhecer vossa vontade!
– [172]Que minha **lín**gua cante alegre a vossa lei, *
   porque **jus**tos são os vossos mandamentos!

– [173]Esten**dei** a vossa mão para ajudar-me, *
   pois esco**lhi** sempre seguir vossos preceitos!
– [174]Desejo a **vos**sa salvação ardentemente *
   e en**con**tro em vossa lei minhas delícias! –

IV Semana

—[175] Possa eu vi**ver** e para sempre vos louvar; *
e que me a**ju**dem, ó Senhor, vossos conselhos!
—[176] Se eu me per**der** como uma ovelha, procurai-me, *
porque **nun**ca esqueci vossos preceitos!

Ant. Esten**dei** a vossa **mão** para aju**dar**-me,
pois esco**lhi** sempre se**guir** vossos pre**cei**tos.

Ant. 2 Vosso **trono**, ó **Deus**, é e**ter**no, sem **fim**.

Salmo 44(45)
As núpcias do Rei

O noivo está chegando. Ide ao seu encontro! (Mt 25,6).

I

= [2]Trans**bor**da um poema do **meu** cora**ção**; †
vou can**tar**-vos, ó Rei, esta **mi**nha canção; *
minha **lín**gua é qual pena de um **á**gil escriba.

= [3]Sois tão **be**lo, o mais belo entre os **fi**lhos dos homens! †
Vossos **lá**bios espalham a **gra**ça, o encanto, *
porque **Deus**, para sempre, vos **deu** sua bênção.

— [4]Le**vai** vossa espada de **gló**ria no flanco, *
he**rói** valoroso, no **vos**so esplendor;
— [5]sa**í** para a luta no **car**ro de guerra *
em **de**fesa da fé, da jus**ti**ça e verdade!

= Vossa **mão** vos ensine va**len**tes proezas, †
[6]vossas **fle**chas agudas a**ba**tam os povos *
e **fi**ram no seu cora**ção** o inimigo!

= [7]Vosso **tro**no, ó Deus, é e**ter**no, é sem fim; †
vosso **ce**tro real é si**nal** de justiça: *
[8]**Vós a**mais a justiça e odi**ais** a maldade.

= É por **is**so que Deus vos un**giu** com seu óleo, †
deu-vos **mais** alegria que aos **vos**sos amigos. *
[9]Vossas **ves**tes exalam precio**sos** perfumes.

— De e**búr**neos palácios os **sons** vos deleitam. *
[10]As **fi**lhas de reis vêm ao **vos**so encontro,
— e à **vos**sa direita se en**con**tra a rainha *
com **ves**te esplendente de **ou**ro de Ofir.

Ant. Vosso **trono**, ó **Deus**, é **eterno**, sem **fim**.

Ant. 3 Vi a **nova** Sião descer do **céu**
como esposa enfeitada para o esposo.

II

– [11] Escutai, minha filha, olhai, ouvi isto: *
"Esquecei vosso povo e a casa paterna!
– [12] Que o Rei se encante com vossa beleza! *
Prestai-lhe homenagem: é vosso Senhor!
– [13] O povo de Tiro vos traz seus presentes, *
os grandes do povo vos pedem favores.
– [14] Majestosa, a princesa real vem chegando, *
vestida de ricos brocados de ouro.
– [15] Em vestes vistosas ao Rei se dirige, *
e as virgens amigas lhe formam cortejo;
– [16] entre cantos de festa e com grande alegria, *
ingressam, então, no palácio real".
– [17] Deixareis vossos pais, mas tereis muitos filhos; *
fareis deles os reis soberanos da terra.
– [18] Cantarei vosso nome de idade em idade, *
para sempre haverão de louvar-vos os povos!

Ant. Vi a **nova** Sião descer do **céu**
como esposa enfeitada para o esposo.

Leitura breve   Rm 15,5-7

O Deus que dá constância e conforto vos dê a graça da harmonia
e concórdia, uns com os outros, como ensina Cristo Jesus. Assim,
tendo como que um só coração e a uma só voz, glorificareis o
Deus e Pai do Senhor nosso, Jesus Cristo. Por isso, acolhei-vos
uns aos outros, como também Cristo vos acolheu, para a glória
de Deus.

V. O Senhor muito ama o seu povo.
R. E coroa com vitória os seus humildes.

Oração

Senhor nosso Deus, luz ardente de amor eterno, concedei que,
inflamados na vossa caridade, num mesmo amor amemos a vós,
acima de tudo, e aos irmãos e irmãs por vossa causa. Por Cristo,
nosso Senhor.

COMPLETAS

DEPOIS DAS I VÉSPERAS DOS DOMINGOS E SOLENIDADES

Tudo como no Ordinário, p. 749, além do que segue:

Salmodia

Fora do Tempo pascal: Ant. 1

Ant. 1 Ó Senhor, tende piedade, e escutai minha oração!

No tempo pascal: Ant. Aleluia, aleluia, aleluia.

Salmo 4

Ação de graças

O Senhor fez maravilhas naquele que ressuscitou dos mortos (Sto. Agostinho).

= ²Quando eu chamo, respondei-me, ó meu Deus, minha justiça! †
Vós que soubestes aliviar-me nos momentos de aflição, *
atendei-me por piedade e escutai minha oração!

— ³Filhos dos homens, até quando fechareis o coração? *
Por que amais a ilusão e procurais a falsidade?

— ⁴Compreendei que nosso Deus faz maravilhas por seu servo, *
e que o Senhor me ouvirá quando lhe faço a minha prece!

— ⁵Se ficardes revoltados, não pequeis por vossa ira; *
meditai nos vossos leitos e calai o coração!

— ⁶Sacrificai o que é justo, e ao Senhor oferecei-o; *
confiai sempre no Senhor, ele é a única esperança!

— ⁷Muitos há que se perguntam: "Quem nos dá felicidade?" *
Sobre nós fazei brilhar o esplendor de vossa face!

— ⁸Vós me destes, ó Senhor, mais alegria ao coração, *
do que a outros na fartura do seu trigo e vinho novo.

— ⁹Eu tranquilo vou deitar-me e na paz logo adormeço, *
pois só vós, ó Senhor Deus, dais segurança à minha vida!

Fora do Tempo pascal: Ant.

Ó Senhor, tende piedade, e escutai minha oração!

Ant. 2 Bendizei o Senhor Deus durante a noite!

Depois das I Vésperas dos domingos e solenidades

Salmo 133(134)
Oração da noite no templo

Louvai o nosso Deus, todos os seus servos e todos os que o temeis, pequenos e grandes! (Ap 19,5).

– [1] Vinde, agora, bendi**zei** ao Senhor **Deus**, *
   vós **to**dos, servidores do Senhor,
– que cele**brais** a liturgia no seu templo, *
   nos **á**trios da casa do Senhor.

– [2] Levan**tai** as vossas mãos ao santuário, *
   bendi**zei** ao Senhor Deus a noite inteira!
– [3] Que o **S**enhor te abençoe de Sião, *
   o **S**enhor que fez o céu e fez a terra!

Fora do Tempo pascal: Ant.

Bendi**zei** o Senhor **Deus** durante a **noi**te!

No Tempo pascal: Ant. Ale**lui**a, ale**lui**a, ale**lui**a.

Leitura breve
Dt 6,4-7

Ouve, Israel, o Senhor, nosso Deus, é o único Senhor. Amarás o Senhor teu Deus com todo o teu coração, com toda a tua alma e com todas as tuas forças. E trarás gravadas em teu coração todas estas palavras que hoje te ordeno. Tu as repetirás com insistência aos teus filhos e delas falarás quando estiveres sentado em tua casa, ou andando pelos caminhos, quando te deitares, ou te levantares.

Responsório breve

Fora do Tempo pascal:

R. **S**enhor, em vossas **mãos**
   * Eu en**tre**go o meu es**pí**rito. R. **S**enhor.
V. Vós **sois** o Deus fiel, que sal**vas**tes vosso **po**vo.
   * Eu en**tre**go. Glória ao **Pai**. R. **S**enhor.

Durante a oitava da Páscoa, em vez do Responsório se diz a Antífona
Este é o dia como no Próprio do Tempo, p. 462.

No Tempo pascal:

R. **S**enhor, em vossas **mãos** eu en**tre**go o meu es**pí**rito.
   * Ale**lui**a, ale**lui**a. R. **S**enhor.
V. Vós **sois** o Deus fiel, que sal**vas**tes vosso **po**vo.
   * Ale**lui**a, ale**lui**a. Glória ao **Pai**. R. **S**enhor.

1118   Completas

Cântico evangélico, Ant.
Salvai-nos, Senhor, quando velamos,
guardai-nos também quando dormimos!
Nossa mente vigie com o Cristo,
nosso corpo repouse em sua paz! (T.P. Aleluia).

Cântico de Simeão   Lc 2,29-32

Cristo, luz das nações e glória de seu povo

– ^{29}Deixai, agora, vosso servo ir em paz, *
conforme prometestes, ó Senhor.

– ^{30}Pois meus olhos viram vossa salvação, *
^{31}que preparastes ante a face das nações:

– ^{32}uma Luz que brilhará para os gentios, *
e para a glória de Israel, o vosso povo.

Ant. Salvai-nos, Senhor, quando velamos,
guardai-nos também quando dormimos!
Nossa mente vigie com o Cristo,
nosso corpo repouse em sua paz! (T.P. Aleluia).

Oração

Nos domingos e durante a oitava da Páscoa:

Ficai conosco, Senhor, nesta noite, e vossa mão nos levante amanhã cedo, para que celebremos com alegria a ressurreição de vosso Cristo. Que vive e reina para sempre.

Nas solenidades:

Visitai, Senhor, esta casa, e afastai as ciladas do inimigo; nela
habitem vossos santos Anjos, para nos guardar na paz, e a vossa
bênção fique sempre conosco. Por Cristo, nosso Senhor.

Conclusão da Hora e Antífona de Nossa Senhora como no Ordinário,
p. 754.

DEPOIS DAS II VÉSPERAS DOS DOMINGOS E SOLENIDADES

Tudo como no Ordinário, p. 749, além do que segue:

Salmodia

Fora do Tempo pascal: Ant.

Não temerás terror algum durante a noite:
o Senhor te cobrirá com suas asas.

No Tempo pascal: Ant. Aleluia, aleluia, aleluia.

Salmo 90(91)

Sob a proteção do Altíssimo

Eu vos dei o poder de pisar em cima de cobras e escorpiões (Lc 10,19).

– [1] Quem habita ao abrigo do Altíssimo *
  e vive à sombra do Senhor onipotente,
– [2] diz ao Senhor: "Sois meu refúgio e proteção, *
  sois o meu **Deus**, no qual confio inteiramente".

– [3] Do caçador e do seu laço ele te livra. *
  Ele te salva da palavra que destrói.
– [4] Com suas asas haverá de proteger-te, *
  com seu escudo e suas armas defender-te.

– [5] Não temerás terror algum durante a noite, *
  nem a flecha disparada em pleno dia;
– [6] nem a peste que caminha pelo escuro, *
  nem a desgraça que devasta ao meio-dia;

= [7] Podem cair muitos milhares a teu lado,†
  podem cair até dez mil à tua direita: *
  nenhum mal há de chegar perto de ti.

– [8] Os teus olhos haverão de contemplar *
  o castigo infligido aos pecadores;
– [9] pois fizeste do Senhor o teu refúgio, *
  e no Altíssimo encontraste o teu abrigo.

– [10] Nenhum **mal** há de chegar perto de ti, *
  nem a desgraça baterá à tua porta;

1120   Completas

—11 pois o Senhor deu uma ordem a seus anjos *
para em todos os caminhos te guardarem.

—12 Haverão de te levar em suas mãos, *
para o teu pé não se ferir nalguma pedra.

—13 Passarás por sobre cobras e serpentes, *
pisarás sobre leões e outras feras.

—14 "Porque a mim se confiou, hei de livrá-lo *
e protegê-lo, pois meu nome ele conhece.

—15 Ao invocar-me hei de ouvi-lo e atendê-lo, *
e a seu lado eu estarei em suas dores.

= Hei de livrá-lo e de glória coroá-lo, †
16 vou conceder-lhe vida longa e dias plenos, *
e vou mostrar-lhe minha graça e salvação".

Fora do Tempo pascal: Ant.
Não temerás terror algum durante a noite:
o Senhor te cobrirá com suas asas.

No Tempo pascal: Ant. Aleluia, aleluia, aleluia.

Leitura breve   Ap 22,4-5
Verão a sua face e o seu nome estará sobre suas frontes. Não
haverá mais noite: não se precisará mais da luz da lâmpada, nem
da luz do sol, porque o Senhor Deus vai brilhar sobre eles e eles
reinarão por toda a eternidade.

Responsório breve

Fora do Tempo pascal:

R. Senhor, em vossas mãos
    * Eu entrego o meu espírito. R. Senhor.
V. Vós sois o Deus fiel, que salvastes vosso povo.
    * Eu entrego. Glória ao Pai. R. Senhor.

No Tríduo pascal e durante a oitava da Páscoa, em vez do Responsório
se diz a Antífona Jesus Cristo se humilhou, p. 418 ou Este é o dia, p.
462 como no Próprio do Tempo.

No Tempo pascal:

R. Senhor, em vossas mãos eu entrego o meu espírito.
    * Aleluia, aleluia. R. Senhor.
V. Vós sois o Deus fiel, que salvastes vosso povo.
    * Aleluia, aleluia. Glória ao Pai. R. Senhor.

Cântico evangélico, Ant.

Salvai-nos, Senhor, quando velamos,
guardai-nos também quando dormimos!
Nossa mente vigie com o Cristo,
nosso corpo repouse em sua paz! (T.P. Aleluia).

Cântico de Simeão · Lc 2,29-32

Cristo, luz das nações e glória de seu povo

—²⁹ Deixai, agora, vosso servo ir em paz, *
conforme prometestes, ó Senhor.

—³⁰ Pois meus olhos viram vossa salvação, *
³¹ que preparastes ante a face das nações:

—³² uma Luz que brilhará para os gentios, *
e para a glória de Israel, o vosso povo.

Ant. Salvai-nos, Senhor, quando velamos,
guardai-nos também quando dormimos!
Nossa mente vigie com o Cristo,
nosso corpo repouse em sua paz! (T.P. Aleluia).

Oração

Depois de celebrarmos neste dia a ressurreição do vosso Filho,
nós vos pedimos, humildemente, Senhor, que descansemos seguros em vossa paz e despertemos alegres para cantar vosso louvor.
Por Cristo, nosso Senhor.

No Tríduo Pascal e nas solenidades:

Visitai, Senhor, esta casa, e afastai as ciladas do inimigo; nela
habitem vosso s santos Anjos, para nos guardar na paz, e a vossa
bênção fique sempre conosco. Por Cristo, nosso Senhor.

Conclusão e Antífona de Nossa Senhora como no Ordinário, p. 754.

SEGUNDA-FEIRA

Tudo como no Ordinário, p. 749, além do que segue:

Salmodia

Fora do Tempo pascal: Ant.

Ó Senhor, sois clemente e fiel,
sois amor, paciência e perdão!

1122 — Completas

No Tempo pascal: Ant. Aleluia, aleluia, aleluia.

Salmo 85(86)

Oração do pobre nas dificuldades

Bendito seja Deus que nos consola em todas as nossas aflições (2Cor 1,3.4).

– 1 Inclinai, ó Senhor, vosso ouvido, *
2 escutai, pois sou pobre e infeliz!
= Protegei-me, que sou vosso amigo, †
e salvai vosso servo, meu Deus, *
que espera e confia em vós!
– 3 Piedade de mim, ó Senhor, *
4 porque clamo por vós todo o dia!
– Animai e alegrai vosso servo, *
pois a vós eu elevo a minh'alma.
– 5 Ó Senhor, vós sois bom e clemente, *
6 sois perdão para quem vos invoca.
– Escutai, ó Senhor, minha prece, *
o lamento da minha oração!
– 7 No meu dia de angústia eu vos chamo, *
8 porque sei que me haveis de escutar.
– Não existe entre os deuses nenhum *
que convosco se possa igualar;
– não existe outra obra no mundo *
comparável às vossas, Senhor!
– 9 As nações que criastes virão *
10 adorar e louvar vosso nome.
– Sois tão grande e fazeis maravilhas: *
vós somente sois Deus e Senhor!
– 11 Ensinai-me os vossos caminhos, *
e na vossa verdade andarei;
– meu coração orientai para vós: *
que respeite, Senhor, vosso nome!
– 12 Dou-vos graças com toda a minh'alma, *
sem cessar louvarei vosso nome!
– 13 Vosso amor para mim foi imenso: *
retirai-me do abismo da morte! ⁻

Segunda-feira 1123

= [14] Contra **mim** se levantam soberbos, †
e malvados me querem matar; *
não vos levam em conta, Senhor!

– [15] Vós, porém, sois clemente e fiel, *
sois **amor**, paciência e perdão.

= [16] Tende **pena** e olhai para mim! †
Confirmai com vigor vosso servo, *
de vossa **serv**a o filho salvai.

– [17] Concedei-me um sinal que me prove *
a verdade do vosso amor.

– O inimigo humilhado verá *
que me **dest**es ajuda e consolo.

Fora do Tempo pascal: Ant.

Ó Senhor, sois clemente e fiel,
sois amor, paciência e perdão!

No Tempo pascal: Ant. Aleluia, aleluia, aleluia.

Leitura breve   1Ts 5,9-10

Deus nos destinou para alcançarmos a salvação, por meio de
nosso Senhor Jesus Cristo. Ele morreu por nós, para que, quer
vigiando nesta vida, quer adormecidos na morte, alcancemos a
vida junto dele.

Responsório breve

Fora do Tempo pascal:

R. Senhor, em vossas **mãos**
* Eu entrego o meu espírito. R. Senhor.
V. Vós sois o Deus fiel, que salvastes vosso povo.
* Eu entrego. Glória ao Pai. R. Senhor.

No Tempo pascal:

R. Senhor, em vossas **mãos** eu entrego o meu espírito.
* Aleluia, aleluia. R. Senhor.
V. Vós sois o Deus fiel, que salvastes vosso povo.
* Aleluia, aleluia. Glória ao Pai. R. Senhor.

Cântico evangélico, Ant.

Salvai-nos, Senhor, quando velamos,
guardai-nos também quando dormimos!
Nossa mente vigie com o Cristo,
nosso corpo repouse em sua paz! (T.P. Aleluia).

1124 Completas

Cântico de Simeão
Lc 2,29-32

Cristo, luz das nações e glória de seu povo

—²⁹ Deixai, agora, vosso **servo** ir em **paz,** *
confor**me** prometestes, ó Senhor.

—³⁰ Pois meus **ol**hos viram vossa salva**ção,** *
³¹ que prepa**rastes** ante a face das nações:

—³² uma **Luz** que brilhará para os gentios, *
e para a **gló**ria de Israel, o vosso povo.

Ant. Sal**vai**-nos, S**enhor**, quando ve**la**mos,
guar**dai**-nos tam**bém** quando dor**mi**mos!
Nossa **men**te vi**gie** com o **Cris**to,
nosso **cor**po re**pou**se em sua **paz!** (T.P. Ale**lui**a).

Oração

Concedei, Senhor, aos nossos corpos um sono restaurador, e fazei germinar para a messe eterna as sementes do Reino, que hoje
lançamos com nosso trabalho. Por Cristo, nosso Senhor.

Conclusão e Antífona de Nossa Senhora como no Ordinário, p. 754.

TERÇA-FEIRA

Tudo como no Ordinário, p. 749, além do que segue:

Salmodia

Fora do Tempo pascal: Ant.

Não escon**dais** vossa **face** de **mim,**
porque em **vós** colo**quei** a espe**ran**ça!

No Tempo pascal: Ant. Ale**lui**a, ale**lui**a, ale**lui**a.

Salmo 142(143),1-11

Prece na aflição

Ninguém é justificado por observar a Lei de Moisés, mas por
crer em Jesus Cristo (Gl 2,16).

— ¹ Ó Se**nhor**, escu**tai** minha **pre**ce, *
ó meu **Deus**, atendei minha súplica!

— Respon**dei**-me, ó vós, Deus fiel, *
escu**tai**-me por vossa justiça! —

Terça-feira

= ²Não cha**meis** vosso servo a juízo, †
pois di**an**te da vossa presença *
não é **jus**to nenhum dos viventes.

– ³O ini**mi**go persegue a minha alma, *
ele es**ma**ga no chão minha vida

– e me **faz** habitante das trevas, *
como a**que**les que há muito morreram.

– ⁴Já em **mim** o alento se extingue, *
o cora**ção** se comprime em meu peito!

– ⁵Eu me le**mbro** dos dias de outrora †
e re**pas**so as vossas ações, *
recor**dan**do os vossos prodígios.

= ⁶Para **vós** minhas mãos eu estendo; †
minha **al**ma tem sede de vós, *
como a **ter**ra sedenta e sem água.

– ⁷Escu**tai**-me depressa, Senhor, *
o es**pí**rito em mim desfalece!

= Não escon**dais** vossa face de mim! †
Se o fi**zer**des, já posso contar-me *
entre a**que**les que descem à cova!

– ⁸Fazei-me **ce**do sentir vosso amor, *
porque em **vós** coloquei a esperança!

– Indi**cai**-me o caminho a seguir, *
pois a **vós** eu elevo a minha alma!

– ⁹Liber**tai**-me dos meus inimigos, *
porque **sois** meu refúgio, Senhor!

– ¹⁰Vossa von**ta**de ensinai-me a cumprir, *
porque **sois** o meu Deus e Senhor!

– Vosso Es**pí**rito bom me dirija *
e me **gui**e por terra bem plana!

– ¹¹Por vosso **no**me e por vosso amor *
conser**vai**, renovai minha vida!

– Pela **vos**sa justiça e clemência, *
arran**cai** a minha alma da angústia!

Fora do Tempo pascal: Ant.

Não escon**dais** vossa **face** de **mim**,
porque em **vós** colo**quei** a espe**ran**ça!

1126   Completas

No Tempo pascal: Ant. **Aleluia, aleluia, aleluia.**

Leitura breve   1Pd 5,8-9a

Sede sóbrios e vigilantes. O vosso adversário, o diabo, rodeia como um leão a rugir, procurando a quem devorar. Resisti-lhe, firmes na fé.

Responsório breve

Fora do Tempo pascal:

R. **Se**nhor, em vossas **mãos**
     * Eu en**tre**go o meu es**pí**rito. R. **Se**nhor.
V. Vós **sois** o Deus fi**el**, que salva**stes** vosso **po**vo.
     * Eu en**tre**go. Glória ao **Pai**. R. **Se**nhor.

No Tempo pascal:

R. **Se**nhor, em vossas **mãos** eu en**tre**go o meu es**pí**rito.
     * Ale**lu**ia, ale**lu**ia. R. **Se**nhor.
V. Vós **sois** o Deus fi**el**, que salva**stes** vosso **po**vo.
     * Ale**lu**ia, ale**lu**ia. Glória ao **Pai**. R. **Se**nhor.

Cântico evangélico, Ant.

Sal**vai**-nos, **Se**nhor, quando ve**la**mos,
guar**dai**-nos tam**bém** quando dor**mi**mos!
Nossa **men**te vi**gie** com o **Cris**to,
nosso **cor**po re**pou**se em sua **paz!** (T.P. Aleluia).

Cântico de Simeão   Lc 2,29-32

Cristo, luz das nações e glória de seu povo

—[29] **Dei**xai, agora, vosso **ser**vo ir em **paz**, *
     con**for**me prometestes, ó Senhor.

—[30] Pois meus **o**lhos viram vossa salvação, *
     [31] que prepa**ras**tes ante a face das nações:

—[32] uma **Luz** que brilhará para os gentios, *
     e para a **gló**ria de Israel, o vosso povo.

Ant. Sal**vai**-nos, **Se**nhor, quando ve**la**mos,
     guar**dai**-nos tam**bém** quando dor**mi**mos!
     Nossa **men**te vi**gie** com o **Cris**to,
     nosso **cor**po re**pou**se em sua **paz!** (T.P. Aleluia).

Quarta-feira 1127

Oração

Iluminai, Senhor, esta noite e fazei-nos dormir tranquilamente, para que em vosso nome nos levantemos alegres ao clarear do novo dia. Por Cristo, nosso Senhor.

Conclusão e Antífona de Nossa Senhora como no Ordinário, p. 754.

QUARTA-FEIRA

Tudo como no Ordinário, p. 749, além do que segue:

Salmodia

Fora do Tempo pascal: Ant. 1

Ó Senhor, sede a minha proteção,
um abrigo bem seguro que me salva!

No Tempo pascal: Ant. Aleluia, aleluia, aleluia.

Salmo 30(31),2-6
Súplica confiante do aflito

Pai, em tuas mãos entrego o meu espírito! (Lc 23,46).

– ²Senhor, eu ponho em **vós** minha esperança; *
que eu não fique envergonhado eternamente!
= Porque sois justo, defendei-me e libertai-me, †
³inclinai o vosso ouvido para mim: *
apressai-vos, ó Senhor, em socorrer-me!
– Sede uma rocha protetora para mim, *
um abrigo bem seguro que me salve!
– ⁴Sim, sois **vós** a minha rocha e fortaleza; *
por vossa honra orientai-me e conduzi-me!
– ⁵Retirai-me desta rede traiçoeira, *
porque sois o meu refúgio protetor!
– ⁶Em vossas **mãos**, Senhor, entrego o meu espírito, *
porque vós me salvareis. ó Deus fiel!

Fora do Tempo pascal: Ant. 1

Ó Senhor, sede a minha proteção,
um abrigo bem seguro que me salva.

Ant. 2 Das profundezas eu clamo a vós, Senhor! †

1128

Completas

Salmo 129(130)

Das profundezas eu clamo a vós, Senhor!

Ele vai salvar o seu povo dos seus pecados (Mt 1,21).

— [1] Das profundezas eu clamo a vós, Senhor, *
[2] † escutai a minha voz!

— Vossos ouvidos estejam bem atentos *
ao clamor da minha prece!

— [3] Se levardes em conta nossas faltas, *
quem haverá de subsistir?

— [4] Mas em vós se encontra o perdão, *
eu vos temo e em vós espero.

— [5] No Senhor ponho a minha esperança, *
espero em sua palavra.

— [6] A minh'alma espera no Senhor *
mais que o vigia pela aurora.

— [7] Espere Israel pelo Senhor *
mais que o vigia pela aurora!

— Pois no Senhor se encontra toda graça *
e copiosa redenção.

— [8] Ele vem libertar a Israel *
de toda a sua culpa.

Fora do Tempo pascal: Ant.

Das profundezas eu clamo a vós, Senhor!

No Tempo pascal: Ant. Aleluia, aleluia, aleluia.

Leitura breve   Ef 4,26-27

Não pequeis. Que o sol não se ponha sobre o vosso ressentimento. Não vos exponhais ao diabo.

Responsório breve

Fora do Tempo pascal:

R. Senhor, em vossas mãos
* Eu entrego o meu espírito. R. Senhor.
V. Vós sois o Deus fiel, que salvastes vosso povo.
* Eu entrego. Glória ao Pai. R. Senhor.

Quinta-feira

1129

No Tempo pascal:

R. **Senhor**, em vossas **mãos** eu en**tre**go o meu es**pí**rito.
* Ale**lu**ia, ale**lu**ia. R. Se**nhor**.
V. Vós **sois** o Deus **fiel**, que sal**vas**tes vosso **po**vo.
* Ale**lu**ia, ale**lu**ia. **Gló**ria ao **Pai**. R. Se**nhor**.

Cântico evangélico, Ant.

Sal**vai**-nos, Se**nhor**, quando ve**la**mos,
guar**dai**-nos tam**bém** quando dor**mi**mos!
Nossa **men**te vi**gi**e com o **Cris**to,
nosso **cor**po re**pou**se em sua **paz**! (T.P. Ale**lu**ia).

Cântico de Simeão

Lc 2,29-32

Cristo, luz das nações e glória de seu povo

– 29Dei**xai**, a**go**ra, vosso **ser**vo ir em **paz**, *
con**for**me prome**tes**tes, ó Se**nhor**.

– 30Pois meus **o**lhos **vi**ram vossa sal**va**ção, *
31que prepa**ras**tes **an**te a **fa**ce das na**ções**:

– 32uma **Luz** que brilha**rá** para os **gen**tios, *
e para a **gló**ria de Isra**el**, o **vos**so povo.

Ant. Sal**vai**-nos, Se**nhor**, quando ve**la**mos,
guar**dai**-nos tam**bém** quando dor**mi**mos!
Nossa **men**te vi**gi**e com o **Cris**to,
nosso **cor**po re**pou**se em sua **paz**! (T.P. Ale**lu**ia).

Oração

Senhor Jesus Cristo, manso e humilde de coração, que tornais
leve o fardo e suave o jugo dos que vos seguem, acolhei os propósitos e trabalhos deste dia e concedei-nos um repouso tranquilo, para amanhã vos servirmos com maior generosidade. Vós,
que viveis e reinais para sempre.

Conclusão e Antífona de Nossa Senhora como no Ordinário, p. 754.

QUINTA-FEIRA

Tudo como no Ordinário, p. 749, além do que segue:

Salmodia

Fora do Tempo pascal: Ant.

Meu corpo no re**pou**so está tran**qui**lo.

1130

Completas

No Tempo pascal: Ant. Aleluia, aleluia, aleluia.

Salmo 15(16)
O Senhor é minha esperança

Deus ressuscitou a Jesus, libertando-o das angústias da morte (At 2,24).

= ¹Guardai-me, ó **Deus**, porque em **vós** me refugio! †
  ²Digo ao Senhor: "Somente vós sois meu Senhor: *
  nenhum **bem** eu posso achar fora de vós!"

– ³Deus me inspirou uma admirável afeição *
  pelos **san**tos que habitam sua terra.

– ⁴Multiplicam, no entanto, suas dores *
  os que **cor**rem para deuses estrangeiros;

– seus sacrifícios sanguinários não partilho, *
  nem seus **no**mes passarão pelos meus lábios.

– ⁵Ó Senhor, sois minha herança e minha taça, *
  meu destino está seguro em vossas mãos!

– ⁶Foi demarcada para mim a melhor terra, *
  e eu exulto de alegria em minha herança!

– ⁷Eu bendigo o Senhor que me aconselha, *
  e até de **noi**te me adverte o coração.

– ⁸Tenho **sem**pre o Senhor ante meus olhos, *
  pois se o **ten**ho a meu lado, não vacilo.

= ⁹Eis por **que** meu coração está em festa, †
  minha **al**ma rejubila de alegria, *
  e até meu **cor**po no repouso está tranquilo;

–¹⁰pois não ha**veis** de me deixar entregue à morte, *
  nem vosso a**mi**go conhecer a corrupção.

=¹¹Vós me ensi**nais** vosso caminho para a vida; †
  junto a **vós**, felicidade sem limites, *
  delícia e**ter**na e alegria ao vosso lado!

Fora do Tempo pascal: Ant.
Meu **cor**po no re**pou**so está tran**qui**lo.

No Tempo pascal: Ant. Aleluia, aleluia, aleluia.

Quinta-feira 1131

Leitura breve 1Ts 5,23

Que o próprio Deus da paz vos santifique totalmente, e que tudo aquilo que sois – espírito, alma, corpo – seja conservado sem mancha alguma para a vinda de nosso Senhor Jesus Cristo!

Responsório breve

Fora do Tempo pascal:

R. **Se**nhor, em vossas **mãos**
    * Eu en**tre**go o meu es**pí**rito. R. **Se**nhor.
Vós **sois** o Deus **fi**el, que sal**vas**tes vosso **po**vo.
    * Eu en**tre**go. Glória ao **Pai**. R. **Se**nhor.

No Tempo pascal:

R. **Se**nhor, em vossas **mãos** eu en**tre**go o meu es**pí**rito.
    * Ale**lu**ia, ale**lu**ia. R. **Se**nhor.
V. Vós **sois** o Deus **fi**el, que sal**vas**tes vosso **po**vo.
    * Ale**lu**ia, ale**lu**ia. Glória ao **Pai**. R. **Se**nhor.

Cântico evangélico, Ant.

Sal**vai**-nos, **Se**nhor, quando ve**la**mos,
guar**dai**-nos tam**bém** quando dor**mi**mos!
Nossa **men**te vi**gi**e com o **Cris**to,
nosso **cor**po re**pou**se em sua **paz**! (T.P. Ale**lu**ia).

Cântico de Simeão Lc 2,29-32

Cristo, luz das nações e glória de seu povo

—[29] Dei**xai**, a**go**ra, vosso **ser**vo ir em **paz**, *
    con**for**me prome**tes**tes, ó Senhor.

—[30] Pois meus **o**lhos **vi**ram vossa sal**va**ção, *
    [31] que prepa**ras**tes ante a face das **na**ções:

—[32] uma **Luz** que bri**lha**rá para os **gen**tios, *
    e para a **gló**ria de Is**ra**el, o vosso **po**vo.

Ant. Sal**vai**-nos, **Se**nhor, quando ve**la**mos,
    guar**dai**-nos tam**bém** quando dor**mi**mos!
    Nossa **men**te vi**gi**e com o **Cris**to,
    nosso **cor**po re**pou**se em sua **paz**! (T.P. Ale**lu**ia).

Oração

Senhor nosso Deus, após as fadigas de hoje, restaurai nossas energias por um sono tranquilo, a fim de que, por vós renovados,

1132 Completas

nos dediquemos de corpo e alma ao vosso serviço. Por Cristo, nosso Senhor.

Conclusão e Antífona de Nossa Senhora como no Ordinário, p. 754.

SEXTA-FEIRA

Tudo como no Ordinário, p. 749, além do que segue:

Salmodia

Fora do Tempo pascal: Ant.

De **dia** e de **noi**te eu **cla**mo por **vós**.

No Tempo pascal: Ant. Ale**lui**a, ale**lui**a, ale**lui**a.

Salmo 87(88)

Prece de um homem gravemente enfermo

Mas esta é a vossa hora, a hora do poder das trevas (Lc 22,53).

– [2] A vós **cla**mo, Se**nhor**, sem ces**sar**, todo o **dia**, *
e de **noi**te se eleva até **vós** meu gemido.

– [3]**Chegue** a **mi**nha oração até a **vo**ssa presença, *
incli**nai** vosso ouvido a meu **tris**te clamor!

– [4]**Satura**da de males se en**con**tra a minh'alma, *
minha **vi**da chegou junto às **por**tas da morte.

– [5]**Sou** con**ta**do entre aqueles que **des**cem à cova, *
toda **gen**te me vê como um **ca**so perdido!

– [6]**O** meu **lei**to já tenho no **rei**no dos mortos, *
como um **ho**mem caído que **jaz** no sepulcro,

– de quem **mes**mo o Senhor se esque**ceu** para sempre *
e exclu**iu** por completo da **sua** atenção.

– [7]**Ó** Se**nhor**, me pusestes na **co**va mais funda, *
nos lo**cais** tenebrosos da **som**bra da morte.

– [8]**Sobre mim** cai o peso do **vo**sso furor, *
vossas **on**das enormes me **co**brem, me afogam.

– [9]**A**fas**tas**tes de **mim** meus pa**ren**tes e a**mi**gos, *
para **eles** torne-me ob**je**to de horror.

– [10]**Eu** es**tou** aqui preso e não **pos**so sair, *
e meus **o**lhos se gastam de **tan**ta aflição. –

Sexta-feira 1133

– Clamo a **vós**, ó Senhor, sem ce**ssar**, todo o dia, *
  minhas **mãos** para vós se le**van**tam em prece.
–[11] Para os **mor**tos, acaso farí**eis** milagres? *
  pode**riam** as sombras er**guer**-se e louvar-vos?
–[12] No se**pul**cro haverá quem vos **can**te o amor *
  e pro**cla**me entre os mortos a **vos**sa verdade?
–[13] Vossas **o**bras serão conhe**ci**das nas trevas, *
  vossa **graça**, no reino onde **tu**do se esquece?
–[14] Quanto a **mim**, ó Senhor, clamo a **vós** na aflição, *
  minha **prece** se eleva até **vós** desde a aurora.
–[15] Por que **vós**, ó Senhor, rejei**tais** a minh'alma? *
  E por **que** escondeis vossa **face** de mim?
–[16] Mori**bun**do e infeliz desde o **tem**po da infância, *
  esgo**tei**-me ao sofrer sob o **vos**so terror.
–[17] Vossa ira violenta **caiu** sobre mim *
  e o **vos**so pavor redu**ziu**-me a um nada!
–[18] Todo **dia** me cercam quais **on**das revoltas, *
  todos **jun**tos me assaltam, me **pren**dem, me apertam.
–[19] Afas**tas**tes de mim os pa**ren**tes e amigos, *
  e por **meus** familiares só **te**nho as trevas!

Fora do Tempo pascal: Ant.

Ant. De **dia** e de **noi**te eu **cla**mo por **vós.**

No Tempo pascal: Ant. Ale**lui**a, ale**lui**a, ale**lui**a.

Leitura breve   cf. Jr 14,9
Tu, Senhor, estás no meio de nós, e teu nome foi invocado sobre
nós; não nos abandones, Senhor nosso Deus.

Responsório breve

Fora do Tempo pascal:

R. Se**nhor**, em vossas **mãos**
  * Eu en**tre**go o meu espírito. R. Se**nhor**.
  Vós **sois** o Deus fi**el**, que sal**vas**tes vosso **po**vo.
  * Eu en**tre**go. Glória ao **Pai.** R. Se**nhor**.

Completas

No Tempo pascal:

R. Senhor, em vossas **mãos** eu entrego o meu espírito.
 * Aleluia, aleluia. R. Senhor.
V. Vós **sois** o Deus fiel, que salvastes vosso **povo**.
 * Aleluia, aleluia. Glória ao **Pai**. R. **Senhor**.

Cântico evangélico, Ant.

Salvai-nos, Senhor, quando velamos,
guardai-nos também quando dormimos!
Nossa **mente** vigie com o **Cristo**,
nosso **corpo** repouse em sua **paz**! (T.P. Aleluia).

Cântico de Simeão   Lc 2,29-32

Cristo, luz das nações e glória de seu povo

– [29]Deixai, agora, vosso **servo** ir em **paz**, *
 conforme prometestes, ó Senhor.

– [30]Pois meus **olhos** viram vossa salvação, *
 [31]que preparastes ante a face das nações:

– [32]uma **Luz** que brilhará para os gentios, *
 e para a **glória** de Israel, o vosso povo.

Ant. Salvai-nos, Senhor, quando velamos,
 guardai-nos também quando dormimos!
 Nossa **mente** vigie com o **Cristo**,
 nosso **corpo** repouse em sua **paz**!

Oração

Concedei-nos, Senhor, de tal modo unir-nos ao vosso Filho morto e sepultado, que mereçamos ressurgir com ele para uma vida nova. Por Cristo, nosso Senhor.

Conclusão e Antífona de Nossa Senhora como no Ordinário, p. 754.

SALMODIA COMPLEMENTAR
PARA A HORA MÉDIA

Depois do V. Vinde, ó Deus, em meu auxílio, e do Hino correspondente, seguem-se os Salmos graduais com as antífonas próprias, indicadas no Próprio do Tempo ou no Próprio ou Comum dos Santos.

Salmo 122(123)

Deus, esperança do seu povo

Dois cegos... começaram a gritar: Senhor, Filho de Davi, tem piedade de nós! (Mt 20,30).

– [1] Eu levanto os meus olhos para **vós**, *
que habi**tais** nos altos **céus.**
– [2] Como os olhos dos escravos estão fitos *
nas **mãos** do seu senhor,
– como os olhos das escravas estão fitos *
nas **mãos** de sua senhora,
– as**sim** os nossos olhos, no Senhor, *
até de **nós** ter piedade.
– [3] Tende pie**da**de, ó Senhor, tende piedade; *
já é de**mais** esse desprezo!
– [4] Estamos **far**tos do escárnio dos ricaços *
e do des**pre**zo dos soberbos!

Salmo 123(124)

O nosso auxílio está no nome do Senhor

O Senhor disse a Paulo: Não tenhas medo, porque eu estou contigo (At 18,9-10).

– [1] Se o Se**nhor** não estivesse ao nosso **la**do, *
que o diga Israel neste momento;
– [2] se o Se**nhor** não estivesse ao nosso lado, *
quando os **ho**mens investiram contra nós,
– [3] com cer**te**za nos teriam devorado *
no fu**ror** de sua ira contra nós.
– [4] Então as **á**guas nos teriam submergido, *
a corren**te**za nos teria arrastado,

1136 Salmodia complementar

– [5] e então, por sobre nós teriam passado *
essas águas sempre mais impetuosas.
– [6] Bendito seja o Senhor, que não deixou *
cairmos como presa de seus dentes!
– [7] Nossa alma como um pássaro escapou *
do laço que lhe armara o caçador;
– o laço arrebentou-se de repente, *
e assim conseguimos libertar-nos.
– [8] O nosso auxílio está no nome do Senhor, *
do Senhor que fez o céu e fez a terra!

Salmo 124(125)

Deus, protetor do seu povo

A paz para o Israel de Deus (cf. Gl 6,16).

– [1] Quem confia no Senhor é como o monte de Sião: *
nada o pode abalar, porque é firme para sempre.
= [2] Tal e qual Jerusalém, toda cercada de montanhas, †
assim Deus cerca seu povo de carinho e proteção, *
desde agora e para sempre, pelos séculos afora.
= [3] O Senhor não vai deixar prevalecer por muito tempo †
o domínio dos malvados sobre a sorte dos seus justos, *
para os justos não mancharem suas mãos na iniquidade.
= [4] Fazei o bem, Senhor, aos bons e aos que têm reto coração, †
[5] mas os que seguem maus caminhos, castigai-os com os maus! *
Que venha a paz a Israel! Que venha a paz ao vosso povo!

PRÓPRIO DOS SANTOS

NOVEMBRO

30 de novembro

SANTO ANDRÉ, APÓSTOLO

Festa

André, nascido em Betsaida, foi primeiramente discípulo de João Batista; seguiu depois a Cristo e levou à presença deste seu irmão Pedro. Junto com Filipe, apresentou a Cristo os pagãos e indicou o rapaz que levava pães e peixes. Narra-se que, depois de Pentecostes, pregou o Evangelho em muitas regiões e foi crucificado na Acaia.

Do Comum dos apóstolos, p. 1479, exceto o que segue:

Laudes

Hino

> Pescavas outrora peixes,
> aos homens pescas agora:
> das ondas do mal, André,
> retira-nos sem demora.

> Irmão de Pedro no sangue,
> também o foste na morte:
> morrendo ambos na cruz,
> tivestes o céu por sorte.

> A iguais coroas chegastes,
> seguindo idênticos trilhos:
> a Igreja vos tem por pais,
> a Cruz vos tem como filhos.

> Primeiro a escutar o apelo,
> ao Mestre, Pedro conduzes;
> possamos ao céu chegar,
> guiados por tuas luzes!

> Do teu irmão companheiro,
> mereces iguais louvores,
> mas desse segues a voz,
>   pois é o pastor dos pastores.

30 de novembro   1139

Amigo de Cristo, dá-nos
correr contigo à vitória,
e um dia, chegando ao céu,
cantarmos de Deus a glória.

Ant. 1 André, que era irmão de Simão Pedro,
foi dos primeiros a seguir nosso Senhor.

Salmos e cântico do domingo da I Semana, p. 764

Ant. 2 André era amigo de Cristo e doou sua vida por ele.

Ant. 3 Disse André a seu irmão: encontramos o Messias!
E a Jesus o conduziu.

Leitura breve   Ef 2,19-22

Já não sois mais estrangeiros nem migrantes, mas cidadãos dos
santos. Sois da família de Deus. Vós fostes integrados no edifício
que tem como fundamento os apóstolos e os profetas, e o próprio
Jesus Cristo como pedra principal. É nele que toda a construção
se ajusta e se eleva para formar um templo santo no Senhor. E
vós também sois integrados nesta construção, para vos tornardes
morada de Deus pelo Espírito.

Responsório breve

R. Fareis deles os chefes.
* Por toda a terra. R. Fareis.
V. Lembrarão vosso nome, Senhor, para sempre.
* Por toda. Glória ao Pai. R. Fareis deles.

Cântico evangélico, ant.

Salve cruz tão preciosa!
Recebei este discípulo de Quem foi em ti suspenso:
o meu Mestre Jesus Cristo!

Preces

Irmãos caríssimos, tendo recebido dos apóstolos a herança celeste, agradeçamos a Deus nosso Pai por todos os seus dons; e
aclamemos:

R. **O coro dos apóstolos vos louva, Senhor!**

Louvor a vós, Senhor, pela mesa do vosso Corpo e Sangue que
recebemos por intermédio dos apóstolos;
– por ela somos alimentados e vivemos.   R.

1140 — 30 de novembro

Louvor a vós, Senhor, pela mesa da vossa palavra, preparada para nós pelos apóstolos,
– por ela recebemos luz e alegria.

R. **O coro dos apóstolos vos louva, Senhor!**

Louvor a vós, Senhor, por vossa santa Igreja, edificada sobre o fundamento dos apóstolos;
– com ela formamos um só Corpo. R.

Louvor a vós, Senhor, pelos sacramentos do batismo e da penitência, que confiastes aos apóstolos;
– por eles somos lavados de todo pecado. R.

(intenções livres)

Pai nosso...

Oração

Nós vos suplicamos, ó Deus onipotente, que o apóstolo santo André, pregador do Evangelho e pastor da vossa Igreja, não cesse no céu de interceder por nós. Por nosso Senhor Jesus Cristo, vosso Filho, na unidade do Espírito Santo.

Hora Média

Salmos do dia de semana com a antífona do Tempo. Leitura breve do Comum dos Apóstolos, p. 1482.

Oração como nas Laudes.

Vésperas

HINO Exulte o céu, do Comum dos Apóstolos, p. 1483.

Ant. 1 Je**sus** viu a **Pe**dro e An**dré**
e os cha**mou** para **jun**to de **si**.

Salmos e cântico do Comum dos Apóstolos, p. 1484.

Ant. 2 Disse a **e**les o Se**nhor**: Vinde co**migo**,
e pesca**do**res de **ho**mens vos fa**rei**.

Ant. 3 Dei**xa**ram suas **re**des e a **bar**ca,
e **lo**go eles se**gui**ram a Je**sus**.

Leitura breve Ef 4,11-13
Foi Cristo quem instituiu alguns como apóstolos, outros como profetas, outros ainda como evangelistas, outros, enfim, como pastores e mestres. Assim, ele capacitou os santos para o ministé-

30 de novembro — 1141

rio, para edificar o corpo de Cristo, até que cheguemos todos juntos à unidade da fé e do conhecimento do Filho de Deus, ao estado do homem perfeito e à estatura de Cristo em sua plenitude.

Responsório breve

R. Anunciai entre as nações
  * A **glória** do Se**nhor**. R. Anunciai.
V. E as suas maravilhas entre os **po**vos do uni**ve**rso.
  * A **glória**. Glória ao **Pai**. R. Anunciai.

Cântico evangélico, ant.

Santo An**dré**, servo de **Cristo**, digno A**pós**tolo de **Deus**;
de São **Pedro** sois ir**mão**, compa**nhei**ro em seu mar**tí**rio.

Preces

Irmãos, edificados sobre o fundamento dos apóstolos, roguemos a Deus Pai todo-poderoso em favor de seu povo santo; e digamos:
R. **Lembrai-vos, Senhor, da vossa Igreja!**

Vós quisestes, ó Pai, que o vosso Filho, ressuscitado dos mortos, aparecesse em primeiro lugar aos apóstolos;
−fazei de nós testemunhas do vosso Filho até os confins da terra. R.

Vós, que enviastes vosso Filho ao mundo para evangelizar os pobres,
−fazei que o Evangelho seja pregado a toda criatura. R.

Vós, que enviastes vosso Filho para semear a palavra do reino,
−concedei-nos colher na alegria os frutos da palavra semeada com o nosso trabalho. R.

Vós, que enviastes vosso Filho para reconciliar o mundo convosco pelo seu sangue,
−fazei que todos nós colaboremos na obra da reconciliação de toda a humanidade. R.

(intenções livres)

Vós, que glorificastes vosso Filho à vossa direita nos céus,
−recebei no reino da felicidade eterna os nossos irmãos e irmãs falecidos. R.

Pai nosso...

1142

4 de dezembro

Oração

Nós vos suplicamos, ó Deus onipotente, que o apóstolo santo André, pregador do Evangelho e pastor da vossa Igreja, não cesse no céu de interceder por nós. Por nosso Senhor Jesus Cristo, vosso Filho, na unidade do Espírito Santo.

DEZEMBRO

3 de dezembro

SÃO FRANCISCO XAVIER, PRESBÍTERO

Memória

Nasceu na Espanha, em 1506; quando estudante em Paris, tornou-se companheiro de Santo Inácio. Foi ordenado sacerdote em Roma, em 1537, e dedicou-se às obras de caridade. Partindo em 1541 para o Oriente, durante dez anos evangelizou, incansavelmente, a Índia e o Japão, convertendo multidões à fé cristã. Morreu em 1552, na ilha chinesa de Sancião.

Do Comum dos pastores, p. 1523.

Oração

Ó Deus, que pela pregação de São Francisco Xavier conquistastes para vós muitos povos do Oriente, concedei a todos os fiéis o mesmo zelo, para que a santa Igreja possa alegrar-se com o nascimento de novos filhos em toda a terra. Por nosso Senhor Jesus Cristo, vosso Filho, na unidade do Espírito Santo.

4 de dezembro

SÃO JOÃO DAMASCENO, PRESBÍTERO E DOUTOR DA IGREJA

Nasceu em Damasco, na segunda metade do século VII, de família cristã. Muito instruído em filosofia, tornou-se monge no mosteiro de São Sabas, perto de Jerusalém, e foi ordenado sacerdote. Escreveu numerosas obras teológicas, sobretudo contra os iconoclastas. Morreu em meados do século VIII.

Do Comum dos pastores, p. 1523 e doutores da Igreja, p. 1533.

Oração

Concedei-nos, ó Deus, encontrar apoio nas orações do presbítero São João Damasceno, para que a verdadeira fé, por ele ensinada de modo tão eminente, seja sempre nossa luz e nossa força. Por nosso Senhor Jesus Cristo, vosso Filho, na unidade do Espírito Santo.

6 de dezembro

SÃO NICOLAU, BISPO

Bispo de Mira, na Lícia (hoje parte da Turquia), morreu em meados do século IV e, sobretudo a partir do século X, é venerado em toda a Igreja.

Do Comum dos pastores, p. 1523.

Oração

Deus de misericórdia, guardai-nos de todo perigo, pela intercessão de São Nicolau, para que se abra diante de nós, sem obstáculo, o caminho da salvação. Por nosso Senhor Jesus Cristo, vosso Filho, na unidade do Espírito Santo.

7 de dezembro

SANTO AMBRÓSIO,
BISPO E DOUTOR DA IGREJA

Memória

Nasceu em Treves, pelo ano 340, de uma família romana, fez os seus estudos em Roma e iniciou em Sírmio a carreira da magistratura. Em 374, vivendo em Milão, foi inesperadamente eleito bispo da cidade e recebeu a ordenação no dia 7 de dezembro. Fiel cumpridor do seu dever, distinguiu-se sobretudo na caridade para com todos, como verdadeiro pastor e doutor dos fiéis. Protegeu corajosamente os direitos da Igreja; com seus escritos e atos defendeu a verdadeira doutrina da fé contra os Arianos. Morreu no Sábado Santo, dia 4 de abril de 397.

Do Comum dos pastores, p. 1523 e doutores da Igreja, p. 1533.

Laudes

Hino

Juntos cantemos louvores
ao forte e santo prelado.
Ele acalmou as procelas
da terra, em tempo agitado.

Nem cetros, nem a rainha
podem fazê-lo oscilar;
fechando as portas do templo,
impede o César de entrar.

Mestre profundo, ele explica
do Livro Santo os ensinos
e com brilhante eloquência
revela os dogmas divinos.

A fé lhe move o espírito:
que belos hinos produz!
Procura os corpos dos mártires,
irmãos na fé em Jesus.

Expulsa o lobo infernal,
com teus açoites na mão.
A luz da tua ciência
sempre nos dê proteção.

Louvor e glória à Trindade,
à qual, por tua oração,
eternamente louvemos
na sua eterna mansão.

Oração

Ó Deus, que fizestes o bispo Santo Ambrósio doutor da fé católica e exemplo de intrépido pastor, despertai na vossa Igreja
homens segundo o vosso coração, que a governem com força e
sabedoria. Por nosso Senhor Jesus Cristo, vosso Filho, na unidade do Espírito Santo.

8 de dezembro

IMACULADA CONCEIÇÃO DE NOSSA SENHORA

Solenidade

I Vésperas

Hino

Ó Virgem Mãe de Deus,
das virgens guardiã,
ó porta azul dos céus,
estrela da manhã.

És lírio entre os espinhos,
és pura sem igual,
brilhando nos caminhos
da culpa original.

Estrela na procela,
tu és nossa esperança:
o porto se revela
e a nau, segura, avança.

És torre inabalada,
farol que nos conduz,
trazendo, imaculada,
o bálsamo: Jesus.

A culpa onipresente
não mancha a tua aurora:
venceste a vil serpente.
Protege-nos agora!

És mãe, esposa e filha
do Deus que é uno e trino:
tão grande maravilha
cantamos neste hino.

Ant. 1 **Porei inimizades entre ti e a mulher,**
entre a tua descendência e a que dela nascerá.

Salmos e cântico do Comum de Nossa Senhora, p. 1459.

Ant. 2 **O Senhor me revestiu de Salvação,**
e com o manto de justiça me cobriu.

1146   8 de dezembro

Ant. 3 **Maria, alegra-te, ó cheia de graça,**
       o Senhor é contigo.

Leitura breve   Rm 8,29a.30a
Aqueles que Deus contemplou com seu amor desde sempre, a
esses ele predestinou a serem conformes à imagem de seu Filho.
E aqueles que Deus predestinou, também os chamou. E aos que
chamou, também os tornou justos.

Responsório breve
R. Eu vos exalto, ó Senhor,
   * Pois me livrastes. R. Eu vos.
V. E não deixastes rir de mim meus inimigos. * Pois me.
   Glória ao Pai. R. Eu vos exalto.

Cântico evangélico, ant.
O Poderoso fez em mim maravilhas:
as gerações hão de chamar-me de bendita.

Preces e Oração como nas II Vésperas, p. 1149.

Laudes

Hino

        Irrompa nova alegria,
        ressoem cantos de amor:
        da velha Ana no seio
        palpita a Mãe do Senhor.

        Maria, glória do mundo,
        de graça é plena e de luz:
        por culpa alguma atingida
        serás a Mãe de Jesus.

        Nascemos todos manchados
        pela culpa original:
        somente tu e teu Filho
        sois livres de todo mal.

        Davi, num só arremesso,
        derruba o gigante ao chão:
        teu "Sim" atinge na fronte
        a causa da perdição.

Ó pomba suave e humilde,
brilhante mais do que o sol:
da paz nos trazes o ramo,
voando em pleno arrebol.

Louvor e honra ao Deus trino,
que tanto e tanto te amou,
pois antes já do pecado
da culpa te preservou!

Ant. 1 Toda santa e sem mancha de pecado,
merecestes ser a Mãe do Salvador.

Salmos e cântico do domingo da I Semana, p. 764.

Ant. 2 Sois bendita do Senhor, o Deus Altíssimo,
entre todas as mulheres sobre a terra.

Ant. 3 Nós vos seguimos, ó Virgem Imaculada:
atraí-nos pela vossa santidade.

Leitura breve   Is 43,1

E agora isto diz o Senhor que te criou, Jacó, que te formou, Israel:
Não tenhas medo, porque eu te resgatei e te chamei pelo nome;
tu és meu.

Responsório breve

R. Exulta no Senhor meu coração,
    * Pois ele me vestiu de fortaleza. R. Exulta.
V. E tornou o meu caminho sem pecado. * Pois ele.
    Glória ao Pai. R. Exulta.

Cântico evangélico, ant.

O Senhor disse à serpente:
hei de pôr inimizades entre ti e a mulher,
entre a tua descendência e a que dela nascerá.
Ela, porém, esmagará tua cabeça. Aleluia.

Preces

Celebremos nosso Salvador, que se dignou nascer da Virgem
Maria; e peçamos:

R. Senhor, que a vossa Mãe interceda por nós!

Sol de justiça, a quem a Virgem Imaculada precedeu como aurora
resplandecente,
− concedei que caminhemos sempre à luz da vossa presença. R.

1148 8 de dezembro

Salvador do mundo, que pelos méritos da redenção preservastes
a vossa Mãe de toda a mancha de pecado,
— livrai-nos também de todo pecado.
R. **Senhor, que a vossa Mãe interceda por nós!**

Redentor nosso, que fizestes da Imaculada Virgem Maria o tabernáculo puríssimo da vossa presença e o sacrário do Espírito
Santo,
— fazei de nós templos vivos do vosso Espírito.   R.

Rei dos reis, que quisestes ter vossa Mãe convosco no céu em
corpo e alma,
— fazei que aspiremos sempre aos bens do alto.   R.

(intenções livres)

Pai nosso...

Oração

Ó Deus, que preparastes uma digna habitação para o vosso Filho
pela Imaculada Conceição da Virgem Maria, preservando-a de
todo o pecado em previsão dos méritos de Cristo, concedei-nos
chegar até vós, purificados também de toda a culpa, por sua materna intercessão. Por nosso Senhor Jesus Cristo, vosso Filho, na
unidade do Espírito Santo.

Hora Média

Salmodia complementar, p. 1135. Sendo domingo, os salmos são do domingo da I Semana, p. 768.

Ant. O Se**nhor** se agra**dou** muito de **ti;**
e se**rás** a ale**gri**a do teu **Deus.**

Leitura breve   cf. Ef 1,11-12a
Em Cristo, em quem também nós recebemos a nossa parte, fomos
predestinados, segundo o projeto daquele que conduz tudo conforme a decisão de sua vontade, a sermos, para o louvor de sua glória.

V. Meu cora**ção** e minha **car**ne reju**bi**lam.
R. E e**xul**tam de ale**gri**a no Deus **vivo.**

II Vésperas

HINO como nas I Vésperas, p. 1145.

Ant. 1 Toda **be**la sois, Ma**ri**a, sem a **man**cha origi**nal!**

Salmos e cântico do Comum de Nossa Senhora, p. 1468.

8 de dezembro

Ant. 2 Sois a **glória** de **Sião**, a ale**gria** de Israel
e a **flor** da humani**da**de!

Ant. 3 Vossa **veste** resplan**de**ce de pu**re**za,
vossa **face**, como o **sol,** nos ilu**mi**na.

Leitura breve
Rm 5,20b-21

Onde se multiplicou o pecado, aí superabundou a graça. Enfim, como o pecado tem reinado pela morte, que a graça reine pela justiça, para a vida eterna, por Jesus Cristo, senhor nosso.

Responsório breve

R. Foi **nis**to que eu **vi**.
 * Porque **vós** me esco**lhes**tes. R. Foi **nis**to.
V. Porque **não** trium**fou** sobre **mim** o ini**mi**go.* Porque **vós**.
 Glória ao **Pai**. R. Foi **nis**to.

Cântico evangélico, ant.

Ma**ri**a, alegra-te, ó **chei**a de **graça**, o **Se**nhor é con**ti**go,
és ben**di**ta entre **to**das as mu**lhe**res da **ter**ra,
e ben**di**to é o **fru**to que nas**ceu** do teu **ven**tre. Ale**lu**ia

Preces

Proclamemos a grandeza de Deus Pai todo-poderoso! Ele quis que Maria, Mãe de seu Filho, fosse celebrada por todas as gerações. Peçamos humildemente:

R. **Cheia de graça, intercedei por nós!**

Deus, autor de tantas maravilhas, que fizestes a Imaculada Virgem Maria participar em corpo e alma da glória celeste de Cristo,
– conduzi para a mesma glória os corações de vossos filhos. R.

Vós, que nos destes Maria por Mãe, concedei, por sua intercessão, saúde aos doentes, consolo aos tristes, perdão aos pecadores,
– e a todos a salvação e a paz. R.

Vós, que fizestes de Maria a Mãe da misericórdia,
– concedei a todos os que estão em perigo sentirem o seu amor materno. R.

Vós, que confiastes a Maria a missão da mãe de família no lar de Jesus e José,
– fazei que, por sua intercessão, todas as mães vivam em família o amor e a santidade. R.

(intenções livres)

1150

11 de dezembro

Vós, que coroastes Maria como rainha do céu,
– fazei que nossos irmãos e irmãs falecidos se alegrem eternamente em vosso reino, na companhia dos santos.   R.

Pai nosso...

Oração

Ó Deus, que preparastes uma digna habitação para o vosso Filho
pela Imaculada Conceição da Virgem Maria, preservando-a de
todo o pecado em previsão dos méritos de Cristo, concedei-nos
chegar até vós, purificados também de toda a culpa, por sua materna intercessão. Por nosso Senhor Jesus Cristo, vosso Filho, na
unidade do Espírito Santo.

10 de dezembro

SANTA JOANA FRANCISCA DE CHANTAL, RELIGIOSA

Nasceu em Dijon (França), no ano de 1572. Casou-se com o barão de
Chantal, e foi mãe de seis filhos, os quais educou na piedade. Após a
morte do marido, levou uma admirável vida de perfeição, sob a direção
de S. Francisco de Sales, praticando especialmente a caridade para com
os pobres e enfermos. Fundou a Ordem da Visitação, que governou com
sabedoria. Morreu em 1641.

Do Comum das santas mulheres: religiosas, p. 1571.

Oração

Ó Deus, que ornastes de grandes méritos a santa Joana Francisca
de Chantal nos diversos estados de vida, concedei-nos, por suas
preces, corresponder fielmente à nossa vocação e ser em todas as
circunstâncias um exemplo para todos. Por nosso Senhor Jesus
Cristo, vosso Filho, na unidade do Espírito Santo.

11 de dezembro

SÃO DÂMASO I, PAPA

Nasceu na Espanha cerca do ano 305. Fez parte do clero de Roma e
foi ordenado bispo da Igreja Romana no ano de 366, em tempos muito
difíceis. Convocou vários sínodos contra os cismáticos e hereges, e foi

grande promotor do culto dos Mártires, cujos sepulcros ornou com seus versos. Morreu em 384.

Do Comum dos pastores, p. 1523.

Oração

Concedei-nos, ó Deus, permanecer fiéis ao culto dos vossos mártires, promovido na vossa Igreja pelo papa São Dâmaso. Por nosso Senhor Jesus Cristo, vosso Filho, na unidade do Espírito Santo.

12 de dezembro

NOSSA SENHORA DE GUADALUPE
Padroeira da América Latina

Festa

Segundo arraigada tradição, a imagem da Virgem de Guadalupe apareceu impressa na manta do índio Juan Diego em 1531, na cidade do México. Por isso permaneceu alguns dias na capela episcopal do Bispo D. Frei Juan de Zumárraga e depois na Sé. Em 26 de dezembro do mesmo ano, foi solenemente levada para uma ermida aos pés do cerro de Tepeyac. Seu culto propagou-se rapidamente, muito contribuindo para a difusão da fé entre os indígenas. Após a construção sucessiva de três templos ao pé do mesmo cerro, edificou-se o atual, concluído em 1709 e elevado à categoria de Basílica por São Pio X em 1904.

Em 1754 Bento XIV confirmou o patrocínio da Virgem de Guadalupe sobre toda a Nova Espanha (do Arizona à Costa Rica) e concedeu a primeira Missa e Ofício próprios. Porto Rico proclamou-a sua Padroeira em 1758. Em 12 de outubro de 1892 houve a coroação pontifícia da imagem, concedida por Leão XIII, que no ano anterior aprovara um novo Ofício próprio. Em 1910 São Pio X proclamou-a Padroeira da América Latina; em 1935 Pio XI designou-a Padroeira das Ilhas Filipinas; e em 1945 Pio XII deu-lhe o título de "Imperatriz da América".

A veneração da Virgem de Guadalupe, solícita a prestar auxílio e proteção em todas as tribulações, desperta no povo grande confiança filial; constitui, além disso, um estímulo à prática da caridade cristã, ao demonstrar a predileção de Maria pelos humildes e necessitados, bem como sua disposição em assisti-los.

Somente onde for solenidade:

1152   12 de dezembro

I Vésperas

HINO Como foste a Belém dar à luz o teu Filho, como nas II Vésperas, p. 1156.

Salmodia

Ant. 1 Que é **is**so que **vem** do sertão,
      como **nu**vem de incen**so** e de **mirra**,
      de toda **sorte** de a**ro**mas precio**sos**?

Salmos e cântico do Comum de Nossa Senhora, p. 1459.

Ant. 2 As **flo**res aparece**ram** no de**ser**to
      e as co**li**nas se reves**tem** de ale**gri**a.

Ant. 3 Tu se**rás** como um jar**dim** bem irri**ga**do,
      uma **fon**te, cujas **á**guas nunca **fal**tam.

Leitura breve   Ap 11,19-12,1

Abriu-se o Templo de Deus que está no céu e apareceu no Templo a arca da Aliança. Houve relâmpagos, vozes, trovões, terremotos e uma grande tempestade de granizo. Então apareceu no céu um grande sinal uma mulher vestida de sol, tendo a lua debaixo dos pés e sobre à cabeça uma coroa de doze estrelas.

Responsório breve

R. Ele **há** de transfor**mar** o de**ser**to num jar**dim**,
    * E **fon**tes do ro**che**do o Se**nhor** fará bro**tar**. R. Ele **há**.
V. Ali haverá **jú**bilo e **can**tos de ale**gria**. * E **fon**tes.
    Glória ao **Pai**. R. Ele **há**.

Cânticos evangélicos, ant.

Estou mo**re**na, mas **be**la e for**mo**sa,
como as **ten**das que **há** em Que**dar**,
como as cor**ti**nas do **rei** Salo**mão**,
quei**ma**da que **sou** pelo **sol**.

Preces e Oração como nas II Vésperas, p. 1157.

Laudes

Hino

    Virgem suma, sem nenhuma,
    Do pecado corrupção:
    És tão forte que da morte
    Espedaças o grilhão.

12 de dezembro

Dá clemente que contente,
Tua festa celebrando,
Seja novo todo o povo,
Tua graça contemplando.

Possa até a nossa fé
Tua súplica aumentar.
Ao doente faze a mente
Na fortaleza firmar.

Mãe de Deus, dos filhos teus,
Esperança, luz e norte:
Vence a guerra que os aterra,
Fome, dor, peste e morte.

Ó dos presos e indefesos
Considera a dor e o tédio;
Aos gemidos dá ouvidos,
Aos doentes dá remédio.

Tua paz descanso traz,
Dias cheios de ventura;
Inimigos faze amigos,
A calma a todos procura.

Ó Maria, Virgem pia,
Venhas tu em nosso auxílio.
Cantaremos, louvaremos,
Eternamente o teu Filho.

O Pai é Deus, Deus o Filho,
Deus o Espírito também;
Trindade eterna, governa
O universo inteiro. Amém.

Salmodia

Ant. 1 Quem é esta que aparece como a **luz** da alvora**da**,
e formo**sa** como a **lua**, fulguran**te** como o **sol**,
impon**ent**e como uma **tro**pa,
com band**eir**as desfral**da**das?

Salmos e cântico do domingo da I semana, p. 764.

Ant. 2 Tu és Ma**ria**, sempre **Virgem**, Mãe do **ver**dadeiro **Deus**,
Au**tor** de toda vi**da**.

Ant. 3 Como a águia estimula seus filhotes a voar,
voejando sobre o ninho,
assim ela leva os seus sobre as asas estendidas.

Leitura breve cf. Eclo 50,5-10

Como era glorioso ao fazer a volta do santuário, ao sair da casa do Véu! Era como a estrela da manhã no meio da nuvem, como a lua cheia nos dias de festa; como o sol resplandecendo sobre o santuário do Altíssimo, como o arco-íris brilhando entre as nuvens de glória; como a flor das roseiras em dias de primavera, como o lírio junto às fontes das águas, como a vegetação do Líbano em dias de verão. Era como o fogo e o incenso no turíbulo, como um vaso de ouro maciço, ornado de toda espécie de pedras preciosas; como a oliveira carregada de frutos, como o cipreste, que se eleva até às nuvens.

Responsório breve

R. Eu levanto os meus olhos para os montes:
* De onde pode vir o meu socorro? R. Eu levanto.
V. De manhã cedo, eu me acordo por vós,
concedei-me um sinal que me prove. *De onde.
Glória ao Pai. R. Eu levanto.

Cântico evangélico, ant.

Tu, Sião, que anuncias boas-novas,
vai subindo a um monte alto e dize às cidades de Judá:
Eis aí está o vosso Deus!
Qual pastor que apascenta seu rebanho,
ele vela sobre o povo.

Preces

Louvemos a Deus Pai todo-poderoso, o Criador que nos dá a vida; e peçamos:

R. **Senhor, por quem vivemos e somos, escutai as nossas preces.**

Bendito sejais, Senhor do universo, que em vossa imensa bondade nos enviastes a Mãe do vosso Filho,
– para chamar-nos à fé e fazer-nos ingressar em vosso povo santo. R.

12 de dezembro 1155

Nós vos bendizemos, Senhor, porque escondestes vossa mensagem aos sábios e prudentes deste mundo,
– e a revelastes aos pequeninos, considerados insignificantes e desprezíveis. R.

Concedei-nos ser, como Juan Diego, vossos dignos embaixadores,
– para levarmos a todos os homens e nações vossa mensagem de amor e de paz. R.

Vós, que, com a presença de Maria, fazeis as pedras brilharem como pérolas e os espinhos como ouro,
– fazei que o amor da Santíssima Virgem nos transforme em outros Cristos. R.

Dai que, à semelhança de Juan Diego, sejamos sempre fiéis ao culto divino e a vossos mandamentos,
– para que mereçamos também que Nossa Senhora venha ao nosso encontro na estrada desta vida. R.

(intenções livres)

Pai nosso...

Oração

Ó Deus, que nos destes a Santa Virgem Maria para amparar-nos como mãe solícita, concedei aos povos da América Latina, que hoje se alegram com sua proteção, crescer constantemente na fé e alcançar o desejado progresso no caminho da justiça e da paz. Por nosso Senhor Jesus Cristo, vosso Filho, na unidade do Espírito Santo.

Ant. Ela é mais **be**la do que o **sol,** supera **to**das as es**tre**las, compa**ra**da com a **lua,** ela **sai** vitoriosa.

Leitura breve   Eclo 24,18.23

Cresci como a palmeira de Cades, como as roseiras de Jericó. Elevei-me como uma formosa oliveira nos campos. E minhas flores são frutos de glória e abundância.

V. Como **mir**ra que **flui** são teus **lá**bios.
R. Teu **no**me é um **ó**leo que es**cor**re.

Oração como nas Laudes.

1156   12 de dezembro

II Vésperas

Hino

Como fostes a Belém dar à luz o teu Filho,
que é substância do Pai e de carne vestiste,
desces ao Tepeyac para gerar o índio
ao amor de uma pátria e à fé em Jesus Cristo.

Por rosas a brotar na brancura da neve,
tu pedes que se erga um templo na colina;
e dás-nos por teu ventre um duplo nascimento,
flor de pátria mestiça e fruto do Evangelho.

Crê Diego levar em sua manta rosas,
que lança como prova ante os olhos do bispo,
mas de uma Rosa só floresce a face escura,
sob o mesmo pincel que pinta em luz a aurora.

Dá-nos o trigo e a paz, Senhora e Filha nossa,
uma pátria que una ao lar o templo e a escola;
um pão que a todos farte e uma fé que os inflame,
por tuas mãos em prece e teus olhos de estrela.

Salmodia

Ant. 1 **Porque** eu esco**lhi** e santifi**quei** este lu**gar**,
para que **nele** o meu **no**me perma**ne**ça eterna**mente**,
meu cora**ção** e os meus **o**lhos nele **sem**pre fi**xarei**.

Salmos e cântico do Comum de Nossa Senhora, p. 1468.

Ant. 2 Que **todos** recon**he**çam, ó **Senhor**,
que a**qui** se mani**fes**ta a vossa **força**,
que vossa **mão** reali**zou** este pro**dígio**!

Ant. 3 O par**dal** encontrou **casa** para **si**
e a ando**ri**nha o seu **ni**nho,
para **nele** seus fi**lho**tes colo**car**,
em teus al**tares**, ó **Se**nhor!

Leitura breve   Ap 21,2-3

Vi a cidade santa, a nova Jerusalém, que descia do céu, de junto
de Deus, vestida qual esposa enfeitada para o seu marido. Então,
ouvi uma voz forte que saía do trono e dizia: Esta é a morada de
Deus entre os homens. Deus vai morar no meio deles. Eles serão
o seu povo, e o próprio Deus estará com eles.

Responsório breve

R. Seus **filhos** se **levantarão,**
   * Eles **hão** de chamá-la di**tosa.** R. Seus **filhos.**
V. Ele **abriu** os seus **lábios** com **sabedoria,**
   sua **língua** ensi**nou** com **amor** e bon**dade.** * Eles **hão.**
   Glória ao **Pai.** R. Seus **filhos.**

Cântico evangélico, ant.

Nem as **águas** das tor**rentes,** nem os **rios**
conse**guiram** apa**gar** o meu a**mor.**

Preces

Elevemos nossas preces a Deus que enviou a Santíssima Virgem
Maria para nos dar forças e levar-nos até ele. Peçamos cheios de
confiança:

R. **Concedei-nos vosso amor, auxílio e proteção.**

Vós, que fizestes surgir Nossa Senhora como sol sobre os montes
para iluminar a santa Igreja,
− fazei que, por sua beleza e seu amor, reinem a justiça e a paz em
todo o mundo. R.

Vós quisestes que a Mãe do vosso Filho imprimisse sua imagem
com os nossos traços fisionômicos na manta do índio Juan Diego;
− fazei que imitemos suas virtudes e seu amor para com os pobres e desamparados. R.

Vós, que, por meio de Maria, transformastes a aridez do Tepeyac
num jardim florido e perfumado,
− transformai, por meio dela, o nosso povo em floração fecunda
de verdadeiros cristãos. R.

Fazei que aprendamos com Juan Diego a simplicidade e a humildade,
− a constância no sofrimento e a fidelidade à vossa Mãe. R.

(intenções livres)

Vós, que constituístes a Virgem Maria protetora de todos os que
a invocam e nela confiam,
− por sua maternal intercessão, fazei brilhar a luz da vossa face
sobre os nossos irmãos e irmãs que partiram desta vida. R.

Pai nosso...

Oração

Ó Deus, que nos destes a Santa Virgem Maria para amparar-nos como mãe solícita, concedei aos povos da América Latina, que hoje se alegram com sua proteção, crescer constantemente na fé e alcançar o desejado progresso no caminho da justiça e da paz. Por nosso Senhor Jesus Cristo, vosso Filho, na unidade do Espírito Santo.

13 de dezembro

SANTA LUZIA, VIRGEM E MÁRTIR

Memória

Morreu provavelmente em Siracusa, na perseguição de Diocleciano. Desde a Antiguidade seu culto estendeu-se por quase toda a Igreja, e o seu nome foi incluído no Cânon romano.

Do Comum dos Mártires, p. 1509 ou das Virgens, p. 1539.

Laudes

Cântico evangélico, ant.
Humilde **ser**va do Deus **vi**vo, ofere**ci**-lhe um sacrifício;
não me **res**ta nada **mais** que oferecer-lhe minha **vi**da.

Oração

Ó Deus, que a intercessão da gloriosa virgem Santa Luzia reanime o nosso fervor, para que possamos hoje celebrar o seu martírio e contemplar um dia a sua glória. Por nosso Senhor Jesus Cristo, vosso Filho, na unidade do Espírito Santo.

Vésperas

Cântico evangélico, ant.
Ó **San**ta Luzia, es**po**sa de **Cris**to,
paciente lu**tan**do, gan**has**tes a **vi**da;
banhada de **san**gue ven**ces**tes o **mun**do
e agora bri**lhais** entre os **co**ros dos **an**jos.

14 de dezembro

SÃO JOÃO DA CRUZ,
PRESBÍTERO E DOUTOR DA IGREJA

Memória

Nasceu em Fontíveros (Espanha), cerca do ano de 1542. Depois de algum tempo passado na Ordem dos Carmelitas, tornou-se a partir de 1568 o primeiro dos frades na reforma de sua Ordem, persuadido por Santa Teresa de Jesus, tendo por isso suportado inúmeros sofrimentos e trabalhos. Morreu em Úbeda, no ano de 1591, com grande fama de santidade e sabedoria, de que dão testemunho as obras espirituais que escreveu.

Do Comum dos Pastores, p. 1523 e Doutores da Igreja, p.1533.

Oração

Ó Deus, que inspirastes ao presbítero São João da Cruz extraordinário amor pelo Cristo e total desapego de si mesmo, fazei que, imitando sempre o seu exemplo, cheguemos à contemplação da vossa glória. Por nosso Senhor Jesus Cristo, vosso Filho, na unidade do Espírito Santo.

21 de dezembro

SÃO PEDRO CANÍSIO,
PRESBÍTERO E DOUTOR DA IGREJA

Para comemoração

Nasceu em Nimega (Holanda), no ano de 1521. Fez seus estudos em Colônia e ingressou na Companhia de Jesus, recebendo o sacerdócio em 1546. Enviado à Alemanha, trabalhou incansavelmente durante muitos anos, pela pregação e pelos escritos, na defesa e fortalecimento da fé católica. Publicou numerosas obras, dentre as quais destaca-se o seu "Catecismo". Morreu em Friburgo (Suíça), no ano de 1597.

Laudes

Cântico evangélico, ant.
Quem é **sábio** brilha**rá** como **luz** no firma**men**to;
quem en**sina** à multi**dão** os ca**min**hos da jus**ti**ça,
fulg**irá** como as es**tre**las pelos **sécu**los e**ter**nos.

1160 23 de dezembro

Oração

Ó Deus que, para a defesa da fé católica, destes ao presbítero São Pedro Canísio saber e coragem, concedei a todos os que vos procuram a graça de vos encontrar, e aos que creem em vós, a perseverança na fé. Por nosso Senhor Jesus Cristo, vosso Filho, na unidade do Espírito Santo.

Vésperas

Cântico evangélico, ant.
Ó **mes**tre da Ver**da**de! Ó **luz** da santa **I**greja!
São **Pedro** Canísio, cumpri**dor** da lei **di**vina,
rog**ai** por nós a **Cristo**.

23 de dezembro

SÃO JOÃO CÂNCIO, PRESBÍTERO

Para comemoração

Nasceu na cidade de Kety, diocese de Cracóvia, em 1390; ordenado sacerdote, exerceu por muitos anos o magistério na Universidade de Cracóvia; depois foi pároco de Ilkus. A uma doutrina segura, muito bem transmitida, uniu as virtudes, sobretudo a piedade e a caridade para com o próximo, tornando-se modelo para os colegas e discípulos. Morreu em 1473.

Laudes

Cântico evangélico, ant.
Nisto **to**dos sabe**rão** que vós **sois** os meus dis**cí**pulos:
se uns aos **ou**tros vos a**mar**des.

Oração

Deus todo-poderoso, concedei-nos progredir no conhecimento do vosso mistério a exemplo de São João Câncio, a fim de que, praticando a caridade para com todos, possamos conseguir o vosso perdão. Por nosso Senhor Jesus Cristo, vosso Filho, na unidade do Espírito Santo.

Vésperas

Cântico evangélico, ant.
O que fiz**es**tes ao me**nor** dos meus ir**mãos,**
foi a mim **mes**mo que o fiz**es**tes, diz Je**sus.**
Vinde, ben**di**tos do meu **Pai,** e rece**bei** o Reino e**ter**no
prepa**ra**do para **vós** desde o i**ní**cio do uni**ver**so!

26 de dezembro

SANTO ESTÊVÃO, O PRIMEIRO MÁRTIR

Festa

Laudes

Hino

Cristo é a vida, que, vindo ao mundo,
remove a morte, serena a dor
e volta à destra do Pai de novo,
reinando em trono de resplendor.

Segue-o Estêvão, como diácono,
com belo título agraciado
da escolha feita, tirando a sorte
que o Santo Espírito tinha inspirado.

É lapidado e enfrenta a morte,
mas do inimigo tem compaixão:
entre as pedradas bendiz, e orando,
para os algozes pede perdão.

Da sociedade dos justos membro,
da clara pátria dos céus herdeiro,
primeiro mártir, escuta as preces,
alcança graças ao povo inteiro.

Teus companheiros na fé dos mártires
cantam louvores ao Deus Trindade
que em tua fronte, depois da luta,
pôs a coroa da santidade.

Ant. 1 O meu **cor**po é por **vós** lapi**da**do
e minh'**al**ma se a**bra**ça con**vos**co.

Salmos e cântico do domingo da I Semana, p. 764.

Ant. 2 Estêvão viu os **céus** se a**bri**rem e en**trou**;
fe**liz** é este **ho**mem para o **qual** os céus se a**bri**ram!

Ant. 3 Eis que **ve**jo os céus a**ber**tos
e Je**sus** sentado à **des**tra de Deus **Pai** onipo**ten**te.

1162   26 de dezembro

Leitura breve   At 6,2b-5a
Não está certo que nós deixemos a pregação da Palavra de Deus para servir às mesas. Irmãos, é melhor que escolhais entre vós sete homens de boa fama, repletos do Espírito e de sabedoria, e nós os encarregaremos dessa tarefa. Desse modo nós poderemos dedicar-nos inteiramente à oração e ao serviço da Palavra. A proposta agradou a toda a multidão.

Responsório breve
R. O Se**nhor** é a minha **força.**
   * Ele **é** o meu ca**n**to. R. O Se**nhor.**
V. E tor**nou**-se para **mim** o Salva**dor.** * Ele **é.**
   Glória ao **Pai.** R. O Se**nhor.**

Cântico evangélico, ant.
As **por**tas do **céu** se **a**bri**ram** para **San**to Estêvão en**trar;**
foi **ele** o pri**mei**ro dos **mártires** a **ser** coroado no **céu.**

Preces
Irmãos, celebremos nosso Salvador, a Testemunha fiel, nos mártires que deram a vida pela palavra de Deus; e digamos:
R. **Vós nos remistes, Senhor, com vosso sangue!**

Por intercessão de vossos mártires que abraçaram livremente a morte para testemunharem a sua fé,
– dai-nos, Senhor, a verdadeira liberdade de espírito.   R.

Por intercessão de vossos mártires, que proclamaram a fé derramando o próprio sangue,
– dai-nos, Senhor, pureza e constância na fé.   R.

Por intercessão de vossos mártires que, carregando a cruz, seguiram vossos passos,
– dai-nos, Senhor, suportar com coragem as dificuldades da vida.
        R.

Por intercessão de vossos mártires, que lavaram suas vestes no sangue do Cordeiro,
– dai-nos, Senhor, vencer todas as seduções da carne e do mundo.   R.

                    (intenções livres)
Pai nosso...

27 de dezembro

1163

Oração

Ensinai-nos, ó Deus, a imitar o que celebramos, amando os nossos próprios inimigos, pois festejamos Santo Estêvão, vosso primeiro mártir, que soube rezar por seus perseguidores. Por nosso Senhor Jesus Cristo, vosso Filho, na unidade do Espírito Santo.

Hora Média

Salmos do dia de semana correspondente com sua antífona própria do Tempo.

Leitura breve   Tg 1,12

Feliz o homem que suporta a provação. Porque, uma vez provado, receberá a coroa da vida, que o Senhor prometeu àqueles que o amam.

V. O Senhor está comigo, nada temo.
R. Que poderia contra mim um ser mortal?

Oração como nas Laudes.

Vésperas

Tudo como na oitava do Natal, a 26 de dezembro, p. 191.

Onde a festa de Santo Estêvão é celebrada como solenidade: hino, antífonas, leitura breve e responsório, como nas Laudes, p. 1161; salmos, cântico e preces, do Comum de um Mártir, p. 1515.

27 de dezembro

SÃO JOÃO, APÓSTOLO E EVANGELISTA

Festa

Laudes

Hino

Os serafins louvam aquele
a quem Cristo mais amou.
À sua voz, a nossa unimos
no mesmo canto de louvor.

João testemunha o que aprendeu:
Quem é o Verbo e de onde veio,
no seio virgem se escondendo,
mas sem deixar do Pai o seio.

Feliz João, a quem o Mestre
por livre escolha chamaria
a ver no monte a sua glória
e no horto ver a sua agonia.

De Deus contemplas os segredos,
sendo à altura arrebatado.
Vês os mistérios do Cordeiro,
e da Igreja, o povo amado.

Tu como virgem sucedeste
junto a Maria ao Filho amado.
Faze-nos filhos de tal Mãe,
do Mestre esconde-nos no lado.

Glória infinita seja ao Verbo
que se fez carne, como cremos.
A ele, ao Pai e ao Espírito
glória sem fim nos céus supremos.

Ant. 1 São João evangelista e apóstolo
era amado e preferido por Jesus.
Salmos e cântico do domingo da I Semana, p. 764.

Ant. 2 Jesus, na cruz morrendo,
confiou a Virgem Mãe ao discípulo amado.

Ant. 3 O discípulo amado disse aos outros:
É o Senhor! Aleluia.

Leitura breve   At 4,19-20

Pedro e João responderam: Julgai vós mesmos, se é justo diante
de Deus que obedeçamos a vós e não a Deus! Quanto a nós, não
nos podemos calar sobre o que vimos e ouvimos.

Responsório breve

R. Fareis deles os chefes
   * Por toda a terra. R. Fareis.
V. Lembrarão vosso nome, Senhor, para sempre.
   *Por toda. Glória ao Pai. R. Fareis deles.

Cântico evangélico, ant.

O **Ver**bo se fez **car**ne e habi**tou** entre **nós**,
e vimos sua **gló**ria. Alelu**ia**.

Preces

Irmãos, edificados sobre o fundamento dos apóstolos, roguemos
a Deus Pai todo-poderoso em favor de seu povo santo; e digamos:

R. **Lembrai-vos, Senhor, da vossa Igreja!**

Vós quisestes, ó Pai, que o vosso Filho, ressuscitado dos mortos,
aparecesse em primeiro lugar aos apóstolos;
— fazei de nós testemunhas do vosso Filho até os confins da terra.

R.

Vós, que enviastes vosso Filho ao mundo para evangelizar os
pobres,
— fazei que o Evangelho seja pregado a toda criatura. R.

Vós, que enviastes vosso Filho para semear a palavra do reino,
— concedei-nos colher na alegria os frutos da palavra semeada
com o nosso trabalho. R.

Vós, que enviastes vosso Filho para reconciliar o mundo convosco pelo seu sangue,
— fazei que todos nós colaboremos na obra da reconciliação de
toda a humanidade. R.

(intenções livres)

Pai nosso...

Oração

Ó Deus, que pelo apóstolo São João nos revelastes os mistérios
do vosso Filho, tornai-nos capazes de conhecer e amar o que
ele nos ensinou de modo incomparável. Por nosso Senhor Jesus
Cristo, vosso Filho, na unidade do Espírito Santo.

Hora Média

Salmos do dia de semana correspondente com sua antífona própria do
Tempo.

Leitura breve
At 5,12a.14

Muitos sinais e maravilhas eram realizados entre o povo pelas
mãos dos apóstolos. Crescia sempre mais o número dos que aderiam ao Senhor pela fé; era uma multidão de homens e mulheres.

1166   28 de dezembro

V. Eles guardavam os preceitos.
R. E as ordens do Senhor.

Oração como nas Laudes.

Vésperas

Tudo como na Oitava do Natal, a 27 de dezembro, p. 193.

Onde a festa de São João Evangelista é celebrada como solenidade:
hino, antífonas, leitura breve e responsório, como nas Laudes, p.1163;
salmos, cântico e preces, do Comum dos Apóstolos, p. 1484.

28 de dezembro

OS SANTOS INOCENTES, MÁRTIRES

Festa
Laudes

Hino

O tirano escutou, ansioso,
que em Belém novo Rei é nascido.
Vem da casa real de Davi,
vem reger o seu povo escolhido.

Clama, louco, ao ouvir a mensagem:
Eis às portas o meu sucessor
que me expulsa! Depressa, soldado,
cobre os berços de sangue e de dor.

A quem serve tão grande maldade?
A Herodes teria ajudado?
Dentre os mortos há um que lhe escapa,
dentre eles só Cristo é tirado.

Salve, flores primeiras dos mártires,
que, da aurora ao primeiro clarão,
o inimigo colheu, como a rosas
decepadas por um turbilhão.

28 de dezembro

Sois as belas primícias de Cristo,
ó rebanho infantil de imolados,
que brincais, como alegres crianças,
com coroas, nos átrios sagrados.

Glória a vós, ó Jesus, para nós
de uma Virgem nascido em Belém.
Glória ao Pai e ao Espírito Santo
pelos séculos dos séculos. Amém.

Ant. 1 Vestidos de **branco, com**igo anda**rão,**
porque **e**les são **dignos, fal**ou o Se**nhor**.

Salmos e cântico do domingo da I Semana, p. 764.

Ant. 2 As crianças en**toam** lou**vor** ao Se**nhor:**
não pu**d**eram na **vid**a e o **fa**zem na **mor**te.

Ant. 3 O per**fei**to lou**vor** vos é **da**do
pelos **lábios** dos **mais** pequeninos,
de crianças que a **mãe** ama**men**ta.

Leitura breve   Jr 31,15

Ouviu-se uma voz em Ramá, – voz de lamento, gemido e pranto
– de Raquel chorando seus filhos, recusando-se a ser consolada
pois eles não existem mais.

Responsório breve

R. Os **san**tos e os **jus**tos
  * Vive**rão** eterna**men**te. **R.** Os **san**tos.
V. E a **sua** recom**pen**sa é o Se**nhor.**
  * Vive**rão.** Glória ao **Pai. R.** Os **san**tos.

Cântico evangélico, ant.

Os me**nin**os Ino**cen**tes deram a **vid**a pelo **Cristo;**
o rei in**jus**to e cru**el** mandou ma**tar** as crian**cin**has.
Sem ces**sar** louvam di**zen**do: Glória a **vós,** nosso Se**nhor!**

Preces

Celebremos a glória de Cristo, que venceu o tirano sem outra
arma que a inocência das criancinhas; e aclamemos:

R. **O luminoso exército dos mártires vos louva, Senhor!**

Cristo, de quem os pequeninos Inocentes deram testemunho não
pela palavra, mas pelo sangue,
– fazei-nos vossas testemunhas diante dos homens por palavras e
por atos.   **R.**

Vós, que tornastes dignos da palma do martírio aqueles que ainda não podiam lutar,
– não nos deixeis cair, a nós que recebemos tantos auxílios para vencer.

R. **O luminoso exército dos mártires vos louva, Senhor!**

Vós, que lavastes no vosso sangue as vestes dos Inocentes,
– purificai-nos de toda a iniquidade. R.

Vós, que fizestes entrar no céu as crianças mártires como primícias do vosso reino,
– não permitais que sejamos excluídos do banquete eterno. R.

Vós, que na infância conhecestes a perseguição e o exílio,
– protegei as crianças que sofrem por causa da fome, da guerra ou da desgraça. R.

(intenções livres)

Pai nosso...

Oração

Ó Deus, hoje os santos Inocentes proclamam vossa glória, não por palavras, mas pela própria morte; dai-nos também testemunhar com a nossa vida o que os nossos lábios professam. Por nosso Senhor Jesus Cristo, vosso Filho, na unidade do Espírito Santo.

Hora Média

Salmos do dia de semana correspondente com sua antífona própria do Tempo.

Leitura breve
cf. Lm 2,11

Meus olhos estão machucados de lágrimas, fervem minhas entranhas, vendo desfalecerem tantas crianças pelas ruas da cidade.

V. Os **jus**tos vive**rão** eterna**men**te.
R. E a **sua** recom**pen**sa é o Se**nhor.**

Oração como nas Laudes.

Vésperas

Tudo como durante a oitava de Natal, a 28 de dezembro, p. 194.

Onde a festa dos santos Inocentes é celebrada como solenidade: hino, antífonas, leitura breve e responsório, como nas Laudes, p. 1166; salmos, cântico e preces, do Comum de vários mártires, p. 1499.

31 de dezembro

SÃO TOMÁS BECKET, BISPO E MÁRTIR

Para comemoração

Nasceu em Londres, em 1118. Pertencia ao clero de Cantuária e foi chanceler do Reino, sendo eleito bispo em 1162. Defendeu corajosamente os direitos da Igreja contra o rei Henrique II, o que lhe acarretou um exílio de seis anos na Gália. De volta à pátria, teve ainda muito que sofrer, até ser assassinado por guardas do rei em 1170.

Laudes

Cântico evangélico, ant.

Quem per**der** a sua **vi**da neste **mun**do,
vai ga**nhá**-la eterna**men**te para os **céus**.

Oração

Ó Deus, que destes a São Tomás Becket a grandeza de alma de sacrificar a vida pela justiça, concedei-nos, por sua intercessão, perder a vida pelo Cristo neste mundo, a fim de encontrá-la no céu. Por nosso Senhor Jesus Cristo, vosso Filho, na unidade do Espírito Santo.

Vésperas

Cântico evangélico, ant.

O **Rei**no ce**les**te é a mo**ra**da dos **san**tos,
sua **paz** para **sem**pre.

31 de dezembro

SÃO SILVESTRE I, PAPA

Para comemoração

Ordenado bispo da Igreja Romana em 314, governou a Igreja no tempo do imperador Constantino Magno, quando o cisma donatista e a heresia ariana provocavam graves danos ao povo cristão. Morreu em 335 e foi sepultado no cemitério de Priscila, na via Salária.

1170

2 de janeiro

Laudes

Cântico evangélico, ant.
Não sois **vós** que fala**reis**,
é o Es**pí**rito do **Pai** que em **vós** há de fa**lar.**

Oração

Vinde, ó Deus, em auxílio do vosso povo para que, conduzido por vós nesta vida, mediante a intercessão do papa São Silvestre, possa chegar à vida eterna. Por nosso Senhor Jesus Cristo, vosso Filho, na unidade do Espírito Santo.

JANEIRO

2 de janeiro

SÃO BASÍLIO MAGNO E SÃO GREGÓRIO DE NAZIANZO, BISPOS E DOUTORES DA IGREJA

Memória

Basílio nasceu em Cesareia da Capadócia, em 330, de uma família cristã; possuidor de grande cultura e muita virtude, começou a levar vida eremítica, mas em 370 foi eleito bispo de sua cidade natal. Lutou contra os arianos; escreveu excelentes obras, sobretudo regras monásticas, observadas até hoje por muitíssimos monges do Oriente. Teve grande solicitude para com os pobres. Morreu no dia 12 de janeiro de 379.

Gregório, nascido no mesmo ano de 330 nas proximidades de Nazianzo, empreendeu muitas viagens com o intuito de adquirir ciência. Acompanhou seu amigo Basílio à solidão, mas foi ordenado presbítero e bispo. Em 381 foi designado bispo de Constantinopla; contudo, devido a divisões existentes naquela Igreja, retirou-se para Nazianzo. Aí morreu no dia 25 de janeiro de 389 ou 390. Pela profundidade de sua doutrina e encanto da sua eloquência, foi cognominado "o teólogo".

Do Comum dos pastores, p. 1523, ou Comum dos doutores da Igreja, p. 1533.

Laudes

Cântico evangélico, ant.
Quem é **sábio** brilha**rá** como **luz** no firma**men**to;
quem en**si**na à multi**dão** os ca**mi**nhos da jus**ti**ça,
fulgi**rá** como as es**tre**las pelos **sé**culos e**ter**nos.

Oração

Ó Deus, que iluminastes a vossa Igreja com o exemplo e a doutrina de São Basílio e São Gregório de Nazianzo, fazei-nos buscar
humildemente a vossa verdade e segui-la com amor em nossa
vida. Por nosso Senhor Jesus Cristo, vosso Filho, na unidade do
Espírito Santo.

Vésperas

Cântico evangélico, ant.
Quem vi**ver** e ensi**nar** o Evangelho,
será **gran**de no meu **Rei**no, diz Je**sus**.

7 de janeiro

SÃO RAIMUNDO DE PENYAFORT, PRESBÍTERO

Nasceu perto de Barcelona, cerca de 1175. Tornou-se cônego da Igreja
de Barcelona, sendo depois recebido entre os Frades Pregadores. Por
determinação do Papa Gregório IX publicou a coleção das Decretais.
Eleito Mestre-geral de sua Ordem, governou-a com sabedoria e prudência. Dentre os seus escritos sobressai a "Suma Casuística", para a
correta e proveitosa administração do sacramento da Penitência. Morreu
em 1275.

Do Comum dos Pastores, p. 1523.

Oração

Ó Deus, que inspirastes a São Raimundo de Penyafort grande
amor pelos pecadores e prisioneiros, libertai-nos, por suas preces, da servidão do pecado, para que, de todo o coração, façamos
o que vos agrada. Por nosso Senhor Jesus Cristo, vosso Filho, na
unidade do Espírito Santo.

13 de janeiro

SANTO HILÁRIO, BISPO E DOUTOR DA IGREJA

Nasceu em Poitiers no início do século IV. Cerca do ano 350, foi eleito bispo de sua cidade natal. Lutou corajosamente contra a heresia dos arianos, sendo por isso exilado pelo imperador Constâncio. Escreveu várias obras cheias de sabedoria e doutrina, para defender a fé católica e interpretar a Sagrada Escritura. Morreu em 367.

Do Comum dos pastores: para bispos, p. 1523, e dos doutores da Igreja, p. 1533.

Oração

Concedei-nos, ó Deus todo-poderoso, conhecer e proclamar fielmente a divindade de vosso Filho, que foi defendida com firmeza pelo vosso bispo Santo Hilário. Por nosso Senhor Jesus Cristo, vosso Filho, na unidade do Espírito Santo.

17 de janeiro

SANTO ANTÃO, ABADE

Memória

Este insigne pai do monaquismo nasceu no Egito por volta do ano 250. Depois da morte dos pais, distribuiu seus bens aos pobres e retirou-se para o deserto, onde começou a levar vida de penitente. Teve numerosos discípulos e trabalhou em defesa da Igreja, estimulando os confessores da fé durante a perseguição de Diocleciano e apoiando Santo Atanásio na luta contra os arianos. Morreu em 356.

Do Comum dos santos homens: para religiosos, p. 1571.

Oração

Ó Deus, que chamastes ao deserto Santo Antão, pai dos monges, para vos servir por uma vida heroica, dai-nos, por suas preces, a graça de renunciar a nós mesmos e amar-vos acima de tudo. Por nosso Senhor Jesus Cristo, vosso Filho, na unidade do Espírito Santo.

20 de janeiro

SÃO FABIANO, PAPA E MÁRTIR

Foi eleito bispo da Igreja de Roma em 236. Recebeu a coroa do martírio em 250, no início da perseguição de Décio, segundo afirma São Cipriano. Foi sepultado no cemitério de Calisto.

Do Comum de um mártir, p. 1509, ou dos pastores: para papas, p. 1523.

Oração

Ó Deus, que sois a glória de vossos sacerdotes, concedei-nos, pelas preces de vosso mártir São Fabiano, progredir sem cessar na comunhão da fé e na dedicação em vos servir. Por nosso Senhor Jesus Cristo, vosso Filho, na unidade do Espírito Santo.

No mesmo dia 20 de janeiro

SÃO SEBASTIÃO, MÁRTIR

Morreu mártir em Roma no começo da perseguição de Diocleciano. Seu sepulcro, na via Ápia, *junto das Catacumbas,* já era venerado pelos fiéis desde a mais remota antiguidade.

Do Comum de um mártir, p. 1509.

Oração

Dai-nos, ó Deus, o espírito de fortaleza para que, sustentados pelo exemplo de São Sebastião, vosso glorioso mártir, possamos aprender com ele a obedecer mais a vós do que aos homens. Por nosso Senhor Jesus Cristo, vosso Filho, na unidade do Espírito Santo.

21 de janeiro

SANTA INÊS, VIRGEM E MÁRTIR

Memória

Sofreu o martírio em Roma na segunda metade do século III ou, mais provavelmente, no início do século IV. O papa São Dâmaso adornou o seu sepulcro com versos, e muitos Santos Padres, seguindo Santo Ambrósio, celebraram seus louvores.

Do Comum de um(a) mártir, p. 1509, ou, das virgens, p. 1539.

1174   21 de janeiro

Laudes

Hino

Hoje é natal de Santa Inês,
virgem a Cristo dedicada,
que hoje ao céu entrega o espírito,
no próprio sangue consagrada.

Madura já para o martírio,
mas não ainda aos esponsais,
vai ao suplício tão alegre
qual noiva às festas nupciais.

Devendo aos deuses incensar,
diz sem nenhuma hesitação:
"Virgens a Cristo consagradas
lâmpadas tais não portarão.

Porque tal chama apaga a luz,
tal fogo a fé extinguirá.
Feri-me, e o sangue derramado
o seu braseiro apagará".

Ei-la ferida, e quanta glória
do Rei divino recebeu!
Com suas vestes se envolvendo,
cai sobre a terra e voa ao céu.

Jesus nascido de uma Virgem,
louvor a vós, ó Sumo Bem,
com o Pai Santo e o Espírito,
hoje e nos séculos. Amém.

Ant. 1   Meu Senhor Jesus Cristo colocou-me no dedo
o anel nupcial e a coroa de noiva na minha cabeça.

Salmos e cântico do domingo da I Semana, p. 764.

Ant. 2   Sou esposa do Senhor e Rei dos anjos;
admiram sua beleza o sol e a lua.

Ant. 3   Alegrai-vos comigo, porque recebi,
na assembleia dos santos um trono de glória!

21 de janeiro | 1175

Leitura breve
2Cor 1,3-5

Bendito seja o Deus e Pai de nosso Senhor Jesus Cristo, o Pai das misericórdias e Deus de toda consolação. Ele nos consola em todas as nossas aflições, para que, com a consolação que nós mesmos recebemos de Deus, possamos consolar os que se acham em toda e qualquer aflição. Pois, à medida que os sofrimentos de Cristo crescem para nós, cresce também a nossa consolação por Cristo.

Responsório breve

R. O Senhor a sustenta
   * Com a luz de sua face. R. O Senhor.
V. Quem a pode abalar? Deus está junto a ela.
   * Com a luz. Glória ao Pai. R. O Senhor.

Cântico evangélico, ant.

Já contemplo Aquele a quem tanto eu buscava;
já possuo Aquele que há tempo esperava.
Estou unida no céu com Aquele a quem só
eu amei sobre a terra.

Oração

Deus eterno e todo-poderoso, que escolheis as criaturas mais frágeis para confundir os poderosos, dai-nos, ao celebrar o martírio de Santa Inês, a graça de imitar sua constância na fé. Por nosso Senhor Jesus Cristo, vosso Filho, na unidade do Espírito Santo.

Vésperas

HINO Hoje é natal, como nas Laudes, p. 1174.

Ant. 1 Nem ameaças nem carícias
   conseguiram abalar esta Virgem do Senhor.

Salmos e cântico do Comum de um (a) mártir, p. 1515.

Ant. 2 Sou fiel somente a ele e lhe entrego a minha vida.

Ant. 3 Bendito sede, ó Pai de Jesus Cristo, meu Senhor, que no
   Filho concedestes a vitória à vossa serva.

Leitura breve
1Pd 4,13-14

Caríssimos, alegrai-vos por participar dos sofrimentos de Cristo, para que possais também exultar de alegria na revelação da sua glória. Se sofreis injúrias por causa do nome de Cristo, sois felizes, pois o Espírito da glória, o Espírito de Deus repousa sobre vós.

1176
24 de janeiro

Responsório breve
R. O Senhor a escolheu,
* Entre todas preferida. R. O Senhor.
V. O Senhor a fez morar em sua santa habitação.
* Entre todas. Glória ao Pai. R. O Senhor.

Cântico evangélico, ant.
De mãos erguidas ao Senhor, suplicava Santa Inês:
Ajudai-me, ó Pai santo, agora estou perto de vós!
Meu Senhor, a quem amei,
a quem busquei com tanto ardor.
Oração como nas Laudes.

22 de janeiro

SÃO VICENTE, DIÁCONO E MÁRTIR

Vicente, diácono da Igreja de Saragoça, morreu mártir em Valência (Espanha), durante a perseguição de Diocleciano, depois de ter sofrido cruéis tormentos. Seu culto logo se propagou por toda a Igreja.
Do Comum de um mártir, p. 1509.

Oração

Deus eterno e todo-poderoso, infundi em nossos corações o vosso Espírito para que sejam fortalecidos pelo intenso amor que levou o diácono São Vicente a vencer os tormentos do martírio. Por nosso Senhor Jesus Cristo, vosso Filho, na unidade do Espírito Santo.

24 de janeiro

SÃO FRANCISCO DE SALES, BISPO E DOUTOR DA IGREJA

Memória

Nasceu na Saboia em 1567. Ordenado sacerdote, trabalhou muito pela restauração da fé católica em sua pátria. Eleito bispo de Genebra, mostrou-se um verdadeiro pastor de seu clero e de seus fiéis, instruindo-os com seus escritos e obras, tomando-se modelo para todos. Morreu em

25 de janeiro 1177

Lião a 28 de dezembro de 1622, mas foi sepultado definitivamente em Annecy, a 24 de janeiro do ano seguinte.

Do Comum dos pastores: para bispos, p. 1523, e dos doutores da Igreja, p. 1533.

Oração

Ó Deus, para a salvação da humanidade, quisestes que São Francisco de Sales se fizesse tudo para todos; concedei que, a seu exemplo, manifestemos sempre a mansidão do vosso amor no serviço a nossos irmãos. Por nosso Senhor Jesus Cristo, vosso Filho, na unidade do Espírito Santo.

25 de janeiro

CONVERSÃO DE SÃO PAULO, APÓSTOLO

Festa

Laudes

Hino

Ó Paulo, mestre dos povos,
ensina-nos teu amor:
correr em busca do prêmio,
chegar ao Cristo Senhor.

A vós, ó Trindade, glória,
poder e louvor também;
que sois eterna unidade
nos séculos, sempre. Amém.

Ant. 1 Sei em **quem** eu colo**quei** a minha **fé**
e estou **cer**to que ele **tem** poder divino
para guar**dar** até o **fim** o meu de**pó**sito,
que o Se**nhor**, justo **Juiz**, me confi**ou**.

Salmos e cântico do domingo da I Semana, p. 764.

Ant. 2 A minha **gra**ça é em **ti** sufici**en**te:
pois na fra**que**za é que se **mos**tra o meu po**der**.

Ant. 3 A sua **gra**ça para **mim** não foi in**ú**til;
está co**mi**go e para **sem**pre fica**rá**.

Leitura breve
At 26,16b-18

Levanta-te e te põe em pé, pois eu te apareci para fazer de ti ministro e testemunha do que viste e do que ainda te mostrarei. Eu te escolhi do meio do povo e dos pagãos, para os quais agora te envio, a fim de lhes abrires os olhos e para que eles se convertam das trevas para a luz, do poder de Satanás para Deus, e recebam a remissão dos pecados e a herança entre os santificados pela fé em mim.

Responsório breve

R. **Instrumen**to esco**lhi**do,
   * A**pós**tolo **Pau**lo! R. Instru**men**to.
V. Prega**dor** da ver**da**de no **mun**do in**tei**ro. *A**pós**tolo.
   Glória ao **Pai**. R. Instru**men**to.

Cântico evangélico, ant.

A conver**são** de Paulo a**pós**tolo cele**bre**mos com fer**vor**;
até en**tão** persegui**dor**, Cristo o **fez** seu instru**men**to.

Preces

Irmãos caríssimos, tendo recebido dos apóstolos a herança celeste, agradeçamos a Deus, nosso Pai, por todos os seus dons; e aclamemos:

R. **O coro dos apóstolos vos louva, Senhor!**

Louvor a vós, Senhor, pela mesa do vosso Corpo e Sangue que recebemos por intermédio dos apóstolos;
– por ela somos alimentados e vivemos. R.

Louvor a vós, Senhor, pela mesa de vossa Palavra, preparada para nós pelos apóstolos;
– por ela recebemos luz e alegria. R.

Louvor a vós, Senhor, por vossa santa Igreja, edificada sobre o fundamento dos apóstolos;
– com ela formamos um só Corpo. R.

Louvor a vós, Senhor, pelos sacramentos do Batismo e da Penitência que confiastes aos apóstolos;
– por eles somos lavados de todo pecado. R.

(intenções livres)

Pai nosso...

Oração

Ó Deus, que instruístes o mundo inteiro pela pregação do apóstolo São Paulo, dai-nos, ao celebrar hoje sua conversão, caminhar para vós seguindo seus exemplos, e ser no mundo testemunhas do Evangelho. Por nosso Senhor Jesus Cristo, vosso Filho, na unidade do Espírito Santo.

Hora Média

Salmos do dia de semana corrente.

Ant. Quando **Sau**lo, ao meio-**dia**,
aproxi**mou**-se de Da**mas**co,
uma **luz** vinda do **céu** resplande**ceu** em volta **de**le.

Leitura breve — 1Tm 1,14-15

Transbordou a graça de nosso Senhor com a fé e o amor que há em Cristo Jesus. Segura e digna de ser acolhida por todos é esta palavra: Cristo veio ao mundo para salvar os pecadores. E eu sou o primeiro deles!

V. Ó **Se**nhor, fazei bri**lhar** a minha **lâm**pada.
R. Ó meu **Deus**, ilumi**nai** as minhas **tre**vas!

Oração como nas Laudes.

Vésperas

Hino

Concelebre a Igreja, cantando,
de São Paulo a grandeza e esplendor.
De inimigo se fez um apóstolo
pelo grande poder do Senhor.

Contra o nome de Cristo lutara,
inflamado de grande furor,
mas ardeu maior chama em seu peito
anunciando de Cristo o amor.

Grande dom mereceu do Senhor:
no mais alto dos céus escutar
as palavras do grande mistério
que a ninguém é devido falar.

1180   25 de janeiro

Espalhando as sementes do Verbo,
surgem messes com tais florações,
que o celeiro dos céus é repleto
com os frutos das boas ações.

Refulgindo, qual luz, ilumina
todo o orbe com tal claridade
que, dos erros a treva expulsando,
faz reinar, soberana, a verdade.

Glória ao Cristo, a Deus Pai e ao Espírito,
que governam a toda nação,
e doaram aos povos da terra
um tal vaso de sua eleição.

Ant. 1 De boa **men**te me glo**rio** nas fra**que**zas,
para que a **força** do **Se**nhor habite em **mim**.

Salmos e cântico do Comum dos apóstolos, p. 1484.

Ant. 2 Paulo **plan**ta, Apolo **re**ga,
mas é **Deus** quem faz cres**cer**.

Ant. 3 Para **mim** viver é **Cris**to, e mor**rer** é uma van**ta**gem;
minha **gló**ria é a **cruz** do **Se**nhor Cristo Je**sus**.

Leitura breve   1Cor 15,9-10

Eu sou o menor dos apóstolos, nem mereço o nome de apóstolo,
porque persegui a Igreja de Deus. É pela graça de Deus que eu
sou o que sou. Sua graça para comigo não foi estéril: a prova é
que tenho trabalhado mais do que os outros apóstolos – não pro-
priamente eu, mas a graça de Deus comigo.

Responsório breve

R. **Se**nhor, eu vos dou **gra**ças
   * De **to**do o cora**ção**! R. **Se**nhor.
V. Vou lou**var**-vos entre os **po**vos. * De **to**do.
   Glória ao **Pai**. R. **Se**nhor.

Cântico evangélico, ant.

Paulo, a**pós**tolo do **Se**nhor,
da ver**da**de prega**dor** e dou**tor** dos povos **to**dos:
Oh, ro**gai** por todos **nós** junto a **Deus** que vos cha**mou**!

Preces

Irmãos, edificados sobre o fundamento dos apóstolos, roguemos a Deus Pai todo-poderoso em favor de seu povo santo; e digamos:
R. **Lembrai-vos, Senhor, da vossa Igreja!**

Vós quisestes, ó Pai, que o vosso Filho, ressuscitado dos mortos, aparecesse em primeiro lugar aos apóstolos;
– fazei de nós testemunhas do vosso Filho até os confins da terra. R.

Vós, que enviastes vosso Filho ao mundo para evangelizar os pobres,
– fazei que o Evangelho seja pregado a toda criatura. R.

Vós, que enviastes vosso Filho para semear a palavra do reino,
– concedei-nos colher na alegria os frutos da palavra semeada com nossos trabalho. R.

Vós, que enviastes vosso Filho para reconciliar o mundo convosco pelo seu sangue,
– fazei que todos nós colaboremos na obra da reconciliação de toda a humanidade. R.

(intenções livres)

Vós, que glorificastes vosso Filho à vossa direita nos céus,
– recebei no reino da felicidade eterna os nossos irmãos e irmãs falecidos. R.

Pai nosso...

Oração

Ó Deus, que instruístes o mundo inteiro pela pregação do apóstolo São Paulo, dai-nos, ao celebrar hoje sua conversão, caminhar para vós seguindo seus exemplos, e ser no mundo testemunhas do Evangelho. Por nosso Senhor Jesus Cristo, vosso Filho, na unidade do Espírito Santo.

1182   27 de janeiro

26 de janeiro

SÃO TIMÓTEO E SÃO TITO, BISPOS

Memória

Timóteo e Tito, discípulos e colaboradores do apóstolo Paulo, governa-ram as Igrejas de Éfeso e de Creta, respectivamente. A eles é que foram dirigidas as Cartas chamadas "pastorais", em que se encontram excelen-tes recomendações para a formação dos pastores e dos fiéis.

Do Comum dos pastores: para bispos, p. 1523.

Laudes

Cântico evangélico, ant.
Proclama em todo o tempo a palavra do Senhor;
persuade, repreende e exorta com coragem,
com saber e paciência!

Oração

Ó Deus, que ornastes São Timóteo e São Tito com as virtudes dos apóstolos, concedei-nos, pela intercessão de ambos, viver neste mundo com piedade e justiça, para chegar ao céu, nossa pátria. Por nosso Senhor Jesus Cristo, vosso Filho, na unidade do Espí-rito Santo.

Vésperas

Cântico evangélico, ant.
Na justiça e piedade vivamos,
aguardando a bendita esperança
e a vinda do Cristo Senhor!

27 de janeiro

SANTA ÂNGELA MERÍCI, VIRGEM

Nasceu por volta do ano 1470, em Desenzano de Garde (Província de Veneza). Recebeu o hábito da Ordem Terceira de São Francisco e reu-niu um grupo de moças que orientava na prática da caridade. Em 1535

28 de janeiro 1183

fundou, em Bréscia, uma congregação feminina sob a invocação de Santa Úrsula, destinada à formação cristã de meninas pobres. Morreu em 1540.

Do Comum das virgens, p. 1539, ou, das santas mulheres: para uma educadora, p. 1574.

Oração

Ó Deus, que a santa virgem Ângela Meríci nos recomende ao vosso amor de Pai, para que, seguindo seus exemplos de caridade e prudência, sejamos fiéis aos vossos ensinamentos, proclamando-os em nossa vida. Por nosso Senhor Jesus Cristo, vosso Filho, na unidade do Espírito Santo.

28 de janeiro

SANTO TOMÁS DE AQUINO, PRESBÍTERO E DOUTOR DA IGREJA

Memória

Nasceu por volta do ano 1225, da família dos Condes de Aquino. Estudou primeiramente no mosteiro de Monte Cassino e depois em Nápoles. Ingressou na Ordem dos Frades Pregadores e completou os estudos em Paris e em Colônia, tendo tido como professor Santo Alberto Magno. Escreveu muitas obras de grande erudição, e, como professor, lecionou disciplinas filosóficas e teológicas, o que lhe valeu grande reputação. Morreu nas proximidades de Terracina, a 7 de março de 1274. Sua memória é celebrada a 28 de janeiro, data em que seu corpo foi trasladado para Toulouse (França), em 1369.

Do Comum dos doutores da Igreja; p. 1533.

Laudes

Cântico evangélico, ant.
Ó Senhor, sede bendito!
Santo Tomás, por vosso amor,
dedicou-se ao estudo, à oração e ao trabalho.

Oração

Ó Deus, que tornastes Santo Tomás de Aquino um modelo admirável, pela procura da santidade e amor à ciência sagrada, dai--nos compreender seus ensinamentos e seguir seus exemplos. Por

1184   31 de janeiro

nosso Senhor Jesus Cristo, vosso Filho, na unidade do Espírito Santo.

Vésperas

Cântico evangélico, ant.
Deu-lhe o Se**nhor** grande sa**ber**;
ele **sou**be assimi**lá**-lo e foi hu**mil**de ao transmi**ti**-lo.

31 de janeiro

SÃO JOÃO BOSCO, PRESBÍTERO

Memória

Nasceu perto de Castelnuovo, na diocese de Turim, em 1815. Teve uma infância sofrida. Ordenado sacerdote, consagrou todas as suas energias à educação da juventude, para formá-la na prática da vida cristã e no exercício de uma profissão. Com essa finalidade, fundou Congregações, sobretudo, a Sociedade São Francisco de Sales (Salesianos). Escreveu também diversos opúsculos para proteger e defender a religião católica. Morreu em 1888.

Do Comum dos pastores: para presbíteros, p. 1523, ou, dos santos homens: para educadores, p. 1574.

Oração

Ó Deus, que suscitastes São João Bosco para educador e pai dos adolescentes, fazei que, inflamados da mesma caridade, procuremos a salvação de nossos irmãos e irmãs, colocando-nos inteiramente ao vosso serviço. Por nosso Senhor Jesus Cristo, vosso Filho, na unidade do Espírito Santo.

FEVEREIRO

2 de fevereiro

APRESENTAÇÃO DO SENHOR

Festa

I Vésperas

(quando a festa ocorre em domingo)

HINO O que o coro dos profetas, como nas II Vésperas, p. 1190.

Salmodia

Ant. 1 Seus pais levaram o Menino à Cidade
e, no templo, apresentaram-no ao Senhor.

Salmo 112(113)

– [1] Louvai, louvai, ó servos do Senhor, *
louvai, louvai o nome do Senhor!
– [2] Bendito seja o nome do Senhor, *
agora e por toda a eternidade!
– [3] Do nascer do sol até o seu ocaso, *
louvado seja o nome do Senhor!
– [4] O Senhor está acima das nações, *
sua glória vai além dos altos céus.
= [5] Quem pode comparar-se ao nosso Deus, †
ao Senhor, que no alto céu tem o seu trono *
[6] e se inclina para olhar o céu e a terra?
– [7] Levanta da poeira o indigente *
e do lixo ele retira o pobrezinho,
– [8] para fazê-lo assentar-se com os nobres, *
assentar-se com os nobres do seu povo.
– [9] Faz a estéril, mãe feliz em sua casa, *
vivendo rodeada de seus filhos.

Ant. Seus pais levaram o Menino à Cidade
e, no templo, apresentaram-no ao Senhor.

Ant. 2 Adorna tua casa, ó Sião,
e recebe o teu Rei, Cristo Jesus!

1186   2 de fevereiro

Salmo 147(147B)

– ¹²Glorifica o Senhor, Jerusalém! *
Ó Sião, canta louvores ao teu Deus!

– ¹³Pois reforçou com segurança as tuas portas, *
e os teus filhos em teu seio abençoou;

– ¹⁴a paz em teus limites garantiu *
e te dá como alimento a flor do trigo.

– ¹⁵Ele envia suas ordens para a terra, *
e a palavra que ele diz corre veloz;

– ¹⁶ele faz cair a neve como lã *
e espalha a geada como cinza.

– ¹⁷Como de pão lança as migalhas do granizo, *
a seu frio as águas ficam congeladas.

– ¹⁸Ele envia sua palavra e as derrete, *
sopra o vento e de novo as águas correm.

– ¹⁹Anuncia a Jacó sua palavra, *
seus preceitos e suas leis a Israel.

– ²⁰Nenhum povo recebeu tanto carinho, *
a nenhum outro revelou os seus preceitos.

Ant. Adorna tua casa, ó Sião,
e recebe o teu Rei, Cristo Jesus!

Ant. 3 És feliz, ó Simeão:
recebeste o Senhor que seu povo vem salvar!

Cântico   Fl 2,6-11

= ⁶Embora fosse de divina condição, †
Cristo Jesus não se apegou ciosamente *
a ser igual em natureza a Deus Pai.

(R. Jesus Cristo é Senhor para a glória de Deus Pai!)

= ⁷Porém esvaziou-se de sua glória †
e assumiu a condição de um escravo, *
fazendo-se aos homens semelhante. (R.)

= ⁸Reconhecido exteriormente como homem, †
humilhou-se, obedecendo até à morte, *
até à morte humilhante numa cruz. (R.)

2 de fevereiro   **1187**

= ⁹Por isso **Deus** o exaltou sobremaneira †
   e deu-lhe o **no**me mais excelso, mais sublime, *
   e elevado muito acima de outro nome.   (R.)

= ¹⁰Para **que** perante o nome de Jesus †
   se **dobre** reverente todo joelho, *
   seja nos **céus**, seja na terra ou nos abismos.   (R.)

= ¹¹E toda **língua** reconheça, confessando, †
   para a **glória** de Deus Pai e seu louvor: *
   "Na verdade Jesus Cristo é o Senhor!"   (R.)

Ant. És fe**liz**, ó Sime**ão**:
       recebeste o Senhor que seu **po**vo vem sal**var**!

Leitura breve   Hb 10,5-7

Ao entrar no mundo, Cristo afirma: Tu não quiseste vítima nem
oferenda, mas formaste-me um corpo. Não foram do teu agrado
holocaustos nem sacrifícios pelo pecado. Por isso eu disse: Eis
que eu venho. No livro está escrito a meu respeito: Eu vim, ó
Deus, para fazer a tua vontade.

Responsório breve

R. O **Se**nhor manifes**tou**
   * A **su**a sal**vação**. R. O **Se**nhor.
V. Que ha**vi**a prepa**ra**do, ante a **face** das na**ções**.
   * A **su**a. Glória ao **Pai**. R. O **Se**nhor.

Cântico evangélico, ant.

O anci**ão** toma o Me**ni**no nos seus **braços**,
mas o Me**ni**no é o Se**nhor** do anci**ão**;
uma **Vir**gem dá à **luz** ficando **vir**gem
e a**do**ra Aquele **mes**mo que ge**rou**.

Preces e Oração como nas II Vésperas, p. 1193.

Laudes

Hino

       Sião, na espera do Senhor,
       adorna o tálamo ditoso.
       Na vigilante luz da fé,
       acolhe a esposa e o esposo!

1188   2 de fevereiro

Ó ancião feliz, apressa-te,
cumpre a promessa da alegria,
revela a todos a luz nova
que para os povos se anuncia.

Os pais ao Templo levam Cristo,
no Templo, o Templo se oferece.
E quem à lei nada devia,
à lei dos homens obedece.

Oferta, ó Virgem, o teu Filho,
que é do Pai o Filho amado.
Nele oferece nosso preço,
pelo qual fomos resgatados.

No ritual do sacrifício
teu Filho, ó Virgem, oferece.
A salvação foi dada a todos,
grande alegria resplandece.

Louvor a vós, ó Jesus Cristo,
que hoje às nações vos revelais,
a vós, ao Pai e ao Espírito
glória nos séculos eternais.

Ant. 1 O **jus**to e pie**do**so Sime**ão**
esper**a**va a reden**ção** de Isra**el**,
e o Es**pí**rito de **Deus** estava **ne**le.

Salmos e cântico do domingo da I Semana, p. 764.

Ant. 2 Sime**ão** toma o Me**ni**no nos seus **bra**ços
e dá **gra**ças, bendi**zen**do ao Se**nhor**.

Ant. 3 Uma **luz** que brilha**rá** para os gen**ti**os
e para a **gló**ria de Isra**el**, vosso **po**vo.

Leitura breve   Ml 3,1

Eis que envio meu anjo, e ele há de preparar o caminho para
mim; logo chegará ao seu templo o Dominador, que tentais encontrar, e o anjo da aliança, que desejais.

Responsório breve

R. No esplen**dor** do santo **tem**plo,
     * Ado**rai** o Senhor **Deus**! R. No esplen**dor**.
V. Dai a **Deus** glória e lou**vor**! * Ado**rai**.
     Glória ao **Pai**. R. No esplen**dor**.

2 de fevereiro

Cântico evangélico, ant.
José e Maria levaram ao templo o Menino Jesus;
Simeão recebeu-o e, tomando-o nos braços,
bendisse o Senhor.

Preces

Adoremos nosso Salvador, que hoje foi apresentado no templo;
e peçamos:
R. **Senhor, que os nossos olhos vejam a vossa salvação.**

Cristo Jesus, que quisestes ser apresentado no templo, segundo a lei,
– ensinai a nos oferecermos convosco no sacrifício da Igreja. R.

Consolador de Israel, a quem o justo Simeão acolheu no templo,
– ensinai-nos também a vos acolher na pessoa de nossos irmãos
e irmãs. R.

Esperança das nações, de quem a profetisa Ana falava a todos os
que esperavam a libertação de Israel,
– ensinai-nos a falar de vós, como convém, a todas as pessoas. R.

Pedra angular do reino de Deus, colocada como sinal de contradição,
– fazei que, pela fé e pela caridade, nós vos encontremos e em
vós sejamos ressuscitados. R.

(intenções livres)
Pai nosso...

Oração

Deus eterno e todo-poderoso, ouvi as nossas súplicas. Assim
como o vosso Filho único, revestido da nossa humanidade, foi
hoje apresentado no Templo, fazei que nos apresentemos diante
de vós com os corações purificados. Por nosso Senhor Jesus Cristo, vosso Filho, na unidade do Espírito Santo.

Hora Média

Antífonas e salmos do dia corrente.

Leitura breve Is 42,13
O Senhor sai a campo como um vencedor, provocando desafios
como um guerreiro, ele dá o grito de guerra e a voz de comando,
ele triunfará sobre seus inimigos.

1190   2 de fevereiro

V. Os confins do universo contemplaram
    a salvação do nosso **Deus**.
R. Aclamai o Senhor **Deus**, ó terra inteira!

Oração como nas Laudes.

II Vésperas

Hino

O que o coro dos profetas
celebrou em profecia,
pela ação do Espírito Santo
realiza-se em Maria.

Ao Senhor de todo o mundo
esta Virgem concebeu,
deu à luz, e sempre virgem
integral permaneceu.

Simeão, no templo, exulta
tendo aos braços o Menino,
porque vê com os seus olhos
o Esperado, o Sol divino.

Mãe do Rei eterno, ouvi-nos,
acolhei do orante a prece,
vós que dais a clara luz
que no Filho resplandece.

Cristo, luz que nos abris
de Deus Pai as profundezas,
na mansão da luz eterna
vos cantemos as grandezas.

Salmodia

Ant. 1 O Espírito de **Deus** revelara a Simeão
que, antes de morrer, veria o Salvador.

Salmo 109(110),1-5.7

– ¹ Palavra do Senhor ao meu Senhor: *
  "Assenta-te ao lado meu direito,
– até que eu ponha os inimigos teus *
  como escabelo por debaixo de teus pés!" –

2 de fevereiro

= ^{2}O Senhor estenderá desde Sião †
 vosso cetro de poder, pois ele diz: *
 "Domina com vigor teus inimigos;

= ^{3}Tu és príncipe desde o dia em que nasceste; †
 na glória e esplendor da santidade, *
 como o orvalho, antes da aurora, eu te gerei!"

= ^{4}Jurou o Senhor e manterá sua palavra: †
 "Tu és sacerdote eternamente, *
 segundo a ordem do rei Melquisedec!"

– ^{5}À vossa destra está o Senhor, ele vos diz: *
 "No dia da ira esmagarás os reis da terra!

– ^{7}Beberás água corrente no caminho, *
 por isso seguirás de fronte erguida!"

Ant. O Espírito de **Deus** revelara a Simeão
 que, antes de morrer, veria o Salvador.

Ant. 2 Ofereceram ao Senhor em sacrifício
 duas pombinhas, de acordo com a lei.

Salmo 129(130)

– ^{1}Das profundezas eu clamo a vós, Senhor, *
 ^{2} escutai a minha voz!

– Vossos ouvidos estejam bem atentos *
 ao clamor da minha prece!

– ^{3}Se levardes em conta nossas faltas, *
 quem haverá de subsistir?

– ^{4}Mas em vós se encontra o perdão, *
 eu vos temo e em vós espero.

– ^{5}No Senhor ponho a minha esperança, *
 espero em sua palavra.

– ^{6}A minh'alma espera no Senhor *
 mais que o vigia pela aurora.

– ^{7}Espere Israel pelo Senhor *
 mais que o vigia pela aurora!

– Pois no Senhor se encontra toda graça *
 e copiosa redenção. –

1192   2 de fevereiro

– ⁸Ele **vem** libertar a Israel *
de **to**da a sua culpa.

Ant. Oferec**e**ram ao Se**nhor** em sacrifício
duas pomb**in**has, de ac**or**do com a **lei**.

Ant. 3 Os meus **o**lhos viram a **vo**ssa salva**ção**,
que prepar**a**stes ante a **face** das na**ções**.

Cântico   cf. Cl 1,12-20

= ¹²Demos **gra**ças a Deus **Pai** onipo**tente**, †
que nos **cha**ma a partilhar, na sua luz, *
da her**an**ça a seus santos reservada!

(R. Glória a **vós**, Primogênito dentre os **mor**tos!)

= ¹³Do imp**é**rio das trevas arrancou-nos †
e transpor**tou**-nos para o reino de seu Filho, *
para o **rei**no de seu Filho bem-amado,

– ¹⁴no **qual** nós encontramos redenção, *
dos pe**ca**dos remissão pelo seu sangue.   (R.)

– ¹⁵Do **Deus**, o Invisível, é a imagem, *
o Primogênito de toda criatura;

= ¹⁶porque **ne**le é que tudo foi criado: †
o que há nos **céus** e o que existe sobre a terra, *
o vis**í**vel e também o invisível.   (R.)

= Sejam **Tro**nos e Poderes que há nos céus, †
sejam **e**les Principados, Potestades: *
por **e**le e para ele foram feitos;

– ¹⁷antes de **to**da criatura ele existe, *
e é por **e**le que subsiste o universo.   (R.)

= ¹⁸Ele é a Cabeça da Igreja, que é seu Corpo, †
é o princ**í**pio, o Primogênito dentre os mortos, *
a **fim** de ter em tudo a primazia.

– ¹⁹Pois foi do ag**ra**do de Deus Pai que a plenitude *
habi**ta**sse no seu Cristo inteiramente.   (R.)

– ²⁰**Aprou**ve-lhe também, por meio dele, *
reconcili**ar** consigo mesmo as criaturas,

= pacific**an**do pelo sangue de sua cruz †
tudo aq**ui**lo que por ele foi criado, *
o que há nos **céus** e o que existe sobre a terra.   (R.)

Ant. Os meus olhos viram a vossa salvação,
que preparastes ante a face das nações.

Leitura breve
Hb 4,15-16

Temos um sumo-sacerdote capaz de se compadecer de nossas fraquezas, pois ele mesmo foi provado em tudo como nós, com exceção do pecado. Aproximemo-nos então, com toda a confiança, do trono da graça, para conseguirmos misericórdia e alcançarmos a graça de um auxílio no momento oportuno.

Responsório breve
R. O Senhor manifestou
  * A sua salvação. R. O Senhor.
V. Que havia preparado, ante a face das nações.
  * A sua. Glória ao Pai. R. O Senhor.

Cântico evangélico, ant.
Hoje a Virgem Maria apresentou
o Menino Jesus no santo templo.
Simeão, impelido pelo Espírito,
recebeu o Menino nos seus braços
e deu graças, bendizendo ao Senhor.

Preces
Adoremos nosso Salvador, que hoje foi apresentado no templo; e peçamos:
R. Senhor, que os nossos olhos vejam a vossa salvação.

Cristo Salvador, luz que se revela às nações,
– iluminai aqueles que ainda não vos conhecem, para que creiam em vós   R.

Redentor nosso, glória de Israel vosso povo,
– fazei vossa Igreja crescer entre as nações.   R.

Jesus, desejado de todas as nações, os olhos do justo Simeão viram a vossa salvação;
– salvai a humanidade inteira.   R.

Senhor, em cuja apresentação foi anunciada a Maria, vossa mãe, uma espada de dor,
– fortalecei aqueles que suportam provações por causa do serviço do vosso reino.   R.

(intenções livres)

Cristo, felicidade dos santos, que Simeão viu antes de morrer, como era seu ardente desejo,

– mostrai-vos para sempre àqueles que têm sede de vos ver depois da morte.

R. **Senhor, que os nossos olhos vejam a vossa salvação.**

Pai nosso...

Oração

Deus eterno e todo-poderoso, ouvi as nossas súplicas. Assim como o vosso Filho único, revestido da nossa humanidade, foi hoje apresentado no Templo, fazei que nos apresentemos diante de vós com os corações purificados. Por nosso Senhor Jesus Cristo, vosso Filho, na unidade do Espírito Santo.

3 de fevereiro

SÃO BRÁS, BISPO E MÁRTIR

Foi bispo de Sebaste (Armênia) no século IV. Na Idade Média o seu culto propagou-se por toda a Igreja.

Do Comum de um mártir, p. 1509, ou, dos pastores: para bispos, p. 1523.

Oração

Ouvi, ó Deus, as preces do vosso povo, confiado no patrocínio de São Brás; concedei-nos a paz neste mundo e a graça de chegar à vida eterna. Por nosso Senhor Jesus Cristo, vosso Filho, na unidade do Espírito Santo.

No mesmo dia 3 de fevereiro

SANTO OSCAR, BISPO

Nasceu na França no princípio do século IX e foi educado no mosteiro de Córbia (Alemanha). Em 826 partiu para a Dinamarca a fim de pregar a fé cristã, não obtendo porém muito resultado; no entanto teve melhor êxito na Suécia. Foi eleito bispo de Hamburgo. O papa Gregório IV, depois de confirmar sua eleição, nomeou o legado pontifício para a Dinamarca e a Suécia. Encontrou muitas dificuldades no seu ministério de evangelização, mas superou-as com grande fortaleza de ânimo. Morreu em 865.

Do Comum dos pastores: para bispos, p. 1523.

Oração

Ó Deus, que enviastes o bispo Santo Oscar para iluminar muitos povos com a vossa palavra, concedei-nos por sua intercessão caminhar à luz da vossa verdade. Por nosso Senhor Jesus Cristo, vosso Filho, na unidade do Espírito Santo.

5 de fevereiro

SANTA ÁGUEDA, VIRGEM E MÁRTIR

Memória

Foi martirizada em Catânia, na Sicília, provavelmente na perseguição de Décio. O seu culto propagou-se desde a Antiguidade por toda a Igreja e seu nome foi incluído no Cânon romano.

Do Comum de um(a) mártir, p. 1509, ou das virgens, p. 1539. Na Quaresma, comemoração.

Laudes

Cântico evangélico, Ant.

Como se **fos**se a uma **fes**ta,
cami**nha**va a jovem **Á**gueda com ale**gri**a para o **cár**cere,
e **pe**dia ao Se**nhor**: Aju**dai**-me em minha **lu**ta!

Oração

Ó Deus, que Santa Águeda, virgem e mártir, agradável ao vosso coração pelo mérito da castidade e pela força do martírio, implore vosso perdão em nosso favor. Por nosso Senhor Jesus Cristo, vosso Filho, na unidade do Espírito Santo.

Vésperas

Cântico evangélico, Ant.

Jesus **Cris**to, meu bom **Mes**tre e meu Se**nhor**,
graças a **vós**, que me fi**zes**tes supe**rar**
as tor**tu**ras que so**fri** de meus al**go**zes!
Que eu al**can**ce a vossa **gló**ria impere**cí**vel!

1196 8 de fevereiro

6 de fevereiro

SÃO PAULO MIKI E SEUS COMPANHEIROS, MÁRTIRES

Memória

Paulo nasceu no Japão, entre os anos de 1564 e 1566. Ingressou na Companhia de Jesus e pregou, com muito fruto, o Evangelho entre os seus compatriotas. Tendo se tornado mais violenta a perseguição contra os católicos, foi preso com vinte e cinco companheiros. Depois de muito maltratados, foram levados a Nagasáki, onde os crucificaram a 5 de fevereiro de 1597.

Do Comum de vários mártires, p. 1493. Na Quaresma, comemoração.

Laudes

Na Quaresma, para comemoração:

Ant. Felizes de **vós**, os perseguidos
por **cau**sa da justiça do **Se**n**hor**,
porque o **Rei**no dos **céus** há de ser **vos**so!

Oração

Ó Deus, força dos santos, que em Nagasáki chamastes à verdadeira vida São Paulo Miki e seus companheiros pelo martírio da cruz, concedei-nos, por sua intercessão, perseverar até a morte na fé que professamos. Por nosso Senhor Jesus Cristo, vosso Filho, na unidade do Espírito Santo.

Vésperas

Na Quaresma, para comemoração:

Ant. Alegrem-se nos **céus** eis a**mi**gos do **Se**n**hor**,
que se**gui**ram os seus **pas**sos;
derramaram o seu **san**gue por **amor** a Jesus **Cris**to,
e com **ele** reina**rão**.

8 de fevereiro

SÃO JERÔNIMO EMILIANI

Nasceu na região de Veneza, em 1486. Seguiu a carreira militar, que mais tarde abandonou para se dedicar ao serviço dos pobres, depois de distri-

10 de fevereiro

buir entre eles o que possuía. Fundou a Ordem dos Clérigos Regulares de Somasca, destinada a socorrer as crianças órfãs e os pobres. Morreu em Somasca, no território de Bérgamo (Itália), em 1537.

Do Comum dos santos homens: para educadores, p. 1574. Na Quaresma, comemoração.

Laudes

Na Quaresma, para comemoração:

Ant. Quem tem amor no coração para os pequenos,
sabe guiar e ensinar como um pastor.

Oração

Ó Deus e Pai de misericórdia, que destes em São Jerônimo Emiliani um pai e protetor para os órfãos, fazei que ele interceda por nós, para conservarmos fielmente o espírito de adoção, pelo qual nos chamamos vossos filhos e na verdade o somos. Por nosso Senhor Jesus Cristo, vosso Filho, na unidade do Espírito Santo.

Vésperas

Na Quaresma, para comemoração:

Ant. Deixai vir a mim as criancinhas,
pois delas é o Reino do meu Pai.

10 de fevereiro

SANTA ESCOLÁSTICA, VIRGEM

Escolástica, irmã de São Bento, nasceu em Núrsia, na Úmbria (Itália), cerca do ano 480. Juntamente com seu irmão, consagrou-se a Deus e seguiu-o para Cassino, onde morreu por volta do ano 547.

Do Comum das virgens, p. 1539. Na Quaresma, comemoração.

Laudes

Cântico evangélico, Ant.
A virgem prudente entrou para as bodas
e vive com Cristo na glória celeste.
Como o sol, ela brilha entre os coros das virgens.

Oração

Celebrando a festa de Santa Escolástica, nós vos pedimos, ó Deus, a graça de imitá-la, servindo-vos com caridade perfeita e alegran-

1198   11 de fevereiro

do-nos com os sinais do vosso amor. Por nosso Senhor Jesus Cristo, vosso Filho, na unidade do Espírito Santo.

Vésperas

Na Quaresma, para comemoração:

Ant. Oh **vin**de, esp**o**sa de **Cris**to, rece**bei** a co**roa** da **gló**ria
que o Se**nhor** prepa**rou** para **sem**pre.

11 de fevereiro

NOSSA SENHORA DE LOURDES

No ano de 1858, a Imaculada Virgem Maria apareceu a Bernadete Soubirous nas cercanias de Lourdes (França), na gruta de Massabielle. Por meio desta humilde jovem, Maria convida os pecadores à conversão, suscitando na Igreja grande zelo pela oração e pela caridade, sobretudo no que diz respeito ao serviço dos pobres e dos doentes.

Do Comum de Nossa Senhora, p.1462. Na Quaresma, comemoração.

Laudes

Cântico evangélico, Ant.

Au**ro**ra lumi**no**sa da **nos**sa salva**ção,**
de **vós,** Virgem Ma**ria,** nas**ceu** o Sol da jus**ti**ça,
que nos **vei**o visi**tar** lá do **al**to, como **luz,**
que ilu**mi**na todo **ho**mem.

Oração

Ó Deus de misericórdia, socorrei a nossa fraqueza para que, ao celebrarmos a memória da Virgem Imaculada, Mãe de Deus, possamos, por sua intercessão, ressurgir de nossos pecados. Por nosso Senhor Jesus Cristo, vosso Filho, na unidade do Espírito Santo.

Vésperas

Cântico evangélico, Ant.

Ma**ria,** ale**gra**-te, ó **chei**a de **gra**ça, o Se**nhor** é con**ti**go!
És ben**di**ta entre **to**das as mu**lhe**res da **ter**ra,
e ben**di**to é o **fru**to que nas**ceu** de teu **ven**tre!

14 de fevereiro

SÃO CIRILO, MONGE, E SÃO METÓDIO, BISPO

Memória

Cirilo, natural de Tessalônica, recebeu uma excelente formação em Constantinopla. Juntamente com seu irmão, Metódio, dirigiu se para a Morávia, a fim de pregar a fé católica. Ambos compuseram os textos litúrgicos em língua eslava, escritos em letras que depois se chamaram "cirílicas". Chamados a Roma, ali morreu Cirilo, a 14 de fevereiro de 869. Metódio foi então ordenado bispo e partiu para a Panônia, onde exerceu intensa atividade evangelizadora. Muito sofreu por causa de pessoas invejosas, mas sempre contou com o apoio dos Pontífices Romanos. Morreu no dia 6 de abril de 885 em Velehrad (República Tcheca). O Papa São João Paulo II proclamou-os patronos da Europa junto com São Bento.

Do Comum dos pastores, p. 1523. Na Quaresma, comemoração.

Laudes

Cântico evangélico, Ant.

Durante **to**da a sua **vi**da, eles ser**vi**ram ao Se**nhor**
em santi**da**de e jus**ti**ça.

Oração

Ó Deus, pelos dois irmãos Cirilo e Metódio, levastes a luz do Evangelho aos povos eslavos; dai-nos acolher no coração a vossa Palavra e fazei de nós um povo unido na verdadeira fé e no fiel testemunho do Evangelho. Por nosso Senhor Jesus Cristo, vosso Filho, na unidade do Espírito Santo.

Vésperas

Cântico evangélico, Ant.

Eis a**qui** os homens **san**tos e a**mi**gos do Se**nhor**,
glori**o**sos pelo a**nún**cio do Evan**ge**lho da ver**da**de.

17 de fevereiro

OS SETE SANTOS FUNDADORES DOS SERVITAS

Os Sete santos fundadores nasceram em Florença. Levaram primeiramente vida eremítica no monte Senário, venerando de modo particular a

1200

21 de fevereiro

Santíssima Virgem Maria. Depois dedicaram-se à pregação por toda a Toscana e fundaram a Ordem dos Servos de Maria (Servitas), aprovada em 1304 pela Sé Apostólica. Celebra-se hoje a sua memória porque, segundo consta, neste dia morreu Santo Aleixo Falconieri, um dos sete, em 1310.

Do Comum dos santos homens: para religiosos, p. 1571. Na Quaresma, comemoração.

Laudes

Cântico evangélico, Ant.
Vinde e **vede** como é **bom,** como é suave
os ir**mãos** viverem **jun**tos bem **un**idos!

Oração

Inspirai-nos, ó Deus, a profunda piedade dos Fundadores dos Servitas, que se distinguiram pela devoção à Virgem Maria e a vós conduziram o vosso povo. Por nosso Senhor Jesus Cristo, vosso Filho, na unidade do Espírito Santo.

Vésperas

Na Quaresma, para comemoração:
Ant. Onde **un**idos os ir**mãos** louvam a **Deus,**
ali tam**bém** o **S**enhor dá sua **bên**ção.

21 de fevereiro

SÃO PEDRO DAMIÃO, BISPO
E DOUTOR DA IGREJA

Nasceu em Ravena no ano de 1007. Terminados os estudos, dedicou-se ao ensino, que logo abandonou, para se tornar eremita em Fonte Avela-na. Eleito prior do mosteiro, dedicou-se incansavelmente a promover a vida religiosa, não só ali, mas também em outras regiões da Itália. Numa época muito difícil, ajudou os Papas em vista da reforma da Igreja, com sua atividade, seus escritos e no desempenho de embaixadas. Foi no-meado cardeal e bispo de Óstia pelo Papa Estêvão IX. Logo depois de sua morte, ocorrida em 1072, começou a ser venerado como santo.

Do Comum dos pastores: para bispos, p. 1523, e dos doutores da Igreja, p. 1533. Na Quaresma, comemoração.

Laudes

Na Quaresma, para comemoração:

Ant. Quem é **sábio** brilha**rá** como **luz** no firma**men**to;
quem en**si**na à multi**dão** os ca**mi**nhos da jus**ti**ça,
ful**gi**rá como as es**tre**las pelos **sé**culos e**ter**nos.

Oração

Ó Pai todo-poderoso, dai-nos seguir as exortações e o exemplo de São Pedro Damião, para que, nada antepondo a Cristo e servindo sempre à vossa Igreja, cheguemos às alegrias da luz eterna. Por nosso Senhor Jesus Cristo, vosso Filho, na unidade do Espírito Santo.

Vésperas

Na Quaresma, para comemoração:

Ant. Ó **mes**tre da Ver**da**de! Ó **luz** da santa I**gre**ja!
São **Pe**dro Da**mião** cumpri**dor** da lei di**vi**na,
ro**gai** por nós a **Cris**to.

22 de fevereiro

CÁTEDRA DE SÃO PEDRO, APÓSTOLO

Festa

Desde o século IV, a festa da Cátedra de Pedro é celebrada neste dia em Roma, como sinal da unidade da Igreja, fundada sobre o Apóstolo.

Laudes

Hino

Pedro, que rompes algemas
pelo poder do Senhor,
de toda a Igreja és mestre,
de mil rebanhos pastor:
protege, pois, cada ovelha,
retém do lobo o furor.

O que tu ligas na terra,
o céu ligado retém:
o que na terra desligas,
o céu desliga também.
Ao Deus trino que te assiste,
louvemos como convém!

Ant. 1 Jesus disse a Simão: Não tenhas medo!
De homens tu serás um pescador!

Salmos e cântico do domingo da I Semana, p. 764.

Ant. 2 Tu és o Cristo, o Filho do Deus vivo!
Tu és feliz, Simão Pedro, és feliz!

Ant. 3 O Senhor disse a Pedro:
Hei de dar-te as chaves do reino dos céus.

Leitura breve
At 15,7b-9

Deus me escolheu, do vosso meio, para que os pagãos ouvissem de minha boca a palavra do Evangelho e acreditassem. Ora, Deus, que conhece os corações, testemunhou a favor deles, dando-lhes o Espírito Santo como o deu a nós. E não fez nenhuma distinção entre nós e eles, purificando o coração deles mediante a fé.

Responsório breve

R. Fareis deles os chefes
    * Por toda a terra. R. Fareis.
V. Lembrarão vosso nome, Senhor, para sempre.
    * Por toda. Glória ao Pai. R. Fareis deles.

Cântico evangélico, ant.

Disse o Senhor a Simão Pedro:
eu pedi em teu favor, que tua fé não desfaleça.
Quando estiveres convertido, fortalece os teus irmãos.

Preces

Irmãos caríssimos, tendo recebido dos apóstolos a herança celeste, agradeçamos a Deus, nosso Pai, por todos os seus dons; e aclamemos:

R. **O coro dos apóstolos vos louva, Senhor!**

Louvor a vós, Senhor, pela mesa do vosso Corpo e Sangue que recebemos por intermédio dos apóstolos;
– por ela somos alimentados e vivemos.

R.

22 de fevereiro   1203

Louvor a vós, Senhor, pela mesa de vossa Palavra, preparada
para nós pelos apóstolos;
– por ela recebemos luz e alegria.   R.

Louvor a vós, Senhor, por vossa santa Igreja, edificada sobre o
fundamento dos apóstolos;
– com ela formamos um só Corpo.   R.

Louvor a vós, Senhor, pelos sacramentos do Batismo e da Penitência que confiastes aos apóstolos;
– por eles somos lavados de todo pecado.   R.

(intenções livres)

Pai nosso...

Oração

Concedei, ó Deus todo-poderoso, que nada nos possa abalar, pois
edificastes a vossa Igreja sobre aquela pedra que foi a profissão
de fé do apóstolo Pedro. Por nosso Senhor Jesus Cristo, vosso
Filho, na unidade do Espírito Santo.

Hora Média

Antífonas e salmos do dia de semana corrente.

Leitura breve
1Pd 5,1-2a

Exorto aos presbíteros que estão entre vós, eu, presbítero como
eles, testemunha dos sofrimentos de Cristo e participante da glória que será revelada: Sede pastores do rebanho de Deus, confiado a vós.

V. Eles guardavam os preceitos
R. E as ordens do Senhor.

Oração como nas Laudes.

Vésperas

Hino

> "Pescador de homens te faço!"
> Ouviste, ó Pedro, de Deus:
> redes e remos deixando,
> ganhaste as chaves dos céus.

1204 22 de fevereiro

Negando Cristo três vezes,
três vezes clamas amor;
então, de todo o rebanho,
tornas-te mestre e pastor.

Ó Pedro, és pedra da Igreja,
que sobre ti se constrói,
que vence as forças do inferno,
e quais grãos de Cristo nos mói.

Quando no mar afundavas,
o Salvador deu-te as mãos;
com as palavras da vida
confirma agora os irmãos.

Pés para o alto apontando,
foste pregado na cruz;
cajado que une o rebanho,
barca que a todos conduz.

Ao Cristo Rei demos glória,
rendamos nosso louvor;
voltando à terra, ele encontre
um só rebanho e pastor.

Ant. 1 Tu me amas, Simão **Pe**dro?
Ó Se**nhor**, tu sabes **tu**do, tu bem **sa**bes que eu te **a**mo!
Apas**cen**ta os meus cor**dei**ros.

Salmos e cântico do Comum dos apóstolos, p. 1484.

Ant. 2 Pedro no **cár**cere era guar**da**do.
E a **I**gre**ja** sem ces**sar re**za**va** a Deus por **e**le.

Ant. 3 Tu és Pedro, e **so**bre esta **pe**dra
eu i**rei** constru**ir** minha **I**gre**ja**.

Leitura breve   1Pd 1,3-5

Bendito seja Deus, Pai de nosso Senhor Jesus Cristo. Em sua grande misericórdia, pela ressurreição de Jesus Cristo dentre os mortos, ele nos fez nascer de novo, para uma esperança viva, para uma herança incorruptível, que não estraga, que não se mancha nem murcha, e que é reservada para vós nos céus. Graças à fé, e pelo poder de Deus, vós fostes guardados para a salvação que deve manifestar-se nos últimos tempos.

Responsório breve

R. Anunciai entre as nações
* A **glória** do **Se**nhor. R. Anunciai.
V. E as **su**as maravilhas entre os **po**vos do universo.
* A **gló**ria. Glória ao **Pai**. R. Anunciai.

Cântico evangélico, ant.

És pas**tor** das ovelhas de **Cris**to, dos a**pós**tolos o **chefe**;
a ti **fo**ram en**tre**gues as **cha**ves do **rei**no dos **céus**.

Preces

Irmãos, edificados sobre o fundamento dos apóstolos, roguemos
a Deus Pai todo-poderoso em favor de seu povo santo; e digamos:

R. **Lembrai-vos, Senhor, da vossa Igreja!**

Vós quisestes, ó Pai, que o vosso Filho, ressuscitado dos mortos,
aparecesse em primeiro lugar aos apóstolos;
– fazei de nós testemunhas do vosso Filho até os confins da terra. R.

Vós, que enviastes vosso Filho ao mundo para evangelizar os
pobres,
– fazei que o Evangelho seja pregado a toda criatura. R.

Vós, que enviastes vosso Filho para semear a palavra do reino,
– concedei-nos colher na alegria os frutos da palavra semeada
com o nosso trabalho. R.

Vós, que enviastes vosso Filho para reconciliar o mundo convosco pelo seu sangue,
– fazei que todos nós colaboremos na obra da reconciliação entre
os homens. R.

(intenções livres)

Vós, que glorificastes vosso Filho à vossa direita nos céus,
– recebei no reino da felicidade eterna os nossos irmãos e irmãs
falecidos. R.

Pai nosso...

Oração

Concedei, ó Deus todo-poderoso, que nada nos possa abalar, pois edificastes a vossa Igreja sobre aquela pedra que foi a

1206 23 de fevereiro

profissão de fé do apóstolo Pedro. Por nosso Senhor Jesus Cristo, vosso Filho, na unidade do Espírito Santo.

23 de fevereiro

SÃO POLICARPO, BISPO E MÁRTIR

Memória

Policarpo, discípulo dos Apóstolos e bispo de Esmirna, deu hospedagem a Inácio de Antioquia; esteve em Roma para tratar com o papa Aniceto da questão relativa à data da Páscoa. Sofreu o martírio cerca do ano 155, queimado vivo no estádio da cidade.

Do Comum de um mártir, p. 1509, ou dos pastores: para bispos, p. 1523. Na Quaresma, comemoração.

Laudes

Cântico evangélico, ant.

Há oitenta e seis anos que eu sirvo a Cristo,
e nunca ele fez algum mal para mim;
como posso, então, maldizer o meu Rei,
meu Senhor e Salvador?

Oração

Ó Deus, criador de todas as coisas, que colocastes o bispo São Policarpo nas fileiras dos vossos mártires, concedei-nos, por sua intercessão, participar com ele do cálice de Cristo, e ressuscitar para a vida eterna. Por nosso Senhor Jesus Cristo, vosso Filho, na unidade do Espírito Santo.

Vésperas

Cântico evangélico, ant.

Bendito sejais, Senhor onipotente,
que me destes a beber do cálice de Cristo
e me destes esta graça de tornar-me vosso mártir!

MARÇO

4 de março

SÃO CASIMIRO

Para comemoração

Filho do rei da Polônia, nasceu em 1458. Praticou de modo excelente as virtudes cristãs, principalmente a castidade e a bondade para com os pobres. Tinha um grande zelo pela propagação da fé e uma singular devoção à sagrada Eucaristia e a Nossa Senhora. Morreu vítima de tuberculose, em 1484.

Laudes

Ant. Quem pratica a verdade, se **põe** junto à **luz**;
e suas obras de filho de **Deus** se revelam.

Oração

Ó Deus todo-poderoso, a quem servir é reinar, dai-nos, pela intercessão de São Casimiro, a graça de vos servir com retidão e santidade. Por nosso Senhor Jesus Cristo, vosso Filho, na unidade do Espírito Santo.

Vésperas

Ant. Servo **bom** e fiel,
vem en**trar** na ale**gri**a de **Jesus**, teu **Senhor**!

7 de março

SANTAS PERPÉTUA E FELICIDADE, MÁRTIRES

Memória

Sofreram o martírio em Cartago, no ano 203, durante a perseguição de Setímio Severo. Conserva-se ainda uma bela narração da sua morte, escrita em parte pelos próprios confessores da fé cartagineses e em parte por um escritor contemporâneo.

Laudes

Ant. Felizes de **vós**, os perse**gui**dos
por **cau**sa da justiça do **Se**nhor,
porque o **Reino** dos **céus** há de ser **vos**so!

Oração

Ó Deus, pelo vosso amor, as mártires Perpétua e Felicidade resistiram aos perseguidores e superaram as torturas do martírio; concedei-nos, por sua intercessão, crescer constantemente em vossa caridade. Por nosso Senhor Jesus Cristo, vosso Filho, na unidade do Espírito Santo.

Vésperas

Ant. Alegrem-se nos **céus** os a**mi**gos do **Se**nhor,
que se**gui**ram os seus **pas**sos;
derra**ma**ram o seu **san**gue por a**mor** a Jesus **Cris**to,
e com **ele** rei**narão**.

8 de março

SÃO JOÃO DE DEUS, RELIGIOSO

Nasceu em Portugal no ano de 1495. Depois de uma vida cheia de perigos na carreira militar, o seu desejo de perfeição levou-o a entregar-se inteiramente ao serviço dos doentes. Fundou em Granada (Espanha) um hospital e associou à sua obra um grupo de companheiros que mais tarde constituíram a Ordem Hospitalar de São João de Deus. Distinguiu-se principalmente na caridade para com os pobres e os doentes. Morreu nesta mesma cidade, em 1550.

Laudes

Ant. Nisto **to**dos sabe**rão**
que vós **sois** os meus dis**cí**pulos:
se uns aos **ou**tros vos a**mar**des.

Oração

Ó Deus, que enchestes de misericórdia o coração de São João de Deus, fazei que, praticando as boas obras de caridade, nos encontremos entre os escolhidos quando chegar o vosso Reino. Por nosso Senhor Jesus Cristo, vosso Filho, na unidade do Espírito Santo.

Vésperas

Ant. O que fizestes ao menor dos meus irmãos
foi a mim mesmo que o fizestes, diz Jesus.
Vinde, benditos do meu Pai, e recebei o Reino eterno
preparado para vós desde o início do universo!

9 de março

SANTA FRANCISCA ROMANA, RELIGIOSA

Para comemoração

Nasceu em Roma, no ano de 1384. Casou-se muito jovem e teve três filhos. Viveu numa época de grandes calamidades; ajudou com seus bens os pobres e dedicou-se ao serviço dos doentes. Foi admirável na sua atividade em favor dos indigentes e na prática das virtudes, especialmente na humildade e na paciência. Em 1425, fundou a Congregação das Oblatas, sob a regra de São Bento. Morreu em 1440.

Laudes

Ant. Quem faz a vontade do meu Pai,
é meu irmão, minha irmã e minha mãe.

Oração

Ó Deus, que nos destes em Santa Francisca Romana admirável modelo de esposa e de monja, fazei-nos sempre fiéis ao vosso serviço, para que possamos reconhecer e seguir a vossa vontade em todas as circunstâncias da vida. Por nosso Senhor Jesus Cristo, vosso Filho, na unidade do Espírito Santo.

Vésperas

Ant. Vós que tudo abandonastes e me seguistes,
recebereis cem vezes mais a vida eterna.

17 de março

SÃO PATRÍCIO, BISPO

Para comemoração

Nasceu na Grã-Bretanha, cerca de 385; ainda jovem, foi levado prisioneiro para a Irlanda e mandado pastorear ovelhas. Recuperando a liberdade, abraçou o estado clerical e foi eleito bispo da Irlanda. Evangelizou com grande zelo os habitantes daquela ilha, convertendo muitos à fé cristã e organizando aquela Igreja. Morreu nas cercanias de Down, em 461.

Laudes

Ant. Ide ao **mun**do, ensi**nai** a **to**dos os **po**vos,
bati**zai**-os em **no**me do **Pai** e do **Fi**lho
e do Es**pí**rito **San**to.

Oração

Ó Deus, que na vossa providência, para anunciar o Evangelho aos povos da Irlanda, escolhestes o bispo São Patrício, concedei, por seus méritos e preces, que os cristãos anunciem a todos as maravilhas do vosso Reino. Por nosso Senhor Jesus Cristo, vosso Filho, na unidade do Espírito Santo.

Vésperas

Ant. Virão **mui**tos do Ori**en**te e do Oci**den**te
sentar-se à **me**sa com Abra**ão** no Reino e**ter**no.

18 de março

SÃO CIRILO DE JERUSALÉM, BISPO E DOUTOR DA IGREJA

Para comemoração

Nasceu de pais cristãos, no ano de 315. Sucedeu ao bispo Máximo na Sé de Jerusalém, em 348. Por causa de sua oposição aos arianos foi mais de uma vez condenado ao exílio. Sua atividade pastoral é testemunhada pelos sermões em que explicou aos fiéis a verdadeira doutrina da fé, a Sagrada Escritura e a Tradição. Morreu em 386.

19 de março

1211

Laudes

Ant. Quem é sábio brilhará como luz no firmamento;
quem ensina à multidão os caminhos da justiça,
fulgirá como as estrelas pelos séculos eternos.

Oração

Ó Deus, que levastes vossa Igreja a penetrar mais profundamente nos mistérios da salvação pela catequese de São Cirilo de Jerusalém, concedei-nos, por suas preces, conhecer de tal modo o voso Filho, que tenhamos a vida em plenitude. Por nosso Senhor Jesus Cristo, vosso Filho, na unidade do Espírito Santo.

19 de março

SÃO JOSÉ, ESPOSO DE NOSSA SENHORA

Solenidade

I Vésperas

Hino

Celebre a José a corte celeste,
prossiga o louvor o povo cristão:
Só ele merece à Virgem se unir
em casta união.

Ao ver sua Esposa em Mãe transformar-se,
José quer deixar Maria em segredo.
Um anjo aparece: "É obra de Deus!"
Afasta-lhe o medo.

Nascido o Senhor, nos braços o estreitas.
A ti tem por guia, a Herodes fugindo.
Perdido no templo, és tu que o encontras,
chorando e sorrindo.

Convívio divino a outros, somente
após dura morte é dado gozar.
Mas tu, já em vida, abraças a Deus,
e o tens no teu lar!

1212   19 de março

Ó dai-nos, Trindade, o que hoje pedimos:
Um dia no céu, cantarmos também
o canto que canta o esposo da Virgem
sem mácula. Amém.

Ant. 1 Jacó foi o **pai** de José, o esposo da **Vir**gem Maria,
da **qual** Jesus **Cris**to nas**ceu** (T.P. Aleluia).

Salmos e cântico do Comum dos santos homens, p. 1547.

Ant. 2 O **an**jo Gabriel foi enviado
por **Deus** a Nazaré da Galileia,
a uma **vir**gem desposada com José (T.P. Aleluia).

Ant. 3 Maria, a Mãe de **Cris**to, a esposa de José,
conce**beu** do Espírito **San**to sem **te**rem convivido (T.P.)
Aleluia).

Leitura breve   Cl 3,23-24
Tudo o que fizerdes, fazei-o de coração, como para o Senhor
e não para os homens. Pois vós bem sabeis que recebereis do
Senhor a herança como recompensa. Servi a Cristo, o Senhor!

Responsório breve
Na Quaresma:
R. O **jus**to como o **lí**rio brotar**á**. R. O **jus**to.
V. E florir**á** ante o Se**nhor** eterna**men**te. R. O **jus**to.
Glória ao **Pai**. R. O **jus**to.
No Tempo pascal:
R. O **jus**to como o **lí**rio brotar**á**.
* Aleluia, aleluia. R. O **jus**to.
V. E florir**á** ante o Se**nhor** eterna**men**te. *Aleluia.
Glória ao **Pai**. R. O **jus**to.

Cântico evangélico, ant.
Eis o **ser**vo fiel e pru**den**te,
a quem **Deus** confi**ou** a sua famí**lia** (T.P. Ale**luia**).

Preces

Invoquemos humildemente a Deus, fonte de toda a paternidade
no céu e na terra; e digamos:
R. **Pai santo, que estais nos céus, ouvi-nos!**

Pai santo, que revelastes a São José o mistério de Cristo, escondido desde toda a eternidade,
– fazei-nos conhecer melhor o vosso Filho, Deus e Homem.   R.

Pai celeste, que alimentais as aves do céu e vestis a erva dos campos,
– dai a todos os seres humanos o pão cotidiano do corpo e da alma.   R.

Criador de todas as coisas, que nos confiastes a obra de vossas mãos,
– fazei que os operários possam honestamente usufruir a recompensa dos seus trabalhos.   R.

Deus de toda justiça, que amais os justos,
– dai-nos, por intercessão de São José, a graça de caminhar na vida praticando o que vos agrada.   R.

(intenções livres)

Concedei benignamente a vossa misericórdia aos agonizantes e aos que já partiram desta vida,
– por intercessão de vosso Filho, junto com sua mãe Maria e São José.   R.

Pai nosso...

Oração

Deus todo-poderoso, pelas preces de São José, a quem confiastes as primícias da Igreja, concedei que ela possa levar à plenitude os mistérios da salvação. Por nosso Senhor Jesus Cristo, vosso Filho, na unidade do Espírito Santo.

Laudes

Hino

São José, do céu a glória,
esperança verdadeira
que reluz na nossa vida,
proteção de todo o mundo,
ouve os cantos e louvores
da Igreja agradecida.

A ti, filho de Davi,
como esposo de Maria
escolheu o Criador.

1214 — 19 de março

Quis que fosses pai do Verbo
e da nossa salvação
diligente servidor.

Reclinado no presépio,
o Esperado dos profetas,
Redentor do mundo inteiro,
tu contemplas, venturoso,
e, unido à Virgem Mãe,
o adoras por primeiro.

O Senhor e Deus do mundo,
Rei dos reis, a cujo aceno
se ajoelha o céu fulgente
e os infernos estremecem,
revestindo a nossa carne,
fez-se a ti obediente.

Glória eterna à Divindade,
Unidade na Trindade,
Deus imenso, Sumo Bem,
que te deu tão grande graça.
Por ti, dê-nos sua vida
e alegria eterna. Amém.

Ant. 1 Os pastores vieram depressa
e encontraram Maria e José
e, no presépio, o Menino deitado (T.P. Aleluia).

Salmos e cântico do domingo da I Semana, p. 764.

Ant. 2 José e Maria, a Mãe de Jesus,
se admiravam das coisas que dele eram ditas
(T.P. Aleluia).

Ant. 3 José levantou-se de noite,
tomou o Menino e sua Mãe,
e fugiu para a terra do Egito;
ficou lá até a morte de Herodes (T.P. Aleluia).

Leitura breve — Sm 7,28-29

Senhor Deus, tu és Deus e tuas palavras são verdadeiras. Pois que fizeste esta bela promessa ao teu servo, abençoa, então, a casa do teu servo, para que ela permaneça para sempre na tua presença.

19 de março 1215

Porque és tu, Senhor Deus, que falaste, e é graças à tua bênção que a casa do teu servo será abençoada para sempre.

Responsório breve

Na Quaresma:

R. Fez **dele** * O se**nhor** de sua **casa**. R. Fez **dele**.
V. E de **to**dos os seus **bens**, o despen**seiro**. * O se**nhor**.
   Glória ao Pai. R. Fez **dele**.

No Tempo pascal:

R. Fez **dele** o se**nhor** de sua **casa**.
   * Ale**lu**ia, ale**lu**ia. R. Fez **dele**.
V. E de **to**dos os seus **bens**, o despen**seiro**. * Ale**lu**ia, ale**lu**ia
   Glória ao **Pai**. R. Fez **dele**.

Cântico evangélico, ant.

Jo**sé** foi habi**tar** em Naza**ré** da Gali**leia**,
para cum**prir**-se a profe**cia**: Naza**reu** será cha**ma**do
(T.P. Ale**lu**ia).

Preces

Oremos humildemente ao Senhor, de quem procede toda perfeição e santidade dos justos; e digamos:

R. **Santificai-nos, Senhor, segundo a vossa justiça!**

Senhor Deus, que chamastes os nossos pais na fé para caminharem na vossa presença com um coração perfeito,
– fazei que, seguindo os seus passos, alcancemos a perfeição de
acordo com a vossa vontade.   R.

Vós, que escolhestes São José, homem justo, para cuidar de vosso Filho na infância e juventude,
– fazei que sirvamos em nossos irmãos e irmãs o Corpo místico
de Cristo.   R.

Vós, que destes a terra aos seres humanos para que a povoassem
e dominassem,
– ensinai-nos a trabalhar corajosamente neste mundo, buscando
sempre a vossa glória.   R.

Pai de todos nós, lembrai-vos da obra de vossas mãos,
– e dai a todos trabalho e condições de vida digna.   R.

(intenções livres)

Pai nosso...

1216   19 de março

Oração

Deus todo-poderoso, pelas preces de São José, a quem confiastes as primícias da Igreja, concedei que ela possa levar à plenitude os mistérios da salvação. Por nosso Senhor Jesus Cristo, vosso Filho, na unidade do Espírito Santo.

Hora Média

Salmodia complementar, p. 1135.

Ant. Ao voltarem, ficou o Menino na cidade de Jerusalém, sem que seus pais o soubessem (T.P. Aleluia).

Leitura breve   cf. Sb 10,10

A sabedoria guiou, por caminhos retos, o justo que fugia do ódio do irmão, mostrou-lhe o reino de Deus e deu-lhe conhecimento das coisas santas; deu sucesso às suas tarefas e recompensa aos seus trabalhos.

V. Haverá glória e riqueza em sua casa (T.P. Aleluia).
R. Permanece para sempre o bem que fez (T.P. Aleluia).

Oração como nas Laudes.

II Vésperas

HINO Celebre a José, p. 1211.

Ant. 1 Após três dias encontraram, no templo, o Menino sentado entre os doutores, ouvindo e interrogando-os (T.P. Aleluia).

Salmos e cântico do Comum dos santos homens, p. 1556.

Ant. 2 Maria, sua Mãe, disse a Jesus:
Meu filho, por que agiste assim conosco?
Eu e teu pai te procurávamos aflitos (T.P. Aleluia).

Ant. 3 Jesus voltou a Nazaré com os seus pais
e era-lhes submisso (T.P. Aleluia).

Leitura breve   Cl 3,23-24

Tudo o que fizerdes, fazei-o de coração, como para o Senhor e não para os homens. Pois vós bem sabeis que recebereis do Senhor a herança como recompensa. Servi a Cristo, o Senhor!

19 de março 1217

Responsório breve

Na Quaresma:

R. O **jus**to como o **lírio** brotará. R. O **jus**to.
V. E florirá ante o Se**nhor** eternamente. R. O **jus**to.
Glória ao **Pai**. R. O **jus**to.

No Tempo pascal:

R. O **jus**to como o **lírio** brotará.
* Ale**luia**, ale**luia**. R. O **jus**to.
V. E florirá ante o Se**nhor** eternamente. * Ale**luia**.
Glória ao **Pai**. R. O **jus**to.

Cântico evangélico, ant.

Ao come**çar** seu minis**tério**, tinha Je**sus** uns trinta **anos**, e era **ti**do pelo **po**vo como **fi**lho de José (T.P. Ale**luia**).

Preces

Invoquemos humildemente a Deus, fonte de toda a paternidade no céu e na terra; e digamos:

R. **Pai santo, que estais nos céus, ouvi-nos!**

Pai santo, que revelastes a São José o mistério de Cristo, escondido desde toda a eternidade,
– fazei-nos conhecer melhor o vosso Filho, Deus e Homem. R.

Pai celeste, que alimentais as aves do céu e vestis a erva dos campos,
– dai a todos os seres humanos o pão do corpo e da alma. R.

Criador de todas as coisas, que nos confiastes a obra de vossas mãos,
– fazei que os operários possam honestamente usufruir a recompensa dos seus trabalhos. R.

Deus de toda justiça, que amais os justos,
– dai-nos, por intercessão de São José, a graça de caminhar na vida praticando o que vos agrada. R.

(intenções livres)

Concedei benignamente a vossa misericórdia aos agonizantes e aos que já partiram desta vida,
– por intercessão de vosso Filho, junto com sua mãe Maria e São José. R.

Pai nosso...

1218   23 de março

Oração

Deus todo-poderoso, pelas preces de São José, à quem confiastes as primícias da Igreja, concedei que ela possa levar à plenitude os mistérios da salvação. Por nosso Senhor Jesus Cristo, vosso Filho, na unidade do Espírito Santo.

23 de março

SÃO TURÍBIO DE MOGROVEJO, BISPO

Para comemoração

Nasceu na Espanha pelo ano de 1538, e estudou Direito em Salamanca. Eleito bispo de Lima em 1580, partiu para a América. Cheio de zelo apostólico, celebrou vários sínodos e concílios que muito incentivaram a vida cristã em todo o território. Defendeu corajosamente os direitos da Igreja, dedicou-se com grande solicitude ao rebanho que lhe fora confiado, visitando-o com frequência, e preocupando-se de modo especial com os índios. Morreu em 1606.

Laudes

Ant. Não sois **vós** que fala**reis**,
     é o Es**pí**rito do **Pai** que em **vós** há de fa**lar**.

Oração

Ó Deus, que fizestes crescer a vossa Igreja pela solicitude pastoral de São Turíbio e seu zelo pela verdade, concedei ao vosso povo um contínuo aumento de fé e santidade. Por nosso Senhor Jesus Cristo, vosso Filho, na unidade do Espírito Santo.

Vésperas

Ant. Eis o **ser**vo **fi**el e pru**den**te,
     a quem **Deus** confi**ou** sua fa**mí**lia,
     para **dar**-lhes o **pão** a seu **tem**po.

25 de março

ANUNCIAÇÃO DO SENHOR

Solenidade

I Vésperas

Hino

Reconheça o mundo inteiro
ter chegado a salvação:
cessa o jugo do pecado,
aparece a Redenção.

Já se cumpre a profecia:
uma virgem dá à luz;
Gabriel vem a Maria,
anuncia-lhe Jesus.

Do Espírito concebe
a que nele acreditou,
e o que não cabe no mundo
no seu seio se encerrou.

O que o velho Adão manchara
vem lavar o novo Adão;
o que o orgulho destruíra
reconstrói pela Paixão.

Toda a glória seja ao Filho,
que por nós do Pai desceu,
quando à sombra do Paráclito
uma virgem concebeu.

Salmodia

Ant. 1 A raiz de Jessé haverá de brotar;
e haverá de surgir uma flor de seu ramo;
pousará sobre ele o Espírito Santo (T.P. Aleluia).

Salmo 112(113)

— ¹Louvai, louvai, ó servos do Senhor, *
louvai, louvai o nome do Senhor!
— ²Bendito seja o nome do Senhor, *
agora e por toda a eternidade!

1220   25 de março

— [3] Do nascer do sol até o seu ocaso, *
    louvado seja o nome do Senhor!
— [4] O Senhor está acima das nações, *
    sua glória vai além dos altos céus.
= [5] Quem pode comparar-se ao nosso Deus, †
    ao Senhor, que no alto céu tem o seu trono *
    [6] e se inclina para olhar o céu e a terra?
— [7] Levanta da poeira o indigente *
    e do lixo ele retira o pobrezinho,
— [8] para fazê-lo assentar-se com os nobres, *
    assentar-se com os nobres do seu povo.
— [9] Faz a estéril, mãe feliz em sua casa, *
    vivendo rodeada de seus filhos.

Ant. 1 A raiz de Jessé haverá de brotar;
        e haverá de surgir uma flor de seu ramo;
        pousará sobre ele o Espírito Santo (T.P. Aleluia).

Ant. 2 O Senhor vai dar-lhe o trono de seu pai, o rei Davi;
        e reinará eternamente (T.P. Aleluia).

Salmo 147(147B)

— [12] Glorifica o Senhor, Jerusalém! *
    Ó Sião, canta louvores ao teu Deus!
— [13] Pois reforçou com segurança as tuas portas, *
    e os teus filhos em teu seio abençoou;
— [14] a paz em teus limites garantiu *
    e te dá como alimento a flor do trigo.
— [15] Ele envia suas ordens para a terra, *
    e a palavra que ele diz corre veloz;
— [16] Ele faz cair a neve como lã *
    e espalha a geada como cinza.
— [17] Como de pão lança as migalhas do granizo, *
    a seu frio as águas ficam congeladas.
— [18] Ele envia sua palavra e as derrete, *
    sopra o vento e de novo as águas correm.
— [19] Anuncia a Jacó sua palavra, *
    seus preceitos e suas leis a Israel.

25 de março   1221

– [20] Nenhum **po**vo recebeu tanto carinho, *
    a nenhum **ou**tro revelou os seus preceitos.

Ant. O Se**nhor** vai dar-lhe o **tro**no de seu **pai**, o rei Da**vi**;
    e reina**rá** eterna**men**te (T.P. Ale**luia**).

Ant. 3 Hoje o **Ver**bo Di**vi**no, ge**ra**do pelo **Pai**
    já bem **an**tes dos **tem**pos, humi**lhou** se a si **mes**mo
    e por **nós** se fez **ho**mem (T.P. Ale**luia**).

Cântico   Fl 2,6-11

= [6] Embora **fos**se de di**vi**na condi**ção**, †
    Cristo Je**sus** não se apegou ciosamente *
    a ser i**gual** em natureza a Deus Pai.

(R. Jesus **Cris**to é Se**nhor** para a **gló**ria de Deus **Pai**!)

= [7] **Po**rém esvaziou-se de sua glória †
    e assu**miu** a condição de um escravo, *
    fa**zen**do-se aos homens semelhante.   (R.)

= Reconhe**ci**do exteriormente como homem, †
    [8] humi**lhou**-se, obedecendo até à morte, *
    até à **mor**te humilhante numa cruz.   (R.)

= [9] Por isso **Deus** o exaltou sobremaneira †
    e deu-lhe o **no**me mais excelso, mais sublime, *
    e ele**va**do muito acima de outro nome.   (R.)

= [10] Para **que** perante o nome de Jesus †
    se **do**bre reverente todo joelho, *
    seja nos **céus**, seja na terra ou nos abismos.   (R.)

= [11] E toda **lín**gua reconheça, confessando, †
    para a **gló**ria de Deus Pai e seu louvor: *
    "Na ver**da**de Jesus Cristo é o Senhor!"   (R.)

Ant. Hoje o **Ver**bo Di**vi**no, ge**ra**do pelo **Pai**
    já bem **an**tes dos **tem**pos, humi**lhou**-se a si **mes**mo
    e por **nós** se fez **ho**mem (T.P. Ale**luia**).

Leitura breve   1Jo 1,1-2

O que era desde o princípio, o que nós ouvimos, o que vimos com
os nossos olhos, o que contemplamos e as nossas mãos tocaram
da Palavra da Vida, de fato, a Vida manifestou-se e nós a vimos, e
somos testemunhas, e a vós anunciamos a Vida eterna, que estava
junto do Pai e que se tomou visível para nós.

1222   25 de março

Responsório breve
Na Quaresma:

R. A raiz de Jessé germinou.
A estrela de Jacó despontou. R. A raiz.
V. Da Virgem nasceu o Salvador. * A estrela.
Glória ao Pai. R. A raiz.

No Tempo pascal:

R. A raiz de Jessé germinou, a estrela de Jacó despontou.
Aleluia, aleluia. R. A raiz.
V. Da Virgem nasceu o Salvador. * Aleluia.
Glória ao Pai. R. A raiz.

Cântico evangélico, ant.

Não temas, Maria: O Espírito Santo virá sobre ti,
e o poder do Altíssimo te cobrirá com sua sombra (T.P. Aleluia).

Preces

Invoquemos com toda confiança o eterno Pai, que hoje por meio
do anjo, anunciou a Maria a nossa salvação; e digamos:

R. Dai-nos, Senhor, a vossa graça!

Vós, que escolhestes a Virgem Maria para ser a Mãe do vosso
Filho,
– compadecei-vos de todos os que esperam a sua redenção.   R.

Vós, que, por meio do anjo Gabriel, anunciastes a Maria a alegria
e a paz,
– dai ao mundo inteiro a alegria da salvação e a paz verdadeira.   R.

Vós, que, pela aceitação de vossa serva e por obra do Espírito Santo, quisestes que vossa Palavra viesse morar entre nós,
– preparai os nossos corações para receber a Cristo do mesmo
modo que a Virgem Maria o recebeu.   R.

Vós, que elevais os humildes e saciais os que têm fome,
– animai os que estão abatidos, socorrei os necessitados e ajudai
os agonizantes.   R.

(intenções livres)

Deus de infinita bondade, que realizais maravilhas e para quem
nada é impossível,
– salvai-nos, junto com os que já morreram, na ressurreição do
último dia.   R.

Pai nosso...

25 de março 1223

Oração

Ó Deus, quisestes que vosso Verbo se fizesse homem no seio da Virgem Maria; dai-nos participar da divindade do nosso Redentor, que proclamamos verdadeiro Deus e verdadeiro homem. Por nosso Senhor Jesus Cristo, vosso Filho, na unidade do Espírito Santo.

Laudes

Hino

Ó luz que o anjo traz à Virgem
da salvação és mensageira.
Vai se cumprir a profecia,
de gozo enchendo a terra inteira.

O que do Pai no eterno seio
eternamente foi gerado,
escolhe Mãe em nosso mundo,
sujeito ao tempo, que é criado.

Ele se esconde em carne humana,
preço de nossa salvação,
para que o sangue do inocente
trouxesse aos crimes o perdão.

Verdade, em carne concebida
dum seio virgem sob o véu,
a vossa luz é dada aos puros,
dai-nos tal luz, que vem do céu.

E vós, humilde coração,
Serva de Deus vos proclamais,
agora sois do céu Rainha,
sede a patrona dos mortais.

Glória e louvor a vós, Jesus,
da Virgem Mãe por nós nascido,
a vós, ao Pai e ao Espírito
louvor eterno é devido.

Ant. 1 O **anjo** Gabriel foi enviado
à esposa de José, Virgem Maria (T.P. Aleluia).

Salmos e cântico do domingo da I Semana, p. 764.

1224   25 de março

Ant. 2 És bendita entre todas as mulheres da terra,
e bendito é o fruto que nasceu do teu ventre
(T.P. Aleluia).

Ant. 3 A Santa Virgem concebeu,
dando o seu consentimento;
permanecendo sempre virgem,
deu à luz o Salvador
(T.P. Aleluia).

Leitura breve   Fl 2,6-7

Jesus Cristo, existindo em condição divina, não fez do ser igual
a Deus uma usurpação, mas ele esvaziou-se a si mesmo, assumindo a condição de escravo e tornando-se igual aos homens. E
encontrou-se com aspecto humano.

Responsório breve

Na Quaresma:
R. Maria, alegra-te, ó cheia de graça;
   * O Senhor é contigo. R. Maria.
V. És bendita entre todas as mulheres,
   e bendito é o fruto do teu ventre. * O Senhor.
   Glória ao Pai. R. Maria.

No Tempo pascal:
R. Maria, alegra-te, ó cheia de graça, o Senhor é contigo.
   * Aleluia, aleluia. R. Maria.
V. És bendita entre todas as mulheres,
   e bendito é o fruto do teu ventre. * Aleluia.
   Glória ao Pai. R. Maria.

Cântico evangélico, ant.

Pelo amor infinito com que Deus nos amou,
enviou-nos seu Filho, numa carne semelhante
à carne do pecado (T.P. Aleluia).

Preces

A solenidade da Anunciação do Senhor, que hoje celebramos,
marca o início da nossa salvação. Cheios de confiança, oremos
a Deus Pai:
R. **Interceda por nós a santa Mãe de Deus!**

Assim como a Virgem Maria recebeu com alegria a mensagem do anjo,
– fazei, ó Deus, que recebamos com gratidão o nosso Salvador.
R.

Assim como olhastes para a humildade de vossa serva,
– lembrai-vos e tende compaixão de todos nós, Pai de misericórdia.
R.

Assim como Maria, a nova Eva, obedeceu plenamente à vossa Palavra divina,
– cumpra-se também em nós a vossa vontade.
R.

Que a Santa Virgem Maria socorra os pobres, ajude os fracos, console os tristes,
– reze pelo povo, proteja o clero e interceda pelas mulheres em seu devotamento.
R.

(intenções livres)

Pai nosso...

Oração

Ó Deus, quisestes que vosso Verbo se fizesse homem no seio da Virgem Maria; dai-nos participar da divindade do nosso Redentor, que proclamamos verdadeiro Deus e verdadeiro homem. Por nosso Senhor Jesus Cristo, vosso Filho, na unidade do Espírito Santo.

Hora Média

Salmodia complementar, p. 1135.

Ant. Eis que a **Vir**gem conce**be**rá um Me**ni**no e o dará à **luz,**
   e o seu **no**me é Emanu**el** (T.P. Ale**lui**a).

Leitura breve   1Jo 4,10
Nisto consiste o amor: não fomos nós que amamos a Deus, mas foi ele que nos amou e enviou o seu Filho como vítima de reparação pelos nossos pecados.

V. Eis a **ser**va do Se**nhor** (T.P. Ale**lui**a).
R. Rea**li**ze-se em **mim** a **Pa**lavra do Se**nhor** (T.P. Ale**lui**a).

II Vésperas

HINO Ave, do mar Estrela, do Comum de Nossa Senhora, p. 1467.

Salmodia

Ant. 1 O anjo do Senhor anunciou a Maria,
e ela concebeu do Espírito Santo (T.P. Aleluia).

Salmo 109(110),1-5.7

— ¹Palavra do Senhor ao meu Senhor: *
 "Assenta-te ao lado meu direito,
— até que eu ponha os inimigos teus *
 como escabelo por debaixo de teus pés!"

= ²O Senhor estenderá desde Sião †
 vosso cetro de poder, pois ele diz: *
 "Domina com vigor teus inimigos;

= ³Tu és príncipe desde o dia em que nasceste; †
 na glória e esplendor da santidade, *
 como o orvalho, antes da aurora, eu te gerei!"

= ⁴Jurou o Senhor e manterá sua palavra: †
 "Tu és sacerdote eternamente, *
 segundo a ordem do rei Melquisedec!"

— ⁵À vossa destra está o Senhor, ele vos diz: *
 "No dia da ira esmagarás os reis da terra!
— ⁷Beberás água corrente no caminho, *
 por isso seguirás de fronte erguida!"

Ant. O anjo do Senhor anunciou a Maria,
e ela concebeu do Espírito Santo (T.P. Aleluia).

Ant. 2 Não temas, ó Maria, por Deus agraciada;
haverás de conceber um Menino e o dar à luz;
seu nome há de ser: o Filho do Altíssimo
(T.P. Aleluia).

Salmo 129(130)

— ¹Das profundezas eu clamo a vós, Senhor, *
 ²† escutai a minha voz!
— Vossos ouvidos estejam bem atentos *
 ao clamor da minha prece! —

25 de março 1227

– ³Se levardes em conta nossas faltas, *
  quem haverá de subsistir?
– ⁴Mas em vós se encontra o perdão, *
  eu vos temo e em vós espero.
– ⁵No Senhor ponho a minha esperança, *
  espero em sua palavra.
– ⁶A minh'alma espera no Senhor *
  mais que o vigia pela aurora.
– ⁷Espere Israel pelo Senhor *
  mais que o vigia pela aurora!
– Pois no Senhor se encontra toda graça *
  e copiosa redenção.
– ⁸Ele vem libertar a Israel *
  de toda a sua culpa.

Ant. Não temas, ó Maria, por Deus agraciada;
  haverás de conceber um Menino e o dar à luz;
  seu nome há de ser: o Filho do Altíssimo
  (T.P. Aleluia).

Ant. 3 Eis a serva do Senhor:
  Realize-se em mim a Palavra do Senhor
  (T.P. Aleluia).

Cântico   cf. Cl 1,12-20

=¹²Demos graças a Deus Pai onipotente, †
  que nos chama a partilhar, na sua luz, *
  da herança a seus santos reservada!

(R. Glória a vós, Primogênito dentre os mortos!)

=¹³Do império das trevas arrancou-nos †
  e transportou-nos para o reino de seu Filho, *
  para o reino de seu Filho bem-amado,
–¹⁴no qual nós encontramos redenção, *
  dos pecados remissão pelo seu sangue.   (R.)

–¹⁵Do Deus, o Invisível, é a imagem, *
  o Primogênito de toda criatura;
=¹⁶porque nele é que tudo foi criado: †
  o que há nos céus e o que existe sobre a terra, *
  o visível e também o invisível.   (R.)

1228   25 de março

= Sejam **Tron**os e Poderes que há nos céus, †
  sejam **e**les Principados, Potestades: *
  por ele e para ele foram feitos;
—[17] antes de **to**da criatura ele existe, *
  e é por ele que subsiste o universo.   (R.)

=[18] Ele é a Ca**be**ça da Igreja, que é seu Corpo, †
  é o prin**cípi**o, o Primogênito dentre os mortos, *
  a **fim** de ter em tudo a primazia.
—[19] Pois foi do a**gra**do de Deus Pai que a plenitude *
  habi**tas**se no seu Cristo inteiramente.   (R.)

—[20] A**prou**ve-lhe também, por meio dele, *
  reconcili**ar** consigo mesmo as criaturas,
= pacifi**can**do pelo sangue de sua cruz †
  tudo a**qui**lo que por ele foi criado, *
  o que há nos **céus** e o que existe sobre a terra.   (R.)

Ant. Eis a **ser**va do Se**nhor**:
        Re**ali**ze-se em **mim** a Palavra do Se**nhor**
        (T.P. Ale**lui**a).

Leitura breve   1Jo 1,1-2
O que era desde o princípio, o que nós ouvimos, o que vimos com
os nossos olhos, o que contemplamos e as nossas mãos tocaram
da Palavra da Vida; de fato, a Vida manifestou-se e nós a vimos,
e somos testemunhas, e a vós anunciamos a Vida eterna, que estava junto do Pai e que se tornou visível para nós.

Responsório breve
Na Quaresma:
R. A Palavra se fez **carne**
    * E habi**tou** entre **nós**. R. A Palavra.
V. A Palavra, no princípio, estava com **Deus**. * E habi**tou**.
    Glória ao **Pai**. R. A Palavra.
No Tempo pascal:
R. A Palavra se fez **carne** e habi**tou** entre **nós**.
    * Ale**lui**a, ale**lui**a. R. A Palavra.
V. A Palavra, no princípio, estava com **Deus**. * Ale**lui**a.
    Glória ao **Pai**. R. A Palavra.

Cântico evangélico, ant.

Disse o **anjo** à **Vir**gem: Ma**ri**a, a**le**gra-te,
ó **cheia** de **graça**, o Se**nhor** é con**ti**go,
és ben**di**ta entre **to**das as mu**lheres** da **terra** (T.P. Aleluia).

Preces

Invoquemos com toda confiança o eterno Pai, que hoje, por meio do anjo, anunciou a Maria a nossa salvação; e digamos:

R. **Dai-nos, Senhor, a vossa graça!**

Vós, que escolhestes a Virgem Maria para ser a Mãe do vosso Filho,
– compadecei-vos de todos os que esperam a sua redenção. R.

Vós, que, por meio do anjo Gabriel, anunciastes a Maria a alegria e a paz
– dai ao mundo inteiro a alegria da salvação e a paz verdadeira. R.

Vós, que, pela aceitação de vossa serva e por obra do Espírito Santo, quisestes que vossa Palavra viesse morar entre nós,
– preparai os nossos corações para receber a Cristo do mesmo modo que a Virgem Maria o recebeu. R.

Vós, que elevais os humildes e saciais os que têm fome,
– animai os que estão abatidos, socorrei os necessitados e ajudai os agonizantes. R.

(intenções livres)

Deus de infinita bondade, que realizais maravilhas e para quem nada é impossível,
– salvai-nos, junto com os que já morreram, na ressurreição do último dia. R.

Pai nosso...

Oração

Ó Deus, quisestes que vosso Verbo se fizesse homem no seio da Virgem Maria; dai-nos participar da divindade do nosso Redentor, que proclamamos verdadeiro Deus e verdadeiro homem. Por nosso Senhor Jesus Cristo, vosso Filho, na unidade do Espírito Santo.

ABRIL

2 de abril

SÃO FRANCISCO DE PAULA, EREMITA

Nasceu em Paola, na Calábria (Itália), em 1416. Fundou uma Congregação eremítica, mais tarde transformada na Ordem dos Mínimos, confirmada pela Sé Apostólica, em 1506. Morreu em Tours (França), em 1507.

Do Comum dos santos homens: para religiosos, p. 1571. Na Quaresma, comemoração.

Laudes

Cântico evangélico, ant.
Eis que estou ante a porta batendo;
se alguém me abrir sua porta,
entrarei e com ele cearei
e ele igualmente comigo (T.P. Aleluia).

Oração

Ó Deus, que exaltais os humildes, vós elevastes à glória dos vossos santos São Francisco de Paula. Auxiliados por seus méritos e seguindo seu exemplo, possamos alcançar o prêmio que prometestes aos humildes. Por nosso Senhor Jesus Cristo, vosso Filho, na unidade do Espírito Santo.

Vésperas

Cântico evangélico, ant.
Quem quisesse comprar o amor,
mesmo em troca de todo o dinheiro,
só teria desprezo e repulsa (T.P. Aleluia).

4 de abril

SANTO ISIDORO, BISPO E DOUTOR DA IGREJA

Nasceu em Sevilha (Espanha) cerca do ano 560. Depois da morte do pai, foi educado por seu irmão São Leandro, a quem sucedeu na sede episcopal da sua cidade natal, onde desenvolveu uma grande atividade pastoral

5 de abril

e literária. Escreveu muitos livros cheios de erudição, convocou e presidiu vários concílios na Espanha, nos quais foram tomadas muitas medidas sábias para o bem da Igreja. Morreu em 636.

Do Comum dos pastores, p. 1523, e dos doutores da Igreja, p. 1533. Na Quaresma, comemoração.

Laudes

Na Quaresma, para comemoração:

Ant. Quem é **sábio** brilhará como **luz** no firmamento;
quem ensina à multidão os caminhos da justiça,
fulgirá como as estrelas pelos séculos eternos.

Oração

Ouvi, ó Deus, as nossas preces na comemoração de Santo Isidoro, para que sua intercessão ajude a Igreja, por ele alimentada com a vossa doutrina. Por nosso Senhor Jesus Cristo, vosso Filho, na unidade do Espírito Santo.

Vésperas

Na Quaresma, para comemoração:

Ant. Ó **mestre** da Verdade! Ó **luz** da santa Igreja!
Ó **Santo** Isidoro, cumpridor da lei divina,
rogai por nós a **Cristo**.

5 de abril

SÃO VICENTE FERRER, PRESBÍTERO

Nasceu em Valência, na Espanha, em 1350. Foi admitido na Ordem dos Pregadores, onde ensinou Teologia. No exercício do ministério da pregação, percorreu muitas regiões, recolhendo abundantes frutos na defesa da verdadeira fé e na reforma dos costumes. Morreu em Vannes, na França, em 1419.

Do Comum dos pastores: para presbíteros, p. 1523. Na Quaresma, comemoração.

Na Quaresma, para comemoração:

Ant. Não sois **vós** que falareis,
é o Espírito do **Pai** que em **vós** há de falar.

Oração

Ó Deus, que suscitastes na Igreja o vosso presbítero São Vicente Ferrer para a pregação do vosso Evangelho, dai-nos a alegria de contemplar no céu o Cristo, nosso Rei, cuja vinda como Juiz foi por ele anunciada. Por nosso Senhor Jesus Cristo, vosso Filho, na unidade do Espírito Santo.

Vésperas

Na Quaresma, para comemoração:

Ant. Fiz-me **tu**do para **to**dos, para **serem** todos **sal**vos.

7 de abril

SÃO JOÃO BATISTA DE LA SALLE, PRESBÍTERO

Memória

Nasceu em Reims, na França, em 1651. Ordenado sacerdote, dedicou-se principalmente à educação das crianças e à fundação de escolas para os pobres. Com os companheiros que o ajudavam em sua obra, fundou uma Congregação, por cuja subsistência teve que enfrentar muitas provações. Morreu em Ruão (França), em 1719.

Do Comum dos pastores: para presbíteros, p. 1523; ou, dos santos homens: para educadores, p. 1574. Na Quaresma, comemoração.

Laudes

Na Quaresma, para comemoração:

Ant. Quem tem **amor** no cora**ção** para os pe**que**nos,
sabe gui**ar** e ensi**nar** como um pas**tor**.

Oração

Ó Deus, que escolhestes São João Batista de la Salle para a educação cristã dos jovens, suscitai na vossa Igreja educadores que se consagrem inteiramente à formação humana e cristã da juventude. Por nosso Senhor Jesus Cristo, vosso Filho, na unidade do Espírito Santo.

Vésperas

Na Quaresma, para comemoração:

Ant. **Dei**xai vir a **mim** as crian**ci**nhas,
pois **de**las é o **Rei**no do meu **Pai**.

11 de abril

SANTO ESTANISLAU, BISPO E MÁRTIR

Memória

Nasceu em Szczepanów (Polônia), cerca do ano 1030. Fez seus estudos em Liège (Bélgica). Ordenado sacerdote, sucedeu a Lamberto como bispo de Cracóvia, em 1072. Governou sua Igreja como bom pastor, socorreu os pobres e todos os anos visitou o seu clero. O rei Boleslau, a quem tinha censurado, mandou matá-lo em 1097.

Do Comum de um mártir, p. 1509, ou, dos pastores: para bispos, p. 1523. Na Quaresma, comemoração.

Laudes

Na Quaresma, para comemoração:

Ant. Quem per**der** a sua **v**ida neste **mun**do,
vai guar**dá**-la eterna**men**te para os **céus.**

Oração

Ó Deus, em cuja honra o bispo Santo Estanislau tombou sob a espada dos perseguidores, concedei-nos também perseverar firmes na fé até a morte. Por nosso Senhor Jesus Cristo, vosso Filho, na unidade do Espírito Santo.

Vésperas

Na Quaresma, para comemoração:

Ant. O **Rei**no ce**les**te é a mo**ra**da dos **san**tos,
sua **paz** para **sem**pre.

13 de abril

SÃO MARTINHO I, PAPA E MÁRTIR

Nasceu em Todi, na Úmbria (Itália), e fazia parte do clero romano. Em 649, foi eleito para a Cátedra de Pedro. Nesse mesmo ano celebrou um concílio em que foi condenado o erro dos monotelitas. Em 653 foi preso por ordem do imperador Constante e levado para Constantinopla, onde

1234   21 de abril

muito teve que sofrer; finalmente, transferido para o Quersoneso, aí morreu em 656.

Do Comum de um mártir p. 1509, ou dos pastores: para um papa, p. 1523. Na Quaresma, comemoração.

Laudes

Na Quaresma, para comemoração:

Ant. Quem per**der** a sua **vi**da neste **mun**do,
       vai guar**dá**-la eterna**men**te para os **céus**.

Oração

Deus todo-poderoso, que destes força ao papa São Martinho para enfrentar as ameaças e vencer os tormentos, dai-nos também suportar as adversidades desta vida com inabalável fortaleza. Por nosso Senhor Jesus Cristo, vosso Filho, na unidade do Espírito Santo.

Vésperas

Na Quaresma, para comemoração:

Ant. O **Rei**no ce**les**te é a mo**ra**da dos **san**tos,
       sua **paz** para **sem**pre.

21 de abril

SANTO ANSELMO, BISPO E DOUTOR DA IGREJA

Nasceu em Aosta, no Piemonte (Itália), em 1033. Entrou para a Ordem de São Bento no mosteiro de Le Bec, na França. Ensinou Teologia a seus irmãos de hábito, ao mesmo tempo em que ia progredindo com entusiasmo no caminho da perfeição. Transferido para a Inglaterra, foi eleito bispo de Cantuária. Combateu valorosamente pela liberdade da Igreja, o que lhe causou duas vezes o exílio. Escreveu muitas obras de grande valor teológico e místico. Morreu em 1109.

Do Comum dos pastores: para bispos, p. 1523, e dos doutores da Igreja, p. 1533.

Oração

Ó Deus, que concedestes ao bispo Santo Anselmo investigar e ensinar as profundezas de vossa sabedoria, fazei que a fé venha em auxílio de nossa inteligência, tornando suaves ao nosso coração as verdades que devemos crer. Por nosso Senhor Jesus Cristo, vosso Filho, na unidade do Espírito Santo.

23 de abril

SÃO JORGE, MÁRTIR

Já no século IV era venerado em Dióspolis, na Palestina, onde foi construída uma igreja em sua honra. Seu culto propagou-se pelo Oriente e Ocidente desde a Antiguidade.

Do Comum de um mártir no Tempo pascal, p. 1509.

Oração

Ó Deus, celebrando o vosso poder, nós vos pedimos que São Jorge seja tão pronto em socorrer-nos, como o foi em imitar a Paixão do Senhor. Por nosso Senhor Jesus Cristo, vosso Filho, na unidade do Espírito Santo.

24 de abril

SÃO FIDÉLIS DE SIGMARINGA, PRESBÍTERO E MÁRTIR

Nasceu em Sigmaringa (Alemanha), em 1578. Ingressou na Ordem dos Frades Menores Capuchinhos, aí levando uma vida de austeridade em vigílias e orações. Conhecida a sua assídua pregação da palavra de Deus, a Sagrada Congregação da Propagação da Fé confiou-lhe a missão de consolidar na Récia a verdadeira doutrina. Perseguido pelos hereges, sofreu o martírio em Seewis, na Suíça, em 1622.

Do Comum de um mártir no Tempo pascal, p. 1509, ou, dos pastores: para presbíteros, p. 1523.

Oração

Ó Deus, que destes a palma do martírio a São Fidélis quando, abrasado de amor, propagava a fé verdadeira, concedei, por sua intercessão, que, enraizados na caridade, confiemos na força da ressurreição do Cristo. Que convosco vive e reina, na unidade do Espírito Santo.

1236   25 de abril

25 de abril

SÃO MARCOS, EVANGELISTA

Festa

Era primo de Barnabé. Acompanhou o apóstolo Paulo em sua primeira viagem, e depois também o seguiu até Roma. Foi discípulo de Pedro, de cuja pregação se fez intérprete no Evangelho que escreveu. Atribui-se a ele a fundação da Igreja de Alexandria.

Do Comum dos apóstolos no Tempo pascal, p. 1479, exceto o seguinte:

Laudes

Hino

Cantamos hoje alegremente,
ó São João Marcos, teu louvor,
pois tu trouxeste a toda gente
a Boa-nova do Senhor.

Por mestre a Pedro tu tiveste,
suas palavras recolhias,
e, se a Jesus não conheceste,
era a Jesus que nele ouvias.

Breve o Evangelho que escreveste,
tão dilatado em seu amor:
em poucas páginas puseste
as maravilhas do Senhor.

Deixa-te Paulo, e a Paulo segues,
vais imitando a sua lida;
perfeita é a cópia que consegues,
dando por Cristo a própria vida.

Filho de Deus O proclamemos,
por ti e Pedro alimentados,
e face a face O contemplemos,
ao céu um dia transportados.

Ant. 1 O **san**to Evangelista investi**gou**
o sa**ber** dos grandes **ho**mens do pas**sado**,
e confir**mou** o que os pro**fe**tas predisseram. Ale**lu**ia.

Salmos e cântico do domingo da I Semana, p. 764.

25 de abril

Ant. 2 Deus cha**mou**-nos à **fé** na Ver**da**de
pelo a**nún**cio do **san**to Evangelho,
para ob**ter**mos a **gló**ria de **Cris**to. Aleluia.

Ant. 3 Muitos lou**va**ram seu sa**ber**, que ja**mais** perece**rá**. Ale**lui**a.

Leitura breve
1Cor 15,1-2a.3-4

Irmãos, quero lembrar-vos o evangelho que vos preguei e que re-cebestes, e no qual estais firmes. Por ele sois salvos. Com efeito, eu vos transmiti em primeiro lugar aquilo que eu mesmo tinha re-cebido, a saber: que Cristo morreu por nossos pecados, segundo as Escrituras; que foi sepultado; que, ao terceiro dia, ressuscitou, segundo as Escrituras.

Responsório breve

R. Eles con**ta**ram as gran**de**zas do **Se**nhor e seu po**der**.
* A**le**lui**a**, ale**lui**a. **R.** Eles con**ta**ram.
V. E as **su**as mara**vi**lhas que por **nós** reali**zou**. * Ale**lui**a.
Glória ao **Pai**. **R.** Eles con**ta**ram.

Cântico evangélico, ant.

Pela **graça** de Je**sus** nosso **Se**nhor,
aos **po**vos e na**ções** são en**via**dos
evange**lis**tas e dou**to**res do E**van**gelho,
para aju**da**rem a cres**cer** a nossa **fé**. Ale**lui**a.

Preces

Invoquemos nosso Salvador que, destruindo a morte, iluminou a vida por meio do Evangelho; e, humildes, peçamos:
R. Confirmai a vossa Igreja na fé e na caridade!

Fizestes resplandecer admiravelmente a vossa Igreja por meio de santos e insignes doutores;
– que os cristãos se alegrem sempre com o mesmo esplendor. **R.**

Quando os santos pastores vos suplicavam, a exemplo de Moi-sés, perdoastes os pecados do povo;
– por intercessão deles, santificai a vossa Igreja mediante uma contínua purificação. **R.**

Tendo-os escolhido entre seus irmãos, consagrastes vossos san-tos enviando sobre eles o vosso Espírito;
– que o mesmo Espírito Santo inspire aqueles que governam vos-so povo. **R.**

1238 25 de abril

Sois vós a herança dos santos pastores;
– concedei que nenhum daqueles que foram resgatados pelo vosso sangue fique longe de vós.
R. **Confirmai a vossa Igreja na fé e na caridade!**

(intenções livres)

Pai nosso...

Oração

Ó Deus, que concedestes a São Marcos, vosso evangelista, a glória de proclamar a Boa-nova, dai-nos assimilar de tal modo seus ensinamentos, que sigamos fielmente os caminhos do Cristo. Que convosco vive e reina, na unidade do Espírito Santo.

Hora Média

Salmos do dia de semana corrente com a antífona do Tempo.

Leitura breve   1Ts 2,2b-4

Encontramos em Deus a coragem de vos anunciar o evangelho, em meio a grandes lutas. A nossa exortação não se baseia no erro, na ambiguidade ou no desejo de enganar. Ao contrário, uma vez que Deus nos achou dignos para que nos confiasse o Evangelho, falamos não para agradar aos homens, mas a Deus.

V. Eles guardavam os preceitos, aleluia,
R. E as ordens do Senhor, aleluia.

Oração como nas Laudes.

Vésperas

HINO Cantamos hoje, p. 1236.

Ant. 1 O Senhor constituiu-me ministro do Evangelho pelo
    dom de sua graça. Aleluia.

Salmos e cântico do Comum dos apóstolos, p. 1484.

Ant. 2 Tudo faço por causa do Evangelho,
    para dele receber a minha parte. Aleluia.

Ant. 3 A mim foi concedida esta graça:
    aos pagãos anunciar a Boa-nova
    das riquezas insondáveis de Jesus. Aleluia.

Leitura breve   Cl 1,3-6a

Damos graças a Deus, Pai de nosso Senhor Jesus Cristo, sempre rezando por vós, pois ouvimos acerca da vossa fé em Cristo Jesus

25 de abril

e do amor que mostrais para com todos os santos, animados pela esperança na posse do céu. Disso já ouvistes falar no Evangelho, cuja palavra de verdade chegou até vós. E como no mundo inteiro, assim também entre vós ela está produzindo frutos.

Responsório breve

R. Anunciai, entre as nações, a **gló**ria do Se**nhor**.
 * Ale**lui**a, ale**lui**a. R. Anunciai.
V. E entre os **po**vos do uni**ver**so, as **su**as maravilhas.
 * Ale**lui**a. Glória ao **Pai**. R. Anunciai.

Cântico evangélico, ant.

A Pa**la**vra do Se**nhor** permanece eterna**men**te;
e **es**ta é a Pa**la**vra que vos **foi** anunciada. Ale**lui**a.

Preces

Oremos a Deus Pai, fonte de toda luz, que nos chamou à verdadeira fé por meio do Evangelho de seu Filho; e peçamos em favor do seu povo santo, dizendo:

R. **Lembrai-vos, Senhor, da vossa Igreja!**

Deus Pai, que ressuscitastes dos mortos vosso Filho, o grande Pastor das ovelhas,
− fazei de nós testemunhas do vosso Filho até os confins da terra. R.

Vós, que enviastes vosso Filho ao mundo para evangelizar os pobres,
− fazei que o Evangelho seja pregado a toda criatura. R.

Vós, que enviastes vosso Filho para semear a palavra do reino,
− concedei-nos colher na alegria os frutos da palavra semeada com o nosso trabalho. R.

Vós, que enviastes vosso Filho para reconciliar o mundo convosco pelo seu sangue,
− fazei que todos nós colaboremos na obra da reconciliação de toda a humanidade. R.

(intenções livres)

Vós, que glorificastes vosso Filho à vossa direita nos céus,
− recebei no reino da felicidade eterna os nossos irmãos e irmãs falecidos. R.

Pai nosso...

1240

29 de abril

Oração

Ó Deus, que concedestes a São Marcos, vosso evangelista, a glória de proclamar a Boa-nova, dai-nos assimilar de tal modo seus ensinamentos, que sigamos fielmente os caminhos do Cristo. Que convosco vive e reina, na unidade do Espírito Santo.

28 de abril

SÃO PEDRO CHANEL, PRESBÍTERO E MÁRTIR

Nasceu em Cuet (França), em 1803. Ordenado sacerdote, exerceu o ministério pastoral por poucos anos. Ingressou na Sociedade de Maria (Maristas), partiu como missionário para a Oceania. Apesar das grandes dificuldades que encontrou, conseguiu converter alguns pagãos ao cristianismo; isto provocou o ódio dos inimigos da fé cristã, que o levaram à morte na ilha de Futuna, em 1841.

Do Comum de um mártir no Tempo pascal, p. 1509.

Oração

Ó Deus, que para expandir a vossa Igreja coroastes São Pedro Chanel com o martírio, concedei-nos, neste tempo de alegria pascal, celebrar de tal modo a morte e ressurreição de Cristo, que nos tornemos testemunhas de uma vida nova. Por nosso Senhor Jesus Cristo, vosso Filho, na unidade do Espírito Santo.

29 de abril

SANTA CATARINA DE SENA, VIRGEM, E DOUTORA DA IGREJA

Memória

Nasceu em Sena (Itália), em 1347. Ainda adolescente, movida pelo desejo de perfeição, entrou na Ordem Terceira de São Domingos. Cheia de amor por Deus e pelo próximo, trabalhou incansavelmente pela paz e concórdia entre as cidades; defendeu com ardor os direitos e a liberdade do Romano Pontífice e promoveu a renovação da vida religiosa. Escreveu importantes obras de espiritualidade, cheias de boa doutrina· e de inspiração celeste. Morreu em 1380.

Do Comum das virgens, p. 1539, exceto o seguinte:

Laudes

Hino

Louvamos-te, ó Catarina,
com o mais intenso louvor,
pois toda a Igreja ilumina
a tua glória e fulgor.

A mais sublime virtude
teus santos passos conduz;
tua alma, tão despojada,
segue o caminho da cruz.

Tu és estrela do mundo,
arauto vivo da paz;
tua presença, tão simples,
toda discórdia desfaz.

Com as mais candentes palavras
exiges paz e união,
pois fala o Espírito Santo
que habita em teu coração.

As tuas preces pedimos,
ó santa virgem de Deus:
dá que busquemos na terra
chegar ao Reino dos Céus.

Ao Pai e ao Espírito Santo,
honra, louvor e poder.
Também ao Filho, que homem
quis de uma Virgem nascer.

Cântico evangélico, ant.

A santa **vir**gem Cata**ri**na não ces**sa**va de **re**zar
que a paz vol**tas**se nova**men**te à I**gre**ja do Se**nhor**. Ale**lui**a.

Oração

Ó Deus, que inflamastes de amor Santa Catarina de Sena, na contemplação da paixão do Senhor e no serviço da Igreja, concedei-
-nos, por sua intercessão, participar do mistério de Cristo, e exultar em sua glória. Por nosso Senhor Jesus Cristo, vosso Filho, na
unidade do Espírito Santo.

1242

1º de maio

Vésperas

HINO Louvamos-te, ó Catarina, p. 1241.

Cântico evangélico, ant.

Em toda a **par**te e sem ces**sar**,
Cata**ri**na procu**ra**va e encon**tra**va o S**enhor**;
e vi**vi**a unida a **e**le num a**mor** de intimi**da**de. Ale**lu**ia.

30 de abril

SÃO PIO V, PAPA

Nasceu nas proximidades de Alessândria (Itália), em 1504. Entrou na Ordem dos Frades Pregadores e ensinou Teologia. Ordenado bispo e criado cardeal, foi eleito, em 1566, para a Cátedra de Pedro. Continuou decididamente a reforma da Igreja, iniciada no Concílio de Trento, promoveu a propagação da fé e reformou o culto divino. Morreu a 1º de maio de 1572.

Do Comum dos pastores: para papas, p. 1523.

Oração

Ó Deus, que suscitastes na Igreja o papa São Pio V, para defender a fé e restaurar a liturgia, concedei-nos, por sua intercessão, participar dos vossos mistérios com fé ardente a fecunda caridade. Por nosso Senhor Jesus Cristo, vosso Filho, na unidade do Espírito Santo.

MAIO

1º de maio

SÃO JOSÉ OPERÁRIO

Onde esta memória é celebrada com maior destaque, o que aqui falta toma-se de 19 de março, p. 1211.

1° de maio

Laudes

Hino

Anuncia a aurora o dia,
chama todos ao trabalho;
como outrora em Nazaré,
já se escutam serra e malho.

Salve, ó chefe de família!
Que mistério tão profundo
ver que ensinas teu ofício
a quem fez e salva o mundo!

Habitando agora o alto
com a Esposa e o Salvador,
vem e assiste aqui na terra
todo pobre e sofredor!

Ganhe o pobre um bom salário,
e feliz seja em seu lar;
gozem todos de saúde
com modéstia e bem-estar.

São José, roga por nós
à Trindade que é um só Deus;
encaminha os nossos passos,
guia a todos para os céus.

Leitura breve   2Sm 7,28-29

Senhor Deus, tu és Deus e tuas palavras são verdadeiras. Pois que fizeste esta bela promessa ao teu servo, abençoa, então, a casa do teu servo, para que ela permaneça para sempre na tua presença. Porque és tu, Senhor Deus, que falaste, e é graças à tua bênção que a casa do teu servo será abençoada para sempre.

Responsório breve

R. Fez **de**le o se**nhor** de sua ca**sa**.
   * Ale**lu**ia, ale**lu**ia. R. Fez **de**le.
V. E de **to**dos os seus **bens**, o despen**sei**ro. * O se**nhor**.
   Glória ao **Pai**. R. Fez **de**le.

Cântico evangélico, ant.

Homem fi**el** e exem**plar** carpin**tei**ro dedi**ca**do
em sua **vi**da de tra**ba**lho, São Jo**sé** é nosso mo**de**lo. Ale**lu**ia.

1244 1º de maio

Preces

Oremos humildemente ao Senhor, de quem procede toda perfeição e santidade dos justos; e digamos:

R. **Santificai-nos, Senhor, segundo a vossa justiça!**

Senhor Deus, que chamastes os nossos pais na fé para caminharem na vossa presença com um coração perfeito,
– fazei que, seguindo os seus passos, alcancemos a perfeição de acordo com a vossa vontade. R.

Vós, que escolhestes São José, homem justo, para cuidar de vosso Filho na infância e juventude,
– fazei que sirvamos em nossos irmãos e irmãs o Corpo místico de Cristo. R.

Vós, que destes a terra aos seres humanos para que a povoassem e dominassem,
– ensinai-nos a trabalhar corajosamente neste mundo, buscando sempre a vossa glória. R.

Pai de todos nós, lembrai-vos da obra de vossas mãos,
– e dai a todos trabalho e condições de vida digna. R.

(intenções livres)

Pai nosso...

Oração

Ó Deus, criador do universo, que destes aos homens a lei do trabalho, concedei-nos, pelo exemplo e a proteção de São José, cumprir as nossas tarefas e alcançar os prêmios prometidos. Por nosso Senhor Jesus Cristo, vosso Filho, na unidade do Espírito Santo.

Vésperas

Hino

Celebre a José a corte celeste,
prossiga o louvor o povo cristão:
Só ele merece à Virgem se unir
em casta união.

Ao ver sua Esposa em Mãe transformar-se,
José quer deixar Maria em segredo.
Um anjo aparece: "É obra de Deus!"
Afasta-lhe o medo.

Nascido o Senhor, nos braços o estreitas.
A ti tem por guia, a Herodes fugindo.
Perdido no templo, és tu que o encontras,
chorando e sorrindo.

Convívio divino a outros, somente
após dura morte é dado gozar.
Mas tu, já em vida, abraças a Deus,
e o tens no teu lar!

Ó dai-nos, Trindade, o que hoje pedimos:
Um dia no céu, cantarmos também
o canto que canta o esposo da Virgem
sem mácula. Amém.

Leitura breve
Cl 3,23-24

Tudo o que fizerdes, fazei-o de coração, como para o Senhor e não para os homens. Pois vós bem sabeis que recebereis do Senhor a herança como recompensa. Servi a Cristo, o Senhor!

Responsório breve
R. O **jus**to como o **lí**rio brotará.
* Ale**lui**a, ale**lui**a. R. O **jus**to.
V. E florirá ante o Se**nhor** eterna**men**te. * Ale**lui**a.
Glória ao **Pai**. R. O **jus**to.

Cântico evangélico, ant.
Jesus **Cris**to quis ser **ti**do como **fi**lho de José,
o carpin**tei**ro, ale**lui**a.

Preces
Invoquemos humildemente a Deus, fonte de toda a paternidade no céu e na terra; e digamos:
R. **Pai santo, que estais nos céus, ouvi-nos!**

Pai santo, que revelastes a São José o mistério de Cristo, escondido desde toda a eternidade,
– fazei-nos conhecer melhor o vosso Filho, Deus e Homem, R.

Pai celeste, que alimentais as aves do céu e vestis a erva dos campos,
– dai a todos os seres humanos o pão do corpo e da alma. R.

1246 2 de maio

Criador de todas as coisas, que nos confiastes a obra de vossas mãos,
– fazei que os operários possam honestamente usufruir a recompensa dos seus trabalhos. R.

Deus de toda justiça, que amais os justos,
– dai-nos, por intercessão de São José, a graça de caminhar na vida praticando o que vos agrada. R.

(intenções livres)

Concedei benignamente a vossa misericórdia aos agonizantes e aos que já partiram desta vida,
– por intercessão de vosso Filho, junto com sua mãe Maria e São José. R.

Pai nosso...

Oração

Ó Deus, criador do universo, que destes aos homens a lei do trabalho, concedei-nos, pelo exemplo e a proteção de São José, cumprir as nossas tarefas e alcançar os prêmios prometidos. Por nosso Senhor Jesus Cristo, vosso Filho, na unidade do Espírito Santo.

2 de maio

SANTO ATANÁSIO, BISPO E DOUTOR DA IGREJA

Memória

Nasceu em Alexandria no ano 295. No Concílio de Niceia, acompanhou o bispo Alexandre a quem sucedeu no episcopado. Lutou corajosamente contra os arianos; tendo por isso suportado muitos sofrimentos e foi várias vezes condenado ao exílio. Escreveu importantes obras doutrinais e em defesa da verdadeira fé. Morreu em 373.

Do Comum dos pastores: para bispos, p. 1523, e dos doutores da Igreja, p. 1533.

Oração

Deus eterno e todo-poderoso, que nos destes em Santo Atanásio um exímio defensor da divindade de vosso Filho, concedei-nos, por sua doutrina e proteção, crescer continuamente no vosso conhecimento e no vosso amor. Por nosso Senhor Jesus Cristo, vosso Filho, na unidade do Espírito Santo.

3 de maio

SÃO FILIPE E SÃO TIAGO, APÓSTOLOS

Festa

Filipe, nascido em Betsaida, foi primeiramente discípulo de João Batista e depois seguiu a Cristo. Tiago, primo do Senhor, filho de Alfeu, governou a Igreja de Jerusalém e escreveu uma Carta. Levou uma vida de muita austeridade e converteu muitos judeus à fé. Recebeu a coroa do martírio no ano 62.

Do Comum dos apóstolos, no Tempo pascal, p. 1479, exceto o seguinte:

Laudes

HINO O sol fulgura, do Comum dos apóstolos, p. 1480.

Ant. 1 Se**nhor**, mos**trai**-nos o **Pai**, e **is**to nos basta, ale**lui**a.

Salmos e cântico do domingo da I Semana, p. 764.

Ant. 2 Há tanto **tem**po estou con**vos**co,
e ainda **não** me conhe**ceis**?
Ó Fi**li**pe, quem me **vê**,
igual**men**te vê meu **Pai**. Ale**lui**a.

Ant. 3 Que o **vos**so cora**ção** não se per**tur**be nem re**cei**e:
crede em **Deus** e crede em **mim**,
pois são **mui**tas as mo**ra**das
que há na **ca**sa de meu **Pai**. Ale**lui**a.

Leitura breve   Ef 2,19-22

Já não sois mais estrangeiros nem migrantes, mas concidadãos dos santos. Sois da família de Deus. Vós fostes integrados no edifício que tem como fundamento os apóstolos e os profetas, e o próprio Jesus Cristo como pedra principal. É nele que toda a construção se ajusta e se eleva para formar um templo santo no Senhor. E vós também sois integrados nesta construção, para vos tornardes morada de Deus pelo Espírito.

1248 3 de maio

Responsório breve

R. Fareis **deles** os **chefes** por **toda** a **terra**.
* Ale**luia**, ale**luia**. R. Fareis.
V. Lembra**rão** vosso **nome**, Se**nhor**, para **sem**pre.
* Ale**luia**. Glória ao **Pai**. R. Fareis **deles**.

Cântico evangélico, ant.

Fi**lipe** encon**trou** Natana**el** e lhe con**tou**:
Encon**tra**mos o Mes**sias** que Moi**sés** previu na **Lei**
e os pro**fetas** predis**seram**:
é o **filho** de Jo**sé**, é Je**sus** de Naza**ré**. Ale**luia**.

Preces

Irmãos caríssimos, tendo recebido dos apóstolos a herança celeste, agradeçamos a Deus, nosso Pai, por todos os seus dons; e
aclamemos:

R. **O coro dos apóstolos vos louva, Senhor!**

Louvor a vós, Senhor, pela mesa do vosso Corpo e Sangue que
recebemos por intermédio dos apóstolos;
– por ela somos alimentados e vivemos. R.

Louvor a vós, Senhor, pela mesa de vossa Palavra, preparada
para nós pelos apóstolos;
– por ela recebemos luz e alegria. R.

Louvor a vós, Senhor, por vossa santa Igreja, edificada sobre o
fundamento dos apóstolos;
– com ela formamos um só Corpo. R.

Louvor a vós, Senhor, pelos sacramentos do Batismo e da Penitência que confiastes aos apóstolos;
– por eles somos lavados de todo pecado. R.

(intenções livres)

Pai nosso...

Oração

Ó Deus, vós nos alegrais cada ano com a festa dos apóstolos São
Filipe e São Tiago. Concedei-nos, por suas preces, participar de
tal modo da paixão e ressurreição do vosso Filho que vejamos
eternamente a vossa face. Por nosso Senhor Jesus Cristo, vosso
Filho, na unidade do Espírito Santo.

3 de maio

Hora média

Salmos do dia de semana corrente. Antífona do Tempo. Leitura breve do Comum dos apóstolos, p. 1482. Oração como acima.

Vésperas

HINO Aos onze entristecia, do Comum dos apóstolos, p. 1483.

Ant. 1 Ó Filipe, quem me **vê**,
igual**men**te vê meu **Pai**. Ale**lui**a.

Salmos e cântico do Comum dos apóstolos, p. 1484.

Ant. 2 Se **vós** me conhe**ceis**, conhe**ceis** também meu **Pai**.
Desde a**go**ra o conhe**ceis** e o **vis**tes, ale**lui**a.

Ant. 3 Se me a**mais**, obede**cei** meus man**da**mentos, ale**lui**a.

Leitura breve — Ef 4,11-13

Cristo instituiu alguns como apóstolos, outros como profetas, outros ainda como evangelistas, outros, enfim, como pastores e mestres. Assim, ele capacitou os santos para o ministério, para edificar o corpo de Cristo, até que cheguemos todos juntos à unidade da fé e do conhecimento do Filho de Deus, ao estado do homem perfeito e à estatura de Cristo em sua plenitude.

Responsório breve

R. Anunci**ai** entre as na**ções** a **gló**ria do **Se**nhor.
* Ale**lui**a, ale**lui**a. R. Anunci**ai**.
V. E as **su**as maravilhas entre os **po**vos do univer**so**.
* Ale**lui**a. Glória ao **Pai**. R. Anunci**ai**.

Cântico evangélico, ant.

Se em **mim** permane**cer**des, e em **vós** minha pala**vra**,
o que pe**dir**des a meu **Pai**, certa**men**te vos da**rá**. Ale**lui**a.

Preces

Irmãos, edificados sobre o fundamento dos apóstolos, roguemos a Deus Pai todo-poderoso em favor de seu povo santo; e digamos:

R. **Lembrai-vos, Senhor, da vossa Igreja!**

Vós quisestes, ó Pai, que o vosso Filho, ressuscitado dos mortos, aparecesse em primeiro lugar aos apóstolos;
– fazei de nós testemunhas do vosso Filho até os confins da terra.
R.

1250   12 de maio

Vós, que enviastes vosso Filho ao mundo para evangelizar os pobres,
– fazei que o Evangelho seja pregado a toda criatura.
R. **Lembrai-vos, Senhor, da vossa Igreja!**

Vós, que enviastes vosso Filho para semear a palavra do reino,
– concedei-nos colher na alegria os frutos da palavra semeada com o nosso trabalho.   R.

Vós, que enviastes vosso Filho para reconciliar o mundo convosco pelo seu sangue,
– fazei que todos nós colaboremos na obra da reconciliação de toda a humanidade.   R.

(intenções livres)

Vós, que glorificastes vosso Filho à vossa direita nos céus,
– recebei no reino da felicidade eterna os nossos irmãos e irmãs falecidos.   R.

Pai nosso...

Oração

Ó Deus, vós nos alegrais cada ano com a festa dos apóstolos São Filipe e São Tiago. Concedei-nos, por suas preces, participar de tal modo da paixão e ressurreição do vosso Filho que vejamos eternamente a vossa face. Por nosso Senhor Jesus Cristo, vosso Filho, na unidade do Espírito Santo.

12 de maio

SÃO NEREU E SANTO AQUILES, MÁRTIRES

Eram soldados adscritos ao tribunal militar. Convertidos à fé cristã, abandonaram o exército. Por isso, foram condenados à morte provavelmente no tempo de Diocleciano. Seu sepulcro conserva-se no cemitério da via Ardeatina, onde há uma basílica edificada em sua honra.

Do Comum de vários mártires no Tempo pascal, p. 1493.

Oração

Ó Deus, ao proclamarmos o glorioso testemunho dos mártires São Nereu e Santo Aquiles, concedei-nos experimentar em nossa vida sua intercessão junto de vós. Por nosso Senhor Jesus Cristo, vosso Filho, na unidade do Espírito Santo.

No mesmo dia 12 de maio

SÃO PANCRÁCIO, MÁRTIR

Sofreu o martírio em Roma, provavelmente na perseguição de Diocleciano. O seu sepulcro conserva-se na via Aurélia, e sobre ele o papa Símaco edificou uma igreja.

Do Comum de um mártir, no Tempo pascal, p. 1509.

Oração

Alegre-se, ó Deus, a vossa Igreja, apoiada nos méritos de São Pancrácio e, por suas preces gloriosas, permaneça em vosso serviço e goze tranquilidade constante. Por nosso Senhor Jesus Cristo, vosso Filho, na unidade do Espírito Santo.

14 de maio

SÃO MATIAS, APÓSTOLO

Festa

Foi escolhido para completar o grupo dos Doze, em substituição de Judas, para ser, como os outros Apóstolos, testemunha da ressurreição do Senhor, como se lê nos Atos dos Apóstolos (1,15-26).

Do Comum dos apóstolos no Tempo pascal, p. 1479, exceto o seguinte:

Laudes

Cântico evangélico, ant.
Entre aqueles que viveram estes anos com Jesus,
um se inclua em nosso número
e se torne testemunha do Senhor ressuscitado. Aleluia.

Oração

Ó Deus, que associastes São Matias ao colégio apostólico, concedei por sua intercessão, que, fruindo da alegria de vosso amor, mereçamos ser contados entre os eleitos. Por nosso Senhor Jesus Cristo, vosso Filho, na unidade do Espírito Santo.

1252   20 de maio

Hora Média

Salmos do dia de semana corrente, com a Antífona do Tempo. Leitura breve do Comum dos apóstolos, p. 1482. Oração como nas Laudes.

Vésperas

Cântico evangélico, ant.

Não fostes **vós** que me esco**lhes**tes, mas sim **eu** vos escolhi
e vos **dei** esta mis**são** de produzirdes muito **fru**to,
e o vosso **fru**to permaneça. Ale**lui**a.

18 de maio

SÃO JOÃO I, PAPA E MÁRTIR

Nasceu na Toscana e foi eleito bispo da Igreja de Roma, em 523. O rei Teodorico enviou-o a Constantinopla como seu delegado junto ao imperador Justino; ao regressar, Teodorico, descontente com o resultado de sua missão diplomática, mandou prendê-lo e encarcerar em Ravena, onde morreu, em 526.

Do Comum de um mártir no Tempo pascal, p. 1509, ou, dos pastores: para papas, p. 1523.

Oração

Ó Deus, recompensa dos justos, que consagrastes este dia com o martírio do papa João I, ouvi as preces do vosso povo e concedei que, celebrando seus méritos, imitemos sua constância na fé. Por nosso Senhor Jesus Cristo, vosso Filho, na unidade do Espírito Santo.

20 de maio

SÃO BERNARDINO DE SENA, PRESBÍTERO

Nasceu em Massa Marítima, na Toscana (Itália), em 1380; entrou na Ordem dos Frades Menores, e foi ordenado presbítero. Percorreu toda a Itália, exercendo o ministério da pregação com grande proveito para as almas. Divulgou a devoção ao Santíssimo Nome de Jesus, e teve um papel importante na promoção dos estudos e da disciplina religiosa de sua Ordem, tendo também escrito alguns tratados teológicos. Morreu em Áquila no ano 1444.

Do Comum dos pastores: para presbíteros, p. 1523.

25 de maio

Oração

Ó Deus, que destes ao presbítero São Bernardino de Sena ardente amor pelo nome de Jesus, acendei sempre em nossos corações a chama da vossa caridade. Por nosso Senhor Jesus Cristo, vosso Filho, na unidade do Espírito Santo.

25 de maio

SÃO BEDA, O VENERÁVEL, PRESBÍTERO E DOUTOR DA IGREJA

Nasceu no território do mosteiro beneditino de Wearmouth (Inglaterra), em 673; foi educado por São Bento Biscop e ingressou no referido mosteiro, onde recebeu a ordenação de presbítero. Desempenhou o seu ministério dedicando-se ao ensino e à atividade literária. Escreveu obras de cunho teológico e histórico, seguindo a tradição dos Santos Padres e explicando a Sagrada Escritura. Morreu em 735.

Do Comum dos doutores da Igreja, p. 1533, ou, dos santos homens: para religiosos, p. 1571.

Oração

Ó Deus, que iluminais a vossa Igreja com a erudição do vosso presbítero São Beda, o Venerável, concedei-nos sempre a luz da sua sabedoria e o apoio de seus méritos. Por nosso Senhor Jesus Cristo, vosso Filho, na unidade do Espírito Santo.

No mesmo dia 25 de maio

SÃO GREGÓRIO VII, PAPA

Hildebrando nasceu na Toscana (Itália), cerca do ano 1028; foi educado em Roma e abraçou a vida monástica. Por diversas vezes foi legado dos papas de seu tempo para auxiliar na reforma da Igreja. Em 1073, eleito para a cátedra de São Pedro, com o nome de Gregório VII, continuou corajosamente a reforma começada. Muito combatido, principalmente pelo rei Henrique IV, foi desterrado para Salerno, onde morreu, em 1085.

Do Comum dos pastores: para papas, p. 1523.

Oração

Concedei-nos, ó Deus, o espírito de fortaleza e a sede de justiça que animaram o papa São Gregório VII, para que vossa Igreja

1254

26 de maio

rejeite o mal, pratique a justiça e viva em perfeita caridade. Por nosso Senhor Jesus Cristo, vosso Filho, na unidade do Espírito Santo.

No mesmo dia 25 de maio

SANTA MARIA MADALENA DE PAZZI, VIRGEM

Nasceu em Florença (Itália), no ano 1566. Teve uma piedosa educação e entrou na Ordem das Carmelitas; levou uma vida oculta de oração e abnegação, rezando assiduamente pela reforma da Igreja e dirigindo suas irmãs religiosas no caminho da perfeição. Recebeu de Deus muitos dons extraordinários. Morreu em 1607.

Do Comum das virgens, p. 1539, ou, das santas mulheres: para religiosas, p. 1571.

Oração

Ó Deus, que amais a virgindade e cumulastes de graças a Santa Maria Madalena de Pazzi, abrasada de amor por vós, fazei que, celebrando hoje sua festa, imitemos seus exemplos de caridade e pureza. Por nosso Senhor Jesus Cristo, vosso Filho, na unidade do Espírito Santo.

26 de maio

SÃO FILIPE NÉRI, PRESBÍTERO

Memória

Nasceu em Florença (Itália), em 1515. Indo para Roma, aí começou a dedicar-se ao apostolado da juventude, e estabeleceu uma associação em favor dos doentes pobres, levando uma vida de grande perfeição cristã. Foi ordenado presbítero em 1551 e fundou o Oratório que tinha por finalidade dedicar-se à instrução espiritual, ao canto e às obras de caridade. Notabilizou-se sobretudo por seu amor ao próximo, pela sua simplicidade evangélica e pela sua alegria no serviço de Deus. Morreu em 1595.

Do Comum dos pastores, p. 1523, ou, dos santos homens: para religiosos, p. 1571.

Oração

Ó Deus, que não cessais de elevar à glória da santidade os vossos servos fiéis e prudentes, concedei que nos inflame o fogo do Espírito Santo que ardia no coração de São Filipe Néri. Por nosso Senhor Jesus Cristo, vosso Filho, na unidade do Espírito Santo.

27 de maio

SANTO AGOSTINHO DE CANTUÁRIA, BISPO

Era do mosteiro de Santo André, em Roma, quando foi enviado por São Gregório Magno, em 597, à Inglaterra, para pregar o evangelho. Foi bem recebido e ajudado pelo rei Etelberto. Eleito bispo de Cantuária, converteu muitos à fé cristã e fundou várias Igrejas, principalmente no reino de Kent. Morreu a 26 de maio, cerca do ano 605.

Do Comum dos pastores: para bispos, p.1523.

Oração

Ó Deus, que conduzistes ao Evangelho os povos da Inglaterra pela pregação do bispo Santo Agostinho, concedei que os frutos do seu trabalho permaneçam na vossa Igreja com perene fecundidade. Por nosso Senhor Jesus Cristo, vosso Filho, na unidade do Espírito Santo.

31 de maio

VISITAÇÃO DE NOSSA SENHORA

Festa

Do Comum de Nossa Senhora, p. 1462, exceto o seguinte:

Laudes

Hino

Vem, Mãe Virgem gloriosa,
visitar-nos, como a João,
com o dom do Santo Espírito
na terrena habitação.

1256   31 de maio

Vem, trazendo o Pequenino
para o mundo nele crer.
A razão dos teus louvores,
possam todos conhecer.

Aos ouvidos da Igreja
soe tua saudação,
e ao ouvi-la, se levante,
com intensa exultação,

percebendo que contigo
chega o Cristo, o Salvador,
desejado pelos povos
como Guia e bom Pastor.

Ergue os olhos, ó Maria,
para o povo dos cristãos.
Para aqueles que procuram
traze auxílio e proteção.

Esperança verdadeira,
alegria dos mortais,
nosso Porto, vem levar-nos
às mansões celestiais.

Mãe, contigo nossas almas
engrandecem o Senhor,
que dos homens e dos anjos
te fez digna do louvor.

Ant. 1 Levantou-se Maria e dirigiu-se depressa
a uma cidade de Judá, na região montanhosa.
(T.P. Aleluia).

Salmos e cântico do domingo da I Semana, p. 982.

Ant. 2 Quando ouviu Isabel a saudação de Maria,
o menino saltou de alegria em seu seio,
e Isabel ficou cheia do Espírito Santo. (T.P. Aleluia).

Ant. 3 És feliz porque creste, Maria,
pois em ti a Palavra de Deus vai cumprir-se. (T.P. Aleluia).

Leitura breve   Jl 2,27-3,1

Sabereis que eu estou no meio de Israel e que eu sou o Senhor,
vosso Deus, e que não há outro; e nunca mais deixarei meu povo

31 de maio

envergonhado. Acontecerá, depois disto, que derramarei o meu espírito sobre todo o ser humano, e vossos filhos e filhas profetizarão.

Responsório breve

R. O Senhor a escolheu, entre todas preferida.
  * Aleluia, aleluia. R. O Senhor.
V. O Senhor a fez morar em sua santa habitação.
  * Aleluia, aleluia. Glória ao Pai. R. O Senhor.

Cântico evangélico, ant.

Quando ouviu Isabel a saudação de Maria,
exclamou em voz alta: Não mereço esta honra
que a Mãe do Senhor, do meu Deus, venha a mim! Aleluia.

Preces

Celebremos nosso Salvador, que se dignou nascer da Virgem Maria; e peçamos:

R. Senhor, que a vossa Mãe interceda por nós!

Sol de justiça, a quem a Virgem Imaculada precedeu como aurora resplandecente,
– concedei que caminhemos sempre à luz da vossa visitação. R.

Palavra eterna, que ensinastes vossa Mãe a escolher a melhor parte,
– ajudai-nos a imitá-la buscando o alimento da vida eterna. R.

Salvador do mundo, que pelos méritos da redenção preservastes a vossa Mãe de toda a mancha de pecado,
– livrai-nos também de todo pecado. R.

Redentor nosso, que fizestes da Imaculada Virgem Maria o tabernáculo puríssimo da vossa presença e o sacrário do Espírito Santo,
– fazei de nós templos vivos do vosso Espírito. R.

(intenções livres)

Pai nosso...

Oração

Ó Deus todo-poderoso, que inspirastes à Virgem Maria sua visita a Isabel, levando no seio o vosso Filho, fazei-nos dóceis ao Espírito Santo, para cantar com ela o vosso louvor. Por nosso Senhor Jesus Cristo, vosso Filho, na unidade do Espírito Santo.

1258

31 de maio

Hora Média

Antífonas e salmos do dia de semana corrente.

Leitura breve Tb 12,6b

Bendizei a Deus e dai-lhe graças, diante de todos os viventes, pelos benefícios que vos concedeu. Bendizei e cantai o seu nome.

V. Felizes entranhas da Virgem Maria. (T.P. Aleluia).
R. Que trouxeram o Filho de Deus, Pai eterno. (T.P. Aleluia).

Oração como nas Laudes.

Vésperas

Hino

Eis que apressada sobes a montanha,
ó Virgem que o Senhor por Mãe escolhe!
Outra mãe vais servir, já tão idosa,
que nos braços te acolhe.

Mal ouve a tua voz, sente em seu seio
a alegria do filho que se agita
e então, Mãe do Senhor já te saúda,
entre todas bendita.

E bendita tu mesma te proclamas,
prorrompendo num hino de vitória,
onde ao sopro do Espírito engrandeces
a Deus, Senhor da História.

Contigo se alegrando, todo o povo
exulta e canta pela terra inteira,
de Deus, ó Mãe e Filha, Escrava, e Esposa,
dos homens Medianeira!

Trazendo o Cristo, quantos dons nos trazes,
ó Virgem que nos tiras da orfandade!
Ao Deus Trino contigo engrandecemos,
ó Mãe da Humanidade!

Ant. 1 Então Maria entrou na casa de Zacarias
e saudou a sua prima Isabel. (T.P. Aleluia).

Salmos e cântico do Comum de Nossa Senhora, p. 1468.

Ant. 2 Quando ouvi ressoar tua **voz** ao saudar-me,
o menino saltou de alegria em meu **seio**. (T.P. Aleluia).

Ant. 3 És bendita entre todas as mulheres da terra,
e bendito é o fruto que nasceu do teu ventre.
(T.P. Aleluia).

Leitura breve   1Pd 5,5b-7

Revesti-vos todos de humildade no relacionamento mútuo, porque Deus resiste aos soberbos, mas dá a sua graça aos humildes.
Rebaixai-vos, pois, humildemente, sob a poderosa mão Deus,
para que, na hora oportuna, ele vos exalte. Lançai sobre ele toda
a vossa preocupação, pois é ele quem cuida de vós.

Responsório breve

R. Maria, alegra-te, ó **cheia** de **graça**;
o Senhor é contigo! R. Maria.
V. És bendita entre todas as mulheres da terra
e bendito é o fruto que nasceu do teu ventre!
* O Senhor. Glória ao **Pai**. R. Maria.

Cântico evangélico, ant.

Doravante as gerações hão de chamar-me de bendita,
porque o Senhor voltou os olhos
para a humildade de sua serva. (T.P. Aleluia).

Preces

Proclamemos a grandeza de Deus Pai todo-poderoso: Ele quis
que Maria, Mãe de seu Filho, fosse celebrada por todas as gerações. Peçamos humildemente:
R. Cheia de graça, intercedei por nós!

Vós, que nos destes Maria por Mãe, concedei, por sua intercessão, saúde aos doentes, consolo aos tristes, perdão aos pecadores,
– e a todos a salvação e a paz.   R.

Fazei, Senhor, que a vossa Igreja seja, na caridade, um só coração e uma só alma,
– e que todos os fiéis perseverem unânimes na oração com Maria,
Mãe de Jesus.   R.

1260   31 de maio

Vós, que fizestes de Maria a Mãe da misericórdia,
– concedei a todos os que estão em perigo sentirem o seu amor
materno.
R. **Cheia de graça, intercedei por nós!**

Vós, que confiastes a Maria a missão de mãe de família no lar de
Jesus e José,
– fazei que, por sua intercessão, todas as mães vivam em família
o amor e a santidade.   R.

(intenções livres)

Vós, que coroastes Maria como rainha do céu,
– fazei que nossos irmãos e irmãs falecidos se alegrem eternamente em vosso reino, na companhia dos santos.   R.
Pai nosso...

Oração

Ó Deus todo-poderoso, que inspirastes à Virgem Maria sua visita
a Isabel, levando no seio o vosso Filho, fazei-nos dóceis ao Espírito Santo, para cantar com ela o vosso louvor. Por nosso Senhor
Jesus Cristo, vosso Filho, na unidade do Espírito Santo.

Sábado depois do 2º Domingo
depois de Pentecostes

IMACULADO CORAÇÃO DA VIRGEM MARIA

Memória

Do Comum de Nossa Senhora, p. 1462, exceto o seguinte:

Laudes

Cântico evangélico, ant.
Meu **coração** e minha **carne** rejubilam
e **exultam** de ale**gria** no Deus **vivo.**

Oração

Ó Deus, que preparastes morada digna do Espírito Santo no Imaculado Coração de Maria, concedei que por sua intercessão nos
tornemos um templo da vossa glória. Por nosso Senhor Jesus
Cristo, vosso Filho, na unidade do Espírito Santo.

JUNHO

1º de junho

SÃO JUSTINO, MÁRTIR

Memória

Justino, filósofo e mártir, nasceu no princípio do século II, em Flávia Neápolis (Nablus), na Samaria, de família pagã. Tendo-se convertido à fé cristã, escreveu diversas obras em defesa do cristianismo; mas se conservam apenas as duas *Apologias* e o *Diálogo com Trifão*. Abriu uma escola de filosofia em Roma, onde mantinha debates públicos. Sofreu o martírio, juntamente com seus companheiros, no tempo de Marco Aurélio, cerca do ano 165.

Do Comum de um mártir, p. 1509.

Laudes

Cântico evangélico, ant.

Em toda a **nos**sa ofe**ren**da, damos lou**vor** ao Cria**dor**
por seu **Fi**lho Jesus **Cris**to e o Es**pí**rito Di**vino**. (T.P. Ale**luia**).

Oração

Ó Deus, que destes ao mártir São Justino um profundo conhecimento de Cristo pela loucura da cruz, concedei-nos, por sua intercessão, repelir os erros que nos cercam e permanecer firmes na fé. Por nosso Senhor Jesus Cristo, vosso Filho, na unidade do Espírito Santo.

Vésperas

Cântico evangélico, ant.

De re**pen**te se acen**deu** na minh'**al**ma um fogo ar**den**te;
fui to**ma**do pelo a**mor** aos pro**fe**tas e aos **ho**mens
que de **Cris**to são a**mi**gos. (T.P. Ale**luia**).

2 de junho

SANTOS MARCELINO E PEDRO, MÁRTIRES

O martírio dos dois, sofrido durante a perseguição de Diocleciano, é atestado pelo papa São Dâmaso que obteve essa informação do próprio carrasco. Foram decapitados num bosque, mas seus corpos foram transladados e sepultados no cemitério *Ad duas lauros,* na via Labicana. Sobre o sepulcro de ambos foi construída uma basílica depois que a Igreja obteve a paz.

Do Comum de vários mártires, p. 1493.

Oração

Ó Deus, que nos destes o apoio e a proteção do glorioso martírio dos santos Marcelino e Pedro, fazei que seu exemplo nos anime e sua oração nos sustente. Por nosso Senhor Jesus Cristo, vosso Filho, na unidade do Espírito Santo.

3 de junho

SÃO CARLOS LWANGA E SEUS COMPANHEIROS, MÁRTIRES

Memória

Entre os anos 1885 e 1887, muitos cristãos foram condenados à morte, em Uganda, por ordem do rei Mwanga, em ódio da religião. Alguns deles exerciam cargos no próprio palácio real, outros estavam a serviço do próprio rei. Entre eles distinguem-se Carlos Lwanga e seus vinte e um companheiros, pela sua inquebrantável adesão à fé católica. Uns foram decapitados e outros queimados vivos, por não terem consentido nos desejos impuros do rei.

Do Comum de vários mártires, p. 1493.

Oração

Ó Deus, que fizestes do sangue dos mártires semente de novos cristãos, concedei que o campo da vossa Igreja, regado pelo sangue de São Carlos e seus companheiros, produza sempre abundante colheita. Por nosso Senhor Jesus Cristo, vosso Filho, na unidade do Espírito Santo.

5 de junho

SÃO BONIFÁCIO, BISPO E MÁRTIR

Memória

Nasceu na Inglaterra, cerca de 673. Fez a profissão religiosa e viveu no mosteiro de Exeter. Em 719 partiu para a Alemanha, a fim de pregar o evangelho, obtendo excelentes resultados. Ordenado bispo, governou a Igreja de Mogúncia e, com a ajuda de vários colaboradores, fundou e restaurou diversas Igrejas na Baviera, na Turíngia e na Francônia. Realizou concílios e promulgou leis. Quando evangelizava os frisões, foi assassinado por pagãos em 754. Seu corpo foi sepultado no mosteiro de Fulda.

Do Comum de um mártir, p. 1509, ou dos pastores: para bispos, p. 1523.

Oração

Interceda por nós, ó Deus, o mártir São Bonifácio, para que guardemos fielmente e proclamemos em nossas obras a fé que ele ensinou com a sua palavra e testemunhou com o seu sangue. Por nosso Senhor Jesus Cristo, vosso Filho, na unidade do Espírito Santo.

6 de junho

SÃO NORBERTO, BISPO

Nasceu na Renânia, cerca do ano 1080. Era cônego da Igreja de Xanten e, tendo abandonado a vida mundana, abraçou o ideal religioso e foi ordenado presbítero em 1115. Na sua vida apostólica dedicou-se ao ministério da pregação, particularmente na França e na Alemanha. Juntamente com outros companheiros fundou a Ordem Premonstratense e organizou os seus primeiros mosteiros. Eleito bispo de Magdeburgo em 1126, empenhou-se com entusiasmo na reforma da vida cristã e na propagação do Evangelho entre as populações pagãs da vizinhança. Morreu em 1134.

Do Comum dos pastores: para bispos, p. 1523.

Oração

Ó Deus, que fizestes do bispo São Norberto fiel ministro da vossa Igreja pela oração e zelo pastoral, concedei por suas preces que o vosso povo encontre sempre pastores segundo o vosso coração, que o alimentem para a vida eterna. Por nosso Senhor Jesus Cristo, vosso Filho, na unidade do Espírito Santo.

8 de junho

SANTO EFRÉM, DIÁCONO E DOUTOR DA IGREJA

Nasceu em Nísibe, cerca de 306, de família cristã. Exerceu o ofício de diácono, para o qual fora ordenado, em sua cidade natal e em Edessa, onde fundou uma escola teológica. Sua vida de intensa ascese não o impediu de se consagrar ao ministério da pregação e de escrever diversas obras para combater os erros do seu tempo. Morreu em 373.

Do Comum dos doutores da Igreja, p. 1533.

Oração

Infundi, ó Deus, em nossos corações o Espírito Santo que inspirava ao diácono Efrém cantar os vossos mistérios e consagrar-se inteiramente ao vosso serviço. Por nosso Senhor Jesus Cristo, vosso Filho, na unidade do Espírito Santo.

9 de junho

SÃO JOSÉ DE ANCHIETA, PRESBÍTERO

Memória

Nasceu a 19 de março de 1534 em Tenerife, nas Ilhas Canárias. Tendo entrado na Companhia de Jesus, foi enviado às missões do Brasil. Ordenado sacerdote, dedicou toda a sua vida à evangelização das plagas brasileiras. Escreveu na língua dos indígenas uma gramática e, depois, um catecismo. Foi agraciado com o epíteto de "apóstolo do Brasil". Faleceu a 9 de junho de 1597.

Do Comum dos pastores: para presbíteros, p. 1523, ou dos santos homens: para religiosos, p. 1571.

Laudes

Cântico evangélico, ant.

Ide ao **mun**do e ensi**nai** a **to**dos os **po**vos,
bati**zan**do-os em **no**me do **Pai** e do **Filho**
e do Es**pí**rito **San**to. (T.P. Ale**lui**a).

Oração

Derramai, Senhor, sobre nós a vossa graça, a fim de que, a exemplo de São José de Anchieta, apóstolo do Brasil, sirvamos fielmente ao Evangelho, tornando-nos tudo para todos, e nos esforcemos em ganhar para vós nossos irmãos no amor de Cristo. Que convosco vive e reina, na unidade do Espírito Santo.

Vésperas

Cântico evangélico, ant.
Virão **mui**tos do Oriente e do Oci**den**te
sentar-se à **me**sa com Abra**ão** no Reino e**ter**no. (T.P. Ale**luia**).

11 de junho

SÃO BARNABÉ, APÓSTOLO

Memória

Era natural da ilha de Chipre e foi um dos primeiros fiéis de Jerusalém. Pregou o Evangelho em Antioquia e acompanhou São Paulo em sua primeira viagem apostólica. Tomou parte no Concílio de Jerusalém. Voltando à sua pátria para pregar o Evangelho, aí morreu.

Como na festa de São Marcos, dia 25 de abril, p. 1236, exceto o seguinte:

Laudes

Hino

Celebramos a bela vitória
do discípulo fiel, Barnabé,
que foi digno de grande coroa,
padecendo por causa da fé.

Deixa as lidas do campo, animado
pela fé que opera no amor,
para ver florescer novo povo
de cristãos, consagrado ao Senhor.

Vai contente à procura de Paulo,
companheiro na fé, no dever,
e com ele, ao aceno do Espírito,
muitas plagas irá percorrer.

1266 13 de junho

Para si coisa alguma conserva,
e atrai muitos a Cristo Jesus,
até ser consagrado no sangue
e empunhar uma palma de luz.

Pela prece do servo fiel,
dai, ó Deus, que sigamos também
os caminhos da graça e da vida
e no céu vos louvemos. Amém.

Cântico evangélico, ant.
Barnabé conduziu Paulo à Igreja de Antioquia,
e ali anunciaram a palavra do Senhor
a uma grande multidão. (T.P. Aleluia).

Oração

Ó Deus, que designastes São Barnabé, cheio de fé e do Espírito
Santo, para converter as nações, fazei que a vossa Igreja anuncie por palavras e atos o Evangelho de Cristo que ele proclamou
intrepidamente. Por nosso Senhor Jesus Cristo, vosso Filho, na
unidade do Espírito Santo.

Vésperas

HINO Celebramos a bela vitória, como nas Laudes, p. 1265.

Cântico evangélico, ant.
A assembleia se calou
e escutou atentamente a Paulo e Barnabé,
que narravam os prodígios e os sinais que Deus fizera
entre os gentios por meio deles. (T.P. Aleluia).

13 de junho

SANTO ANTÔNIO DE PÁDUA (LISBOA), PRESBÍTERO E DOUTOR DA IGREJA

Memória

Nasceu em Lisboa (Portugal), no final do século XII. Foi recebido entre
os Cônegos Regulares de Santo Agostinho, mas pouco depois de sua ordenação sacerdotal transferiu-se para a Ordem dos Frades Menores com

21 de junho

a intenção de dedicar-se à propagação da fé entre os povos da África. Foi entretanto na França e na Itália que ele exerceu com excelentes frutos o ministério da pregação, convertendo muitos hereges. Foi o primeiro professor de teologia na sua Ordem. Escreveu vários sermões, cheios de doutrina e de unção espiritual. Morreu em Pádua no ano de 1231.

Do Comum dos pastores: para presbíteros, p. 1523, ou, dos doutores da Igreja, p. 1533, ou, dos santos homens: para religiosos, p. 1571.

Oração

Deus eterno e todo-poderoso, que destes Santo Antônio ao vosso povo como insigne pregador e intercessor em todas as necessidades, fazei-nos, por seu auxílio, seguir os ensinamentos da vida cristã, e sentir a vossa ajuda em todas as provações. Por nosso Senhor Jesus Cristo, vosso Filho, na unidade do Espírito Santo.

19 de junho

SÃO ROMUALDO, ABADE

Nasceu em Ravena (Itália), nos meados do século X. Tendo abraçado a vida eremítica, por muitos anos percorreu vários lugares em busca de solidão, edificando pequeninos mosteiros. Lutou valorosamente contra o relaxamento de costumes dos monges de seu tempo, enquanto, por sua parte, progredia com empenho no caminho da santidade pelo perfeito exercício das virtudes. Morreu por volta de 1027.

Do Comum dos santos homens: para religiosos, p. 1571.

Oração

Ó Deus, que por São Romualdo renovastes na vossa Igreja a vida eremítica, concedei-nos renunciar a nós mesmos e, seguindo o Cristo, chegar com alegria ao Reino celeste. Por nosso Senhor Jesus Cristo, vosso Filho, na unidade do Espírito Santo.

21 de junho

SÃO LUÍS GONZAGA, RELIGIOSO

Memória

Nasceu em 1568 perto de Mântua, na Lombardia (Itália), filho dos príncipes de Castiglione. Sua mãe educou-o cristãmente e, desde cedo, manifestou grande desejo de abraçar a vida religiosa. Renunciando ao principado em favor de seu irmão, ingressou na Companhia de Jesus, em Roma. Durante os estudos de teologia, ocupando-se com o serviço dos doentes nos hospitais, contraiu uma doença que o levou à morte em 1591.

Do Comum dos santos homens: para religiosos, p. 1571.

Oração

Ó Deus, fonte dos dons celestes, reunistes no jovem Luís Gonzaga a prática da penitência e a admirável pureza de vida. Concedei-nos, por seus méritos e preces, imitá-lo na penitência, se não o seguimos na inocência. Por nosso Senhor Jesus Cristo, vosso Filho, na unidade o Espírito Santo.

22 de junho

SÃO PAULINO DE NOLA, BISPO

Nasceu em Bordéus (França), em 335. Dedicou-se à carreira política, casou-se e teve um filho. Desejando levar uma vida mais austera, recebeu o batismo e, renunciando a todos os seus bens, em 393 abraçou a vida monástica, indo estabelecer-se em Nola, na Campânia (Itália). Sagrado bispo da cidade, promoveu o culto de São Félix, ajudou os peregrinos e empenhou-se com generosidade em aliviar as necessidades do seu tempo. Compôs uma coleção de poemas, notáveis pela elegância de estilo. Morreu em 431.

Do Comum dos pastores: para bispos, p. 1523.

Oração

Ó Deus, que fizestes brilhar no bispo São Paulino de Nola o amor à pobreza e o zelo pastoral, concedei que, celebrando os seus méritos, imitemos sua caridade. Por nosso Senhor Jesus Cristo, vosso Filho, na unidade do Espírito Santo.

No mesmo dia 22 de junho

SÃO JOÃO FISHER, BISPO, E SANTO TOMÁS MORE, MÁRTIRES

João Fisher nasceu em 1469. Fez seus estudos em Cambridge (Inglaterra) e foi ordenado sacerdote. Eleito bispo de Rochester, viveu com muita austeridade e tornou-se ótimo pastor, visitando com frequência seus fiéis. Escreveu também diversas obras contra os erros de seu tempo.

Tomás More nasceu em 1477 e fez seus estudos em Oxford. Tendo contraído matrimônio, teve um filho e três filhas. Ocupou o cargo de chanceler do reino. Escreveu diversos livros sobre a arte de governar e em defesa da religião.

Ambos foram decapitados em 1535 por ordem do rei Henrique VIII, por terem se recusado a ceder na questão da anulação do seu casamento: João Fisher em 22 de junho e Tomás More em 6 de julho. Enquanto estava preso, o bispo João Fisher foi criado cardeal da Santa Romana Igreja pelo papa Paulo III.

Do Comum de vários mártires, p. 1493.

Oração

Ó Deus, que coroastes no martírio a profissão da verdadeira fé, concedei que, fortificados pela intercessão de São João Fisher e São Tomás More, confirmemos com o testemunho da nossa vida a fé que professamos com os lábios. Por nosso Senhor Jesus Cristo, vosso Filho, na unidade do Espírito Santo.

24 de junho

NASCIMENTO DE SÃO JOÃO BATISTA

Solenidade

I Vésperas

Hino

Doce, sonoro, ressoe o canto,
minha garganta faça o pregão.
Solta-me a língua, lava-me a culpa,
ó São João!

Anjo no templo, do céu descendo,
teu nascimento ao pai comunica,
de tua vida preclara fala,
teu nome explica.

Súbito mudo teu pai se torna,
pois da promessa, incréu, duvida:
apenas nasces, renascer fazes
a voz perdida.

Da mãe no seio, calado ainda,
o Rei pressentes num outro vulto.
E à mãe revelas o alto mistério
do Deus oculto.

Louvor ao Pai, ao Filho unigênito,
e a vós, Espírito, honra também:
dos dois provindes, com eles sois
um Deus. Amém.

Ant. 1 Isabel deu à luz um grande homem:
João Batista, o precursor do Salvador.

Salmos e cântico do Comum dos santos homens, p. 1547.

Ant. 2 Do ventre de uma estéril anciã
nasceu João, o Precursor de Jesus Cristo.

Ant. 3 Entre aqueles que nasceram de mulher
não surgiu ninguém maior que João Batista.

Leitura breve   At 13,22-25

Conforme prometera, da descendência de Davi Deus fez surgir
para Israel um Salvador, que é Jesus. Antes que ele chegasse,
João pregou um batismo de conversão para todo o povo de Israel. Estando para terminar sua missão, João declarou: Eu não
sou aquele que pensais que eu seja! Mas vede: depois de mim
vem aquele, do qual nem mereço desamarrar as sandálias.

Responsório breve

R. Preparai o caminho do Senhor,
   * As estradas de Deus endireitai! R. Preparai.
V. Aquele que vem depois de mim,
   bem antes de mim já existia.
   * As estradas. Glória ao Pai. R. Preparai.

Cântico evangélico, ant.

Entrou Zacarias no templo de Deus,
e o anjo Gabriel apareceu-lhe
à direita do altar do incenso.

Preces

João Batista foi escolhido por Deus para anunciar à humanidade a chegada do reino de Cristo. Por isso, oremos com alegria, dizendo:
R. **Dirigi, Senhor, os nossos passos no caminho da paz!**

Vós, que chamastes João Batista desde o ventre materno para preparar os caminhos de vosso Filho,
– chamai-nos para seguir o Senhor com a mesma fidelidade com que João o precedeu. R.

Assim como destes a João Batista a graça de reconhecer o Cordeiro de Deus, fazei que vossa Igreja também o anuncie,
– e que os homens e as mulheres do nosso tempo o reconheçam. R.

Vós, que inspirastes a vosso profeta ser necessário ele diminuir para que Cristo crescesse,
– ensinai-nos a ceder lugar aos outros, para que vossa presença se manifeste em cada um de nós. R.

Vós, que quisestes proclamar a justiça mediante o martírio de João,
– tornai-nos testemunhas incansáveis da vossa verdade. R.

(intenções livres)

Lembrai-vos de todos aqueles que já partiram desta vida,
– recebei-os no reino da luz e da paz. R.

Pai nosso...

Oração

Ó Deus, que suscitastes São João Batista, a fim de preparar para o Senhor um povo perfeito, concedei à vossa Igreja as alegrias espirituais e dirigi nossos passos no caminho da salvação e da paz. Por nosso Senhor Jesus Cristo, vosso Filho, na unidade do Espírito Santo.

Laudes

Hino

Logo ao nasceres não trazes mancha,
João Batista, severo asceta,
Mártir potente, do ermo amigo,
grande profeta.

1272   24 de junho

De trinta frutos uns se coroam;
a fronte de outros o dobro cinge.
Tua coroa, dando três voltas,
os cem atinge.

Assim cingido de tanto mérito,
retira as pedras do nosso peito,
torto caminho, chão de alto e baixo,
torna direito.

Faze que um dia, purificados,
vindo a visita do Redentor,
possa em noss'alma, que preparaste,
seus passos pôr.

A vós, Deus Único, o céu celebra,
Trino em pessoas canta também.
Mas nós na terra, impuros, pedimos
perdão. Amém.

Ant. 1 Será João o seu **nome**
    e o **seu** nasci**men**to vai tra**zer**-te ale**gria**
    e a **mui**tos também.

Salmos e cântico do domingo da I Semana, p. 764.

Ant. 2 Com o es**pí**rito e a **for**ça de Elias,
    ele i**rá** à sua **fren**te prepa**rar**
    um **po**vo conver**ti**do para **Deus**.

Ant. 3 Serás profeta do Al**tís**simo, ó **Me**nino,
    pois i**rás** andando à **fren**te do Se**nhor**
    para apla**inar** e prepa**rar** os seus ca**mi**nhos.

Leitura breve   Ml 3,23-24

Eis que eu vos enviarei o profeta Elias, antes que venha o dia do Senhor, dia grande e terrível; o coração dos pais há de voltar-se para os filhos, e o coração dos filhos para seus pais, para que eu não intervenha, ferindo de maldição a vossa terra.

Responsório breve

R. Será **gran**de aos **o**lhos de **Deus**,
    * Será **cheio** do Es**pí**rito **San**to. R. Será **gran**de.
V. Ele i**rá** prepa**rar** para **Deus** um **po**vo vol**ta**do ao Se**nhor**.
    * Será **cheio**. Glória ao **Pai**. R. Será **gran**de.

24 de junho   1273

Cântico evangélico, ant.
Profetizando, Zacarias exclamou:
Bendito seja o Senhor **Deus** de Israel! †

Preces

Invoquemos a Cristo, que enviou João Batista como precursor, para preparar os seus caminhos; e digamos com toda confiança:
R. **Cristo, sol nascente, iluminai os nossos caminhos!**

Vós fizestes João Batista exultar de alegria no seio de Isabel;
– fazei que sempre nos alegremos com a vossa vinda a este mundo. R.

Vós nos indicastes o caminho da penitência pela palavra e pela vida de João Batista;
– convertei os nossos corações aos mandamentos do vosso reino. R.

Vós quisestes ser anunciado pela voz de um homem;
– enviai pelo mundo inteiro mensageiros do vosso Evangelho.R.

Vós quisestes ser batizado por João no rio Jordão, para que se cumprisse toda a justiça;
– fazei-nos trabalhar com empenho para estabelecer a justiça do vosso reino. R.
(intenções livres)

Pai nosso...

Oração

Ó Deus, que suscitastes São João Batista, a fim de preparar para o Senhor um povo perfeito, concedei à vossa Igreja as alegrias espirituais e dirigi nossos passos no caminho da salvação e da paz. Por nosso Senhor Jesus Cristo, vosso Filho, na unidade do Espírito Santo.

Hora Média

Salmos graduais, p. 1135. Sendo domingo, salmos do domingo da I Semana, p. 768.

Ant. Quando ou**vi** resso**ar** tua **voz** ao sau**dar**-me,
       o me**nino** sal**tou** de ale**gria** em meu **seio**. Ale**lu**ia.

1274 24 de junho

Leitura breve   cf. Is 49,5a.6b

Diz-me o Senhor, ele que me preparou desde o nascimento para
ser seu Servo: eu te farei luz das nações, para que minha salvação
chegue até aos confins da terra.

V. O Senhor me chamou desde o meu nascimento.
R. Desde o seio materno se lembrou do meu nome.

Oração como nas Laudes.

II Vésperas

HINO Doce, sonoro, como nas I Vésperas, p. 1269.

Ant. 1 Houve um homem enviado por Deus,
         e João era seu nome.

Salmos e cântico do Comum dos santos homens, p. 1556.

Ant. 2 João veio dar testemunho da Verdade.

Ant. 3 João foi um facho que arde e ilumina.

Leitura breve   At 13,23-25

Conforme prometera, da descendência de Davi Deus fez surgir
para Israel um Salvador, que é Jesus. Antes que ele chegasse,
João pregou um batismo de conversão para todo o povo de Israel. Estando para terminar sua missão, João declarou: Eu não
sou aquele que pensais que eu seja! Mas vede: depois de mim
vem aquele, do qual nem mereço desamarrar as sandálias.

Responsório breve

V. Preparai o caminho do Senhor,
      * As estradas de Deus endireitai! R. Preparai.
V. Aquele que vem depois de mim,
      bem antes de mim já existia
      * As estradas. Glória ao Pai. R. Preparai.

Cântico evangélico, ant.

O menino que nasceu é mais do que um profeta;
falou dele o Salvador:
Entre aqueles que nasceram de mulher
não surgiu ninguém maior que João Batista.

27 de junho 1275

Preces

João Batista foi escolhido por Deus para anunciar à humanidade a chegada do reino de Cristo. Por isso, oremos com alegria, dizendo:

R. **Dirigi, Senhor, os nossos passos no caminho da paz!**

Vós, que chamastes João Batista desde o ventre materno para preparar os caminhos de vosso Filho,
— chamai-nos para seguir o Senhor com a mesma fidelidade com que João o precedeu. R.

Assim como destes a João Batista a graça de reconhecer o Cordeiro de Deus, fazei que vossa Igreja também o anuncie,
— e que os homens e as mulheres do nosso tempo o reconheçam. R.

Vós, que inspirastes a vosso profeta ser necessário ele diminuir para que Cristo crescesse,
— ensinai-nos a ceder lugar aos outros, para que vossa presença se manifeste em cada um de nós. R.

Vós, que quisestes proclamar a justiça mediante o martírio de João,
— tornai-nos testemunhas incansáveis da vossa verdade. R.

(intenções livres)

Lembrai-vos de todos aqueles que já partiram desta vida,
— e recebei-os no reino da luz e da paz. R.

Pai nosso...

Oração

Ó Deus, que suscitastes São João Batista, a fim de preparar para o Senhor um povo perfeito, concedei à vossa Igreja as alegrias espirituais e dirigi nossos passos no caminho da salvação e da paz. Por nosso Senhor Jesus Cristo, vosso Filho, na unidade do Espírito Santo.

27 de junho

SÃO CIRILO DE ALEXANDRIA, BISPO E DOUTOR DA IGREJA

Nasceu em 370 e levou vida monástica. Ordenado sacerdote, acompanhou seu tio, bispo de Alexandria, de quem foi sucessor no episcopado, em 412. Combateu energicamente as doutrinas de Nestório e teve um impor-

1276   28 de junho

tante desempenho no Concílio de Éfeso. Escreveu muitas obras de grande erudição para explicar e defender a fé católica. Morreu em 444.

Do Comum dos pastores: para bispos, p. 1523, e dos doutores da Igreja, p. 1533.

Oração.

Ó Deus, que suscitastes em Alexandria o bispo São Cirilo para proclamar Maria Mãe de Deus, dai, aos que professam a maternidade divina, serem salvos pela encarnação do vosso Filho. Que convosco vive e reina, na unidade do Espírito Santo.

28 de junho

SANTO IRINEU, BISPO E MÁRTIR

Memória

Nasceu por volta do ano 130 e foi educado em Esmirna. Foi discípulo de São Policarpo, bispo desta cidade. No ano de 177, era presbítero em Lião (França) e, pouco tempo depois, foi nomeado bispo da mesma cidade. Escreveu diversas obras para defender a fé católica contra os erros dos gnósticos. Segundo a tradição, recebeu a coroa do martírio por volta do ano 200.

Do Comum de um mártir, p. 1509, ou, dos pastores: para bispos, p. 1523.

Laudes

Cântico evangélico, ant.
Honrando seu nome, "Irineu" dedicou sua vida à paz
e lutou pela paz das Igrejas.

Oração

Ó Deus, vós concedestes ao bispo Santo Irineu firmar a verdadeira doutrina e a paz da Igreja; pela intercessão de vosso servo, renovai em nós a fé e a caridade, para que nos apliquemos constantemente em alimentar a união e a concórdia. Por nosso Senhor Jesus Cristo, vosso Filho, na unidade do Espírito Santo.

Vésperas

Cântico evangélico, ant.
Por seu Deus, Santo Irineu lutou até à morte;
superou as provações, pois Jesus foi sua força.

29 de junho

SÃO PEDRO E SÃO PAULO, APÓSTOLOS

Solenidade

I Vésperas

Hino

Ó áurea luz, ó esplendor de rosa,
o azul vestis de sangue e de fulgor,
quando, tombando, os príncipes sagrados,
abrem do céu a porta ao pecador.

Doutor das gentes e do Céu Porteiro,
luzeiros sois, Juízes das Nações;
um pela espada, o outro pela cruz,
sobem do céu às eternais mansões.

Ó feliz Roma, por precioso sangue
cingida assim de púrpura e nobreza;
não por ti mesma, mas por tal martírio,
o mundo inteiro excedes em beleza.

Dupla oliveira, Pedro, Paulo viestes
na eterna Roma uma fronde erguer:
numa só fé e caridade acesos,
após a morte, dai-nos reviver!

Dê-se à Trindade sempiterna glória,
honra, poder e júbilo também;
pois na Unidade tudo e a todos rege,
agora e sempre, eternamente. Amém.

Ant. 1 Tu és o **Cris**to, o **Fi**lho do Deus **vi**vo!
Tu és fe**liz**, ó Si**mão**, filho de **Jo**nas!

Salmos e cântico do Comum dos apóstolos, p. 1477.

Ant. 2 Tu és **Pe**dro, e **so**bre esta **pe**dra
eu i**rei** constru**ir** a minha **I**greja.

Ant. 3 São **Pau**lo, A**pós**tolo das **Gen**tes,
vós **sois** instru**men**to escolhi**do**,
prega**dor** da ver**da**de em todo o **mun**do.

1278 29 de junho

Leitura breve
Rm 1,1-3a.7

Paulo, servo de Jesus Cristo, apóstolo por vocação, escolhido para o Evangelho de Deus, que pelos profetas havia prometido, nas Escrituras, e que diz respeito a seu Filho: A vós todos que morais em Roma, amados de Deus e santos por vocação, graça e paz da parte de Deus, nosso Pai, e de nosso Senhor, Jesus Cristo.

Responsório breve
R. Os **Após**tolos, com **gran**de cor**a**gem,
* Anunciavam a Palavra de **Deus**. R. Os **Após**tolos.
V. Testemu**nha**vam a **re**ssurrei**ção**
de **Nos**so **Se**nhor Jesus **Cris**to.
* Anunciavam. Glória ao **Pai**. R. Os **Após**tolos.

Cântico evangélico, ant.
Gloriosos A**pós**tolos de **Cristo**,
como em **vi**da os u**niu** grande a**fe**to,
assim na **mor**te não fi**ca**ram sep**a**rados.

Preces
Oremos a Cristo, que edificou sua Igreja sobre o alicerce dos apóstolos e dos profetas; e digamos com fé:
R. **Socorrei, Senhor, o vosso povo!**

Vós, que chamastes o pescador Simão para dele fazerdes pescador de homens,
– continuai chamando operários para que levem a vossa salvação à humanidade inteira. R.

Vós, que acalmastes a tempestade do mar para que a barca dos discípulos não afundasse,
– defendei a vossa Igreja de toda perturbação e fortalecei o Santo Padre. R.

Bom Pastor que, depois da ressurreição, reunistes ao redor de Pedro o rebanho que estava disperso,
– congregai o vosso povo num só rebanho e sob um só pastor. R.

Vós, que enviastes o apóstolo Paulo para evangelizar as nações pagãs,
– fazei que a palavra da salvação seja pregada a toda criatura. R.

(intenções livres)

29 de junho 1279

Vós, que entregastes à Igreja as chaves do reino dos céus,
– abri as portas do céu a todos aqueles que, durante a vida, confiaram na vossa misericórdia. R.

Pai nosso...

Oração

Ó Deus, que hoje nos concedeis a alegria de festejar São Pedro e São Paulo, concedei à vossa Igreja seguir em tudo os ensinamentos destes Apóstolos que nos deram as primícias da fé. Por nosso Senhor Jesus Cristo, vosso Filho, na unidade do Espírito Santo.

Laudes

Hino

A paixão dos Apóstolos
este dia sagrou,
o triunfo de Pedro
para nós revelou,
e a coroa de Paulo
até aos céus exaltou.

A vitória da morte
os uniu, como irmãos
consagrados no sangue,
verdadeira oblação;
pela fé coroados,
ao Senhor louvarão.

Pedro foi o primeiro
por Jesus consagrado;
Paulo, arauto por graça,
vaso eleito chamado,
pela fé se igualava
ao que tem o Primado.

Com os pés para o alto
foi Simão levantado
sobre a cruz do martírio,
como o Mestre, elevado,
recordando a Palavra
que ele tinha falado.

1280   29 de junho

Em tão nobre triunfo,
Roma foi elevada
ao mais alto dos cumes,
em tal sangue fundada;
por tão nobres profetas
a Jesus consagrada.

Para cá vem o mundo,
e se encontram os crentes,
feita centro dos povos,
nova mãe dos viventes,
como sede escolhida
pelo Mestre das gentes.

Redentor, vos pedimos
que possamos também
conviver com tais santos,
junto a vós, Sumo Bem,
e cantar vossa glória
pelos séculos. Amém.

Ant. 1 Sei em **quem** eu colo**quei** a minha **fé,**
estou **cer**to que ele **tem** poder di**vi**no
para guar**dar** até o **fim** o meu de**pó**sito,
que o Se**nhor**, justo Ju**iz**, me confi**ou**.

Salmos e cântico do domingo da I Semana, p. 764.

Ant. 2 A sua **gra**ça para **mim** não foi in**ú**til;
está co**mi**go e para **sem**pre fica**rá**.

Ant. 3 Comba**ti** o bom com**ba**te, termi**nei** minha car**rei**ra,
conser**vei** a minha **fé**.

Leitura breve   1Pd 4,13-14

Caríssimos, alegrai-vos por participar dos sofrimentos de Cristo,
para que possais também exultar de alegria na revelação da sua
glória. Se sofreis injúrias por causa do nome de Cristo, sois felizes,
pois o Espírito da glória, o Espírito de Deus repousa sobre vós.

Responsório breve
R. Por **Cris**to entregaram suas **vi**das,
* Pelo **no**me de Je**sus**, Nosso Se**nhor**. **R.** Por **Cris**to.

V. Saíram exultantes do Sinédrio,
   por ter sido achados dignos de sofrer. * Pelo nome.
   Glória ao **Pai**. R. Por Cristo.

Cântico evangélico, ant.

Disse Pedro a Jesus:
A **quem** nós iremos, Senhor Jesus Cristo?
Só **tu** tens palavras de vida eterna.
Nós **cremos**, sabendo que és o Senhor,
que **tu** és o Cristo, o Filho de Deus!

Preces

Oremos a Cristo, que edificou sua Igreja sobre o alicerce dos apóstolos e dos profetas; e digamos com fé:
R. **Favorecei, Senhor, a vossa Igreja!**

Vós, que rezastes por Pedro para que sua fé não desfalecesse,
– confirmai na fé a vossa Igreja. R.

Vós, que, depois da ressurreição, aparecestes a Simão Pedro e vos revelastes a Paulo,
– iluminai nossa inteligência, para proclamarmos que estais vivo no meio de nós. R.

Vós, que escolhestes o apóstolo Paulo para anunciar o vosso nome aos povos pagãos,
– tornai-nos verdadeiros pregadores do vosso evangelho. R.

Vós, que, na vossa misericórdia, perdoastes as negações de Pedro,
– perdoai também as nossas faltas. R.

Pai nosso...

Oração

Ó Deus, que hoje nos concedeis a alegria de festejar São Pedro e São Paulo, concedei à vossa Igreja seguir em tudo os ensinamentos destes Apóstolos que nos deram as primícias da fé. Por nosso Senhor Jesus Cristo, vosso Filho, na unidade do Espírito Santo.

Hora Média

Salmos graduais, p. 1135. Se for domingo, salmos do domingo da I Semana, p. 768.

Ant. Subiu Pedro ao terraço para orar,
   quando era por volta da hora sexta.

1282   29 de junho

Leitura breve   Gl 1,15-16a.17b-18a

Quando aquele que me separou desde o ventre matemo e me chamou por sua graça se dignou revelar-me o seu Filho, para que eu
o pregasse entre os pagãos, parti para a Arábia e, depois, voltei
ainda a Damasco. Três anos mais tarde, fui a Jerusalém para conhecer Cefas.

V. Guardavam os preceitos
R. E as ordens do Senhor.

Oração como nas Laudes.

II Vésperas

Hino

Roma feliz, tornada cor de púrpura
destes heróis no sangue tão fecundo,
não por teus méritos, mas por estes santos,
que golpeaste com a cruz e a espada,
em formosura excedes todo o mundo.

E vós agora, gloriosos mártires,
heróis invictos da mansão de Deus,
Pedro feliz, e Paulo flor do mundo,
do mal livrai-nos pela vossa prece
e conduzi-nos para os altos céus.

Glória a Deus Pai nos infinitos séculos,
honra e império, ó Filho, a vós também,
poder, beleza ao vosso Santo Espírito,
laço de amor unindo o Pai e o Filho.
Glória à Trindade para sempre. Amém.

Ant. 1 Eu roguei por ti, ó Pedro,
que tua fé não desfaleça.
Quando estiveres convertido,
fortalece os teus irmãos.

Salmos e cântico do Comum dos apóstolos, p. 1484.

Ant. 2 De boa mente me glorio nas fraquezas,
para que a força do Senhor habite em mim.

Ant. 3 És pastor das ovelhas de Cristo, dos apóstolos chefe;
a ti foram entregues as chaves do Reino dos céus.

29 de junho   1283

Leitura breve
1Cor 15,3-5.8

Transmiti-vos, em primeiro lugar, aquilo que eu mesmo tinha recebido, a saber: que Cristo morreu por nossos pecados, segundo as Escrituras; que foi sepultado; que, ao terceiro dia, ressuscitou, segundo as Escrituras; e que apareceu a Cefas e, depois, aos Doze. Por último, apareceu também a mim.

Responsório breve
R. Os **Após**tolos, com **gran**de co**ra**gem,
   * Anunciavam a Pala**v**ra de **Deus**. R. Os A**pós**tolos.
V. Testemu**n**havam a **res**surrei**ção**
   de **Nos**so Se**nhor** Jesus **Cris**to.
   * Anunciavam. Glória ao **Pai**. R. Os A**pós**tolos.

Cântico evangélico, ant.
Se**nhor**, o A**pós**tolo **Pe**dro,
e **Pau**lo, o dou**tor** das na**ções**,
transmi**ti**ram a **nós** vossa **lei**.

Preces
Oremos a Cristo, que edificou sua Igreja sobre o alicerce dos apóstolos e dos profetas; e digamos com fé:

R. **Socorrei, Senhor, o vosso povo!**

Vós, que chamastes o pescador Simão para dele fazerdes pescador de homens,
– continuai chamando operários para que levem a vossa salvação à humanidade inteira.   R.

Vós, que acalmastes a tempestade do mar para que a barca dos discípulos não afundasse,
– defendei a vossa Igreja de toda perturbação e fortalecei o Santo Padre.   R.

Bom Pastor que, depois da ressurreição, reunistes ao redor de Pedro o rebanho que estava disperso,
– congregai o vosso povo num só rebanho e sob um só pastor.
                                                        R.

Vós, que enviastes o apóstolo Paulo para evangelizar as nações pagãs,
– fazei que a palavra da salvação seja pregada a toda criatura. R.

(intenções livres)

1284　　　　　　30 de junho

Vós, que entregastes à Igreja as chaves do reino dos céus,
– abri as portas do céu a todos aqueles que, durante a vida, confiaram na vossa misericórdia.　　　　　　　　R.

Pai nosso...

Oração

Ó Deus, que hoje nos concedeis a alegria de festejar São Pedro e
São Paulo, concedei à vossa Igreja seguir em tudo os ensinamen-
tos destes Apóstolos que nos deram as primícias da fé. Por nosso
Senhor Jesus Cristo, vosso Filho, na unidade do Espírito Santo.

30 de junho

SANTOS PROTOMÁRTIRES DA IGREJA DE ROMA

Na primeira perseguição contra a Igreja, desencadeada pelo imperador
Nero, depois do incêndio da cidade de Roma no ano 64, muitos cristãos
foram martirizados com atrozes tormentos. Este fato é testemunhado
pelo escritor pagão Tácito *(Annales 15,44)* e por São Clemente, bispo
de Roma, na sua Carta aos Coríntios (cap. 5-6).

Do Comum de vários mártires, p. 1493.

Laudes

Cântico evangélico, ant.

A **gran**de multi**dão** dos **már**tires de **Cris**to
persis**ti**a no a**mor** e na fra**ter**na união,
pois a **e**les ani**ma**va a mesma **fé** e o mesmo es**pí**rito.

Oração

Ó Deus, que consagrastes com o sangue dos mártires os fecundos
primórdios da Igreja de Roma, dai que sua coragem no combate
nos obtenha uma força inabalável e a alegria da vitória. Por nosso
Senhor Jesus Cristo, vosso Filho, na unidade do Espírito Santo.

Vésperas

Cântico evangélico, ant.

A**ma**ram a **Cris**to na **vi**da, imi**ta**ram o **Cris**to na **mor**te, reina-
rão para **sem**pre com **e**le.

JULHO

3 de julho

SÃO TOMÉ, APÓSTOLO

Festa

Tomé tornou-se conhecido entre os apóstolos principalmente por sua incredulidade que desapareceu diante do Cristo ressuscitado; e com isso proclamou a fé pascal da Igreja: "Meu Senhor e meu Deus!". Nada de certo se sabe sobre sua vida, além dos indícios fornecidos pelo Evangelho. É de tradição ter ele evangelizado os povos da Índia. Desde o século VI comemora-se a 3 de julho a trasladação de seu corpo para Edessa.

Do Comum dos apóstolos, p. 1479, exceto o seguinte:

Laudes

Hino

Tu fulguras qual luzeiro
entre os doze, São Tomé;
oh! recebe prazenteiro
o louvor de nossa fé!

O Senhor te fez sentar
sobre um trono só de luz.
O amor levou-te a dar
tua vida por Jesus.

Relataram os irmãos
que o Senhor tornara à vida;
queres vê-lo e, com as mãos,
apalpar suas feridas.

Que alegria quando o viste
redivivo em seu fulgor;
e com fé o adoraste
como Deus e teu Senhor.

Entre nós, que não o vemos,
nossa fé por ti floresça,
e o amor com que o buscamos
dia a dia sempre cresça.

1286

3 de julho

Seja ao Cristo honra e vitória!
Que a teus rogos ele dê
vê-lo vivo em sua glória
a quem anda à luz da fé!

Ant. 1 E disse-lhe Tomé:
Senhor, não sabemos aonde tu vais,
e como podemos saber o caminho?
Jesus respondeu:
Eu sou o Caminho, a Verdade e a Vida.

Salmos e cântico do domingo da I Semana, p. 764.

Ant. 2 Tomé, que também é chamado de Dídimo,
não estava com eles quando veio Jesus.
Disseram a ele: Nós vimos Jesus. Aleluia.

Ant. 3 Com teu dedo vem tocar as minhas mãos,
coloca a tua mão no lado aberto,
e não sejas um incrédulo, Tomé,
mas tenhas fé, aleluia, aleluia.

Leitura breve

Ef 2,19-22

Já não sois mais estrangeiros nem migrantes, mas concidadãos dos santos. Sois da família de Deus. Vós fostes integrados no edifício que tem como fundamento os apóstolos e os profetas, e o próprio Jesus Cristo como pedra principal. É nele que toda a construção se ajusta e se eleva para formar um templo santo no Senhor. E vós também sois integrados nesta construção, para vos tornardes morada de Deus pelo Espírito.

Responsório breve

R. Fareis deles os chefes
* Por toda a terra. R. Fareis.
V. Lembrarão vosso nome, Senhor, para sempre.
* Por toda. Glória ao Pai. R. Fareis.

Cântico evangélico, ant.

Acreditaste, Tomé, porque me viste.
Felizes os que creem sem ter visto! Aleluia.

PRECES do Comum dos apóstolos, p. 1482.

Oração

Deus todo-poderoso, concedei-nos celebrar com alegria a festa do apóstolo São Tomé, para que sejamos sempre sustentados por sua proteção e tenhamos a vida pela fé no Cristo que ele reconheceu como Senhor. Que convosco vive e reina, na unidade do Espírito Santo.

Vésperas

Hino, salmos e cântico do Comum dos apóstolos, p. 1483.

Antífonas como nas Laudes, p. 1286.

Leitura breve

Ef 4,11-13

Foi Cristo quem instituiu alguns como apóstolos, outros como profetas, outros ainda como evangelistas, outros, enfim, como pastores e mestres. Assim, ele capacitou os santos para o ministério, para edificar o corpo de Cristo, até que cheguemos todos juntos à unidade da fé e do conhecimento do Filho de Deus, ao estado do homem perfeito e à estatura de Cristo em sua plenitude.

Responsório breve

R. Anunciai entre as **nações**
* A **glória** do Se**nhor**. R. Anunci**ai**.
V. E as **su**as maravilhas entre os **po**vos do uni**ver**so.
* A **glória**. Glória ao **Pai**. R. Anunci**ai**.

Cântico evangélico, ant.

Colo**quei** os meus **de**dos na **fen**da dos **cra**vos,
colo**quei** minhas **mãos** em **seu** lado a**ber**to
e excla**mei**: Meu Se**nhor** e meu **Deus**, ale**lui**a!

PRECES do Comum dos apóstolos, p. 1487.

Oração

Deus todo-poderoso, concedei-nos celebrar com alegria a festa do apóstolo São Tomé, para que sejamos sempre sustentados por sua proteção e tenhamos a vida pela fé no Cristo que ele reconheceu como Senhor. Que convosco vive e reina, na unidade do Espírito Santo.

4 de julho

SANTA ISABEL DE PORTUGAL

Filha dos reis de Aragão, nasceu em 1271. Ainda muito jovem, foi dada em casamento ao rei de Portugal com quem teve dois filhos. Dedicou--se de modo particular à oração e às obras de misericórdia, e suportou muitas tristezas e dificuldades com grande fortaleza de ânimo. Depois da morte do marido, distribuiu os bens entre os pobres e tomou o hábito da Ordem Terceira de São Francisco. Morreu em 1336, quando intermediava um acordo de paz entre seu filho e seu genro.

Do Comum das santas mulheres: para aquelas que se dedicaram às obras de caridade, p. 1573.

Oração

Ó Deus, autor da paz e da caridade, que destes a Santa Isabel de Portugal a graça de reconciliar os desunidos, concedei-nos, por sua intercessão, trabalhar pela paz, para que possamos ser chamados filhos de Deus. Por nosso Senhor Jesus Cristo, vosso Filho, na unidade do Espírito Santo.

5 de julho

SANTO ANTÔNIO MARIA ZACARIA, PRESBÍTERO

Nasceu em Cremona, na Lombardia, em 1502; estudou medicina em Pádua e, recebido o sacerdócio, fundou a Congregação dos Clérigos de São Paulo, ou Barnabitas, que muito trabalhou pela reforma dos costumes dos fiéis. Morreu em 1539.

Do Comum dos pastores: para presbíteros, p. 1523, ou dos santos homens: para educadores, p. 1574, ou para religiosos, p. 1571.

Oração

Concedei-nos, ó Deus, aquele incomparável conhecimento de Jesus Cristo que destes ao apóstolo São Paulo, e que inspirou Santo Antônio Maria Zacaria, ao anunciar constantemente em vossa Igreja a palavra da salvação. Por nosso Senhor Jesus Cristo, vosso Filho, na unidade do Espírito Santo.

11 de julho   1289

6 de julho

SANTA MARIA GORETTI, VIRGEM E MÁRTIR

Nasceu em Corinaldo, na Itália, em 1890, de família pobre. Sua meninice, passada nas proximidades de Netuno, foi dura, auxiliando a mãe nos cuidados da casa; sendo piedosa por índole, era assídua na oração. Em 1902, para defender sua castidade contra um agressor, preferiu morrer a desonrar-se e foi coberta de punhaladas.

Do Comum de um(a) mártir, p. 1509, ou das virgens, p. 1539.

Oração

Ó Deus, fonte de inocência e pureza, que ornastes Maria Goretti, ainda adolescente, com a graça do martírio e a coroastes no combate pela virgindade, dai-nos, por sua intercessão, guardar sempre os vossos mandamentos. Por nosso Senhor Jesus Cristo, vosso Filho, na unidade do Espírito Santo.

11 de julho

SÃO BENTO, ABADE

Memória

Nasceu em Núrcia, na Úmbria (Itália), por volta do ano 480; estudou em Roma; começou a praticar vida eremítica em Subiaco, onde reuniu um grupo de discípulos, indo mais tarde para Montecassino. Aí fundou um célebre mosteiro e escreveu a Regra que, difundida em muitos países, lhe valeu o título de patriarca do monaquismo do Ocidente. Morreu a 21 de março de 547. Contudo, desde fins do século VIII, sua memória começou a ser celebrada em muitas regiões no dia de hoje.

Do Comum dos santos homens: para religiosos, p. 1571, exceto o seguinte:

Laudes

Hino

Legislador, doutor prudente e venerável,
que sobre o mundo em altos méritos brilhais,
vinde de novo, ó São Bento, completá-lo,
com a fulgente luz de Cristo o clareai.

1290   11 de julho

Por vós floriu algo de novo, admirável,
unindo os povos em real fraternidade.
Artista e mestre em decifrar as leis sagradas,
fazei cumpri-las com igual suavidade.

Livres e escravos, através da nova regra,
fazeis discípulos de Jesus pela oração.
E o trabalho, sustentado pela prece,
uniu a todos em um mesmo coração.

Guia fraterno, auxiliai todos os povos
a trabalharem, se ajudando mutuamente
na construção da paz feliz e dos seus frutos,
usufruindo dos seus dons eternamente.

Glória a Deus Pai e a seu Filho Unigênito,
e honra à Chama do divino Resplendor,
de cuja graça e glória eterna vós fizestes
razão primeira e objeto de louvor.

Cântico evangélico, ant.
Houve um **ho**mem vene**rá**vel por sua **vi**da
que foi "**Ben**to" pela **gra**ça e pelo **no**me.

Oração

Ó Deus, que fizestes o abade São Bento preclaro mestre na escola
do vosso serviço, concedei que, nada preferindo ao vosso amor,
corramos de coração dilatado no caminho dos vossos mandamentos. Por nosso Senhor Jesus Cristo, vosso Filho, na unidade
do Espírito Santo.

Vésperas

Hino

Entre as coroas dadas pelo alto,
cujo louvor celebra o nosso canto
glorioso brilhas por merecer tanto,
grande São Bento!

Ainda jovem, te orna a santidade,
do mundo o gozo nada te roubou,
murcha a teus olhos deste mundo a flor,
olhas o alto.

13 de julho

Pátria e família deixas pela fuga,
e na floresta buscas teu sustento.
Ali rediges belo ensinamento
de vida santa.

Obediência à lei de Cristo ensinas
aos reis e povos, tudo o que lhe agrada.
Por tua prece, a nossa tenha entrada
aos bens do céu.

Glória a Deus Pai e ao Filho Unigênito,
e ao Santo Espírito honra e adoração.
Graças a ele, fulge o teu clarão
no céu. Amém.

Cântico evangélico, ant.
Sobre este desce a **bênção** do Senhor
e a recom**pen**sa de seu **Deus** e Salva**dor**,
porque **esta** é a gera**ção** dos que o pro**cu**ram.

Oração como nas Laudes.

13 de julho

SANTO HENRIQUE

Nasceu na Baviera em 973; sucedeu a seu pai no governo do ducado e mais tarde foi eleito imperador. Distinguiu-se por seu zelo em promover a reforma da vida da Igreja e a atividade missionária. Fundou vários bispados e enriqueceu mosteiros. Morreu em 1024 e foi canonizado pelo papa Eugênio III, em 1146.

Do Comum dos santos homens, p. 1551.

Oração

Senhor Deus, que cumulastes de graça o imperador Henrique, elevando-o de modo admirável das preocupações do governo terrestre às coisas do céu, concedei, por suas preces, que vos busquemos de todo o coração entre as vicissitudes deste mundo. Por nosso Senhor Jesus Cristo, vosso Filho, na unidade do Espírito Santo.

14 de julho

SÃO CAMILO DE LELLIS, PRESBÍTERO

Nasceu em Chieti, nos Abruzos (Itália), em 1550; seguiu primeiramente a carreira militar e, quando se converteu, consagrou-se ao cuidado dos enfermos. Terminados os estudos e ordenado sacerdote, fundou uma Congregação destinada a construir hospitais e atender os doentes. Morreu em Roma, no ano 1614.

Do Comum dos santos homens: para aqueles que se dedicaram às obras de caridade, p. 1573.

Oração

Ó Deus, que inspirastes a São Camilo de Lellis extraordinária caridade para com os enfermos, dai-nos o vosso espírito de amor, para que, servindo-vos em nossos irmãos e irmãs, possamos partir tranquilos ao vosso encontro na hora de nossa morte. Por nosso Senhor Jesus Cristo, vosso Filho, na unidade do Espírito Santo.

15 de julho

SÃO BOAVENTURA, BISPO E DOUTOR DA IGREJA

Memória

Nasceu por volta de 1218, em Bagnorégio, na Etrúria (Itália). Estudou filosofia e teologia em Paris e, obtida a láurea de doutor, ensinou as mesmas disciplinas, com grande aproveitamento, aos seus irmãos da Ordem dos Frades Menores. Eleito ministro geral da Ordem, governou-a com prudência e sabedoria. Foi nomeado bispo de Albano e criado cardeal. Morreu em Lião (França), no ano de 1274. Escreveu muitas obras filosóficas e teológicas.

Do Comum dos pastores: para bispos, p. 1523, e dos doutores da Igreja, p. 1533.

Oração

Concedei-nos, Pai todo-poderoso, que, celebrando a festa de São Boaventura, aproveitemos seus preclaros ensinamentos e imitemos sua ardente caridade. Por nosso Senhor Jesus Cristo, vosso Filho, na unidade do Espírito Santo.

16 de julho

NOSSA SENHORA DO CARMO

A Sagrada Escritura celebra a beleza do Carmelo, onde o profeta Elias defendeu a pureza da fé de Israel no Deus vivo. No século XII, alguns eremitas foram viver nesse monte e, mais tarde, constituíram uma Ordem de vida contemplativa sob o patrocínio da Santa Mãe de Deus, Maria.

Do Comum de Nossa Senhora, p. 1462.

Laudes

Cântico evangélico, ant.

Busquei sabedoria com toda a minha alma,
e a pedi na oração;
em mim ela cresceu como a uva temporã.

Oração

Venha, ó Deus, em nosso auxílio a gloriosa intercessão de Nossa Senhora do Carmo, para que possamos, sob sua proteção, subir ao monte que é Cristo. Que convosco vive e reina, na unidade do Espírito Santo.

Vésperas

Cântico evangélico, ant.

Maria ouvia, meditava e guardava
a palavra de Deus no seu coração.

17 de julho

BEM-AVENTURADO INÁCIO DE AZEVEDO, PRESBÍTERO, E SEUS COMPANHEIROS, MÁRTIRES

Memória

Inácio de Azevedo nasceu no Porto (Portugal), de família ilustre, em 1526 ou 1527; entrou na Companhia de Jesus em 1548 e foi ordenado sacerdote em 1553. Mais tarde partiu para o Brasil, a fim de se consagrar ao apostolado missionário. Tendo voltado à pátria, conseguiu recrutar numerosos colaboradores para a sua obra evangelizadora e empreendeu a viagem de regresso; mas, interceptados ao largo das ilhas Canárias pelos corsários anticatólicos, ali sofreu o martírio no dia 15 de julho de 1570. Os trinta e nove companhei-

1294   22 de julho

ros que iam na mesma nau (trinta e um portugueses e oito espanhóis) foram também martirizados no mesmo dia ou no dia
seguinte. Foram beatificados pelo papa Pio IX em 1854.

Do Comum de vários mártires, p. 1493.

Oração

Ó Deus, que escolhestes Inácio de Azevedo e seus trinta e nove
companheiros para regarem com seu sangue as primeiras sementes do Evangelho lançadas na Terra de Santa Cruz, concedei-nos
professar constantemente, para vossa maior glória, a fé que recebemos de nossos antepassados. Por nosso Senhor Jesus Cristo,
vosso Filho, na unidade do Espírito Santo.

21 de julho

SÃO LOURENÇO DE BRÍNDISI, PRESBÍTERO E DOUTOR DA IGREJA

Nasceu em 1559; recebido entre os frades capuchinhos, ensinou teologia
aos confrades e exerceu grandes cargos. Como pregador assíduo e eficaz, percorreu a Europa; também escreveu obras para a exposição da fé.
Morreu em Lisboa em 1619.

Do Comum dos pastores: para presbíteros, p. 1523, e dos doutores da
Igreja, p. 1533.

Oração

Ó Deus, que, para a vossa glória e a salvação da humanidade,
destes a São Lourenço de Bríndisi o espírito de conselho e fortaleza, concedei-nos, pelo mesmo espírito, conhecer o que devemos praticar e, por suas preces, realizá-lo. Por nosso Senhor Jesus Cristo, vosso Filho, na unidad do Espírito Santo.

22 de julho

SANTA MARIA MADALENA

Memória

É mencionada entre os discípulos de Cristo, esteve presente ao pé da
cruz e mereceu ser a primeira a ver o Redentor ressuscitado na madrugada do dia de Páscoa (Mc 16,9). Seu culto difundiu-se na Igreja ocidental,
sobretudo a partir do século XII.

Do Comum das santas mulheres, p. 1562, exceto o seguinte:

22 de julho 1295

Laudes

Hino

Luminosa, a aurora desperta
e o triunfo de Cristo anuncia.
Tu, porém, amorosa, procuras
ver e ungir o seu Corpo, ó Maria.

Quando o buscas, correndo ansiosa,
vês o anjo envolvido em luz forte;
ele diz que o Senhor está vivo
e quebrou as cadeias da morte.

Mas amor tão intenso prepara
para ti recompensa maior:
crês falar com algum jardineiro,
quando escutas a voz do Senhor.

Estiveste de pé junto à cruz,
com a Virgem das Dores unida;
testemunha e primeira enviada
és agora do Mestre da vida.

Bela flor de Mágdala, ferida
pelo amor da divina verdade,
faze arder o fiel coração
com o fogo de tal caridade.

Dai-nos, Cristo, imitarmos Maria
em amor tão intenso, também,
para um dia nos céus entoarmos
vossa glória nos séculos. Amém.

Ant. 1 No dia primeiro da semana,
Maria Madalena veio cedo,
quando ainda estava bem escuro,
para ver a sepultura de Jesus.

Salmos e cântico do domingo da I Semana, p. 764.

Ant. 2 Meu coração arde no peito,
quero ver o meu Senhor!
Eu procuro e não encontro
o lugar onde o puseram. Aleluia.

1296   22 de julho

Ant. 3 Chorando, Maria inclinou-se
e olhou para dentro do túmulo;
viu dois anjos vestidos de branco. Aleluia.

Leitura breve   Rm 12,1-2
Pela misericórdia de Deus, eu vos exorto, irmãos, a vos oferecerdes em sacrifício vivo, santo e agradável a Deus: Este é o
vosso culto espiritual. Não vos conformeis com o mundo, mas
transformai-vos, renovando vossa maneira de pensar e de julgar,
para que possais distinguir o que é da vontade de Deus, isto é, o
que é bom, o que lhe agrada, o que é perfeito.

Responsório breve
R. Já não chores, Maria:
* O Senhor ressurgiu. R. Já não chores.
V. Anuncia aos irmãos: * O Senhor.
  Glória ao Pai. R. Já não chores.

Cântico evangélico, ant.
Na manhã do dia da Páscoa, o Senhor ressuscitou
e apareceu primeiramente a Maria Madalena. Aleluia.

PRECES do Comum das santas mulheres, p. 1564, ou do dia de semana.

Oração
Ó Deus, o vosso Filho confiou a Maria Madalena o primeiro anún-
cio da alegria pascal; dai-nos, por suas preces e a seu exemplo,
anunciar também que o Cristo vive e contemplá-lo na glória de seu
Reino. Por nosso Senhor Jesus Cristo, vosso Filho, na unidade do
Espírito Santo.

Ou:
Por nosso...

Vésperas

Hino
Ó estrela feliz de Mágdala,
para ti nosso culto e louvor,
Jesus Cristo te uniu a si mesmo
por estreita aliança de amor.

22 de julho

Seu poder ele em ti revelou,
repelindo as potências do mal.
E na fé te ligaste ao Senhor
pelos laços de amor sem igual.

O amor te impeliu a segui-lo
com vibrante e fiel gratidão.
Em cuidados se fez manifesta
a ternura do teu coração.

Tu ficaste de pé com Maria
junto ao Cristo pendente da Cruz.
Com aromas ungiste seu corpo,
que verás ressurgido na luz.

Testemunha primeira, tu foste
anunciar que Jesus ressurgiu.
Guia o povo na Páscoa nascido
nos caminhos que Cristo seguiu.

Honra, glória e louvor à Trindade,
cujo amor fez prodígios em ti.
Contemplemos também sua face,
quando o dia da glória surgir.

Ant. 1 Jesus **dis**se a Ma**ri**a:
Mu**lher**, por que **cho**ras? A **quem** tu pro**cu**ras?

Salmos e cântico do Comum das santas mulheres, p. 1567.

Ant. 2 **Le**varam o meu Se**nhor** e não **sei** onde o puseram.

Ant. 3 Jesus **dis**se: Ma**ri**a!
Ela **dis**se: Rab**bo**ni! Traduzido: Ó **Mes**tre!

Leitura breve   Rm 8,28-30

Sabemos que tudo contribui para o bem daqueles que amam a
Deus, daqueles que são chamados para a salvação, de acordo com
o projeto de Deus. Pois aqueles que Deus contemplou com seu
amor desde sempre, a esses ele predestinou a serem conformes
à imagem de seu Filho, para que este seja o primogênito numa
multidão de irmãos. E aqueles que Deus predestinou, também os
chamou. E aos que chamou, também os tornou justos; e aos que
tornou justos, também os glorificou.

1298   25 de julho

Responsório breve
R. Já não **cho**res, Ma**ri**a:
  * O Se**nhor** ressur**giu**. R. Já não **cho**res.
V. Anun**ci**a aos ir**mãos**: * O Se**nhor**.
  Glória ao **Pai**. R. Já não **cho**res.
Cântico evangélico, ant.

Ma**ri**a anunci**ou** aos dis**cí**pulos: Eu **vi** o Se**nhor**, ale**lu**ia!

PRECES como nas Vésperas do Comum das santas mulheres, p. 1569,
ou do dia de semana.

Oração como nas Laudes.

23 de julho

SANTA BRÍGIDA, RELIGIOSA

Em 1303 nasceu na Suécia; ainda muito jovem, foi dada em casamento;
teve oito filhos que educou com esmero. Ingressando na Ordem Terceira
de São Francisco, depois da morte do marido intensificou sua vida ascética, embora vivendo no mundo. Fundou então uma ordem religiosa e, indo
para Roma, tornou-se para todos exemplo de grandes virtudes. Por penitência, fez peregrinações; escreveu muitas obras em que falava de assuntos
místicos, dos quais tinha muita experiência. Morreu em Roma em 1373.

Do Comum das santas mulheres: para religiosas, p. 1571.

Oração

Senhor nosso Deus, que revelastes a Santa Brígida os mistérios
celestes, quando meditava a Paixão do vosso Filho, concedei-nos
exultar de alegria na revelação de vossa glória. Por nosso Senhor
Jesus Cristo, vosso Filho, na unidade do Espírito Santo.

25 de julho

SÃO TIAGO, APÓSTOLO

Festa

Nasceu em Betsaida; era filho de Zebedeu e irmão do apóstolo João. Esteve presente aos principais milagres realizados por Cristo. Foi morto por
Herodes, cerca do ano 42. É venerado com grande devoção em Compos-
tela (Espanha), onde se ergue uma célebre basílica dedicada a seu nome.

Do Comum dos apóstolos, p. 1479, exceto o seguinte:

25 de julho 1299

Laudes

Hino

Ó São Tiago, vos trazemos
um canto alegre de louvor.
Da simples arte de pescar,
Jesus aos cimos vos levou.

Ao seu chamado obedecendo,
com vosso irmão tudo deixastes
e do seu Nome e do seu Verbo,
ardente arauto vos tornastes.

Ó testemunha fulgurante
da mão direita do Senhor,
vedes no monte a glória eterna,
no horto vedes a sua dor.

E quando a taça do martírio
chamou por vós, pronto atendestes,
como primeiro entre os apóstolos
pelo Senhor dela bebestes.

Fiel discípulo de Cristo,
da luz do céu semeador,
iluminai os corações
pela esperança, fé e amor.

Dai-nos seguir com prontidão
a Jesus Cristo e seus preceitos,
para podermos, junto a vós,
cantar-lhe o hino dos eleitos.

Ant. 1 Cami**nhan**do Je**sus**, viu Ti**a**go e Jo**ão**,
os ir**mãos** Zebe**deus**, e tam**bém** os cha**mou**.

Salmos e cântico do domingo da I Semana, p.764.

Ant. 2 E **logo** deix**an**do o **pai** e as **redes**, se**gui**ram Je**sus**.

Ant. 3 Bebe**reis** do meu **cá**lice que eu **de**vo be**ber**,
rece**bereis** o ba**tis**mo que **vou** rece**ber**.

Leitura breve Ef 2,19-22
Já não sois mais estrangeiros nem migrantes, mas concidadãos dos
santos. Sois da família de Deus. Vós fostes integrados no edifício
que tem como fundamento os apóstolos e os profetas, e o próprio

Jesus Cristo como pedra principal. É nele que toda a construção se ajusta e se eleva para formar um templo santo no Senhor. E vós também sois integrados nesta construção, para vos tornardes morada de Deus pelo Espírito.

Responsório breve
R. Fareis **deles** os **chefes** * Por **toda** a **ter**ra. R. Fareis.
V. Lembra**rão** vosso **no**me, Se**nhor**, para **sem**pre.
   * Por **to**da. Glória ao **Pai**. R. Fareis.

Cântico evangélico, ant.
Je**sus** tomou a **Pe**dro e os ir**mãos** João e Ti**a**go
e os le**vou** a um alto **mon**te,
e a**li**, diante **de**les, fi**cou** transfigu**ra**do.

PRECES do Comum dos apóstolos, p. 1482.

Oração
Deus eterno e todo-poderoso, que pelo sangue de São Tiago consagrastes as primícias dos trabalhos dos Apóstolos, concedei que a vossa Igreja seja confirmada pelo seu testemunho e sustentada pela sua proteção. Por nosso Senhor Jesus Cristo, vosso Filho, na unidade do Espírito Santo.

Vésperas

HINO do Comum dos apóstolos, p. 1483.

Ant. 1 Je**sus** tomou con**si**go a **Pe**dro, Tiago e Jo**ão**,
     e come**çou** a entriste**cer**-se e a fi**car** angustia**do**.

Salmos e cântico do Comum dos apóstolos, p. 1484.

Ant. 2 Jesus então fa**lou** e disse a **e**les:
     O**rai** e vigi**ai** aqui co**mi**go,
     a **fim** de não cai**rdes** em tenta**ção**.

Ant. 3 Apode**rou**-se o rei He**ro**des
     de alguns **mem**bros da I**gre**ja
     a **fim** de maltra**tá**-los.
     E man**dou** matar à es**pa**da Tiago, irmão de Jo**ão**.

Leitura breve   Ef 4,11-13
Foi Cristo quem instituiu alguns como apóstolos, outros como profetas, outros ainda como evangelistas, outros, enfim, como pastores e mestres. Assim, ele capacitou os santos para o ministério, para edificar o corpo de Cristo, até que cheguemos todos juntos

à unidade da fé e do conhecimento do Filho de Deus, ao estado do homem perfeito e à estatura de Cristo em sua plenitude.

Responsório breve
R. **Anunci**ai entre as nações
    * A **gló**ria do **Se**nhor. R. Anunci**ai**.
V. E as **su**as mara**vi**lhas entre os **po**vos do uni**ver**so.
    *A **gló**ria. Glória ao **Pai**. R. Anunci**ai**.

Cântico evangélico, ant.
Quem qui**ser** ser o mai**or**, seja o **vos**so servi**dor**.
Quem qui**ser** ser o pri**mei**ro, seja o es**cra**vo entre **to**dos.

PRECES do Comum dos apóstolos, p. 1487.

Oração como nas Laudes.

26 de julho

SÃO JOAQUIM E SANT'ANA, PAIS DE NOSSA SENHORA

Memória

Segundo uma antiga tradição, já conhecida no século II, assim eram chamados os pais da Santíssima Virgem Maria. O culto a Sant'Ana, prestado no Oriente desde o século VI, difundiu-se pelo Ocidente no século X. Mais recentemente, São Joaquim passou também a ser venerado.

Do Comum dos santos homens, p. 1551, exceto o seguinte:

Laudes

Hino

    A estrela d'alva já brilha,
    já nova aurora reluz,
    o sol nascente vem vindo
    e banha o mundo de luz.

    Cristo é o sol da justiça.
    Maria, aurora radiante.
    Da lei a treva expulsando,
    ó Ana, vais adiante.

    Ana, fecunda raiz,
    que de Jessé germinou,

1302 — 26 de julho

produz o ramo florido
do qual o Cristo brotou.

Mãe da Mãe santa de Cristo,
e tu, Joaquim, santo pai,
pelas grandezas da Filha,
nosso pedido escutai.

Louvor a vós, Jesus Cristo,
que de uma Virgem nascestes.
Louvor ao Pai e ao Espírito,
lá nas alturas celestes.

Leitura breve
Is 55,3

Inclinai vosso ouvido e vinde a mim, ouvi e tereis vida; farei convosco um pacto eterno, manterei fielmente as graças concedidas a Davi.

Responsório breve

R. Pelo amor do coração de nosso Deus,
* Visitou-nos o Senhor, o Sol nascente. R. Pelo amor.
V. Fez surgir a Jesus Cristo, o Salvador,
descendente da família de Davi. * Visitou-nos.
Glória ao Pai. R. Pelo amor.

Cântico evangélico, ant.

Bendito seja o Senhor Deus de Israel,
que fez surgir um poderoso Salvador
na casa de Davi, seu servidor!

PRECES do Comum dos santos homens, p. 1553, ou do dia de semana.

Oração

Senhor Deus de nossos pais, que concedestes a São Joaquim e Sant'Ana a graça de darem a vida à Mãe de vosso Filho Jesus, fazei que, pela intercessão de ambos, alcancemos a salvação prometida a vosso povo. Por nosso Senhor Jesus Cristo, vosso Filho, na unidade do Espírito Santo.

Vésperas

Hino

Enquanto uma coroa em tua honra
celebra o teu louvor festivamente,
recebe, São Joaquim, pai venerável,
a voz dos corações em prece ardente.

Dos reis antepassados és linhagem:
Davi e Abraão, és deles filho.
Mas é por tua filha, a Soberana
do mundo, que adquires maior brilho.

Assim, a tua prole abençoada,
nascida de Sant'Ana em belo dia,
dos pais, todos os votos realiza
e traz ao mundo triste a alegria.

Louvor ao Pai do Filho incriado.
A vós, Filho de Deus, louvor também.
Igual louvor a vós, Espírito Santo,
agora e pelos séculos. Amém.

Leitura breve — Rm 9,4-5

Eles são israelitas. A eles pertencem a filiação adotiva, a glória, as alianças, as leis, o culto, as promessas e também os patriarcas. Deles é que descende, quanto à sua humanidade, Cristo, o qual está acima de todos – Deus bendito para sempre! – Amém!

Responsório breve

R. **Acolhe** Israel, seu servi**dor**,
 * **Fiel** ao seu **amor**. R. A**colhe.**
V. Como ha**via** prome**ti**do a nossos **pais**. * **Fiel.**
 Glória ao **Pai.** R. A**colhe.**

Cântico evangélico, ant.

A i**lus**tre li**nha**gem de Jes**sé**
produ**ziu** o re**ben**to mais for**moso**,
do qual sur**giu** a linda **flor** mais perfu**mosa**.

PRECES do Comum dos santos homens, p. 1558, ou do dia de semana.
Oração como nas Laudes.

29 de julho

SANTA MARTA

Memória

Era irmã de Maria e de Lázaro. Quando recebia o Senhor em sua casa de Betânia, servia-o com muita solicitude. Com suas preces, obteve a ressurreição do irmão.

Do Comum das santas mulheres, p. 1562, exceto o seguinte:

Laudes

Hino

Santa Marta de Betânia,
hospedeira do Senhor,
hoje o Povo da Aliança
canta um hino em teu louvor.

Tua casa foi o abrigo
onde o Mestre repousou.
No calor de um lar amigo,
ele as forças renovou.

Pão e vinho lhe serviste,
quando tua irmã, Maria,
vida eterna em alimento
dos seus lábios recebia.

Reclamaste a sua ausência
junto a Lázaro doente,
proclamando assim a fé
no seu verbo onipotente.

Dele escutas a promessa:
Teu irmão ressurgirá.
E proclamas: Tu és o Cristo,
Deus conosco em ti está.

No milagre testemunhas
seu poder e seu amor:
teu irmão retorna à vida,
à palavra do Senhor.

Que possamos caminhar
com Jesus, na fé ardente,
e contigo contemplar
sua face eternamente.

Cântico evangélico, ant.

Disse **Mar**ta a Je**sus**: Eu **crei**o que és o **Cris**to,
o **F**ilho do Deus **v**ivo, que vi**es**te a este **mun**do.

Oração

Pai todo-poderoso, cujo Filho quis hospedar-se em casa de Marta,
concedei por sua intercessão que, servindo fielmente a Cristo em

29 de julho

nossos irmãos e irmãs, sejamos recebidos por vós em vossa casa. Por nosso Senhor Jesus Cristo, vosso Filho, na unidade do Espírito Santo.

Vésperas

Hino

Ó Santa Marta, mulher feliz,
nós vos queremos felicitar.
Vós merecestes receber Cristo
por muitas vezes em vosso lar.

Vós recebestes tão grande Hóspede
com mil cuidados, nosso Senhor,
em muitas coisas sempre solícita
e impelida por terno amor.

Enquanto alegre servis a Cristo,
Maria e Lázaro, vossos irmãos,
podem atentos receber dele
a graça e vida por refeição.

Enquanto a vossa feliz irmã
com seus aromas a Cristo ungia,
serviço extremo vós dedicastes
a Quem à morte se dirigia.

Ó hospedeira feliz do Mestre,
nos corações acendei o amor,
para que sejam eternamente
lares amigos para o Senhor.

Seja à Trindade eterna glória!
E no céu queira nos hospedar
para convosco, no lar celeste,
louvor perene sem fim cantar.

Cântico evangélico, ant.

Jesus amava **Mar**ta, Ma**ri**a, sua irmã,
e **Lá**zaro, seu ir**mão**.

Oração como nas Laudes.

30 de julho

SÃO PEDRO CRISÓLOGO, BISPO
E DOUTOR DA IGREJA

Nasceu por volta do ano 380, em Forum de Cornélio (Ímola), na Emília, e ali fez parte de seu clero. Em 424, eleito bispo de Ravena, instruiu por sermões e atos seu rebanho, ao qual se dedicou sem medida. Morreu pelo ano de 450.

Do Comum dos pastores: para bispos, p. 1523, e dos doutores da Igreja, p. 1533.

Oração

Ó Deus, que fizestes do bispo São Pedro Crisólogo egrégio pregador do vosso Verbo encarnado, concedei-nos por suas preces meditar sempre os mistérios da salvação e anunciá-los em nossa vida, Por nosso Senhor Jesus Cristo, vosso Filho na unidade do Espírito Santo.

31 de julho

SANTO INÁCIO DE LOIOLA, PRESBÍTERO

Memória

Nasceu em Loiola na Cantábria (Espanha), em 1491; viveu primeiramente na corte e seguiu a carreira militar. Depois, consagrando-se totalmente ao Senhor, estudou teologia em Paris, onde reuniu os primeiros companheiros com quem mais tarde fundou, em Roma, a Companhia de Jesus. Exerceu intensa atividade apostólica não apenas com seus escritos, mas formando discípulos que muito contribuíram para a reforma da Igreja. Morreu em Roma no ano de 1556.

Do Comum dos pastores: para presbíteros, p. 1523, ou dos santos homens: para religiosos, p. 1571.

Laudes

Hino

Nosso canto celebre a Inácio,
de um exército de heróis comandante,
general que os soldados anima
com palavras e atos, constante.

31 de julho   1307

O amor de Jesus, Cristo Rei,
sobre ele obteve vitória.
Depois disso, a sua alegria
foi buscar para Deus maior glória.

Ele aos seus companheiros reunido
num exército aguerrido e valente,
os direitos de Cristo defende
e dissipa as trevas da mente.

Pelo Espírito Santo inspirado
este grande e prudente doutor,
discernindo os caminhos do Reino,
salvação para o mundo indicou.

Desejando que a Igreja estendesse
os seus ramos a muitas nações,
aos rincões mais distantes da terra
os seus sócios envia às missões.

Seja glória e louvor à Trindade,
que nos dê imitarmos também
seu exemplo, buscando valentes,
maior glória de Deus sempre. Amém.

Cântico evangélico, ant.

Oxalá eu possa ter uma profunda experiência
do Senhor e do poder de sua ressurreição,
e associar-me à sua Paixão.

Oração

Ó Deus, que suscitastes em vossa Igreja Santo Inácio de Loiola
para propagar a maior glória do vosso nome, fazei que, auxiliados por ele, imitemos seu combate na terra, para partilharmos no
céu sua vitória. Por nosso Senhor Jesus Cristo, vosso Filho, na
unidade do Espírito Santo.

Vésperas

HINO Nosso canto, como nas Laudes, p. 1306.

Cântico evangélico, ant.

Que proveito tem o homem,
se ganhar o mundo inteiro, mas perder a sua vida?

AGOSTO

1º de agosto

SANTO AFONSO MARIA DE LIGÓRIO, BISPO E DOUTOR DA IGREJA

Memória

Nasceu em Nápoles em 1696; obteve o doutorado em Direito civil e eclesiástico, recebeu a ordenação sacerdotal e fundou a Congregação do Santíssimo Redentor. Com a finalidade de incrementar a vida cristã entre o povo, dedicou-se à pregação e escreveu vários livros, sobretudo de teologia moral, matéria na qual é considerado insigne mestre. Foi eleito bispo de Sant'Agata dei Goti, mas renunciou ao cargo pouco depois e morreu junto dos seus, em Nocera dei Pagani, na Campânia em 1787.

Do Comum dos pastores: para bispos, p. 1523, e dos doutores da Igreja, p. 1533.

Oração

Ó Deus, que suscitais continuamente em vossa Igreja novos exemplos de virtude, dai-nos seguir de tal modo os passos do bispo Santo Afonso no zelo pela salvação de todos, que alcancemos com ele a recompensa celeste. Por nosso Senhor Jesus Cristo, vosso Filho, na unidade do Espírito Santo.

2 de agosto

SANTO EUSÉBIO DE VERCELLI, BISPO

Nasceu na Sardenha, no princípio do século IV. Fazia parte do clero de Roma quando, em 345, foi eleito primeiro bispo de Vercelli. Propagou a religião cristã por meio da pregação e introduziu a vida monástica na sua diocese. Por causa da fé católica, foi exilado pelo imperador Constâncio, e suportou muitos sofrimentos. Tendo regressado à pátria, combateu valorosamente, para restaurar a fé, contra os arianos. Morreu em Vercelli, em 371.

Do Comum dos pastores: para bispos, p. 1523.

Oração

Fazei-nos, Senhor nosso Deus, proclamar a divindade de Cristo imitando a firmeza do bispo Santo Eusébio, para que, perseverando na fé que ele ensinou, possamos participar da vida do vosso Filho. Que convosco vive e reina, na unidade do Espírito Santo.

4 de agosto

SÃO JOÃO MARIA VIANNEY, PRESBÍTERO

Memória

Nasceu em Lião (França) no ano de 1786. Depois de superar muitas dificuldades, pôde ser ordenado sacerdote. Tendo-lhe sido confiada a paróquia de Ars, na diocese de Belley, o santo nela promoveu admiravelmente a vida cristã, através de uma pregação eficaz, com a mortificação, a oração e a caridade. Revelou especiais qualidades na administração do sacramento da penitência; por isso, acorriam fiéis de todas as partes para receber os santos conselhos que dava. Morreu em 1859.

Do Comum dos pastores: para presbíteros, p. 1523.

Oração

Deus de poder e misericórdia, que tornastes São João Maria Vianney um pároco admirável por sua solicitude pastoral, dai-nos, por sua intercessão e exemplo, conquistar no amor de Cristo os irmãos e irmãs para vós e alcançar com eles a glória eterna. Por nosso Senhor Jesus Cristo, vosso Filho, na unidade do Espírito Santo.

5 de agosto

DEDICAÇÃO DA BASÍLICA DE SANTA MARIA MAIOR

Depois do Concílio de Éfeso (431), em que a Mãe de Jesus foi proclamada Mãe de Deus, o papa Sixto III (432-440) erigiu em Roma, no monte Esquilino, uma basílica dedicada à Santa Mãe de Deus, chamada mais tarde Santa Maria Maior. É esta a mais antiga Igreja do Ocidente dedicada à Santíssima Virgem.

Do Comum de Nossa Senhora, p. 1462, exceto o seguinte:

1310   6 de agosto

Laudes

Cântico evangélico, ant.
Mãe de **Deus,** a mais **san**ta, sempre **Vir**gem **Mari**a:
És ben**dita** entre **to**das as mul**he**res da **ter**ra,
e ben**dito** é o **fru**to que nas**ceu** do teu **ven**tre!

Oração

Perdoai, Senhor, os nossos pecados, e como não vos podemos
agradar por nossos atos, sejamos salvos pela intercessão da Virgem Maria, Mãe de Deus. Por nosso Senhor Jesus Cristo, vosso
Filho, na unidade do Espírito Santo.

Vésperas

Cântico evangélico, ant.
Santa **Mari**a, Mãe de **Deus**, rogai por **nós**, peca**do**res,
a**go**ra e na **ho**ra de **nos**sa morte. A**mém**.

6 de agosto

TRANSFIGURAÇÃO DO SENHOR

Festa

I Vésperas

(Quando a festa ocorre no domingo)
HINO Ó Luz da Luz, como nas II Vésperas, p. 1316.

Salmodia

Ant. 1 **To**man**do** seus dis**cí**pulos, Je**sus** subiu ao **mon**te
        e a**li**, diante **de**les, fi**cou** transfigu**ra**do.

Salmo 112(113)

– [1]**Lou**vai, louvai, ó **ser**vos do Se**nhor**, *
   louvai, louvai o nome do Senhor!
– [2]**Ben**dito seja o nome do Senhor, *
   a**go**ra e por toda a eternidade!
– [3]Do nas**cer** do sol até o seu ocaso, *
   louva**do** seja o nome do Senhor! –

6 de agosto

– ⁴ O **Se**nhor está acima das nações, *
sua **gló**ria vai além dos altos céus.
= ⁵ Quem **po**de comparar-se ao nosso Deus, †
ao **Se**nhor, que no alto céu tem o seu trono *
⁶ e se in**cli**na para olhar o céu e a terra?
– ⁷ Le**van**ta da poeira o indigente *
e do **li**xo ele retira o pobrezinho,
– ⁸ para fazê-lo assentar-se com os nobres, *
assen**tar**-se com os nobres do seu povo.
– ⁹ Faz a es**té**ril, mãe feliz em sua casa, *
vi**ven**do rodeada de seus filhos.

Ant. Seus pais le**va**ram o Me**ni**no à Ci**da**de
e, no **tem**plo, apresen**ta**ram-no ao Se**nhor**.

Ant. 2 A**dor**na tua **ca**sa, ó Sião,
e re**ce**be o teu **Rei**, Cristo Je**sus**!

Salmo 116(117)

– ¹ Cantai lou**vo**res ao Se**nhor**, todas as **gen**tes, *
povos **to**dos, feste**jai**-o!
– ² Pois comprovado é seu amor para co**nos**co, *
para **sem**pre ele é fiel!

Ant. O Se**nhor** para **sem**pre é **fiel**.

Ant. 3 Se**nhor**, como é **bom** nós es**tar**mos a**qui**!
Se **que**res, faremos três **ten**das a**qui**;
será **tua** a pri**mei**ra, de Moi**sés** a se**gun**da,
e a ter**cei**ra de **E**lias.

No cântico seguinte dizem-se os Aleluias entre parênteses somente
quando se canta; na recitação, basta dizer o Aleluia no começo e no fim
das estrofes.

Cântico   cf. Ap 19,1-2.5-7

As núpcias do Cordeiro

= Ale**lu**ia, (Ale**lu**ia!).
¹ Ao nosso **Deus** a sal**va**ção, *
honra, **gló**ria e **po**der! (Ale**lu**ia!).
– ² Pois são ver**da**de e justiça *
os ju**í**zos do Se**nhor**.
R. Ale**lu**ia, (Ale**lu**ia!).

1312   6 de agosto

= Aleluia, (Aleluia!).
⁵ Celebrai o nosso Deus, *
servidores do Senhor! (Aleluia!).
– E vós todos que o temeis, *
vós os grandes e os pequenos!
R. Aleluia, (Aleluia!).

= Aleluia, (Aleluia!).
=⁶ De seu reino tomou posse *
nosso Deus onipotente! (Aleluia!).
– ⁷ Exultemos de alegria, *
demos glória ao nosso Deus!
R. Aleluia, (Aleluia!).

= Aleluia, (Aleluia!).
Eis que as núpcias do Cordeiro *
redivivo se aproximam! (Aleluia!).
– Sua Esposa se enfeitou, *
se vestiu de linho puro.
R. Aleluia, (Aleluia!).

Ant. Senhor, como é bom nós estarmos aqui!
Se queres, faremos três tendas aqui;
será tua a primeira, de Moisés a segunda,
e a terceira de Elias.

Leitura breve
Fl 3,20-21

Nós somos cidadãos do céu. De lá aguardamos o nosso Salvador, o Senhor, Jesus Cristo. Ele transformará o nosso corpo humilhado e o tornará semelhante ao seu corpo glorioso, com o poder que tem de sujeitar a si todas as coisas.

Responsório breve
R. Glorioso aparecestes ante a face do Senhor.
* Aleluia, aleluia. R. Glorioso.
V. Foi por isso que o Senhor vos vestiu de majestade.
* Aleluia. Glória ao Pai. R. Glorioso.

Cântico evangélico, ant.
O Cristo Jesus é do Pai resplendor e expressão de seu ser.
O universo sustenta com o poder da palavra;
depois de lavados os nossos pecados,
mostrou hoje sua glória sobre a alta montanha.

Preces

Oremos a nosso Salvador, que maravilhosamente se transfigurou no monte diante de seus discípulos; e peçamos cheios de confiança:

R. Ó Deus, iluminai as nossas trevas!

Senhor Jesus Cristo, que, antes de sofrer a paixão, revelastes aos discípulos, em vosso corpo transfigurado, a glória da ressurreição, nós vos pedimos pela Santa Igreja que caminha nas estradas deste mundo,
– para que, mesmo no sofrimento, ela sempre se transfigure pela alegria de vossa vitória. **R.**

Senhor Jesus Cristo, que tomastes convosco Pedro, Tiago e João, e os levastes até o alto do monte, nós vos pedimos pelo nosso Papa N. e por todos os bispos,
– para que sirvam ao vosso povo na esperança da ressurreição. **R.**

Senhor Jesus Cristo, que no monte fizestes brilhar sobre Moisés e Elias o esplendor da vossa face, nós vos pedimos pelos judeus, o povo que escolhestes desde os tempos antigos,
– para que mereçam chegar à plenitude da redenção. **R.**

Senhor Jesus Cristo, que iluminastes a terra quando sobre vós se levantou a glória do Criador, nós vos pedimos por todos os homens e mulheres de boa vontade,
– para que sempre caminhem na claridade da vossa luz. **R.**

(intenções livres)

Senhor Jesus Cristo, que haveis de transfigurar estes nossos corpos mortais tornando-os semelhantes ao vosso corpo glorioso, nós vos pedimos pelos nossos irmãos e irmãs falecidos,
– para que entrem na glória do vosso reino. **R.**

Pai nosso...

Oração

Ó Deus, que na gloriosa Transfiguração de vosso Filho confirmastes os mistérios da fé pelo testemunho de Moisés e Elias, e manifestastes de modo admirável a nossa glória de filhos adotivos, concedei aos vossos servos e servas ouvir a voz do vosso Filho amado, e compartilhar da sua herança. Por nosso Senhor Jesus Cristo, vosso Filho, na unidade do Espírito Santo.

Laudes

Hino

Jesus, suave lembrança,
nome mais doce que o mel,
dais a perfeita alegria
ao coração do fiel.

Nada mais temo se canta,
nem pode ouvir-se nos céus,
nada mais doce se pensa
do que Jesus, Homem-Deus.

Jesus, doçura das mentes,
do coração claridade,
vós superais todo anseio,
fonte de eterna verdade.

Ao visitardes os seres,
neles reluz a verdade,
do mundo o brilho se apaga
e o amor ardente os invade.

Dai-nos perdão generoso,
conforme inspira o amor.
Dai-nos em vossa presença
ver vossa glória, Senhor.

Louvor ao Filho dileto,
do Pai eterno esplendor,
que pelo laço do Espírito
vive na glória do Amor.

Ant. 1 Neste **dia**, Jesus **Cris**to sobre o **mon**te
brilhou em sua **face** como o **sol**,
e suas **ves**tes eram **bran**cas como a **ne**ve.

Salmos e cântico do domingo da I Semana, p. 764.

Ant. 2 Hoje o S**enh**or transfigu**rou**-se,
hoje ou**viu**-se a voz do **Pai**,
que dele **da**va testem**unh**o.
Elias e Moi**sés**, entre **lu**zes fulgu**ran**tes,
conver**sa**vam com Je**sus** sobre o **fim** que o esp**e**rava.

6 de agosto 1315

Ant. 3 A **lei** foi-nos **da**da por Moisés,
por Elias foi-nos **da**da a profecia;
hoje **ambos** foram **vistos** gloriosos
sobre o **mon**te conversando com Jesus.

Leitura breve
Ap 21,10.23

O anjo levou-me em espírito a uma montanha grande e alta. Mostrou-me a cidade santa, Jerusalém, descendo do céu, de junto de Deus. A cidade não precisa de sol, nem de lua que a iluminem, pois a glória de Deus é a sua luz e a sua lâmpada é o Cordeiro.

Responsório breve
R. Coro**astes** Je**sus** de **gló**ria e esplen**dor**.
* Ale**lu**ia, ale**lui**a. R. Coroastes.
V. A seus **pés** colo**castes**, Se**nhor**, vossas **o**bras.
* Ale**lu**ia. Glória ao **Pai**. R. Coroastes.

Cântico evangélico, ant.
Uma **voz** do **céu** res**so**a: Eis meu **Fi**lho muito a**ma**do,
nele es**tá** meu bem-que**rer**, escu**tai**-o, homens **to**dos.

Preces
Oremos ao nosso Salvador, que maravilhosamente se transfigurou no monte diante de seus discípulos; e peçamos cheios de confiança:
R. **Na vossa luz, Senhor, vejamos a luz!**

Pai clementíssimo, que transfigurastes vosso amado Filho no monte e vos manifestastes no meio da nuvem luminosa,
– fazei-nos ouvir fielmente a palavra de Cristo. R.

Senhor Deus, que saciais os vossos eleitos com a abundância da vossa casa e lhes dais a beber da torrente do vosso amor,
– concedei-nos encontrar no corpo de Cristo a fonte de vossa vida. R.

Senhor Deus, que fizestes resplandecer a luz no meio das trevas e iluminastes os corações para contemplar a vossa claridade no rosto de Jesus Cristo,
– tornai conhecida à humanidade inteira a vida imortal, por meio da pregação do Evangelho. R.

1316 6 de agosto

Pai de bondade, que no vosso infinito amor nos destes a graça de nos chamarmos e sermos realmente filhos de Deus,
– concedei que sejamos semelhantes a Cristo quando ele vier na sua glória.
R. **Na vossa luz, Senhor, vejamos a luz!**

Pai nosso...

Oração

Ó Deus, que na gloriosa Transfiguração de vosso Filho confirmastes os mistérios da fé pelo testemunho de Moisés e Elias, e manifestastes de modo admirável a nossa glória de filhos adotivos, concedei aos vossos servos e servas ouvir a voz do vosso Filho amado, e compartilhar da sua herança. Por nosso Senhor Jesus Cristo, vosso Filho, na unidade do Espírito Santo.

Hora Média

Salmos do dia da semana corrente.

Ant. Nosso **Deus** e Salva**dor** fez bri**lhar** pelo Evangelho
a luz e a **vida** impere**cí**veis.

Leitura breve   Ex 33,9.11

Logo que Moisés entrava na Tenda, a coluna de nuvem baixava e ficava parada à entrada, enquanto o Senhor falava com Moisés. O Senhor falava com Moisés face a face, como um homem fala com seu amigo.

V. Contem**plai** a sua **face** e ale**grai**-vos.
R. E vosso **ros**to não se **cu**bra de vergonha!

Oração como nas Laudes.

II Vésperas

Hino

Ó Luz da Luz nascida,
do mundo Redentor,
ouvi dos que suplicam
a prece e o louvor.

De rosto mais brilhante
que o sol no seu fulgor,
com veste igual à neve
de um branco resplendor.

6 de agosto

A dignas testemunhas
no monte aparecestes,
Autor das criaturas
terrenas e celestes.

Antigas testemunhas
unis ao mundo novo
e dais a todos crerem
que sois o Deus do povo.

Do alto a voz paterna
seu Filho vos chamou.
Fiéis, as nossas mentes
vos chamam Rei, Senhor.

A carne dos perdidos
por nós vestindo outrora,
fazei-nos membros vivos
do vosso corpo, agora.

A vós, ó Filho amado,
a honra e o louvor.
De vós o Pai, no Espírito,
revela o esplendor.

Ant. 1 Jesus tomou a Pedro e os irmãos João e Tiago,
e os levou a um alto monte,
e, ali diante deles, ficou transfigurado.

Salmo 109(110),1-5.7

— [1] Palavra do Senhor ao meu Senhor: *
"Assenta-te ao lado meu direito,
— até que eu ponha os inimigos teus *
como escabelo por debaixo de teus pés!"

= [2] O Senhor estenderá desde Sião †
vosso cetro de poder, pois ele diz: *
"Domina com vigor teus inimigos;

= [3] Tu és príncipe desde o dia em que nasceste; †
na glória e esplendor da santidade, *
como o orvalho, antes da aurora, eu te gerei!" —

1318 6 de agosto

= ⁴Jurou o Senhor e manterá sua palavra: †
"Tu és sacerdote eternamente, *
segundo a ordem do rei Melquisedec!"

– ⁵À vossa destra está o Senhor, ele vos diz: *
"No dia da ira esmagarás os reis da terra!

– ⁷Beberás água corrente no caminho, *
por isso seguirás de fronte erguida!"

Ant. Jesus tomou a Pedro e os irmãos João e Tiago,
e os levou a um alto monte,
e, ali diante deles, ficou transfigurado.

Ant. 2 Uma nuvem luminosa os cobriu com sua sombra,
e uma voz se ouviu dizendo:
Eis meu Filho muito amado,
nele está meu bem-querer!

Salmo 120(121)

– ¹Eu levanto os meus olhos para os montes: *
de onde pode vir o meu socorro?

– ²"Do Senhor é que me vem o meu socorro, *
do Senhor que fez o céu e fez a terra!"

– ³Ele não deixa tropeçarem os meus pés, *
e não dorme quem te guarda e te vigia.

– ⁴Oh! não! ele não dorme nem cochila, *
aquele que é o guarda de Israel!

– ⁵O Senhor é o teu guarda, o teu vigia, *
é uma sombra protetora à tua direita.

– ⁶Não vai ferir-te o sol durante o dia, *
nem a lua através de toda a noite.

– ⁷O Senhor te guardará de todo o mal, *
ele mesmo vai cuidar da tua vida!

– ⁸Deus te guarda na partida e na chegada. *
Ele te guarda desde agora e para sempre!

Ant. Uma nuvem luminosa os cobriu com sua sombra,
e uma voz se ouviu dizendo:
Eis meu Filho muito amado,
nele está meu bem-querer!

6 de agosto — 1319

Ant. 3 Ao descerem da montanha, ordenou-lhes o Senhor:
Não conteis a mais ninguém a visão que vós tivestes,
enquanto o Filho do Homem não tiver ressuscitado.
Aleluia.

Cântico   cf. 1Tm 3,16

R. **Louvai** o Senhor **Deus,** todos os **povos.**

– O **senhor** manifestado em nossa carne, *
justificado pelo Espírito de Deus.

R. **Louvai** o Senhor **Deus,** todos os **povos.**

– Jesus **Cristo** contemplado pelos anjos,*
anunciado aos povos todos e às nações.

R. **Louvai** o Senhor **Deus,** todos os **povos.**

– Foi aceito pela fé no mundo inteiro *
e, na glória de Deus Pai, foi exaltado.

R. **Louvai** o Senhor **Deus,** todos os **povos.**

Ant. Ao descerem da montanha, ordenou-lhes o Senhor:
Não conteis a mais ninguém a visão que vós tivestes,
enquanto o Filho do Homem não tiver ressuscitado.
Aleluia.

Leitura breve   Rm 8,16-17

O próprio Espírito se une ao nosso espírito para nos atestar que
somos filhos de Deus. E, se somos filhos, somos também herdeiros – herdeiros de Deus e co-herdeiros de Cristo; – se realmente
sofremos com ele, é para sermos também glorificados com ele.

Responsório breve

R. Diante dele vão a glória e a majestade.
    * Aleluia, aleluia. **R.** Diante dele.
V. E o seu templo, que beleza e esplendor! * Aleluia.
    Glória ao Pai. **R.** Diante dele.

Cântico evangélico, ant.

Ao ouvirem esta voz, os discípulos caíram
com o rosto sobre o chão e tiveram muito medo.
Jesus se aproximou, tocou-os e lhes disse:

1320 6 de agosto

Levantai-vos, não temais! Aleluia.

Preces

Oremos a nosso Salvador, que maravilhosamente se transfigurou no monte diante de seus discípulos; e peçamos cheios de confiança:

R. **Ó Deus, iluminai as nossas trevas!**

Senhor Jesus Cristo, que, antes de sofrer a paixão, revelastes aos discípulos, em vosso corpo transfigurado, a glória da ressurreição, nós vos pedimos pela Santa Igreja que caminha nas estradas deste mundo,
—para que, mesmo no sofrimento, ela sempre se transfigure pela alegria de vossa vitória. R.

Senhor Jesus Cristo, que tomastes convosco Pedro, Tiago e João, e os levastes até o alto do monte, nós vos pedimos pelo nosso Papa N. e por todos os bispos,
—para que sirvam ao vosso povo na esperança da ressurreição. R.

Senhor Jesus Cristo, que no monte fizestes brilhar sobre Moisés e Elias o esplendor da vossa face, nós vos pedimos pelos judeus, o povo que escolhestes desde os tempos antigos,
—para que mereçam chegar à plenitude da redenção. R.

Senhor Jesus Cristo, que iluminastes a terra quando sobre vós se levantou a glória do Criador, nós vos pedimos por todos os homens e mulheres de boa vontade,
—para que sempre caminhem na claridade da vossa luz. R.
(intenções livres)

Senhor Jesus Cristo, que haveis de transfigurar os nossos corpos mortais tomando-os semelhantes ao vosso corpo glorioso, nós vos pedimos pelos nossos irmãos e irmãs falecidos,
—para que entrem na glória do vosso reino. R.

Pai nosso...

Oração

Ó Deus, que na gloriosa Transfiguração de vosso Filho confirmastes os mistérios da fé pelo testemunho de Moisés e Elias, e manifestastes de modo admirável a nossa glória de filhos adotivos, concedei aos vossos servos, e servas ouvir, a voz do vosso Filho amado, e compartilhar da sua herança. Por nosso Senhor Jesus Cristo, vosso Filho, na unidade do Espírito Santo.

7 de agosto

SÃO SISTO II, PAPA, E SEUS COMPANHEIROS, MÁRTIRES

Foi ordenado bispo de Roma no ano 257. No ano seguinte, quando celebrava a sagrada liturgia na catacumba de Calisto, foi preso pelos soldados, em virtude do edito do imperador Valeriano, e imediatamente executado, juntamente com quatro dos seus diáconos, no dia 6 de agosto. Recebeu sepultura no mesmo cemitério.

Do Comum de vários mártires, p. 1493.

Oração

Pai todo-poderoso, que concedestes a São Sisto e seus companheiros a graça de dar a vida por causa da vossa palavra e do testemunho de Jesus, pela força do Espírito Santo, fazei-nos dóceis para acolher a fé e fortes para proclamá-la. Por nosso Senhor Jesus Cristo, vosso Filho, na unidade do Espírito Santo.

No mesmo dia 7 de agosto

SÃO CAETANO, PRESBÍTERO

Nasceu em Vicenza no ano 1480. Estudou direito em Pádua e, depois de ter sido ordenado sacerdote, fundou em Roma a Congregação dos Clérigos Regulares com o fim de promover o apostolado, e propagou-a no território de Vicenza e no reino de Nápoles. Distinguiu-se por sua vida de oração e pela prática da caridade. Morreu em Nápoles no ano 1547.

Do Comum dos pastores: para presbíteros. p. 1523, ou, dos santos homens: para religiosos, p. 1571.

Oração

Ó Deus, que destes ao presbítero São Caetano a graça de imitar a vida apostólica, concedei-nos, por seu exemplo e suas preces, confiar sempre em vós e buscar continuamente o vosso Reino. Por nosso Senhor Jesus Cristo, vosso Filho, na unidade do Espírito Santo.

8 de agosto

SÃO DOMINGOS, PRESBÍTERO

Memória

Nasceu em Caleruega (Espanha) cerca do ano 1170. Estudou Teologia em Palência e foi nomeado cônego da Igreja de Osma. Por meio da sua pregação e do exemplo da sua vida combateu com grande êxito a heresia dos Albigenses. Para continuidade desta obra, reuniu companheiros e fundou a Ordem dos Pregadores. Morreu em Bolonha no dia 6 de agosto de 1221.

Do Comum dos pastores: para presbíteros, p. 1523, ou, dos santos homens: para religiosos, p. 1571, exceto o seguinte:

Laudes e Vésperas

Hino

Arauto do Evangelho,
sublime pregador,
Domingos traz no nome
o Dia do Senhor.

Qual lírio de pureza,
só teve uma paixão:
levar aos que se perdem
a luz da salvação.

Seus filhos nos envia,
por eles nos conduz;
as chamas da verdade
espalham sua luz.

Maria ele coroa
com rosas de oração;
por toda a terra ecoa
do anjo a saudação.

Com lágrimas e preces
pediu por todos nós.
Que Deus, que é uno e trino,
atenda à sua voz.

10 de agosto

Oração

Ó Deus, que os méritos e ensinamentos de São Domingos venham em socorro da vossa Igreja, para que o grande pregador da vossa verdade seja agora nosso fiel intercessor. Por nosso Senhor Jesus Cristo, vosso Filho, na unidade do Espírito Santo.

10 de agosto

SÃO LOURENÇO, DIÁCONO E MÁRTIR

Festa

Era diácono da Igreja Romana e morreu mártir na perseguição de Valeriano, quatro dias depois do papa Sisto II e seus companheiros, os quatro diáconos romanos. O seu sepulcro encontra-se junto à Via Tiburtina, no Campo Verano. Constantino Magno erigiu uma basílica naquele lugar. O seu culto já se tinha difundido na Igreja no século IV.

Do Comum de um mártir, p. 1509, exceto o seguinte:

Laudes

Hino

No mártir São Lourenço
a fé, em luta armada,
venceu feroz batalha,
no sangue seu banhada.

Primeiro dos levitas
que servem no altar,
serviu em grau mais alto,
o mártir modelar.

Lutando com coragem,
não cinge a sua espada,
mas cinge, pela fé,
couraça mais sagrada.

Louvamos teu martírio,
Lourenço, santo irmão,
pedindo que da Igreja
escutes a oração.

Eleito cidadão
do céu, país da luz,
já cinges a coroa,
da glória, com Jesus.

Louvor ao Pai e ao Filho,
e ao seu eterno Amor.
Dos Três, por tuas preces,
vejamos o fulgor.

Ant. 1 Minha **al**ma se a**gar**ra em **vós**, ó meu **Deus**,
pois por **vós** foi quei**ma**do o meu **cor**po no **fo**go.

Salmos e cântico do domingo da I Semana, p. 764.

Ant. 2 O Se**nhor** envi**ou** o seu **an**jo,
liber**tou**-me do **mei**o das **cha**mas,
e as**sim** não sen**ti** seu ca**lor**.

Ant. 3 São Lou**ren**ço re**za**va, di**zen**do:
Dou-vos **gra**ças, Se**nhor**, pois me **des**tes
em **vos**sa mo**ra**da en**trar**!

Leitura breve   2Cor 1,3-5

Bendito seja o Deus e Pai de nosso Senhor Jesus Cristo, o Pai
das misericórdias e Deus de toda consolação. Ele nos consola
em todas as nossas aflições, para que, com a consolação que nós
mesmos recebemos de Deus, possamos consolar os que se acham
em toda e qualquer aflição. Pois, à medida que os sofrimentos de
Cristo crescem para nós, cresce também a nossa consolação por
Cristo.

Responsório breve

R. O Se**nhor** é minha **for**ça,
  * Ele **é** o meu **can**to. R. O Se**nhor**.
V. E tor**nou**-se para **mim**, para **mim** o Salva**dor**.
  * Ele **é**. Glória ao **Pai**. R. O Se**nhor**.

Cântico evangélico, ant.

Meu **ser**vo, não **te**mas, con**ti**go es**tou**!
Tu **po**des pas**sar** no **mei**o das **cha**mas:
nem **chei**ro de **fo**go em **ti** fica**rá**.

PRECES do Comum, p. 1510.

Oração

Ó Deus, o vosso diácono Lourenço, inflamado de amor por vós, brilhou pela fidelidade no vosso serviço e pela glória do martírio; concedei-nos amar o que ele amou e praticar o que ensinou. Por nosso Senhor Jesus Cristo, vosso Filho, na unidade do Espírito Santo.

Hora Média

Antífonas e salmos do dia de semana; leitura breve e versículo do Comum, p. 1514.

Vésperas

Hino

Louvemos a glória
do mártir de Cristo,
que os bens desprezou:
aos nus deu vestidos
e pão aos famintos,
servindo ao Senhor.

Do fogo a tortura
acende a fé pura
no seu coração.
A chama é vencida
por quem fez da vida
total doação.

O coro dos anjos
recebe sua alma
nos átrios dos céus.
De louros cingido,
de Deus ele alcance
perdão para os réus.

Com preces ardentes,
rogamos, ó mártir,
implora o perdão
da culpa dos servos
e firma em fé viva
o seu coração.

10 de agosto

Ao Pai honra e glória,
louvor e vitória
ao Filho também,
no Espírito Santo.
Aos Três nosso canto
nos séculos. Amém.

Ant. 1 Lourenço entrou no combate dos mártires
e deu testemunho de Cristo Senhor.

Salmos e cântico do Comum, p. 1515.

Ant. 2 São Lourenço exclamou: Que grande alegria
eu ter merecido ser hóstia de Cristo!

Ant. 3 Dou-vos graças, Senhor, pois me destes
em vossa morada entrar!

Leitura breve   1Pd 4,13-14

Caríssimos, alegrai-vos por participar dos sofrimentos de Cristo,
para que possais também exultar de alegria na revelação da sua
glória. Se sofreis injúrias por causa do nome de Cristo, sois felizes,
pois o Espírito da glória, o Espírito de Deus, repousa sobre vós.

Responsório breve

R. Na verdade, ó Senhor, vós nos provastes,
* Mas finalmente vós nos destes um alívio. R. Na verdade.
V. Depurastes-nos no fogo como a prata.* Mas finalmente.
Glória ao Pai. R. Na verdade.

Cântico evangélico, ant.

Dizia São Lourenço em oração:
Minha noite não conhece escuridão,
tudo nela resplandece como a luz!

PRECES do Comum, p. 1518.

Oração como nas Laudes.

11 de agosto

SANTA CLARA, VIRGEM

Memória

Nasceu em Assis no ano 1193. Imitando o exemplo do seu concidadão Francisco, seguiu o caminho da pobreza, foi Mãe e Fundadora da Ordem das Damas Pobres (Clarissas). A sua vida foi de grande austeridade, mas rica em obras de caridade e de piedade. Morreu em 1253.

Do Comum das virgens, p. 1539, ou das santas mulheres: para religiosas, p. 1571.

Oração

Ó Deus, que na vossa misericórdia atraístes Santa Clara ao amor da pobreza, concedei, por sua intercessão, que, seguindo o Cristo com um coração de pobre, vos contemplemos um dia em vosso Reino. Por nosso Senhor Jesus Cristo, vosso Filho, na unidade do Espírito Santo.

13 de agosto

SÃO PONCIANO, PAPA, E SANTO HIPÓLITO PRESBÍTERO, MÁRTIRES

Ponciano foi ordenado bispo de Roma no ano 231. Desterrado para a Sardenha, juntamente com o presbítero Hipólito, pelo imperador Maximino, no ano 235, aí morreu, depois de ter abdicado do seu pontificado. Seu corpo foi sepultado no cemitério de Calisto, e o de Hipólito no cemitério que está junto à Via Tiburtina. A Igreja Romana presta culto a ambos os mártires já desde o princípio do século IV.

Do Comum de vários mártires, p. 1493, ou, dos pastores, p. 1523.

Oração

Ó Deus, que a admirável constância dos mártires Ponciano e Hipólito faça crescer em nós o vosso amor e mantenha em nossos corações uma fé sempre firme. Por nosso Senhor Jesus Cristo, vosso Filho, na unidade do Espírito Santo.

14 de agosto

SÃO MAXIMILIANO MARIA KOLBE, PRESBÍTERO E MÁRTIR

Memória

Maximiliano Maria Kolbe nasceu na Polônia no dia 8 de janeiro de 1894. Ainda adolescente, ingressou na Ordem dos Frades Menores Conventuais e foi ordenado sacerdote em Roma, no ano de 1918. Animado de filial piedade para com a Virgem Mãe de Deus, fundou uma confraria religiosa com o nome de "Milícia de Maria Imaculada", que se propagou de modo extraordinário tanto em sua pátria como em outras regiões. Chegando ao Japão como missionário, aplicou-se em difundir a fé cristã sob os auspícios e patrocínio da mesma Virgem Imaculada. Finalmente, regressando à Polônia, tendo padecido, por ocasião da guerra que então grassava terríveis atrocidades no campo de concentração de Auschwitz, distrito de Cracóvia; consumou sua fecunda vida num holocausto de caridade, a 14 de agosto de 1941.

Do Comum de um mártir, p. 1509, ou, dos pastores: para presbíteros, p. 1523, exceto o seguinte:

Laudes

Cântico evangélico, ant.

O **Cris**to há de **ser** engrande**ci**do no meu **cor**po
pela **vi**da ou pela **mor**te.
Para **mim** viver é **Cris**to e mor**rer** torna-se **lu**cro.

Oração

Ó Deus, inflamastes São Maximiliano Maria, presbítero e mártir, com amor à Virgem e lhe destes grande zelo pastoral e dedicação ao próximo. Concedei-nos, por sua intercessão, que trabalhemos intensamente pela vossa glória no serviço do próximo, para que nos tornemos semelhantes ao vosso Filho até a morte. Por nosso Senhor Jesus Cristo, vosso Filho, na unidade do Espírito Santo.

Vésperas

Cântico evangélico, ant.

Eis **co**mo conhe**ce**mos o a**mor** de Deus por **nós**:
Ele **deu** por nós sua **vi**da.
Também **nós** devemos **dar** pelos ir**mãos** a nossa **vi**da.

Oração como nas Laudes.

15 de agosto

ASSUNÇÃO DE NOSSA SENHORA

Solenidade

(No Brasil esta solenidade é celebrada no domingo depois do dia 15, caso o dia 15 não caia em um domingo).

I Vésperas

Hino

Nova estrela do céu, gáudio da terra,
ó Mãe do Sol, geraste o Criador;
estende a tua mão ao que ainda erra,
levanta o pecador.

Deus fez de ti escada luminosa:
por ela o abismo galga o próprio céu;
dá subirmos contigo, ó gloriosa,
envolva-nos teu véu!

Os anjos apregoam-te Rainha,
e apóstolos, profetas, todos nós:
No mais alto da Igreja estás sozinha,
da Divindade após.

Louvor rendamos à Trindade eterna,
que a ti como Rainha hoje coroa.
Toma o teu cetro, pois, reina e governa,
Mãe que acolhe e perdoa!

Ant. 1 Cristo Jesus subiu aos **céus**.
e prepa**rou**, no Reino e**ter**no,
um lu**gar** para sua **Mãe**, a santa **Vir**gem, ale**lu**ia.

Salmos e cântico do Comum de Nossa Senhora, p. 1459.

Ant. 2 A **por**ta do **céu** foi fe**cha**da por **E**va;
por Ma**ri**a ela a**briu**-se, aos **ho**mens de **no**vo.
Ale**lu**ia.

Ant. 3 A **Vir**gem Ma**ri**a foi **ho**je elevada a**ci**ma dos **céus**.
Vinde to**dos**, lou**ve**mos o **Cris**to **Se**nhor.
Seu **Rei**no se es**ten**de por **to**dos os **sé**culos.

1330 — 15 de agosto

Leitura breve — Rm 8,30

Aqueles que Deus predestinou, também os chamou. E aos que chamou, também os tornou justos; e aos que tornou justos, também os glorificou.

Responsório breve

R. Maria foi assunta ao céu,
* Os anjos se alegram, louvando. R. Maria.
V. Bendizem o Senhor, jubilosos. * Os anjos.
Glória ao Pai. R. Maria.

Cântico evangélico, ant.

As gerações hão de chamar-me de bendita,
pois maravilhas fez em mim o Poderoso. Aleluia.

Preces

Proclamemos a grandeza de Deus Pai todo-poderoso. Ele quis que Maria, Mãe de seu Filho, fosse celebrada por todas as gerações. Peçamos humildemente:

R. Cheia de graça, intercedei por nós!

Deus, autor de tantas maravilhas, que fizestes a Imaculada Virgem Maria participar em corpo e alma da glória celeste de Cristo,
— conduzi para a mesma glória os corações de vossos filhos. R.

Vós, que nos destes Maria por Mãe, concedei, por sua intercessão, saúde aos doentes, consolo aos tristes, perdão aos pecadores,
— e a todos a salvação e a paz. R.

Vós, que fizestes de Maria a cheia de graça,
— concedei a todos a abundância da vossa graça. R.

Fazei, Senhor, que a vossa Igreja seja, na caridade, um só coração e uma só alma,
— e que todos os fiéis perseverem unânimes na oração com Maria, Mãe de Jesus. R.

(intenções livres)

Vós, que coroastes Maria como rainha do céu,
— fazei que nossos irmãos falecidos se alegrem eternamente em vosso reino, na companhia dos santos. R.

Pai nosso...

15 de agosto   1331

Oração

Deus eterno e todo-poderoso, que elevastes à glória do céu em
corpo e alma a Imaculada Virgem Maria, Mãe do vosso Filho,
dai-nos viver atentos às coisas do alto a fim de participarmos da
sua glória. Por nosso Senhor Jesus Cristo, vosso Filho, na unidade do Espírito Santo.

Laudes

Hino

De sol, ó Virgem, vestida,
de branca lua calçada;
de doze estrelas-coroas
Coroada.

A terra toda te canta,
da morte Dominadora.
No céu a ti temos, todos,
Protetora.

Fiel, conserva os fiéis,
procura a ovelha perdida.
Brilha na treva da morte,
Luz e Vida.

Ao pecador auxilia,
ao triste, ao fraco e ao pobre.
Com o teu manto materno
Todos cobre!

Louvor à excelsa Trindade.
Que dê a coroa a quem
ele fez Mãe e Rainha
nossa. Amém.

Ant. 1 Bendita sejais, ó Virgem Maria,
por vós veio ao mundo o Deus Salvador!
Agora gozais na glória com Deus.

Salmos e cântico do domingo da I Semana, p. 764.

Ant. 2 A Virgem Maria foi hoje elevada acima dos anjos:
Alegremo-nos todos, louvando o Senhor!

1332   15 de agosto

Ant. 3 O Senhor engrandeceu
de tal maneira o vosso nome,
que o louvor que mereceis
nunca cesse em nossos lábios.

Leitura breve   cf. Is 61,10

Exulto de alegria no Senhor e minh'alma regozija-se em meu Deus; ele me vestiu com as vestes da salvação, envolveu-me com o manto da justiça e adornou-me qual noiva com suas joias.

Responsório breve

R. Hoje a **Virgem Maria**
   * Su**biu** para os **céus**. R. Hoje a **Virgem**.
V. E tri**unfa** com **Cristo** sem **fim**, pelos **séculos**. * Su**biu**.
   Glória ao **Pai**. R. Hoje a **Virgem**.

Cântico evangélico, ant.

Resplendente de beleza, fulgurante como a aurora,
ó Filha de Sião, vós subistes para os céus.

Preces

Celebremos nosso Salvador, que se dignou nascer da Virgem Maria; e peçamos:

R. **Senhor, que a vossa Mãe interceda por nós!**

Palavra eterna do Pai, que escolhestes Maria como arca incorruptível para vossa morada,
– livrai-nos da corrupção do pecado.   R.

Redentor nosso, que fizestes da Imaculada Virgem Maria o tabernáculo puríssimo da vossa presença e o sacrário do Espírito Santo,
– fazei de nós templos vivos do vosso Espírito.   R.

Rei dos reis, que quisestes ter vossa Mãe convosco no céu em corpo e alma,
– fazei que aspiremos sempre os bens do alto.   R.

Senhor do céu e da terra, que colocastes Maria como rainha à vossa direita,
– dai-nos a alegria de participar um dia com ela da mesma glória.
                                 R.

                    (intenções livres)

Pai nosso...

Oração

Deus eterno e todo-poderoso, que elevastes à glória do céu em corpo e alma a Imaculada Virgem Maria, Mãe do vosso Filho, dai-nos viver atentos às coisas do alto a fim de participarmos da sua glória. Por nosso Senhor Jesus Cristo, vosso Filho, na unidade do Espírito Santo.

Hora Média

Salmos graduais, p. 1135. Sendo domingo, os salmos são do domingo da I Semana, p. 768.

Ant. Louvemos Maria, Rainha dos céus,
pois dela nos veio o Sol da justiça.

Leitura breve
Ap 12,1

Apareceu no céu um grande sinal: uma mulher vestida de sol, tendo a lua debaixo dos pés e sobre a cabeça uma coroa de doze estrelas.

V. A **Mãe** do Senhor foi **ho**je exaltada
R. Acima dos **an**jos no Reino celeste.

Oração como nas Laudes.

II Vésperas

HINO Nova estrela no céu, como nas I Vésperas, p. 1329.

Ant. 1 Maria foi **ho**je elevada aos **céus**,
os **an**jos se alegram, louvando o Senhor.

Salmos e cântico do Comum de Nossa Senhora, p. 1468.

Ant. 2 Maria **Vir**gem foi assunta à celeste habitação,
onde o Rei está num trono adornado de estrelas.

Ant. 3 Sois bendita por **Deus**, entre **to**das, Maria,
pois de **vós** recebemos o **Fru**to da Vida.

Leitura breve
1Cor 15,22-23

Como em Adão todos morrem, assim também em Cristo todos reviverão. Porém, cada qual segundo uma ordem determinada: Em primeiro lugar, Cristo, como primícias; depois, os que pertencem a Cristo, por ocasião da sua vinda.

1334   15 de agosto

Responsório breve

R. Foi exaltada a **Vir**gem Ma**ri**a,
* A**ci**ma dos **co**ros dos **an**jos. R. Foi exal**ta**da.
V. Ben**di**to o Se**nhor** que a ele**vou**!* A**ci**ma.
Glória ao **Pai.** R. Foi exal**ta**da.

Cântico evangélico, ant.

Hoje a **Vir**gem Ma**ri**a su**biu** para os **céus,**
ale**gre**mo-nos **to**dos,
pois **rei**na com **Cris**to sem **fim,** pelos **sé**culos.

Preces

Proclamemos a grandeza de Deus Pai todo-poderoso: Ele quis
que Maria, Mãe de seu Filho, fosse celebrada por todas as gerações. Peçamos humildemente:
R. **Cheia de graça, intercedei por nós!**

Deus, autor de tantas maravilhas, que fizestes a Imaculada Virgem Maria participar em corpo e alma da glória celeste de Cristo,
– conduzi para a mesma glória os corações de vossos filhos.   R.

Vós, que nos destes Maria por Mãe, concedei, por sua intercessão, saúde aos doentes, consolo aos tristes, perdão aos pecadores,
– e a todos a salvação e a paz.   R.

Vós, que fizestes de Maria a cheia de graça,
– concedei a todos a abundância da vossa graça.   R.

Fazei, Senhor, que a vossa Igreja seja, na caridade, um só coração
e uma só alma,
– e que todos os fiéis perseverem unânimes na oração com Maria,
Mãe de Jesus.   R.

(intenções livres)

Vós, que coroastes Maria como rainha do céu,
– fazei que nossos irmãos falecidos se alegrem eternamente em
vosso reino, na companhia dos santos.   R.

Pai nosso...

Oração

Deus eterno. e todo-poderoso, que elevastes à glória do céu em
corpo e alma a Imaculada Virgem Maria, Mãe do vosso Filho,
dai-nos viver atentos às coisas do alto a fim de participarmos da

sua glória. Por nosso Senhor Jesus Cristo, vosso Filho, na unidade do Espírito Santo.

No fim das Completas convém dizer a antífona: Ave, Rainha do céu, p. 765.

16 de agosto

SANTO ESTÊVÃO DA HUNGRIA

Nasceu na Panônia cerca do ano 969; tendo recebido o batismo, foi coroado rei da Hungria no ano 1000. No governo do seu reino foi justo pacífico e piedoso, observando com toda a diligência as leis da Igreja e procurando sempre o bem dos súditos. Fundou vários episcopados e auxiliou com o máximo zelo a vida da Igreja. Morreu em Alba Real (Szekesfehérvar) no ano 1038.

Do Comum dos santos homens, p. 1551.

Oração

Deus todo-poderoso, concedei à vossa Igreja a gloriosa proteção de Santo Estêvão, rei da Hungria, que propagou o vosso Evangelho quando reinava na terra. Por nosso Senhor Jesus Cristo, vosso Filho, na unidade do Espírito Santo.

19 de agosto

SÃO JOÃO EUDES, PRESBÍTERO

Nasceu na diocese de Séez (França) no ano 1601. Recebeu a ordenação sacerdotal e dedicou-se durante vários anos à pregação nas paróquias. Fundou duas Congregações: uma destinada à formação sacerdotal dos seminaristas e outra para educação das mulheres cuja vida cristã corria perigo. Fomentou com particular zelo a devoção aos Corações de Jesus e de Maria. Morreu em 1680.

Do Comum dos pastores: para presbíteros, p. 1523, ou dos santos homens: para religiosos, p. 1571.

Oração

Ó Deus, que escolhestes o presbítero São João Eudes para anunciar as incomparáveis riquezas de Cristo, dai-nos seguir seus conselhos e exemplos, a fim de conhecer-vos melhor e viver fielmente à luz do Evangelho. Por nosso Senhor Jesus Cristo, vosso Filho, na unidade do Espírito Santo.

20 de agosto

SÃO BERNARDO, ABADE E DOUTOR DA IGREJA

Memória

Nasceu no ano 1090 perto de Dijon (França) e recebeu uma piedosa educação. Admitido, no ano 1111, entre os Monges Cistercienses, foi eleito, pouco tempo depois, abade do mosteiro de Claraval. Com a sua atividade e exemplo exerceu uma notável influência na formação espiritual dos seus irmãos religiosos. Por causa dos cismas que ameaçavam a Igreja, percorreu a Europa para restabelecer a paz e a unidade. Escreveu muitas obras de teologia e ascética. Morreu em 1153.

Do Comum dos doutores da Igreja, p. 1533, ou, dos santos homens: para religiosos, p. 1571, exceto o seguinte:

Laudes

HINO Bernardo, luz celeste, como nas Vésperas, abaixo.

Cântico evangélico, ant.
São Bernardo, iluminado pela **luz** do Verbo eterno, irradia em toda a Igreja a luz da **fé** e da doutrina.

Oração

Ó Deus, que fizestes do abade São Bernardo, inflamado de zelo por vossa casa, uma luz que brilha e ilumina a Igreja, dai-nos, por sua intercessão, o mesmo fervor para caminharmos sempre como filhos da luz. Por nosso Senhor Jesus Cristo, vosso Filho, na unidade do Espírito Santo.

Vésperas

Hino

Bernardo, luz celeste,
que agora festejamos,
transforma em dons divinos
os hinos que cantamos.

O Cristo no teu peito,
sol vivo que flameja,
te faz coluna, escudo,
doutor da sua Igreja.

O Espírito em teus lábios
pôs fontes de verdade
e mel que se derrama
por toda a humanidade.

Ninguém com mais ternura
nos fala de Maria:
busquemos na procela
a Estrela que nos guia!

De claustros tu semeias
a Europa e o mundo inteiro,
os papas te consultam,
dos reis és conselheiro.

Ao Deus, que é uno e trino,
as vozes elevemos,
e um dia, face a face,
contigo contemplemos.

Cântico evangélico, ant.
Doutor melífluo, São Bernardo, do Esposo sois amigo,
sois cantor da Virgem **Mãe**, sois ilustre em Claraval,
e pastor dos mais insignes.

Oração como nas Laudes.

21 de agosto

SÃO PIO X, PAPA

Memória

Nasceu na aldeia de Riese, na região de Veneza (Itália), em 1835. Depois de ter desempenhado santamente o ministério sacerdotal, foi sucessivamente bispo de Mântua, patriarca de Veneza, e papa, eleito no ano 1903. Adotou como lema do seu pontificado "Restaurar todas as coisas em Cristo", ideal que de fato orientou a sua ação pontifícia, na simplicidade de espírito, pobreza e fortaleza, dando assim um novo incremento à vida cristã na Igreja. Teve também de combater energicamente contra os erros que nela se infiltravam. Morreu no dia 20 de agosto de 1914.

Do Comum dos pastores: para papas, p. 1523.

1338 22 de agosto

Oração

Ó Deus, que, para defender a fé católica e restaurar todas as coisas em Cristo, cumulastes o papa São Pio X de sabedoria divina e coragem apostólica, fazei-nos alcançar o prêmio eterno, dóceis às suas instruções e seus exemplos. Por nosso Senhor Jesus Cristo, vosso Filho, na unidade do Espírito Santo.

22 de agosto

NOSSA SENHORA RAINHA

Memória

Do Comum de Nossa Senhora, p. 1462, exceto o seguinte:

Laudes

Hino

Filha de reis, estirpe de Davi,
como é gloriosa a luz em que fulguras!
Sobre as regiões celestes elevada,
Virgem Maria, habitas nas alturas.

No coração, ó Virgem, preparaste,
para o Senhor dos céus, habitação.
E no sagrado templo do teu seio
Deus toma um corpo e faz-se nosso irmão,

perante quem o mundo se ajoelha
a quem a terra adora, reverente,
a quem pedimos venha em nosso auxílio,
radiosa luz, que as trevas afugente.

Tal nos conceda o Pai de toda a luz
e o Filho que por nós de ti nasceu,
com o Espírito, Sopro que dá vida,
reinando pelos séculos, no céu.

Cântico evangélico, ant.

Excelsa Rainha do **mun**do, **Ma**ria, ó **Vir**gem perpétua, ge**ras**tes o **Cris**to, **Se**nhor, de **to**dos o **Deus** Salvador.

Oração

Ó Deus, que fizestes a Mãe do vosso Filho nossa Mãe e Rainha, dai-nos, por sua intercessão, alcançar o Reino do céu e a glória

22 de agosto

prometida aos vossos filhos e filhas. Por nosso Senhor Jesus Cristo, vosso Filho, na unidade do Espírito Santo.

Vésperas

Hino

Sob o peso dos pecados,
oprimidos, te invocamos.
Junto a ti, do céu Rainha;
um refúgio procuramos.

Tu, da vida eterna porta,
ouve o povo em seu clamor.
Restitui a esperança
que a mãe Eva nos tirou.

Ó Princesa e mãe do Príncipe,
pela tua intercessão,
dá-nos ter a vida eterna,
e no tempo a conversão.

Quando oras, ó santíssima,
os eleitos também oram.
O Senhor, por tuas preces,
dá a graça aos que lhe imploram.

Ó Rainha e Mãe de todos,
dos teus filhos ouve a voz,
e, depois da vida frágil,
a paz reine sobre nós.

Honra e glória ao Pai, ao Filho
e ao Espírito também,
que de glória te vestiram
no esplendor dos céus. Amém.

Cântico evangélico, ant.

Sois feliz porque crestes, Maria,
na palavra que Deus vos falou:
para sempre com Cristo reinais.

Oração como nas Laudes.

No fim das Completas convém dizer à antífona: Ave, Rainha do céu, p. 755.

1340 23 de agosto

23 de agosto

SANTA ROSA DE LIMA, VIRGEM
Padroeira da América Latina

Festa

Nasceu em Lima (Peru) no ano 1586; já durante o tempo que viveu em sua casa se dedicou de modo invulgar à prática das virtudes cristãs; mas quando tomou o hábito da Ordem Terceira de São Domingos fez os maiores progressos no caminho da penitência e da contemplação mística. Morreu no dia 24 de agosto de 1617.

Do Comum das virgens, p. 1539, ou, das santas mulheres: para religiosas, p. 1571, exceto o seguinte:

Laudes

Hino

Quando, Senhor, no horizonte
fazes despontar o dia,
reacende as lembranças
daquele que em ti confia.

Por nossas mãos sofredoras
vão passar as ilusões;
acolhe tu nossas preces,
dons dos nossos corações.

Ó Santa Rosa de Lima,
dá-nos viver para o Amado
que, quando estavas na terra,
já te havia desposado.

Não esqueças quem caminha
seguindo as tuas pegadas;
possamos chegar um dia
do céu às muitas moradas.

Louvem ao Pai nossos lábios,
e ao Filho e ao Espírito Santo;
que a Trindade nos abrigue
e nos cubra com seu manto.

Oração

Ó Deus, que inspirastes Santa Rosa de Lima, inflamada de amor, a deixar o mundo, a servir os pobres e a viver em austera penitência, concedei-nos, por sua intercessão, seguir na terra os vossos caminhos e gozar no céu as vossas delícias. Por nosso Senhor Jesus Cristo, vosso Filho, na unidade do Espírito Santo.

Hora Média

Antífonas e salmos do dia de semana. Leitura breve e versículo do Comum das virgens, p. 1542, ou, das santas mulheres: para religiosas, p. 1565. Oração como acima.

Vésperas

Hino

As rosas da terra
aplaudam esta Rosa;
o sol e as estrelas
a chamam formosa.

Pois Rosa de graça,
florindo entre dores,
cilícios usavas
pelos pecadores.

Ó Rosa vermelha,
ó Rosa de Lima,
chorar nossas faltas
a todos ensina.

Sobre toda a América,
Trindade divina,
derrame-se o orvalho
de Rosa de Lima.

24 de agosto

SÃO BARTOLOMEU, APÓSTOLO

Festa

Nasceu em Caná. O apóstolo Filipe conduziu-o a Jesus. Diz uma tradição que depois da Ascensão do Senhor pregou o Evangelho na Índia e aí recebeu a coroa do martírio.

Do Comum dos apóstolos, p. 1479, exceto o seguinte:

1342 24 de agosto

Laudes

Hino

Brilhando entre os apóstolos,
do céu nos esplendores,
Bartolomeu, atende
pedidos e louvores!

Ao ver-te o Nazareno,
te amou com grande afeto,
sentido num relance
teu coração tão reto.

Messias esboçado
no Antigo Testamento,
a ti se manifesta
na luz desse momento.

E tanto a ti se une
em íntima aliança,
que a ti manda o martírio,
a cruz que o céu alcança.

Tu pregas o Evangelho,
proclamas o homem novo:
se o Mestre é tua vida,
dás vida a todo o povo.

Ao Cristo celebremos,
por toda a nossa vida,
pois leva-nos à Pátria,
à Terra Prometida.

Oração

Ó Deus, fortalecei em nós aquela fé que levou São Bartolomeu a seguir de coração o vosso Filho, e fazei que, pelas preces do Apóstolo, a vossa Igreja se torne sacramento da salvação para todos os povos. Por nosso Senhor Jesus Cristo, vosso Filho, na unidade do Espírito Santo.

Hora Média

Antífonas e salmos do dia de semana. Leitura breve do Comum dos apóstolos, p. 1482. Oração como acima.

25 de agosto

SÃO LUÍS DE FRANÇA

Nasceu em 1214 e subiu ao trono de França aos vinte e dois anos de idade. Contraiu matrimônio e teve onze filhos a quem ele próprio deu uma excelente educação. Distinguiu-se pelo seu espírito de penitência e oração e pelo seu amor aos pobres. Na administração do reino foi notável o seu zelo pela paz entre os povos, e mostrou-se tão diligente na promoção material dos seus súditos como na sua promoção espiritual. Empreendeu duas cruzadas para libertar o sepulcro de Cristo e morreu perto de Cartago no ano 1270.

Do Comum dos santos homens, p. 1551.

Oração

Ó Deus, que transferistes São Luís dos cuidados de um reino terrestre à glória do Reino do Céu, concedei-nos, por sua intercessão, desempenhar nossas tarefas de cada dia, e trabalhar para a vinda do vosso Reino. Por nosso Senhor Jesus Cristo, vosso Filho, na unidade do Espírito Santo.

No mesmo dia 25 de agosto

SÃO JOSÉ DE CALASANZ, PRESBÍTERO

Nasceu em Aragão (Espanha) no ano 1557 e recebeu uma excelente formação cultural. Foi ordenado sacerdote e, depois de ter exercido o ministério na sua pátria, partiu para Roma, onde se dedicou à educação das crianças pobres e fundou uma Congregação (Escolas Pias) cujos membros (Escolápios) deviam dedicar-se a esta nobre missão. Teve de sofrer duras provações e foi nomeadamente vítima de invejas e calúnias. Morreu em Roma no ano 1648.

Do Comum dos santos homens: para educador. p. 1574, ou, dos pastores: para presbíteros, p. 1523.

Oração

Ó Deus, que ornastes de bondade e paciência o presbítero São José Calasanz, inspirando-lhe consagrar toda a sua vida à instrução e formação da juventude, concedei-nos, ao venerá-lo como mestre da sabedoria cristã, imitá-lo no serviço da verdade. Por nosso Senhor Jesus Cristo, vosso Filho, na unidade do Espírito Santo.

27 de agosto

SANTA MÔNICA

Memória

Nasceu em Tagaste (África) no ano 331, de uma família cristã. Ainda muito jovem foi dada em matrimônio a um homem chamado Patrício. Teve vários filhos, entre os quais Agostinho, por cuja conversão derramou muitas lágrimas e orou insistentemente a Deus. Exemplo de mãe verdadeiramente santa, alimentou a sua fé com uma vida de intensa oração e enriqueceu-a com suas virtudes. Morreu em Óstia no ano 387.

Do Comum das santas mulheres, p. 1562.

Laudes

Cântico evangélico, ant

Vós a ouvistes, ó Senhor, e aceitastes suas lágrimas
que, de tantas derramadas em contínua oração,
regariam toda a terra.

Oração

Ó Deus, consolação dos que choram, que acolhestes misericordioso as lágrimas de santa Mônica pela conversão de seu filho Agostinho, dai-nos, pela intercessão de ambos, chorar os nossos pecados e alcançar o vosso perdão. Por nosso Senhor Jesus Cristo, vosso Filho, na unidade do Espírito Santo.

Vésperas

Cântico evangélico, ant.

Santa Mônica, mãe de Agostinho,
de tal modo vivia no Cristo,
que, estando ainda no mundo,
sua vida e sua fé se tornaram
o louvor mais perfeito de Deus.

28 de agosto

SANTO AGOSTINHO, BISPO E DOUTOR DA IGREJA

Memória

Nasceu em Tagaste (África) no ano 354. Depois de uma juventude perturbada, quer intelectualmente quer moralmente, converteu-se à fé e foi batizado em Milão por Santo Ambrósio no ano 387. Voltou à sua terra e aí levou uma vida de grande ascetismo. Eleito bispo de Hipona, durante trinta e quatro anos foi perfeito modelo do seu rebanho e deu-lhe uma sólida formação cristã por meio de numerosos sermões e escritos, com os quais combateu fortemente os erros do seu tempo e ilustrou sabiamente a fé Católica. Morreu no ano 430.

Do Comum dos pastores: para bispos, p. 1523, e dos doutores da Igreja, p. 1533, exceto o seguinte:

Laudes

Hino

> Fulge nos céus o grande sacerdote,
> brilha e corusca a estrela dos doutores,
> e do Universo em todos os quadrantes
> da luz da fé espalha os esplendores.
>
> Sião feliz, por filho tão notável
> bendize a Deus, Senhor da salvação,
> que o une a si de modo admirável
> e o faz brilhar na luz do seu clarão.
>
> Firmou a fé e, sempre vigilante,
> venceu do erro as armas com destreza.
> Purificou costumes degradantes
> pela doutrina exposta com clareza.
>
> A todo o clero brilhas como exemplo,
> da grei de Cristo, ó guarda vigilante,
> Por tua prece, torna-nos benigna
> do Deus supremo a face fascinante.

1346   29 de agosto

Glória e louvor aos Três, de quem na terra
sondar quiseste a grande profundeza.
Seu esplendor, agora, eternamente
bebes, na fonte eterna da beleza.

Cântico evangélico, ant.
De vós mesmo nos provém esta atração,
que louvar-vos, ó Senhor, nos dê prazer,
pois, Senhor, vós nos fizestes para vós;
e inquieto está o nosso coração,
enquanto não repouse em vós, Senhor.

Oração
Renovai, ó Deus, na vossa Igreja aquele espírito com o qual
cumulastes o bispo Santo Agostinho para que, repletos do mesmo espírito, só de vós tenhamos sede, fonte da verdadeira sabedoria, e só a vós busquemos, autor do amor eterno. Por nosso
Senhor Jesus Cristo, vosso Filho, na unidade do Espírito Santo.

Vésperas

HINO Fulge nos céus, como nas Laudes.

Cântico evangélico, ant.
Muito tarde vos amei, ó Beleza sempre antiga,
ó Beleza sempre nova, muito tarde vos amei!
Vós chamastes e gritastes, e rompestes-me a surdez!

29 de agosto

MARTÍRIO DE SÃO JOÃO BATISTA

Memória

Laudes

Hino

Logo ao nasceres não trazes mancha,
João Batista, severo asceta,
mártir potente, do ermo amigo,
grande Profeta.

29 de agosto

De trinta frutos uns se coroam.
A fronte de outros o dobro cinge.
Tua coroa, dando três voltas,
os cem atinge.

Assim cingido de tanto mérito,
retira as pedras do nosso peito,
torto caminho, chão de alto e baixo,
torna direito.

Faze que um dia, purificados,
vindo a visita do Redentor,
possa em noss'alma, que preparaste,
seus passos pôr.

A vós, Deus Único, o céu celebra,
Trino em pessoas canta também.
Mas nós na terra, impuros, pedimos
perdão. Amém.

Ant. 1 O Se**nhor** esten**deu** sua **mão**
e to**cou** minha **boca** e meus **lábios**;
fez de **mim** o pro**feta** dos **povos**.

Salmos e cântico do domingo da I Semana, p. 764.

Ant. 2 He**ro**des tinha **me**do de Jo**ão**
e o guar**da**va sob a **sua** prote**ção**,
pois sa**bia** que ele **era** justo e **san**to.

Ant. 3 He**ro**des gos**ta**va de ou**vir** João Ba**tis**ta,
e em **mui**to se**gui**a o que ele di**zia**.

Leitura breve
Is 49,1b-2

O Senhor chamou-me antes de eu nascer, desde o ventre de minha mãe ele tinha na mente o meu nome; fez de minha palavra uma espada afiada, protegeu-me à sombra de sua mão e fez de mim uma flecha aguçada, escondida em sua aljava.

Responsório breve
R. Envi**astes** mensa**geiros** a Jo**ão**,
 * E ele **deu** teste**munho** da ver**dade**. R. Envi**astes**.
V. Foi um **facho** que **arde** e ilu**mina**.* E ele **deu**.
 Glória ao **Pai**. R. Envi**astes**.

1348 29 de agosto

Cântico evangélico, ant.

O amigo do Esposo, que espera para ouvi-lo,
é tomado de alegria ao ouvir a voz do Esposo:
eis a minha alegria, alegria sem limites.

Preces

Invoquemos a Cristo, que enviou João Batista como precursor,
para preparar os seus caminhos; e digamos com toda confiança:

R. **Cristo, sol nascente, iluminai os nossos caminhos!**

Vós fizestes João Batista exultar de alegria no seio de Isabel;
– fazei que sempre nos alegremos com a vossa vinda a este mundo.
R.

Vós nos indicastes o caminho da penitência pela palavra e pela
vida de João Batista;
– convertei os nossos corações aos mandamentos do vosso reino.
R.

Vós quisestes ser anunciado pela voz de um homem;
– enviai pelo mundo inteiro mensageiros do vosso evangelho. R.

Vós quisestes ser batizado por João no rio Jordão, para que se
cumprisse toda a justiça;
– fazei-nos trabalhar com empenho para estabelecer a justiça do
vosso reino. R.

(intenções livres)

Pai nosso...

Oração

Ó Deus, quisestes que São João Batista fosse o precursor do nascimento e da morte do vosso Filho; como ele tombou na luta
pela justiça e a verdade, fazei-nos também lutar corajosamente
para testemunhar a vossa palavra. Por nosso Senhor Jesus Cristo,
vosso Filho, na unidade do Espírito Santo.

Vésperas

Hino

Predecessor fiel da graça,
bondoso anjo da verdade,
clarão de Cristo, ele anuncia
a Luz da eterna claridade.

Das profecias o precônio
que ele cantara, austero e forte,
com vida e atos confirmou
pelo sinal da santa morte.

Quem para o mundo ia nascer
ele precede, ao vir primeiro,
mostrando Aquele que viria
dar o batismo verdadeiro.

E cuja morte inocente,
que a vida ao mundo conquistou,
fora predita pelo sangue
que João Batista derramou.

Ó Pai clemente, concedei-nos
seguir os passos de São João,
para fruirmos para sempre
o dom de Cristo, em profusão.

Ant. 1 Não **temas** diante **de**les, pois con**ti**go eu es**tou**,
as**sim** diz o Se**nhor**.

Salmos e cântico do Comum de um mártir, p. 1515.

Ant. 2 He**ro**des man**dou** um car**ras**co
decapi**tar** a Jo**ão** na pri**são**.

Ant. 3 Os dis**cí**pulos de Jo**ão** le**va**ram o seu **cor**po
e o pu**se**ram no se**pul**cro.

Leitura breve
At 13,23-25

Conforme prometera, da descendência de Davi Deus fez surgir
para Israel um Salvador, que é Jesus. Antes que ele chegasse,
João pregou um batismo de conversão para todo o povo de Israel. Estando para terminar sua missão, João declarou: Eu não
sou aquele que pensais que eu seja! Mas vede: depois de mim
vem aquele, do qual nem mereço desamarrar as sandálias.

Responsório breve
R. O a**mi**go do Es**po**so se a**le**gra,
* Ou**vin**do a **voz** do Esposo. R. O a**mi**go.
V. Eis **mi**nha per**fei**ta ale**gri**a! * Ou**vin**do.
Glória ao **Pai**. R. O a**mi**go.

1350 29 de agosto

Cântico evangélico, ant.

O Messias não sou eu, fui mandado à sua **frente**;
é preciso que ele **cresça**; eu, porém, que diminua.

Preces

João Batista foi escolhido por Deus para anunciar à humanidade a chegada do reino de Cristo. Por isso, oremos com alegria, dizendo:

R. **Dirigi, Senhor, os nossos passos no caminho da paz!**

Vós, que chamastes João Batista desde o ventre materno para preparar os caminhos de vosso Filho,
– chamai-nos para seguir o Senhor com a mesma fidelidade com que João o precedeu. R.

Assim como destes a João Batista a graça de reconhecer o Cordeiro de Deus, fazei que vossa Igreja também o anuncie,
– e que os homens e as mulheres do nosso tempo o reconheçam. R.

Vós, que inspirastes a vosso profeta ser necessário ele diminuir para que Cristo crescesse,
– ensinai-nos a ceder lugar aos outros, para que vossa presença se manifeste em cada um de nós. R.

Vós, que quisestes proclamar a justiça mediante o martírio de João,
– tornai-nos testemunhas incansáveis da vossa verdade. R.

(intenções livres)

Lembrai-vos de todos aqueles que já partiram desta vida,
– recebei-os no reino da luz e da paz. R.

Pai nosso...

Oração

Ó Deus, quisestes que São João Balista fosse o precursor do nascimento e da morte do vosso Filho; como ele tombou na luta pela justiça e a verdade, fazei-nos também lutar corajosamente para testemunhar a vossa palavra. Por nosso Senhor Jesus Cristo, vosso Filho, na unidade do Espírito Santo.

SETEMBRO

3 de setembro

SÃO GREGÓRIO MAGNO,
PAPA E DOUTOR DA IGREJA

Memória

Nasceu em Roma por volta do ano 540. Tendo tomado a carreira política, chegou a ser nomeado prefeito de Roma. Abraçou depois a vida monástica, foi ordenado diácono e desempenhou o cargo de legado pontifício em Constantinopla. No dia 3 de setembro do ano 590 foi elevado à Cátedra de Pedro, cargo que exerceu como verdadeiro bom pastor no governo da Igreja, no cuidado dos pobres, na propagação e consolidação da fé. Escreveu muitas obras de Moral e Teologia. Morreu a 12 de março do ano 604.

Do Comum dos pastores: para papas, p. 1523, e dos doutores da Igreja, p. 1533, exceto o seguinte:

Laudes

Hino

Dos Anglos outrora apóstolo,
dos anjos agora irmão,
à grei que a Igreja congrega
estende, Gregório, a mão.

Calcando riqueza e glória,
do mundo o falso esplendor,
tu, pobre, seguiste o Pobre
de toda a terra Senhor.

Supremo Pastor, o Cristo,
confia-te a sua grei:
de Pedro recebe o cargo
quem segue de Pedro a lei.

Da Bíblia com seus mistérios
descobres a solução:
a própria Verdade te ergue
à luz da contemplação.

1352   8 de setembro

De todos os servos servo,
da Igreja papa e doutor,
não deixes os que te seguem
nas garras do tentador.

Por ti os mais belos cânticos
puderam vir até nós;
em honra ao Deus uno e trino,
ergamos juntos a voz.

Cântico evangélico, ant.
Pastor exímio, São Gregório nos deixou um grande exemplo
de uma vida de pastor e uma regra a seus irmãos.

Oração
Ó Deus, que cuidais do vosso povo com indulgência e o governais com amor, dai, pela intercessão de São Gregório Magno,
o espírito de sabedoria àqueles a quem confiastes o governo da
vossa Igreja, a fim de que o progresso das ovelhas contribua para
a alegria dos pastores. Por nosso Senhor Jesus Cristo, vosso Filho, na unidade do Espírito Santo.

Vésperas

HINO Dos Anglos outrora, como nas Laudes, p. 1351.

Cântico evangélico, ant.
São Gregório praticava tudo aquilo que pregava
e se fez exemplo vivo dos mistérios que ensinava.

8 de setembro

NATIVIDADE DE NOSSA SENHORA

Festa

Laudes

Hino

Dona e Senhora da terra,
do céu Rainha sem par,
Virgem Mãe que um Deus encerra,
suave Estrela do mar!

Tua beleza fulgura,
cingida embora de véus,
pois nos trouxeste, tão pura,
o próprio Filho de Deus.

Hoje é o teu dia: nasceste;
vieste sem mancha à luz:
com teu natal tu nos deste
o do teu Filho Jesus.

Em ti celeste e terrena,
o nosso olhar se compraz,
Rainha santa e serena,
que a todos trazes a paz.

Louvado o Deus trino seja,
suba ao céu nosso louvor,
pois quis tornar Mãe da Igreja
a própria Mãe do Senhor.

Ant. 1 É **ho**je o nasci**men**to da **Vir**gem gloriosa,
descen**den**te de Abra**ão** e da **tri**bo de Ju**dá**,
nobre **Fil**ha de **Da**vi.

Salmos e cântico do domingo da I Semana, p. 764.

Ant. 2 Ao nas**cer** a santa **Vir**gem,
ilumi**nou**-se o mundo in**tei**ro:
feliz es**tir**pe, raiz **san**ta, e ben**di**to é o seu **Fru**to.

Ant. 3 Com ale**gri**a celebre**mos** o nasci**men**to de Ma**ri**a,
para que **e**la inter**ce**da por nós **to**dos junto ao **Cris**to.

Leitura breve
Is 11,1-3a

Nascerá uma haste do tronco de Jessé e, a partir da raiz, surgirá
o rebento de uma flor; sobre ele repousará o espírito do Senhor:
espírito de sabedoria e discernimento, espírito de conselho e fortaleza, espírito de ciência e temor de Deus; no temor do Senhor
encontra ele seu prazer.

Responsório breve
R. O Se**nhor** a esco**lheu**,
   * Entre **to**das prefe**ri**da. **R.** O Se**nhor** a esco**lheu**.
V. O Se**nhor** a fez mo**rar** em sua **san**ta habita**ção**.
   * Entre **to**das. Glória ao **Pai**. **R.** O Se**nhor** a esco**lheu**.

1354 · 8 de setembro

Cântico evangélico, ant.

Vosso natal, ó Mãe de **Deus**, alegrou o mundo inteiro:
de vós nasceu o Sol da justiça, Jesus **Cristo**, nosso **Deus**,
que nos trouxe a grande **bênção**; dissolvendo a maldição
e humilhando a própria morte, deu-nos vida sempiterna.

PRECES, do Comum, p. 1463.

Oração

Abri, ó Deus, para os vossos servos e servas os tesouros da vossa graça: e assim como a maternidade de Maria foi a aurora da
salvação, a festa do seu nascimento aumente em nós a vossa paz.
Por nosso Senhor Jesus Cristo, vosso Filho, na unidade do Espírito Santo.

Hora Média

Salmos do dia de semana corrente.

Ant. Nascida de **reis**, refulge **Maria**;
peçamos, devotos, com **todo** o fervor,
que ajude a nós **todos** com **rogos** e **preces**.

Leitura breve · Jt 13,18b-19

Bendito é o Senhor Deus, que criou o céu e a terra, e te levou a
decepar a cabeça do chefe de nossos inimigos! Porque nunca o
teu louvor se afastará do coração dos homens, que se lembrarão
do poder de Deus para sempre.

V. Felizes as entranhas da **Virgem Maria**:
R. Trouxeram o **Filho** de **Deus**, Pai eterno.

Oração como nas Laudes.

Vésperas

Hino

Ó florão da humana raça,
virginal Mãe de Jesus,
tu, aos filhos da desgraça,
vens fazer filhos da luz

8 de setembro

Já trazendo a realeza
ao nascer do rei Davi,
vês crescer tua nobreza,
quando Deus nasce de ti.

Tua luz venceu a treva
do pecado original,
transformando os filhos de Eva
em nação sacerdotal.

Tua prece nos consiga
de Deus Pai pleno perdão,
e, calcada a culpa antiga,
a divina comunhão.

Ao Deus trino, Virgem pura,
erga o homem seu louvor;
restauraste a criatura,
dando à luz o Criador.

Ant. 1 A **Vir**gem Ma**ria** nas**ceu**, bro**tou** da ra**iz** de Jessé;
pelo Es**pí**rito **San**to de **Deus** tor**nou**-se a **Mãe** do Se**nhor**.

Salmos e cântico do Comum de Nossa Senhora, p. 1468.

Ant. 2 É **ho**je o nasci**men**to de Ma**ri**a, a Virgem **san**ta.
Deus o**lhou** sua be**le**za e visi**tou** sua humil**da**de.

Ant. 3 Santa Ma**ri**a, Mãe de **Deus**, sois ben**di**ta e vene**rá**vel;
ao cele**brar**mos vossa **fes**ta, interce**dei** por todos **nós**
junto ao **Cris**to, vosso **Fi**lho.

Leitura breve
Rm 9,4-5

Eles são israelitas. A eles pertencem a filiação adotiva, a glória,
as alianças, as leis, o culto, as promessas e também os patriarcas.
Deles é que descende, quanto à sua humanidade, Cristo, o qual
está acima de todos – Deus bendito para sempre! – Amém!

Responsório breve

R. Maria, alegra-te, ó **cheia** de **graça**;
  * O Se**nhor** é contigo! R. Maria.
V. És ben**dita** entre **todas** as **mulheres**,
  e ben**dito** é o **fruto** do teu **ventre**. * O Senhor.
  Glória ao **Pai**. R. Maria.

1356   13 de setembro

Cântico evangélico, ant.

Celebremos o natal glorioso de Maria!
Deus olhou sua humildade, quando o anjo lhe falou,
e ela concebeu o Redentor da humanidade.

PRECES, do Comum, p. 1471.

Oração

Abri, ó Deus, para os vossos servos e servas os tesouros da vossa graça: e assim como a maternidade de Maria foi a aurora da salvação, a festa do seu nascimento aumente em nós a vossa paz. Por nosso Senhor Jesus Cristo, vosso Filho, na unidade do Espírito Santo.

13 de setembro

SÃO JOÃO CRISÓSTOMO, BISPO
E DOUTOR DA IGREJA

Memória

Nasceu em Antioquia, cerca do ano 349. Depois de ter recebido uma excelente educação, dedicou-se à vida ascética; e, tendo sido ordenado sacerdote, consagrou-se com grande fruto ao ministério da pregação. Eleito bispo de Constantinopla no ano 397, revelou grande zelo e competência nesse cargo pastoral, atendendo em particular à reforma dos costumes, tanto do clero como dos fiéis. A oposição da corte imperial e de outros inimigos pessoais levou-o por duas vezes ao exílio. Perseguido por tantas tribulações, morreu em Comana (Ponto, Ásia Menor) no dia 14 de setembro do ano 407. A sua notável diligência e competência na arte de falar e escrever, para expor a doutrina católica e formar os fiéis na vida cristã, mereceu-lhe o apelativo de Crisóstomo, "boca de ouro".

Do Comum dos pastores: para bispos, p. 1523, e dos doutores da Igreja, p. 1533.

Laudes e Vésperas

Hino

> "Boca de Ouro", dos teus lábios fluem
> as torrentes que os vícios eliminam,
> rico e nobre verberam, e a todo o povo
> as verdades ensinam.

Egrégio arauto, êmulo de Paulo,
que por amor a todos se fez tudo,
espelho de virtudes, resplandeces,
jamais calado e mudo.

Nem mesmo o imperador pôde dobrar-te:
iras não temes nem desejas glória;
ganhas no exílio a púrpura de mártir,
a palma da vitória.

Na terra o sacerdócio engrandeceste,
este poder que aos anjos não foi dado:
eis-te agora nos céus, no meio deles,
e por eles louvado.

Venham em nosso auxílio as tuas preces,
e que ao Reino do céu chegar possamos,
enquanto unindo à tua as nossas vozes,
ao Deus trino louvamos.

Oração

Ó Deus, força dos que em vós esperam, que fizestes brilhar na vossa Igreja o bispo São João Crisóstomo por admirável eloquência e grande coragem nas provações, dai-nos seguir os seus ensinamentos, e robustecer-nos com sua invencível fortaleza. Por nosso Senhor Jesus Cristo, vosso Filho, na unidade do Espírito Santo.

14 de setembro

EXALTAÇÃO DA SANTA CRUZ

Festa

I Vésperas

(Quando a festa cai no domingo)

HINO Do Rei avança o estandarte, como nas II Vésperas, p. 1364.

Salmodia

Ant. 1 O Senhor crucificado dentre os mortos ressurgiu,
e a todos nos remiu. Aleluia.

Salmo 146(147 A)

= ¹ Louvai o Senhor **Deus**, porque ele é **bom**, †
cantai ao nosso Deus, porque é suave: *
ele é digno de louvor, ele o merece!

— ² O Senhor reconstruiu Jerusalém, *
e os dispersos de Israel juntou de novo;

— ³ ele conforta os corações despedaçados, *
ele enfaixa suas feridas e as cura;

— ⁴ fixa o número de todas as estrelas *
e chama a cada uma por seu nome.

— ⁵ É grande e onipotente o nosso Deus, *
seu saber não tem medidas nem limites.

— ⁶ O Senhor **Deus** é o amparo dos humildes, *
mas dobra até o chão os que são ímpios.

— ⁷ Entoai, cantai a Deus ação de graças, *
tocai para o Senhor em vossas harpas!

— ⁸ Ele reveste todo o céu com densas nuvens, *
e a chuva para a terra ele prepara;

— faz crescer a verde relva sobre os montes *
e as plantas que são úteis para o homem;

— ⁹ ele dá aos animais seu alimento, *
e ao corvo e aos seus filhotes que o invocam.

—¹⁰ Não é a força do cavalo que lhe agrada, *
nem se deleita com os músculos do homem,

—¹¹ mas agradam ao Senhor os que o respeitam, *
os que confiam, esperando em seu amor!

Ant. O Senhor crucificado dentre os **mortos** ressurgiu,
e a todos nos remiu. Aleluia.

Ant. 2 No meio da cidade de Sião eleva-se a árvore da vida;
suas folhas dão saúde para os povos. Aleluia.

Salmo 147(147 B)

—¹² Glorifica o Senhor, Jerusalém! *
Ó Sião, canta louvores ao teu Deus!

—¹³ Pois reforçou com segurança as tuas portas, *
e os teus filhos em teu seio abençoou;

14 de setembro

— ¹⁴a **paz** em teus limites garantiu *
e te **dá** como alimento a flor do trigo.

— ¹⁵Ele en**via** suas ordens para a terra, *
e a pa**la**vra que ele diz corre veloz;

— ¹⁶ele **faz** cair a neve como lã *
e es**pa**lha a geada como cinza.

— ¹⁷Como de **pão** lança as migalhas do granizo, *
a seu **frio** as águas ficam congeladas.

— ¹⁸Ele en**via** sua palavra e as derrete, *
sopra o **ven**to e de novo as águas correm.

— ¹⁹Anun**cia** a Jacó sua palavra, *
seus pre**cei**tos e suas leis a Israel.

— ²⁰Nenhum **po**vo recebeu tanto carinho, *
a nenhum **ou**tro revelou os seus preceitos.

Ant. No **meio** da ci**da**de de Sião e**le**va-se a **árvore** da **vi**da;
suas **fo**lhas dão sa**ú**de para os **po**vos. Ale**lui**a.

Ant. 3 Nós de**ve**mos glori**ar**-nos na **Cruz** de Jesus **Cris**to.

Cântico
Fl 2,6-11

= ⁶Embora **fos**se de divina condi**ção**, †
Cristo Je**sus** não se apegou ciosamente *
a ser i**gual** em natureza a Deus Pai.

(R. Jesus **Cris**to é Se**nhor** para a **glória** de Deus **Pai!**)

= ⁷**Po**rém esvaziou-se de sua glória †
e assu**miu** a condição de um escravo, *
fa**zen**do-se aos homens semelhante.

(R.)

= Reconhe**ci**do exteriormente como homem, †
⁸humil**hou**-se, obedecendo até à morte, *
até à **mor**te humilhante numa cruz.

(R.)

= ⁹Por isso **Deus** o exaltou sobremaneira †
e deu-lhe o **no**me mais excelso, mais sublime, *
e eleva**do** muito acima de outro nome.

(R.)

= ¹⁰Para **que** perante o nome de Jesus †
se **do**bre reverente todo joelho, *
seja nos **céus**, seja na terra ou nos abismos.

(R.)

1360 14 de setembro

= [11] E toda **língua** reconheça, confessando, †
para a **glória** de Deus Pai e seu louvor: *
"Na **verda**de Jesus Cristo é o Senhor!" (R.)

Ant. Nós devemos gloriar-nos na **Cruz** de Jesus **Cris**to.

Leitura breve   1Cor 1,23-24

Nós pregamos Cristo crucificado, escândalo para os judeus e insensatez para os pagãos. Mas para os que são chamados, tanto judeus como gregos, esse Cristo é poder de Deus e sabedoria de Deus.

Responsório breve

R. O si**nal** da santa **Cruz** 'stará no **céu,**
   * Quando o Se**nhor** Jesus vier para jul**gar**. R. O si**nal**.
V. Levan**tai** vossa cabeça e o**lhai,**
   pois a **vos**sa reden**ção** se aproxima. * Quando o Se**nhor**.
   Glória ao **Pai**. R. O si**nal**.

Cântico evangélico, ant.

Era pre**ci**so que o **Cris**to so**fres**se
e **res**suscitasse dos **mor**tos,
para en**trar** em sua **gló**ria, ale**lui**a.

Preces

Oremos ao nosso Redentor que nos remiu pela sua Cruz; e digamos com toda a confiança:

R. **Elevai-nos pela cruz até o vosso Reino!**

Cristo, que vos humilhastes assumindo a condição de um escravo e fazendo-se aos homens semelhante,
– dai aos membros da Igreja a graça de imitarem a vossa humildade. R.

Cristo, que fostes obediente até à morte e morte humilhante numa cruz,
– concedei a vossos servos e servas a força de vos imitar na obediência e na paciência. R.

Cristo, que fostes exaltado por Deus e recebestes um nome que está acima de todo nome,
– concedei aos vossos fiéis o dom da perseverança até o fim. R.

14 de setembro 1361

Cristo, a cujo nome todo joelho se dobra no céu, na terra e nos abismos,
– derramai sobre a humanidade o vosso espírito de caridade, para que todos vos adorem na paz. R.

(intenções livres)

Cristo, a quem toda língua proclama Senhor para a glória de Deus Pai,
– recebei no reino da felicidade eterna os nossos irmãos e irmãs que morreram. R.

Pai nosso...

Oração

Ó Deus, que para salvar a todos dispusestes que o vosso Filho morresse na cruz, a nós, que conhecemos na terra este mistério, dai-nos colher no céu os frutos da redenção. Por nosso Senhor Jesus Cristo, vosso Filho, na unidade do Espírito Santo.

Laudes

Hino

> Por toda a terra fulgura
> a silhueta da Cruz,
> de onde pendeu inocente
> o próprio Cristo Jesus.
>
> Mais altaneira que os cedros,
> ergue-se a Cruz triunfal:
> não traz um fruto de morte,
> dá vida a todo mortal.
>
> Que o Rei da vida nos guarde
> sob o estandarte da cruz,
> broquel que a todos protege,
> farol que a todos conduz.
>
> De coração celebremos
> a Cruz de nosso Senhor:
> Moisés de braços abertos,
> orando em nosso favor.

1362   14 de setembro

A Cruz de Cristo abraçando,
reinar possamos nos céus,
com o Pai, o Espírito e o Filho,
Trindade Santa, um só Deus.

Ant. 1 Sujeitou-se à santa **Cruz**
quem venceu a própria morte,
e, vestido de poder, ressurgiu após três dias.

Salmos e cântico do domingo da I Semana, p. 764.

Ant. 2 Como brilha a Cruz bendita do Senhor!
De seus braços o corpo está pendente;
ele lava com seu sangue nossas chagas.

Ant. 3 Fulgurante resplandece a santa **Cruz**:
por ela o mundo recupera a salvação,
reina a **cruz**, triunfa a **cruz**, vence ao pecado. Aleluia.

Leitura breve   Hb 2,9b-10

Nós vemos a Jesus coroado de glória e honra, por ter sofrido a
morte. Sim, pela graça de Deus em favor de todos, ele provou a
morte. Convinha de fato que aquele, por quem e para quem todas
as coisas existem, e que desejou conduzir muitos filhos à glória,
levasse o iniciador da salvação deles à consumação, por meio de
sofrimentos.

Responsório breve

R. **Nós** vos bendizemos e adoramos,
* Ó Jesus, nosso Senhor. R. **Nós** vos.
V. Por vossa **cruz** vós redimistes este mundo. * Ó Jesus.
Glória ao **Pai**. R. **Nós** vos.

Cântico evangélico, ant.

Adoramos, Senhor, vosso Madeiro;
vossa ressurreição nós celebramos.
A alegria chegou ao mundo inteiro
pela **Cruz** que nós hoje veneramos.

Preces

Oremos ao nosso Redentor que nos remiu pela sua Cruz; e digamos com toda confiança:

R. **Salvai-nos, Senhor, pela vossa Santa Cruz!**

14 de setembro

Filho de Deus, que pela imagem da serpente de bronze curastes o povo de Israel,
– protegei-nos neste dia contra o veneno do pecado.   R.

Filho do homem, que fostes erguido na cruz como a serpente foi levantada por Moisés no deserto,
– elevai-nos até à felicidade do vosso Reino.   R.

Filho unigênito do Pai, que fostes entregue à morte para que todo aquele que acredita em vós não pereça,
– dai a vida eterna aos que procuram a vossa face.   R.

Filho bem-amado do Pai, que fostes enviado ao mundo não para condená-lo mas para salvá-lo,
– concedei o dom da fé aos nossos familiares e amigos para que sejam salvos.   R.

Filho do Pai eterno, que viestes trazer o fogo à terra e quisestes vê-lo aceso,
– fazei que, praticando a verdade, nos aproximemos da luz.   R.

Pai nosso...

Oração

Ó Deus, que para salvar a todos dispusestes que o vosso Filho morresse na cruz, a nós, que conhecemos na terra este mistério, dai-nos colher no céu os frutos da redenção. Por nosso Senhor Jesus Cristo, vosso Filho, na unidade do Espírito Santo.

Hora Média

Salmos do dia de semana corrente.

Ant. Salvai-nos, Salvador do mundo inteiro,
  que nos remistes pelo Sangue e pela Cruz!
  Ajudai-nos, vos pedimos, nosso Deus!

Leitura breve   Ef 1,7-8a

Em Cristo, pelo seu sangue, nós somos libertados. Nele, as nossas faltas são perdoadas, segundo a riqueza da sua graça, que Deus derramou profusamente sobre nós.

V. Toda a terra vos adore com respeito,
R. E proclame o louvor de vosso nome.

Oração como nas Laudes.

II Vésperas

Hino

Do Rei avança o estandarte,
fulge o mistério da Cruz,
onde por nós foi suspenso
o autor da vida, Jesus.

Do lado morto de Cristo,
ao golpe que lhe vibraram,
para lavar meu pecado
o sangue e água jorraram.

Árvore esplêndida e bela,
de rubra púrpura ornada,
de os santos membros tocar
digna, só tu foste achada.

Ó Cruz feliz, dos teus braços
do mundo o preço pendeu;
balança foste do corpo
que ao duro inferno venceu.

Salve, ó altar, salve vítima,
eis que a vitória reluz:
a vida em ti fere a morte,
morte que à vida conduz.

Salve, ó Cruz, doce esperança,
concede aos réus remissão;
dá-nos o fruto da graça,
que floresceu na Paixão.

Louvor a vós, ó Trindade,
fonte de todo perdão,
aos que na Cruz foram salvos,
dai a celeste mansão.

Salmodia

Ant. 1 Grande **obra** de bon**da**de:
a **mor**te foi ven**ci**da quando a **Cruz** matou a **Vi**da.

14 de setembro

Salmo 109(110),1-5.7

– [1]Palavra do Senhor ao meu Senhor: *
"Assenta-te ao lado meu direito,
– até que eu ponha os inimigos teus *
como escabelo por debaixo de teus pés!"
= [2]O Senhor estenderá desde Sião †
vosso cetro de poder, pois ele diz: *
"Domina com vigor teus inimigos;
= [3]Tu és príncipe desde o dia em que nasceste; †
na glória e esplendor da santidade, *
como o orvalho, antes da aurora, eu te gerei!"
= [4]Jurou o Senhor e manterá sua palavra: †
"Tu és sacerdote eternamente, *
segundo a ordem do rei Melquisedec!"
– [5]À vossa destra está o Senhor, ele vos diz: *
"No dia da ira esmagarás os reis da terra!
– [7]Beberás água corrente no caminho, *
por isso seguirás de fronte erguida!"

Ant. Grande obra de bondade:
a morte foi vencida quando a Cruz matou a Vida.

Ant. 2 Adoramos, Senhor, a vossa Cruz,
e a paixão gloriosa recordamos.
Vós que sofrestes por nós, tende piedade!

Salmo 115(116B)

– [10]Guardei a minha fé, mesmo dizendo: *
"É demais o sofrimento em minha vida!"
– [11]Confiei, quando dizia na aflição: *
"Todo homem é mentiroso! Todo homem!"
– [12]Que poderei retribuir ao Senhor Deus *
por tudo aquilo que ele fez em meu favor?
– [13]Elevo o cálice da minha salvação, *
invocando o nome santo do Senhor.
– [14]Vou cumprir minhas promessas ao Senhor *
na presença de seu povo reunido. –

1366 14 de setembro

–[15] É sentida por demais pelo Senhor *
a **mor**te de seus santos, seus amigos.
=[16] Eis que **sou** o vosso servo, ó Senhor, †
vosso **ser**vo que nasceu de vossa serva; *
mas me que**bras**tes os grilhões da escravidão!
–[17] Por isso o**fer**to um sacrifício de louvor, *
invo**can**do o nome santo do Senhor.
–[18] Vou cum**prir** minhas promessas ao Senhor *
na pre**sen**ça de seu povo reunido;
–[19] nos **á**trios da casa do Senhor, *
em teu **mei**o, ó cidade de Sião!

Ant. Ado**ra**mos, Se**nhor**, a vossa **Cruz**,
e a pai**xão** glorio**sa** recor**da**mos.
Vós que so**fres**tes por **nós**, tende pie**da**de!

Ant. 3 **Nós** vos ado**ra**mos, Jesus **Cris**to, e vos bendi**ze**mos, pois
re**mis**tes todo o **mun**do pela **vos**sa santa **Cruz**!

Cântico Ap 4,11; 5,9.10.12

Hino dos remidos

–[4,11] Vós sois **dig**no, Se**nhor** nosso **Deus**, *
de rece**ber** honra, glória e poder!

(R. **Po**der, honra e **gló**ria ao Cor**dei**ro de **Deus!**)

=[5,9] Porque **to**das as coisas criastes, †
é por **vos**sa vontade que existem, *
e sub**sis**tem porque vós mandais. (R.)

=   Vós sois **dig**no, Senhor nosso Deus, †
de o **li**vro nas mãos receber *
e de a**brir** suas folhas lacradas! (R.)

–   Porque **fos**tes por nós imolado; *
para **Deus** nos remiu vosso sangue
–   dentre **to**das as tribos e línguas, *
dentre os **po**vos da terra e nações. (R.)

=[10] Pois fi**zes**tes de nós, para Deus, †
sacer**do**tes e povo de reis, *
e i**re**mos reinar sobre a terra. (R.)

=[12] O Cor**dei**ro imolado é digno †
de rece**ber** honra, glória e poder, *
sabe**do**ria, louvor, divindade! (R.)

14 de setembro

Ant. **Nós** vos ado**ra**mos, Jesus **Cris**to, e vos bendizemos,
pois re**mis**tes todo o **mun**do pela **vos**sa santa **Cruz**!

Leitura breve
1Cor 1,23-24

Nós pregamos Cristo crucificado, escândalo para os judeus e insensatez para os pagãos. Mas para os que são chamados, tanto judeus como gregos, esse Cristo é poder de Deus e sabedoria de Deus.

Responsório breve
R. Ó **Cruz** glori**o**sa,
* Em **ti** triun**fou** o Se**nhor**, Rei dos **an**jos. R. Ó **Cruz**.
V. E la**vou** nossas **cha**gas em seu **san**gue preci**o**so. * Em **ti**.
Glória ao **Pai**. R. Ó **Cruz**.

Cântico evangélico, ant.

Ó **Cruz** de vi**tó**ria, si**nal** admi**rá**vel,
fa**zei**-nos che**gar** ao tri**un**fo da **gló**ria!

Preces

Oremos ao nosso Redentor que nos remiu pela sua Cruz; e digamos com toda a confiança:
R. **Elevai-nos pela cruz até o vosso Reino!**

Cristo, que vos humilhastes assumindo a condição de um escravo e fazendo-se aos homens semelhante,
– dai aos membros da Igreja a graça de imitarem a vossa humildade. R.

Cristo, que fostes obediente até à morte e morte humilhante numa cruz,
– concedei a vossos servos e servas a força de vos imitar na obediência e na paciência. R.

Cristo, que fostes exaltado por Deus e recebestes um nome que está acima de todo nome,
– concedei aos vossos fiéis o dom da perseverança até o fim. R.

Cristo, a cujo nome todo joelho se dobra no céu, na terra e nos abismos,
– derramai sobre a humanidade o vosso espírito de caridade, para que todos vos adorem na paz. R.

(intenções livres)

1368   15 de setembro

Cristo, a quem toda língua proclama Senhor para a glória de
Deus Pai,
– recebei no reino da felicidade eterna os nossos irmãos e irmãs
que morreram.
R. **Elevai-nos pela cruz até o vosso Reino!**
Pai nosso...

Oração

Ó Deus, que para salvar a todos dispusestes que o vosso Filho
morresse na cruz, a nós, que conhecemos na terra este mistério,
dai-nos colher no céu os frutos da redenção. Por nosso Senhor
Jesus Cristo, vosso Filho, na unidade do Espírito Santo.

15 de setembro

NOSSA SENHORA DAS DORES

Memória

Do Comum de Nossa Senhora, p. 1462, exceto o seguinte:

Laudes

Hino

Faze, ó Mãe, fonte de amor,
que eu sinta em mim tua dor,
para contigo chorar.

Faze arder meu coração,
partilhar tua paixão
e teu Jesus consolar.

Ó santa Mãe, por favor,
faze que as chagas do amor
em mim se venham gravar.

O que Jesus padeceu
venha a sofrer também eu,
causa de tanto penar.

Ó dá me, enquanto viver,
com Jesus Cristo sofrer,
contigo sempre chorar!

15 de setembro

Quero ficar junto à cruz,
velar contigo a Jesus,
e o teu pranto enxugar.

Quando eu da terra partir,
para o céu possa subir,
e então contigo reinar.

Ant. 1 Minha alma se agarra em vós, ó Senhor!

Salmos e cântico do domingo da I Semana, p. 764.

Ant. 2 Alegrai-vos na medida em que sois participantes
da Paixão de Jesus Cristo.

Ant. 3 Aprouve ao Pai reconciliar consigo mesmo
todas as coisas pelo sangue de Jesus.

Leitura breve
Cl 1,24-25

Alegro-me, agora, de tudo o que já sofri por vós e procuro completar na minha própria carne o que falta das tribulações de Cristo, em solidariedade com o seu corpo, isto é, a Igreja. A ela eu sirvo, exercendo o cargo que Deus me confiou de vos transmitir a palavra de Deus em sua plenitude.

Responsório breve
R. Por vós, Virgem Maria,
* Consigamos a salvação. R. Por vós.
V. Pelas chagas de Jesus. * Consigamos.
Glória ao Pai. R. Por vós.

Cântico evangélico; ant.
Mãe das Dores, alegrai-vos, que depois de tantas lutas
estais na glória junto ao Filho e sois Rainha do universo.

PRECES, do Comum, p. 1463.

Oração

Ó Deus, quando o vosso Filho foi exaltado, quisestes que sua Mãe estivesse de pé junto à cruz, sofrendo com ele. Dai à vossa Igreja, unida a Maria na paixão de Cristo, participar da ressurreição do Senhor. Que convosco vive e reina, na unidade do Espírito Santo.

1370 15 de setembro

Vésperas

Hino

Virgem Mãe tão santa e pura,
vendo eu a tua amargura,
possa contigo chorar.

Que do Cristo eu traga a morte,
sua paixão me conforte,
sua cruz possa abraçar!

Em sangue as chagas me lavem
e no meu peito se gravem,
para não mais se apagar.

No julgamento consegue
que às chamas não seja entregue
quem soube em ti se abrigar.

Que a santa cruz me proteja,
que eu vença a dura peleja,
possa do mal triunfar!

Vindo, ó Jesus, minha hora,
por essas dores de agora,
no céu mereça um lugar.

Ant. 1 É **Cristo** a nossa **paz** pois nos **trouxe** pela **cruz**
a **paz** com nosso **Deus**.

Salmos e cântico do Comum de Nossa Senhora, p. 1468.

Ant. 2 Aproximemo-nos, irmãos, da Cidade do Deus vivo,
e de Jesus, o mediador de uma nova Aliança.

Ant. 3 É em **Cristo** que nós **temos** redenção,
dos pecados remissão pelo seu sangue.

Leitura breve   2Tm 2,10-12a

Suporto qualquer coisa pelos eleitos; para que eles também
alcancem a salvação, que está em Cristo Jesus, com a glória eterna. Merece fé esta palavra: se com ele morremos, com ele viveremos. Se com ele ficamos firmes, com ele reinaremos.

Responsório breve

R. Estava Maria, a Rainha do **céu** e a Senhora do **mundo**,
   * Junto à **Cruz** do Senhor. R. Estava.

16 de setembro

V. Quão feliz é aquela que, **sem** ter morrido,
mereceu do martírio a **palma da glória**.
* Junto à **Cruz**. Glória ao **Pai**. R. Estava.

Cântico evangélico, ant.
Jesus, vendo sua **Mãe** em **pé** junto à **cruz**
e o discípulo amado, falou à sua **Mãe**:
Mulher, eis teu filho!
E disse ao discípulo: Eis aqui tua **Mãe**!

PRECES, do Comum, p. 1471.

Oração

Ó Deus, quando o vosso Filho foi exaltado, quisestes que sua
Mãe estivesse de pé junto à cruz, sofrendo com ele. Dai à vossa
Igreja, unida a Maria na paixão de Cristo, participar da ressurreição do Senhor. Que convosco vive e reina, na unidade do Espírito Santo.

16 de setembro

SÃO CORNÉLIO, PAPA, E SÃO CIPRIANO, BISPO, MÁRTIRES

Memória

Cornélio foi ordenado bispo da Igreja de Roma no ano 251. Teve de
combater o cisma dos Novacianos e, com a ajuda de São Cipriano, conseguiu consolidar a sua autoridade. Foi desterrado pelo imperador Galo
e morreu no exílio, perto de Cívitavecchia, no ano 253. O seu corpo foi
trasladado para Roma e sepultado no cemitério de Calisto.
Cipriano nasceu em Cartago cerca do ano 210, de uma família pagã.
Tendo-se convertido à fé e, ordenado sacerdote, foi eleito bispo daquela
cidade no ano 249. Em tempos muito difíceis, governou sabiamente,
com suas obras e escritos, a Igreja que lhe foi confiada. Na perseguição
de Valeriano, sofreu primeiramente o exílio, e depois o martírio no dia
14 de setembro do ano 258.

Do Comum de vários mártires, p. 1493, ou, dos pastores, p. 1523.

Laudes

Cântico evangélico, ant.
Oh! **morte** preciosa que com**prou** a eternidade
pelo **preço** de seu **sangue**!

1372

19 de setembro

Oração

Ó Deus, que em São Cornélio e São Cipriano destes ao vosso povo pastores dedicados e mártires invencíveis, fortificai, por suas preces, nossa fé e coragem, para que possamos trabalhar incansavelmente pela unidade da Igreja. Por nosso Senhor Jesus Cristo, vosso Filho, na unidade do Espírito Santo.

Vésperas

Cântico evangélico, ant.

Quão feliz é nossa Igreja, ilustrada pelo sangue,
pelo sangue glorioso destes mártires de Cristo!

17 de setembro

SÃO ROBERTO BELARMINO, BISPO
E DOUTOR DA IGREJA

Nasceu no ano de 1542 em Montepulciano, na Toscana (Itália). Entrou na Companhia de Jesus em Roma e foi ordenado sacerdote. Sustentou célebres disputas em defesa da fé católica e ensinou Teologia no Colégio Romano. Eleito cardeal e nomeado bispo de Cápua, contribuiu com a sua atividade junto das Congregações Romanas para a resolução de numerosos problemas. Morreu em Roma no ano 1621.

Do Comum dos pastores: para bispos, p. 1523, e dos doutores da Igreja, p. 1533.

Oração

Ó Deus, que, para sustentar a fé católica da vossa Igreja, destes ao bispo São Roberto Belarmino ciência e força admirável, concedei, por sua intercessão, que o vosso povo se alegre de conservá-la sempre integralmente. Por nosso Senhor Jesus Cristo, vosso Filho, na unidade do Espírito Santo.

19 de setembro

SÃO JANUÁRIO, BISPO E MÁRTIR

Foi bispo de Benevento. Durante a perseguição de Diocleciano, sofreu o martírio juntamente com outros companheiros, em Nápoles, onde é especialmente venerado.

Do Comum de um mártir, p. 1509, ou, dos pastores: para bispos, p.1523.

Oração

Ó Deus, que nos concedeis celebrar a memória do vosso mártir São Januário, dai que nos alegremos com ele na eterna bem-venturança. Por nosso Senhor Jesus Cristo, vosso Filho, na unidade do Espírito Santo.

20 de setembro

SANTO ANDRÉ KIM TAEGÓN, PRESBÍTERO, E PAULO CHÓNG HASANG, E SEUS COMPANHEIROS, MÁRTIRES

Memória

No início do século XVIII, a fé cristã entrou pela primeira vez em terras da Coreia, por iniciativa de alguns leigos, de cujo esforço, sem pastores, surgiu uma comunidade forte e fervorosa. Só em 1836 os primeiros missionários, vindos da França, entraram furtivamente no país. Nesta comunidade, floresceram, com as perseguições de 1839, 1846 e 1866, cento e três mártires, entre os quais sobressaem o primeiro sacerdote e ardoroso pastor de almas André Kim Taegón e o insigne apóstolo leigo Paulo Chóng Hasang, a que se juntaram muitos leigos, homens e mulheres, casados e solteiros, velhos, jovens e crianças. Todos eles consagraram com seu testemunho e sangue as primícias da Igreja coreana.

Do Comum de vários mártires, p. 1493.

Oração

Ó Deus, criador e salvador de todas as raças, por vossa bondade, chamastes à fé a muitos irmãos na região da Coreia e os fizestes crescer pelo testemunho glorioso dos mártires André, Paulo seus companheiros. Concedei que, pelo exemplo e intercessão deles, possamos perseverar até a morte na observância de vossos mandamentos. Por nosso Senhor Jesus Cristo, vosso Filho, na unidade do Espírito Santo.

1374   21 de setembro

21 de setembro

SÃO MATEUS, APÓSTOLO E EVANGELISTA

Festa

Nasceu em Cafarnaum, e exercia a profissão de cobrador de impostos quando Jesus o chamou. Escreveu o Evangelho em língua hebraica e, segundo uma tradição, pregou no Oriente.

Do Comum dos apóstolos, p. 1479, exceto o seguinte:

Laudes

Hino

Tu, que hoje reinas na glória,
cumprida a tua missão,
lembras um Deus que ainda chama,
que nos convida ao perdão.

Levi, da banca do imposto,
chama-te o Cristo que passa:
reserva-te outras riquezas,
infensas ao fogo e à traça.

Por seu apelo movido,
a tudo dizes adeus;
serás apóstolo agora,
terás por nome Mateus.

Entesourando as palavras
e as ações do teu Senhor,
seu testemunho rediges:
a Boa-Nova do amor;

Mas, ao pregar Jesus Cristo
sobretudo entre o teu povo,
em odre antigo colocas
vinho melhor, vinho novo.

Ó evangelista e apóstolo,
agora mártir Mateus,
dá que possamos contigo
reinar na glória de Deus.

Cântico evangélico, ant.

Jesus viu um homem chamado Mateus,
sentado à banca cobrando imposto,
e o chamou: Vem comigo! E ele o seguiu.

Oração

Ó Deus, que na vossa inesgotável misericórdia escolhestes o publicano Mateus para torná-lo Apóstolo, dai-nos, por sua oração e exemplo, a graça de vos seguir e permanecer sempre convosco. Por nosso Senhor Jesus Cristo, vosso Filho, na unidade do Espírito Santo.

Hora Média

Antífonas e salmos do dia de semana corrente. Leitura breve do Comum dos apóstolos, p. 1482. Oração como acima.

Vésperas

Cântico evangélico, ant.

Misericórdia é que eu quero; eu não quero sacrifício;
eu não vim chamar os justos, vim chamar os pecadores.

26 de setembro

SÃO COSME E SÃO DAMIÃO, MÁRTIRES

Segundo uma tradição imemorial, confirmada por referências literárias muito antigas, sabemos que o seu sepulcro se encontra em Cirro na Síria, onde foi erigida em sua honra uma basílica. Daí o seu culto passou a Roma e propagou-se por toda a Igreja.

Do Comum de vários mártires, p. 1493.

Oração

Ó Deus, a comemoração dos mártires Cosme e Damião proclame a vossa grandeza, pois na vossa admirável providência lhes destes a glória eterna, e os fizestes nossos protetores. Por nosso Senhor Jesus Cristo, vosso Filho, na unidade do Espírito Santo.

1376　　　　　　　28 de setembro

27 de setembro

SÃO VICENTE DE PAULO, PRESBÍTERO

Memória

Nasceu na Aquitânia em 1581. Completados os estudos e ordenado sacerdote, exerceu o ministério paroquial em Paris. Fundou a Congregação da Missão (Lazaristas), destinada à formação do clero e ao serviço dos pobres. Com a ajuda de Santa Luísa de Marillac instituiu também a Congregação das Filhas da Caridade. Morreu em Paris no ano 1660.

Do Comum dos pastores: para presbíteros, p. 1523, ou, dos santos homens: para os que se dedicaram às obras de caridade, p. 1573, exceto o seguinte:

Laudes

Cântico evangélico, ant.

São Vicente se tornou o consolo dos que sofrem,
dos órfãos defensor e apoio das viúvas.

Oração

Ó Deus, que, para socorro dos pobres e formação do clero, enriquecestes o presbítero São Vicente de Paulo com as virtudes apostólicas, fazei-nos, animados pelo mesmo espírito, amar o que ele amou e praticar o que ensinou. Por nosso Senhor Jesus Cristo, vosso Filho, na unidade do Espírito Santo.

Vésperas

Cântico evangélico, ant.

O que fizestes ao menor dos meus irmãos,
foi a mim mesmo que o fizestes, diz Jesus.

28 de setembro

SÃO VENCESLAU, MÁRTIR

Nasceu na Boêmia, cerca do ano 907; de uma sua tia paterna recebeu uma sólida formação cristã e assumiu o governo do seu ducado por volta de 925. Suportou muitas dificuldades no governo e na formação cristã de seus súditos. Traído por seu irmão Boleslau, foi morto por uns sicários no ano 935. Foi logo venerado como mártir e escolhido pela Boêmia como seu patrono principal.

Do Comum de um mártir, p. 1509.

Oração

Ó Deus, que inspirastes ao rei e mártir São Venceslau preferir o Reino do céu ao da terra, dai que, por suas preces, saibamos renunciar a nós mesmos e seguir-vos de todo o coração. Por nosso Senhor Jesus Cristo, vosso Filho, na unidade do Espírito Santo.

No mesmo dia 28 de setembro

SÃO LOURENÇO RUIZ, E SEUS COMPANHEIROS, MÁRTIRES

No século XVII, entre os anos de 1633 e 1637, dezesseis mártires, Lourenço Ruiz e seus Companheiros, derramaram seu sangue por amor de Cristo, em Nagasaki, no Japão. Todos pertenciam à Ordem de São Domingos ou a ela estavam ligados. Dentre esses mártires, nove eram presbíteros, dois religiosos, duas virgens e três leigos, sendo um deles Lourenço Ruiz, pai de família, natural das Ilhas Filipinas. Em época e condições diversas, pregaram a fé cristã nas Ilhas Filipinas, em Formosa e no Japão. Manifestaram de modo admirável a universalidade do cristianismo e, como infatigáveis missionários, espalharam copiosamente, pelo exemplo da vida e pela morte, a semente da futura cristandade.

Do Comum de vários mártires, p. 1493.

Oração

Concedei-nos, Senhor Deus, a paciência dos vossos mártires Lourenço e companheiros em vosso serviço e na ajuda ao próximo, porque são felizes em vosso reino os que sofrem perseguição por amor à justiça. Por nosso Senhor Jesus Cristo, vosso Filho, na unidade do Espírito Santo.

29 de setembro

SÃO MIGUEL, SÃO GABRIEL E SÃO RAFAEL, ARCANJOS

Festa

Laudes

Hino

Ó Cristo, Luz de Deus Pai,
vida e vigor que buscamos

1378   29 de setembro

dos vossos anjos, adiante;
de coração vos louvamos.
Doce cantar alternando,
nosso louvor elevamos.

À celestial legião
também cantamos louvor,
e destacamos seu Chefe
com sua força e vigor:
Miguel, invicto pisando
o vil dragão tentador.

Ó Cristo, Rei compassivo,
de nós lançai todo mal.
Em corpo e alma guardados
por Guardião sem igual,
em vosso amor concedei-nos
o Reino celestial.

Glória cantando ao Pai,
ao Filho glória também.
Ao que procede dos dois
a mesma glória convém,
pois são os três um só Deus
por todo o sempre. Amém.

Ant. 1 Louvemos o Senhor, a **quem** os anjos **lou**vam,
os queru**bins** e os sera**fins**
cantam: **San**to, Santo, **San**to.

Salmos e cântico do domingo da I Semana, p. 764.

Ant. 2 Vós, **an**jos do Se**nhor**, bendi**zei**-o para **sem**pre.

Ant. 3 Deus **san**to, Se**nhor**, os **an**jos vos **lou**vam
nas al**tu**ras, di**zen**do a **u**ma só **voz**:
A vós, **Deus**, o lou**vor**.

Leitura breve   Gn 28,12-13a
Jacó viu em sonho uma escada apoiada no chão, com a outra pon-
ta tocando o céu e os anjos de Deus subindo e descendo por ela.
No alto da escada estava o Senhor que lhe dizia: Eu sou o Senhor,
Deus de Abraão, teu pai, e Deus de Isaac.

29 de setembro — 1379

Responsório breve

R. Aparecendo um outro **anjo**,
* Ficou de **pé** junto ao al**tar**. R. Aparecendo.
V. Segurando em suas **mãos** um turíbulo de **ouro**.
* Ficou de **pé**. Glória ao **Pai**. R. Aparecendo.

Cântico evangélico, ant.

Em ver**da**de eu vos **di**go:
Ve**reis** o céu a**ber**to e os **an**jos do Se**nhor**
subirem e descerem ser**vin**do ao **Fi**lho do **Ho**mem.

Preces

Irmãos e irmãs, louvemos o Senhor em cuja presença estão multidões de anjos que o servem dia e noite, cantando a uma só voz; aclamemos com alegria, dizendo:

R. **Bendizei ao Senhor, todos os seus anjos!**

Deus santo, que mandastes vossos anjos para nos protegerem em todos os caminhos,
– conduzi-nos hoje pelos vossos caminhos sem mancha de pecado. R.

Pai de bondade; cuja face os anjos contemplam dia e noite no céu,
– fazei que procuremos sem cessar a vossa face. R.

Deus eterno, cujos filhos serão como anjos no céu,
– dai-nos a pureza de coração e de corpo. R.

Deus todo-poderoso, enviai o grande príncipe Miguel para ajudar o vosso povo,
– a fim de defendê-lo na luta contra Satanás e seus anjos. R.

(intenções livres)

Pai nosso...

Oração

Ó Deus, que organizais de modo admirável o serviço dos Anjos e dos homens, fazei que sejamos protegidos na terra por aqueles que vos servem no céu. Por nosso Senhor Jesus Cristo, vosso Filho, na unidade do Espírito Santo.

1380   29 de setembro

Hora Média

Salmos do dia de semana corrente.

Ant. São Gabriel, a quem eu **vi** numa vi**são**,
veio de**pres**sa, me to**cou** e me instru**iu**.

Leitura breve   Dn 9,22-23

O anjo Gabriel falou comigo nestes termos: Daniel, eu vim para te esclarecer. Quando começavas a rezar, foi proclamada uma palavra, e eu estou aqui para comunicá-la, porque és um predileto. Portanto, presta atenção à palavra e procura compreender a visão.

V. Bendi**zei** ao Senhor **Deus** os seus po**de**res,
R. Seus mi**nis**tros que fa**zeis** sua von**ta**de.

Oração como nas Laudes.

Vésperas

Hino

Lá do alto enviai-nos, ó Cristo,
vosso anjo da paz, São Miguel.
Sua ajuda fará vosso povo
crescer mais, prosperando, fiel.

Gabriel, o anjo forte na luta,
nosso tempo sagrado visite,
lance fora o antigo inimigo
e, propício, conosco habite.

Enviai-nos dos céus Rafael,
o bom anjo que cura os doentes,
para a todos os males sarar
e guiar nossos atos e as mentes.

Cristo, glória dos coros celestes,
vossos anjos nos venham guiar,
para, unidos a eles um dia,
glória eterna ao Deus Trino cantar.

Salmodia

Ant. 1 Rei dos **an**jos, desdo**bras**tes
vossa **gló**ria além dos **céus**.

29 de setembro

Salmo 8

– ²Ó Senhor nosso **Deus**, como é **gran**de *
vosso **no**me por todo o universo!

– Desdo**bras**tes nos céus vossa glória *
com grand**e**za, esplendor, majestade.

= ³O perfe**i**to louvor vos é dado †
pelos **lá**bios dos mais pequeninos, *
de crianças que a mãe amamenta.

– Eis a **for**ça que opondes aos maus, *
redu**zin**do o inimigo ao silêncio.

– ⁴Contem**plan**do estes céus que plasmastes *
e for**mas**tes com dedos de artista;

– vendo a **lu**a e estrelas brilhantes, *
⁵per**gun**tamos: "Senhor, que é o homem,

– para **de**le assim vos lembrardes *
e o tra**tar**des com tanto carinho?"

– ⁶Pouco a**bai**xo de um deus o fizeste, *
coro**an**do-o de glória e esplendor;

– ⁷vós lhe **des**tes poder sobre tudo, *
vossas obras aos pés lhe pusestes:

– ⁸as ov**e**lhas, os bois, os rebanhos, *
todo o **ga**do e as feras da mata;

– ⁹pas**sa**rinhos e peixes dos mares, *
todo **ser** que se move nas águas.

– ¹⁰Ó Se**nhor** nosso Deus, como é grande *
vosso **no**me por todo o universo!

Ant. Rei dos **an**jos, desdo**bras**tes
vossa **gló**ria além dos **céus**.

Ant. 2 Pe**ran**te os vossos **an**jos vou cantar-vos, ó meu **Deus**.

Salmo 137(138)

– ¹Ó Se**nhor**, de cora**ção** eu vos dou **gra**ças, *
porque ou**vis**tes as palavras dos meus lábios!

– Pe**ran**te os vossos anjos vou cantar-vos *
²e **an**te o vosso templo vou prostrar-me.

– Eu agra**de**ço vosso amor, vossa verdade, *
porque fi**zes**tes muito mais que prometestes;

– ³naquele **dia** em que gritei, vós me escutastes *
e aumen**tas**tes o vigor da minha alma. –

1382 29 de setembro

– ⁴Os **reis** de toda a terra hão de louvar-vos, *
   quando ouvirem, ó Senhor, vossa promessa.
– ⁵Hão de can**tar** vossos caminhos e dirão: *
   "Como a **gló**ria do Senhor é grandiosa!"
– ⁶Al**tís**simo é o Senhor, mas olha os pobres, *
   e de **lon**ge reconhece os orgulhosos.
– ⁷Se no **mei**o da desgraça eu caminhar, *
   vós me fa**zeis** tornar à vida novamente;
– quando os **meus** perseguidores me atacarem *
   e com ira investirem contra mim,
– estende**reis** o vosso braço em meu auxílio *
   e have**reis** de me salvar com vossa destra.
– ⁸Comple**tai** em mim a obra começada; *
   ó Se**nhor**, vossa bondade é para sempre!
– Eu vos **peço**: não deixeis inacabada *
   esta **o**bra que fizeram vossas mãos!

Ant. Peran**te** os vossos **anjos** vou can**tar**-vos, ó meu **Deus**.

Ant. 3 Vi dian**te** do **trono** de **Deus**
         um Cor**dei**ro de **pé** imola**do**,
         e ou**vi** o can**tar** de milha**res**
         de an**jos** que esta**vam** em **vol**ta.

                    Cântico   cf. Cl 1,12-20

=¹²Demos gra**ças** a Deus **Pai** onipoten**te**, †
   que nos **cha**ma a partilhar, na sua luz, *
   da he**ran**ça a seus santos reservada!
(R. **Gló**ria a **vós**, Primogênito dentre os **mor**tos!)
=¹³Do im**pé**rio das trevas arrancou-nos †
   e transpor**tou**-nos para o reino de seu Filho, *
   para o **rei**no de seu Filho bem-amado,
–¹⁴no **qual** nós encontramos redenção, *
   dos pe**ca**dos remissão pelo seu sangue.   (R.)
–¹⁵Do **Deus**, o Invisível, é a imagem, *
   o Primogênito de toda criatura;
=¹⁶porque ne**le** é que tudo foi criado: †
   o que há nos **céus** e o que existe sobre a terra, *
   o visível e também o invisível.   (R.)

29 de setembro 1383

= Sejam **Tronos** e Poderes que há nos céus, †
 sejam eles Principados, Potestades: *
 por ele e para ele foram feitos;
– 17 antes de **toda** criatura ele existe, *
 e é por ele que subsiste o universo. (R.)

= 18 Ele é a **Cabeça** da Igreja, que é seu Corpo, †
 é o princípio, o Primogênito dentre os mortos, *
 a **fim** de ter em tudo a primazia.
– 19 Pois foi do **agrado** de Deus Pai que a plenitude *
 habitasse no seu Cristo inteiramente. (R.)

– 20 **Aprouve**-lhe também, por meio dele, *
 reconciliar consigo mesmo as criaturas,
= pacificando pelo sangue de sua cruz †
 tudo aquilo que por ele foi criado, *
 o que há nos **céus** e o que existe sobre a terra. (R.)

Ant. Vi diante do **trono** de **Deus**
 um Cordeiro de **pé** imolado,
 e ouvi o cantar de milhares
 de anjos que estavam em **volta**.

Leitura breve
Ap 1,4b-5.6b

A vós, graça e paz, da parte daquele que é, que era e que vem;
da parte dos sete espíritos que estão diante do trono de Deus; e
da parte de Jesus Cristo, a testemunha fiel, o primeiro a ressuscitar dentre os mortos, o soberano dos reis da terra. A ele, que
nos ama, que por seu sangue nos libertou dos nossos pecados, a
glória e o poder.

Responsório breve

R. Subiu a fumaça do incenso
 * À presença de **Deus**. **R.** Subiu a fumaça.
V. Com as **preces** dos santos. * À presença.
 Glória ao **Pai**. **R.** Subiu a fumaça.

Cântico evangélico, ant.

O anjo Gabriel a Maria anunciou:
Haverás de conceber um Menino e dar à **luz**,
e a ele chamarás com o nome de Jesus.

1384   30 de setembro

Preces

Peçamos ao Senhor que nos torne cada vez mais atentos em ouvir a sua palavra, como os anjos que fazem a sua vontade; e digamos:

R. **Nós vos rogamos, Senhor, ouvi-nos!**

Que as nossas orações, como suave perfume,
– subam à vossa presença pelas mãos dos anjos.   R.

Que as nossas oferendas sejam levadas ao vosso altar celeste,
– pelas mãos do vosso santo anjo.   R.

Que junto com a multidão dos anjos, possamos anunciar:
– glória a Deus nas alturas e paz na terra aos homens por ele amados.   R.

Que no fim da nossa peregrinação terrestre os anjos nos recebam,
– e nos conduzam à pátria celeste.   R.

(intenções livres)

Que o arcanjo São Miguel conduza para a luz santa em que habitais,
– as almas de todos os fiéis defuntos.   R.

Pai nosso...

Oração

Ó Deus, que organizais de modo admirável o serviço dos Anjos e dos homens, fazei que sejamos protegidos na terra por aqueles que vos servem no céu. Por nosso Senhor Jesus Cristo, vosso Filho, na unidade do Espírito Santo.

30 de setembro

SÃO JERÔNIMO, PRESBÍTERO E DOUTOR DA IGREJA

Memória

Nasceu em Estridão (Dalmácia) cerca do ano 340. Estudou em Roma e aí foi batizado. Tendo abraçado a vida ascética, partiu para o Oriente e foi ordenado sacerdote. Regressou a Roma e foi secretário do papa Dâmaso. Nesta época começou a revisão das traduções latinas da Sagrada Escritura e promoveu a vida monástica. Mais tarde estabeleceu-se

30 de setembro

em Belém, onde continuou a tomar parte muito ativa nos problemas e necessidades da Igreja. Escreveu muitas obras, principalmente comentários à Sagrada Escritura. Morreu em Belém no ano 420.

Do Comum dos doutores da Igreja, p. 1533, exceto o seguinte:

Laudes e Vésperas

Hino

Tradutor e exegeta da Bíblia,
foste um sol que a Escritura ilumina;
nossas vozes, Jerônimo, escuta:
nós louvamos-te a vida e a doutrina.

Relegando os autores profanos,
o mistério divino abraçaste,
qual leão, derrubando os hereges,
as mensagens da fé preservaste.

Estudaste a palavra divina
nos lugares da própria Escritura,
e, bebendo nas fontes o Cristo,
deste a todos do mel a doçura.

Aspirando ao silêncio e à pobreza,
no presépio encontraste um abrigo;
deste o véu a viúvas e virgens,
Paula e Eustáquia levaste contigo.

Pelo grande doutor instruídos,
proclamamos, fiéis, o Deus trino;
e ressoem por todos os tempos
as mensagens do livro divino.

Oração

Ó Deus, que destes ao presbítero São Jerônimo profundo amor pela Sagrada Escritura, concedei ao vosso povo alimentar-se cada vez mais da vossa palavra e nela encontrar a fonte da vida. Por nosso Senhor Jesus Cristo, vosso Filho, na unidade do Espírito Santo.

1º de outubro

OUTUBRO

1º de outubro

SANTA TERESINHA DO MENINO JESUS, VIRGEM

Memória

Nasceu em Alençon (França) no ano 1873. Entrou ainda muito jovem no mosteiro das Carmelitas de Lisieux e exercitou-se de modo singular na humildade, na simplicidade evangélica e confiança em Deus, virtudes que também procurou inculcar especialmente nas noviças do seu mosteiro. Morreu a 30 de setembro de 1897, oferecendo a sua vida pela salvação das almas e pela Igreja.

Do Comum das virgens, p. 1539, exceto o seguinte:

Laudes

Cântico evangélico, ant.

Em verdade eu vos **digo**: Se **não** vos mu**dar**des
e **não** vos tor**nar**des i**guais** a cri**an**ças,
no **Rei**no dos **céus** não ha**veis** de en**trar**.

Oração

Ó Deus, que preparais o vosso Reino para os pequenos e humildes, dai-nos seguir confiantes o caminho de Santa Teresinha, para que, por sua intercessão, nos seja revelada a vossa glória. Por nosso Senhor Jesus Cristo, vosso Filho, na unidade do Espírito Santo.

Vésperas

Cântico evangélico, ant.

Ale**grai**-vos é exul**tai**, diz o Se**nhor**,
pois no **céu** estão es**cri**tos vossos **no**mes.

2 de outubro

SANTOS ANJOS DA GUARDA

Memória

Laudes

Hino

Ó Deus, criando o mundo,
poder manifestais;
porém, ao governá-lo,
o vosso amor mostrais.

Aos que hoje vos suplicam
estai sempre presente:
que a luz da nova aurora
renove a nossa mente.

O mesmo anjo que um dia
por guarda nos foi dado
consiga a vida toda
livrar-nos do pecado.

Em nós ele extermine
as forças do inimigo;
que a fraude em nosso peito
jamais encontre abrigo.

Mandai para bem longe
a peste, a fome, a guerra:
haja entre nós justiça,
a paz brote da terra.

Salvai por vosso Filho
a nós, no amor ungidos,
sejamos pelos anjos
Deus trino, protegidos!

Ant. 1 O Senhor enviará o seu anjo junto a ti,
para guiar o teu caminho.

Salmos cântico do domingo da I Semana, p. 764.

1388

2 de outubro

Ant. 2 Bendito seja **Deus**, que seu **anjo** enviou
e liber**tou** seus servi**dores**, que **nele** confiaram.

Ant. 3 Lou**vai**-o, anjos **seus**, todos lou**vai**-o,
lou**vai**-o, legi**ões** celesti**ais**!

Leitura breve
Ex 23,20-21a

Vou enviar um anjo que vá à tua frente, que te guarde pelo caminho e te conduza ao lugar que te preparei. Respeita-o e ouve a sua voz.

Responsório breve

R. Peran**te** vossos **an**jos
    * Vou louvar-vos, ó Se**nhor**! R. Peran**te**.
V. E can**tar** o vosso **nome**. * Vou louvar-vos.
    Glória ao **Pai**. R. Peran**te**.

Cântico evangélico, ant.

Todos **eles** são es**pí**ritos servi**dores**,
enviados ao ser**viço** e prote**ção**
da**que**les que herdar**ão** a salva**ção**.

Preces

Irmãos e irmãs, louvemos o Senhor em cuja presença estão multidões de anjos que o servem dia e noite, cantando a uma só voz; aclamemos com alegria, dizendo:

R. **Bendizei ao Senhor, todos os seus anjos!**

Deus santo, que mandastes vossos anjos para nos protegerem em todos os caminhos,
– conduzi-nos hoje pelos vossos caminhos sem mancha de pecado. R.

Pai de bondade, cuja face os anjos contemplam dia e noite no céu,
– fazei que procuremos sem cessar a vossa face. R.

Deus eterno, cujos filhos serão como anjos no céu,
– dai-nos a pureza de coração e de corpo. R.

Deus todo-poderoso, enviai o grande príncipe Miguel para ajudar o vosso povo,
– a fim de defendê-lo na luta contra Satanás e seus anjos. R.

(intenções livres)

Pai nosso...

Oração

Ó Deus, que na vossa misteriosa providência mandais os vossos Anjos para guardar-nos, concedei que nos defendam de todos os perigos e gozemos eternamente do seu convívio. Por nosso Senhor Jesus Cristo, vosso Filho, na unidade do Espírito Santo.

Hora Média

Leitura breve
At 12,7

Eis que apareceu o anjo do Senhor e uma luz iluminou a cela. O anjo tocou o ombro de Pedro, acordou-o e disse: Levanta-te depressa! As correntes caíram-lhe das mãos.

V. O **Se**n**hor** envi**ou** o seu **an**jo,
R. E **livrou**-me das **mãos** de **He**ro**des**.

Oração como nas Laudes.

Vésperas

Hino

Aos anjos cantemos, que guardem a todos,
que aos homens, tão frágeis, Deus Pai quis juntar;
e assim assistidos, na terra lutando,
no rude combate não venham tombar.

Pois eis que um dos anjos, roído de orgulho,
os planos divinos não quis aceitar:
E aos homens, chamados à pátria celeste;
na mesma revolta deseja arrastar.

Ó Anjo da Guarda, vem logo assistir-nos,
cumprir, vigilante, tão grande missão:
afasta da terra pecados, doenças,
conserva nos lares a paz e a união!

Louvor seja dado ao Deus uno e trino,
à suma Trindade, por mando de quem
os anjos governam, dirigem o mundo,
e à pátria onde vivem nos levam também.

Salmodia

Ant. 1 O **an**jo do Se**nhor** vem acam**par**
ao re**dor** dos que o **te**mem, e os **sal**va.

1390 2 de outubro

Salmo 33(34)

I

– ² Bendi**rei** o Senhor **Deus** em todo **tempo**, *
   seu lou**vor** estará sempre em minha boca,
– ³ Minha **al**ma se gloria no Senhor, *
   que **ou**çam os humildes e se alegrem!
– ⁴**Com**igo engrandecei ao Senhor Deus, *
   exal**tem**os todos juntos o seu nome!
– ⁵Todas as **vez**es que o busquei, ele me ouviu, *
   e de **to**dos os temores me livrou.
– ⁶Contem**plai** a sua face e alegrai-vos, *
   e vosso **ros**to não se cubra de vergonha!
– ⁷Este infe**liz** gritou a Deus, e foi ouvido, *
   e o S**enhor** o libertou de toda angústia.
– ⁸O **an**jo do Senhor vem acampar *
   ao re**dor** dos que o temem, e os salva.
– ⁹Provai e **ve**de quão suave é o Senhor! *
   Feliz o **ho**mem que tem nele o seu refúgio!
–¹⁰Respei**tai** o Senhor Deus, seus santos todos, *
   porque **na**da faltará aos que o temem.
–¹¹Os **ri**cos empobrecem, passam fome, *
   mas aos que **bus**cam o Senhor não falta nada.

Ant. O **an**jo do S**enhor** vem acam**par**
     ao re**dor** dos que o temem, e os **sal**va.

Ant. 2 Que **vi**va o S**enhor**, pois seu **an**jo me guar**dou**!

II

–¹²Meus **fi**lhos, vinde a**go**ra e escu**tai**-me: *
   vou ensi**nar**-vos o temor do Senhor Deus.
–¹³Qual o **ho**mem que não ama sua vida, *
   procu**ran**do ser feliz todos os dias?
–¹⁴A**fas**ta a tua língua da maldade, *
   e teus **lá**bios, de palavras mentirosas.
–¹⁵A**fas**ta-te do mal e faze o bem, *
   procura a **paz** e vai com ela em seu caminho. –

2 de outubro

– ¹⁶O Senhor pousa seus olhos sobre os justos, *
   e seu ouvido está atento ao seu chamado;
– ¹⁷mas ele volta a sua face contra os maus, *
   para da terra apagar sua lembrança.
– ¹⁸Clamam os justos, e o Senhor bondoso escuta *
   e de todas as angústias os liberta.
– ¹⁹Do coração atribulado ele está perto *
   e conforta os de espírito abatido.
– ²⁰Muitos males se abatem sobre os justos, *
   mas o Senhor de todos eles os liberta.
– ²¹Mesmo os seus ossos ele os guarda e os protege, *
   e nenhum deles haverá de se quebrar.
– ²²A malícia do iníquo leva à morte, *
   e quem odeia o justo é castigado.
– ²³Mas o Senhor liberta a vida dos seus servos, *
   e castigado não será quem nele espera.

Ant. Que viva o Senhor, pois seu anjo me guardou!

Ant. 3 Bendizei o Deus do céu e dai-lhe glória
      na presença de todo ser vivente,
      porque mostrou o seu amor para convosco.

Cântico   Ap 11,17-18; 12,10b-12a

– ^{11.17} Graças vos damos, Senhor Deus onipotente, *
   a vós que sois, a vós que éreis e sereis,
–   porque assumistes o poder que vos pertence, *
   e enfim tomastes posse como rei!

(R. Nós vos damos graças, nosso Deus!)

= ¹⁸ As nações se enfureceram revoltadas, †
   mas chegou a vossa ira contra elas *
   e o tempo de julgar vivos e mortos,
=   e de dar a recompensa aos vossos servos, †
   aos profetas e aos que temem vosso nome, *
   aos santos, aos pequenos e aos grandes.   (R.)

= ^{12.10} Chegou agora a salvação e o poder †
   e a realeza do Senhor e nosso Deus, *
   e o domínio de seu Cristo, seu Ungido.

1392   2 de outubro

–   Pois foi ex**pul**so o delator que acusava *
     nossos ir**mãos**, dia e noite, junto a Deus.   (R.)

=   [11] Mas o venceram pelo sangue do Cordeiro †
     e o teste**mu**nho que eles deram da Palavra, *
     pois despreza**ram** sua vida até à morte.

–   [12] Por isso, ó **céus**, cantai alegres e exultai *
     e vós **to**dos os que neles habitais!   (R.)

Ant. Bendi**zei** o Deus do **céu** e dai-lhe **glória**
     na pre**sen**ça de **to**do ser vi**ven**te,
     porque mos**trou** o seu **amor** para con**vos**co.

Leitura breve   Ap 8,3-4

Veio um anjo que se colocou perto do altar, com um turíbulo de
ouro. Ele recebeu uma grande quantidade de incenso, para ofere-
cê-lo com as orações de todos os santos, no altar de ouro que está
diante do trono. E da mão do anjo subia até Deus a fumaça do
incenso com as orações dos santos.

Responsório breve

R. O Se**nhor** deu uma **or**dem a seus **anjos**
    * Para em **to**dos os ca**mi**nhos te guar**da**rem. **R.** O Se**nhor**.
V. Eles **hão** de te le**var** em suas **mãos**. * Para em **to**dos.
    Glória ao **Pai**. **R.** O Se**nhor**.

Cântico evangélico, ant.

Os **an**jos das cri**an**ças sempre veem
a **face** do meu **Pai** que está nos **céus**.

Preces

Peçamos ao Senhor que, juntamente com os anjos, que fazem a
sua vontade, nos disponha cada vez melhor a ouvir a sua palavra;
e lhe demos graças, dizendo:
R. Com os anjos cantamos o hino da vossa glória!

Senhor, que fizestes dos anjos mensageiros das vossas maravilhas,
– fazei de nós, com a sua ajuda, testemunhas da vossa grandeza
diante de todos.   **R.**

Senhor altíssimo, a quem os anjos proclamam santo sem cessar,
– fazei que na Igreja ressoe continuamente o vosso louvor.   **R.**

Senhor, que mandastes os anjos para guardarem os vossos servos em todos os seus caminhos,
– dai a todos os que viajam um feliz regresso aos seus lares. R.

Vós, que enviastes os anjos a anunciar a paz aos seres humanos,
– fazei que eles inspirem sentimentos de paz a todos os governantes e seus povos. R.

(intenções livres)

Quando enviardes os anjos no último dia para convocar os eleitos, de todos os pontos da terra,
– fazei que todos os vossos filhos e filhas sejam contados entre os eleitos. R.

Pai nosso...

Oração

Ó Deus, que na vossa misteriosa providência mandais os vossos Anjos para guardar-nos, concedei que nos defendam de todos os perigos e gozemos eternamente do seu convívio. Por nosso Senhor Jesus Cristo, vosso Filho, na unidade do Espírito Santo.

4 de outubro

SÃO FRANCISCO DE ASSIS

Memória

Nasceu em Assis (Itália), no ano 1182. Depois de uma juventude leviana, converteu-se a Cristo, renunciou a todos os bens paternos e entregou-se inteiramente a Deus. Abraçou a pobreza para seguir mais perfeitamente o exemplo de Cristo, e pregava a todos o amor de Deus. Formou os seus companheiros com normas excelentes, inspiradas no Evangelho, que foram aprovadas pela Sé Apostólica. Fundou também uma Ordem de religiosas (Clarissas) e uma Ordem de Penitentes Seculares; e promoveu a pregação da fé entre os infiéis. Morreu em 1226.

Do Comum dos santos homens: para religiosos, p. 1571, exceto o seguinte:

Laudes

Hino

No céu Francisco fulgura,
cheio de glória e de luz,
trazendo em seu corpo as chagas,
sinais de Cristo e da Cruz.

1394   4 de outubro

Seguindo o Cristo na terra,
pobre de Cristo se faz,
na cruz com Cristo pregado,
torna-se arauto da paz.

Pelo martírio ansiando,
tomou a cruz do Senhor;
do que beijou no leproso
contempla agora o esplendor.

Despindo as vestes na praça,
seu pai na terra esqueceu,
reza melhor o Pai-nosso,
junta tesouros no céu.

Tendo de Cristo a pureza,
mais do que o sol reluzia,
e, como o sol à irmã lua,
Clara em seu rastro atraía.

Ao Pai e ao Espírito glória
e ao que nasceu em Belém.
Deus trino a todos conceda
os dons da cruz: Paz e Bem.

Cântico evangélico, ant.

Fran**ci**sco, o **po**bre e hu**mil**de,
entra **ri**co no **Rei**no dos **céus**,
acla**ma**do com **hi**nos ce**les**tes.

Oração

Ó Deus, que fizestes São Francisco de Assis assemelhar-se ao
Cristo por uma vida de humildade e pobreza, concedei que,
trilhando o mesmo caminho, sigamos fielmente o vosso Filho,
unindo-nos convosco na perfeita alegria. Por nosso Senhor Jesus
Cristo, vosso Filho, na unidade do Espírito Santo.

Vésperas

HINO No céu Francisco fulgura, como nas Laudes, p. 1393.

Cântico evangélico, ant.

Bem **lon**ge de **mim** gloriar-me
senão na **Cruz** do Se**nhor** Jesus **Cris**to,
pois **tra**go em meu **cor**po suas **cha**gas.

5 de outubro

SÃO BENEDITO, O NEGRO, RELIGIOSO

Benedito, cognominado o Mouro, ou "o Negro" no Brasil; nasceu na Sicília. Filho de escravos vindos da Etiópia para San Fratello, na Sicília, vendeu seus bens e fez-se eremita franciscano nas vizinhanças de Palermo. Mais tarde, obedecendo a uma determinação do Papa Pio VI, obrigando todos os seguidores da Regra de São Francisco a viverem em conventos de sua Ordem, abandonou o eremitério. No convento, dedicou-se a trabalhos humildes. Chegou a exercer o cargo de Superior, mesmo não sendo sacerdote e, mais tarde, vemo-lo novamente trabalhando na cozinha. Morreu em 1589. Seu culto logo se espalhou pela Itália, Espanha, Portugal, Brasil e México. O papa Pio VIII inscreveu-o no rol dos santos.

Do Comum dos santos homens: para religiosos, p. 1571.

Laudes

Cântico evangélico, ant.

Eu te **lou**vo e ben**di**go, meu **Pai**,
dos **céus** e da **ter**ra Se**nhor**,
por**que** reve**las**te aos pe**que**nos
os mis**té**rios o**cul**tos do **Rei**no!

Oração

Ó Deus, que em São Benedito, o Negro, manifestais as vossas maravilhas, chamando à vossa Igreja homens de todos os povos, raças e nações, concedei, por sua intercessão, que todos, feitos vossos filhos e filhas pelo batismo, convivam como verdadeiros irmãos. Por nosso Senhor Jesus Cristo, vosso Filho, na unidade do Espírito Santo.

Vésperas

Cântico evangélico, ant.

Servo **bom** e fiel, vem en**trar** na ale**gri**a de Je**sus**, teu Se**nhor**!

1396

7 de outubro

6 de outubro

SÃO BRUNO, PRESBÍTERO

Nasceu em Colônia (Alemanha), cerca do ano 1035. Educado em Paris e ordenado sacerdote, ensinou Teologia; mas, aspirando à vida solitária, retirou-se e fundou o mosteiro dos Cartuxos. Chamado a Roma pelo Papa Urbano II, ajudou-o nos difíceis problemas da Igreja. Morreu em Esquilace (Calábria) no ano 1101.

Do Comum dos pastores: para presbíteros, p. 1523 ou, dos santos homens: para religiosos, p. 1571.

Oração

Ó Deus, que chamastes São Bruno a vos servir na solidão, dai que, por suas preces, estejamos sempre voltados para vós, em meio à agitação do mundo. Por nosso Senhor Jesus Cristo, vosso Filho, na unidade do Espírito Santo.

7 de outubro

NOSSA SENHORA DO ROSÁRIO

Memória

Esta comemoração foi instituída pelo Papa São Pio V no aniversário da vitória obtida pelos cristãos na batalha naval de Lepanto, atribuída ao auxílio da Santa Mãe de Deus, invocada com a oração do Rosário (1571). A celebração deste dia é um convite a todos os fiéis para que meditem os mistérios de Cristo, em companhia da Virgem Maria, que foi associada de modo muito especial à Encarnação, à Paixão e à Ressurreição do Filho de Deus.

Do Comum de Nossa Senhora, p. 1461 exceto o seguinte:

Laudes

Hino

Na terra recordamos
teu gozo e tua dor,
Mãe, que contemplamos
em glória e resplendor.

Ave, quando concebes,
visitas, dás à luz,

7 de outubro　　　　　　　　　　　　　1397

e levas e recebes
no templo o teu Jesus.

Ave, pela agonia,
flagelo, espinho e cruz:
a dor da profecia
à glória te conduz.

Ave, sobre o teu Filho,
o Espírito nos vem;
deixando o nosso exílio,
ao céu sobes também.

Cento e cinquenta rosas,
nações, vinde colher;
coroas luminosas
à Virgem Mãe tecer.

Louvor ao Pai e ao Filho
e ao Espírito também;
dos três, divino auxílio
ao nosso encontro vem.

Ant. 1 De Maria nasceu Jesus,
que é chamado também o **Cristo.**

Salmos e cântico do domingo da I Semana, p.764.

Ant. 2 Ó **Mãe,** junto convosco bendizemos o Senhor,
que ao morrer vos confiou a nós todos como filhos.

Ant. 3 Sobre os anjos se eleva a Virgem Maria,
no **céu** coroada com **doze** estrelas.

Leitura breve　　　　　　　　　　　　　cf. Is 1,10
Exulto de alegria no Senhor e minh'alma regozija-se em me
Deus; ele me vestiu com as vestes da salvação, envolveu-me com
o manto da justiça e adornou-me qual noiva com suas joias.

Responsório breve
R. Maria, alegra-te, ó cheia de graça;
　　*O Senhor é contigo! R. Maria.
V. És bendita entre todas as mulheres,
　　e bendito é o fruto do teu ventre. *O Senhor.
　　Glória ao **Pai.** R. Maria.

1398   7 de outubro

Cântico evangélico, ant.

Mãe feliz, Virgem pura e intacta,
gloriosa Rainha do mundo
celebrando a cantar vossa festa,
todos nós vosso auxílio sintamos.

PRECES do Comum de Nossa Senhora, p. 1463.

Oração

Derramai, ó Deus, a vossa graça em nossos corações, para que, conhecendo pela mensagem do Anjo a encarnação do Cristo vosso Filho, cheguemos, por sua paixão e cruz, à glória da ressurreição. Por nosso Senhor Jesus Cristo, vosso Filho, na unidade do Espírito Santo.

Vésperas

HINO Na terra recordamos, como nas Laudes, p. 1396.

Ant. 1 O anjo Gabriel anunciou a Maria.
E ela concebeu do Espírito Santo.

Salmos e cântico do Comum de Nossa Senhora, p. 1468.

Ant. 2 Junto à cruz de Jesus estava em pé sua Mãe.

Ant. 3 Alegrai-vos, Virgem Mãe,
Jesus Cristo ressurgiu do sepulcro, aleluia.

Leitura breve   Gl 4,4-5

Quando se completou o tempo previsto, Deu enviou o seu Filho, nascido de uma mulher, nascido sujeito à Lei, a fim de resgatar os que eram sujeitos à Lei e para que todos recebêssemos a filiação adotiva.

Responsório breve

R. Maria, alegra-te, ó cheia de graça;
    * O Senhor é contigo! R. Maria.
V. És bendita entre todas as mulheres,
    e bendito é o fruto do teu ventre, * O Senhor.
    Glória ao Pai. R.. Maria.

9 de outubro

Cântico evangélico, ant.
Maria guardava no **seu** coração
as palavras e os **fatos**, e **n**eles pensava.

PRECES do Comum de Nossa Senhora, p. 1471.

Oração como nas Laudes.

9 de outubro

SÃO DIONÍSIO, BISPO, E SEUS COMPANHEIROS, MÁRTIRES

Segundo uma tradição referida por São Gregório de Tours, Dionísio veio de Roma para a Gália (França) nos meados do século III. Foi o primeiro bispo de Paris e morreu mártir perto desta cidade, juntamente com dois membros do seu clero.

Do Comum de vários mártires, p. 1493.

Oração

Ó Deus, que mandastes São Dionísio e seus companheiros anunciar aos gentios a vossa glória e os fortalecestes no martírio, concedei que, seguindo seu exemplo, saibamos nos desprender das glórias do mundo, sem temer as suas ciladas. Por nosso Senhor Jesus Cristo, vosso Filho, na unidade do Espírito Santo.

No mesmo dia 9 de outubro

SÃO JOÃO LEONARDI, PRESBÍTERO

Nasceu em Luca (Toscana) no ano 1541. Estudou Farmácia, mas abandonou esta profissão e ordenou-se sacerdote. Dedicou-se à pregação, instruindo em especial as crianças na doutrina cristã. Em 1574 fundou a Ordem dos Clérigos Regulares da Mãe de Deus, pela qual teve de sofrer muitas tribulações. Instituiu também uma associação de sacerdotes para a propagação da fé que lhe valeu ser merecidamente o criador do Instituto que, ampliado pelos Sumos Pontífices, recebeu o nome "De Propaganda Fide". Com a sua caridade e prudência restaurou a disciplina em várias Congregações religiosas. Morreu em Roma no ano 1609.

Do Comum dos pastores: para presbíteros, p. 1523, ou, dos santos homens: para aqueles que se dedicaram às obras de caridade, p. 1573.

Oração

Ó Deus, fonte de todos os bens, que anunciastes o Evangelho aos povos por meio do presbítero São João Leonardi, fazei que, por suas preces, a verdadeira fé se propague sempre e por toda parte. Por nosso Senhor Jesus Cristo, vosso Filho, na unidade do Espírito Santo.

12 de outubro

NOSSA SENHORA DA CONCEIÇÃO APARECIDA, PADROEIRA DO BRASIL

Solenidade

Na segunda quinzena de outubro de 1717, três pescadores, Filipe Pedroso, Domingos Garcia e João Alves, ao lançarem sua rede para pescar nas águas do Rio Paraíba, colheram a Imagem de Nossa Senhora da Conceição, no lugar denominado Porto do Itaguassu. Filipe Pedroso levou-a para sua casa conservando-a consigo até 1732, quando a entregou a seu filho Atanásio Pedroso. Este construiu um pequeno oratório onde colocou a Imagem da Virgem que ali permaneceu até 1743. Todos os sábados, a vizinhança reunia-se no pequeno oratório para rezar o terço. Devido à ocorrência de milagres, a devoção a Nossa Senhora começou a se divulgar, com o nome dado pelo povo de Nossa Senhora Aparecida. Em 26 de julho de 1745 foi inaugurada a primeira Capela. Como esta, com o passar dos anos, não comportasse mais o número de devotos, iniciou-se em 1842 a construção de um novo templo inaugurado a 8 de dezembro de 1888. Em 1893, o Bispo diocesano de São Paulo, Dom Lino Deodato Rodrigues de Carvalho, elevou-o à dignidade de "Episcopal Santuário de Nossa Senhora da Conceição Aparecida". A 8 de setembro de 1904, por ordem do Papa Pio X, a Imagem milagrosa foi solenemente coroada, e a 29 de abril de 1908 foi concedido ao Santuário o título de Basílica menor. O Papa Pio XI declarou e proclamou Nossa Senhora Aparecida Padroeira do Brasil a 16 de julho de 1930, "para promover o bem espiritual dos fiéis e aumentar cada vez mais a devoção à Imaculada Mãe de Deus". A 5 de março de 1967 o Papa Paulo VI ofereceu a "Rosa de Ouro" à Basílica de Aparecida. Em 1952 iniciou-se a construção da nova Basílica Nacional de Nossa Senhora Aparecida, solenemente dedicada pelo Papa São João Paulo II a 4 de julho de 1980.

12 de outubro

I Vésperas

Hino

Maria, Mãe dos mortais,
as nossas preces acolhes;
escuta, pois, nossos ais,
e sempre, sempre nos olhes.

Vem socorrer, se do crime
o laço vil nos envolve.
Com tua mão que redime
a nossa culpa dissolve.

Vem socorrer, se do mundo
o brilho vão nos seduz
a abandonar num segundo
a estrada que ao céu conduz.

Vem socorrer, quando a alma
e o corpo a doença prostrar.
Vejamos com doce calma
a eternidade chegar.

Tenham teus filhos, na morte,
tua assistência materna.
E seja assim nossa sorte,
o prêmio da Vida eterna.

Jesus, ao Pai seja glória.
Seja ao Espírito também.
E a vós, ó Rei da vitória,
Filho da Virgem. Amém.

Ant. 1 Bendita sejais, ó Virgem Maria:
trouxestes no ventre o que fez o universo!

Salmos e cântico do Comum de Nossa Senhora, p. 1459.

Ant. 2 Vós destes a vida a Quem vos criou,
e Virgem sereis para sempre, ó Maria.

Ant. 3 Sois bendita por Deus entre todas, Maria,
pois de vós recebemos o Fruto da Vida.

Leitura breve
Gl 4,4-5

Quando se completou o tempo previsto, Deus enviou o seu Filho, nascido de uma mulher, nascido sujeito à Lei, a fim de resgatar os que eram sujeitos à Lei e para que todos recebêssemos a filiação adotiva.

Responsório breve

R. Maria, alegra-te, ó **cheia** de **graça**;
* O Se**nhor** é con**tigo**! R. Maria.
V. És ben**dita** entre **todas** as mul**her**es,
e ben**dito** é o **fru**to do teu ventre, * O Se**nhor**.
Glória ao **Pai**. R.. Maria.

Cântico evangélico, ant.

Sou mo**rena**, tão **bela** e for**mo**sa, **fi**lhas de **Jeru**salém!
Por **isso** o Rei me a**mou** e fez-me en**trar** em sua mo**ra**da.

Preces

Proclamemos a grandeza de Deus Pai todo-poderoso! Ele quis que Maria, Mãe de seu Filho, fosse celebrada por todas as gerações. Peçamos humildemente:

R. **Nossa Senhora Aparecida, rogai a Deus por nós!**

Deus, autor de tantas maravilhas, que fizestes a Imaculada Virgem Maria participar em corpo e alma da glória celeste de Cristo,
– conduzi para a mesma glória os corações dos vossos filhos. R.

Vós, que nos destes Maria por Mãe,
– concedei, por sua intercessão, saúde aos doentes, consolo aos tristes, perdão aos pecadores. R.

Vós, que fizestes de Maria a cheia de graça,
– concedei a todos a abundância da vossa graça. R.

Fazei, Senhor, que a vossa Igreja seja, na caridade, um só coração e uma só alma,
– e que todos os fiéis perseverem unânimes na oração com Maria, Mãe de Jesus. R.

(intenções livres)

Vós, que coroastes Maria como rainha do céu,
– fazei que nossos irmãos e irmãs falecidos se alegrem eternamente no vosso reino, na companhia dos santos. R.

Pai nosso...

12 de outubro

Oração

Ó Deus todo-poderoso, ao rendermos culto à Imaculada Conceição de Maria, Mãe de Deus e Senhora nossa, concedei que o
povo brasileiro, fiel à sua vocação e vivendo na paz e na justiça,
possa chegar um dia à pátria definitiva. Por nosso Senhor Jesus
Cristo, vosso Filho, na unidade do Espírito Santo.

Laudes

Hino

Ó Virgem a quem veneramos
com piedade enternecida
e a quem alegres chamamos
Aparecida!

Quem poderia narrar
o teu amor sempre novo
e as graças que concedeste
ao nosso povo?

Por tantas e tantas graças
bem mereces a coroa
com que a fronte te cingimos,
ó Mãe tão boa!

As agruras desta vida
sofrendo com paciência,
possamos gozar no céu
tua clemência.

Ao Deus uno e trino glória
e todo louvor convém;
só ele governa o mundo
e o céu. Amém.

Ant. 1 Disse o **anjo** à **Vir**gem:
Maria, **alegra**-te, ó **chei**a de **graça**,
o Se**nhor** é con**tigo**,
és ben**di**ta entre **to**das as mu**lhe**res da **ter**ra!

Salmos e cântico do domingo da I Semana, p. 764.

Ant. 2 Não **temas**, ó Ma**ria**, por **Deus** agraciada;
have**rás** de conce**ber** um Menino e dar à **luz**;
seu **no**me há de **ser**: o **Fi**lho do Al**tís**simo.

1404   12 de outubro

Ant. 3 A Santa **Vir**gem conce**beu**,
dando o **seu** consenti**men**to;
permane**cen**do sempre **vir**gem,
deu à **luz** o Salva**dor**.

Leitura breve   Is 61,10-11

Exulto de alegria no Senhor e minh'alma regozija-se em meu
Deus; ele me vestiu com as vestes da salvação, envolveu-me com
o manto da justiça e adornou-me como um noivo com sua coroa,
ou uma noiva com suas joias. Assim como a terra faz brotar a
planta e o jardim faz germinar a semente, assim o Senhor Deus
fará germinar a justiça e a sua glória diante de todas as nações.

Responsório breve

R. O Se**nhor** a esco**lheu**,
    * Entre **to**das prefe**ri**da. R. O Se**nhor**.
V. O Se**nhor** a fez mo**rar** em sua **san**ta habita**ção**. *Entre **to**das.
    Glória ao **Pai**. R. O Se**nhor** a esco**lheu**.

Cântico evangélico, ant.

Bendita se**jais**, ó **Vir**gem Ma**ria**,
por **vós** veio ao **mun**do o **Deus** Salva**dor**!
Da **gló**ria fe**liz** do Se**nhor** onde es**tais**,
ro**gai** ao **Fi**lho por **nós**, vossos **fi**lhos!

Preces

Celebremos nosso Salvador, que se dignou nascer da Virgem
Maria; e peçamos:
R. **Senhor, que a vossa Mãe interceda por nós!**

Sol de justiça, a quem a Virgem Imaculada precedeu como aurora
resplandecente,
—concedei que caminhemos sempre à luz da vossa presença. R.

Salvador do mundo, que pelos méritos da redenção preservastes
a vossa Mãe de toda mancha de pecado.
—livrai-nos também de todo pecado.   R.

Redentor nosso, que fizestes da Imaculada Virgem Maria o tabernáculo puríssimo da vossa presença e o sacrário do Espírito Santo,
—fazei de nós templos vivos do vosso Espírito.   R.

Rei dos reis, que quisestes ter vossa Mãe convosco no céu em corpo e alma,
– fazei que aspiremos sempre aos bens do alto.   R.
Pai nosso...

Oração

Ó Deus todo-poderoso, ao rendermos culto à Imaculada Conceição de Maria, Mãe de Deus e Senhora nossa, concedei que o povo brasileiro, fiel à sua vocação e vivendo na paz e na justiça, possa chegar um dia à pátria definitiva. Por nosso Senhor Jesus Cristo, vosso Filho, na unidade do Espírito Santo.

Hora Média

Salmos graduais. Sendo domingo, os salmos do domingo da I Semana, p. 768.

Ant. Sois a **gló**ria de **Sião**, a ale**gri**a de Isra**el**
          e a **flor** da humani**da**de.

Leitura breve   Jt 13,18-19

Ó filha, tu és bendita pelo Deus Altíssimo, mais que todas as mulheres da terra! E bendito é o Senhor Deus, que criou o céu e a terra, e te levou a decepar a cabeça do chefe de nossos inimigos! Porque nunca o teu louvor se afastará do coração dos homens, que se lembrarão do poder de Deus para sempre.

V. Virgem Ma**ri**a, glori**o**sa Ra**i**nha do **mun**do,
R. Ro**gai** por nós **to**dos ao **Cris**to Se**nhor**!

Oração como nas Laudes.

II Vésperas

Hino

Ave, do mar Estrela,
bendita Mãe de Deus,
fecunda e sempre Virgem,
portal feliz dos céus.

Ouvindo aquele Ave
do anjo Gabriel,
mudando de Eva o nome,
trazei-nos paz do céu.

1406

12 de outubro

Ao cego iluminai,
ao réu livrai também;
de todo mal guardai-nos
e dai-nos todo o bem.

Mostrai ser nossa Mãe,
levando a nossa voz
a Quem, por nós nascido,
dignou-se vir de vós.

Suave mais que todas,
ó Virgem sem igual,
fazei-nos mansos, puros,
guardai-nos contra o mal.

Oh! dai-nos vida pura,
guiai-nos para a luz,
e um dia, ao vosso lado,
possamos ver Jesus.

Louvor a Deus, o Pai,
e ao Filho, Sumo Bem,
com seu Divino Espírito
agora e sempre. Amém.

Ant. 1 És feliz porque creste, Maria,
pois em ti a Palavra de Deus
vai cumprir-se conforme ele disse.

Salmos e cântico do Comum de Nossa Senhora, p. 1468.

Ant. 2 És bendita entre todas as mulheres da terra,
e bendito é o fruto que nasceu de teu ventre!

Ant. 3 Toda santa e sem mancha de pecado,
mereceste ser a Mãe do Salvador.

Leitura breve   Ap 21,2-3

Vi a cidade santa, a nova Jerusalém, que descia do céu, de junto
de Deus, vestida qual esposa enfeitada para o seu marido. Então,
ouvi uma voz forte que saía do trono e dizia: Esta é a morada de
Deus entre os homens. Deus vai morar no meio deles. Eles serão
o seu povo, e o próprio Deus estará com eles.

Responsório breve

R. Sois feliz, Virgem Maria,
  * E mereceis todo louvor! R. Sois feliz.

V. Pois de **vós** se levant**ou** o Sol bri**lhan**te da justiça
que é **Cris**to, nosso **Deus**. * E merec**eis**.
Glória ao **Pai**. R. Sois fe**liz**.

Cântico evangélico, ant.

Por**que** eu esco**lhi** e santifi**quei** este lu**gar**,
para que **nele** o meu **no**me perma**ne**ça eterna**men**te,
meu cora**ção** e os meus **o**lhos nele **sem**pre fixa**rei**.

Preces

Proclamemos a grandeza de Deus Pai todo-poderoso: Ele quis
que Maria, Mãe de seu Filho, fosse celebrada por todas as gerações. Peçamos humildemente:
R. **Nossa Senhora Aparecida, rogai a Deus por nós!**

Vós, que fizestes de Maria a Mãe da misericórdia,
– concedei a todos os que estão em perigo sentirem o seu amor
materno. R.

Vós, que confiastes a Maria a missão de mãe de família no lar de
Jesus e José,
– fazei que, por sua intercessão, todas as mães vivam em família
o amor e a santidade. R.

Vós, que destes a Maria a força para ficar de pé junto à cruz, e a
enchestes de alegria com a ressurreição de vosso Filho,
– socorrei os atribulados e confortai-os na esperança. R.

Vós, que fizestes de Maria a serva fiel e atenta à vossa Palavra,
– fazei de nós, por sua intercessão, servos e discípulos de vosso
Filho. R.

(intenções livres)

Vós, que coroastes Maria como rainha do céu,
– fazei que nossos irmãos e irmãs falecidos se alegrem eternamente em vosso reino na companhia dos santos. R.

Pai nosso...

Oração

Ó Deus todo-poderoso, ao rendermos culto à Imaculada Conceição de Maria, Mãe de Deus e Senhora nossa, concedei que o
povo brasileiro, fiel à sua vocação e vivendo na paz e na justiça,
possa chegar um dia à pátria definitiva. Por nosso Senhor Jesus
Cristo, vosso Filho, na unidade do Espírito Santo.

14 de outubro

SÃO CALISTO I, PAPA E MÁRTIR

Diz-se que foi escravo; tendo alcançado a liberdade, foi ordenado diácono pelo papa Zeferino, a quem sucedeu na Cátedra de Pedro. Combateu contra os hereges adocianistas e modalistas. Recebeu a coroa do martírio no ano 222, e foi sepultado na Via Aurélia.

Do Comum de um mártir, p. 1509, ou, dos pastores: para papas, p. 1523.

Oração

Ó Deus, ouvi com bondade as preces do vosso povo e dai-nos o auxílio do papa São Calisto, cujo martírio hoje celebramos. Por nosso Senhor Jesus Cristo, vosso Filho, na unidade do Espírito Santo.

15 de outubro

SANTA TERESA DE JESUS, VIRGEM E DOUTORA DA IGREJA

Memória

Nasceu em Ávila (Espanha) no ano 1515. Tendo entrado na Ordem das Carmelitas, fez grandes progressos no caminho da perfeição e teve revelações místicas. Ao empreender a reforma da Ordem teve de sofrer muitas tribulações, mas tudo suportou com coragem invencível. A doutrina profunda que escreveu nos seus livros é fruto das suas experiências místicas. Morreu em Alba de Tormes (Salamanca) no ano 1582.

Do Comum das virgens, p. 1539, exceto o seguinte:

Laudes

Hino

Deixando teus pais, Teresa,
quiseste aos mouros pregar,
trazê-los todos ao Cristo,
ou teu sangue derramar.

Pena porém mais suave
o Esposo a ti reservou:
tombares de amor ferida,
ao dardo que te enviou.

Acende, pois, nossas almas,
na chama do eterno amor:
jamais vejamos do inferno
o fogo devorador.

Louvamos contigo ao Filho,
que ao trino Deus nos conduz,
ele é o Jesus de Teresa,
Tu, Teresa de Jesus!

Oração

Ó Deus, que pelo Espírito Santo fizestes surgir Santa Teresa para recordar à Igreja o caminho da perfeição, dai-nos encontrar sempre alimento em sua doutrina celeste e sentir em nós o desejo da verdadeira santidade. Por nosso Senhor Jesus Cristo, vosso Filho, na unidade do Espírito Santo.

Vésperas

Hino

Este é o dia em que Teresa,
qual pomba de branca alvura,
à terra tão pouco presa,
o templo do céu procura.

As falas do Espírito escuta:
Amada, vem do Carmelo!
Esquece, irmã, tua gruta,
que o meu amor é mais belo.

Cantemos o Esposo amado,
que vem desposar Teresa
com seu anel de noivado
e a lâmpada sempre acesa.

16 de outubro

SANTA EDVIGES, RELIGIOSA

Nasceu na Baviera (Alemanha), cerca do ano 1174; foi dada por esposa ao príncipe da Silésia e teve sete filhos. Levou uma vida de fervorosa piedade e dedicou-se generosamente à assistência aos pobres e doentes,

1410   17 de outubro

para os quais fundou vários albergues. Quando morreu seu marido, entrou no mosteiro de Trebniz (Polônia) e aí morreu em 1243.

Do Comum das santas mulheres: para as que se dedicaram às obras de caridade, p. 1573, ou, para religiosas, p. 1571.

Oração

Nós vos pedimos, ó Deus onipotente, que a intercessão de santa Edviges nos obtenha a graça de imitar o que nela admiramos, pois a humildade da sua vida serve de exemplo para todos. Por nosso Senhor Jesus Cristo, vosso Filho, na unidade do Espírito Santo.

No mesmo dia 16 de outubro

SANTA MARGARIDA MARIA ALACOQUE, VIRGEM

Nasceu em 1647 na diocese de Autun (França). Acolhida entre as Irmãs da Visitação de Paray-le-Monial, progredia de modo admirável no caminho da perfeição. Teve revelações místicas, particularmente sobre a devoção ao Coração de Jesus, e contribuiu muito para introduzir o seu culto na Igreja. Morreu a 17 de outubro de 1690.

Do Comum das virgens, p. 1539, ou, das santas mulheres: para religiosas, p. 1571.

Oração

Ó Deus, derramai em nós o espírito com que enriquecestes Santa Margarida Maria, para que, conhecendo o amor de Cristo, que supera todo conhecimento, possamos gozar a vossa plenitude. Por nosso Senhor Jesus Cristo, vosso Filho, na unidade do Espírito Santo.

17 de outubro

SANTO INÁCIO DE ANTIOQUIA, BISPO E MÁRTIR

Memória

Inácio foi o sucessor de Pedro no governo da Igreja de Antioquia. Condenado às feras, foi conduzido a Roma e aí, no tempo do imperador Trajano, recebeu a gloriosa coroa do martírio, no ano 107. Durante a viagem escreveu sete cartas a várias Igrejas, nas quais se refere, com profunda sabedoria e erudição, a Cristo, à

18 de outubro

organização da Igreja e aos princípios fundamentais da vida cristã. A sua memória era celebrada neste dia, já no século IV, em Antioquia.

Do Comum de um mártir, p. 1509, ou, dos pastores, p. 1523, exceto o seguinte:

Laudes

Cântico evangélico, ant.
Eu procuro Aquele que por **nós** deu a vida,
e desejo Aquele que por **nós** ressurgiu.

Oração

Deus eterno e todo-poderoso, que ornais a vossa Igreja com o testemunho dos mártires, fazei que a gloriosa paixão que hoje celebramos, dando a Santo Inácio de Antioquia a glória eterna, nos conceda contínua proteção. Por nosso Senhor Jesus Cristo, vosso Filho, na unidade do Espírito Santo.

Vésperas

Cântico evangélico, ant.
Eu desejo o Pão de **Deus**,
que é a **carne** de Jesus descendente de Davi;
eu desejo esta bebida
que é o **sangue** de Jesus, caridade incorruptível.

18 de outubro

SÃO LUCAS, EVANGELISTA

Festa

Nascido numa família pagã e convertido à fé, acompanhou o Apóstolo Paulo de cuja pregação é reflexo o Evangelho que escreveu. Transmitiu noutro livro, intitulado *Atos dos Apóstolos,* os primeiros passos da vida da Igreja até à primeira estadia de Paulo em Roma.

1412   18 de outubro

Laudes

Hino

Cantamos, hoje, Lucas, teu martírio,
teu sangue derramado por Jesus,
os dois livros que trazes nos teus braços
e o teu halo de luz.

Levado pelo Espírito, escreveste
tudo o que disse e fez o Bom Pastor,
pois aos sermões de Cristo acrescentaste
os seus gestos de amor.

De Pedro e Paulo registraste os atos,
e do povo fiel a comunhão,
quando unidos em preces pelas casas,
iam partindo o pão.

De Paulo foste o amigo e companheiro,
ouviste de seu peito as pulsações;
faze vibrar no mesmo amor de Cristo
os nossos corações.

Médico santo, cura os nossos males,
leva ao aprisco o pobre pecador;
dá que no céu sejamos acolhidos
pelo próprio Senhor.

Ant. 1 O santo Evangelista investigou
o saber dos grandes homens do passado
e confirmou o que os profetas predisseram.

Salmos e cântico do domingo da I Semana, p. 764.

Ant. 2 Deus chamou-nos à fé na Verdade,
pelo anúncio do santo Evangelho,
para obtermos a glória de Cristo.

Ant. 3 Muitos louvaram seu saber, que jamais perecerá.

Leitura breve   1Cor 15,1-2a.3-4

Irmãos, quero lembrar-vos o evangelho que vos preguei e que
recebestes, e no qual estais firmes. Por ele sois salvos, se o estais guardando tal qual ele vos foi pregado por mim. Com efeito, transmiti-vos, em primeiro lugar, aquilo que eu mesmo tinha

18 de outubro

recebido, a saber: que Cristo morreu por nossos pecados, segundo as Escrituras; que foi sepultado; que, ao terceiro dia, ressuscitou, segundo as Escrituras.

Responsório breve

R. Eles contaram as grandezas
  *Do Senhor e seu poder. R. Eles contaram.
V. E as suas maravilhas que por nós realizou. *Do Senhor.
  Glória ao Pai. R. Eles contaram.

Cântico evangélico, ant.

São Lucas transmitiu-nos o Evangelho do Senhor,
e anunciou-nos Jesus Cristo, Sol nascente lá do alto.

Preces

Invoquemos nosso Salvador que, destruindo a morte, iluminou a vida por meio do Evangelho; e peçamos humildemente:
R. Confirmai a vossa Igreja na fé e na caridade!

Fizestes resplandecer admiravelmente a vossa Igreja por meio de santos e insignes doutores;
—que os cristãos se alegrem sempre com o mesmo esplendor. R.

Quando os santos pastores vos suplicavam, a exemplo de Moisés, perdoastes os pecados do povo;
—por intercessão deles, santificai a vossa Igreja mediante uma contínua purificação. R.

Tendo-os escolhido entre seus irmãos, consagrastes vossos santos enviando sobre eles o vosso Espírito;
—que o mesmo Espírito Santo inspire aqueles que governam vosso povo. R.

Sois vós a herança dos santos pastores;
—concedei que nenhum daqueles que foram resgatados pelo vosso sangue fique longe de vós. R.

(intenções livres)

Pai nosso...

Oração

Ó Deus, que escolhestes São Lucas para revelar em suas palavras e escritos o mistério do vosso amor para com os pobres, concedei aos que já se gloriam do vosso nome perseverar num só coração

1414   18 de outubro

e numa só alma, e a todos os povos do mundo ver a vossa salvação. Por nosso Senhor Jesus Cristo, vosso Filho, na unidade do Espírito Santo.

Hora Média

Antífonas e salmos do dia de semana corrente.

Leitura breve   1Ts 2,2b-4

Encontramos em Deus a coragem de vos anunciar o evangelho, em meio a grandes lutas. A nossa exortação não se baseia no erro, na ambiguidade ou no desejo de enganar. Ao contrário, uma vez que Deus nos achou dignos para que nos confiasse o evangelho, falamos não para agradar aos homens, mas a Deus, que examina os nossos corações.

V. Eles guardavam os preceitos,
R. E as ordens do Senhor.

Oração como nas Laudes.

Vésperas

HINO Cantamos hoje, como nas Laudes, p. 1412.

Ant. 1 O Senhor constituiu-me ministro do Evangelho,
pelo dom da sua graça.

Salmos e cântico do Comum dos apóstolos, p. 1484.

Ant. 2 Tudo faço por causa do Evangelho,
para dele receber a minha parte.

Ant. 3 A mim foi concedida esta graça:
aos pagãos anunciar a Boa-nova
das riquezas insondáveis de Jesus.

Leitura breve   Cl 1,3-6a

Damos graças a Deus, Pai de nosso Senhor Jesus Cristo, sempre rezando por vós, pois ouvimos acerca da vossa fé em Cristo Jesus e do amor que mostrais para com todos os santos, animados pela esperança na posse do céu. Disso já ouvistes falar no Evangelho, cuja palavra de verdade chegou até vós. E como no mundo inteiro, assim também entre vós ela está produzindo frutos e se desenvolve.

Responsório breve

R. Anunciai, entre as nações,
   * A glória do Senhor. R. Anunciai.
V. E entre os povos do universo, as suas maravilhas.
   * A glória. Glória ao Pai. R. Anunciai.

Cântico evangélico, ant.

Este santo Evangelista,
que de Cristo a mansidão descreveu-nos no Evangelho,
com justiça hoje recebe os louvores da Igreja.

Preces

Oremos à Deus Pai, fonte de toda luz, que nos chamou à verdadeira fé por meio do Evangelho de seu Filho; e peçamos em favor do seu povo santo, dizendo:

R. **Lembrai-vos, Senhor, da vossa Igreja!**

Deus Pai, que ressuscitastes dos mortos vosso Filho, o grande Pastor das ovelhas,
– fazei de nós testemunhas do vosso Filho até os confins da terra.
R.

Vós, que enviastes vosso Filho ao mundo para evangelizar os pobres,
– fazei que o Evangelho seja pregado a toda criatura. R.

Vós, que enviastes vosso Filho para semear a palavra do reino,
– concedei-nos colher na alegria os frutos da palavra semeada com o nosso trabalho. R.

Vós, que enviastes vosso Filho para reconciliar o mundo convosco pelo seu sangue,
– fazei que todos nós colaboremos na obra de reconciliação de toda a humanidade. R.

(intenções livres)

Vós, que glorificastes vosso Filho à vossa direita nos céus,
– recebei-no reino da felicidade eterna os nossos irmãos e irmãs falecidos. R.

Pai nosso...

Oração

Ó Deus, que escolhestes São Lucas para revelar em suas palavras e escritos o mistério do vosso amor para com os pobres, concedei

1416 19 de outubro

aos que já se gloriam do vosso nome perseverar num só coração e numa só alma, e a todos os povos do mundo ver a vossa salvação. Por nosso Senhor Jesus Cristo, vosso Filho, na unidade do Espírito Santo.

19 de outubro

SÃO JOÃO DE BRÉBEUF E SANTO ISAAC JOGUES, PRESBÍTEROS, E SEUS COMPANHEIROS, MÁRTIRES

Entre os anos 1642 e 1649, oito membros da Companhia de Jesus (seis sacerdotes e dois irmãos coadjutores), que evangelizavam a parte setentrional da América, foram mortos, depois de terríveis tormentos, pelos indígenas hurões e iroqueses. Isaac Jogues foi martirizado no dia 18 de outubro de 1647 e João de Brébeuf no dia 16 de março de 1648.

Do Comum de vários mártires, p. 1493, ou, dos pastores, p. 1523.

Oração

Ó Deus, que consagrastes os primórdios da Igreja na América Setentrional, com a pregação e o sangue dos vossos mártires João, Isaac e seus companheiros, concedei que, por sua intercessão, floresçam sempre e por toda a parte as comunidades cristãs. Por nosso Senhor Jesus Cristo, vosso Filho, na unidade do Espírito Santo.

No mesmo dia 19 de outubro

SÃO PAULO DA CRUZ, PRESBÍTERO

Nasceu em Ovada, na Ligúria (Itália), no ano 1694; durante a juventude ajudou a seu pai no comércio. Aspirando à vida de perfeição, renunciou a tudo e dedicou-se ao serviço dos pobres e dos enfermos e associou a si para o mesmo fim vários colaboradores. Ordenado sacerdote, trabalhou cada vez mais intensamente pela salvação das almas, estabelecendo casas da Congregação que tinha fundado (Passionistas), exercendo a atividade apostólica e mortificando-se com duras penitências. Morreu em Roma no dia 18 de outubro de 1775.

Do Comum dos pastores: para presbíteros, p. 1523, ou, dos santos homens: para religiosos, p. 1571.

24 de outubro

1417

Oração

Ó Deus, o presbítero São Paulo, que fez da cruz o seu único amor, nos obtenha a vossa graça para que, estimulados pelo seu exemplo, abracemos com coragem a nossa cruz. Por nosso Senhor Jesus Cristo, vosso Filho, na unidade do Espírito Santo.

23 de outubro

SÃO JOÃO DE CAPISTRANO, PRESBÍTERO

Nasceu em Capistrano, nos Abruzos (Itália), no ano 1386. Estudou Direito em Perúgia e exerceu durante algum tempo a profissão de juiz. Entrou na Ordem dos Frades Menores e foi ordenado sacerdote. Desenvolveu uma incansável atividade apostólica em toda a Europa, trabalhando na reforma dos costumes entre os cristãos e na luta contra as heresias. Morreu em Vilach (Áustria) no ano 1456.

Do Comum dos pastores: para presbíteros, p. 1523.

Oração

Ó Deus, que suscitastes o presbítero São João de Capistrano para confortar o povo cristão aflito, colocai-nos sob a vossa proteção e guardai a vossa Igreja em constante paz. Por nosso Senhor Jesus Cristo, vosso Filho, na unidade do Espírito Santo.

24 de outubro

SANTO ANTÔNIO MARIA CLARET, BISPO

Nasceu em Sallent (Espanha) no ano 1807. Ordenado sacerdote, percorreu a Catalunha pregando ao povo durante vários anos. Fundou a Congregação dos Missionários Filhos do Coração Imaculado de Maria (Claretianos). Nomeado bispo para a ilha de Cuba, aí alcançou singulares méritos, trabalhando pela salvação das almas. Depois de regressar à Espanha, ainda teve de suportar muitos trabalhos em favor da Igreja. Morreu em Fontfroide (França) no ano 1870.

Do Comum dos pastores: para bispos, p. 1523.

Oração

Ó Deus, que fortalecestes o bispo Santo Antônio Maria claret com caridade e paciência admiráveis para propagar o Evangelho entre os povos, dai que por sua intercessão busquemos o que é

1418

28 de outubro

vosso, e nos apliquemos com todo o empenho em conquistar nossos irmãos para Cristo. Que convosco vive e reina, na unidade do Espírito Santo.

28 de outubro

SÃO SIMÃO E SÃO JUDAS, APÓSTOLOS

Festa

O nome de Simão figura em undécimo lugar na lista dos Apóstolos. Dele se sabe apenas que nasceu em Caná e que tinha o denominativo de "Zelotes".

Judas, de sobrenome Tadeu, é o Apóstolo que na Última Ceia perguntou ao Senhor por que razão se manifestava aos seus discípulos e não ao mundo (Jo 14,22).

Do Comum dos apóstolos, p. 1479, exceto o seguinte:

Laudes

Hino

Um hino a vós, apóstolos,
de júbilo e vitória.
Unidos pela graça,
também o sois na glória.

Simão, ardente impulso
levou-te a palmilhar
os passos de Jesus,
e o nome seu pregar.

De Cristo em carne e espírito
irmão e servo, ó Judas,
pregando e escrevendo
aos teus irmãos ajudas.

Sois vítima e testemunha
da fé que proclamastes.
Provando-lhe a verdade,
o sangue derramastes.

28 de outubro

Ó astros luminosos,
ao céu todos guiai;
por ásperos caminhos,
inteira a fé guardai.

Ao Pai, ao Filho, ao Espírito
a honra e o louvor.
Possamos para sempre
gozar do seu amor.

Oração

Ó Deus, que, pela pregação dos Apóstolos, nos fizestes chegar
ao conhecimento do vosso Evangelho, concedei, pelas preces de
São Simão e São Judas, que a vossa Igreja não cesse de crescer,
acolhendo com amor novos fiéis. Por nosso Senhor Jesus Cristo,
vosso Filho, na unidade do Espírito Santo.

Hora Média

Antífonas e salmos do dia de semana corrente. Leitura breve, do Comum
dos apóstolos, p. 1482. Oração como acima.

NOVEMBRO

1º de novembro

TODOS OS SANTOS

Solenidade

No Brasil esta solenidade é celebrada no domingo seguinte, caso o dia 1º não caia em domingo. Quando, porém, o dia 2 de novembro cair em domingo, celebra-se a solenidade de Todos os Santos dia 1º de novembro.

I Vésperas

Hino

Redentor de todos, Cristo,
vossos servos conservais,
abrandado pela Virgem
com suas preces maternais.

Multidões celestiais
dos espíritos amigos,
ontem, hoje e no futuro
defendei-nos do inimigo.

Do eternal Juiz profetas
e apóstolos do Senhor,
nos salvai com vossos rogos,
escutai nosso clamor.

Santos mártires de Deus,
confessores luminosos,
vossas preces nos conduzam
para o céu, vitoriosos.

Santos monges e eremitas,
santos coros virginais,
dai-nos sermos os convivas
do Senhor, com quem reinais.

Nossa voz à vossa unimos,
dando graças ao Senhor.
E paguemos, na alegria,
nossa dívida em louvor.

Salmodia

Ant. 1 A luz eterna brilhará aos vossos santos,
e a vida para sempre, aleluia.

Salmo 112(113)

– 1 Louvai, louvai, ó servos do Senhor, *
louvai, louvai o nome do Senhor!
– 2 Bendito seja o nome do Senhor, *
agora e por toda a eternidade!
– 3 Do nascer do sol até o seu ocaso, *
louvado seja o nome do Senhor!
– 4 O Senhor está acima das nações, *
sua glória vai além dos altos céus.
= 5 Quem pode comparar-se ao nosso Deus, †
ao Senhor, que no alto céu tem o seu trono *
6 e se inclina para olhar o céu e a terra?
– 7 Levanta da poeira o indigente *
e do lixo ele retira o pobrezinho,
– 8 para fazê-lo assentar-se com os nobres, *
assentar-se com os nobres do seu povo.
– 9 Faz a estéril, mãe feliz em sua casa, *
vivendo rodeada de seus filhos.

Ant. 1 A luz eterna brilhará aos vossos santos,
e a vida para sempre, aleluia.

Ant. 2 Jerusalém, cidade santa, exultarás pelos teus filhos,
pois serão abençoados e reunidos no Senhor.
Aleluia.

Salmo 147(147B)

– 12 Glorifica o Senhor, Jerusalém! *
Ó Sião, canta louvores ao teu Deus!
– 13 Pois reforçou com segurança as tuas portas, *
e os teus filhos em teu seio abençoou;
– 14 a paz em teus limites garantiu *
e te dá como alimento a flor do trigo.
– 15 Ele envia suas ordens para a terra, *
e a palavra que ele diz corre veloz;

1422

1º de novembro

– [16] ele **faz** cair a neve como lã *
e es**pa**lha a geada como cinza.
– [17] Como de **pão** lança as migalhas do granizo, *
a seu **frio** as águas ficam congeladas.
– [18] Ele en**via** sua palavra e as derrete, *
sopra o **vento** e de novo as águas correm.
– [19] Anun**cia** a Jacó sua palavra, *
seus pre**cei**tos e suas leis a Israel.
– [20] Nenhum **povo** recebeu tanto carinho, *
a nenhum **outro** revelou os seus preceitos.

Ant. Jerusalém, cidade **san**ta, exultar**ás** pelos teus **fi**lhos,
pois se**rão** abençoados e reu**ni**dos no Se**nhor**.
Ale**lui**a.

Ant. 3 Os **santos** cantavam um **cân**tico **novo**
Àque**le** que está em seu **tro**no e ao Cor**dei**ro;
na **ter**ra inteira ressoavam suas **vo**zes. Ale**lui**a.

No cântico seguinte dizem-se os Aleluias entre parênteses somente
quando se canta; na recitação, basta dizer o Aleluia no começo, entre as
estrofes e no fim.

Cântico   cf. Ap 19,1-7

= Ale**lui**a, (Ale**lui**a!).
[1] Ao nosso **Deus** a salva**ção**, *
honra, **gló**ria e poder! (Ale**lui**a!)
– [2] Pois são ver**da**de e justiça *
os juízos do Senhor.

R. Ale**lui**a, (Ale**lui**a!).

= Ale**lui**a, (Ale**lui**a!).
[5] Cele**brai** o nosso Deus, *
servi**do**res do Senhor! (Ale**lui**a!).
– E vós **to**dos que o temeis, *
vós os **gran**des e os pequenos!

R. Ale**lui**a, (Ale**lui**a!).

= Ale**lui**a, (Ale**lui**a!).
[6] De seu **rei**no tomou posse *
nosso Deus onipotente! (Ale**lui**a!).
– [7] Exul**te**mos de alegria,*
demos **gló**ria ao nosso Deus!

R. Ale**lui**a, (Ale**lui**a!).

= Aleluia, (Aleluia!).
Eis que as núpcias do Cordeiro *
redivivo se aproximam! (Aleluia!).
– Sua Esposa se enfeitou, *
se vestiu de linho puro.
R. Aleluia, (Aleluia!).

Ant. Os santos cantavam um cântico novo
Àquele que está em seu trono e ao Cordeiro;
na terra inteira ressoavam suas vozes. Aleluia.

Leitura breve
Hb 12,22-24

Vós vos aproximastes do monte Sião e da cidade do Deus vivo, a Jerusalém celeste; da reunião festiva de milhões de anjos; da assembleia dos primogênitos, cujos nomes estão escritos nos céus; de Deus, o Juiz de todos; dos espíritos dos justos, que chegaram à perfeição; de Jesus, mediador da nova aliança, e da aspersão do sangue mais eloquente que o de Abel.

Responsório breve

R. Os justos se alegram
* Na presença do Senhor. R. Os justos.
V. Rejubilam satisfeitos, e exultam de alegria.
* Na presença. Glória ao Pai. R. Os justos.

Cântico evangélico, ant.

A vós, Senhor, louva o coro glorioso dos Apóstolos,
a vós proclama a multidão iluminada dos Profetas,
de vós dá testemunho o exército dos mártires,
e unânimes confessam os santos e os eleitos,
ó Santíssima Trindade, um só Deus em três pessoas!

Preces

Repletos de alegria, invoquemos a Deus, recompensa e glória de todos os santos e santas; e digamos:
R. Salvai-nos, Senhor, por intercessão de vossos santos!

Deus de infinita sabedoria que, por Cristo, constituístes os apóstolos como fundamentos da fé da Igreja,
– conservai-nos fiéis à fé que eles nos ensinaram. R.

1424 1º de novembro

Vós, que destes aos mártires a coragem do testemunho até derramarem o próprio sangue,
– tornai os cristãos testemunhas fiéis do vosso Filho.
R. **Salvai-nos, Senhor, por intercessão de vossos santos!**

Vós que concedestes às santas Virgens o dom inestimável de imitar a Cristo virgem,
– fazei que todos reconheçam a virgindade consagrada a vós como autêntico sinal do reino dos céus. R.

Vós, que manifestais em todos os santos e santas a vossa presença, o vosso rosto e a vossa palavra,
– dai-nos a graça de nos sentirmos mais próximos de vós quando os honramos. R.

(intenções livres)

Concedei aos que morreram viver eternamente no céu com a Virgem Maria, São José e todos os santos e santas,
– e, por intercessão deles, fazei-nos participar da sua companhia. R.

Pai nosso...

Oração

Deus eterno e todo-poderoso, que nos dais celebrar numa só festa os méritos de todos os Santos, concedei-nos, por intercessores tão numerosos, a plenitude da vossa misericórdia. Por nosso Senhor Jesus Cristo, vosso Filho, na unidade do Espírito Santo.

Laudes

Hino

Jesus, que o mundo salvastes,
dos que remistes cuidai.
E vós, Mãe santa de Deus,
por nós a Deus suplicai.

Os coros todos dos Anjos,
patriarcal legião,
Profetas de tantos méritos,
pedi por nós o perdão.

Ó Precursor do Messias,
ó Ostiário dos céus,
com os Apóstolos todos,
quebrai os laços dos réus.

Santa Assembleia dos Mártires;
vós, Confessores, Pastores,
Virgens prudentes e castas,
rogai por nós pecadores.

Que os monges peçam por nós
e todos que o céu habitam:
ida eterna consigam
os que na terra militam.

Honra e louvor tributemos
ao Pai e ao Filho também,
com seu Amor, um só Deus,
por todo o sempre. Amém.

Ant. 1 O **Rei**no cel**e**ste é a mor**a**da dos **san**tos,
sua **paz** para **sem**pre. Ale**lui**a.

Salmos e cântico do domingo da I Semana, p. 764.

Ant. 2 Vós, **san**tos do S**e**nhor, bendi**zei**-o para **sem**pre!

Ant. 3 É o m**o**tivo de lou**vor** para os seus **san**tos,
é um **hi**no para os **fi**lhos de Israel,
este **po**vo que ele **a**ma e lhe per**ten**ce.

Leitura breve   Ef 1,17-18

Que o Deus de nosso Senhor Jesus Cristo, o Pai a quem pertence a glória, vos dê um espírito de sabedoria que vo-lo revele e faça verdadeiramente conhecer. Que ele abra o vosso coração à sua luz, para que saibais qual a esperança que o seu chamamento vos dá, qual a riqueza da glória que está na vossa herança com os santos.

Responsório breve

R. Os **jus**tos se alegram
   * Na pre**sen**ça do S**e**nhor. R. Os **jus**tos.
V. Reju**bi**lam satis**fei**tos e e**xul**tam de ale**gri**a.
   * Na pre**sen**ça. Gl**ó**ria ao **Pai**. R. Os **jus**tos.

Cântico evangélico, ant.

Os **jus**tos brilha**rão** como o **sol** no **Rei**no de seu **Pai**, ale**lui**a.

1426 1º de novembro

Preces

Repletos de alegria, invoquemos a Deus, recompensa e glória de todos os santos e santas; e digamos:

R. **Salvai-nos, Senhor, por intercessão de vossos santos!**

Deus, fonte de santidade, que fizestes brilhar nos vossos santos e santas as maravilhas da vossa graça multiforme;
– concedei-nos celebrar neles a vossa bondade infinita.   R.

Deus eterno e misericordioso, que mostrastes nos vossos santos e santas as imagens mais perfeitas do vosso Filho,
– fazei que, por eles, sejamos conduzidos a uma vida de maior união com Cristo.   R.

Rei dos céus, que por meio dos fiéis seguidores de Cristo nos estimulais a buscar a cidade futura,
– ensinai-nos a seguir, com os vossos santos e santas, o melhor caminho para chegar à pátria eterna.   R.

Deus eterno, que pelo sacrifício eucarístico de vosso Filho nos unis mais intimamente aos habitantes do céu,
– fazei que os celebremos devotamente em espírito e verdade. R.

Pai nosso...

Oração

Deus eterno e todo-poderoso, que nos dais celebrar numa só festa os méritos de todos os Santos, concedei-nos, por intercessores tão numerosos, a plenitude da vossa misericórdia. Por nosso Senhor Jesus Cristo, vosso Filho, na unidade do Espírito Santo.

Hora Média

Salmos graduais, p. 1135. Se for domingo, salmos do domingo da I Semana, p. 768.

Ant. Os **po**vos en**si**nam, nar**ran**do a **sabedo**ria dos **san**tos; seu lou**vor** toda a I**gre**ja pro**cla**ma.

Leitura breve   1Pd 1,15-16

Como é santo aquele, que vos chamou, tornai-vos santos, também vós, em todo o vosso proceder. Pois está na Escritura: Sede santos, porque eu sou santo.

V. Homens **jus**tos, ale**grai**-vos no Se**nhor**.
R. Ce**lebrai** é bendi**zei** seu santo **no**me!

Oração como nas Laudes.

II Vésperas

HINO Redentor de todos, como nas I Vésperas, p. 1420.

Ant. 1 Vi uma **gran**de multi**dão**, que nin**guém** pode con**tar**,
de **to**das as na**ções**, de **pé** em frente ao **tro**no.

Salmo 109(110),1-5.7

– ¹**Pala**vra do Se**nhor** ao meu Se**nhor**: *
"Assenta-te ao lado meu direito,

– até que eu ponha os inimigos teus *
como esca**be**lo por debaixo de teus pés!"

= ²O Se**nhor** estenderá desde Sião †
vosso **ce**tro de poder, pois ele diz: *
"**Do**mina com vigor teus inimigos;

= ³tu és **prín**cipe desde o dia em que nasceste; †
na **gló**ria e esplendor da santidade, *
como o or**va**lho, antes da aurora, eu te gerei!"

= ⁴Jurou o Se**nhor** e manterá sua palavra: †
"Tu **és** sacerdote eternamente, *
se**gun**do a ordem do rei Melquisedec!"

– ⁵À vossa **des**tra está o Senhor, ele vos diz: *
"No dia da **i**ra esmagarás os reis da terra!

– ⁷Bebe**rás** água corrente no caminho, *
por **is**so seguirás de fronte erguida!"

Ant. Vi uma **gran**de multi**dão**, que nin**guém** pode con**tar**,
de **to**das as na**ções**, de **pé** em frente ao **tro**no.

Ant. 2 Deus pro**vou** os seus e**lei**tos e os a**chou** dignos de **si**;
por **is**so obte**rão** da **mão** do Senhor **Deus**
um **rei**no glori**o**so.

Salmo 115(116 B)

–¹⁰**Guar**dei a minha **fé**, mesmo di**zen**do: *
"É de**mais** o sofrimento em minha vida!"

–¹¹**Con**fiei, quando dizia na aflição: *
"Todo **ho**mem é mentiroso! Todo homem!" –

1428 1º de novembro

–¹² Que poder**ei** retribuir ao Senhor Deus *
por tudo a**qui**lo que ele fez em meu favor?
–¹³ Elevo o **cá**lice da minha salvação, *
invo**can**do o nome santo do Senhor.

–¹⁴ Vou cum**prir** minhas promessas ao Senhor *
na pre**sen**ça de seu povo reunido.

–¹⁵ É sen**ti**da por demais pelo Senhor *
a **mor**te de seus santos, seus amigos.

=¹⁶ Eis que **sou** o vosso servo, ó Senhor, †
vosso **ser**vo que nasceu de vossa serva; *
mas me que**bras**tes os grilhões da escravidão!

–¹⁷ Por isso o**fer**to um sacrifício de louvor, *
invo**can**do o nome santo do Senhor.

–¹⁸ Vou cum**prir** minhas promessas ao Senhor *
na pre**sen**ça de seu povo reunido;

–¹⁹ nos **á**trios da casa do Senhor, *
em teu **mei**o, ó cidade de Sião!

Ant. Deus pro**vou** os seus e**lei**tos e os a**chou** dignos de **si**;
por **is**so obte**rão** da **mão** do Senhor **Deus**
um **rei**no glorioso.

Ant. 3 Para **Deus** nos re**miu** vosso **san**gue
dentre **to**das as **tri**bos e **lín**guas,
dentre os **po**vos da **ter**ra e na**ções**,
e fi**zes**tes de **nós** para **Deus**
sacer**do**tes e **po**vo de **reis**.

Cântico Ap 4,11; 5,9.10.12

Hino dos remidos

–⁴,¹¹ Vós sois **dig**no, Se**nhor** nosso **Deus**, *
de rece**ber** honra, glória e poder!

(R. Po**der**, honra e **gló**ria ao Cor**dei**ro de **Deus!**)

=⁵,⁹ Porque **to**das as coisas criastes, †
é por **vos**sa vontade que existem, *
e subsis**tem** porque vós mandais. (R.)

= Vós sois **dig**no, Senhor nosso Deus, †
de o **li**vro nas mãos receber *
e de a**brir** suas folhas lacradas! (R.)

1º de novembro

– Porque **fostes** por nós imolado; *
para **Deus** nos remiu vosso sangue
– dentre **to**das as tribos e **lín**guas, *
dentre os **po**vos da terra e nações. (R.)

= [10]Pois fi**zes**tes de nós, para Deus, †
sacer**do**tes e povo de reis, *
e i**rem**os reinar sobre a terra. (R.)

= [12]O Cor**dei**ro imolado é digno †
de rece**ber** honra, glória e poder, *
sabedo**ria**, louvor, divindade! (R.)

Ant. Para **Deus** nos re**mi**u vosso **san**gue
dentre **to**das as **tri**bos e **lín**guas,
dentre os **po**vos da **ter**ra e nações,
e fi**zes**tes de **nós** para **Deus**
sacer**do**tes e **po**vo de **reis**.

Leitura breve
2Cor 6,16b; 7,1

Vós sois templo de Deus vivo, como disse o próprio Deus: Eu habitarei no meio deles e andarei entre eles. Serei o seu Deus e eles serão o meu povo. Caríssimos, nós que recebemos essas promessas, purifiquemo-nos de toda mancha da carne e do espírito, completando a nossa santificação, no temor de Deus.

Responsório breve

R. Vós **san**tos e e**lei**tos,
* Ale**grai**-vos no Se**nhor**! R. Vós **san**tos.
V. Porque **Deus** vos esco**lheu** para ser**des** sua he**ran**ça.
* Ale**grai**-vos. Glória ao **Pai**. R. Vós **san**tos.

Cântico evangélico, ant.

Oh, **quão** glorioso é o **Rei**no
onde **go**zam os **san**tos com **Cris**to.
Ves**ti**dos de **bran**cas rou**pa**gens,
seguem **sem**pre o Cordeiro onde **for**.

Preces

Repletos de alegria, invoquemos a Deus, recompensa e glória de todos os santos e santas e digamos:

R. **Salvai-nos, Senhor, por intercessão de vossos santos!**

1430

2 de novembro

Deus de infinita sabedoria que, por Cristo, constituístes os apóstolos como fundamentos da fé da Igreja,
— conservai-nos fiéis à fé que eles nos ensinaram.

R. **Salvai-nos, Senhor, por intercessão de vossos santos!**

Vós, que destes aos mártires a coragem do testemunho até derramarem o próprio sangue,
— tornai os cristãos testemunhas fiéis do vosso Filho.   R.

Vós, que concedestes às santas Virgens o dom inestimável de
imitar a Cristo virgem,
— fazei que todos reconheçam a virgindade consagrada a vós
como autêntico sinal do reino dos céus.   R.

Vós, que manifestais em todos os santos e santas a vossa presença, o vosso rosto e a vossa palavra,
— dai-nos a graça de nos sentirmos mais próximos de vós quando
os honramos.   R.

(intenções livres)

Concedei aos que morreram viver eternamente no céu com a Virgem Maria, São José e todos os santos e santas,
— e, por intercessão deles, fazei-nos participar da sua companhia.
R.

Pai nosso...

Oração

Deus eterno e todo-poderoso, que nos dais celebrar numa só festa
os méritos de todos os Santos, concedei-nos, por intercessores
tão numerosos, a plenitude da vossa misericórdia. Por nosso Senhor Jesus Cristo, vosso Filho, na unidade do Espírito Santo.

2 de novembro

COMEMORAÇÃO DE TODOS OS FIÉIS DEFUNTOS

Mesmo quando o dia 2 de novembro for domingo, celebra-se a Comemoração de todos os fiéis defuntos.
Como no Ofício dos fiéis defuntos, p. 1576, exceto o seguinte:

Oração

Ó Deus, escutai com bondade as nossas preces e aumentai a nossa fé no Cristo ressuscitado, para que seja mais viva a nossa esperança na ressurreição dos vossos filhos e filhas. Por nosso Senhor
Jesus Cristo, vosso Filho, na unidade do Espírito Santo.

4 de novembro

SÃO MARTINHO DE LIMA, RELIGIOSO

Nasceu em Lima (Peru) de pai espanhol e mãe negra, no ano 1579. Aprendeu desde muito jovem o ofício de barbeiro e enfermeiro; e, quando entrou na Ordem dos Pregadores, dedicou-se de modo singular à enfermagem em favor dos pobres. Levou uma vida de constante mortificação e profunda humildade, e cultivou uma especialíssima devoção à Eucaristia. Morreu em 1639.

Do Comum dos santos homens: para religiosos, p. 1571, exceto o seguinte:

Laudes

Cântico evangélico, ant.
Bendito **se**ja o Senhor **Deus**, que liber**tou** todos os **po**vos,
e das **tre**vas cha**mou** para sua **luz** maravi**lho**sa.

Oração

Ó Deus, que conduzistes São Martinho de Lima à glória do céu pelos caminhos da humanidade, dai-nos seguir de tal modo seus exemplos na terra, que sejamos com ele exaltados no céu. Por nosso Senhor Jesus Cristo, vosso Filho, na unidade do Espírito Santo.

Vésperas

Cântico evangélico, ant.
Glorifi**que**mos o Se**nhor**, que exal**tou** com dons ce**les**tes
seu servo hu**mil**de São Mar**ti**nho.

4 de novembro

SÃO CARLOS BORROMEU, BISPO

Memória

Nasceu em Arona (Lombardia) no ano 1538; depois de ter conseguido o doutoramento *In utroque iure,* foi nomeado cardeal por Pio IV, seu tio, e eleito bispo de Milão. Foi um verdadeiro pastor da Igreja no exercício desta missão: visitou várias vezes toda a diocese, convocou sínodos e

1432   10 de novembro

desenvolveu a mais intensa atividade, em todos os setores, para a salvação das almas, promovendo por todos os meios a renovação da vida cristã. Morreu no dia 3 de novembro de 1584.

Do Comum dos pastores: para bispos, p. 1523.

Oração

Ó Deus, conservai no vosso povo o espírito que animava São Carlos Borromeu, para que a vossa Igreja, continuamente renovada e sempre fiel ao Evangelho, possa mostrar ao mundo a verdadeira face do Cristo. Que convosco vive e reina, na unidade do Espírito Santo.

9 de novembro

DEDICAÇÃO DA BASÍLICA DO LATRÃO

Festa

Segundo uma tradição que remonta ao século XII, celebra-se neste dia o aniversário da dedicação da basílica do Latrão, construída pelo imperador Constantino. Inicialmente foi uma festa exclusivamente da cidade de Roma; mais tarde, estendeu-se à Igreja de Rito romano, com o fim de honrar a basílica que é chamada "mãe e cabeça de todas as igrejas da Urbe e do Orbe" e como sinal de amor e unidade para com a Cátedra de Pedro que, como escreveu Santo Inácio de Antioquia, "preside a assembleia universal da caridade".

Do Comum da dedicação de uma igreja, p. 1450, exceto o seguinte:

Hora Média

Antífonas e salmos do dia de semana corrente. O restante do Comum, p. 1453.

10 de novembro

SÃO LEÃO MAGNO, PAPA E DOUTOR DA IGREJA

Memória

Nasceu na Toscana (Itália) e no ano 440 foi elevado à Cátedra de Pedro, cargo que exerceu como verdadeiro pastor e pai. Trabalhou intensamente pela integridade da fé, defendeu com ardor a unidade da Igreja, empenhou-se por todos os meios possíveis em evitar as incursões dos bárbaros ou mitigar os seus efeitos. Por toda esta atividade extraordinária mereceu com toda a justiça ser apelidado "Magno". Morreu no ano 461.

Do Comum dos pastores: para papas, p. 1523, e dos doutores da Igreja, p. 1533, exceto o seguinte:

Laudes

Cântico evangélico, ant.
São Pedro, persistindo na firmeza de uma rocha,
que de Cristo recebeu, não solta o leme desta barca
que é a Igreja do Senhor.

Oração

Ó Deus, que jamais permitis que as potências do mal prevaleçam contra a vossa Igreja, fundada sobre a rocha inabalável dos Apóstolos, dai-lhe, pelos méritos do papa São Leão, permanecer firme na verdade e gozar paz para sempre. Por nosso Senhor Jesus Cristo, vosso Filho, na unidade do Espírito Santo.

Vésperas

Cântico evangélico, ant.
Pedro afirma cada dia na Igreja universal:
Tu és o Cristo, o Messias, és o Filho do Deus vivo.

11 de novembro

SÃO MARTINHO, BISPO

Memória

Nasceu na Panônia cerca do ano 316, de pais pagãos. Depois de receber o batismo e de renunciar à carreira militar, fundou um mosteiro em Ligugé (França), onde levou vida monástica sob a direção de Santo Hilário. Foi depois ordenado sacerdote e, mais tarde, eleito bispo de Tours. Foi modelo insigne de bom pastor. Fundou outros mosteiros, dedicou-se à formação do clero e à evangelização dos pobres. Morreu no ano 397.

Do Comum dos pastores: para bispos, p. 1523.

1434   11 de novembro

Laudes

Hino

Teus monges todos choravam:
ias, Martinho, morrer.
"Se ao povo sou necessário,
já não recuso viver!"

Aos nossos bispos concede
toda a união, toda a paz;
aumenta a glória da Igreja,
calcando aos pés Satanás.

Ressuscitaste três mortos,
do caos venceste o terror;
partindo ao meio o teu manto,
vestiste o próprio Senhor.

Enfrentarias a luta,
armado apenas da cruz,
mas de ti foge o demônio:
todo o teu ser era luz.

Tu proclamaste o Deus trino,
e a Jesus, Filho de Deus.
A mesma fé professando,
cantar possamos nos céus.

Ant. 1 Sacerdote de **Deus**, São Martinho,
para **vós** se abriram os **céus** e o **Reino** celeste do **Pai**.

Salmos e cântico do domingo da I Semana, p. 764.

Ant. 2 Com os olhos e as **mãos** voltados para os **céus**,
seu espírito incansável não cessava de rezar.

Ant. 3 Martinho é recebido alegremente
no **seio** de Abraão, o nosso **pai**;
Martinho, que era pobre e humilde,
carregado de riqueza entra nos **céus**.

Leitura breve   Hb 13,7-8

Lembrai-vos de vossos dirigentes, que vos pregaram a palavra de
Deus, e, considerando o fim de sua vida, imitai-lhes á fé. Jesus
Cristo é o mesmo ontem e hoje e por toda a eternidade.

11 de novembro

Responsório breve

R. Colocastes sentinelas
* Vigiando vosso povo. R. Colocastes.
V. Anunciam, dia e noite, vosso nome, ó Senhor.
* Vigiando. Glória ao Pai. R. Colocastes.

Cântico evangélico, ant.

Ó feliz e santo homem, vossa alma está no céu.
Os anjos se alegram, rejubilam os arcanjos;
os santos vos aclamam e as virgens vos convidam:
Ficai conosco para sempre!

Oração

Ó Deus, que fostes glorificado pela vida e a morte do bispo São
Martinho, renovai em nossos corações as maravilhas da vossa
graça, de modo que nem a morte nem a vida nos possam separar
do vosso amor. Por nosso Senhor Jesus Cristo, vosso Filho, na
unidade do Espírito Santo.

Vésperas

Hino

Ao fiel confessor do Senhor
canta a terra com grande alegria.
Mereceu penetrar, glorioso,
nas alturas do céu, neste dia.

Piedoso, prudente e humilde,
casto e sóbrio, constante na paz,
foi até o momento supremo,
que do corpo a morada desfaz.

Vão, por isso, ao sepulcro do santo
implorar a saúde os doentes
e, invocando o Senhor em seu nome,
são curados e voltam contentes.

Nós, agora, cantamos um hino
ao seu nome, em alegre coral.
Seu convívio possamos um dia
partilhar no festim eternal.

Salvação e poder à Trindade
que as alturas celestes habita,

1436   12 de novembro

e governa e dirige este mundo
com ciência e bondade infinita.

Ant. 1 Homem **digno** de lou**vor**:
Nem tra**bal**ho o derro**tou** nem a **tum**ba o fez tremer;
nem mor**rer** o apavo**rou** e a vi**ver** não recu**sou**.

Salmos e cântico do Comum dos pastores, p. 1529.

Ant. 2 Ó **Senhor**, se ao vosso **povo** sou **ain**da necessário,
não re**cuso** o trabalho: vossa von**ta**de seja feita.

Ant. 3 O **bispo** Martinho, a **gló**ria do **clero**,
par**tiu** deste **mun**do e **vive** com **Cris**to.

Leitura breve   1Pd 5,1-4

Exorto aos presbíteros que estão entre vós, eu, presbítero como
eles, testemunha dos sofrimentos de Cristo e participante da glória que será revelada: Sede pastores do rebanho de Deus, confiado a vós; cuidai dele, não por coação, mas de coração generoso;
não por torpe ganância, mas livremente; não como dominadores
daqueles que vos foram confiados, mas antes, como modelos do
rebanho. Assim, quando aparecer o pastor supremo, recebereis a
coroa permanente da glória.

Responsório breve

R. Eis o **amigo** dos ir**mãos**,
    * Que inter**cede** pelo **povo**. R. Eis o **amigo**.
V. Dedi**cou** a sua **vida** em fa**vor** de seus irmãos.
    * Que inter**cede**. Glória ao **Pai**. R. Eis o **amigo**.

Cântico evangélico, ant.

Ó **bispo** fe**liz**, que ama**va** o **Cristo** com to**das** as for**ças**,
sem te**mer** os se**nho**res e os **gran**des do **mun**do!
Ó **alma** san**tíssima**, que **sem** ter so**fri**do da es**pa**da a tortura,
mere**ceu** plena**men**te a **pal**ma do **már**tir!

Oração como nas Laudes.

12 de novembro

SÃO JOSAFÁ, BISPO E MÁRTIR

Memória

16 de novembro

Nasceu na Ucrânia, cerca do ano 1580, de pais ortodoxos. Abraçou a fé católica e entrou na Ordem de São Basílio. Ordenado sacerdote e eleito bispo de Polock, dedicou-se com grande empenho à causa da unidade da Igreja, pelo que foi perseguido pelos seus inimigos e morreu mártir em 1623.

Do Comum de um mártir, p. 1509, ou, dos pastores: para bispos, p. 1523.

Oração

Suscitai, ó Deus, na vossa Igreja o Espírito que impeliu o bispo São Josafá a dar a vida por suas ovelhas, e concedei que, por sua intercessão, fortificados pelo mesmo Espírito, estejamos prontos a dar a nossa vida pelos nossos irmãos. Por nosso Senhor Jesus Cristo, vosso Filho, na unidade do Espírito Santo.

15 de novembro

SANTO ALBERTO MAGNO, BISPO E DOUTOR DA IGREJA

Nasceu em Lauingen, junto ao Danúbio na Baviera (Alemanha), cerca do ano 1206. Fez os seus estudos em Pádua e em Paris. Entrou na Ordem dos Pregadores e exerceu o magistério em vários lugares com grande competência. Ordenado bispo de Ratisbona, pôs todo o seu empenho em estabelecer a paz entre povos e cidades. É autor de muitas e importantes obras, tanto de ciências sagradas como naturais. Morreu em Colônia no ano 1280.

Do Comum dos pastores: para bispos, p. 1523, e dos doutores da Igreja, p. 1533, exceto o seguinte:

Oração

Ó Deus, quisestes que o bispo Santo Alberto fosse grande, por-que soube conciliar a sabedoria humana e a verdadeira fé; dai--nos, na escola de tão grande mestre, conhecer-vos e amar-vos mais profundamente, na medida em que progredimos nas ciên-cias. Por nosso Senhor Jesus Cristo, vosso Filho, na unidade do Espírito Santo.

16 de novembro

SANTA MARGARIDA DA ESCÓCIA

Nasceu na Hungria cerca do ano 1046, quando seu pai aí vivia exilado. Foi dada em matrimônio a Malcom III, rei da Escócia, e teve oito filhos.

1438 17 de novembro

Foi exemplo admirável de mãe e de rainha. Morreu em Edimburgo no ano 1093.

Do Comum das santas mulheres: para as que se dedicaram às obras de caridade, p. 1573.

Oração

Ó Deus, que tornastes Santa Margarida da Escócia admirável por sua imensa caridade para com os pobres, dai-nos ser, por sua intercessão e exemplo, um reflexo da vossa bondade. Por nosso Senhor Jesus Cristo, vosso Filho, na unidade do Espírito Santo.

No mesmo dia 16 de novembro

SANTA GERTRUDES, VIRGEM

Nasceu em Eisleben (Turíngia) no ano 1256. Era muito jovem ainda quando foi acolhida no mosteiro cisterciense de Helfta, onde se entregou com grande diligência ao estudo, dedicando-se especialmente à literatura e à filosofia. Mais tarde consagrou-se exclusivamente a Deus e progrediu de modo admirável no caminho da perfeição, levando uma vida extraordinária de oração e contemplação. Morreu a 17 de novembro de 1301.

Do Comum das virgens, p. 1539, ou, das santas mulheres: para religiosas, p. 1571.

Oração

Ó Deus, que preparastes para vós uma agradável morada no coração da virgem Santa Gertrudes, iluminai, por suas preces, as trevas do nosso coração, para que experimentemos em nós a alegria da vossa presença e a força da vossa graça. Por nosso Senhor Jesus Cristo, vosso Filho, na unidade do Espírito Santo.

17 de novembro

SANTA ISABEL DA HUNGRIA

Memória

Era filha de André II, rei da Hungria, tendo nascido no ano 1207. Ainda muito jovem foi dada em matrimônio a Luís IV, landgrave da Turíngia, e teve três filhos. Dedicou-se a uma vida de intensa meditação das realidades celestes e de caridade para com o próximo. Depois da morte

18 de novembro

de seu marido, renunciou aos seus títulos e bens e construiu um hospital onde ela mesma servia os enfermos. Morreu em Marburgo no ano 1231.

Do Comum das santas mulheres: para as que se dedicaram às obras de caridade, p. 1573.

Oração

Ó Deus, que destes a Santa Isabel da Hungria reconhecer e venerar o Cristo nos pobres, concedei-nos, por sua intercessão, servir os pobres e aflitos com incansável caridade. Por nosso Senhor Jesus Cristo, vosso Filho, na unidade do Espírito Santo.

18 de novembro

DEDICAÇÃO DAS BASÍLICAS DE SÃO PEDRO E DE SÃO PAULO, APÓSTOLOS

Já no século XII se celebrava, na basílica vaticana de São Pedro e na de São Paulo na Via Ostiense, o aniversário das respectivas dedicações, feitas pelos papas Silvestre e Siríaco no século IV. Esta comemoração estendeu-se posteriormente a todas as igrejas do Rito romano. Assim como no aniversário da basílica de Santa Maria Maior (5 de agosto) se celebra a Maternidade da Santíssima Virgem Mãe de Deus, assim neste dia se veneram os dois príncipes dos Apóstolos de Cristo.

Do Comum dos apóstolos, p. 1479, exceto o seguinte:

Laudes

Hino

> Ó Pedro, pastor piedoso,
> desfaze o grilhão dos réus:
> com tua palavra podes
> abrir e fechar os céus.

> Ó Paulo, mestre dos povos,
> ensina-nos teu amor:
> Correr em busca do prêmio,
> chegar ao Cristo Senhor.

> A vós, ó Trindade, glória,
> poder e louvor também;
> que sois eterna unidade
> nos séculos, sempre. Amém.

1440

19 de novembro

Cântico evangélico, ant.

Senhor, o a**pós**tolo **Pe**dro, e **Pau**lo, o dou**tor** das na**ções**, transmi**ti**ram a **nós** vossa **lei**.

Oração

Ó Deus, guardai sob a proteção dos apóstolos Pedro e Paulo a vossa Igreja, que deles recebeu a primeira semente do Evangelho, e concedei que por eles receba até o fim dos tempos a graça que a faz crescer. Por nosso Senhor Jesus Cristo, vosso Filho, na unidade do Espírito Santo.

Vésperas

HINO Ó Pedro, pastor piedoso, como nas Laudes, p. 1439.

Cântico evangélico, ant.

Os **cor**pos dos **san**tos re**pou**sam na **paz**;
vive**rão** para **sem**pre seus **no**mes na **gló**ria.

19 de novembro

SÃO ROQUE GONZÁLEZ SANTO AFONSO: RODRÍGUEZ E SÃO JOÃO DEL CASTILLO, PRESBÍTEROS E MÁRTIRES.

Memória.

Roque González de Santa Cruz nasceu em 1576 na cidade de Assunção (Paraguai). Era já sacerdote quando entrou na Companhia de Jesus em 1609, e durante quase vinte anos procurou civilizar os índios que habitavam nas florestas daquelas regiões, agrupando-os nas "Reduções" e instruindo-os na fé, e nos costumes cristãos. Foi morto traiçoeiramente pela fé a 15 de novembro de 1628, juntamente com Afonso Rodríguez, espanhol. Dois dias mais tarde, em outra "Redução", sofreu cruel martírio João dei Castillo, também espanhol, que tinha sido ardente defensor dos índios contra os seus opressores. Estes três sacerdotes jesuítas, martirizados na região do Rio da Prata, foram canonizados pelo Papa São João Paulo II em 1988.

Do Comum de vários mártires, p. 1493, ou, dos pastores, p. 1523.

Oração

Senhor, que a vossa palavra cresça nas terras onde os vossos mártires a semearam e seja multiplicada em frutos de justiça e de

21 de novembro

paz. Por nosso Senhor Jesus Cristo, vosso Filho, na unidade do Espírito Santo.

21 de novembro

APRESENTAÇÃO DE NOSSA SENHORA

Memória

Neste dia da dedicação (ano 54) da igreja de Santa Maria a Nova, construída perto do templo de Jerusalém, celebramos, juntamente com os cristãos da Igreja Oriental, a "dedicação" que Maria fez de si mesma a Deus, já desde a infância, movida pelo Espírito Santo que a encheu de graça desde a sua Imaculada Conceição.

Do Comum de Nossa Senhora, p. 1462, exceto o seguinte:

Laudes

Hino

> Do Rei Esposa e Filha,
> real Virgem Maria,
> eleita desde sempre
> por Deus, que tudo cria.

> Donzela Imaculada,
> morada do Senhor,
> o Espírito, enviado
> do céu, vos consagrou.

> Sinal de caridade,
> que espelha todo o bem.
> Aurora da luz nova,
> como arca, Deus contém.

> Delícias vos envolvem
> na Casa do Senhor,
> ó ramo de Jessé,
> da graça dando a flor.

> Ó pedra preciosa,
> estrela reluzente,
> do Espírito os templos vivos,
> fazei-nos transparentes.

1442   22 de novembro

Ó Virgem singular,
louvor ao Deus Trindade,
que a vós deu os tesouros
de sua santidade.

Cântico evangélico, ant.

És feliz porque creste, Maria,
pois em ti a palavra de Deus
vai se cumprir, qual foi dito, aleluia.

Oração

Ao celebrarmos, ó Deus, a gloriosa memória da Santa Virgem
Maria, concedei-nos, por sua intercessão, participar da plenitude
da vossa graça. Por nosso Senhor Jesus Cristo, vosso Filho, na
unidade do Espírito Santo.

Vésperas

Cântico evangélico, ant

Santa Maria, sempre Virgem, Mãe de Deus, Senhora nossa;
sois o templo do Senhor, santuário do Espírito!
Mais que todas agradastes a Jesus, nosso Senhor.

22 de novembro

SANTA CECÍLIA, VIRGEM E MÁRTIR

Memória

O culto de Santa Cecília, que deu o nome a uma basílica construída em
Roma no século V, difundiu-se amplamente a partir da narração do seu
Martírio em que ela é exaltada como exemplo perfeitíssimo de mulher
cristã, que abraçou a virgindade e sofreu o martírio por amor de Cristo.

Do Comum de uma mártir, p. 1509, ou, das virgens, p. 1539, exceto o
seguinte:

Laudes

Cântico evangélico, ant.

Bem cedo, ao romper da aurora,
Cecília falou em voz alta:

Ó soldados de **Cristo Jesus,**
despo**jai-**vos das **o**bras das **trevas,**
reves**ti-**vos das **ar**mas da **luz!**

Oração

Ó Deus, sede favorável às nossas súplicas e dignai-vos atender às nossas preces pela intercessão de Santa Cecília. Por nosso Senhor Jesus Cristo, vosso Filho, na unidade do Espírito Santo.

Vésperas

Cântico evangélico, ant.
A **vir**gem Santa Ce**cí**lia sempre tra**zi**a
o **E**van**gel**ho de Jesus **Cris**to no cora**ção;**
sempre o**ra**va, dia e **noi**te, e com Deus fa**la**va.

23 de novembro

SÃO CLEMENTE I, PAPA E MÁRTIR

Depois de Pedro, Clemente foi o terceiro a governar a Igreja de Roma, em fins do século I. Escreveu uma importante carta aos coríntios para restabelecer entre eles a paz e a concórdia.

Do Comum de um mártir, p. 1509, ou, dos pastores: para papas, p. 1523.

Oração

Deus eterno e todo-poderoso, admirável na força dos vossos santos, dai-nos comemorar com alegria a festa do papa São Clemente, sacerdote e mártir do vosso Filho, que testemunhou com o seu sangue o mistério que celebrava e confirmou suas palavras com o exemplo de sua vida. Por nosso Senhor Jesus Cristo, vosso Filho, na unidade do Espírito Santo.

No mesmo dia 23 de novembro

SÃO COLUMBANO, ABADE

Nasceu na Irlanda na primeira metade do século VI, e estudou ciências sagradas e humanas. Tendo abraçado a vida monástica, partiu para a França, onde fundou muitos mosteiros que governou com austera disciplina. Obrigado a exilar-se, foi para a Itália, onde fundou o mosteiro de

1444

24 de novembro

Bobbio. Depois de ter exercido tão intensa atividade para promover a vida cristã e religiosa do seu tempo, morreu no ano 615.

Do Comum dos pastores, p. 1523, ou, dos santos homens: para religiosos, p. 1571.

Oração

Ó Deus, que reunistes admiravelmente em São Columbano a solicitude pela pregação do Evangelho e o zelo pela vida monástica, concedei que, por sua intercessão e exemplo, vos procuremos acima de tudo e nos empenhemos no crescimento do vosso povo. Por nosso Senhor Jesus Cristo, vosso Filho, na unidade do Espírito Santo.

24 de novembro

SANTO ANDRÉ DUNG-LAC, PRESBÍTERO, E SEUS COMPANHEIROS, MÁRTIRES

No extremo oriente da Ásia, nas regiões do Vietnã de hoje, o Evangelho já vinha sendo anunciado desde o século XVI. Contudo, de 1625 a 1886, excetuados breves períodos de paz, os governantes dessas regiões tudo fizeram para despertar o ódio contra a religião cristã e os discípulos de Cristo. Quanto mais perseguidos, maior o fervor cristão, tendo como resultado um elevadíssimo número de mártires. O Papa João Paulo II, no dia 19 de junho de 1988, inscreveu 117 deles no rol dos santos mártires. Entre eles, contam-se 11 missionários dominicanos espanhóis, 10 franceses e 96 mártires vietnamitas. Oito são bispos, 50 sacerdotes e 59 leigos, de diversas idades e condições sociais, na maioria pais e mães de família e, alguns, catequistas, seminaristas e militares.

Do Comum de vários mártires, p. 1493.

Oração

Ó Deus, fonte e origem de toda paternidade, que destes aos santos mártires André e seus companheiros serem fiéis à cruz do vosso Filho até a efusão do sangue, concedei, por sua intercessão, que, propagando o vosso amor entre os irmãos, possamos ser chamados vossos filhos e filhas e realmente o sejamos. Por nosso Senhor Jesus Cristo, vosso Filho, na unidade do Espírito Santo.

COMUNS

As antífonas do Cântico evangélico indicadas para as I Vésperas das solenidades podem também ser ditas nas Vésperas das memórias dos Santos.

COMUM DA DEDICAÇÃO DE UMA IGREJA

I Vésperas

HINO, Jerusalém gloriosa, como nas II Vésperas, p. 1453.

Salmodia

Antífona 1

Fora da Quaresma:

Jerusalém está em festa:
ruas e praças rejubilam de alegria. Aleluia.

Na Quaresma:

No templo de Deus os fiéis bradam "Glória"!

Salmo 146(147A)

= [1] Louvai o Senhor Deus, porque ele é bom, †
   cantai ao nosso Deus, porque é suave: *
   ele é digno de louvor, ele o merece!

– [2] O Senhor reconstruiu Jerusalém, *
   e os dispersos de Israel juntou de novo;

– [3] ele conforta os corações despedaçados, *
   ele enfaixa suas feridas e as cura;

– [4] fixa o número de todas as estrelas *
   e chama a cada uma por seu nome.

– [5] É grande e onipotente o nosso Deus, *
   seu saber não tem medidas nem limites.

– [6] O Senhor Deus é o amparo dos humildes, *
   mas dobra até o chão os que são ímpios.

– [7] Entoai, cantai a Deus ação de graças, *
   tocai para o Senhor em vossas harpas!

– [8] Ele reveste todo o céu com densas nuvens, *
   e a chuva para a terra ele prepara;

– faz crescer a verde relva sobre os montes *
   e as plantas que são úteis para o homem;

– [9] ele dá aos animais seu alimento, *
   e ao corvo e aos seus filhotes que o invocam. –

I Vésperas

– [10] Não é a **força** do cavalo que lhe agrada, *
 nem se de**lei**ta com os músculos do homem,
– [11] mas **agra**dam ao Senhor os que o respeitam, *
 os que con**fiam**, esperando em seu amor!

Fora da Quaresma:

Jerusa**lém** está em **fes**ta:
ruas e **praças** rejubilam de ale**gria**. Ale**lui**a.

Na Quaresma:

No **templo** de **Deus** os fi**éis** bradam "**Gló**ria!"

Antífona 2

O Se**nhor** refor**çou** as tuas **por**tas,
e os teus **filhos** em teu **seio** abenço**ou**. (T.P. Ale**lui**a).

Salmo 147(147B)

– [12] Glorifica o Se**nhor**, Jerusa**lém**! *
 Ó Si**ão**, canta louvores ao teu Deus!

– [13] Pois refor**çou** com segurança as tuas portas, *
 e os teus **filhos** em teu seio abençoou;

– [14] a **paz** em teus limites garantiu *
 e te **dá** como alimento a flor do trigo.

– [15] Ele en**via** suas ordens para a terra, *
 e a pa**la**vra que ele diz corre veloz;

– [16] ele **faz** cair a neve como lã *
 e es**pa**lha a geada como cinza.

– [17] Como de **pão** lança as migalhas do granizo, *
 a seu **frio** as águas ficam congeladas.

– [18] Ele en**via** sua palavra e as derrete, *
 sopra o **ven**to e de novo as águas correm.

– [19] Anuncia a Jacó sua palavra, *
 seus pre**cei**tos e suas leis a Israel.

– [20] Nenhum **po**vo recebeu tanto carinho, *
 a nenhum **ou**tro revelou os seus preceitos.

Ant. O Se**nhor** refor**çou** as tuas **por**tas,
 e os teus **filhos** em teu **seio** abenço**ou**. (T.P. Ale**lui**a).

1448   Comum da dedicação de uma igreja

Antífona 3

Fora da Quaresma:

**Os santos se alegram na Cidade do Senhor;
os anjos cantam hinos de louvor ante seu trono. Aleluia.**

No cântico seguinte dizem-se os Aleluias entre parênteses somente quando se canta; na recitação, basta dizer oAleluia no começo, entre as estrofes e no fim.

Cântico   cf. Ap 19,1-2.5-7

= **Aleluia, (Aleluia!).**
    [1]**Ao nosso Deus a salvação, ***
    honra, **glória** e poder! (Aleluia!).
– [2]**Pois são verdade e justiça ***
    os juízos do Senhor.

R.**Aleluia, (Aleluia!).**

= **Aleluia, (Aleluia!).**
    [5]**Celebrai o nosso Deus, ***
    servidores do Senhor! (Aleluia!).
– E vós **todos** que o temeis, *
    vós os **grandes** e os pequenos!

R.**Aleluia, (Aleluia!).**

= [6]**De seu reino tomou posse ***
    nosso **Deus** onipotente! (Aleluia!).
– [7]**Exultemos de alegria, ***
    demos **glória** ao nosso Deus!

R.**Aleluia, (Aleluia!).**

= **Aleluia, (Aleluia!).**
    Eis que as **núpcias** do Cordeiro *
    redivivo se aproximam! (Aleluia!).
– Sua **Esposa** se enfeitou, *
    se vestiu de linho puro.

R.**Aleluia, (Aleluia!).**

Ant.**Os santos se alegram na Cidade do Senhor;
    os anjos cantam hinos de louvor ante seu trono.
    Aleluia.**

I Vésperas

Na Quaresma:

Seja **glória** a vós Deus **Pai**, pelo **Cris**to na **Igreja**.

Cântico   cf. Cl 1,12-20

= [12]**Demos graças** a Deus **Pai** onipoten**te**, †
que nos **chama** a partilhar, na sua luz, *
da herança a seus santos reservada!

(R. Glória a **vós**, Primogênito dentre os **mor**tos!)

= [13]**Do im**pério das trevas arrancou-nos †
e transpor**tou**-nos para o reino de seu Filho, *
para o **rei**no de seu Filho bem-amado,

– [14]no **qual** nós encontramos redenção, *
dos pecados remissão pelo seu sangue. (R.)

– [15]Do **Deus**, o Invisível, é a imagem, *
o Primogênito de toda criatura;

= [16]porque **ne**le é que tudo foi criado: †
o que há nos **céus** e o que existe sobre a terra, *
o visível e também o invisível. (R.)

= Sejam **Tro**nos e Poderes que há nos céus, †
sejam **e**les Principados, Potestades: *
por ele e para ele foram feitos;

– [17]antes de **to**da criatura ele existe, *
e é por **e**le que subsiste o universo. (R.)

= [18]Ele é a Cabeça da Igreja, que é seu Corpo, †
é o prin**cí**pio, o Primogênito dentre os mortos, *
a **fim** de ter em tudo a primazia.

– [19]Pois foi do **agra**do de Deus Pai que a plenitude *
habi**tas**se no seu Cristo inteiramente. (R.)

– [20]**Aprou**ve-lhe também, por meio dele, *
reconcili**ar** consigo mesmo as criaturas,

= pacifi**can**do pelo sangue de sua cruz †
tudo **aqui**lo que por ele foi criado, *
o que há nos **céus** e o que existe sobre a terra.

Ant. Seja **gló**ria a vós, Deu s **Pai**, pelo **Cris**to na **Igreja**.

1450 Comum da dedicação de uma igreja

Leitura breve
Ef 2,19-22

Já não sois mais estrangeiros nem migrantes, mas concidadãos dos santos. Sois da família de Deus. Vós fostes integrados no edifício que tem como fundamento os apóstolos e os profetas, e o próprio Jesus Cristo como pedra principal. É nele que toda a construção se ajusta e se eleva para formar um templo santo no Senhor. E vós também sois integrados nesta construção, para vos tornardes morada de Deus pelo Espírito.

Responsório breve
Fora do Tempo pascal:

R. Refulge, ó Senhor, * A santidade em vossa casa. R. Refulge.
V. Pelos séculos dos séculos. * A santidade.
    Glória ao Pai. R. Refulge.

No Tempo pascal:

R. Refulge, ó Senhor, a santidade em vossa casa.
    * Aleluia, Aleluia. R. Refulge.
V. Pelos séculos dos séculos. * Aleluia.
    Glória ao Pai. R. Refulge.

Cântico Evangélico, ant.
Alegrai-vos com Sião e exultai por sua causa,
todos vós que a amais (T.P. Aleluia).

Preces como nas II Vésperas, p. 1458.

Oração como nas Laudes.

Laudes

Hino

Do Pai eterno talhado,
Jesus, à terra baixado,
tornou-se pedra angular;
na qual o povo escolhido
e o das ilações convertido
vão afinal se encontrar.

Eis que a Deus é consagrada
para ser sua morada
triunfal Jerusalém,
onde em louvor ao Deus trino
sobem dos homens o hino,
os Aleluias e o Amém.

No vosso altar reluzente
permanecei Deus, presente,
sempre a escutar nossa voz;
acolhei todo pedido,
acalmai todo gemido
dos que recorrem a vós.

Sejamos nós pedras vivas,
umas das outras cativas,
que ninguém possa abalar;
com vossos santos um dia,
a exultar de alegria
no céu possamos reinar.

Ant. 1 Minha casa é casa de oração (T.P. Aleluia).

Salmos e cântico do domingo da I Semana, p. 764.

Ant. 2 Sede bendito, Senhor **Deus** de nossos **pais**,
no templo **santo** onde refulge a vossa **glória!**
(T.P. Aleluia).

Ant. 3 Louvai o Senhor na assembleia dos santos!
(T.P. Aleluia).

Leitura breve Is 56,7

Eu os conduzirei ao meu santo monte e os alegrarei em minha
casa de oração; aceitarei com agrado em meu altar seus holocaustos e vítimas, pois minha casa será chamada casa de oração para
todos os povos.

Responsório breve

Fora do Tempo pascal:

R. **Gran**de é o Senhor,
 * E muito **digno** de louvor. R. **Gran**de.
V. No Monte **santo**, na cidade onde ele **mora.**
 * E muito **digno.** Glória ao **Pai.** R. **Gran**de.

No Tempo pascal:

R. **Gran**de é o Senhor, e muito **digno** de louvor.
 * Aleluia, aleluia. R. **Gran**de.
V. No Monte **santo**, na cidade onde ele **mora.** *Aleluia.
Glória ao **Pai.** R. **Gran**de.

1452 Comum da dedicação de uma igreja

Cântico evangélico, ant.
Zaqueu, desce depressa,
porque hoje vou ficar em tua casa!
Ele desceu rapidamente
e o recebeu com alegria em sua casa.
Hoje entrou a salvação nesta casa (T.P. Aleluia).

Preces
Como pedras vivas, edificadas sobre Cristo, pedra angular, peçamos cheios de fé a Deus Pai todo-poderoso em favor de sua amada Igreja, dizendo:
R. **Esta é a casa de Deus e a porta do céu!**

Pai do céu, que sois o agricultor da vinha que Cristo plantou na terra, purificai, guardai e fazei crescer a vossa Igreja,
– para que, sob o vosso olhar, ela se espalhe por toda a terra. R.

Pastor eterno, protegei e aumentai o vosso rebanho,
– para que todas as ovelhas se congreguem na unidade, sob um só pastor, Jesus Cristo, vosso Filho. R.

Semeador providente, semeai a palavra em vosso campo,
– para que dê frutos abundantes para a vida eterna. R.

Sábio construtor, santificai a Igreja, vossa casa e vossa família,
– para que ela apareça no mundo como cidade celeste, Jerusalém nova e Esposa sem mancha. R.

(intenções livres)

Pai nosso...

Oração

Na própria igreja dedicada:
Ó Deus, que nos fazeis reviver cada ano a dedicação desta igreja, ouvi as preces do vosso povo, e concedei que celebremos neste lugar um culto perfeito e alcancemos a plena salvação. Por nosso Senhor Jesus cristo, vosso Filho, na unidade do Espírito Santo.

Em outra igreja:
Ó Deus, que edificais o vosso templo eterno com pedras vivas e escolhidas, difundi na vossa Igreja o Espírito que lhe destes, para que o vosso povo cresça sempre mais construindo a Jerusalém celeste. Por nosso Senhor Jesus Cristo, vosso Filho, na unidade do Espírito Santo.

II Vésperas

1453

Ou:

Ó Deus, que chamastes Igreja o vosso povo, concedei aos que se reúnem em vosso nome temer-vos, amar-vos e seguir-vos, até alcançar, guiados por vós, as promessas eternas. Por nosso Senhor Jesus Cristo, vosso Filho, na unidade do Espírito Santo.

Hora Média

Se as solenidades caem no domingo, tomam-se os salmos do I Domingo, p. 768. Nos outros casos, tomam-se os salmos graduais da Salmodia complementar, p. 1135.

Ant. **Refulge a santidade em vossa casa**
pelos séculos dos séculos, Senhor! (T.P. **Aleluia**).

Leitura breve   2 Cor 6,16

Vós sois templo do Deus vivo, como disse o próprio Deus: Eu habitarei no meio deles e andarei entre eles. Serei o seu Deus e eles serão o meu povo.

V. **Rogai que viva em paz Jerusalém** (T.P. **Aleluia**).
R. **E em segurança os que te amam** (T.P. **Aleluia**).

Oração como nas Laudes.

II Vésperas

Hino

Jerusalém gloriosa,
visão bendita de paz,
de pedras vivas erguida,
por entre os astros brilhais
qual noiva, de anjos cingida,
que seu caminho perfaz.

Já vem do céu preparada
para o festim nupcial,
e ao Senhor será dada
no esplendor virginal.
As suas praças e muros
são do mais puro metal.

Pérolas brilham nas portas
desta cidade sem par,

Comum da dedicação de uma igreja

e pela força dos méritos
vem no seu seio habitar
quem pelo nome de Cristo
soube sofrer e lutar.

Ásperas pedras, talhadas
por um perito no ofício,
com marteladas polidas,
constroem todo o edifício,
umas às outras unidas,
sem qualquer fenda ou orifício.

Ao Pai louvor seja dado,
ao Filho glória também,
com o Espírito sagrado
que dum e doutro provém.
Honra e poder são devidos
aos Três nos séculos. Amém.

Salmodia

Ant. 1 O Senhor tornou santa a sua morada:
Quem a pode abalar? Ele habita em seu meio
(T.P. Aleluia).

Salmo 45(46),

– ²O Senhor para nós é refúgio e vigor, *
sempre pronto, mostrou-se um socorro na angústia;
– ³Assim não tememos, se a terra estremece, *
se os montes desabam, caindo nos mares,
– ⁴se as águas trovejam e as ondas se agitam, *
se, em feroz tempestade, as montanhas se abalam:

– ⁵Os braços de um rio vêm trazer alegria *
à Cidade de Deus, à morada do Altíssimo.
– ⁶Quem a pode abalar? Deus está no seu meio! *
Já bem antes da aurora, ele vem ajudá-la.
– ⁷Os povos se agitam, os reinos desabam; *
troveja sua voz e a terra estremece.

– ⁸Conosco está o Senhor do universo! *
O nosso refúgio é o Deus de Jacó! –

II Vésperas 1455

– [9] Vinde **ver**, contemplai os pro**dí**gios de Deus *
   e a **o**bra estupenda que **fez** no universo:
= [10] re**pri**me as guerras na **face** da terra, †
   ele **que**bra os arcos, as **lan**ças destrói *
   e **quei**ma no fogo os es**cu**dos e as armas:
– [11] "Pa**rai** e sabei, conhe**cei** que eu sou Deus, *
   que do**mi**no as nações, que do**mi**no a terra!"
– [12] Co**nos**co está o Se**nhor** do uni**ver**so! *
   O **nos**so re**fú**gio é o **Deus** de Jacó!

Ant. O Se**nhor** tornou **san**ta a sua mo**ra**da:
   Quem a **po**de aba**lar**? Ele ha**bi**ta em seu **meio**
   (**T.P.** Ale**lu**ia).

Ant. 2 Alegres iremos à **ca**sa de **Deus**! (**T.P.** Ale**lu**ia).

Salmo 121(122)

– [1] Que ale**gri**a, quando ou**vi** que me dis**se**ram: *
   "Vamos à **ca**sa do Se**nhor**!"
– [2] E a**go**ra nossos pés já se de**têm**, *
   Jerusa**lém**, em tuas portas.
– [3] Jerusa**lém**, cidade bem edificada *
   num con**jun**to harmonioso;
– [4] para **lá** sobem as tribos de Israel, *
   as **tri**bos do Senhor.
– Para lou**var**, segundo a lei de Israel, *
   o **no**me do Senhor.
– [5] A **se**de da justiça lá está *
   e o **tro**no de Davi.
– [6] Ro**gai** que viva em paz Jerusalém, *
   e em segu**ran**ça os que te amam!
– [7] Que a **paz** habite dentro de teus muros, *
   tranquili**da**de em teus palácios!
– [8] Por a**mor** a meus irmãos e meus amigos, *
   peço: "A **paz** esteja em ti!"
– [9] Pelo a**mor** que tenho à casa do Senhor, *
   eu te de**se**jo todo bem!

Ant. 2 Alegres i**re**mos à **ca**sa de **Deus**! (**T.P.** Ale**lu**ia).

1456

Comum da dedicação de uma igreja

Antífona 3

Fora da Quaresma:

Santos **to**dos de **Deus**, ento**ai** seu lou**vor**! (T.P. Ale**luia**).

No cântico seguinte dizem-se os Aleluias entre parênteses somente quando se canta; na recitação, basta dizer o Aleluia no começo, entre as estrofes e no fim.

Cântico   cf. Ap 19,1-7

= Ale**luia**, (Ale**luia**!).
  [1] Ao nosso **Deus** a salva**ção**, *
  honra, **gló**ria e poder! (Ale**luia**!).
– [2] Pois são ver**da**de e justi**ça** *
  os juí**zos** do Senhor.

R.   Ale**luia**, (Ale**luia**!).

= Ale**luia**, (Ale**luia**!).
  [5] **Celebrai** o nosso Deus, *
  servi**do**res do Senhor! (Ale**luia**!).
–   E vós **to**dos que o temeis, *
  vós os **gran**des e os pequenos!

R.   Ale**luia**, (Ale**luia**!).

= Ale**luia**, (Ale**luia**!).
  [6] De seu **rei**no tomou posse *
  nosso **Deus** onipotente! (Ale**luia**!).
– [7] Exul**te**mos de alegria, *
  demos **gló**ria ao nosso Deus!

R.   Ale**luia**, (Ale**luia**!).

= Ale**luia**, (Ale**luia**!).
  Eis que as **nú**pcias do Cordeiro *
  redi**vi**vo se aproximam! (Ale**luia**!).
–   Sua Es**po**sa se enfeitou, *
  se vestiu de linho puro.

R. Ale**luia**, (Ale**luia**!).

Ant. Santos **to**dos de **Deus**, ento**ai** seu lou**vor**!
        (T.P. Ale**luia**).

Na Quaresma :
As nações **to**das hão de **vir** perante **vós**,
e pros**tra**das have**rão** de ado**rar**-vos.

II Vésperas 1457

Cântico   Ap 15,3-4

– ³ Como são **gran**des e admi**rá**veis vossas **ob**ras, *
  ó **Se**nhor e nosso Deus onipotente!
– Vossos **ca**minhos são verdade, são justiça, *
  ó **Rei** dos povos todos do universo!
(**R.** São **gran**des vossas **ob**ras, ó **Se**nhor!)
= ⁴ Quem, Se**nhor**, não haveria de temer-vos, †
  e **quem** não honraria o vosso nome? *
  Pois so**men**te vós, Senhor, é que sois santo!   (**R.**)
= As nações **to**das hão de vir perante vós †
  e, pros**tra**das, haverão de adorar-vos, *
  pois vossas **jus**tas decisões são manifestas.   (**R.**)

Ant. As nações **to**das hão de **vir** perante **vós,**
  e, pros**tra**das, ha**ve**rão de ado**rar**-vos

Leitura breve   Ap 21,1a.2-3,22.27

Vi a cidade santa, a nova Jerusalém, que descia do céu, de junto
de Deus, vestida qual esposa enfeitada para o seu marido. Então,
ouvi uma voz forte que saía do trono e dizia: Esta é a morada de
Deus entre os homens. Deus vai morar no meio deles. Eles serão
o seu povo, e o próprio Deus estará com eles. Não vi templo na
cidade, pois o seu Templo é o próprio Senhor, o Deus Todo-
-poderoso, e o Cordeiro. Nunca mais entrará nela o que é impu-
ro, nem alguém que pratica a abominação e a mentira. Entrarão
nela somente os que estão inscritos no livro da vida do Cordeiro.

Responsório breve
Na Quaresma:
R. Felizes, ó **Se**nhor,
  * Os que ha**bi**tam vossa **ca**sa! **R.** Felizes.
V. Para **sem**pre have**rão** de vos lou**var**. * Os que ha**bi**tam. Gló-
  ria ao **Pai**. **R.** Felizes.

No Tempo pascal:
R. Felizes, ó **Se**nhor, os que ha**bi**tam vossa **ca**sa!
  * Ale**lu**ia, ale**lu**ia. **R.** Felizes.
V. Para **sem**pre have**rão** de vos lou**var**. * Ale**lu**ia.
  Glória ao **Pai**. **R.** Felizes.

Cântico evangélico, ant.

O Senhor santificou sua morada;
pois aqui o seu nome é invocado,
e Deus se faz presente em nosso meio (T.P. Aleluia).

Preces

Oremos a nosso Salvador, que entregou sua vida para reunir num
só povo os filhos de Deus dispersos; e digamos:

R. Lembrai-vos, Senhor, da vossa igreja!

Senhor Jesus, que edificastes a vossa casa sobre a rocha firme,
– consolidai e robustecei a fé e a esperança de vossa Igreja. R.

Senhor Jesus, de cujo lado aberto jorraram sangue e água,
– renovai a vossa Igreja pelos sacramentos da nova e eterna
aliança. R.

Senhor Jesus, que estais no meio daqueles que se reúnem em
vosso nome,
– escutai a oração de toda a vossa Igreja. R.

Senhor Jesus, que vindes com o Pai morar naqueles que vos
amam,
– tornai a vossa Igreja perfeita na caridade. R.

(intenções livres)

Senhor Jesus, que nunca rejeitais quem se aproxima de vós,
– fazei entrar na casa do Pai todos os que já morreram. R.

Pai nosso...

Oração como nas Laudes.

COMUM DE NOSSA SENHORA

I Vésperas

Hino

Maria, Mãe dos mortais,
as nossas preces acolhes;
escuta, pois, nossos ais,
e sempre, sempre nos olhes.

I Vésperas

Vem socorrer, se do crime
o laço vil nos envolve.
Com tua mão que redime
a nossa culpa dissolve.

Vem socorrer, se do mundo
o brilho vão nos seduz
a abandonar num segundo
a estrada que ao céu conduz.

Vem socorrer, quando a alma
e o corpo a doença prostrar.
Vejamos com doce calma
a eternidade chegar.

Tenham teus filhos na morte,
tua assistência materna.
E seja assim nossa sorte,
o prêmio da Vida eterna.

Jesus, ao Pai seja glória.
Seja ao Espírito também.
E a vós, ó Rei da vitória,
Filho da Virgem. Amém.

Salmodia

Ant. 1 Bendita se**jais**, ó **Vir**gem **Mari**a;
trouxestes no **ven**tre a Quem **fez** o uni**ver**so!
(T.P. Ale**lui**a).

Salmo 112(113)

– ¹Lou**vai**, louvai, ó **ser**vos do Se**nhor**, *
lou**vai**, louvai o nome do Senhor!
– ²**Ben**dito seja o nome do Senhor, *
agora e por toda a eternidade!
– ³Do nas**cer** do sol até o seu ocaso, *
lou**va**do seja o nome do Senhor!
– ⁴O Se**nhor** está acima das nações, *
sua **gló**ria vai além dos altos céus.
= ⁵Quem **po**de comparar-se ao nosso Deus, †
ao Se**nhor**, que no alto céu tem o seu trono *
⁶e se in**cli**na para olhar o céu e a terra? –

Comum de Nossa Senhora

– [7] Levanta da poeira o indigente *
e do lixo ele retira o pobrezinho,
– [8] para fazê-lo assentar-se com os nobres, *
assentar-se com os nobres do seu povo.
– [9] Faz a estéril, mãe feliz em sua casa, *
vivendo rodeada de seus filhos.

Ant. Bendita sejais, ó Virgem Maria;
trouxestes no ventre a Quem fez o universo!
(T.P. Aleluia).

Ant. 2 Vós destes a vida a Quem vos criou,
e Virgem sereis para sempre, ó Maria(T.P. Aleluia).

Salmo 147(147B)

– [12] Glorifica o Senhor, Jerusalém! *
Ó Sião, canta louvores ao teu Deus!
– [13] Pois reforçou com segurança as tuas portas, *
e os teus filhos em teu seio abençoou;
– [14] a paz em teus limites garantiu *
e te dá como alimento a flor do trigo.
– [15] Ele envia suas ordens para a terra, *
e a palavra que ele diz corre veloz;
– [16] Ele faz cair a neve como lã *
e espalha a geada como cinza.
– [17] Como de pão lança as migalhas do granizo, *
a seu frio as águas ficam congeladas.
– [18] Ele envia sua palavra e as derrete, *
sopra o vento e de novo as águas correm.
– [19] Anuncia a Jacó sua palavra, *
seus preceitos e suas leis a Israel.
– [20] Nenhum povo recebeu tanto carinho, *
a nenhum outro revelou os seus preceitos.

Ant. Vós destes a vida a Quem vos criou,
e Virgem sereis para sempre, ó Maria(T.P. Aleluia).

Ant. 3 Sois bendita por Deus entre todas, Maria,
pois de vós recebemos o Fruto da Vida(T.P. Aleluia).

I Vésperas 1461

Cântico Ef 1,3-10

— ³Bendito e louvado seja **Deus**, *
   o **Pai** de Jesus Cristo, Senhor nosso,
— que do alto **céu** nos abençoou em Jesus Cristo *
   com **bênção** espiritual de toda sorte!

(R. Bendito sejais **vós**, nosso **Pai**,
   que **nos** abençoastes em **Cristo**!)

— ⁴Foi em **Cris**to que Deus Pai nos escolheu, *
   já bem **an**tes de o mundo ser criado,
— para que **fôs**semos, perante a sua face, *
   sem **má**cula e santos pelo amor. (R.)

= ⁵Por **li**vre decisão de sua vontade, †
   predesti**nou**-nos, através de Jesus Cristo, *
   a sermos **ne**le os seus filhos adotivos,
— ⁶para o lou**vor** e para a glória de sua graça, *
   que em seu **Fi**lho bem-amado nos doou. (R.)

— ⁷É **ne**le que nós temos redenção, *
   dos pe**ca**dos remissão pelo seu sangue.
= Sua **gra**ça transbordante e inesgotável †
   ⁸Deus der**ra**ma sobre nós com abundância, *
   de sa**ber** e inteligência nos dotando. (R.)

— ⁹E as**sim**, ele nos deu a conhecer *
   o mis**té**rio de seu plano e sua vontade,
— que propu**se**ra em seu querer benevolente, *
   ¹⁰na pleni**tu**de dos tempos realizar:
— o de**síg**nio de, em Cristo, reunir *
   todas as **coi**sas: as da terra e as do céu. (R.)

Ant. Sois ben**di**ta por **Deus** entre **to**das, **Maria**,
   pois de **vós** rece**be**mos o **Fru**to da **Vi**da (T.P.Aleluia).

Leitura breve G14,4-5

Quando se completou o tempo previsto, Deus enviou o seu Filho,
nascido de uma mulher, nascido sujeito à Lei, a fim de resgatar os
que eram sujeitos à Lei e para que todos recebêssemos a filiação
adotiva.

1462 Comum de Nossa Senhora

Responsório breve

Na Quaresma:

R. Depois do **par**to, ó **Mar**ia,
* Virgem **permanecestes**. R. Depois do **par**to.
V. Rogai por **nós**, Mãe de **Deus**! * Virgem.
Glória ao **Pai**. R. Depois do **par**to.

No Tempo pascal:

R. Depois do **par**to, ó **Mar**ia, Virgem **permanecestes**.
* Ale**lu**ia, aleluia. R. Depois do **par**to.
V. Rogai por **nós**, Mãe de **Deus**! * Aleluia.
Glória ao **Pai**. R. Depois do **par**to.

Cântico evangélico, ant.

O Pode**ro**so fez em **mim** maravilhas
e **o**lhou para a humil**da**de de sua **ser**va (T.P. Ale**lu**ia).

Ou:

Dora**van**te as gera**ções** hão de cha**mar**-me de ben**di**ta,
porque o Se**nhor** voltou os **o**lhos
para a humil**da**de de sua **ser**va (T.P. Ale**lu**ia).

Preces como nas II Vésperas, p. 1471.

Oração como nas Laudes.

Laudes

Hino

Senhora gloriosa,
bem mais que o sol brilhais.
O Deus que vos criou
ao seio amamentais.

O que Eva destruiu,
no Filho recriais;
do céu abris a porta
e os tristes abrigais.

Da luz brilhante porta,
sois pórtico do Rei.
Da Virgem veio a vida.
Remidos, bendizei!

Laudes

Ao Pai e ao Espírito,
poder, louvor, vitória,
e ao Filho, que gerastes
e vos vestiu de glória.

Ant. 1 Bendita sejais, ó Virgem Maria,
por vós veio ao mundo o Deus Salvador!
Da glória feliz do Senhor onde estais
rogai junto ao Filho por nós, vossos filhos!
(T.P. Aleluia).

Salmos e cântico do domingo da I Semana, p. 764.

Ant. 2 Sois a glória de Sião, a alegria de Israel
e a flor da humanidade! (T.P. Aleluia).

Ant. 3 Exultai e alegrai-vos, ó Virgem Maria,
pois trouxestes o Cristo Jesus Salvador!
(T.P. Aleluia).

Leitura breve
cf. Is 61,10

Exulto de alegria no Senhor e minh'alma regozija-se em meu
Deus; ele me vestiu com as vestes da salvação, envolveu-me com
o manto da justiça e adornou-me qual noiva com suas joias.

Responsório breve
Na Quaresma:

R. O Senhor a escolheu,
* Entre todas preferida. R. O Senhor.
V. O Senhor a fez morar em sua santa habitação.
* Entre todas. Glória ao Pai. R. O Senhor.

No Tempo pascal:

R. O Senhor a escolheu, entre todas preferida.
* Aleluia, aleluia. R. O Senhor.
V. O Senhor a fez morar em sua santa habitação.
* Aleluia. Glória ao Pai. R. O Senhor.

Cântico evangélico, ant.

A porta do céu foi fechada por Eva;
por Maria ela abriu-se aos homens de novo (T.P. Aleluia).

Preces

Celebremos nosso Salvador, que se dignou nascer da Virgem
Maria; e peçamos:

R. Senhor, que a vossa Mãe interceda por nós!

Sol de justiça, a quem a Virgem Imaculada precedeu como aurora resplandecente,
— concedei que caminhemos sempre à luz da vossa presença.

R. **Senhor, que a vossa Mãe interceda por nós!**

Palavra eterna do Pai, que escolhestes Maria como arca incorruptível para vossa morada,
— livrai-nos da corrupção do pecado. **R.**

Salvador do mundo, que tivestes vossa Mãe junto à cruz,
— concedei-nos, por sua intercessão, a graça de participar generosamente nos vossos sofrimentos. **R.**

Jesus de bondade, que pregado na cruz, destes Maria por Mãe a João,
— fazei que vivamos também como seus filhos e filhas. **R.**

(intenções livres)

Ou:

Celebremos nosso Salvador, que se dignou nascer da Virgem Maria; e peçamos:

R. **Senhor, que a vossa Mãe interceda por nós!**

Salvador do mundo, que pelos méritos da redenção preservastes a vossa Mãe de toda a mancha de pecado,
— livrai-nos também de todo pecado. **R.**

Redentor nosso, que fizestes da Imaculada Virgem Maria o tabernáculo puríssimo da vossa presença e o sacrário do Espírito Santo,
— fazei de nós templos vivos do vosso Espírito. **R.**

Palavra eterna, que ensinastes vossa Mãe a escolher a melhor parte,
— ajudai-nos a imitá-la buscando o alimento da vida eterna. **R.**

Rei dos reis, que quisestes ter vossa Mãe convosco no céu em corpo e alma,
— fazei que aspiremos sempre aos bens do alto. **R.**

Senhor do céu e da terra, que colocastes Maria como Rainha à vossa direita,
— dai-nos a alegria de participar um dia com ela da mesma glória. **R.**

(intenções livres)

Pai nosso...

Laudes

1465

Oração

Tempo Comum:

Senhor nosso Deus, concedei-nos sempre saúde de alma e corpo, e fazei que, pela intercessão da Virgem Maria, libertos das tristezas presentes, gozemos as alegrias eternas. Por nosso Senhor Jesus Cristo, vosso Filho, na unidade do Espírito Santo.

Ou:

Perdoai, ó Deus, os pecados dos vossos filhos e filhas, e salvai-nos pela intercessão da Virgem Maria, uma vez que não podemos agradar-vos apenas com os nossos méritos. Por nosso Senhor Jesus Cristo, vosso Filho, na unidade do Espírito Santo.

Ou:

Ó Deus de misericórdia, socorrei a nossa fraqueza e concedei-nos ressurgir dos nossos pecados pela intercessão da Mãe de Jesus Cristo, cuja memória hoje celebramos. Por nosso Senhor Jesus Cristo, vosso Filho, na unidade do Espírito Santo.

Ou:

Valha-nos , ó Deus, a intercessão da sempre Virgem Maria, para que, livres de todos os perigos, vivamos em vossa paz. Por nosso Senhor Jesus Cristo, vosso Filho, na unidade do Espírito Santo.

Ou:

Fazei, ó Deus, que, ao celebrarmos a memória da Virgem Maria, possamos também, por sua intercessão, participar da plenitude da vossa graça. Por nosso Senhor Jesus Cristo, vosso Filho, na unidade do Espírito Santo.

Ou:

Ó Deus todo-poderoso, pela intercessão de Maria, nossa Mãe, socorrei os fiéis que se alegram com a sua proteção, livrando-os de todo mal neste mundo e dando-lhes a alegria do céu. Por nosso Senhor Jesus Cristo, vosso Filho, na unidade do Espírito Santo.

Advento:

Ó Deus, que pela anunciação do anjo dipusestes que o vosso Verbo se encarnasse no seio da Virgem Maria, concedei-nos o auxílio,da sua intercessão, pois cremos que és a Mãe de Deus. Por nosso Senhor Jesus Cristo, vosso Filho, na unidade do Espírito Santo.

1466 Comum de Nossa Senhora

Tempo de Natal:

Ó Deus que, pela virgindade fecunda de Maria, destes à humanidade a salvação eterna, fazei-nos sentir sempre a sua intercessão, pois ela nos trouxe o Autor da vida. Que convosco vive e reina, na unidade do Espírito Santo.

Na Quaresma:

Derramai, ó Deus, a vossa graça em nossos corações para que, conhecendo pela mensagem do Anjo a encarnação do vosso Filho, cheguemos, por sua paixão e cruz, à glória da ressurreição. Por nosso Senhor Jesus Cristo, vosso Filho, na unidade do Espírito Santo.

Ou:

Perdoai, ó Deus, os pecados dos vossos filhos e filhas, e salvai-nos pela intercessão da Virgem Maria, uma vez que não podemos agradar-vos apenas com os nossos méritos. Por nosso Senhor Jesus Cristo, vosso Filho, na unidade do Espírito Santo.

Tempo Pascal:

Ó Deus, que vos dignastes alegrar o mundo com a ressurreição do vosso Filho, concedei-nos, por sua Mãe, a Virgem Maria, o júbilo da vida eterna. Por nosso Senhor Jesus Cristo, vosso Filho, na unidade do Espírito Santo.

Ou:

Ó Deus, que destes o Espírito Santo aos Apóstolos quando perseveravam em oração com Maria, a mãe de Jesus, concedei-nos, por sua intercessão, fiéis ao vosso serviço, irradiar a glória do vosso nome em palavras e exemplos. Por nosso Senhor Jesus Cristo, vosso Filho, na unidade do Espírito Santo.

Hora Média

Se as solenidades caírem em domingo, tomam-se os salmos do I Domingo, p. 768. Nos outros casos, tomam-se os salmos graduais da Salmodia complementar, p. 1135.

Ant. A **Mãe** de Je**sus** disse a eles:
Fazei **tu**do o que ele dis**ser** (T.P. Ale**lui**a).

III Vésperas 1467

Leitura breve
Zc 9,9

Exulta, cidade de Sião! Rejubila, cidade de Jerusalém. Eis que vem teu rei ao teu encontro; ele é justo, ele salva.

V. Como é **grand**e a gló**r**ia da **Mãe** (T.P. Aleluia),
R. Que nos **troux**e o **Rei** do universo! (T.P. Aleluia).

Oração como nas Laudes.

II Vésperas

Hino

Ave, do mar Estrela,
bendita Mãe de Deus,
fecunda e sempre Virgem,
portal feliz dos céus.

Ouvindo aquele Ave
do anjo Gabriel
mudando de Eva o nome,
trazei-nos paz do céu.

Ao cego iluminai,
ao réu livrai também;
de todo mal guardai-nos
e dai-nos todo o bem.

Mostrai ser nossa Mãe,
levando a nossa voz
a Quem, por nós nascido,
dignou-se vir de vós.

Suave mais que todas,
ó Virgem sem igual,
fazei-nos mansos, puros,
guardai-nos contra o mal.

Oh! dai-nos vida pura,
guiai-nos para a luz,
e um dia, ao vosso lado,
possamos ver Jesus.

Louvor a Deus, o Pai,
e ao Filho, Sumo Bem,
com seu Divino Espírito
agora e sempre. Amém.

1468 Comum de Nossa Senhora

Salmodia

Ant. 1 Maria, alegra-te, ó **cheia** de **graça,**
o Senhor é contigo! (T.P. Aleluia).

Salmo 121(122)

— ¹Que alegria, quando ouvi que me disseram: *
"Vamos à casa do Senhor!"
— ²E agora nossos pés já se detêm, *
Jerusalém, em tuas portas.

— ³Jerusalém, cidade bem edificada *
num conjunto harmonioso;
— ⁴para lá sobem as tribos de Israel, *
as tribos do Senhor.

— Para louvar, segundo a lei de Israel, *
o nome do Senhor.
— ⁵A sede da justiça lá está *
e o trono de Davi.

— ⁶Rogai que viva em paz Jerusalém, *
e em segurança os que te amam!
— ⁷Que a paz habite dentro de teus muros, *
tranquilidade em teus palácios!

— ⁸Por amor a meus irmãos e meus amigos, *
peço: "A paz esteja em ti!"
— ⁹Pelo amor que tenho à casa do Senhor, *
eu te desejo todo bem!

Ant. 1 Maria, alegra-te, ó **cheia** de **graça,**
o Senhor é contigo! (T.P. Aleluia).

Ant. 2 Eis a serva do Senhor:
realize-se em mim a Palavra do Senhor
(T.P. Aleluia).

Salmo 126(127)

— ¹Se o Senhor não construir a nossa casa, *
em vão trabalharão seus construtores;
— se o Senhor não vigiar nossa cidade, *
em vão vigiarão as sentinelas! —

II Vésperas 1469

– ² É inútil levantar de madrugada, *
ou à **noite** retardar vosso repouso,
– para ga**nhar** o pão sofrido do trabalho, *
que a seus am**a**dos Deus concede enquanto dormem.

– ³ Os **fi**lhos são a bênção do Senhor, *
o **fru**to das entranhas, sua dádiva.
– ⁴ Como **fle**chas que um guerreiro tem na mão, *
são os **fi**lhos de um casal de esposos jovens.

– ⁵ Fe**liz** aquele pai que com tais flechas *
conse**gue** abastecer a sua aljava!
– Não se**rá** envergonhado ao enfrentar *
seus ini**mi**gos junto às portas da cidade.

Ant. Eis a se**rva** do Se**nhor**:
reali**ze**-se em **mim** a Palavra do Se**nhor** (T.P. Ale**luia**).

Ant. 3 És ben**di**ta entre **to**das as mulheres da **ter**ra,
e ben**di**to é o **fru**to que nas**ceu** do teu **ven**tre!
(T.P. Ale**luia**).

Cântico　　　　Ef 1,3-10

– ³ Ben**di**to e louv**a**do seja **Deus**, *
o **Pai** de Jesus Cristo, Senhor nosso,
– que do alto **céu** nos abençoou em Jesus Cristo *
com **bên**ção espiritual de toda sorte!

(R. Ben**di**to sejais **vós**, nosso **Pai**,
que **nos** abençoastes em **Cris**to!)

– ⁴ Foi em **Cris**to que Deus Pai nos escolheu, *
já bem **an**tes de o mundo ser criado,
– para que **fôs**semos, perante a sua face, *
sem **má**cula e santos pelo amor. (R.)

= ⁵ Por **li**vre decisão de sua vontade, †
predesti**nou**-nos, através de Jesus Cristo, *
a sermos **ne**le os seus filhos adotivos,
– ⁶ para o louv**or** e para a glória de sua graça, *
que em seu **Fi**lho bem-amado nos doou. (R.)

1470 — Comum de Nossa Senhora

– ⁷É **nele** que nós temos redenção, *
dos pe**ca**dos remissão pelo seu sangue.
= Sua **graça** transbordante e inesgotável †
⁸Deus der**ra**ma sobre nós com abundância, *
de sa**ber** e inteligência nos dotando. **(R.)**
– ⁹E as**sim**, ele nos deu a conhecer *
o mis**té**rio de seu plano e sua vontade,
– que propu**se**ra em seu querer benevolente, *
¹⁰na pleni**tu**de dos tempos realizar:
– o de**sí**gnio de, em Cristo, reunir *
todas as **coi**sas: as da terra e as do céu. **(R)**

Ant. És ben**di**ta entre **to**das as mu**lhe**res da **ter**ra,
e ben**di**to é o **fru**to que nas**ceu** do teu **ven**tre!
(T.P. Ale**lui**a).

Leitura breve — Gl 4,4-5

Quando se completou o tempo previsto, Deus enviou o seu Filho,
nascido de uma mulher, nascido sujeito à Lei, a fim de resgatar os
que eram sujeitos à Lei e para que todos recebêssemos a filiação
adotiva.

Responsório breve

Na Quaresma:

R. Maria, ale**gra-te**, ó **cheia** de **gra**ça;
*O Se**nhor** é con**ti**go! R. Maria.
V. És ben**di**ta entre **to**das as mu**lhe**res da **ter**ra
e ben**di**to é o **fru**to que nas**ceu** do teu **ven**tre! *O Se**nhor**.
Glória ao **Pai**. R. Maria.

No Tempo Pascal:

R. Maria, ale**gra-te**, ó **cheia** de **gra**ça;
o Se**nhor** é con**ti**go!
* Ale**lui**a, ale**lui**a. R. Maria.
V. És ben**di**ta entre **to**das as mu**lhe**res da **ter**ra
e ben**di**to é o **fru**to que nas**ceu** do teu **ven**tre!
* Ale**lui**a. Glória ao **Pai**. R. Maria.

Cântico evangélico, ant.

É fe**liz** porque **cres**te, Ma**ria**,
pois em **ti** a Palavra de **Deus**
vai cum**prir-se** con**for**me ele **disse** (T.P. Ale**lui**a).

II Vésperas

Preces

Proclamemos a grandeza de Deus Pai todo-poderoso: Ele quis que Maria, Mãe de seu Filho, fosse celebrada por todas as gerações. Peçamos humildemente:

R. **Cheia de graça, intercedei por nós!**

Deus, autor de tantas maravilhas, que fizestes a Imaculada Virgem Maria participar em corpo e alma da glória celeste de Cristo,
– conduzi para a mesma glória os corações de vossos filhos e filhas. R.

Vós, que nos destes Maria por Mãe, concedei, por sua intercessão, saúde aos doentes, consolo aos tristes, perdão aos pecadores,
– e a todos a salvação e a paz. R.

Vós, que fizestes de Maria a cheia de graça,
– concedei a todos a abundância da vossa graça. R.

Fazei, Senhor, que a vossa Igreja seja, na caridade, um só coração e uma só alma,
– e que todos os fiéis perseverem unânimes na oração com Maria, Mãe de Jesus. R.

(intenções livres)

Vós, que coroastes Maria como Rainha do céu,
– fazei que nossos irmãos e irmãs falecidos se alegrem eternamente em vosso reino, na companhia dos santos. R.

Ou:

Proclamemos a grandeza de Deus Pai todo-poderoso! Ele quis que Maria, Mãe de seu Filho, fosse celebrada por todas as gerações. Peçamos humildemente:

R. **Cheia de graça, intercedei por nós!**

Vós, que fizestes de Maria a Mãe da misericórdia,
– concedei a todos os que estão em perigo sentirem o seu amor materno R.

Vós, que confiastes a Maria a missão de mãe de família no lar de Jesus e José,
– fazei que, por sua intercessão, todas as mães vivam em família o amor e a santidade. R.

Vós, que destes a Maria força para ficar de pé junto à cruz, e a enchestes de alegria com a ressurreição de vosso Filho,
– socorrei os atribulados e confortai-os na esperança.
R. **Cheia de graça, intercedei por nós!**

Vós, que fizestes de Maria a serva fiel e atenta à vossa palavra,
– fazei de nós, por sua intercessão, servos e discípulos de vosso Filho.
R.

(intenções livres)

Vós, que coroastes Maria como Rainha do céu,
– fazei que nossos irmãos e irmãs falecidos se alegrem eternamente em vosso reino, na companhia dos santos.
R.

Pai nosso...
Oração como nas Laudes.

MEMÓRIA DE SANTA MARIA NO SÁBADO

Nos sábados do Tempo comum, sendo permitida a celebração de memória facultativa, pode-se fazer, com o mesmo rito, a memória de Santa Maria no Sábado.

Laudes

Hino

Senhora gloriosa,
bem mais que o sol brilhais.
O Deus que vos criou
ao seio amamentais.

O que Eva destruiu,
no Filho recriais;
do céu abris a porta
e os tristes abrigais.

Da luz brilhante porta,
sois pórtico do Rei.
Da Virgem veio a vida.
Remidos, bendizei!

Ao Pai e ao Espírito,
poder, louvor, vitória,
e ao Filho, que gerastes
e vos vestiu de glória.

Laudes

Ou:

Da caridade Estrela fúlgida
para os celestes habitantes
Para os mortais és da esperança
a fonte de águas borbulhantes.

Nobre Senhora, és poderosa
do Filho sobre o coração;
por ti, quem ora, confiante,
dele consegue a salvação.

Tua bondade não apenas
atende à voz dos suplicantes,
mas se antecipa, carinhosa,
aos seus desejos hesitantes.

Misericórdia é o teu nome,
suma grandeza em ti fulgura.
Com água viva de bondade,
sacias toda a criatura.

Glória a Deus Pai e ao Santo Espírito,
glória ao teu Filho Redentor,
que te envolveram com o manto
da sua graça e seu amor.

Ou ainda: Ave, do mar Estrela, como nas II Vésperas do Comum de Nossa Senhora , p. 1467.

Antífonas e salmos do sábado corrente.

Pode-se escolher uma das seguintes leituras breves com seu responsório breve.

Leitura breve
Gl 4,4-5

Quando se completou o tempo previsto, Deus enviou o seu Filho; nascido de uma mulher, nascido sujeito à Lei, a fim de resgatar os que eram sujeitos à Lei; para que todos recebêssemos a filiação adotiva.

Responsório breve

R. Depois do **par**to, ó Ma**ri**a, * Virgem **per**mane**ces**tes.
   R. Depois do **par**to.
V. Rogai por **nós**, Mãe de **Deus**! * Virgem.
   Glória ao **Pai**. R. Depois do **par**to.

1474　Memória de santa Maria no sábado

Ou:　　　　　　　　　　　　　　cf. Is 61,10

Exulto de alegria no Senhor e minh'alma regozija-se em meu Deus; ele me vestiu com as vestes da salvação, envolveu-me com o manto da justiça, qual noiva com suas joias.

Responsório breve

R. O Senhor a escolheu,
* Entre todas preferida. R. O Senhor.
V. O Senhor a fez morar em sua santa habitação.
* Entre todas. Glória ao Pai. R. O Senhor.

Ou:　　　　　　　　　　　　　　Ap 12,1

Apareceu no céu um grande sinal: uma mulher vestida de sol, tendo a lua debaixo dos pés e sobre a cabeça um a coroa de doze estrelas.

Responsório breve

R. Maria, alegra-te, ó cheia de graça;
* O Senhor é contigo! R. Maria.
V. És bendita entre todas as mulheres da terra
   e bendito é o fruto que nasceu do teu ventre!
* O Senhor. Glória ao Pai. R. Maria.

Cântico evangélico, ant.

Pode-se escolher uma das seguintes antífonas:

1 Celebremos devotamente a memória da Virgem Santa;
para que ela rogue por nós junto ao Cristo Senhor Jesus.

2 Ó Maria, sempre virgem, Mãe de Deus,
sois bendita do Senhor, o Deus Altíssimo,
entre todas as mulheres sobre a terra!

3 Nossa vida perdida por vós nos é dada,
ó Virgem sem mancha!
Pois do céu concebestes o Filho de Deus,
e destes ao mundo Jesus Salvador.

4 Maria, alegra-te, ó cheia de graça.
O Senhor é contigo,
és bendita entre todas as mulheres da terra!

Laudes

5 Virgem **Santa** e Imaculada,
eu não **sei** com que louvores pode**rei** engrandecer-vos!
Pois de **vós** nós recebemos Jesus **Cristo**, o Redentor.

6 Sois a **glória** de Sião, a alegria de Israel
e a **flor** da humanidade!

Preces

Celebremos nosso Salvador, que se dignou nascer da Virgem
Maria; e peçamos:

R. **Senhor, que a vossa Mãe interceda por nós!**

Sol de justiça, a quem a Virgem Imaculada precedeu como aurora resplandecente,
– concedei que caminhemos sempre à luz da vossa presença. R.

Palavra eterna do Pai, que escolhestes Maria como arca incorruptível para vossa morada,
– livrai-nos da corrupção do pecado. R.

Salvador do mundo, que tivestes vossa Mãe junto à cruz,
– concedei-nos, por sua intercessão, a graça de participar generosamente nos vossos sofrimentos. R.

Jesus de bondade, que, pregado na cruz, destes Maria por Mãe
a João,
– fazei que vivamos também como seus filhos. R.
(intenções livres)

Ou:

Celebremos nosso Salvador, que se dignou nascer da Virgem
Maria; e peçamos:

R. **Senhor, que a vossa Mãe interceda por nós!**

Salvador do mundo, que pelos méritos da redenção preservastes
a vossa Mãe de toda a mancha de pecado,
– livrai-nos também de todo pecado. R.

Redentor nosso, que fizestes da Imaculada Virgem Maria o tabernáculo puríssimo da vossa presença e o sacrário do Espírito
Santo,
– fazei de nós templos vivos do vosso Espírito. R.

Palavra eterna, que ensinastes vossa Mãe a escolher a melhor parte,
– ajudai-nos a imitá-la buscando o alimento da vida eterna. R.

Rei dos reis, que quisestes ter vossa Mãe convosco no céu em corpo e alma,

– fazei que aspiremos sempre aos bens do alto.

R. **Senhor, que a vossa Mãe interceda por nós!**

Senhor do céu e da terra, que colocastes Maria como rainha à vossa direita,

– dai-nos a alegria de participar um dia com ela da mesma glória.

R.

(intenções livres)

Pai nosso...

Oração

Diz-se, à escolha, uma das orações seguintes:

1 Senhor nosso Deus, concedei-nos sempre saúde de alma e corpo, e fazei que, pela intercessão da Virgem Maria, libertos das tristezas presentes, gozemos as alegrias eternas. Por nosso Senhor Jesus Cristo, vosso Filho, na unidade do Espírito Santo.

2 Perdoai, ó Deus, os pecados dos vossos filhos e filhas, e salvai--nos pela intercessão da Virgem Maria, uma vez que não podemos agradar-vos apenas com os nossos méritos. Por nosso Senhor Jesus Cristo, vosso Filho, na unidade do Espírito Santo.

3 Ó Deus de misericórdia, socorrei a nossa fraqueza e concedei--nos ressurgir dos nossos pecados pela intercessão da Mãe de Jesus Cristo, cuja memória hoje celebramos. Por nosso Senhor Jesus Cristo, vosso Filho, na unidade do Espírito Santo.

4 Valha-nos, ó Deus, a intercessão da sempre Virgem Maria, para que, livres de todos os perigos, vivamos em vossa paz. Por nosso Senhor Jesus Cristo, vosso Filho, na unidade do Espírito Santo.

5 Fazei, ó Deus, que, ao celebrarmos a memória da Virgem Maria, possamos também, por sua intercessão, participar da plenitude da vossa graça. Por nosso Senhor Jesus Cristo, vosso Filho, na unidade do Espírito Santo.

6 Ó Deus todo-poderoso, pela intercessão de Maria, nossa Mãe, socorrei os fiéis que se alegram com a sua proteção, livrando-os de todo mal neste mundo e dando-lhes a alegria do céu. Por nosso Senhor Jesus Cristo, vosso Filho, na unidade do Espírito Santo.

COMUM DOS APÓSTOLOS

I Vésperas

HINO Exulte o céu, como nas II Vésperas, p. 1483.

Salmodia

Ant. 1 Jesus chamou os seus discípulos,
    escolheu doze dentre eles
    e lhes deu o nome de Apóstolos (T.P. Aleluia).

Salmo 116(117)

— ¹Cantai louvores ao Senhor, todas as gentes, *
  povos todos, festejai-o!
— ²Pois comprovado é seu amor para conosco, *
  para sempre ele é fiel!

Ant. Jesus chamou os seus discípulos,
    escolheu doze dentre eles
    e lhes deu o nome de Apóstolos (T.P. Aleluia).

Ant. 2 Deixando suas redes, seguiram o Senhor
    (T.P. Aleluia).

Salmo 147(147 B)

— ¹²Glorifica o Senhor, Jerusalém! *
  Ó Sião, canta louvores ao teu Deus!
— ¹³Pois reforçou com segurança as tuas portas, *
  e os teus filhos em teu seio abençoou;
— ¹⁴a paz em teus limites garantiu *
  e te dá como alimento a flor do trigo.
— ¹⁵Ele envia suas ordens para a terra, *
  e a palavra que ele diz corre veloz;
— ¹⁶ele faz cair a neve como lã *
  e espalha a geada como cinza.
— ¹⁷Como de pão lança as migalhas do granizo, *
  a seu frio as águas ficam congeladas.
— ¹⁸Ele envia sua palavra e as derrete, *
  sopra o vento e de novo as águas correm. —

1478   Comum dos apóstolos

— [19] Anuncia a Jacó sua palavra, *
seus preceitos e suas leis a Israel.
— [20] Nenhum povo recebeu tanto carinho, *
a nenhum outro revelou os seus preceitos.

Ant. Deixando suas redes, seguiram o Senhor
(T.P. Aleluia).

Ant. 3 Vós sois os meus amigos, pois guardastes meu amor
(T.P. Aleluia).

Cântico   Ef 1,3-10

— [3] Bendito e louvado seja Deus, *
o Pai de Jesus Cristo, Senhor nosso,
— que do alto céu nos abençoou em Jesus Cristo *
com bênção espiritual de toda sorte!

(R. Bendito sejais vós, nosso Pai,
que nos abençoastes em Cristo!)

— [4] Foi em Cristo que Deus Pai nos escolheu, *
já bem antes de o mundo ser criado,
— para que fôssemos, perante a sua face, *
sem mácula e santos pelo amor.   (R.)

= [5] Por livre decisão de sua vontade, †
predestinou-nos, através de Jesus Cristo, *
a sermos nele os seus filhos adotivos,
— [6] para o louvor e para a glória de sua graça, *
que em seu Filho bem-amado nos doou.   (R.)

— [7] É nele que nós temos redenção, *
dos pecados remissão pelo seu sangue.
= Sua graça transbordante e inesgotável †
[8] Deus derrama sobre nós com abundância, *
de saber e inteligência nos dotando.   (R.)

— [9] E assim, ele nos deu a conhecer *
o mistério de seu plano e sua vontade,
— que propusera em seu querer benevolente, *
[10] na plenitude dos tempos realizar:
— o desígnio de, em Cristo, reunir *
todas as coisas: as da terra e as do céu.   (R)

Ant. Vós sois os meus amigos, pois guardastes meu amor
(T.P. Aleluia).

Laudes
1479

Leitura breve
At 2,42-45

Todos eram perseverantes em ouvir o ensinamento dos apóstolos, na comunhão fraterna, na fração do pão e nas orações. E todos estavam cheios de temor por causa dos numerosos prodígios e sinais que os apóstolos realizavam. Todos os que abraçavam a fé viviam unidos e colocavam tudo em comum; vendiam suas propriedades e seus bens e repartiam o dinheiro entre todos, conforme a necessidade de cada um.

Responsório breve

Na Quaresma:

R. Nisto **todos** saber**ão**
　　* Que vós **sois** os meus dis**cí**pulos. R. Nisto **to**dos.
V. Se uns aos ou**tros** vos amar**des**. * Que vós **sois**.
　　Glória ao **Pai**. R. Nisto **to**dos.

No Tempo pascal:

R. Nisto **todos** saber**ão** que vós **sois** os meus dis**cí**pulos.
　　* Ale**lui**a, ale**lui**a. R. Nisto **to**dos.
V. Se uns aos ou**tros** vos amar**des**. * Ale**lui**a.
　　Glória ao **Pai**. R. Nisto **to**dos.

Cântico evangélico, ant.

Não fostes **vós** que me esco**lhes**tes,
mas, sim, **eu** vos esco**lhi** e vos **dei** esta mis**são**:
de produ**zir**des muito **fru**to e o vosso **fru**to perma**ne**ça
(T.P. Ale**lui**a).

Preces como nas II Vésperas, p. 1487.

Oração como no Próprio dos Santos.

Laudes

Hino

Fora do Tempo pascal:

　　Do supremo Rei na corte sois
　　ministros, que Jesus
　　instruiu e fez Apóstolos,
　　sal da terra e sua luz.

Comum dos apóstolos

A feliz Jerusalém,
cuja lâmpada é o Cordeiro,
vos possui, quais joias raras,
fundamento verdadeiro.

A Igreja vos celebra
como esposa do Senhor.
Vossa voz a trouxe à vida,
vosso sangue a consagrou.

Quando os tempos terminarem
e o Juiz vier julgar,
sobre tronos gloriosos
havereis de vos sentar.

Sem cessar, a vossa prece
nos dê força e proteção.
Das sementes que espalhastes
brote a flor e nasça o grão.

Glória a Cristo, que de vós
fez do Pai os enviados,
e vos deu o seu Espírito,
por quem fostes consagrados.

No Tempo pascal:

O sol fulgura sobre o mundo
com o clarão da luz pascal,
quando os Apóstolos veem Cristo
com sua vista corporal.

Na carne fúlgida de Cristo
veem das chagas o esplendor
e para todos anunciam:
Ressurgiu Cristo em seu fulgor.

Ó Jesus Cristo, Rei clemente,
nos corações vinde habitar,
para que possam, todo o tempo,
vossos louvores entoar.

Sede, Jesus, de nossas almas
gozo pascal, perene glória.
Aos renascidos pela graça
dai partilhar vossa vitória.

Laudes

Glória a Jesus, por quem a morte
foi para sempre destruída.
Pelos Apóstolos abriu
estrada nova para a vida.

Ant. 1 O **meu** mandamento é este:
amai-vos como **eu** vos **amei**! (T.P. Aleluia).

Salmos e cântico do domingo da I Semana, p. 764.

Ant. 2 Não há maior prova de amor,
que dar a vida pelo amigo (T.P. Aleluia).

Ant. 3 Vós sereis os meus amigos,
se seguirdes meus preceitos (T.P. Aleluia).

Leitura breve   Ef 2,19-22
Já não sois mais estrangeiros nem migrantes, mas concidadãos
dos santos. Sois da família de Deus. Vós fostes integrados no
edifício que tem como fundamento os apóstolos e os profetas, e
o próprio Jesus Cristo como pedra principal. É nele que toda a
construção se ajusta e se eleva para formar um templo santo no
Senhor. E vós também sois integrados nesta construção, para vos
tornardes morada de Deus pelo Espírito.

Responsório breve
Fora do Tempo pascal:
R. Fareis **deles** os **chefes**
    * Por **toda** a **terra**. R. Fareis.
V. Lembrarão vosso **nome**, Senhor, para sempre.
    * Por **toda**. Glória ao **Pai**. R. Fareis deles.
No Tempo pascal:
R. Fareis **deles** os **chefes** por **toda** a **terra**.
    * Aleluia, aleluia. R. Fareis.
V. Lembrarão vosso **nome**, Senhor, para sempre.
    * Aleluia. Glória ao **Pai**. R. Fareis deles.

Cântico evangélico, ant.
Jerusalém, ó cidade celeste,
teus alicerces são os doze Apóstolos,
tua **luz**, teu fulgor é o Cordeiro! (T.P. Aleluia).

1482 Comum dos apóstolos

Preces

Irmãos caríssimos, tendo recebido dos apóstolos a herança celeste, agradeçamos a Deus, nosso Pai, todos os seus dons; e aclamemos:

R. **O coro dos apóstolos vos louva, Senhor!**

Louvor a vós, Senhor, pela mesa do vosso Corpo e Sangue que recebemos por intermédio dos apóstolos;
– por ela somos alimentados e vivemos. R.

Louvor a vós, Senhor, pela mesa de vossa Palavra, preparada para nós pelos apóstolos;
– por ela recebemos luz e alegria. R.

Louvor a vós, Senhor, por vossa santa Igreja, edificada sobre o fundamento dos apóstolos;
– com ela formamos um só Corpo. R.

Louvor a vós, Senhor, pelos sacramentos do Batismo e da Penitência que confiastes aos apóstolos;
– por eles somos lavados de todo pecado. R.

(intenções livres)

Pai nosso...

Oração como no Próprio dos Santos.

Hora Média

Ant. Eis que **eu** estou con**vos**co em **to**dos os **dias**
até o fim do **mun**do, é o que **diz** o Se**nhor** (T.P. Ale**lui**a).

Leitura breve At 5,12a.14

Muitos sinais e maravilhas eram realizados entre o povo pelas mãos dos apóstolos. Crescia sempre mais o número dos que aderiam ao Senhor pela fé; era uma multidão de homens e mulheres.

V. Eles guar**da**vam os pre**cei**tos (T.P. Ale**lui**a).
R. E as **or**dens do Se**nhor** (T.P. Ale**lui**a).

Oração como no Próprio dos Santos.

II Vésperas

Hino

Fora do Tempo pascal:

Exulte o céu com louvores,
e a terra cante vitória.
Dos enviados de Cristo
os astros narram a glória.

Ó vós, juízes dos tempos,
luz verdadeira do mundo,
dos corações que suplicam
ouvi o grito profundo.

Dizendo só uma palavra,
os céus fechais ou abris.
Mandai que sejam desfeitos
de nossa culpa os ardis.

À vossa voz obedecem
enfermidade e saúde.
Sarai nossa alma tão frágil
e dai-nos paz e virtude.

E quando o Cristo vier
no fim dos tempos julgar,
das alegrias eternas
possamos nós partilhar.

Louvor e glória ao Deus vivo,
que em vós nos deu sua luz,
o Evangelho da vida
que para o céu nos conduz.

No Tempo pascal:

Aos Onze entristecia
do seu Senhor a sorte,
por ímpios condenado
a dura, acerba morte.

Àquelas que o buscavam
prediz o Anjo de neve:
"Na Galileia o Cristo
vos saudará em breve".

1484 Comum dos apóstolos

Mas, quando ansiosas correm,
levando aos Onze a nova,
o Cristo aparecendo,
viver de novo prova.

Os Onze tomam logo
da Galileia a estrada;
contemplam do Senhor
a face desejada.

Jesus, nós vos pedimos,
sejais nossa alegria.
A morte morre em nós,
a vida principia.

Louvor ao que da morte
ressuscitado vem,
ao Pai e ao Paráclito
eternamente. Amém.

Salmodia

Ant. 1 Vós ficastes a meu lado quando veio a provação
(T.P. Aleluia).

Salmo 115(116B)

– ¹⁰Guardei a minha fé, mesmo dizendo: *
"É demais o sofrimento em minha vida!"
– ¹¹Confiei, quando dizia na aflição: *
"Todo homem é mentiroso! Todo homem!"
– ¹²Que poderei retribuir ao Senhor Deus *
por tudo aquilo que ele fez em meu favor?
– ¹³Elevo o cálice da minha salvação, *
invocando o nome santo do Senhor.
– ¹⁴Vou cumprir minhas promessas ao Senhor *
na presença de seu povo reunido.
– ¹⁵É sentida por demais pelo Senhor *
a morte de seus santos, seus amigos.
= ¹⁶Eis que sou o vosso servo, ó Senhor, †
vosso servo que nasceu de vossa serva; *
mas me quebrastes os grilhões da escravidão! –

II Vésperas · 1485

—[17] Por isso oferto um sacrifício de louvor, *
invocando o nome santo do Senhor.
—[18] Vou cumprir minhas promessas ao Senhor *
na presença de seu povo reunido;
—[19] nos átrios da casa do Senhor, *
em teu meio, ó cidade de Sião!

Ant. Vós ficastes a meu lado quando veio a provação
(T.P. Aleluia).

Ant. 2 Eu estou em vosso meio como aquele que vos serve
(T.P. Aleluia).

Salmo 125(126)

—[1] Quando o Senhor reconduziu nossos cativos, *
parecíamos sonhar;
—[2] encheu-se de sorriso nossa boca, *
nossos lábios, de canções.

— Entre os gentios se dizia: "Maravilhas *
fez com eles o Senhor!"
—[3] Sim, maravilhas fez conosco o Senhor, *
exultemos de alegria!

—[4] Mudai a nossa sorte, ó Senhor, *
como torrentes no deserto.
—[5] Os que lançam as sementes entre lágrimas, *
ceifarão com alegria.

—[6] Chorando de tristeza sairão, *
espalhando suas sementes;
— cantando de alegria voltarão, *
carregando os seus feixes!

Ant. Eu estou em vosso meio como aquele que vos serve
(T.P. Aleluia).

Ant. 3 Não vos chamo mais meus servos,
mas vos chamo meus amigos,
pois vos dei a conhecer
o que o Pai me revelou. (T.P. Aleluia).

Comum dos apóstolos

Cântico   Ef 1,3-10

– ³Bendito e louvado seja **Deus**, *
  o **Pai** de Jesus Cri**s**to, Senhor nosso,
– que do alto **céu** nos abençoou em Jesus Cristo *
  com **bênção** espiritual de toda sorte!
(R. Bendito sejais **vós**, nosso **Pai**,
  que **nos** abençoastes em **Cristo**!)
– ⁴Foi em **Cristo** que Deus Pai nos escolheu, *
  já bem **ant**es de o mundo ser criado,
– para que **fôssemos**, perante a sua face, *
  sem **mácula** e santos pelo amor.   (R.)
= ⁵Por **livre** decisão de sua vontade, †
  predesti**nou**-nos, através de Jesus Cristo, *
  a sermos **nele** os seus filhos adotivos,
– ⁶para o lou**vor** e para a glória de sua graça, *
  que em seu **Filho** bem-amado nos doou.   (R.)
– ⁷É **nele** que nós temos redenção, *
  dos pe**cados** remissão pelo seu sangue.
= Sua **graça** transbordante e inesgotável †
  ⁸Deus der**rama** sobre nós com abundância, *
  de sa**ber** e inteligência nos dotando.   (R.)
– ⁹E as**sim**, ele nos deu a conhecer *
  o mi**stério** de seu plano e sua vontade,
– que propusera em seu querer benevolente, *
  ¹⁰na pleni**tu**de dos tempos realizar:
– o de**sí**gnio de, em Cristo, reunir *
  todas as **coi**sas: as da terra e as do céu.   (R)

Ant. Não vos **cha**mo mais meus **ser**vos,
  mas vos **cha**mo meus **ami**gos,
  pois vos **dei** a conhe**cer**
  o que o **Pai** me reve**lou**. (T.P. Ale**lui**a).

Leitura breve   Ef 4,11-13

Cristo instituiu alguns como apóstolos, outros como profetas, outros ainda como evangelistas, outros, enfim, como pastores e mestres. Assim, ele capacitou os santos para o ministério, para edificar o corpo de Cristo, até que cheguemos todos juntos à

II Vésperas

unidade da fé e do conhecimento do Filho de Deus, ao estado do homem perfeito e à estatura de Cristo em sua plenitude.

Responsório breve

Fora do Tempo pascal:

R. Anunciai entre as nações
   * A glória do Senhor. R. Anunciai.
V. E as suas maravilhas entre os povos do universo.
   * A glória. Glória ao Pai. R. Anunciai.

No Tempo pascal:

R. Anunciai entre as nações a glória do Senhor.
   * Aleluia, aleluia. R. Anunciai.
V. E as suas maravilhas entre os povos do universo.
   * Aleluia. Glória ao Pai. R. Anunciai.

Cântico evangélico, ant.

Quando o Filho do Homem, na nova criação,
vier em sua glória, com ele reinareis
e em vossos tronos julgareis as doze tribos de Israel
(T.P. Aleluia).

Preces

Irmãos, edificados sobre o fundamento dos apóstolos, roguemos a Deus Pai todo-poderoso em favor de seu povo santo; e digamos:

R. **Lembrai-vos, Senhor, da vossa Igreja!**

Vós quisestes, ó Pai, que o vosso Filho, ressuscitado dos mortos, aparecesse em primeiro lugar aos apóstolos;
– fazei de nós testemunhas do vosso Filho até os confins da terra. R.

Vós, que enviastes vosso Filho ao mundo para evangelizar os pobres,
– fazei que o Evangelho seja pregado a toda criatura. R.

Vós, que enviastes vosso Filho para semear a palavra do reino,
– concedei-nos colher na alegria os frutos da palavra semeada com o nosso trabalho. R.

Vós, que enviastes vosso Filho para reconciliar o mundo convosco pelo seu sangue,
– fazei que todos nós colaboremos na obra da reconciliação de toda a humanidade. R.

(intenções livres)

1488   Comum de vários mártires

Vós, que glorificastes vosso Filho à vossa direita nos céus,
− recebei no reino da felicidade eterna os nossos irmãos e irmãs
falecidos.

R. **Lembrai-vos, Senhor, da vossa Igreja!**

Pai nosso...

Oração como no Próprio dos Santos.

COMUM DOS MÁRTIRES

PARA VÁRIOS MÁRTIRES

I Vésperas

HINO Dos que partilham a glória, como nas II vésperas, p. 1498.

Salmodia

Ant. 1 Violência e tortura sofreram os mártires:
testemunhas de Cristo até a vitória (T.P. Aleluia).

Salmo 117(118)

I

− ¹ Dai graças ao Senhor, porque ele é bom! *
"Eterna é a sua misericórdia!"
− ² A casa de Israel agora o diga: *
"Eterna é a sua misericórdia!"
− ³ A casa de Aarão agora o diga: *
"Eterna é a sua misericórdia!"
− ⁴ Os que temem o Senhor agora o digam: *
"Eterna é a sua misericórdia!"
− ⁵ Na minha angústia eu clamei pelo Senhor, *
e o Senhor me atendeu e libertou!
− ⁶ O Senhor está comigo, nada temo; *
o que pode contra mim um ser humano?

I Vésperas   1489

— [7] O Senhor está comigo, é o meu auxílio, *
hei de **ver** meus inimigos humilhados.
— [8] "É me**lhor** buscar refúgio no Senhor *
do que **pôr** no ser humano a esperança;
— [9] é me**lhor** buscar refúgio no Senhor *
do que con**tar** com os poderosos deste mundo!"

— [10] Povos pa**gãos** me rodearam todos eles, *
mas em **no**me do Senhor os derrotei;
— [11] de todo **lado** todos eles me cercaram, *
mas em **no**me do Senhor os derrotei;

= [12] como um en**xa**me de abelhas me atacaram, †
como um **fo**go de espinhos me queimaram, *
mas em **no**me do Senhor os derrotei.

— [13] Empur**raram**-me, tentando derrubar-me, *
mas **veio** o Senhor em meu socorro.
— [14] O Se**nhor** é minha força e o meu canto, *
e tor**nou**-se para mim o Salvador.
— [15] "Cla**mo**res de alegria e de vitória *
res**soem** pelas tendas dos fiéis.

= [16] A mão di**reita** do Senhor fez maravilhas, †
a mão di**reita** do Senhor me levantou, *
a mão di**reita** do Senhor fez maravilhas!"

— [17] Não morre**rei**, mas, ao contrário, viverei *
para can**tar** as grandes obras do Senhor!
— [18] O Se**nhor** severamente me provou, *
mas **não** me abandonou às mãos da morte.

Ant. Violên**cia** e tor**tura** so**freram** os **már**tires:
teste**munhas** de **Cris**to até a vi**tória** (T.P. Aleluia).

Ant. 2 Triun**faram** os **san**tos e en**traram** no **Reino**;
rece**beram** de **Deus** a co**roa** de **glória** (T.P. Aleluia).

II

— [19] Abri-me **vós**, abri-me as portas da justiça; *
quero en**trar** para dar graças ao Senhor!
— [20] "Sim, **es**ta é a porta do Senhor, *
por **e**la só os justos entrarão!"

Comum de vários mártires

—²¹ Dou-vos **graças**, ó Senhor, porque me ouvistes *
e vos tor**nas**tes para mim o Salvador!

—²² "A **pe**dra que os pedreiros rejeitaram *
tor**nou**-se agora a pedra angular.

—²³ Pelo Se**nhor** é que foi feito tudo isso: *
Que maravilhas ele fez a nossos olhos!

—²⁴ Este é o **dia** que o Senhor fez para nós, *
ale**gre**mo-nos e nele exultemos!

—²⁵ Ó Se**nhor**, dai-nos a vossa salvação, *
ó Se**nhor**, dai-nos também prosperidade!"

—²⁶ Ben**di**to seja, em nome do Senhor, *
a**que**le que em seus átrios vai entrando!

— Desta **ca**sa do Senhor vos bendizemos. *
²⁷ Que o Se**nhor** e nosso Deus nos ilumine!

— Empu**nhai** ramos nas mãos, formai cortejo, *
aproxi**mai**-vos do altar, até bem perto!

—²⁸ Vós sois meu **Deus,** eu vos bendigo e agradeço! *
Vós sois meu **Deus**, eu vos exalto com louvores!

—²⁹ Dai **graças** ao Senhor, porque ele é bom! *
"Eterna é a sua misericórdia!"

Ant. Triun**faram** os **san**tos e en**tra**ram no **Reino**;
receberam de **Deus** a co**ro**a de **gló**ria (T.P. Ale**lui**a).

Ant. 3 Os **már**tires, **mor**tos por **Cristo**,
vivem **sem**pre com **ele** nos **céus** (T.P. Ale**lui**a).

Cântico   1Pd 2,21-24

=²¹ O **Cris**to por **nós** pade**ceu**, †
dei**xou**-nos o exemplo a seguir. *
Si**ga**mos, portanto, seus passos!

—²² Pe**ca**do nenhum cometeu, *
nem **hou**ve engano em seus lábios.

(**R.** Por suas **cha**gas nós **fo**mos cu**ra**dos.)

=²³ Insul**ta**do, ele não insultava; †
ao so**frer** e ao ser maltratado, *
ele **não** ameaçava vingança;

— entre**ga**va, porém, sua causa *
Àque**le** que é justo juiz.

                         (**R.**)

I Vésperas 1491

– ^{24}Carregou sobre si nossas culpas *
em seu **cor**po, no lenho da cruz,
= para que, **mor**tos aos nossos pecados, †
na jus**ti**ça de Deus nós vivamos. *
Por suas **cha**gas nós fomos curados. (R.)

Ant. Os **már**tires, **mor**tos por **Cris**to,
vivem **sem**pre com **ele** nos **céus** (T.P. Ale**lui**a).

Fora do Tempo pascal

Leitura breve Rm 8,35.37-39

Quem nos separará do amor de Cristo? Tribulação? Angústia?
Perseguição? Fome? Nudez? Perigo? Espada? Mas, em tudo
isso, somos mais que vencedores, graças àquele que nós amou!
Tenho a certeza que nem a morte, nem a vida, nem os anjos, nem
os poderes celestiais, nem o presente nem o futuro, nem as forças
cósmicas, nem a altura, nem a profundeza, nem outra criatura
qualquer será capaz de nos separar do amor de Deus por nós,
manifestado em Cristo Jesus, nosso Senhor.

Responsório breve

R. As **al**mas dos **jus**tos
* Es**tão** prote**gi**das nas **mãos** do Se**nhor**. R. As **al**mas.
V. O tor**men**to da **mor**te não **há** de to**cá**-las. * Es**tão** prote**gi**das.
Glória ao **Pai**. R. As **al**mas.

Cântico evangélico, ant.

O **Rei**no dos **céus** vos per**ten**ce,
pois **des**tes a **vi**da por **Cris**to;
la**vas**tes as **ves**tes no **san**gue
e che**gas**tes ao **prê**mio da **gló**ria.

Preces

Nesta hora em que o Rei dos mártires ofereceu sua vida na última
Ceia e a entregou na cruz, demos-lhe graças; dizendo:

R. **Nós vos louvamos e bendizemos, Senhor!**

Nós vos agradecemos, ó Salvador, fonte e exemplo de todo martírio, porque nos amastes até o fim: R.

1492   Comum de vários mártires

Porque viestes chamar os pecadores arrependidos para o prêmio
da vida eterna:
R. **Nós vos louvamos e bendizemos, Senhor!**
Porque destes à vossa Igreja, como sacrifício para a remissão dos
pecados, o Sangue da nova e eterna Aliança: R.
Porque a vossa graça nos mantém até hoje perseverantes na
fé: R.

(intenções livres)

Porque associastes à vossa morte, neste dia, muitos de nossos
irmãos e irmãs: R.
Pai nosso...
Não havendo Oração própria, como nas Laudes, p. 1495.

No Tempo pascal

Leitura breve   Ap 3,10-12
Porque guardaste a minha ordem de perseverar, também eu te
vou guardar da hora da provação, que está para vir sobre todo o
universo, para pôr à prova os habitantes da terra. Eu venho logo!
Guarda bem o que recebeste, para que ninguém roube a tua coroa. Do vencedor vou fazer uma coluna no templo do meu Deus,
e daí não sairá. Nela gravarei o nome do meu Deus, e o nome
da cidade do meu Deus, a nova Jerusalém, que desce do céu, de
junto do meu Deus. E gravarei nela também o meu novo nome.

Responsório breve
R. Vós **santos** e **eleitos**, ale**grai**-vos no Se**nhor**!
    * A**leluia**, ale**luia**. R. Vós **santos**.
V. Porque **Deus** vos esco**lheu** para **serdes** sua he**rança**.
    * A**leluia**. Glória ao **Pai**. R. Vós **santos**.

Cântico evangélico, ant.
A luz e**ter**na brilha**rá** aos vossos **san**tos,
e a **vi**da para **sem**pre, ale**luia**.

Preces
Nesta hora em que o Rei dos mártires ofereceu sua vida na última
Ceia e a entregou na cruz, demos-lhe graças, dizendo:
R. **Nós vos louvamos e bendizemos, Senhor!**

Laudes   1493

Nós vos agradecemos, ó Salvador, fonte e exemplo de todo martírio, porque nos amastes até o fim: R.

Porque viestes chamar os pecadores arrependidos para o prêmio
da vida eterna: R.

Porque destes à vossa Igreja, como sacrifício para a remissão dos
pecados, o Sangue da nova e eterna Aliança: R.

Porque a vossa graça nos mantém até hoje perseverantes na
fé: R.

(intenções livres)

Porque associastes à vossa morte, neste dia, muitos de nossos
irmãos e irmãs: R.

Pai nosso...

Não havendo Oração própria, como nas Laudes, p. 1497.

Laudes

Hino

De Cristo o dom eterno,
dos mártires vitória,
alegres celebremos
com cânticos de glória.

São príncipes da Igreja,
na luta triunfaram.
Do mundo sendo luzes,
à glória já chegaram.

Venceram os terrores,
as penas desprezaram.
Na morte coroados,
à luz feliz chegaram.

Por ímpios torturados,
seu sangue derramaram.
Mas, firmes pela fé,
na vida eterna entraram.

Invictos na esperança,
guardando a fé constantes,
no pleno amor de Cristo
já reinam triunfantes.

Já têm no Pai a glória,
no Espírito a energia,
e exultam pelo Filho,
repletos de alegria.

Pedimos, Redentor,
unidos ser também
dos mártires à glória
no vosso Reino. Amém.

Ant. 1 Os **már**tires de **Cris**to, em seus tor**men**tos,
contem**plav**am os **céus** e supli**cav**am:
Ó Se**nhor**, dai-nos a **for**ça nesta **hor**a! (T.P. Aleluia).

Salmos e cântico do domingo da I Semana, p. 764.

Na Quaresma:

Ant. 2 Vós **már**tires de **Deus**, bendi**zei**-o para **sem**pre.

No Tempo Pascal:

Ant. 2 Es**pí**ritos ce**les**tes e **san**tos do Se**nhor**,
can**tai** com ale**gria** um **hino** ao nosso **Deus**. Aleluia.

Ant. 3 Vós **már**tires **to**dos em **coro**,
lou**vai** o Se**nhor** nas al**turas**! (T.P. Aleluia).

Fora do Tempo pascal

Leitura breve 2Cor 1,3-5

Bendito seja o Deus e Pai de nosso Senhor Jesus Cristo, o Pai das misericórdias e Deus de toda consolação. Ele nos consola em todas as nossas aflições, para que, com a consolação que nós mesmos recebemos de Deus, possamos consolar os que se acham em toda e qualquer aflição. Pois, à medida que os sofrimentos de Cristo crescem para nós, cresce também a nossa consolação por Cristo.

Responsório breve

R. Os **san**tos e os **jus**tos
* Vi**ve**rão eterna**men**te. R. Os **san**tos.
V. E a **sua** recom**pen**sa é o Se**nhor**. * Vi**ve**rão.
Glória ao **Pai**. R. Os **san**tos.

Laudes

Cântico evangélico, ant.
Felizes de **vós**, os perse**gui**dos
por **cau**sa da justiça do Se**nhor**,
porque o **Reino** dos **céus** há de ser **vos**so!

Preces
Irmãos, celebremos nosso Salvador, a Testemunha fiel, nos mártires que deram a vida pela palavra de Deus; e digamos:
R. **Com vosso sangue nos remistes, Senhor!**

Por intercessão de vossos mártires que abraçaram livremente a morte para testemunharem a sua fé,
– dai-nos, Senhor, a verdadeira liberdade de espírito.   R.

Por intercessão de vossos mártires, que proclamaram a fé derramando o próprio sangue,
– dai-nos, Senhor, pureza e constância na fé.   R.

Por intercessão de vossos mártires que, carregando a cruz, seguiram vossos passos,
– dai-nos, Senhor, suportar com coragem as dificuldades da vida
       R.

Por intercessão de vossos mártires, que lavaram suas vestes no sangue do Cordeiro,
– dai-nos, Senhor, vencer todas as ciladas da carne e do mundo.   R.

       (intenções livres)
Pai nosso...

Oração
Não havendo oração própria, diz-se uma das seguintes:
Deus todo-poderoso, que destes aos santos N. e N. a graça de sofrer pelo Cristo, ajudai também a nossa fraqueza, para que possamos viver firmes em nossa fé, como eles não hesitaram em morrer por vosso amor. Por nosso Senhor Jesus Cristo, vosso Filho, na unidade do Espírito Santo.
Ou:
Ó Deus, ao comemorarmos todos os anos a paixão dos mártires N. e N., dai-nos a alegria de ver atendidas as nossas preces, para imitarmos sua firmeza na fé. Por nosso Senhor Jesus Cristo, vosso Filho, na unidade do Espírito Santo.

Para virgens mártires:

Ó Deus, que hoje nos alegrais com a comemoração de vossas santas N. e N., concedei que sejamos ajudados pelos seus méritos e iluminados pelos seus exemplos de castidade e fortaleza. Por nosso Senhor Jesus Cristo, vosso Filho, na unidade do Espírito Santo.

Para santas mulheres:

Ó Deus, cuja força se manifesta na fraqueza, fazei que, ao celebrarmos a glória das santas N. e N., que de vós receberam a força para vencer, obtenhamos, por sua intercessão, a graça da vitória. Por nosso Senhor Jesus Cristo, vosso Filho, na unidade do Espírito Santo.

No Tempo pascal

Leitura breve   1Jo 5,3-5

Isto é amar a Deus: observar os seus mandamentos. E os seus mandamentos não são pesados, pois todo o que nasceu de Deus vence o mundo. E esta é a vitória que venceu o mundo: a nossa fé. Quem é o vencedor do mundo, senão aquele que crê que Jesus é o Filho de Deus?

Responsório breve

R. Uma eterna alegria coroará sua cabeça.
* Aleluia, aleluia. R. Uma eterna.
V. Alegria e regozijo eles hão de alcançar.
* Aleluia. Glória ao Pai. R. Uma eterna.

Cântico evangélico, ant.

Santos todos do Senhor, alegrai-vos e exultai,
porque a vossa recompensa
nos céus é muito grande. Aleluia.

Preces

Irmãos, celebremos nosso Salvador, a Testemunha fiel, nos mártires que deram a vida pela palavra de Deus; e digamos:

R. Com vosso sangue nos remistes, Senhor!

Por intercessão de vossos mártires que abraçaram livremente a morte para testemunharem a sua fé,
— dai-nos, Senhor, a verdadeira liberdade de espírito.   R.

Laudes

Por intercessão de vossos mártires, que proclamam a fé derramando o próprio sangue,
– dai-nos, Senhor, pureza e constância na fé. **R.**

Por intercessão de vossos mártires que, carregando a cruz, seguiram vossos passos,
– dai-nos, Senhor, suportar com coragem as dificuldades da vida. **R.**

Por intercessão de vossos mártires, que lavaram suas vestes no sangue do Cordeiro,
– dai-nos, Senhor, vencer todas as ciladas da carne e do mundo. **R.**

(intenções livres)

Pai nosso...

Oração

Não havendo oração própria, diz-se uma das seguintes:

Ó Deus, força na fé e auxílio na fraqueza, associai-nos à paixão e ressurreição do vosso Filho, pelo exemplo e preces dos mártires N. e N., para gozarmos eternamente com eles a perfeita alegria da vossa presença. Por nosso Senhor Jesus Cristo, vosso Filho, na unidade do Espírito Santo.

Ou:

Alegre-nos, ó Pai, o triunfo de vossos mártires N. e N. aos quais destes a graça de proclamar a paixão e ressurreição do vosso Filho, derramando o sangue em morte gloriosa. Por nosso Senhor Jesus Cristo, vosso Filho, na unidade do Espírito Santo.

Para virgens mártires:

Ó Deus, que hoje nos alegrais com a comemoração de vossas santas N. e N., concedei que sejamos ajudados pelos seus méritos e iluminados pelos seus exemplos de castidade e fortaleza. Por nosso Senhor Jesus Cristo, vosso Filho, na unidade do Espírito Santo.

Para santas mulheres:

Ó Deus, cuja força se manifesta na fraqueza, fazei que, ao celebrarmos a glória das santas N. e N., que de vós receberam a força para vencer, obtenhamos por sua intercessão, a graça da vitória. Por nosso Senhor Jesus Cristo, vosso Filho, na unidade do Espírito Santo.

1498

Comum de vários mártires

Hora Média

Ant. Vós lhes **des**tes, ó Se**nhor**, um nome **san**to e glorioso e a co**ro**a de jus**ti**ça (T.P. Ale**lui**a).

Leitura breve

Fora do Tempo pascal: cf. Hb 11,33

Os santos, pela fé, conquistaram reinos, praticaram a justiça, foram contemplados com promessas em Cristo Jesus nosso Senhor.

No Tempo pascal: Ap 3,21

Ao vencedor farei sentar-se comigo no meu trono, como também eu venci e estou sentado com meu Pai no seu trono.

V. Vossa tris**te**za breve**men**te (T.P. Ale**lui**a).
R. Vai mu**dar**-se em ale**gri**a (T.P. Ale**lui**a).

Oração como nas Laudes.

II Vésperas

Hino

Dos que partilham a glória dos santos,
queremos juntos cantar os louvores
e celebrar as ações gloriosas
da nobre estirpe de tais vencedores.

Temeu o mundo e os(as) lançou na prisão,
por desprezarem os seus atrativos
como de terra sem água e sem flores,
e vos seguiram, Jesus, Rei dos vivos.

Por vós, contenda feroz enfrentaram
sem murmurar, nem queixar-se de ofensa,
de coração silencioso e espírito
bem consciente, em fiel paciência.

Que verbo ou voz poderá descrever
o prêmio eterno que aos mártires dais?
Louros vermelhos, brilhantes de sangue,
são seus ornatos, troféus imortais.

II Vésperas

1499

A vós, ó Deus Uno e Trino, pedimos:
dai-nos a paz, a ventura e o bem,
lavai a culpa, afastai todo o mal.
Vós que reinais pelos séculos. Amém.

Salmodia

Ant. 1 Os **cor**pos dos **san**tos re**pou**sam na **paz**;
vive**rão** para **sem**pre seus **no**mes na **gló**ria
(T.P. Ale**lu**ia).

Salmo 114(116A)

– ¹ Eu amo o Se**nhor**, porque **ou**ve *
o **gri**to da minha oração.
– ² Incli**nou** para mim seu ouvido, *
no **di**a em que eu o invoquei.
– ³ Pren**di**am-me as cordas da morte, *
aper**ta**vam-me os laços do abismo;
= ⁴ inva**di**am-me angústia e tristeza: †
eu en**tão** invoquei o Senhor: *
"Sal**vai**, ó Senhor, minha vida!"
– ⁵ O Se**nhor** é justiça e bondade, *
nosso **Deus** é amor-compaixão.
– ⁶ É o Se**nhor** quem defende os humildes: *
eu estava oprimido, e salvou-me.
– ⁷ Ó minh'**al**ma, retorna à tua paz, *
o Se**nhor** é quem cuida de ti!
= ⁸ Liber**tou** minha vida da morte, †
enxu**gou** de meus olhos o pranto *
e li**vrou** os meus pés do tropeço.
– ⁹ Anda**rei** na presença de Deus, *
junto a **e**le na terra dos vivos.

Ant. Os **cor**pos dos **san**tos re**pou**sam na **paz**;
vive**rão** para **sem**pre seus **no**mes na **gló**ria
(T.P. Ale**lu**ia).

Ant. 2 Fi**éis** teste**mu**nhas são **es**tes
pois **de**ram por **Deus** suas vidas (T.P. Ale**lu**ia).

Comum de vários mártires

Salmo 115(116B)

– [10]Guardei a minha fé, mesmo dizendo: *
"É demais o sofrimento em minha vida!"
– [11]Confiei, quando dizia na aflição: *
"Todo homem é mentiroso! Todo homem!"
– [12]Que poderei retribuir ao Senhor Deus *
por tudo aquilo que ele fez em meu favor?
– [13]Elevo o cálice da minha salvação, *
invocando o nome santo do Senhor.
– [14]Vou cumprir minhas promessas ao Senhor *
na presença de seu povo reunido.
– [15]É sentida por demais pelo Senhor *
a morte de seus santos, seus amigos.
= [16]Eis que sou o vosso servo, ó Senhor, †
vosso servo que nasceu de vossa serva; *
mas me quebrastes os grilhões da escravidão!
– [17]Por isso oferto um sacrifício de louvor, *
invocando o nome santo do Senhor.
– [18]Vou cumprir minhas promessas ao Senhor *
na presença de seu povo reunido;
– [19]nos átrios da casa do Senhor, *
em teu meio, ó cidade de Sião!

Ant. Fiéis testemunhas são estes
pois deram por Deus suas vidas (T.P. Aleluia).

Ant. 3 Eis os mártires fortes e fiéis;
pela Aliança do Senhor deram a vida,
lavando as vestes no sangue do Cordeiro.
(T.P. Aleluia).

Cântico   Ap 4,11; 5,9. 10.12

– [4,11]Vós sois digno, Senhor nosso Deus, *
de receber honra, glória e poder!
(R. Poder, honra e glória ao Cordeiro de Deus!)
=   Porque todas as coisas criastes, †
é por vossa vontade que existem, *
e subsistem porque vós mandais.   (R.)

II Vésperas   1501

= [5,9] Vós sois **digno**, Senhor nosso Deus, †
de o **livro** nas mãos receber *
e de **abrir** suas folhas lacradas!   (R.)

– Porque **fos**tes por nós imolado; *
para **Deus** nos remiu vosso sangue
– dentre **to**das as tribos e línguas, *
dentre os **po**vos da terra e nações.   (R.)

= [10] Pois fi**zes**tes de nós, para Deus, †
sacer**do**tes e povo de reis, *
e i**re**mos reinar sobre a terra.   (R.)

= [12] O Cor**dei**ro imolado é digno †
de rece**ber** honra, glória e poder, *
sabedo**ria**, louvor, divindade!   (R.

Ant. Eis os **már**tires **for**tes e fi**éis**;
pela Ali**an**ça do Se**nhor** deram a **vi**da,
lavando as **ves**tes no **san**gue do Cor**dei**ro.
(T.P. Ale**lui**a).

Fora do Tempo pascal

Leitura breve   1Pd 4,13-14

Alegrai-vos por participar dos sofrimentos de Cristo, para que possais também exultar de alegria na revelação da sua glória. Se sofreis injúrias por causa do nome de Cristo, sois felizes, pois o Espírito da glória, o Espírito de Deus repousa sobre vós.

Responsório breve

R. Regozi**jai**-vos no Se**nhor,**
* Ó **jus**tos, exul**tai!** R. Regozi**jai**-vos.
V. Corações **re**tos, ale**grai**-vos! * Ó **jus**tos.
Glória ao **Pai.** R. Regozi**jai**-vos.

Cântico evangélico, ant.

Alegrem-se nos **céus** os a**mi**gos do Se**nhor,**
que se**gui**ram os seus **pas**sos;
derra**ma**ram o seu **san**gue por a**mor** a Jesus **Cris**to,
e com **ele** reina**rão.**

Comum de vários mártires

Preces

Nesta hora em que o Rei dos mártires ofereceu sua vida na última Ceia e a entregou na cruz, demos-lhe graças, dizendo:

R. **Nós vos louvamos e bendizemos, Senhor!**

Nós vos agradecemos, ó Salvador, fonte e exemplo de todo martírio, porque nos amastes até o fim: R.

Porque viestes chamar os pecadores arrependidos para o prêmio da vida eterna: R.

Porque destes à vossa Igreja, como sacrifício para a remissão dos pecados, o Sangue da nova e eterna Aliança: R.

Porque a vossa graça nos mantém até hoje perseverantes na fé: R.

(intenções livres)

Porque associastes à vossa morte, neste dia, muitos de nossos irmãos: R.

Pai nosso...

Não havendo Oração própria, como nas Laudes, p. 1495.

No Tempo pascal

Leitura breve Ap 7,14b-17

Esses são os que vieram da grande tribulação. Lavaram e alvejaram as suas roupas no sangue do Cordeiro. Por isso, estão diante do trono de Deus e lhe prestam culto, dia e noite, no seu templo. E aquele que está sentado no trono os abrigará na sua tenda. Nunca mais terão fome nem sede. Nem os molestará o sol nem algum calor ardente. Porque o Cordeiro, que está no meio do trono, será o seu pastor e os conduzirá às fontes da água da vida. E Deus enxugará as lágrimas de seus olhos.

Responsório breve

R. Os **jus**tos brilha**rão** como o **sol** ante o Se**nhor**.

    * Ale**lui**a, ale**lui**a. R. Os **jus**tos.

V. E os de **reto** cora**ção** hão de fi**car** muito ale**gres**.

    * Ale**lui**a. Glória ao **Pai**. R. Os **jus**tos.

Comum de um(a) mártir   1503

Cântico evangélico, ant.
Ó **San**tos, alegrai-vos na pre**sen**ça: do Cor**dei**ro;
pois o **Rei**no do Se**nhor** para **vós** foi prepa**ra**do
desde a o**ri**gem do uni**ver**so. Ale**lui**a!

Preces
Nesta hora em que o Rei dos mártires ofereceu sua vida na última
Ceia e a entregou na cruz, demos-lhe graças, dizendo:
R. **Nós vos louvamos e bendizemos, Senhor!**
Nós vos agradecemos, ó Salvador, fonte e exemplo de todo mar-
tírio, porque nos amastes até o fim: R.

Porque viestes chamar os pecadores arrependidos para o prêmio
da vida eterna: R.

Porque destes à vossa Igreja, como sacrifício para a remissão
dos pecados, o Sangue da nova e eterna Aliança: R.

Porque a vossa graça nos mantém até hoje perseverantes na fé:

R.
(intenções livres)

Porque associastes à vossa morte, neste dia, muitos de nossos
irmãos e irmãs: R.

Pai nosso...

Não havendo Oração própria, como nas Laudes, p. 1497.

PARA UM(A) MÁRTIR

I Vésperas

HINO Ó Deus, dos vossos heróis, como nas II Vésperas p. 1514, ou Da
Mãe Autor p. 1515.

Salmodia
Ant. 1 Quem de **mim** der teste**mu**nho ante os **ho**mens,
       darei de**le** o teste**mu**nho ante meu **Pai** (T.P. Ale**lui**a).

Salmo 117(118)

I

— Dai **graças** ao **Senhor**, porque ele é **bom**! *
  "**Eterna** é a sua misericórdia!"
— A **casa** de Israel agora o diga: *
  "**Eterna** é a sua misericórdia!"
— A **casa** de Aarão agora o diga: *
  "**Eterna** é a sua misericórdia!"
— Os que **temem** o Senhor agora o digam: *
  "**Eterna** é a sua misericórdia!"
— Na minha an**gústia** eu clamei pelo Senhor, *
  e o Se**nhor** me atendeu e libertou!
— O Se**nhor** está comigo, nada temo; *
  o que **po**de contra mim um ser humano?
— O Se**nhor** está comigo, é o meu auxílio, *
  hei de **ver** meus inimigos humilhados.
— É me**lhor** buscar refúgio no Senhor *
  do que **pôr** no ser humano a esperança;
— é me**lhor** buscar refúgio no Senhor *
  do que con**tar** com os poderosos deste mundo!
— Povos pa**gãos** me rodearam todos eles, *
  mas em **no**me do Senhor os derrotei;
— de todo **la**do todos eles me cercaram, *
  mas em **no**me do Senhor os derrotei;
= como um en**xa**me de abelhas me atacaram, †
  como um **fo**go de espinhos me queimaram, *
  mas em **no**me do Senhor os derrotei.
— Empur**ra**ram-me, tentando derrubar-me, *
  mas **vei**o o Senhor em meu socorro.
— O Se**nhor** é minha força e o meu canto, *
  e tor**nou**-se para mim o Salvador.
— "Cla**mo**res de alegria e de vitória *
  res**so**em pelas tendas dos fiéis.
= A mão di**rei**ta do Senhor fez maravilhas, †
  a mão di**rei**ta do Senhor me levantou, *
  a mão di**rei**ta do Senhor fez maravilhas!" —

I Vésperas 1505

— [17] Não morre**rei**, mas, ao contrário, viverei *
para can**tar** as grandes obras do Senhor!
— [18] O Se**nhor** severamente me provou, *
mas **não** me abandonou às mãos da morte.

Ant. Quem de **mim** der teste**mu**nho ante os **ho**mens,
darei **de**le o teste**mu**nho ante meu **Pai.** (T.P. Ale**lui**a).

Ant. 2 Quem me **se**gue não ca**mi**nha em meio às **tre**vas,
mas te**rá** a luz da **vi**da, diz Je**sus.** (T.P. Ale**lui**a).

II

— [19] Abri-me **vós**, abri-me as **por**tas da jus**ti**ça; *
quero en**trar** para dar graças ao Senhor!
— [20] "Sim, **es**ta é a porta do Senhor, *
por **e**la só os justos entrarão!"
— [21] Dou-vos **gra**ças, ó Senhor, porque me ouvistes *
e vos tor**nas**tes para mim o Salvador!
— [22] "A **pe**dra que os pedreiros rejeitaram *
tor**nou**-se agora a pedra angular.
— [23] Pelo Se**nhor** é que foi feito tudo isso: *
Que maravilhas ele fez a nossos olhos!
— [24] Este é o **dia** que o Senhor fez para nós, *
ale**gre**mo-nos e nele exultemos!
— [25] Ó Se**nhor**, dai-nos a vossa salvação, *
ó Se**nhor**, dai-nos também prosperidade!"
— [26] Ben**di**to seja, em nome do Senhor, *
a**que**le que em seus átrios vai entrando!
— Desta **ca**sa do Senhor vos bendizemos. *
[27] Que o Se**nhor** e nosso Deus nos ilumine!

— Empu**nhai** ramos nas mãos, formai cortejo, *
aproxi**mai**-vos do altar, até bem perto!
— [28] Vós sois meu **Deus**, eu vos bendigo e agradeço! *
Vós sois meu **Deus**, eu vos exalto com louvores!
— [29] Dai **gra**ças ao Senhor, porque ele é bom! *
"**E**terna é a sua misericórdia!"

Ant. Quem me **se**gue não ca**mi**nha em meio às **tre**vas,
mas te**rá** a luz da **vi**da, diz Jesus (T.P. Ale**lui**a).

1506   **Comum de um(a) mártir**

Ant. 3 Como são **gran**des em **nós** os sofri**men**tos de **Cris**to,
assim, por **ele**, é **gran**de o con**so**lo que **te**mos.
(T.P. Ale**lui**a).

                     Cântico   1Pd 2,21-24

=²¹ O **Cris**to por **nós** pade**ceu**, †
dei**xou**-nos o exemplo a seguir. *
Sigamos, portanto, seus passos!

—²² **Pe**cado nenhum cometeu, *
nem **hou**ve engano em seus lábios.

(R. Por suas **cha**gas nós **fo**mos cu**ra**dos.)

=²³ Insul**ta**do, ele não insultava; †
ao so**frer** e ao ser maltratado, *
ele **não** ameaçava vingança;

— entre**ga**va, porém, sua causa *.
Àquele que é justo juiz.   (R.)

—²⁴ Carre**gou** sobre si nossas culpas *
em seu **cor**po, no lenho da cruz,

= para que, **mor**tos aos nossos pecados, †
na jus**ti**ça de Deus nós vivamos. *
Por suas **cha**gas nós fomos curados.   (R.)

Ant. Como são **gran**des em **nós** os sofri**men**tos de **Cris**to,
assim, por **ele**, é **gran**de o con**so**lo que **te**mos.
(T.P. Ale**lui**a).

Fora do Tempo pascal

Leitura breve   Rm 8,35.37-39

Quem nos separará do amor de Cristo? Tribulação? Angústia?
Perseguição? Fome? Nudez? Perigo? Espada? Mas, em tudo isso,
somos mais que vencedores, graças àquele que nos amou! Tenho
a certeza que nem a morte, nem a vida, nem os anjos, nem os
poderes celestiais, nem o presente nem o futuro, nem as forças
cósmicas, nem a altura, nem a profundeza, nem outra criatura
qualquer será capaz de nos separar do amor de Deus por nós,
manifestado em Cristo Jesus, nosso Senhor.

I Vésperas

Responsório breve

Para um santo mártir:

R. De esplendor e de glória,
* Ó Senhor, o coroastes. R. De esplendor.
V. Vossas obras aos pés lhe pusestes, Senhor.
* Ó Senhor. Glória ao Pai. R. De esplendor.

Para uma santa mártir:

R. O Senhor a escolheu,
* Entre todas preferida. R. O Senhor.
V. O Senhor a fez morar em sua santa habitação.
* Entre todas. Glória ao Pai. R. O Senhor.

Cântico evangélico, ant.

Para um santo mártir:

Por seu **Deus**, são (sto) N. lu**tou** até à **morte**;
supe**rou** as provações, pois Jesus foi sua **força**.

Para uma santa mártir:

San**ta** N. foi for**te** no Senhor;
jamais a sua **luz** haverá de se apagar.

Preces

Nesta hora em que o Rei dos mártires ofereceu sua vida na última
Ceia e a entregou na cruz, demos-lhe graças, dizendo:

R. **Nós vos louvamos e bendizemos, Senhor!**

Nós vos agradecemos, ó Salvador, fonte e exemplo de todo martírio, porque nos amastes até o fim: R.

Porque viestes chamar os pecadores arrependidos para o
prêmio da vida eterna: R.

Porque destes à vossa Igreja, como sacrifício para a remissão
dos pecados, o Sangue da nova e eterna Aliança: R.

Porque a vossa graça nos mantém até hoje perseverantes na fé:

R.

(intenções livres)

Porque associastes à vossa morte, neste dia, muitos de nossos
irmãos: R.

Pai nosso...

Não havendo Oração própria, como nas Laudes, p. 1511.

1508   Comum de um(a) mártir

No Tempo pascal

Leitura breve   Ap 3,10-12
Porque guardaste a minha ordem de perseverar, também eu te
vou guardar da hora da provação, que está para vir sobre todo o
universo, para pôr à prova os habitantes da terra. Eu venho logo!
Guarda bem o que recebeste, para que ninguém roube a tua coroa.
Do vencedor vou fazer uma coluna no templo do meu Deus, e daí
não sairá. Nela gravarei o nome do meu Deus, e o nome da cidade
do meu Deus, a nova Jerusalém, que desce do céu, de junto do meu
Deus. E gravarei nela também o meu novo nome.

Responsório breve
R. Vós **san**tos e **elei**tos, ale**grai**-vos no Se**nhor**!
    * Ale**lui**a, ale**lui**a. R. Vós **san**tos.
V. Porque **Deus** vos escol**heu** para **ser**des sua he**ran**ça.
    * Ale**lui**a. Glória ao **Pai**. R. Vós **san**tos.

Cântico evangélico, ant.
A luz e**ter**na brilha**rá** aos vossos **san**tos,
e a **vi**da para **sem**pre, ale**lui**a.

Preces
Nesta hora em que o Rei dos mártires ofereceu sua vida na última
Ceia e a entregou na cruz, demos-lhe graças, dizendo:
R. **Nós vos louvamos e bendizemos, Senhor!**
Nós vos agradecemos, ó Salvador, fonte e exemplo de todo mar-
tírio, porque nos amastes até o fim: R.
Porque viestes chamar os pecadores arrependidos para o prêmio
da vida eterna: R.
Porque destes à vossa Igreja, como sacrifício para a remissão
dos pecados, o Sangue da nova e eterna Aliança: R.
Porque a vossa graça nos mantém até hoje perseverantes na fé:
                                                       R.
                                        (intenções livres)

Porque associastes à vossa morte, neste dia, muitos de nossos
irmãos e irmãs.   R.

Pai nosso...

Não havendo Oração própria, como nas Laudes, p. 1513.

Laudes

Hino

Ó mártir de Deus, que seguindo
o Filho divino, com amor,
venceste o poder inimigo
e gozas no céu, vencedor.

Na graça da tua oração,
das culpas apaga o sinal,
afasta o desgosto da vida,
afasta o contágio do mal.

Desfeitos os laços do corpo,
triunfas com Cristo nos céus:
Dos laços do mundo nos livra
por causa do Filho de Deus.

Louvor a Deus Pai com o Filho,
e ao Sopro de vida também.
Os Três, com coroa de glória,
no céu te cingiram. Amém.

Para uma virgem mártir:

Do casto sois modelo,
do mártir, fortaleza;
a ambos dais o prêmio:
ouvi-nos com presteza.

Louvamos esta virgem
tão grande e de alma forte,
por duas palmas nobre,
feliz por dupla sorte.

Fiel no testemunho,
do algoz o braço armou,
e a vós, na confiança,
o espírito entregou.

Vencendo assim as chagas
e o seu perseguidor,
e o mundo lisonjeiro,
a fé nos ensinou.

1510   Comum de um(a) mártir

Por sua intercessão,
as culpas perdoai.
E, livres do pecado,
na graça nos guardai.

Jesus, da Virgem Filho,
louvor a vós convém,
ao Pai e ao Espírito
nos séculos. Amém.

Ant. 1 Vosso **amor** vale **mais** do que a **vida**,
e por **isso** meus **lábios** vos **louvam** (T.P. Aleluia).

Salmos e cântico do domingo da I Semana, p. 764.

Ant. 2 Vós, **mártires de Deus**, bendizei-o para **sempre**!
(T.P. Aleluia).

Ant. 3 Eu **farei** do vence**dor** uma co**luna** no meu **tem**plo
(T.P. Aleluia).

Fora do Tempo pascal

Leitura breve   2Cor 1,3-5

Bendito seja o Deus e Pai de nosso Senhor Jesus Cristo, o Pai das
misericórdias e Deus de toda consolação. Ele nos consola em todas
as nossas aflições, para que, com a consolação que nós mesmos
recebemos de Deus, possamos consolar os que se acham em toda
e qualquer aflição. Pois, à medida que os sofrimentos de Cristo
crescem para nós, cresce também a nossa consolação por Cristo.

Responsório breve

R. O Se**nhor** é minha **força**,
   * Ele **é** o meu **can**to. R. O Se**nhor**.
V. E tor**nou**-se para **mim** o Salva**dor**. * Ele **é**.
   Glória ao **Pai**. R. O Se**nhor**.

Cântico evangélico, ant.

Quem per**der** a sua **vida** neste **mun**do,
vai guar**dá**-la eterna**men**te para os **céus**.

Preces

Irmãos, celebremos nosso Salvador, a Testemunha fiel, nos mártires que deram a vida pela palavra de Deus; e digamos:

R. **Com vosso sangue nos remistes, Senhor!**

Laudes

1511

Por intercessão de vossos mártires que abraçaram livremente a morte para testemunharem a sua fé,
– dai-nos, Senhor, a verdadeira liberdade de espírito. **R.**

Por intercessão de vossos mártires, que proclamaram a fé, derramando o próprio sangue,
– dai-nos, Senhor, pureza e constância na fé. **R.**

Por intercessão de vossos mártires que, carregando a cruz, seguiram vossos passos,
– dai-nos, Senhor, suportar com coragem as dificuldades da vida.
R.

Por intercessão de vossos mártires, que lavaram suas vestes no sangue do Cordeiro,
– dai-nos, Senhor, vencer todas as ciladas da carne e do mundo.
R.

(intenções livres)

Pai nosso...

Oração

Não havendo oração própria, diz-se uma das seguintes:

Deus onipotente e misericordioso, destes a são (sto.) **N.** superar as torturas do martírio. Concedei que, celebrando o dia do seu triunfo, passemos invictos por entre as ciladas do inimigo, graças à vossa proteção. Por nosso Senhor Jesus Cristo, vosso Filho, na unidade do Espírito Santo.

Ou:

Deus eterno e todo-poderoso, que destes a são (sto.) **N.** a graça de lutar pela justiça até a morte, concedei-nos, por sua intercessão, suportar por vosso amor as adversidades; e correr ao encontro de vós que sois a nossa vida. Por nosso Senhor Jesus Cristo, vosso Filho, na unidade do Espírito Santo.

Para uma virgem mártir:

Ó Deus, que hoje nos alegrais com a comemoração de santa **N.**, concedei que sejamos ajudados pelos seus méritos e iluminados pelos seus exemplos de castidade e fortaleza. Por nosso Senhor Jesus Cristo, vosso Filho, na unidade do Espírito Santo.

1512   Comum de um(a) mártir

Para uma santa mulher:

Ó Deus, cuja força se manifesta na fraqueza, fazei que, ao celebrarmos a glória de santa N., que de vós recebeu a força para vencer, obtenhamos, por sua intercessão, a graça da vitória. Por nosso Senhor Jesus Cristo, vosso Filho, na unidade do Espírito Santo.

No Tempo pascal

Leitura breve   1Jo 5,3-5

Isto é amar a Deus: observar os seus mandamentos. E os seus mandamentos não são pesados, pois todo o que nasceu de Deus vence o mundo. E esta é a vitória que venceu o mundo: a nossa fé. Quem é o vencedor do mundo, senão aquele que crê que Jesus é o Filho de Deus?

Responsório breve

R. Uma e**ter**na ale**gri**a coroa**rá** sua ca**be**ça.
     * Ale**lui**a, ale**lui**a. R. Uma e**ter**na.
V. Alegria e regozijo eles **hão** de alcan**çar**.
     * Ale**lui**a. Glória ao **Pai**. R. Uma e**ter**na.

Cântico evangélico, ant.

Santos **to**dos do S**e**nhor, ale**grai**-vos e exul**tai**,
porque a **vo**ssa recompen**sa** nos **céus** é muito **gran**de.
Ale**lui**a.

Preces

Irmãos, celebremos nosso Salvador, a Testemunha fiel, nos mártires que deram a vida pela palavra de Deus; e digamos:
R. **Com vosso sangue nos remistes, Senhor!**

Por intercessão de vossos mártires que abraçaram livremente a morte para testemunharem a sua fé,
   — dai-nos, Senhor, a verdadeira liberdade de espírito.   R.

Por intercessão de vossos mártires, que proclamaram a fé, derramando o próprio sangue,
   — dai-nos, Senhor, pureza e constância na fé.   R.

Por intercessão de vossos mártires que, carregando a cruz, seguiram vossos passos,

Hora Média 1513

– dai-nos, Senhor, suportar com coragem as dificuldades da vida. R.

Por intercessão de vossos mártires, que lavaram suas vestes no sangue do Cordeiro,
– dai-nos, Senhor, vencer todas as ciladas da carne e do mundo. R.

(intenções livres)

Pai nosso...

Oração

Não havendo oração própria, diz-se uma das seguintes:

Ó Deus, que exaltastes são (sto.) N. com a vitória do martírio, para a glória da vossa Igreja, dai-nos seguir seus passos na imitação da paixão do Senhor e conquistar a eterna alegria. Por nosso Senhor Jesus Cristo, vosso Filho, na unidade do Espírito Santo.

Ou:

Ó Deus, celebrando o vosso poder, nós vos pedimos que são (sto.) N. seja tão pronto em socorrer-nos, como o foi em imitar a paixão do Senhor. Que convosco vive e reina, na unidade do Espírito Santo.

Para uma virgem mártir:

Ó Deus, que hoje nos alegrais com a comemoração de santa N., concedei que sejamos ajudados pelos seus méritos e iluminados pelos seus exemplos de castidade e fortaleza. Por nosso Senhor Jesus Cristo, vosso Filho, na unidade do Espírito Santo.

Para uma santa mulher:

Ó Deus, cuja força se manifesta na fraqueza, fazei que, ao celebrarmos a glória de santa N., que de vós recebeu a força para vencer, obtenhamos, por sua intercessão, a graça da vitória. Por nosso Senhor Jesus Cristo, vosso Filho, na unidade do Espírito Santo.

Hora Média

Ant. Vós lhe **destes**, ó Se**nhor**, um nome **san**to e glori**o**so,
e a co**ro**a da justi**ça** (T.P. Ale**luia**).

1514 — Comum de um(a) mártir

Leitura breve

Fora do Tempo pascal: Tg 1,12

Feliz o homem que suporta a provação. Porque, uma vez provado, receberá a coroa da vida, que o Senhor prometeu àqueles que o amam.

Tempo pascal: Ap 3,21

Ao vencedor farei sentar-se comigo no meu trono, como também eu venci e estou sentado com meu Pai no seu trono.

V. O Senhor está comigo, nada temo (T.P. Aleluia).
R. Que poderia contra mim um ser mortal? (T.P. Aleluia).
Oração como nas Laudes.

II Vésperas

Hino

Ó Deus, dos vossos heróis
coroa, prêmio e destino,
livrai do peso da culpa
quem canta ao(à) mártir um hino.

Seus lábios deram a prova
da fé do seu coração.
Seguindo a Cristo, o encontra
do sangue pela efusão.

Do mundo a vã alegria
julgou fugaz, transitória,
chegando assim, jubiloso(a),
ao gozo eterno da glória.

Passou por duros tormentos
com força e muito valor.
Por vós vertendo seu sangue,
possui os dons do Senhor.

Ó Deus dos fortes, rogamos:
por essa imensa vitória,
livrai da culpa os cativos,
mostrando em nós vossa glória,

para podermos, no céu,
com ele (ela) o prêmio gozar
e, para sempre felizes,
vossos louvores cantar.

II Vésperas 1515

Louvor e glória a Deus Pai,
com o seu Filho também,
e o Divino Paráclito
agora e sempre. Amém.

Para uma virgem mártir:

Da Mãe Autor, da Virgem Filho,
que a Virgem trouxe e deu à luz,
ouvi os cantos da vitória
de outra virgem, ó Jesus.

Por dupla sorte contemplada,
sua fraqueza superou:
na virgindade vos seguindo,
por vós seu sangue derramou.

Sem temer a morte nem suplícios,
em duras penas mereceu,
pelo seu sangue derramado,
subir radiante para o céu.

Ó Deus santíssimo, atendei-nos
por sua prece e intercessão.
E os corações purificados
glória sem fim vos cantarão.

Salmodia

Ant. 1 Quem quiser me seguir renuncie a si mesmo,
e, tomando sua cruz, acompanhe meus passos
(T.P. Aleluia).

Salmo 114(116A)

– ¹ Eu amo o Senhor, porque ouve *
o grito da minha oração.
– ² Inclinou para mim seu ouvido, *
no dia em que eu o invoquei.
– ³ Prendiam-me as cordas da morte, *
apertavam-me os laços do abismo;
= invadiam-me angústia e tristeza: †
⁴ eu então invoquei o Senhor: *
"Salvai, ó Senhor, minha vida!" –

1516 Comum de um(a) mártir

– ⁵O Se**nhor** é justiça e bondade, *
  nosso **Deus** é amor-compaixão.
– ⁶É o Se**nhor** quem defende os humildes: *
  eu esta**va** oprimido, e salvou-me.
– ⁷Ó minh'**alma**, retorna à tua paz, *
  o Se**nhor** é quem cuida de ti!
= ⁸Liber**tou** minha vida da morte, †
  enxu**gou** de meus olhos o pranto *
  e liv**rou** os meus pés do tropeço.
– ⁹Anda**rei** na presença de Deus, *
  junto a **ele** na terra dos vivos.

Ant. Quem qui**ser** me se**guir** renun**cie** a si **mesmo**,
   e to**man**do sua **cruz**, acompanhe meus **passos**
   (T.P. Ale**luia**).

Ant. 2 Se al**guém** me ser**vir**, o meu **Pai** o honra**rá**
   (T.P. Ale**luia**).

Salmo 115(116 B)

– ¹⁰Guar**dei** a minha **fé**, mesmo di**zendo**: *
  "É de**mais** o sofrimento em minha vida!"
– ¹¹Confi**ei**, quando dizia na aflição: *
  "Todo **ho**mem é mentiroso! Todo homem!"
– ¹²Que pode**rei** retribuir ao Senhor Deus *
  por tudo a**qui**lo que ele fez em meu favor?
– ¹³Elevo o **cá**lice da minha salvação, *
  invo**can**do o nome santo do Senhor.
– ¹⁴Vou cum**prir** minhas promessas ao Senhor *
  na pre**sen**ça de seu povo reunido.

– ¹⁵É sen**ti**da por demais pelo Senhor *
  a **mor**te de seus santos, seus amigos.
= ¹⁶Eis que **sou** o vosso servo, ó Senhor, †
  vosso **ser**vo que nasceu de vossa serva; *
  mas me que**bras**tes os grilhões da escravidão!

– ¹⁷Por isso o**fer**to um sacrifício de louvor, *
  invo**can**do o nome santo do Senhor.

II Vésperas 1517

—[18] Vou cum**prir** minhas promessas ao Senhor *
na pre**sen**ça de seu povo reunido;
—[19] nos **á**trios da casa do Senhor, *
em teu **mei**o, ó cidade de Sião!

Ant. Se al**guém** me ser**vir**, o meu **Pai** o honra**rá**
(T.P. Ale**luia**).

Ant. 3 Quem per**der** sua **vi**da por **mim**
vai guar**dá**-la nos **céus** para **sem**pre (T.P. Ale**luia**).

Cântico   Ap 4,11; 5,9.10.12

—[4,11] Vós sois **digno**, Se**nhor** nosso **Deus**, *
de rece**ber** honra, glória e poder!

(**R.** **Poder**, honra e **gló**ria ao Cor**dei**ro de **Deus**!)

= [5,9] Porque **to**das as coisas criastes, †
é por **vos**sa vontade que existem, *
e sub**sis**tem porque vós mandais.   (R.)

= Vós sois **digno**, Senhor nosso Deus, †
de o **li**vro nas mãos receber *
e de a**brir** suas folhas lacradas!   (R.)

— Porque **fos**tes por nós imolado; *
para **Deus** nos remiu vosso sangue
— dentre **to**das as tribos e línguas, *
dentre os **po**vos da terra e nações.   (R.)

= [10] Pois fi**zes**tes de nós, para Deus, †
sacer**do**tes e povo de reis, *
e i**re**mos reinar sobre a terra.   (R.)

= [12] O Cor**dei**ro imolado é digno †
de rece**ber** honra, glória e poder, *
sabedo**ria**, louvor, divindade!   (R.)

Ant. Quem per**der** sua **vi**da por **mim**
vai guar**dá**-la nos **céus** para **sem**pre (T.P. Ale**luia**).

Fora do Tempo pascal

Leitura breve   1Pd 4,13-14
Alegrai-vos, caríssimos, por participar dos sofrimentos de Cristo,
para que possais também exultar de alegria na revelação da sua

1518   Comum de um(a) mártir

glória. Se sofreis injúrias por causa do nome de Cristo, sois felizes,
pois o Espírito da glória, o Espírito de Deus repousa sobre vós.

Responsório breve
R. Na verdade, ó Senhor, vós nos provastes,
   * Mas finalmente vós nos destes um alívio. R. Na verdade.
V. Depurastes-nos no fogo como a prata.* Mas finalmente.
   Glória ao Pai. R. Na verdade.

Cântico evangélico, ant.
O Reino celeste é a morada dos santos, sua paz para sempre.

Preces
Nesta hora em que o Rei dos mártires ofereceu sua vida na última
Ceia e a entregou na cruz, demos-lhe graças, dizendo:

R. Nós vos louvamos e bendizemos, Senhor!

Nós vos agradecemos, ó Salvador, fonte e exemplo de todo martírio, porque nos amastes até o fim: R.

Porque viestes chamar os pecadores arrependidos para o prêmio
da vida eterna: R.

Porque destes à vossa Igreja, como sacrifício para a remissão
dos pecados, o Sangue da nova e eterna Aliança: R.

Porque a vossa graça nos mantém até hoje perseverantes na fé: R.

                                 (intenções livres)

Porque associastes à vossa morte, neste dia, muitos de nossos
irmãos e irmãs: R.

Pai nosso...

Não havendo Oração própria, como nas Laudes, p. 1511.

No Tempo pascal

Leitura breve   Ap 7,14b-17
Esses são os que vieram da grande tribulação. Lavaram e alvejaram as suas roupas no sangue do Cordeiro. Por isso, estão diante
do trono de Deus e lhe prestam culto, dia e noite, no seu templo. E

II Vésperas 1519

aquele que está sentado no trono os abrigará na sua tenda. Nunca mais terão fome nem sede. Nem os molestará o sol nem algum calor ardente. Porque o Cordeiro, que está no meio do trono, será o seu pastor e os conduzirá às fontes da água da vida. E Deus enxugará as lágrimas de seus olhos.

Responsório breve

R. Os justos brilharão como o sol ante o Senhor.
* Aleluia, aleluia. R. Os justos.
V. E os de reto coração hão de ficar muito alegres.
* Aleluia. Glória ao Pai. R. Os justos.

Cântico evangélico, ant.

Se o grão de trigo não morrer caindo em terra, fica só;
mas se morrer dentro da terra, dará frutos abundantes
(T.P. Aleluia).

Preces

Nesta hora em que o Rei dos mártires ofereceu sua vida na última Ceia e a entregou na cruz, demos-lhe graças, dizendo:
R. Nós vos louvamos e bendizemos, Senhor!

Nós vos agradecemos, ó Salvador, fonte e exemplo de todo martírio, porque nos amastes até o fim: R.

Porque viestes chamar os pecadores arrependidos para o prêmio da vida eterna: R.

Porque destes à vossa Igreja, como sacrifício para a remissão dos pecados, o Sangue da nova e eterna Aliança: R.

Porque a vossa graça nos mantém até hoje perseverantes na fé: R.

(intenções livres)

Porque associastes à vossa morte, neste dia, muitos de nossos irmãos e irmãs: R.

Pai nosso...

Não havendo Oração própria, como nas Laudes, p. 1513.

COMUM DOS PASTORES

I Vésperas

HINO Claro espelho p. 1527 ou Trouxe o ano p. 1528, como nas II Vésperas.

Salmodia

Ant. 1 Hei de **dar**-vos pastores que sejam
segundo o **meu** coração;
sabiamente haverão de guiar-vos (T.P. Aleluia).

Salmo 112(113)

– [1] Louvai, louvai, ó servos do Senhor, *
louvai, louvai o nome do Senhor!
– [2] Bendito seja o nome do Senhor, *
agora e por toda a eternidade!
– [3] Do nascer do sol até o seu ocaso, *
louvado seja o nome do Senhor!

– [4] O Senhor está acima das nações, *
sua glória vai além dos altos céus.
= [5] Quem pode comparar-se ao nosso Deus, †
ao Senhor, que no alto céu tem o seu trono *
[6] e se inclina para olhar o céu e a terra?

– [7] Levanta da poeira o indigente *
e do lixo ele retira o pobrezinho,
– [8] para fazê-lo assentar-se com os nobres, *
assentar-se com os nobres do seu povo.
– [9] Faz a estéril, mãe feliz em sua casa, *
vivendo rodeada de seus filhos.

Ant. Hei de **dar**-vos pastores que sejam
segundo o **meu** coração;
sabiamente haverão de guiar-vos (T.P. Aleluia).

Ant. 2 Eu serei o Bom Pastor de meu rebanho:
procurarei a ovelha extraviada,
trarei de volta a perdida e afastada (T.P. Aleluia).

Salmo 145(146)

= ¹Bendize, minh'alma, ao Senhor! †
²Bendirei ao Senhor toda a vida, *
cantarei ao meu Deus sem cessar!

— ³Não ponhais vossa fé nos que mandam, *
não há homem que possa salvar.

— ⁴Ao faltar-lhe o respiro ele volta †
para a terra de onde saiu; *
nesse dia seus planos perecem.

= ⁵É feliz todo homem que busca †
seu auxílio no Deus de Jacó, *
e que põe no Senhor a esperança.

— ⁶O Senhor fez o céu e a terra, *
fez o mar e o que neles existe.

— O Senhor é fiel para sempre, *
⁷faz justiça aos que são oprimidos;

— ele dá alimento aos famintos, *
é o Senhor quem liberta os cativos.

= ⁸O Senhor abre os olhos aos cegos, †
o Senhor faz erguer-se o caído, *
o Senhor ama aquele que é justo.

= ⁹É o Senhor quem protege o estrangeiro, †
quem ampara a viúva e o órfão, *
mas confunde os caminhos dos maus.

=¹⁰O Senhor reinará para sempre! †
Ó Sião, o teu Deus reinará *
para sempre e por todos os séculos!

Ant. Eu serei o Bom Pastor de meu rebanho:
procurarei a ovelha extraviada,
trarei de volta a perdida e afastada (T.P. Aleluia).

Ant. 3 O Bom Pastor deu a vida pelas suas ovelhas
(T.P. Aleluia).

Cântico   Ef 1,3-10

— ³Bendito e louvado seja Deus, *
o Pai de Jesus Cristo, Senhor nosso,

1522   Comum dos pastores

— que do alto **céu** nos abençoou em Jesus Cristo *
com **bênç**ão espiritual de toda sorte!

(R. Ben**dit**o sejais **vós**, nosso **Pai**,
que **nos** abençoastes em **Cris**to!)

— ⁴ Foi em **Cris**to que Deus Pai nos escolheu, *
já bem **ant**es de o mundo ser criado,

— para que **fôss**emos, perante a sua face, *
sem **mác**ula e santos pelo amor.   (R.)

= ⁵ Por **liv**re decisão de sua vontade, †
predesti**nou**-nos, através de Jesus Cristo, *
a sermos **ne**le os seus filhos adotivos,

— ⁶ para o lou**vor** e para a glória de sua graça, *
que em seu **Fil**ho bem-amado nos doou.   (R.)

— ⁷ É **ne**le que nós temos redenção, *
dos pe**cad**os remissão pelo seu sangue.

= Sua **gra**ça transbordante e inesgotável †
⁸ Deus der**ra**ma sobre nós com abundância, *
de sa**ber** e inteligência nos dotando.   (R.)

— ⁹ E as**sim**, ele nos deu a conhecer *
o mis**tér**io de seu plano e sua vontade,

— que propu**ser**a em seu querer benevolente, *
¹⁰ na pleni**tud**e dos tempos realizar:

— o de**sígn**io de, em Cristo, reunir *
todas as **coi**sas: as da terra e as do céu.   (R.)

Ant. O Bom Pas**tor** deu a **vi**da pelas **sua**s ovelhas
(T.P. Ale**luia**).

Leitura breve   1Pd 5,1-4

Exorto aos presbíteros que estão entre vós, eu, presbítero como eles, testemunha dos sofrimentos de Cristo e participante da glória que será revelada: Sede pastores do rebanho de Deus, confiado a vós; cuidai dele, não por coação, mas de coração generoso; não por torpe ganância, mas livremente; não como dominadores daqueles que vos foram confiados, mas, antes, como modelos do rebanho. Assim, quando aparecer o pastor supremo, recebereis a coroa permanente da glória.

Responsório breve

Fora do Tempo pacal:

R. Sacerdotes do Senhor,
   * Bendizei o Senhor. R. Sacerdotes.
V. Vós, santos e humildes de coração, louvai a Deus.
   * Bendizei. Glória ao Pai. R. Sacerdotes.

Tempo pascal:

R. Sacerdotes do Senhor, bendizei o Senhor.
   * Aleluia, aleluia. R. Sacerdotes.
V. Vós, santos e humildes de coração, louvai a Deus.
   * Aleluia. Glória ao Pai. R. Sacerdotes.

Cântico evangélico, ant.

Para um papa ou bispo:

Sacerdote do Altíssimo, exemplo de virtude,
bom pastor do povo santo, agradastes ao Senhor
(T.P. Aleluia).

Para um presbítero:

Fiz-me tudo para todos, para serem todos salvos
(T.P. Aleluia).

Preces como nas II Vésperas, p. 1532.

Oração como nas Laudes.

Laudes

Hino

Para um pastor:

Hoje cantamos o triunfo
do guia sábio e bom pastor;
que já reina entre os eleitos
a testemunha do Senhor.

Para um papa:

Sentado à cátedra de Pedro,
de imensa grei mestre e pastor,
abriu do Reino eterno a porta,
guardando as chaves do Senhor.

1524 Comum dos pastores

Para um bispo:
Foi sacerdote, guia e mestre
do povo santo do Senhor.
Como prelado e como sábio,
da vida o dom lhe preparou.

Para um presbítero:
Foi guia e mestre mui brilhante,
da vida santa deu lição;
buscou a Deus ser agradável,
mantendo puro o coração.

Oremos para que, bondoso, peça
perdão para os faltosos,
e sua prece nos conduza
do céu aos cumes luminosos.

Poder, louvor, honra e glória
ao Deus eterno e verdadeiro,
que, em suas leis, rege e sustenta,
governa e guia o mundo inteiro.

Para vários pastores:
Estes felizes sacerdotes
e consagrados ao Senhor,
a Deus o povo consagraram,
pastoreando-o com amor.

Guardando as bênçãos recebidas,
cingindo os rins de fortaleza,
sempre constantes, mantiveram
nas mãos as lâmpadas acesas.

Quando o Senhor bateu à porta,
eles, de pé e vigilantes,
foram correndo ao seu encontro,
e o receberam exultantes.

A vós, louvor e glória eterna,
sumo esplendor da Divindade
e Rei dos reis, agora e sempre,
hoje e por toda a eternidade.

Laudes

Ant. 1 Vós sois a luz do **mundo**.
Não se **po**de escon**der** uma ci**da**de situa**da**
sobre o **ci**mo da mon**ta**nha. (T.P.Ale**luia**).

Salmos e cântico do domingo da I Semana p.764.

Ant. 2 Brilhe aos **ho**mens vossa **luz;**
vendo **e**les vossas **o**bras,
deem **gló**ria ao Pai celeste. (T.P.Ale**luia**).

Ant. 3 A pa**la**vra do Se**nhor** é viva e efi**caz;**
é cor**tan**te e pene**tran**te como es**pa**da de dois **gu**mes
(T.P.Ale**luia**).

Leitura breve
Hb 13,7-9a

Lembrai-vos de vossos dirigentes, que vos pregaram a palavra de
Deus, e, considerando o fim de sua vida, imitai-lhes a fé. Jesus
Cristo é o mesmo, ontem e hoje e por toda a eternidade. Não vos
deixeis enganar por qualquer espécie de doutrina estranha.

Responsório breve

Fora do Tempo pascal:

R. Colo**cas**tes senti**ne**las
    *Vigi**an**do vosso **po**vo. R.Colo**cas**tes.
V.Anun**ci**am, dia e **noi**te, vosso **no**me, ó Se**nhor**.
    *Vigi**an**do. Glória ao **Pai**. R.Colo**cas**tes.

Tempo pascal:

R. Colo**cas**tes senti**ne**las vigi**an**do vosso **po**vo.
    *Ale**luia**, ale**luia**. R.Colo**cas**tes.
V.Anun**ci**am, dia e **noi**te, vosso **no**me, ó Se**nhor**.
    *Ale**luia**. Glória ao **Pai**. R.Colo**cas**tes.

Cântico evangélico, ant.
Não sois **vós** que fala**reis,**
é o Es**pí**rito do **Pai** que em **vós** há de fa**lar.**

Preces
Agradeçamos a Cristo, o bom Pastor que deu a vida por suas
ovelhas; e lhe peçamos:

R. **Apascentai, Senhor, o vosso rebanho!**

Cristo, quisestes mostrar vosso amor e misericórdia nos santos
pastores;
– por meio deles, sede sempre misericordioso para conosco. R.

1526   Comum dos pastores

Através dos vossos representantes na terra; continuais a ser o Pastor das nossas almas;
– não vos canseis de nos dirigir por intermédio de nossos pastores.

R. Apascentai, Senhor, o vosso rebanho!

Em vossos santos, que guiam os povos, sois o médico dos corpos e das almas;
– não cesseis de exercer para conosco o ministério da vida e da santidade. R.

Pela sabedoria e caridade dos santos, instruístes o vosso rebanho;
– guiados pelos nossos pastores, fazei-nos crescer na santidade. R.

(intenções livres)

Pai nosso...

Oração

Não havendo oração própria, diz-se uma das seguintes:

Para um papa:

Deus eterno e todo-poderoso, quisestes que são (sto.) N. governasse todo o vosso povo, servindo-o pela palavra e pelo exemplo. Guardai, por suas preces, os pastores de vossa Igreja e as ovelhas a eles confiadas, guiando-os no caminho da salvação eterna. Por nosso Senhor Jesus Cristo, vosso Filho, na unidade do Espírito Santo.

Para um bispo:

Ó Deus, que aos vossos pastores associastes são (sto.) N., animado de ardente caridade e da fé que vence o mundo, dai-nos, por sua intercessão, perseverar na caridade e na fé, para participarmos de sua glória. Por nosso Senhor Jesus Cristo, vosso Filho, na unidade do Espírito Santo.

Para um fundador de Igreja:

Ó Deus, que pela pregação de são (sto.) N. chamastes os nossos pais à luz do Evangelho, fazei-nos, por sua intercessão, crescer continuamente na graça e no conhecimento de nosso Senhor Jesus Cristo. Que convosco vive e reina, na unidade do Espírito Santo.

Para um pastor:

Ó Deus, luz dos que creem e pastor de nossas almas, que colocastes são (sto.) N. à frente da vossa Igreja, para formar os fiéis pela palavra e pelo exemplo, concedei-nos, por sua intercessão, guardar

II Vésperas

a fé que ensinou pela palavra e seguir o caminho que mostrou com sua vida. Por nosso Senhor Jesus Cristo, vosso Filho, na unidade do Espírito Santo.

Ou:

Ó Deus, que enriquecestes são (sto.) N. com o espírito de verdade e de amor para apascentar o vosso povo, concedei-nos, celebrando sua festa, seguir sempre mais o seu exemplo, sustentados por sua intercessão. Por nosso Senhor Jesus Cristo, vosso Filho, na unidade do Espírito Santo.

Para um missionário:

Ó Pai, pela vossa misericórdia, são (sto.) N. anunciou as insondáveis riquezas de Cristo. Concedei-nos, por sua intercessão, crescer no vosso conhecimento e viver na vossa presença segundo o Evangelho, frutificando em boas obras. Por nosso Senhor Jesus Cristo, vosso Filho, na unidade do Espírito Santo.

Hora Média

Ant. Quem vos recebe, a mim recebe;
quem me recebe, ao Pai recebe (T.P. Aleluia).

Leitura breve   1Tm 1,12

Agradeço àquele que me deu força, Cristo Jesus, nosso Senhor, a confiança que teve em mim ao designar-me para o seu serviço.

V. Eu **não** me envergonho do Evangelho (T.P. Aleluia).
R. É a força de Deus para salvar-nos (T.P. Aleluia).

Oração como nas Laudes.

II Vésperas

Hino

Para um pastor:

Claro espelho de virtude,
homem santo, bom pastor,
ouve o hino que, em ti,
louva os prodígios do Senhor,

que, Pontífice perpétuo,
os mortais a Deus uniu,
e, por nova Aliança,
nova paz nos garantiu.

1528

Comum dos pastores

Previdente, ele te fez
do seu dom o servidor,
para dar ao Pai a glória
e a seu povo vida e amor.

Para um papa:
Tendo em mãos do céu as chaves,
governastes com amor
o rebanho de São Pedro
nos caminhos do Senhor.

Para um bispo:
Consagrado pelo Espírito,
que de força te vestiu,
deste o pão da salvação
às ovelhas do redil.

Para um presbítero:
Atingindo alto cume
por palavras e por vida,
doutor foste e sacerdote,
hóstia a Deus oferecida.

Não te esqueças, pede a Deus,
tu que ao céu foste elevado:
que as ovelhas busquem todas
do Pastor o verde prado.

Glória à Trina Divindade,
que, num servo tão fiel,
recompensa os ministérios
com o júbilo do céu.

Para vários pastores:
Trouxe o ano novamente,
uma data de alegria.
Os pastores das ovelhas
celebramos neste dia.

No cuidado do rebanho
não se poupam ao labor
e às pastagens verdejantes
o conduzem com amor.

II Vésperas

Para longe os lobos tangem,
lançam fora o ladrão vil,
alimentam as ovelhas,
nunca deixam o redil.

Ó pastores dos rebanhos,
hoje em glória triunfal,
para nós pedi a graça
ante o justo tribunal.

Cristo, eterno Rei Pastor,
glória a vós e ao Pai também,
com o Espírito Paráclito
pelos séculos. Amém.

Salmodia

Ant. 1 Sou ministro do Evangelho pela graça do Senhor.
(T.P. Aleluia).

Salmo 14(15)

– ¹"Senhor, quem morará em vossa casa *
e em vosso Monte santo habitará?"

– ²É aquele que caminha sem pecado *
e pratica a justiça fielmente;

– ³que pensa a verdade no seu íntimo *
e não solta em calúnias sua língua;

– que em nada prejudica o seu irmão, *
nem cobre de insultos seu vizinho;

– ⁴que não dá valor algum ao homem ímpio, *
mas honra os que respeitam o Senhor;

– que sustenta o que jurou, mesmo com dano; *
⁵não empresta o seu dinheiro com usura,

– nem se deixa subornar contra o inocente. *
Jamais vacilará quem vive assim!

Ant. Sou ministro do Evangelho pela graça do Senhor.
(T.P. Aleluia).

Ant. 2 Eis o servo fiel e prudente,
a quem Deus confiou sua família. (T.P. Aleluia).

Salmo 111(112)

– ¹ Feliz o **ho**mem que res**pei**ta o Se**nhor** *
e que **a**ma com carinho a sua lei!
– ² Sua descen**dên**cia será forte sobre a terra, *
aben**ço**ada a geração dos homens retos!
– ³ Haverá **gló**ria e riqueza em sua casa, *
e perma**ne**ce para sempre o bem que fez.
– ⁴ Ele é cor**re**to, generoso e compassivo, *
como **luz** brilha nas trevas para os justos.
– ⁵ Feliz o **ho**mem caridoso e prestativo, *
que re**sol**ve seus negócios com justiça.
– ⁶ Porque ja**mais** vacilará o homem reto, *
sua lem**bran**ça permanece eternamente!
– ⁷ Ele não **te**me receber notícias más: *
confiando em **Deus**, seu coração está seguro.
– ⁸ Seu cora**ção** está tranquilo e nada teme, *
e con**fu**sos há de ver seus inimigos.
= ⁹ Ele re**par**te com os pobres os seus bens, †
perma**ne**ce para sempre o bem que fez, *
e cresce**rão** a sua glória e seu poder.
= ¹⁰ O **ím**pio, vendo isso, se enfurece, †
range os **den**tes e de inveja se consome; *
mas os de**se**jos do malvado dão em nada.

Ant. Eis o **ser**vo **fi**el e pru**den**te,
a quem **Deus** confi**ou** sua fa**mí**lia (**T.P.** Ale**lu**ia).

Ant. 1 Minhas o**ve**lhas ouvi**rão** a minha **voz**,
e have**rá** um só re**ba**nho e um só **pastor**
(**T.P.** Ale**lu**ia).

Cântico   Ap 15,3-4

– ³ Como são **gran**des e admi**rá**veis vossas **obras**, *
ó Se**nhor** e nosso Deus onipotente!
– Vossos ca**mi**nhos são verdade, são justiça, *
ó **Rei** dos povos todos do universo!

(**R.** São **gran**des vossas **obras**, ó Se**nhor**!)

= ⁴ Quem, Se**nhor**, não haveria de temer-vos, †
e **quem** não honraria o vosso nome? *
Pois so**men**te vós, Senhor, é que sois santo!   (**R.**)

II Vésperas 1531

= As nações todas hão de vir perante vós †
e, prostradas, haverão de adorar-vos, *
pois vossas justas decisões são manifestas. (R.)

Ant. Minhas ovelhas ouvirão a minha voz,
e haverá um só rebanho e um só pastor (T.P. Aleluia).

Leitura breve
1Pd 5,1-4

Exorto aos presbíteros que estão entre vós, eu, presbítero como eles, testemunha dos sofrimentos de Cristo e participante da glória que será revelada: Sede pastores do rebanho de Deus, confiado a vós; cuidai dele, não por coação, mas de coração generoso; não por torpe ganância, mas livremente; não como dominadores daqueles que vos foram confiados, mas, antes, como modelos do rebanho. Assim, quando aparecer o pastor supremo, recebereis a coroa permanente da glória.

Responsório breve

Fora do Tempo pascal:

R. Eis o amigo dos irmãos,
* Que intercede pelo povo. R. Eis o amigo.
V. Dedicou a sua vida em favor de seus irmãos.
* Que intercede. Glória ao Pai. R. Eis o amigo.

Tempo pascal:

R. Eis o amigo dos irmãos, que intercede pelo povo.
* Aleluia, aleluia. R. Eis o amigo.
V. Dedicou a sua vida em favor de seus irmãos.
* Aleluia. Glória ao Pai. R. Eis o amigo.

Cântico evangélico, ant.

Eis o servo fiel e prudente,
a quem Deus confiou sua família,
para dar-lhes o pão a seu tempo (T.P. Aleluia).

ou:

Eu te dou graças, ó Cristo, Bom Pastor,
que me guiaste à glória do teu Reino!
O rebanho que a mim tu confiaste
esteja aqui onde estou na tua glória! (T.P. Aleluia).

1532   Comum dos doutores da Igreja

Preces

Rendamos a devida glória a Cristo, constituído Pontífice em favor dos homens nas suas relações com Deus; e lhe peçamos humildemente:

R. **Senhor, salvai o vosso povo!**

Fizestes resplandecer admiravelmente a vossa Igreja por meio de santos e insignes Pastores;
– que os cristãos se alegrem sempre com o mesmo esplendor. R.

Quando os santos Pastores vos suplicavam, a exemplo de Moisés, perdoastes os pecados do povo;
– por intercessão deles, santificai a vossa Igreja mediante uma contínua purificação.   R.

Tendo-os escolhido entre seus irmãos, consagrastes vossos santos, enviando sobre eles o vosso Espírito;
– que o mesmo Espírito Santo inspire aqueles que governam vosso povo.   R.

Sois vós a herança dos santos Pastores;
– concedei que nenhum daqueles que foram resgatados pelo vosso sangue fique longe de vós.   R.

(intenções livres)

Por meio dos Pastores da Igreja, dais a vida eterna a vossas ovelhas, e não permitis que ninguém as arrebate de vossas mãos;
– salvai os que adormeceram em vós, pelos quais destes a vida.   R.

Pai nosso...

Oração como nas Laudes.

COMUM DOS DOUTORES DA IGREJA

Como no Comum dos pastores, p. 1520, exceto o seguinte:

I Vésperas

HINO Eterno Sol, como nas II Vésperas, p. 1535.

Leitura breve   Tg 3.17-18

A sabedoria que vem do alto é, antes de tudo, pura, depois pacífica, modesta, conciliadora, cheia de misericórdia e de bons frutos, sem

Laudes

1533

parcialidade e sem fingimento. O fruto da justiça é semeado na paz, para aqueles que promovem a paz.

Responsório breve

Fora do Tempo pascal:

R. O **jus**to* Tem nos **lá**bios o que é **sá**bio. R. O **jus**to.
V. Sua **lín**gua tem pa**la**vras de jus**ti**ça.
   * Tem nos **lá**bios. Glória ao **Pai.** R. O **jus**to.

Tempo pascal:

R. O **jus**to* Tem nos **lá**bios o que é **sá**bio.
   * Ale**lu**ia, ale**lu**ia. R. O **jus**to.
V. Sua **lín**gua tem pa**la**vras de jus**ti**ça.
   * Ale**lu**ia. Glória ao **Pai.** R. O **jus**to.

Cântico evangélico, ant.

Quem vi**ver** e ensi**nar** o Evan**gel**ho,
será **gran**de no meu **Rei**no, diz Je**sus** (T.P. Ale**lu**ia).

Oração como nas Laudes.

Laudes

Hino

    Doutor eterno, vos louvamos, Cristo
    que revelais a salvação aos povos.
    Só vós, Senhor, tendes palavras vivas
    que nos dão vida e geram homens novos.

    Nós proclamamos, Bom pastor do orbe,
    que vós, do alto, confirmais a Esposa
    e suas palavras, pelas quais, constante,
    está no mundo como luz radiosa.

    Também nos destes refulgentes servos,
    que resplandecem como estrelas de ouro,
    e nos explicam a doutrina santa
    da vida eterna, singular tesouro.

    Por isso, ó Mestre, a vossa glória soa,
    pois dos doutores pela voz nos dais
    maravilhosos bens do Santo Espírito,
    mostrando a luz com que no céu brilhais.

1534 Comum dos doutores da Igreja

Implore o justo, celebrado agora,
que o vosso povo possa andar também
pelos caminhos de uma luz crescente,
até vos ver na plena luz. Amém.

Leitura breve   Sb 7,13-14

Aprendi a Sabedoria sem maldade e reparto-a sem inveja; não
escondo a sua riqueza. É um tesouro inesgotável para os homens;
os que a adquirem atraem a amizade de Deus, porque recomen-
dados pelos dons da instrução.

Responsório breve

Fora do Tempo pascal:

R. Que os **po**vos da **ter**ra pro**cla**mem
    * A **sa**bedo**ri**a dos **san**tos. R. Que os **po**vos.
V. E a **I**gre**ja** anun**cie**, can**tan**do,
    os lou**vo**res que **e**les me**re**cem.
    * A **sa**bedo**ri**a. **Gló**ria ao **Pai**. R. Que os **po**vos.

Tempo pascal:

R. Que os **po**vos da **ter**ra pro**cla**mem a **sa**bedo**ri**a dos **san**tos.
    * Ale**lui**a, ale**lui**a. R. Que os **po**vos.
V. E a **I**gre**ja** anun**cie**, can**tan**do,
    os lou**vo**res que **e**les me**re**cem.
    * Ale**lui**a. **Gló**ria ao **Pai**. R. Que os **po**vos.

Cântico evangélico, ant.

Quem é **sá**bio brilha**rá** como **luz** no firma**men**to;
quem en**si**na à multi**dão** os ca**mi**nhos da jus**ti**ça,
fulgi**rá** como as es**tre**las pelos **sé**culos e**ter**nos.
(T.P. Ale**lui**a).

Oração

Não havendo oração própria, diz-se a seguinte:

Ó Deus que marcastes pela vossa doutrina a vida de são (sto.)
N., concedei-nos, por sua intercessão, que sejamos fiéis à mesma
doutrina, e a proclamemos em nossas ações. Por nosso Senhor
Jesus Cristo, vosso Filho, na unidade do Espírito Santo.

II Vésperas

Hino

Eterno Sol, que envolveis
a criação de esplendor,
a vós, Luz pura das mentes,
dos corações o louvor.

Pelo poder do Espírito,
lâmpadas vivas brilharam.
Da salvação os caminhos
a todo o mundo apontaram.

Por estes servos da graça
fulgiu com novo esplendor
o que a palavra proclama
e que a razão demonstrou.

Tem parte em suas coroas,
pela doutrina mais pura,
este varão que louvamos
e como estrela fulgura.

Por seu auxílio pedimos:
dai-nos, ó Deus, caminhar
na direção da verdade
e assim a vós alcançar,

Ouvi-nos, Pai piedoso,
e vós, ó Filho, também,
com o Espírito Santo,
Rei para sempre. Amém.

Leitura breve

Tg 3,17-18

A sabedoria que vem do alto é, antes de tudo, pura, depois pacífica, modesta, conciliadora, cheia de misericórdia e de bons frutos, sem parcialidade e sem fingimento. O fruto da justiça é semeado na paz, para aqueles que promovem a paz.

Responsório

Fora do Tempo pascal:

R. No **meio** da asse**mbleia**
* Fa**lou** palavras **sá**bias. R. No **meio**.

1536 Comum das virgens

V. Deus o encheu com seu Espírito de saber e inteligência.
  * Falou. Glória ao Pai. R. No meio da assembleia * Falou
  palavras sábias.

Tempo pascal:

R. No meio da assembleia falou palavras sábias.
  * Aleluia, aleluia. R. No meio.

V. Deus o encheu com seu Espírito de saber e inteligência.
  * Aleluia. Glória ao Pai. R. No meio.

Cântico evangélico, ant.

Ó mestre da Verdade! Ó luz da santa Igreja!
São (Sto.) N., cumpridor da lei divina,
rogai por nós a Cristo.

Oração como nas Laudes.

COMUM DAS VIRGENS

I Vésperas

HINO Jesus, coroa das virgens, como nas II Vésperas, p. 1543.

Salmodia

Ant. 1 Vinde, filhas, ao encontro do Senhor,
  e sobre vós há de brilhar a sua luz.

Salmo 112(113)

– ¹Louvai, louvai, ó servos do Senhor, *
  louvai, louvai o nome do Senhor!
– ²Bendito seja o nome do Senhor, *
  agora e por toda a eternidade!
– ³Do nascer do sol até o seu ocaso, *
  louvado seja o nome do Senhor!

– ⁴O Senhor está acima das nações, *
  sua glória vai além dos altos céus.
= ⁵Quem pode comparar-se ao nosso Deus, †
  ao Senhor, que no alto céu tem o seu trono *
  ⁶e se inclina para olhar o céu e a terra? –

I Vésperas 1537

– ⁷Levanta da poeira o indigente *
  e do lixo ele retira o pobrezinho,
– ⁸para fazê-lo assentar-se com os nobres, *
  assentar-se com os nobres do seu povo.
– ⁹Faz a estéril, mãe feliz em sua casa, *
  vivendo rodeada de seus filhos.

Ant. Vinde, filhas, ao encontro do Senhor,
  e sobre vós há de brilhar a sua luz. (T.P. Aleluia).

Ant. 2 De todo o coração vos seguiremos,
  com respeito procurando a vossa face;
  ó Senhor, não seja vã nossa esperança!
  (T.P. Aleluia).

Salmo 147(147B)

– ¹²Glorifica o Senhor, Jerusalém! *
  Ó Sião, canta louvores ao teu Deus!
– ¹³Pois reforçou com segurança as tuas portas, *
  e os teus filhos em teu seio abençoou;
– ¹⁴a paz em teus limites garantiu *
  e te dá como alimento a flor do trigo.
– ¹⁵Ele envia suas ordens para a terra, *
  e a palavra que ele diz corre veloz;
– ¹⁶ele faz cair a neve como lã *
  e espalha a geada como cinza.
– ¹⁷Como de pão lança as migalhas do granizo, *
  a seu frio as águas ficam congeladas.
– ¹⁸Ele envia sua palavra e as derrete, *
  sopra o vento e de novo as águas correm.
– ¹⁹Anuncia a Jacó sua palavra, *
  seus preceitos e suas leis a Israel.
– ²⁰Nenhum povo recebeu tanto carinho, *
  a nenhum outro revelou os seus preceitos.

Ant. De todo o coração vos seguiremos,
  com respeito procurando a vossa face;
  ó Senhor, não seja vã nossa esperança! (T.P. Aleluia).

1538 Comum das virgens

Ant. 3 Alegrai-vos, ó virgens de Cristo,
no gozo das bodas eternas! (T.P. Aleluia).

Cântico Ef 1,3-10

– ³ Bendito e louvado seja **Deus**, *
o **Pai** de Jesus Cristo, Senhor nosso,
– que do alto **céu** nos abençoou em Jesus Cristo *
com **bênção** espiritual de toda sorte!
(R. Bendito sejais **vós**, nosso **Pai**,
que **nos** abençoastes em **Cristo**!)
– ⁴ Foi em **Cristo** que Deus Pai nos escolheu, *
já bem **antes** de o mundo ser criado,
– para que **fôssemos**, perante a sua face, *
sem **mácula** e santos pelo amor. (R.)
= ⁵ Por **livre** decisão de sua vontade, †
predesti**nou**-nos, através de Jesus Cristo, *
a sermos **nele** os seus filhos adotivos,
– ⁶ para o **louvor** e para a glória de sua graça, *
que em seu **Filho** bem-amado nos doou. (R.)
– ⁷ É **nele** que nós temos redenção, *
dos pe**cados** remissão pelo seu sangue.
= Sua **graça** transbordante e inesgotável †
⁸ Deus der**rama** sobre nós com abundância, *
de sa**ber** e inteligência nos dotando. (R.)
– ⁹ E as**sim**, ele nos deu a conhecer *
o mis**tério** de seu plano e sua vontade,
– que propu**sera** em seu querer benevolente, *
¹⁰ na pleni**tude** dos tempos realizar:
– o de**sígnio** de, em Cristo, reunir *
todas as **coisas**: as da terra e as do céu. (R)
Ant. Ale**grai**-vos, ó **virgens** de **Cristo**,
no **gozo** das **bodas** e**ternas**! (T.P. Aleluia).

Leitura breve 1Cor 7,32b.34a
O homem não casado é solícito pelas coisas do Senhor e procura
agradar ao Senhor. Do mesmo modo, a mulher não casada e a

Laudes

1539

jovem solteira têm zelo pelas coisas do Senhor e procuram ser santas de corpo e espírito.

Responsório breve

Fora do Tempo pascal:

R. O Senhor é minha herança,
  * É a parte que escolhi. R. O Senhor.
V. O Senhor é muito bom para quem confia nele.
  * É a parte. Glória ao Pai. R. O Senhor.

Tempo pascal:

R. O Senhor é minha herança, é a parte que escolhi.
  * Aleluia, aleluia. R. O Senhor.
V. O Senhor é muito bom para quem confia nele.
  * Aleluia. Glória ao Pai. R. O Senhor.

Cântico evangélico, ant.

Para uma virgem e mártir:

A virgem fiel, hóstia pura ofertada,
já segue o Cordeiro por nós imolado (T.P. Aleluia).

Para uma virgem:

A virgem prudente que estava aguardando,
com lâmpada acesa, o Esposo chegar,
com ele entrou para as bodas eternas (T.P. Aleluia).

Para várias virgens:

Virgens prudentes, vigilantes,
preparai as vossas lâmpadas;
o Esposo está chegando; ide logo ao seu encontro
(T.P. Aleluia).

Preces como nas II Vésperas, p.1546.

Oração como nas Laudes.

Laudes

Hino

Para uma virgem:

Com tua lâmpada acesa,
viste chegar o Senhor:
do Esposo sentas-te à mesa,
cheia de graça e esplendor.

Comum das virgens

Para uma eterna aliança,
põe-te no dedo um anel;
cessam a fé e a esperança:
Belém se torna Betel.

Dá que aprendamos contigo
ter sempre os olhos nos céus:
calcar o mundo inimigo,
buscar a glória de Deus.

Jesus nos dê, por Maria,
que como Mãe te acolheu,
tê-lo na terra por guia,
ao caminhar para o céu.

Ao Pai e ao Espírito glória,
ao Filho o mesmo louvor,
pois virginal é a vitória
da que desposa o Senhor.

Para várias virgens: HINO Jesus, coroa das virgens, como nas II Vésperas, p. 1543.

Ant. 1 Eu me decido livremente pelo **Cristo**
com ardente coração eu quero amá-lo
e desejo estar com ele para sempre (T.P. Aleluia).

Salmos e cântico do domingo da I Semana, p. 764.

Ant. 2 Bendizei o Senhor, santas virgens,
que vos chama ao amor indiviso
e coroa em vós os seus dons! (T.P. Aleluia).

Ant. 3 Exultem os fiéis em sua glória,
pois a carne e o sangue superaram
e alcançaram a vitória sobre o mundo (T.P. Aleluia).

Leitura breve   Ct 8,7

Águas torrenciais jamais apagarão o amor, nem rios poderão afogá-lo. Se alguém oferecesse todas as riquezas de sua casa para comprar o amor, seria tratado com desprezo.

Responsório breve

Fora do Tempo pascal:

R. **Senhor**, é vossa **face** que eu procuro.
* Meu coração fala convosco confiante. R. **Senhor**.

Laudes 1541

V. **Senhor**, não me escon**dais** a vossa **face**!
    * Meu cora**ção**. Glória ao **Pai**. R. **Senhor**.
Tempo pascal:

R. **Senhor**, é vossa **face** que eu pro**cu**ro.
    Meu cora**ção** fala con**vos**co confi**an**te.
    * Alel**uia**, alel**uia**. R. **Senhor**.
V. **Senhor**, não me escon**dais** a vossa **face**! * Alel**uia**.
    Glória ao **Pai**. R. Senhor.

Cântico evangélico, ant.

Para uma virgem e mártir:

To**mas**tes vossa **cruz** como o **Cris**to, ó santa **vir**gem.
Na virgin**da**de e no mar**tí**rio imi**tas**tes vosso Es**po**so
(T.P. Alel**uia**).

Para uma virgem:

A **vir**gem pru**den**te en**trou** para as **bo**das
e **vi**ve com **Cris**to na **gló**ria ce**les**te.
Como o **sol,** ela **bri**lha entre os **co**ros das **vir**gens
(T.P. Alel**uia**).

Para várias virgens:

Santas **vir**gens do Se**nhor**, bendi**zei**-o para **sem**pre!
(T.P. Alel**uia**).

Preces

Glorifiquemos a Cristo, esposo e prêmio das virgens; e lhe supliquemos com fé:

R. **Jesus, prêmio das virgens, ouvi-nos!**

Cristo, amado pelas santas virgens como único Esposo,
– concedei que nada nos separe do vosso amor.   R.

Coroastes Maria, vossa Mãe, como Rainha das virgens;
– concedei-nos, por sua intercessão, que vos sirvamos sempre de
coração puro.   R.

Por intercessão de vossas servas, que a vós se consagraram de
todo o coração para serem santas de corpo e de alma,
– concedei que jamais a instável figura deste mundo nos afaste de
vós.   R.

1542 Comum das virgens

Senhor Jesus, esposo por cuja vinda as virgens prudentes esperaram sem desanimar,
– concedei que vos aguardemos vigilantes na esperança.

R. **Jesus, prêmio das virgens, ouvi-nos!**

Por intercessão de santa N., uma das virgens sábias e prudentes,
– concedei-nos sabedoria e uma vida sem mancha. R.

(intenções livres)

Pai nosso...

Oração

Não havendo oração própria, diz-se uma das seguintes:

Ó Deus, que prometestes habitar nos corações puros, dai-nos,
pela intercessão da virgem santa N., viver de tal modo, que possais fazer em nós vossa morada. Por nosso Senhor Jesus Cristo,
vosso Filho, na unidade do Espírito Santo.

Ou:

Atendei, ó Deus, nossa oração para que, recordando as virtudes
da virgem santa N., mereçamos permanecer e crescer sempre
mais no vosso amor. Por nosso Senhor Jesus Cristo, vosso Filho,
na unidade do Espírito Santo.

Para várias virgens:

Ó Deus, mostrai-nos sempre mais a vossa misericórdia, e, ao celebrarmos com alegria a festa das virgens santa N. e santa N.,
concedei-nos também o seu eterno convívio. Por nosso Senhor
Jesus Cristo, vosso Filho, na unidade do Espírito Santo.

Hora Média

Ant. Sustentai-me e viverei, como dissestes;
não podeis decepcionar minha esperança! (T.P. Aleluia).

Leitura breve 1Cor 7,25

A respeito das pessoas solteiras, não tenho nenhum manda mento
do Senhor. Mas, como alguém que, por misericórdia de Deus,
merece confiança, dou uma opinião.

V. Eis a virgem previdente e vigilante em alta noite.
(T.P. Aleluia).

R. Vai, com suas companheiras, ao encontro do Senhor.
(T.P. Aleluia).

Oração como nas Laudes.

II Vésperas

Hino

Jesus, coroa das virgens,
por Virgem Mãe concebido,
perdoai os nossos pecados,
atendei o nosso pedido!

Por entre as virgens passando,
entre alvos lírios pousais,
e a todas elas saudando
o prêmio eterno entregais.

Por toda a parte onde fordes,
as virgens seguem cantando,
e os mais suaves louvores
vão pelo céu ressoando.

Nós vos pedimos a graça
de um coração sem pecado,
qual diamante sem jaça,
por vosso amor transformado.

Ao Pai e ao Espírito unido,
vos adoramos, ó Filho:
por Virgem Mãe concebido,
das virgens todas auxílio.

Salmodia

Ant. 1 Consagrei-me totalmente
a vós, Senhor divino Esposo!
Agora vou ao vosso encontro,
tendo acesa a minha lâmpada (T.P. Aleluia).

Salmo 121(122)

– ¹Que alegria, quando ouvi que me disseram: *
"Vamos à casa do Senhor!"
– ²E agora nossos pés já se detêm, *
Jerusalém, em tuas portas.
– ³Jerusalém, cidade bem edificada *
num conjunto harmonioso;
– ⁴para lá sobem as tribos de Israel, *
as tribos do Senhor. –

1544 Comum das virgens

– Para louvar, segundo a lei de Israel, *
o nome do Senhor.
– ⁵ A sede da justiça lá está *
e o trono de Davi.
– ⁶ Rogai que viva em paz Jerusalém, *
e em segurança os que te amam!
– ⁷ Que a paz habite dentro de teus muros, *
tranquilidade em teus palácios!
– ⁸ Por amor a meus irmãos e meus amigos, *
peço: "A paz esteja em ti!"
– ⁹ Pelo amor que tenho à casa do Senhor, *
eu te desejo todo bem!

Ant. Consagrei-me totalmente
a vós, Senhor divino Esposo!
Agora vou ao vosso encontro,
tendo acesa a minha lâmpada (T.P. Aleluia).

Ant. 2 Felizes os puros em seu coração,
porque eles verão o seu Deus face a face (T.P. Aleluia).

Salmo 126(127)

– ¹ Se o Senhor não construir a nossa casa, *
em vão trabalharão seus construtores;
– se o Senhor não vigiar nossa cidade, *
em vão vigiarão as sentinelas!
– ² É inútil levantar de madrugada, *
ou à noite retardar vosso repouso,
– para ganhar o pão sofrido do trabalho, *
que a seus amados Deus concede enquanto dormem.
– ³ Os filhos são a bênção do Senhor, *
o fruto das entranhas, sua dádiva.
– ⁴ Como flechas que um guerreiro tem na mão, *
são os filhos de um casal de esposos jovens.
– ⁵ Feliz aquele pai que com tais flechas *
consegue abastecer a sua aljava!
– Não será envergonhado ao enfrentar *
seus inimigos junto às portas da cidade.

II Vésperas

Ant. Felizes os puros em seu coração,
porque eles verão o seu Deus face a face
(T.P. Aleluia).

Ant. 3 A minha firmeza é a força de Cristo;
o meu fundamento é a Pedra angular (T.P. Aleluia).

Cântico   Ef 1,3-10

– 3 Bendito e louvado seja **Deus**, *
o **Pai** de Jesus Cristo, Senhor nosso,
– que do alto **céu** nos abençoou em Jesus Cristo *
com **bênç**ão espiritual de toda sorte!

(R. Bendito sejais **vós**, nosso **Pai**,
que **nos** abençoastes em **Cris**to!)

– 4 Foi em **Cris**to que Deus Pai nos escolheu, *
já bem **an**tes de o mundo ser criado,
– para que **fôs**semos, perante a sua face, *
sem **mác**ula e santos pelo amor.   **(R.)**

= 5 Por **liv**re decisão de sua vontade, †
predesti**nou**-nos, através de Jesus Cristo, *
a sermos **ne**le os seus filhos adotivos,
– 6 para o lou**vor** e para a glória de sua graça, *
que em seu **Fi**lho bem-amado nos doou.   **(R.)**

– 7 É **ne**le que nós temos redenção, *
dos pe**ca**dos remissão pelo seu sangue.
= Sua **gra**ça transbordante e inesgotável †
8 Deus der**ra**ma sobre nós com abundância, *
de sa**ber** e inteligência nos dotando.   **(R.)**

– 9 E as**sim**, ele nos deu a conhecer *
o mis**tér**io de seu plano e sua vontade,
– que propu**se**ra em seu querer benevolente, *
10 na pleni**tu**de dos tempos realizar:
– o de**síg**nio de, em Cristo, reunir *
todas as **coi**sas: as da terra e as do céu.   **(R)**

Ant. A minha firmeza é a força de Cristo;
o meu fundamento é a Pedra angular (T.P. Aleluia).

Comum das virgens

Leitura breve   1Cor 7,32b.34a

O homem não casado é solícito pelas coisas do Senhor e procura agradar ao Senhor. Do mesmo modo, a mulher não casada e a jovem solteira têm zelo pelas coisas do Senhor e procuram ser santas de corpo e espírito.

Responsório breve

Fora do Tempo pascal:

R. As **vir**gens a**mi**gas ao **Rei** se di**ri**gem,
     * Entre **can**tos de **fes**ta e com **gran**de alegria. R. As **vir**gens.
V. Ingre**ssam**, en**tão**, no palácio do **Rei.**
     * Entre **can**tos. **Gló**ria ao **Pai.** R. As **vir**gens.

Tempo pascal:

R. As **vir**gens a**mi**gas ao **Rei** se di**ri**gem,
     entre **can**tos de **fes**ta e com **gran**de alegria.
     * Ale**lui**a, aleluia. R. As **vir**gens.
V. Ingre**ssam**, en**tão**, no palácio do **Rei.**
     * Ale**lui**a. **Gló**ria ao **Pai.** R. As **vir**gens.

Cântico evangélico, ant.

Para uma virgem mártir:

Duas vi**tó**rias cele**bre**mos neste **mes**mo sacrifício:
a virgin**da**de consa**gra**da e a **gló**ria do martírio (T.P. Aleluia).

Para uma virgem:

Oh! **vin**de, es**po**sa de **Cris**to, rece**bei** a co**ro**a da **gló**ria
que o Se**nhor** prepa**rou** para **sem**pre (T.P. Ale**lui**a).

Para várias virgens:

E **es**ta a gera**ção** dos que pro**cu**ram o Se**nhor**;
dos que **bus**cam vossa **fa**ce, nosso **Deus** onipo**ten**te
(T.P. Ale**lui**a).

Preces

Com alegria, celebremos a Cristo, que louvou quem guarda a virgindade por causa do reino dos céus; e lhe peçamos:

R. **Jesus, rei das virgens, ouvi-nos!**

Cristo, que chamastes à vossa presença de único Esposo a Igreja como virgem casta,
– tornai-a santa e imaculada.   R.

Comum dos santos homens 1547

Cristo, ao vosso encontro as santas virgens saíram com lâmpadas acesas;
– não permitais que venha a faltar o óleo da fidelidade nas lâmpadas de vossas servas consagradas. R.

Senhor, em vós a Igreja virgem guardou sempre uma fé íntegra e pura;
– concedei a todos os cristãos a integridade e a pureza da fé. R.

Dais ao vosso povo regozijar-se com a festa da santa virgem N.;
– que ele possa sempre alegrar-se com a sua intercessão. R.

(intenções livres)

Recebestes as santas virgens para a ceia de vossas núpcias eternas;
– admiti com bondade no banquete celeste os nossos irmãos e irmãs falecidos. R.

Pai nosso...

Oração como nas Laudes.

COMUM DOS SANTOS HOMENS

I Vésperas

HINO Ó Jesus, Redentor nosso, ou, Celebremos os servos de Cristo, como nas II Vésperas p.1554 e 1555.

Salmodia

Ant. 1 Santos todos do Senhor,
cantai um hino ao nosso Deus! (T.P. Aleluia).

Salmo 112(113)

– ¹ Louvai, louvai, ó servos do Senhor, *
louvai, louvai o nome do Senhor!
– ² Bendito seja o nome do Senhor, *
agora e por toda a eternidade!

1548 Comum dos santos homens

— ³Do nascer do sol até o seu ocaso, *
louvado seja o nome do Senhor!

— ⁴O Senhor está acima das nações, *
sua glória vai além dos altos céus.

= ⁵Quem pode comparar-se ao nosso Deus, †
ao Senhor, que no alto céu tem o seu trono *
⁶e se inclina para olhar o céu e a terra?

— ⁷Levanta da poeira o indigente *
e do lixo ele retira o pobrezinho,

— ⁸para fazê-lo assentar-se com os nobres, *
assentar-se com os nobres do seu povo.

— ⁹Faz a estéril, mãe feliz em sua casa, *
vivendo rodeada de seus filhos.

Ant. Santos todos do Senhor,
cantai um hino ao nosso Deus! (T.P. Aleluia).

Ant. 2 Felizes os famintos e sedentos de justiça:
serão todos saciados (T.P. Aleluia).

Salmo 145(146)

= ¹Bendize, minh'alma, ao Senhor! †
²Bendirei ao Senhor toda a vida, *
cantarei ao meu Deus sem cessar!

— ³Não ponhais vossa fé nos que mandam, *
não há homem que possa salvar.

= ⁴Ao faltar-lhe o respiro ele volta †
para a terra de onde saiu; *
nesse dia seus planos perecem.

= ⁵É feliz todo homem que busca †
seu auxílio no Deus de Jacó, *
e que põe no Senhor a esperança.

— O Senhor fez o céu e a terra, *
fez o mar e o que neles existe.

— O Senhor é fiel para sempre, *
⁷faz justiça aos que são oprimidos;

— ele dá alimento aos famintos, *
é o Senhor quem liberta os cativos. —

I Vésperas

1549

= [8] O Se**nhor** abre os olhos aos cegos, †
   o Se**nhor** faz erguer-se o caído, *
   o Se**nhor** ama aquele que é justo.

= [9] É o Se**nhor** quem protege o estrangeiro, †
   quem am**pa**ra a viúva e o órfão, *
   mas con**fun**de os caminhos dos maus.

= [10] O Se**nhor** reinará para sempre! †
   Ó Si**ão**, o teu Deus reinará *
   para **sem**pre e por todos os séculos!

Ant. Felizes os fa**min**tos e se**den**tos de justi**ça**:
     serão **to**dos saciados (T.P. Ale**lui**a).

Ant. 3 Ben**di**to seja **Deus,** que nos cha**mou** a sermos **san**tos
     e sem **man**cha pelo a**mor**! (T.P. Ale**lui**a).

Cântico   Ef 1,3-10

– [3] Ben**di**to e louva**do** seja **Deus**, *
   o **Pai** de Jesus Cristo, Senhor nosso,
– que do alto **céu** nos abençoou em Jesus Cristo *
   com **bên**ção espiritual de toda sorte!

(R. Ben**di**to sejais **vós**, nosso **Pai**,
   que **nos** abençoastes em **Cris**to!)

– [4] Foi em **Cris**to que Deus Pai nos escolheu, *
   já bem **an**tes de o mundo ser criado,
– para que **fôs**semos, perante a sua face, *
   sem **má**cula e santos pelo amor.   (R.)

= [5] Por **li**vre decisão de sua vontade, †
   predesti**nou**-nos, através de Jesus Cristo, *
   a sermos **ne**le os seus filhos adotivos,
– [6] para o lou**vor** e para a glória de sua graça, *
   que em seu **Fi**lho bem-amado nos doou.   (R.)

– [7] É **ne**le que nós temos redenção, *
   dos pe**ca**dos remissão pelo seu sangue.
= Sua **gra**ça transbordante e inesgotável †
  [8] Deus der**ra**ma sobre nós com abundância, *
   de sa**ber** e inteligência nos dotando.   (R.)

1550   Comum dos santos homens

– ^{9}E assim, ele nos deu a conhecer *
  o mistério de seu plano e sua vontade,
– que propusera em seu querer benevolente, *
  ^{10}na plenitude dos tempos realizar:
– o desígnio de, em Cristo, reunir *
  todas as coisas: as da terra e as do céu.   (R.)

Ant. Bendito seja Deus, que nos chamou a sermos santos
     e sem mancha pelo amor! (T.P. Aleluia).

Leitura breve   Fl 3,7-8

As coisas, que eram vantagens para mim, considerei-as como
perda, por causa de Cristo. Na verdade, considero tudo como perda diante da vantagem suprema que consiste em conhecer a Cristo Jesus, meu Senhor. Por causa dele eu perdi tudo. Considero
tudo como lixo, para ganhar Cristo e ser encontrado unido a ele.

Responsório breve

Fora do Tempo pascal:

R. O Senhor amou seu santo
   * E o ornou com sua glória. R. O Senhor.
V. O Senhor o revestiu com o manto da vitória.
   * E o ornou. Glória ao Pai. R. O Senhor.

Tempo pascal:

R. O Senhor amou seu santo e o ornou com sua glória.
   * Aleluia, aleluia. R. O Senhor.
V. O Senhor o revestiu com o manto da vitória.
   * Aleluia. Glória ao Pai. R. O Senhor.

Cântico evangélico, ant.

Para um santo:

O homem sábio e previdente
construiu a sua casa sobre a rocha inabalável. (T.P. Aleluia).

Para vários santos:

Os olhos do Senhor estão voltados
aos que esperam confiando em seu amor (T.P. Aleluia).

Preces como nas II Vésperas, p. 1558.

Oração como nas Laudes.

Laudes

Hino

Para um santo:

Jesus, coroa celeste,
Jesus, verdade sem véu,
ao servo que hoje cantamos
destes o prêmio do céu.

Dai que por nós interceda
em fraternal comunhão,
e nossas faltas consigam
misericórdia e perdão.

Bens e honrarias da terra
sem valor ele julgou;
vãs alegrias deixando,
só as do céu abraçou.

Que sois, Jesus, Rei supremo,
jamais cessou de afirmar;
com seu fiel testemunho
soube o demônio esmagar.

Cheio de fé e virtude,
os seus instintos domou,
e a recompensa divina,
servo fiel, conquistou.

A vós, Deus uno, Deus trino,
sobe hoje nosso louvor,
ao celebrarmos o servo
de quem Jesus é o Senhor.

Para vários santos:

Ó fiéis seguidores de Cristo,
a alegria da glória feliz,
como prêmio do vosso martírio,
para sempre no céu possuís.

Escutai, com ouvidos benignos,
os louvores que a vós entoamos.
Nós, ainda exilados da Pátria,
vossa glória, num hino, cantamos.

Pelo amor de Jesus impelidos,
dura cruz sobre os ombros levastes.
Pressurosos, ardentes de amor
e submissos, a fé preservastes.

Desprezastes o ardil do demônio
e os enganos do mundo também.
Testemunhas de Cristo na vida,
vós subistes dos astros além.

E agora, na glória celeste,
sede atentos à voz da oração
dos que querem seguir vossos passos
e vos clamam com seu coração.

Glória seja à Divina Trindade
para que nos conduza também
pela ajuda e as preces dos mártires
às moradas celestes. Amém.

Ant. 1 O Se**nhor** lhe deu a **glória**
e, em seu **Rei**no, um grande **nome** (T.P. Aleluia).

Salmos e cântico do domingo da I Semana, p. 764.

Ant. 2 Vós, **ser**vos do Se**nhor**, bendi**zei**-o para sem**pre**!
(T.P. Ale**luia**).

Ant. 3 E**xul**tem os fi**éis** em sua **gló**ria,
e can**tan**do se le**van**tem de seus **leitos** (T.P. Aleluia).

Leitura breve   Rm 12,1-2

Pela misericórdia de Deus, eu vos exorto, irmãos, a vos oferecerdes em sacrifício vivo, santo e agradável a Deus: Este é o
vosso culto espiritual. Não vos conformeis com o mundo, mas
transformai-vos, renovando vossa maneira de pensar e de julgar,
para que possais distinguir o que é da vontade de Deus, isto é, o
que é bom, o que lhe agrada, o que é perfeito.

Responsório breve

Fora do Tempo pascal:

R. Ele **tem** o co**ra**ção
* Na **lei** do seu Se**nhor**. R. Ele **tem**.
V. Os seus **passos** não va**ci**lam.
* Na **lei**. Glória ao **Pai**. R. Ele **tem**.

Laudes

Tempo pascal:

R. Ele **tem** o cora**ção** na **lei** do seu Se**nhor**.
* Ale**lu**ia, ale**lu**ia. R. Ele **tem**.
V. Os seus **pas**sos não vacilam.
* Ale**lu**ia; ale**lu**ia. Glória ao **Pai**.
R. Ele **tem** o cora**ção** na **lei** do seu Se**nhor**.

Cântico evangélico, ant.

Quem pra**ti**ca a ver**da**de, se **põe** junto à **luz**;
e suas **o**bras de **fi**lho de **Deus** se revelam (T.P. Ale**lu**ia).

Para vários santos:

Fe**li**zes a**que**les que **bus**cam a **paz**!
Fe**li**zes os **pu**ros em **seu** cora**ção**,
porque **e**les ve**rão** o seu **Deus** face a **fa**ce (T.P. Ale**lu**ia).

Preces

Glorifiquemos, irmãos, a Cristo, nosso Deus, pedindo-lhe que nos ensine a servi-lo em santidade e justiça diante dele enquanto perdurarem nossos dias; e aclamemos:

R. **Senhor, só vós sois santo!**

Senhor Jesus, que quisestes ser igual a nós em tudo, menos no pecado,
– tende piedade de nós. R.

Senhor Jesus, que nos chamastes à perfeição da caridade,
– santificai-nos sempre mais. R.

Senhor Jesus, que nos mandastes ser sal da terra e luz do mundo,
– iluminai a nossa vida. R.

Senhor Jesus, que viestes ao mundo para servir e não para ser servido,
– ensinai-nos a vos servir humildemente em nossos irmãos. R.

Senhor Jesus, esplendor da glória do Pai e perfeita imagem do ser divino,
– dai-nos contemplar a vossa face na glória eterna. R.

(intenções livres)

Pai nosso...

1554 Comum dos santos homens

Oração

Não havendo oração própria, diz-se uma das seguintes:

Ó Deus, só vós sois .santo e sem vós ninguém pode ser bom. Pela intercessão de são (sto.) N., dai-nos viver de tal modo, que não sejamos despojados da vossa glória. Por nosso. Senhor Jesus Cristo, vosso Filho, na unidade do Espírito Santo.

Ou:

Ó Deus, que o exemplo de vossos santos nos leve a uma vida mais perfeita e, celebrando a memória de são (sto) N., imitemos constantemente suas ações. Por nosso Senhor Jesus Cristo, vosso Filho, na unidade do Espírito Santo.

Para vários santos:

Deus eterno e todo-poderoso, que pela glorificação dos santos continuais manifestando o vosso amor por nós, concedei que sejamos ajudados por sua intercessão e animados pelo seu exemplo, na imitação fiel do vosso Filho. Que convosco vive e reina, na unidade do Espírito Santo.

Hora Média

Ant. Quem fizer a vontade do Pai,
no Reino dos céus entrará (T.P. Aleluia).

Leitura breve   1Cor 9,26-27b

Eu corro, mas não à toa. Eu luto, mas não como quem dá murros no ar. Trato duramente o meu corpo e o subjugo, para não acontecer que, depois de ter proclamado a boa-nova aos outros, eu mesmo seja reprovado.

V. É feliz, ó Senhor, quem for mais (T.P. Aleluia).
R. E educais nos caminhos da Lei (T.P. Aleluia).

Oração como nas Laudes

II Vésperas

Hino

Para um santo:

Ó Jesus, Redentor nosso,
coroais os vossos santos;
ouvi hoje, compassivo,
nossas preces, nossos cantos.

Hoje, o santo confessor
vosso nome fez brilhar,
e a Igreja, anualmente,
vem seus feitos celebrar.

Caminhou com passo firme
pela vida transitória,
e seguiu a vossa estrada
que nos leva para a glória.

Desprendendo o coração
de alegrias passageiras,
frui agora, junto aos anjos,
as delícias verdadeiras.

O perdão de nossas culpas
nos alcance a sua prece.
Nos seus passos conduzi-nos
para a luz que não perece.

Glória a Cristo, Rei clemente,
e a Deus Pai louvor também.
Honra e graças ao Espírito
pelos séculos. Amém.

Para vários santos:

Celebremos os servos de Cristo
de fé simples e santas ações;
hoje a terra, se unindo às alturas,
faz subir seu louvor em canções.

Caminharam isentos de culpa,
puros, mansos, humildes e castos;
suas almas, partindo da terra,
livres voam e sobem aos astros.

Rejubilam no céu, protegendo
o infeliz e seu pranto enxugando,
dão aos corpos doentes saúde,
as feridas das almas curando.

Nosso canto celebra os louvores
dos fiéis servidores de Deus;
queiram eles nos dar sua ajuda
e guiar-nos também para os céus.

1556 Comum dos santos homens

Ao Deus Uno beleza e poder
e louvor nas alturas convém.
Glória Àquele que rege o Universo
e o conduz por leis sábias. Amém.

Salmodia

Ant. 1 Superou as provações e triunfou:
glória eterna seja a ele tributada (T.P. Aleluia).

Salmo 14(15)

– [1] "Senhor, quem morará em vossa casa *
e em vosso Monte santo habitará?"
– [2] É aquele que caminha sem pecado *
e pratica a justiça fielmente;
– [3] que pensa a verdade no seu íntimo *
e não solta em calúnias sua língua;

– que em nada prejudica o seu irmão, *
nem cobre de insultos seu vizinho;
– [4] que não dá valor algum ao homem ímpio, *
mas honra os que respeitam o Senhor;

– que sustenta o que jurou, mesmo com dano; *
[5] não empresta o seu dinheiro com usura,
– nem se deixa subornar contra o inocente. *
Jamais vacilará quem vive assim!

Ant. Superou as provações e triunfou:
glória eterna seja a ele tributada (T.P. Aleluia).

Ant. 2 Deus manifesta em seus santos sua graça e seu amor,
e protege os seus eleitos (T.P. Aleluia).

Salmo 111(112)

– [1] Feliz o homem que respeita o Senhor *
e que ama com carinho a sua lei!
– [2] Sua descendência será forte sobre a terra, *
abençoada a geração dos homens retos!

– [3] Haverá glória e riqueza em sua casa, *
e permanece para sempre o bem que fez.
– [4] Ele é correto, generoso e compassivo, *
como luz brilha nas trevas para os justos. –

II Vésperas 1557

– ⁵Feliz o **ho**mem caridoso e prestativo, *
   que re**sol**ve seus negócios com justiça.
– ⁶Porque ja**mais** vacilará o homem reto, *
   sua lem**bran**ça permanece eternamente!
– ⁷Ele não **te**me receber notícias más: *
   confiando em **Deus**, seu coração está seguro.
– ⁸Seu co**ra**ção está tranquilo e nada teme, *
   e con**fu**sos há de ver seus inimigos.
= ⁹Ele re**par**te com os pobres os seus bens, †
   perma**ne**ce para sempre o bem que fez, *
   e cres**ce**rão a sua glória e seu poder.
= ¹⁰O ímpio, vendo isso, se enfurece, †
   range os **den**tes e de inveja se consome; *
   mas os de**se**jos do malvado dão em nada.

Ant. Deus mani**fes**ta em seus **san**tos sua **gra**ça e seu a**mor**,
       e pro**te**ge os seus e**lei**tos (T.P. Ale**lui**a).

Ant. 3 Os **san**tos cantavam um **cân**tico **no**vo
       Àquele que es**tá** em seu **tro**no, e ao Cor**dei**ro;
       na **ter**ra in**tei**ra resso**a**vam suas **vo**zes (T.P. Ale**lui**a).

Cântico   Ap 15,3-4

– ³Como são **gran**des e admi**rá**veis vossas **o**bras, *
   ó Se**nhor** e nosso Deus onipotente!
– Vossos ca**mi**nhos são verdade, são justiça, *
   ó **Rei** dos povos todos do universo!

(R. São **gran**des vossas **o**bras, ó Se**nhor**!)

= ⁴Quem, Se**nhor**, não haveria de temer-vos, †
   e **quem** não honraria o vosso nome? *
   Pois so**men**te vós, Senhor, é que sois santo!   (R.)

= As nações **to**das hão de vir perante vós †
   e, pros**tra**das, haverão de adorar-vos, *
   pois vossas **jus**tas decisões são manifestas.

Ant. Os **san**tos cantavam um **cân**tico **no**vo
       Àquele que es**tá** em seu **tro**no, e ao Cor**dei**ro;
       na **ter**ra in**tei**ra resso**a**vam suas **vo**zes (T.P. Ale**lui**a).

1558   Comum dos santos homens

Leitura breve   Rm 8,28-30

Sabemos que tudo contribui para o bem daqueles que amam a Deus, daqueles que são chamados para a salvação, de acordo com o projeto de Deus. Pois aqueles que Deus contemplou com seu amor desde sempre, a esses ele predestinou a serem conformes à imagem de seu Filho, para que este seja o primogênito numa multidão de irmãos. E aqueles que Deus predestinou, também os chamou. E aos que chamou, também os tornou justos; e aos que tornou justos, também os glorificou.

Responsório breve

Fora do Tempo pascal:

R. É **justo** o nosso **Deus**,
    * Ele **ama** a jus**tiça**. R. É **justo**.
V. Quem tem **reto** cora**ção** há de **ver** a sua **face**.
    * Ele **ama**. Glória ao **Pai**. R. É **justo**.

Tempo pascal:

R. É **justo** o nosso **Deus**, ele **ama** a jus**tiça**.
    * **Aleluia**, aleluia. R. É **justo**.
V. Quem tem **reto** cora**ção** há de **ver** a sua **face**.
    * **Aleluia**. Glória ao **Pai**. R. É **justo**.

Cântico evangélico, ant.

Servo **bom** e **fiel**,
vem en**trar** na ale**gria** de Je**sus**, teu Se**nhor**! (T.P. Ale**luia**).

Para vários santos:

Fi**éis** até à **mor**te,
receberam do Se**nhor** a co**roa** da jus**tiça** (T.P. Ale**luia**).

Preces

Peçamos a Deus Pai, fonte de toda a santidade, que, pela intercessão e exemplo dos santos, nos conduza a uma vida mais perfeita; e digamos:

R. **Fazei-nos santos, porque vós sois santo!**

Pai santo, que nos destes a graça de nos chamarmos e sermos realmente vossos filhos,
— fazei que a santa Igreja proclame as vossas maravilhas por toda a terra.   R.

Comum das santas mulheres   1559

Pai santo, inspirai os vossos servos a viver dignamente, segundo a vossa vontade,
– e ajudai-nos a dar abundantes frutos de boas obras.   R.

Pai santo, que nos reconciliastes convosco por meio de Cristo,
– conservai-nos na unidade por amor de vosso nome.   R.

Pai santo, que nos convidastes para tomar parte no banquete celeste,
– pela comunhão do pão descido do céu, dai-nos alcançar a perfeição da caridade.   R.

(intenções livres)

Pai santo, perdoai as faltas de todos os pecadores,
– e acolhei na luz da vossa face todos os que morreram.   R.

Pai nosso...

Oração como nas Laudes.

COMUM DAS SANTAS MULHERES

I Vésperas

HINO Louvor à mulher forte, ou, Ó Cristo, autor dos seres, como nas II Vésperas, p. 1565.

Salmodia

Ant. 1 Bendito seja o nome do Senhor,
          que em suas santas revelou o seu amor!

Salmo 112(113)

– [1] Louvai, louvai, ó servos do Senhor, *
    louvai, louvai o nome do Senhor!
– [2] Bendito seja o nome do Senhor, *
    agora e por toda a eternidade!
– [3] Do nascer do sol até o seu ocaso, *
    louvado seja o nome do Senhor!
– [4] O Senhor está acima das nações, *
    sua glória vai além dos altos céus.

1560 Comum das santas mulheres

= ^{5}Quem **pode** comparar-se ao nosso Deus, †
ao Se**nhor**, que no alto céu tem o seu trono *
^{6}e se in**clina** para olhar o céu e a terra?

– ^{7}**Levanta** da poeira o indigente *
e do **lixo** ele retira o pobrezinho,
– ^{8}para fazê-lo assentar-se com os nobres, *
assen**tar**-se com os nobres do seu povo.
– ^{9}Faz a esté**ril**, mãe feliz em sua casa, *
vi**vendo** rodeada de seus filhos.

Ant. Ben**dito** seja o **nome** do Se**nhor**,
que em suas **santas** reve**lou** o seu **amor**! (T.P. Aleluia).

Ant. 2 Glorifica o Se**nhor**, Jerusalém,
que os teus **filhos** em teu **seio** abençoou (T.P. Aleluia).

Salmo 147(147B)

– ^{12}Glorifica o Se**nhor**, Jerusa**lém**! *
Ó Sião, canta louvores ao teu Deus!

– ^{13}Pois refor**çou** com segurança as tuas portas, *
e os teus **filhos** em teu seio abençoou;
– ^{14}a **paz** em teus limites garantiu *
e te **dá** como alimento a flor do trigo.

– ^{15}Ele en**via** suas ordens para a terra, *
e a pala**vra** que ele diz corre veloz;
– ^{16}ele **faz** cair a neve como lã *
e es**palha** a geada como cinza.

– ^{17}Como de **pão** lança as migalhas do granizo, *
a seu **frio** as águas ficam congeladas.
– ^{18}Ele en**via** sua palavra e as derrete, *
sopra o **vento** e de novo as águas correm.

– ^{19}Anun**cia** a Jacó sua palavra, *
seus pre**ceitos** e suas leis a Israel.
– ^{20}Nenhum **povo** recebeu tanto carinho, *
a nenhum **outro** revelou os seus preceitos.

Ant. Glorifica o Se**nhor**, Jerusa**lém**,
que os teus **filhos** em teu **seio** abençoou (T.P. Ale**luia**).

I Vésperas

Ant. 3 O **Se**nhor se agra**dou** muito de **ti**,
 e se**rás** a ale**gri**a do teu **Deus** (T.P. Ale**luia**).

Cântico
Ef 1,3-10

– ³Ben**di**to e louva**do** seja **Deus**, *
 o **Pai** de Jesus Cristo, Senhor nosso,
– que do alto **céu** nos abençoou em Jesus Cristo *
 com **bên**ção espiritual de toda sorte!

(R. Ben**di**to sejais **vós**, nosso **Pai**,
 que **nos** aben**ço**astes em **Cris**to!)

– ⁴Foi em **Cris**to que Deus Pai nos escolheu, *
 já bem **an**tes de o mundo ser criado,
– para que **fôs**semos, perante a sua face, *
 sem **má**cula e santos pelo amor. (R.)

= ⁵Por **li**vre decisão de sua vontade, †
 predesti**nou**-nos, através de Jesus Cristo, *
 a sermos **ne**le os seus filhos adotivos,
– ⁶para o lou**vor** e para a glória de sua graça, *
 que em seu **Fi**lho bem-amado nos doou. (R.)

– ⁷É **ne**le que nós temos redenção, *
 dos pe**ca**dos remissão pelo seu sangue.
= Sua **gra**ça transbordante e inesgotável †
 ⁸Deus derrama sobre nós com abundância, *
 de sa**ber** e inteligência nos dotando. (R.)

– ⁹E as**sim**, ele nos deu a conhecer *
 o mis**té**rio de seu plano e sua vontade,
– que propusera em seu querer benevolente, *
 ¹⁰na pleni**tu**de dos tempos realizar:
– o de**síg**nio de, em Cristo, reunir *
 todas as **coi**sas: as da terra e as do céu. (R)

Ant. O **Se**nhor se agra**dou** muito de **ti**,
 e se**rás** a ale**gri**a do teu **Deus** (T.P. Ale**luia**).

Leitura breve
Fl 3,7-8

Estas coisas, que eram vantagens para mim, considerei-as como perda, por causa de Cristo. Na verdade, considero tudo como perda diante da vantagem suprema que consiste em conhecer a Cristo

1562   Comum das santas mulheres

Jesus, meu Senhor. Por causa dele eu perdi tudo. Considero tudo
como lixo, para ganhar Cristo e ser encontrado unido a ele.

Responsório breve

Fora do Tempo pascal:

R. Exulto de alegria
     * Em vosso grande amor. R. Exulto.
V. Pois olhastes, ó Senhor, para as minhas aflições.
     * Em vosso. Glória ao Pai. R. Exulto.

Tempo pascal:

R. Exulto de alegria em vosso grande amor.
     * Aleluia, aleluia. R. Exulto.
V. Pois olhastes, ó Senhor, para as minhas aflições.
     * Aleluia. Glória ao Pai. R. Exulto.

Cântico evangélico, ant.

A vós o fruto e a colheita que plantaram vossas mãos!
E, nas nossas assembleias, o louvor tão merecido (T.P. Aleluia).

Para várias santas:

Gloriai-vos em seu nome que é santo,
exulte o coração que busca a Deus! (T.P. Aleluia).

Preces como nas II Vésperas, p. 1569.

Oração como nas Laudes.

Laudes

Hino

Para uma santa mulher:

     Na nobre serva de Cristo
     com grande esplendor brilhou
     da mulher forte a beleza,
     que a Santa Bíblia cantou.

     Viveu a fé, a esperança
     e a caridade integral,
     raiz das obras perfeitas
     de puro amor fraternal.

Laudes

1563

Por suas preces movido,
Jesus, salvai os culpados,
e assim a vós louvaremos
de corações renovados.

Glória e poder a Deus Pai,
do qual o mundo provém,
a vós, ó Cristo, e ao Espírito,
agora e sempre. Amém.

Para várias santas mulheres:

Nas nobres servas de Cristo
com grande esplendor brilhou
da mulher forte a beleza,
que a Santa Bíblia cantou.

Não teve o mundo em seus laços
as que só Deus procuraram,
e o odor de Jesus Cristo
por toda parte espalharam.

A alma e o corpo domando
pelo jejum e a oração,
os bens que passam deixaram
por uma eterna mansão.

Louvor e poder a Deus Pai,
que o mundo inteiro governa
e reserva para os seus
a glória da vida eterna.

Ant. 1 Minh'alma se agarra em vós,
com poder vossa mão me sustenta (T.P. Aleluia).

Salmos e cântico do domingo da I Semana, p. 764.

Ant. 2 A mão do Senhor vos dá força,
vós sereis para sempre bendita! (T.P. Aleluia).

Ant. 3 Exulto de alegria pelo vosso grande amor!
(T.P. Aleluia).

Leitura breve   Rm 12,1-2

Pela misericórdia de Deus, eu vos exorto, irmãos, a vos oferecerdes em sacrifício vivo, santo e agradável a Deus: Este é o vosso
culto espiritual. Não vos conformeis com o mundo, mas transfor-

1564   **Comum das santas mulheres**

mai-vos, renovando vossa maneira de pensar e de julgar, para que possais distinguir o que é da vontade de Deus, isto é, o que é bom, o que lhe agrada, o que é perfeito.

Responsório breve

Fora do Tempo pascal:

R. O Senhor a sustenta
    * Com a luz de sua face. R. O Senhor.
V. Quem a pode abalar? Deus está junto a ela.
    * Com a luz. Glória ao Pai. R. O Senhor.

Tempo pascal:

R. O Senhor a sustenta com a luz de sua face.
    * Aleluia, aleluia. R. O Senhor.
V. Quem a pode abalar? Deus está junto a ela.
    * Aleluia. Glória ao Pai. R. O Senhor.

Cântico evangélico, ant.

O Reino dos céus é semelhante
ao comprador de raras pérolas preciosas;
quando encontra a mais bela entre todas,
vende tudo o que possui para comprá-la (T.P. Aleluia).

Preces

Juntamente com todas as santas mulheres, louvemos, irmãos, nosso Salvador; e peçamos:

R. **Vinde, Senhor Jesus!**

Senhor Jesus, que perdoastes à mulher pecadora todos os seus pecados porque ela muito amou,
– perdoai-nos também os nossos muitos pecados.   R.

Senhor Jesus, a quem as santas mulheres serviam em vossas jornadas,
– concedei-nos seguir fielmente os vossos passos.   R.

Senhor Jesus, Mestre a quem Maria escutava, enquanto Marta vos servia,
– concedei-nos também vos servirmos na fé e na caridade.   R.

Senhor Jesus, que chamastes irmão, irmã e mãe a todos aqueles que cumprem a vontade do Pai,
– fazei que sempre vos agrademos em palavras e ações.   R.

                           (intenções livres)

Pai nosso...

Oração

Não havendo oração própria, diz-se uma das seguintes:

Ó Deus, que nos alegrais cada ano com a festa de santa N., fazei--nos, venerando sua memória, seguir o exemplo de sua vida. Por nosso Senhor Jesus Cristo, vosso Filho, na unidade do Espírito Santo.

Ou:

Concedei-nos, ó Deus, a sabedoria e o amor que inspirastes à vossa filha santa N., para que, seguindo seu exemplo de fidelidade, nos dediquemos ao vosso serviço, e vos agrademos pela fé e pelas obras. Por nosso Senhor Jesus Cristo, vosso Filho, na unidade do Espírito Santo.

Para várias santas mulheres:

Ó Deus todo-poderoso, pelas preces das santas N. e N., que nos deixaram em suas vidas um exemplo admirável, concedei-nos os auxílios celestes. Por nosso Senhor Jesus Cristo, vosso Filho, na unidade do Espírito Santo.

Hora Média

Ant. Meu coração e minha carne rejubilam
e exultam de alegria no Deus vivo (T.P. Aleluia).

Leitura breve — 1Cor 9,26-27a

Por isso, eu corro, mas não à toa. Eu luto, mas não como quem dá murros no ar. Trato duramente o meu corpo e o subjugo.

V. Encontrei o grande amor da minha vida (T.P. Aleluia).
R. Vou guardá-lo para sempre junto a mim (T.P. Aleluia).

Oração como nas Laudes.

II Vésperas

Hino

Para uma santa mulher:

Louvor à mulher forte,
firme de coração.
Em glória e santidade
refulge o seu clarão.

Calcando aos pés o mundo
das coisas transitórias,
por santo amor ferida,
caminha para a glória.

Domina por jejuns
da carne a rebeldia.
O pão da prece nutre
sua alma de alegria.

Só vós fazeis prodígios,
ó Cristo, Rei dos fortes.
A prece desta santa
na luta nos conforte.

Jesus, a vós a glória!
A nós guiai também,
com vossa humilde serva,
à vida eterna. Amém.

Para várias santas mulheres:

Ó Cristo, autor dos seres,
que a tudo governais,
daqueles que vos louvam
as culpas apagais.

Guardais em vasos frágeis
as pedras preciosas.
Mulheres muito fracas
tornastes valorosas.

Sensíveis, delicadas,
mas fortes pelo amor,
recebem a coroa
no Reino do Senhor.

Ao Pai e ao Filho glória,
e ao seu Amor também,
poder, louvor, vitória
agora e sempre. Amém.

Salmodia

Ant. 1 Vossa **serva**, ó **Se**nhor,
exul**tou** de ale**gri**a pela **vossa** salva**ção** (T.P. Aleluia).

II Vésperas 1567

Salmo 121(122)

— ¹ Que alegria, quando ouvi que me disseram: *
"Vamos à casa do Senhor!"
— ² E agora nossos pés já se detêm, *
Jerusalém, em tuas portas.

— ³ Jerusalém, cidade bem edificada *
num conjunto harmonioso;
— ⁴ para lá sobem as tribos de Israel, *
as tribos do Senhor.

— Para louvar, segundo a lei de Israel, *
o nome do Senhor.
— ⁵ A sede da justiça lá está *
e o trono de Davi.

— ⁶ Rogai que viva em paz Jerusalém, *
e em segurança os que te amam!
— ⁷ Que a paz habite dentro de teus muros, *
tranquilidade em teus palácios!

— ⁸ Por amor a meus irmãos e meus amigos, *
peço: "A paz esteja em ti!"
— ⁹ Pelo amor que tenho à casa do Senhor, *
eu te desejo todo bem!

Ant. Vossa serva, ó Senhor,
exultou de alegria pela vossa salvação (T.P. Aleluia).

Ant. 2 Como alicerce sobre a rocha inabalável,
foi a palavra do Senhor em sua vida (T.P. Aleluia).

Salmo 126(127)

— ¹ Se o Senhor não construir a nossa casa, *
em vão trabalharão seus construtores;
— se o Senhor não vigiar nossa cidade, *
em vão vigiarão as sentinelas!

— ² É inútil levantar de madrugada, *
ou à noite retardar vosso repouso,
— para ganhar o pão sofrido do trabalho, *
que a seus amados Deus concede enquanto dormem. —

1568   Comum das santas mulheres

– ³Os filhos são a bênção do Senhor, *
    o fruto das entranhas, sua dádiva.
– ⁴Como flechas que um guerreiro tem na mão, *
    são os filhos de um casal de esposos jovens.
– ⁵Feliz aquele pai que com tais flechas *
    consegue abastecer a sua aljava!
– Não será envergonhado ao enfrentar *
    seus inimigos junto às portas da cidade.

Ant. Como alicerce sobre a rocha inabalável,
    foi a palavra do Senhor em sua vida (T.P. Aleluia).

Ant. 3 A mão do Senhor vos dá força.
    vós sereis para sempre bendita! (T.P. Aleluia).

Cântico   Ef 1,3-10

– ³Bendito e louvado seja **Deus**, *
    o **Pai** de Jesus Cristo, Senhor nosso,
– que do alto céu nos abençoou em Jesus Cristo *
    com bênção espiritual de toda sorte!

(R. Bendito sejais **vós**, nosso **Pai**,
    que nos abençoastes em **Cristo**!)

– ⁴Foi em **Cristo** que Deus Pai nos escolheu, *
    já bem antes de o mundo ser criado,
– para que fôssemos, perante a sua face, *
    sem mácula e santos pelo amor.   (R.)

= ⁵Por livre decisão de sua vontade, †
    predestinou-nos, através de Jesus Cristo, *
    a sermos nele os seus filhos adotivos,
– ⁶para o louvor e para a glória de sua graça, *
    que em seu Filho bem-amado nos doou.   (R.)

– ⁷É nele que nós temos redenção, *
    dos pecados remissão pelo seu sangue.
= Sua graça transbordante e inesgotável †
    ⁸Deus derrama sobre nós com abundância, *
    de saber e inteligência nos dotando.   (R.)

– ⁹E assim, ele nos deu a conhecer *
    o mistério de seu plano e sua vontade,
– que propusera em seu querer benevolente, *

II Vésperas 1569

¹⁰ na plenitude dos tempos realizar:
— o desígnio de, em Cristo, reunir *
   todas as **coisas**: as da terra e as do céu.   (R.)

Ant. A **mão** do **Senhor** vos dá **força**.
   vós se**reis** para **sem**pre bend**ita**! (T.P. Aleluia).

Leitura breve   Rm 8,28-30

Sabemos que tudo contribui para o bem daqueles que amam a Deus, daqueles que são chamados para a salvação, de acordo com o projeto de Deus. Pois aqueles que Deus contemplou com seu amor desde sempre, a esses ele predestinou a serem conformes à imagem de seu Filho, para que este seja o primogênito numa multidão de irmãos. E aqueles que Deus predestinou, também os chamou. E aos que chamou, também os tomou justos; e aos que tornou justos, também os glorificou.

Responsório breve

Fora do Tempo pascal:

R. O **Senhor** a esco**lheu**,
   * Entre **to**das prefe**rida**. R. O **Senhor**.
V. O **Senhor** a fez mo**rar** em sua **san**ta habita**ção**.
   * Entre **to**das. Glória ao **Pai**. R. O **Senhor**.

Tempo pascal:

R. O **Senhor** a esco**lheu**, entre **to**das prefe**rida**.
   * Ale**lu**ia, ale**lu**ia. R. O **Senhor**.
V. O **Senhor** a fez mo**rar** em sua **san**ta habita**ção**.
   * Ale**lu**ia. Glória ao **Pai**. R. O **Senhor**.

Cântico evangélico, ant.

Exulta no **Senhor** meu cora**ção**
e minh'**al**ma se e**le**va para **Deus**,
porque me a**le**gro com a **vos**sa salva**ção**.

Preces

Por intercessão das santas mulheres, peçamos ao Senhor em favor da Igreja; e digamos:

R. **Lembrai-vos, Senhor, da vossa Igreja!**

1570 Para santos e santas religiosos

Por intercessão das santas mártires, que venceram a morte do corpo com o vigor do espírito,
– concedei à vossa Igreja a fortaleza nas provações.

R. **Lembrai-vos, Senhor, da vossa Igreja!**

Por intercessão das santas casadas, que progrediram em graça na vida matrimonial,
– concedei à vossa Igreja a fecundidade apostólica. R.

Por intercessão das santas viúvas, que superaram e santificaram sua solidão mediante a oração e a hospitalidade,
– concedei à vossa Igreja que manifeste perante o mundo o mistério da vossa caridade. R.

Por intercessão das santas mães, que geraram filhos para o Reino de Deus e para a sociedade humana,
– concedei à vossa Igreja que transmita a vida divina e a salvação a toda a humanidade. R.

(intenções livres)

Por intercessão de todas as santas mulheres, que já mereceram contemplar a luz da vossa face,
– concedei aos irmãos e irmãs falecidos de vossa Igreja a eterna alegria da mesma visão. R.

Pai nosso...

Oração como nas Laudes.

PARA SANTOS RELIGIOSOS E SANTAS RELIGIOSAS

Como no Comum dos santos homens, p. 1547, ou das santas mulheres, p. 1559, exceto o seguinte:

I Vésperas

HINO Senhor, a vós cantamos, como nas II Vésperas, p. 1572.

Cântico evangélico, ant.
Quem **não** renunci**ar** a tudo a**qui**lo que pos**sui**,
não pode **ser** o meu dis**cí**pulo (T.P. Ale**lui**a).

Para um santo religioso:

Sobre **este** desce a **bênção** do Se**nhor**
e a recom**pen**sa de seu **Deus** e Salva**dor**;
porque **esta** é a ge**ração** dos que o pro**curam** (T.P. Ale**luia**).

Para uma santa religiosa:

O Se**nhor** a despo**sou** com seu **amor** sempre fiel
(T.P. Ale**luia**).

Ora**ção** como nas Laudes.

Laudes

Hino

Jesus Cristo, ternura de Deus,
por quem somos votados ao Pai,
pelos ternos acenos do Espírito,
nossas almas na graça guiai.

Aos nascidos do Deus verdadeiro,
pela água na fonte lavados,
quereis ver darem frutos de graça,
pelo amor com que foram amados.

Vós chamais, e os chamados acorrem,
deixam tudo, ao fulgor desta luz,
e vos seguem, em busca do Pai,
pelos régios caminhos da cruz.

Este(a) santo(a), com todas as forças,
quis a vós se unir pelo amor.
Da virtude as mais altas montanhas
procurou escalar com ardor.

A Deus Pai, e a Jesus, Cristo Rei,
e ao Espírito, perene louvor.
Cem por um dais, ó Deus, para o pobre
que deu pouco, porém, com amor.

Cântico evangélico, ant.

Quem **faz** a von**ta**de do meu **Pai**,
é meu ir**mão**, minha irmã e minha **mãe** (T.P. Ale**luia**).

Ou:

O Se**nhor** é a minha he**ran**ça,
ele é **bom** pra quem o **bus**ca (T.P. Ale**luia**).

1572

Para santos e santas religiosos

Oração

Não havendo oração própria, diz-se uma das seguintes:

Ó Deus, concedei-nos, pelas preces de são (santa) N., a quem destes perseverar na imitação do Cristo pobre e humilde, seguir a nossa vocação com fidelidade e chegar àquela perfeição que nos propusestes em vosso Filho. Que convosco vive e reina, na unidas de do Espírito Santo.

Para um santo abade:

Ó Deus, que nos destes no santo abade N. um testemunho de perfeição evangélica, fazei-nos, em meio às agitações deste mundo, fixar os corações nos bens eternos. Por nosso Senhor Jesus Cristo, vosso Filho, na unidade do Espírito Santo.

II Vésperas

Hino

> Senhor, a vós cantamos
> um hino de louvor,
> louvando o(a) vosso(a) santo(a)
> perfeito(a) servidor(a).
>
> Fiel seguiu a Cristo,
> deixando as alegrias,
> riquezas e prazeres
> que o mundo oferecia.
>
> Humilde, obediente,
> a vós se consagrou;
> do corpo a castidade
> por Cristo conservou.
>
> Buscou a vossa glória,
> unido(a) a vós somente,
> com todo o ser entregue
> do amor ao fogo ardente.
>
> A vós na terra preso(a)
> por grande caridade,
> no céu, feliz, triunfa
> por toda a eternidade.

Seguindo o seu exemplo,
possamos caminhar
e um dia, a vós, Trindade,
louvor sem fim cantar.

Cântico evangélico, ant.
Vós que tudo abandonastes e me seguistes,
recebereis cem vezes mais e a vida eterna (T.P. Aleluia).
Ou:
Onde, unidos os irmãos, louvam a Deus,
ali também, o Senhor dá sua bênção (T.P. Aleluia).
Oração como nas Laudes.

PARA OS SANTOS E AS SANTAS
QUE SE DEDICARAM ÀS OBRAS DE CARIDADE

Como no Comum do santos homens, p. 1547, ou das santas mulheres, p. 1559, exceto:

I Vésperas

Cântico evangélico, ant.
Será feliz quem ama o pobre:
quem crê em Deus, ama seu próximo (T.P. Aleluia).
Oração como nas Laudes.

Laudes

Cântico evangélico, ant.
Nisto todos saberão que vós sois os meus discípulos:
se uns aos outros vos amardes (T.P. Aleluia).

Oração

Não havendo oração própria, diz-se a seguinte:
Ó Pai, como ensinastes à vossa Igreja que todos os mandamentos se resumem em amar a Deus e ao próximo, concedei-nos, a exemplo de são (santa) N., praticar obras de caridade, para sermos contados entre os benditos do vosso Reino. Por nosso Senhor Jesus Cristo, vosso Filho, na unidade do Espírito Santo.

1574 Para santos e santas educadores

II Vésperas

Cântico evangélico, ant.

O que fizestes ao menor dos meus irmãos
foi a mim mesmo que o fizestes, diz Jesus.
Vinde, benditos do meu Pai, e recebei o Reino eterno
preparado para vós desde o início do universo! (T.P. Aleluia).

Oração como nas Laudes.

PARA SANTOS E SANTAS EDUCADORES

Como no Comum dos santos homens, p. 1547, ou das santas mulheres, p. 1559, exceto o seguinte:

I Vésperas

Cântico evangélico, ant.

Escuta, filho, as palavras de teu pai,
e não esqueças os conselhos de tua mãe;
sempre traze-os bem junto ao coração (T.P. Aleluia).

Oração como nas Laudes.

Laudes

Cântico evangélico, ant.

Quem tem amor no coração para os pequenos,
sabe guiar e ensinar como um pastor (T.P. Aleluia).

Oração

Não havendo oração própria, diz-se a seguinte:

Ó Deus, que suscitastes são (sto. sta.) N. na vossa Igreja, para mostrar ao próximo o caminho da salvação, concedei-nos seguir também o Cristo, nosso Mestre, e chegar até vós com nossos irmãos. Por nosso Senhor Jesus Cristo, vosso Filho, na unidade do Espírito Santo.

II Vésperas

Cântico evangélico, ant.

Deixai vir a mim as criancinhas,
pois delas é o Reino do meu Pai (T.P. Aleluia).

Oração como nas Laudes.

OFÍCIO DOS FIÉIS DEFUNTOS

No Tempo pascal, pode-se dizer, conforme a oportunidade, o Aleluia no fim das antífonas, dos versículos e dos responsórios.

As Orações devem ser adaptadas de acordo com o gênero e número.

OFÍCIO DOS FIÉIS DEFUNTOS

Laudes

Hino

Ressurreição e vida nossa,
Cristo, esperança do perdão.
Quando nos fere a dor da morte,
a vós se volta o coração.

Também na cruz a grande angústia
da morte humana vós provastes
quando, inclinando a vossa fronte,
ao Pai o espírito entregastes.

Ó Bom Pastor, em vossos ombros
vós carregastes nossa dor.
Destes a nós morrer convosco
do Pai no seio acolhedor.

Braços abertos, vós pendestes,
e vosso peito transpassado
atrai a si os que carregam
da morte o fardo tão pesado.

Quebrando as portas dos infernos,
do céu o Reino nos abris;
dai força agora aos sofredores,
dai-lhes enfim vida feliz.

O (a,s) nosso(a,s) irmão(ã,s), que no(s) seu(s) corpo(s)
dorme (m) na paz do vosso amor,
por vós esteja(m) vigilante(s)
para entoar vosso louvor.

Salmodia

Ant. 1 Os **os**sos humi**lha**dos, no Se**nhor** exulta**rão**.

Salmo 50(51)

– [3] Tende pie**da**de, ó meu **Deus**, misericór**dia**! *
Na imensi**dão** de vosso amor, purificai-me!
– [4] La**vai**-me todo inteiro do pecado, *
e apa**gai** completamente a minha culpa! –

Laudes

– ⁵Eu reconheço toda a minha iniquidade, *
o meu pecado está sempre à minha frente.
– ⁶Foi contra vós, só contra vós, que eu pequei, *
e pratiquei o que é mau aos vossos olhos!
– Mostrais assim quanto sois justo na sentença, *
e quanto é reto o julgamento que fazeis.
– ⁷Vede, Senhor, que eu nasci na iniquidade *
e pecador já minha mãe me concebeu.
– ⁸Mas vós amais os corações que são sinceros, *
na intimidade me ensinais sabedoria.
– ⁹Aspergi-me e serei puro do pecado, *
e mais branco do que a neve ficarei.
– ¹⁰Fazei-me ouvir cantos de festa e de alegria, *
e exultarão estes meus ossos que esmagastes.
– ¹¹Desviai o vosso olhar dos meus pecados *
e apagai todas as minhas transgressões!
– ¹²Criai em mim um coração que seja puro, *
dai-me de novo um espírito decidido.
– ¹³Ó Senhor, não me afasteis de vossa face, *
nem retireis de mim o vosso Santo Espírito!
– ¹⁴Dai-me de novo a alegria de ser salvo *
e confirmai-me com espírito generoso!
– ¹⁵Ensinarei vosso caminho aos pecadores, *
e para vós se voltarão os transviados.
– ¹⁶Da morte como pena, libertai-me, *
e minha língua exaltará vossa justiça!
– ¹⁷Abri meus lábios, ó Senhor, para cantar, *
e minha boca anunciará vosso louvor!
– ¹⁸Pois não são de vosso agrado os sacrifícios, *
e, se oferto um holocausto, o rejeitais.
– ¹⁹Meu sacrifício é minha alma penitente, *
não desprezeis um coração arrependido!
– ²⁰Sede benigno com Sião, por vossa graça, *
reconstruí Jerusalém e os seus muros!
– ²¹E aceitareis o verdadeiro sacrifício, *
os holocaustos e oblações em vosso altar!

1578   Ofício dos fiéis defuntos

Ant. Os ossos humilhados, no Senhor exultarão.

Ant. 2 Das portas do abismo, livrai-me, Senhor!

Cântico   Is 38,10-14.17-20

– [10] Eu dizia: "É necessário que eu me vá *
no apogeu de minha vida e de meus dias;
– para a mansão triste dos mortos descerei, *
sem viver o que me resta dos meus anos".

= [11] Eu dizia: "Não verei o Senhor Deus †
sobre a terra dos viventes nunca mais; *
nunca mais verei um homem neste mundo!"

– [12] Minha morada foi à força arrebatada, *
desarmada como a tenda de um pastor.
– Qual tecelão, eu ia tecendo a minha vida, *
mas agora foi cortada a sua trama.

– [13] Vou me acabando de manhã até à tarde, *
passo a noite a gemer até a aurora.
– Como um leão que me tritura os ossos todos, *
assim eu vou me consumindo dia e noite.

– [14] O meu grito é semelhante ao da andorinha, *
o meu gemido se parece ao da rolinha.
– Os meus olhos já se cansam de elevar-se, *
de pedir-vos: "Socorrei-me, Senhor Deus!"

– [17] Mas vós livrastes minha vida do sepulcro, *
e lançastes para trás os meus pecados.

– [18] Pois a mansão triste dos mortos não vos louva, *
nem a morte poderá agradecer-vos;
– para quem desce à sepultura é terminada *
a esperança em vosso amor sempre fiel.

– [19] Só os vivos é que podem vos louvar, *
como hoje eu vos louvo agradecido.
– O pai há de contar para seus filhos *
vossa verdade e vosso amor sempre fiel.

= [20] Senhor, salvai-me! Vinde logo em meu auxílio, †
e a vida inteira cantaremos nossos salmos, *
agradecendo ao Senhor em sua casa.

Laudes   1579

Ant. Das **por**tas do a**bi**smo, li**vrai**-me, Se**nhor**!

Ant. 3 Bendi**rei** o Se**nhor** toda a **vi**da.

Salmo 145(146)

= [1] Ben**di**ze, minh'**al**ma, ao Se**nhor**! †
  [2] Bendi**rei** ao Senhor toda a vida, *
  canta**rei** ao meu Deus sem cessar!

− [3] **Não** po**nhais** vossa fé nos que mandam, *
  não há **ho**mem que possa salvar.

= [4] Ao fal**tar**-lhe o respiro ele volta †
  para a **ter**ra de onde saiu; *
  nesse **di**a seus planos perecem.

= [5] É fe**liz** todo homem que busca †
  seu au**xí**lio no Deus de Jacó, *
  e que **põe** no Senhor a esperança.

− [6] O Se**nhor** fez o céu e a terra, *
  fez o **mar** e o que neles existe.

− O Se**nhor** é fiel para sempre, *
  [7] faz jus**ti**ça aos que são oprimidos;
− ele **dá** alimento aos famintos, *
  é o Se**nhor** quem liberta os cativos.

= [8] O Se**nhor** abre os olhos aos cegos, †
  o Se**nhor** faz erguer-se o caído, *
  o Se**nhor** ama aquele que é justo.

= [9] É o Se**nhor** quem protege o estrangeiro, †
  quem am**para** a viúva e o órfão, *
  mas con**fun**de os caminhos dos maus.

=[10] O Se**nhor** reinará para sempre! †
  Ó Si**ão**, o teu Deus reinará *
  para **sem**pre e por todos os séculos!
  para **sem**pre e por todos os séculos!

Ant. Bendi**rei** o Se**nhor** toda a **vi**da.

Ou:

Ant. 3 Tudo o que **vi**ve e res**pi**ra, louve a **Deus**!

1580 Ofício dos fiéis defuntos

Salmo 150

– [1]Louvai o Senhor **Deus** no santuário, *
louvai-o no alto céu de seu poder!
– [2]Louvai-o por seus feitos grandiosos, *
louvai-o em sua grandeza majestosa!
– [3]Louvai-o com o toque da trombeta, *
louvai-o com a harpa e com a cítara!
– [4]Louvai-o com a dança e o tambor, *
louvai-o com as cordas e as flautas!
– [5]Louvai-o com os címbalos sonoros, *
louvai-o com os címbalos de júbilo!
– Louve a **Deus** tudo o que vive e que respira, *
tudo **can**te os louvores do Senhor!

Ant. Tudo o que **vi**ve e res**pi**ra, louve a **Deus**!

Leitura breve
1Ts 4,14

Se Jesus morreu e ressuscitou – e esta é a nossa fé – de modo
semelhante Deus trará de volta, com Cristo, os que através dele
entraram no sono da morte.

Responsório breve

R. Eu vos e**xal**to,
* Ó Se**nhor**, pois me li**vras**tes! R. Eu vos e**xal**to.
V. Transfor**mas**tes o meu **pran**to em uma **fes**ta. * Ó Se**nhor**.
Glória ao **Pai**. R. Eu vos e**xal**to.

Cântico evangélico, ant.
Eu **sou** a ressurrei**ção**, eu sou a **vi**da, diz Je**sus**.
Quem crê em **mim**, mesmo de**pois** de ter mor**ri**do, vive**rá**; e
quem **vi**ve e crê em **mim**, não morre**rá** eterna**men**te.

Ou, no Tempo pascal:
O Se**nhor** ressusci**tou** e a seu **po**vo ilumi**nou**,
ao qual re**miu** com seu **san**gue, ale**lui**a.

Laudes

1581

Preces

Oremos a Deus Pai todo-poderoso, que ressuscitou Jesus Cristo dentre os mortos e dará vida também aos nossos corpos mortais; e aclamemos:

R. **Dai-nos, Senhor, a vida em Cristo!**

Pai santo, fazei que nós, sepultados pelo Batismo na morte com vosso Filho e com ele ressuscitados, vivamos uma vida nova;
– para que, depois da nossa morte, vivamos para sempre em Cristo. R.

Pai de bondade, que nos destes o pão vivo descido do céu, como alimento das almas,
– fazei-nos alcançar a vida eterna e ressuscitar no último dia. R.

Senhor, que enviastes um anjo para confortar vosso Filho em sua agonia,
– fazei-nos sentir o conforto da esperança na hora de nossa morte. R.

Vós, que salvastes os três jovens da fornalha ardente,
– libertai as almas do castigo que sofrem por seus pecados. R.

Deus dos vivos e dos mortos, que ressuscitastes Jesus Cristo do sepulcro,
– ressuscitai também os defuntos e dai-nos um lugar junto deles na vossa glória. R.

(intenções livres)

Pai nosso...

Oração

Pode-se dizer uma das seguintes orações:

Ouvi, ó Pai, as nossas preces para que, ao afirmarmos nossa fé na ressurreição do vosso Filho, se confirme também nossa esperança na ressurreição de vosso servo N. Por nosso Senhor Jesus Cristo, vosso Filho, na unidade do Espírito Santo.

Ou:

Ó Deus, glória dos fiéis e vida dos justos, que nos remistes pela morte e ressurreição do vosso Filho, concedei a vosso servo N. que, tendo professado o mistério da nossa ressurreição, mereça alegrar-se na eterna felicidade. Por nosso Senhor Jesus Cristo, vosso Filho, na unidade do Espírito Santo.

1582 Ofício dos fiéis defuntos

Ou, no Tempo pascal:

Ó Pai de misericórdia, dai ao vosso servo N. associar-se à vitória do vosso Filho Jesus, que por nós submeteu-se à morte e ressuscitou glorioso. Por nosso Senhor Jesus Cristo, vosso Filho, na unidade do Espírito Santo.

Para vários defuntos:

Ó Deus, fizestes o vosso Filho único vencer a morte e subir ao céu. Concedei a vossos Filhos N. e N. superar a mortalidade desta vida e contemplar eternamente a vós, Criador e Redentor de todos. Por nosso Senhor Jesus Cristo, vosso Filho, na unidade do Espírito Santo.

Pelos irmãos, parentes e benfeitores:

Ó Deus, que perdoais os homens e desejais salvá-los, concedei aos irmãos, parentes e benfeitores de nossa comunidade que partiram deste mundo, participar da vida eterna por intercessão da Virgem Maria e de todos os Santos. Por nosso Senhor Jesus Cristo, vosso Filho, na unidade do Espírito Santo.

Ou à escolha, no Missal Romano.

Hora Média

Hino

Vós que por Lázaro chorastes
junto às irmãs, e compassivo.
Onipotente, o devolvestes
aos seus cuidados, redivivo.

Pelos culpados implorastes,
compadecido, a indulgência,
e ao companheiro de suplício
destes palavras da clemência;

Agonizante, ao discípulo
por sua mãe destes Maria,
para os fiéis terem tal mãe
presente à última agonia.

Hora Média

Cristo Senhor, à vossa herança,
por vosso sangue redimida,
concedei ver a dor da morte
mudar-se em gozo e nova vida.

Chamai o(a,s) servo(a,s) que partiu (partiram)
para onde a morte foi vencida.
Um hino eterno ele(a,s) vos cante(m),
Cristo Jesus, Senhor da vida.

Salmodia

Ant. Curai-me, Senhor, pois pequei contra vós!

Salmo 69(70)

– ² Vinde, ó **Deus**, em meu auxílio, sem demora, *
apressai-vos, ó Senhor, em socorrer-me!
– ³ Que sejam confundidos e humilhados *
os que procuram acabar com minha vida!

– Que voltem para trás envergonhados *
os que se alegram com os males que eu padeço!
– ⁴ Que se retirem, humilhados, para longe, *
todos aqueles que me dizem: "É bem feito!"

– ⁵ Mas se alegrem e em vós se rejubilem *
todos aqueles que procuram encontrar-vos;
– e repitam todo dia: "Deus é grande!" *
os que buscam vosso auxílio e salvação.

– ⁶ Quanto a **mim**, eu sou um pobre e infeliz: *
socorrei-me sem demora, ó meu Deus!
– Sois meu **Deus** libertador e meu auxílio: *
não tardeis em socorrer-me, ó Senhor!

Salmo 84(85)

– ² Favorecestes, ó Senhor, a vossa terra, *
libertastes os cativos de Jacó.
– ³ Perdoastes o pecado ao vosso povo, *
encobristes toda a falta cometida;
– ⁴ retirastes a ameaça que fizestes, *
acalmastes o furor de vossa ira. –

1584 Ofício dos fiéis defuntos

– [5] Renovai-nos, nosso Deus e Salvador, *
esquecei a vossa mágoa contra nós!
– [6] Ficareis eternamente irritado? *
Guardareis a vossa ira pelos séculos?
– [7] Não vireis restituir a nossa vida, *
para que em vós se rejubile o vosso povo?
– [8] Mostrai-nos, ó Senhor, vossa bondade, *
concedei-nos também vossa salvação!

– [9] Quero ouvir o que o Senhor irá falar: *
é a paz que ele vai anunciar;
– a paz para o seu povo e seus amigos, *
para os que voltam ao Senhor seu coração.
– [10] Está perto a salvação dos que o temem, *
e a glória habitará em nossa terra.

– [11] A verdade e o amor se encontrarão, *
a justiça e a paz se abraçarão;
– [12] da terra brotará a fidelidade, *
e a justiça olhará dos altos céus.

– [13] O Senhor nos dará tudo o que é bom, *
e a nossa terra nos dará suas colheitas;
– [14] a justiça andará na sua frente *
e a salvação há de seguir os passos seus.

Salmo 85(86)

– [1] Inclinai, ó Senhor, vosso ouvido, *
escutai, pois sou pobre e infeliz!
= [2] Protegei-me, que sou vosso amigo, †
e salvai vosso servo, meu Deus, *
que espera e confia em vós!

– [3] Piedade de mim, ó Senhor, *
porque clamo por vós todo o dia!
– [4] Animai e alegrai vosso servo, *
pois a vós eu elevo a minh'alma.

– [5] Ó Senhor, vós sois bom e clemente, *
sois perdão para quem vos invoca.

Hora Média

1585

– ⁶ Escutai, ó Senhor, minha prece, *
o lamento da minha oração!

– ⁷ No meu dia de angústia eu vos chamo, *
porque sei que me haveis de escutar.

– ⁸ Não existe entre os deuses nenhum *
que convosco se possa igualar;

– não existe outra obra no mundo *
comparável às vossas, Senhor!

– ⁹ As nações que criastes virão *
adorar e louvar vosso nome.

– ¹⁰ Sois tão grande e fazeis maravilhas: *
vós somente sois Deus e Senhor!

– ¹¹ Ensinai-me os vossos caminhos, *
e na vossa verdade andarei;

– meu coração orientai para vós: *
que respeite, Senhor, vosso nome!

– ¹² Dou-vos graças com toda a minh'alma, *
sem cessar louvarei vosso nome!

– ¹³ Vosso amor para mim foi imenso: *
retirai-me do abismo da morte!

= ¹⁴ Contra mim se levantam soberbos, †
e malvados me querem matar; *
não vos levam em conta, Senhor!

– ¹⁵ Vós, porém, sois clemente e fiel, *
sois amor, paciência e perdão.

= ¹⁶ Tende pena e olhai para mim! †
Confirmai com vigor vosso servo, *
de vossa serva o filho salvai.

– ¹⁷ Concedei-me um sinal que me prove *
a verdade do vosso amor.

– O inimigo humilhado verá *
que me destes ajuda e consolo.

Ant. Curai-me, Senhor, pois pequei contra vós!

1586   Ofício dos fiéis defuntos

Leitura breve   Sb 1,13-14.a.15

Deus não fez a morte, nem tem prazer com a destruição dos vivos. Ele criou todas as coisas para existirem. Pois a justiça é imortal.

V. No **vale** tene**bro**so nenhum **mal** eu teme**rei**,

R. Porque **vós**, ó meu Se**nhor**, Bom Pas**tor**, estais co**mi**go!

Oração como nas Laudes.

Vésperas

Hino

Cristo, Rei de poder infinito,
para dar toda a glória a Deus Pai,
e honra a nós, os perdidos outrora,
as cadeias da morte quebrais.

Assumindo dos homens as dores,
enfrentastes a dor derradeira
e, morrendo, vencestes a morte,
pela qual a serpente vencera.

Do sepulcro surgindo mais forte
no fulgor do mistério pascal,
para a vida chamais novamente
quem morreu para a culpa fatal.

Concedei-nos a vida da graça,
para que, ao voltar como Esposo,
nos acheis com a lâmpada acesa,
prontos para o festim glorioso.

Recebei-nos, sereno Juiz,
no descanso e na luz da verdade,
nós, que a fé, o amor, a esperança
sempre uniram à Santa Trindade .

Este(a,s) servo(a,s) liberto(a,s) do corpo,
que suspira(m) por vós, Sumo Bem,
recebei nas celestes moradas
para sempre a louvar-vos. Amém.

Salmodia

Ant. 1 O Se**nhor** te guarda**rá** de todo o **mal**:
Ele **mes**mo vai cui**dar** da tua **vi**da!

Vésperas 1587

Salmo 120(121)

— ¹Eu **levan**to os meus **o**lhos para os **mon**tes: *
de **on**de pode vir o meu socorro?

— ²"Do Se**nhor** é que me vem o meu socorro, *
do Se**nhor** que fez o céu e fez a terra!"

— ³Ele não **deix**a tropeçarem os meus pés, *
e não **dor**me quem te guarda e te vigia.

— ⁴Oh! **não**! ele não dorme nem cochila, *
a**que**le que é o guarda de Israel!

— ⁵O Se**nhor** é o teu guarda, o teu vigia, *
é uma **som**bra protetora à tua direita.

— ⁶Não **vai** ferir-te o sol durante o dia, *
nem a **lu**a através de toda a noite.

— ⁷O Se**nhor** te guardará de todo o mal, *
ele **mes**mo vai cuidar da tua vida!

— ⁸Deus te **guar**da na partida e na chegada. *
Ele te **guar**da desde agora e para sempre!

Ant. O Se**nhor** te guarda**rá** de todo o **mal:**
Ele **mes**mo vai cui**dar** da tua **vida!**

Ant. 2 Se le**var**des em **con**ta nossas **fal**tas,
ó Se**nhor**, quem pode**ria** se sal**var**?

Salmo 129(130)

— ¹Das profun**dezas** eu **cla**mo a vós, Se**nhor**, *
²escu**tai** a minha **voz!**

— Vossos ou**vidos** estejam bem atentos *
ao cla**mor** da minha prece!

— ³Se le**var**des em conta nossas faltas, *
quem have**rá** de subsistir?

— ⁴Mas em **vós** se encontra o perdão, *
eu vos **te**mo e em vós espero.

— ⁵No Se**nhor** ponho a minha esperança, *
es**pero** em sua palavra.

— ⁶A minh'**alma** espera no Senhor *
mais que o vigia pela aurora. —

1588   Ofício dos fiéis defuntos

– [7] Espere Israel pelo Senhor *
mais que o vigia pela aurora!
– Pois no Senhor se encontra toda graça *
e copiosa redenção.
– [8] Ele vem libertar a Israel *
de toda a sua culpa.

Ant. Se levardes em conta nossas faltas,
ó Senhor, quem poderia se salvar?

Ant. 3 Como o Pai ressuscita e dá a vida,
assim o Filho dá a vida aos que o amam.

Cântico   Fl 2,6-11

= [6] Embora fosse de divina condição, †
Cristo Jesus não se apegou ciosamente *
a ser igual em natureza a Deus Pai.

(R. Jesus Cristo é Senhor para a glória de Deus Pai!)

= [7] Porém esvaziou-se de sua glória †
e assumiu a condição de um escravo, *
fazendo-se aos homens semelhante.   (R.)

= Reconhecido exteriormente como homem, †
[8] humilhou-se, obedecendo até à morte, *
até à morte humilhante numa cruz.   (R.)

= [9] Por isso Deus o exaltou sobremaneira †
e deu-lhe o nome mais excelso, mais sublime, *
e elevado muito acima de outro nome.   (R.)

=[10] Para que perante o nome de Jesus †
se dobre reverente todo joelho, *
seja nos céus, seja na terra ou nos abismos.   (R.)

=[11] E toda língua reconheça, confessando, †
para a glória de Deus Pai e seu louvor: *
"Na verdade Jesus Cristo é o Senhor!"   (R.)

Ant. Como o Pai ressuscita e dá a vida,
assim o Filho dá a vida aos que o amam.

Vésperas

Leitora breve   1Cor 15,55-57

Ó morte, onde está a tua vitória? Onde está o teu aguilhão? O aguilhão da morte é o pecado, e a força do pecado é Lei. Graças sejam dadas a Deus que nos dá a vitória pelo Senhor nosso, Jesus Cristo.

Responsório breve

R. Senhor, eu ponho em **vós** minha esperança:
   * Que eu não fique envergonhado eternamente! R. Senhor.
V. Vosso amor me faz saltar de alegria. * Que eu não fique.
   Glória ao **Pai.** R. Senhor.

ou:

R. Ó Senhor, em vosso amor,
   * Dai a eles vossa **luz!** R. Ó Senhor.
V. Vós vireis para julgar os vivos e os mortos.
   * Dai a eles. Glória ao **Pai.** R. Ó Senhor.

Cântico evangélico, ant.

Todo aquele que o **Pai** me entregou,
há de vir até **mim,** diz Jesus;
e a quem vem até **mim,** nunca irei rejeitar.

Ou, no Tempo pascal:

Jesus Crucificado ressurgiu dentre os mortos
e ele redimiu-nos, aleluia.

Preces

Oremos a Cristo nosso Senhor, que nos deu a esperança de transformar o nosso pobre corpo à semelhança do seu corpo glorioso; e o aclamemos:

R. Senhor, sois nossa vida e ressurreição!

Cristo, Filho do Deus vivo, que ressuscitastes vosso amigo Lázaro dentre os mortos,
– ressuscitai para a vida e para a glória os defuntos remidos com o vosso sangue. R.

Cristo, consolador dos aflitos, que na morte de Lázaro, do jovem de Naim e da filha de Jairo, acorrestes compassivo a enxugar as lágrimas de seus parentes e amigos,
– consolai também agora os que choram a morte dos seus entes queridos. R.

1590 Ofício dos fiéis defuntos

Cristo, Salvador dos homens, destruí em nosso corpo mortal o domínio do pecado, pelo qual merecemos a morte;
– para que em vós alcancemos a vida eterna. R.

Cristo, Redentor do mundo, olhai com bondade para aqueles que não vos conhecem e vivem sem esperança;
– para que também eles acreditem na ressurreição dos mortos e na vida futura. R.

Vós, que, ao curar o cego de nascença, lhe destes a alegria de poder ver o vosso rosto,
– revelai o esplendor da vossa face aos defuntos que ainda não chegaram à luz da glória. R.

(intenções livres)

Vós, que permitis a destruição da nossa morada terrestre,
– concedei-nos a eterna morada no reino dos céus R.

Pai nosso...

Oração como nas Laudes, ou à escolha no Missal Romano.

Completas

Tudo como no Domingo, p. 1119.

ÍNDICES

A. ÍNDICE ALFABÉTICO DAS CELEBRAÇÕES

Afonso Maria de Ligório	1308
Afonso Rodríguez, Roque González e João del Castillo	1440
Agostinho	1345
Agostinho de Cantuária	1255
Águeda	1195
Alberto Magno	1437
Ambrósio	1143
Ana e Joaquim	1301
André, apóstolo	1138
André Dung-Lac e companheiros	1444
André Kim Taegón e Paulo Chóng Hasang	1373
Ângela Meríci	1182
Anjos da Guarda	1387
Anselmo	1234
Antão	1172
Antônio de Pádua (Lisboa)	1266
Antônio Maria Claret	1417
Antônio Maria Zacaria	1288
Aquiles e Nereu	1250
Atanásio	1246
Barnabé, apóstolo	1265
Bartolomeu, apóstolo	1341
Basílio Magno e Gregório de Nazianzo	1170
Beda, o Venerável	1253
Benedito, o Negro	1395
Bento	1289
Bernardino de Sena	1252
Bernardo	1336
Boaventura	1292
Bonifácio	1263
Brás	1194
Brígida	1298
Bruno	1396
Caetano	1321
Calisto I	1408
Camilo de Lellis	1292

Índice alfabético das celebrações 1593

Carlos Borromeu	1431
Carlos Lwanga e companheiros	1262
Casimiro	1207
Catarina de Sena	1240
Cecília	1442
Cipriano e Cornélio	1371
Cirilo de Alexandria	1275
Cirilo de Jerusalém	1210
Cirilo e Metódio	1199
Clara	1327
Clemente I	1443
Columbano	1443
Comemoração de todos os fiéis defuntos	1430
Cornélio e Cipriano	1371
Cosme e Damião	1375
Dâmaso	1150
Damião e Cosme	1375
Dionísio e companheiros	1399
Domingos	1322
Edviges	1409
Efrém	1264
Escolástica	1197
Estanislau	1233
Estêvão da Hungria	1335
Estêvão, o primeiro mártir	1161
Eusébio de Vercelli	1308
Fabiano	1173
Felicidade e Perpétua	1207
Fidélis de Sigmaringa	1235
Filipe e Tiago, apóstolos	1247
Filipe Néri	1254
Francisca Romana	1209
Francisco de Assis	1393
Francisco de Paula	1230
Francisco de Sales	1176
Francisco Xavier	1142
Fundadores dos Servitas	1199

1594 Índice alfabético das celebrações

Gabriel, Miguel e Rafael 1377
Gertrudes 1438
Gregório de Nazianzo e Basílio Magno 1170
Gregório Magno 1351
Gregório VII 1253

Henrique 1291
Hilário 1172
Hipólito e Ponciano 1327

Inácio de Antioquia 1410
Inácio de Azevedo e companheiros 1293
Inácio de Loiola 1306
Inês 1173
Inocentes, mártires 1166
Irineu 1276
Isaac Jogues e João de Brébeuf 1416
Isabel da Hungria 1438
Isabel de Portugal 1288
Isidoro 1230

Januário 1372
Jerônimo 1384
Jerônimo Emiliani 1196
Jesus Cristo N.S.:
    – Anunciação 1219
    – Apresentação 1185
    – Ascensão 593
    – Batismo 263
    – Dedicação da Basílica do Latrão 1432
    – Epifania 234
    – Exaltação da Santa Cruz 1357
    – Natal 167
    – Nosso Senhor Jesus Cristo, Rei do Universo . . . 726
    – Ressurreição 446
    – Sagrada Família de Jesus, Maria e José 184
    – Sagrado Coração de Jesus 674
    – Santíssimo Sacramento do Corpo e Sangue de Cristo 663
    – Transfiguração 1310
Joana Francisca de Chantal 1150

Índice alfabético das celebrações   1595

João, apóstolo e evangelista 1163
João Batista:
 – Martírio 1346
 – Nascimento 1269
João Batista de la Salle 1232
João Bosco.. 1184
João Câncio 1160
João Crisóstomo. 1356
João da Cruz. 1159
João Damasceno. 1142
João de Brébeuf e Isaac Jogues 1416
João de Capistrano 1417
João de Deus 1208
João del Castillo, Afonso Rodríguez e Roque González . 1440
João Eudes 1335
João Fisher e Tomás More 1268
João I 1252
João Leonardi 1399
João Maria Vianney 1309
Joaquim e Ana. 1301
Jorge. 1235
Josafá 1436
José:
 – Esposo de Nossa Senhora. 1211
 – Operário. 1242
José de Anchieta. 1264
José de Calasanz 1343
Judas e Simão, apóstolos 1418
Justino 1261

Leão Magno. 1432
Lourenço. 1323
Lourenço de Bríndisi 1294
Lourenço Ruiz e companheiros 1377
Lucas, evangelista. 1411
Luís de França. 1343
Luís Gonzaga 1267
Luzia 1158

Marcelino e Pedro. 1262
Marcos, evangelista 1236

1596 Índice alfabético das celebrações

Margarida da Escócia 1437
Margarida Maria Alacoque 1410
Maria Goretti 1289
Maria Madalena 1294
Maria Madalena de Pazzi 1254
Marta 1303
Martinho 1433
Martinho de Lima 1431
Martinho I 1233
Mateus, apóstolo e evangelista 1374
Matias, apóstolo 1251
Maximiliano Maria Kolbe 1328
Metódio e Cirilo 1199
Miguel, Gabriel e Rafael 1377
Mônica 1344

Nereu e Aquiles 1250
Nicolau 1143
Norberto 1263
Nossa Senhora:
    – Aparecida 1400
    – Apresentação 1441
    – Assunção 1329
    – Carmo 1293
    – Dedicação da Basílica de S. Maria Maior 1309
    – Dores 1368
    – Guadalupe 1151
    – Imaculado Conceição 1145
    – Imaculado Coração 1260
    – Lourdes 1198
    – Mãe de Deus 204
    – Natividade 1352
    – Rainha 1338
    – Rosário 1396
    – Visitação 1255

Oscar 1194

Pancrácio 1251
Patrício 1210

Índice alfabético das celebrações 1597

Paulino de Nola	1268
Paulo Chóng Hasang e André Kim Taegón	1373
Paulo da Cruz	1416
Paulo Miki e companheiros	1196
Paulo, apóstolo:	
– Conversão	1177
– Dedicação da Basílica Ostiense	1439
– Solenidade	1277
Pedro, apóstolo:	
– Cátedra	1201
– Dedicação da Basílica Vaticana	1439
– Solenidade	1277
Pedro Canísio	1159
Pedro Crisólogo	1306
Pedro Damião	1200
Pedro Chanel	1240
Pedro e Marcelino	1262
Perpétua e Felicidade	1207
Pio V	1242
Pio X	1337
Policarpo	1206
Ponciano e Hipólito	1327
Rafael, Miguel e Gabriel	1377
Raimundo de Penyafort	1171
Roberto Belarmino	1372
Romualdo	1267
Roque González, Afonso Rodríguez e João del Castillo	1440
Rosa de Lima	1340
Santíssima Trindade	652
Sebastião	1173
Silvestre	1169
Simão e Judas, apóstolos	1418
Sisto II e seus companheiros	1321
Teresa de Jesus	1408
Teresinha do Menino Jesus	1386
Tiago, apóstolo	1298
Tiago e Filipe, apóstolos	1247

1598   Índice dos hinos

Timóteo e Tito 1182
Tito e Timóteo 1182
Todos os Santos 1420
Tomás Becket 1169
Tomás de Aquino 1183
Tomás More e João Fisher 1268
Tomé, apóstolo 1285
Turíbio de Mogrovejo 1218

Venceslau 1376
Vicente, diácono 1176
Vicente de Paulo 1376
Vicente Ferrer 1231

B. ÍNDICE DOS HINOS

A abstinência quaresmal 271
A estrela d'alva já brilha 1301
A fiel Jerusalém 462
A nós vindes pela Virgem 263
A paixão dos Apóstolos 1279
Agora que o clarão da luz se apaga 751
Anuncia a aurora o dia 1243
Ao fiel confessor do Senhor 1435
Aos anjos cantemos, que guardem a todos 1389
Aos Onze entristecia 1483
Arauto do Evangelho 1322
Às núpcias do Cordeiro 453, 459
As rosas da terra 1341
Autor e origem do tempo 886, 1066
Ave, do mar Estrela 1405, 1467

Bernardo, luz celeste 1336
"Boca de Ouro", dos teus lábios fluem 1356
Brilhando entre os apóstolos 1342

Cantamos hoje alegremente 1236
Cantamos, hoje, Lucas, teu martírio 1412
Celebramos a bela vitória 1265
Celebre a José a corte celeste 1211, 1244

Índice dos hinos

Celebremos os servos de Cristo 1555
Chorando vos cantamos 432
Clarão da glória do Pai 776, 957
Claro espelho de virtude 1527
Com tua lâmpada acesa 1539
Como foste a Belém dar à luz o teu Filho 1156
Concelebre a Igreja, cantando 1179
Criador das alturas celestes 891, 1070
Criador generoso da luz 771, 952
Cristo é a vida, que, vindo ao mundo 1161
Cristo, Rei de poder infinito 1586
Cristo Rei, sois dos séculos Príncipe 726

Da caridade Estrela fúlgida 1473
Da luz Criador 877, 1058
Da Mãe Autor, da Virgem Filho 1515
De Cristo o dom eterno 1493
De sol, ó Virgem, vestida 1331
Deixando teus pais, Teresa 1408
Desdobra-se no céu 446, 462
Deus de supremo poder 822, 1003
Deus, escultor do homem 836, 1016
Deus, que criastes a luz 918, 1096
Devagar, vai o sol se escondendo 900, 1079
Do casto sois modelo 1509
Do Pai eterno talhado 1450
Do Rei avança o estandarte 395, 1364
Do Rei Esposa e Filha 1441
Do sol nascente ao poente 168, 173
Do supremo Rei na corte 1479
Doador da luz esplêndida 865, 1045,
Doce, sonoro, ressoe o canto 1269
Dona e Senhora da terra 1352
Dos Anglos outrora apóstolo 1351
Dos que partilham a glória dos santos 1498
Doutor eterno, vos louvamos, Cristo 1533

Eis do Senhor a porta aberta 206
Eis que apressada sobes a montanha 1258
Eis que da noite já foge a sombra 853, 1033
Eis que o Verbo, habitando entre nós 668

Índice dos hinos

Elevai o olhar aos céus	232, 234, 238
Em meio à treva escura	74
Enquanto uma coroa em tua honra	1302
Entre as coroas dadas pelo alto	1290
Esperado com ânsia por todos	596, 608
Este é o dia em que Teresa	1409
Estes felizes sacerdotes	1524
Eterna imagem do Altíssimo	730
Eterna luz dos homens	73
Eterno Rei e Senhor	460
Eterno Sol, que envolveis	1535
Exulte o céu com louvores	1483
Faze, ó Mãe, fonte de amor	1368
Filha de reis, estirpe de Davi	1338
Fonte da luz, da luz origem	873, 1053
Fulge nos céus o grande sacerdote	1345
Hoje cantamos o triunfo	1523
Hoje é natal de Santa Inês	1174
Humildes, ajoelhados	272
Irrompa nova alegria	1146
Já o dia nasceu novamente	905, 1084
Já surge a luz dourada	814, 995
Já vem brilhante aurora	789, 971
Jerusalém gloriosa	1453
Jesus, autor da clemência	679
Jesus, coroa celeste	1551
Jesus, coroa das virgens	1543
Jesus Cristo, ternura de Deus	1571
Jesus, que o mundo salvastes	1424
Jesus, suave lembrança	1314
João cumpre a sua missão	268
Juntos cantemos louvores	1144
Lá do alto enviai-nos, ó Cristo	1380
Legislador, doutor prudente e venerável	1289
Logo ao nasceres não trazes mancha	1271, 1346
Louvamos-te, ó Catarina	1241
Louvemos a glória	1325
Louvor à mulher forte	1565

Índice dos hinos

Luminosa, a aurora desperta 1295

Maria, Mãe dos mortais 1401, 1458
Memória da morte 416

Na mesma hora em que Jesus, o Cristo 273
Na nobre serva de Cristo 1562
Na órbita do ano 642
Na terra recordamos 1396
Nas nobres servas de Cristo 1563
No céu Francisco fulgura 1393
No céu refulge a aurora 841, 1021
No mártir São Lourenço 1323
Nosso canto celebre a Inácio 1306
Nova estrela do céu, gáudio da terra 1329

Ó áurea luz, ó esplendor de rosa 1277
Ó Criador do universo 763, 945
Ó Cristo, autor deste mundo 674
Ó Cristo, autor dos seres 1566
Ó Cristo, concedei 440
Ó Cristo, dia e esplendor 751
Ó Cristo, luz de Deus Pai 1377
Ó Cristo, luz do Pai 186
Ó Cristo, sol de justiça 273
Ó cruz, do mundo bênção 423, 436
Ó Deus, autor da luz 913, 1092
Ó Deus, autor de tudo 758, 940
Ó Deus, criando o mundo 1387
Ó Deus, dos vossos heróis 1514
Ó Deus, fonte de todas as coisas 848, 1028
Ó Deus, organizando 784, 966
Ó Deus, verdade e força 74, 169, 743
Ó estrela feliz de Mágdala 1296
O fel lhe dão por bebida 396
Ó fiéis seguidores de Cristo 1551
Ó florão da humana raça 1354
Ó grande Autor da terra 797, 978
Ó Jesus, redenção nossa 593, 601
Ó Jesus Redentor 461, 607, 752
Ó Jesus, Redentor nosso 1554
O louvor de Deus cantemos 143, 233, 743

Índice dos hinos

Ó luz bendita dos céus 184,189
Ó Luz da Luz nascida 1316
Ó luz que o anjo traz à Virgem 1223
Ó luz, ó Deus Trindade 860, 1040
Ó mártir de Deus, que seguindo 1509
Ó noite, ó treva, ó nuvem 801, 982
Ó Pai, nesta Quaresma 271
Ó Paulo, mestre dos povos 1177
Ó Pedro, pastor piedoso 1439
O que o coro dos profetas 1190
Ó Redentor das nações 265
Ó Redentor do mundo 167, 169, 179
Ó Santa Marta, mulher feliz 1305
Ó São Tiago, vos trazemos 1299
O sol fulgura sobre o mundo 1480
O tirano escutou, ansioso 1166
Ó Trindade, imensa e una 652
Ó Trindade, num sólio supremo 656
Ó Virgem a quem veneramos 1403
Ó Virgem Mãe de Deus 1145
Oh vinde, Espírito Criador 606, 638, 647
Onze horas havendo passado 927, 1104
Os profetas, com voz poderosa 142
Os serafins louvam aquele 1163

Pedro, que rompes algemas 1201
Pescador de homens te faço! 1203
Pescavas outrora peixes 1138
Por que, Herodes, temes 231, 243
Por toda a terra fulgura 1361
Predecessor fiel da graça 1348

Quando, Senhor, no horizonte 1340
Quem nos deu todas as coisas 204, 208

Raiando o novo dia 931, 1108
Recebe, Virgem Maria 141
Reconheça o mundo inteiro 1219
Redentor de todos, Cristo 1420
Ressurreição e vida nossa 1576
Roma feliz, tornada cor de púrpura 1282

Índice dos hinos

Salve o dia que é glória dos dias 848, 1028
Santa Marta de Betânia 1304
Santíssimo Deus do céu 809, 990
Santo entre todos, já fulgura 759, 940
São José, do céu a glória 1213
Senhor, a vós cantamos 1572
Senhora gloriosa 1462, 1472
Sião, na espera do Senhor 1187
Sob o peso dos pecados 1339
Sois do céu a glória eterna 828, 1008

Teus monges todos choravam 1434
Todo o mundo fiel rejubile 400
Tradutor e exegeta da Bíblia 1385
Trouxe o ano novamente 1528
Tu fulguras qual luzeiro 1285
Tu, que hoje reinas na glória 1374

Um hino a vós, apóstolos 1418

Vamos todos louvar juntos 663
Vem, Mãe Virgem gloriosa 1255
Vinde, servos suplicantes 463, 608, 644
Virgem Mãe tão santa e pura 1370
Virgem suma, sem nenhuma 1152
Vós, que por Lázaro chorastes 1582

C. ÍNDICE DOS SALMOS

Salmo	nome	página
4	Quando eu chamo, respondei-me,	
	ó meu Deus, minha justiça	1116
5,2-10.112-13	Escutai, ó Senhor Deus, minhas palavras .	777
7	Senhor meu Deus,	
	em vós procuro o meu refúgio	782
8	Ó Senhor nosso Deus,	
	como é grande 465, 599,	
		935, 1111, 1381
10(11)	No Senhor encontro abrigo	785
12(13)	Até quando, ó Senhor, me esquecereis? . .	795

Índice dos salmos

13(14)	Diz o insensato em seu próprio coração . . .	796
14(15)	Senhor, quem morará em vossa casa	786, 1529, 1556
15(16)	Guardai-me, ó Deus, porque em vós me refugio! . . .	471, 850, 1130
16(17)	Ó Senhor, ouvi a minha justa causa	807
18(19)A	Os céus proclamam a glória do Senhor	466, 600, 868
18(19)B	A lei do Senhor Deus é perfeita	176, 467, 600, 781
19(20)	Que o Senhor te escute no dia da aflição . .	798
20(21),2-8.14	Ó Senhor, em vossa força o rei se alegra . .	799
21(22)	Meu Deus, meu Deus, por que me abandonastes?	1013
22(23)	O Senhor é o pastor que me conduz	472, 858, 1038
23(24)	Ao Senhor pertence a terra e o que ela encerra	790
24(25)	Senhor meu Deus, a vós elevo a minha alma	820
25 (26)	Fazei justiça, ó Senhor: sou inocente	834
26(27)	O Senhor é minha luz e salvação . . .	437, 810
27(28)	A vós eu clamo, ó Senhor, ó meu rochedo. .	476, 835
28(29)	Filhos de Deus, tributai ao Senhor.	779
29(30)	Eu vos exalto, ó Senhor, pois me livrastes	438, 481, 823
30(31)	Senhor, eu ponho em vós minha esperança	1127
31(32)	Feliz o homem que foi perdoado	824
32(33)	Ó justos, alegrai-vos no Senhor	792
33(34)	Bendirei o Senhor Deus em todo o tempo	846, 1026, 1390
35 (36)	O pecado sussurra ao ímpio	802
39(40),2-14.17-18	Esperando, esperei no Senhor. . .	423, 871
40(41)	Feliz de quem pensa no pobre e no fraco . .	837

Índice dos salmos 1605

41(42)	Assim como a corça suspira	866
42(43)	Fazei justiça, meu Deus, e defendei-me . . .	879
44(45)	Transborda um poema do meu coração	874, 1114
45(46)	O Senhor para nós é refúgio e vigor . .	838, 1454
46(47)	Povos todos do universo, batei palmas	177, 241, 603, 805
47(48)	Grande é o Senhor e muito digno de louvores	177, 817
48(49)	Ouvi isto, povos todos do universo	887
50(51)	Tende piedade, ó meu Deus, misericórdia . .	418, 829, 919, 1009, 1097, 1576
52(53)	Diz o insensato em seu próprio coração . . .	884
53(54),3-6.8-9	Por vosso nome, salvai-me, Senhor. . .	425, 885
54(55),2-15.17-24	Ó meu Deus, escutai minha prece . . .	897
55(56),2-7b.9-14	Tende pena e compaixão de mim, ó Deus	911
56(57)	Piedade, Senhor, piedade	815, 912
58(59),2-5.10-11.17-18	Libertai-me do inimigo, ó meu Deus	925
59(60)	Rejeitastes, ó Deus, vosso povo	926
60(61)	Escutai, ó Senhor Deus, minha oração . . .	938
61(62)	Só em Deus a minha alma tem repouso . . .	901
62(63),2-9	Sois vós, ó Senhor, o meu Deus	446, 764
63(64)	Ó Deus, ouvi a minha voz, o meu lamento!	433, 938
64(65)	Ó Senhor, convém cantar vosso louvor . . .	881
66(67)	Que Deus nos dê a sua graça e sua bênção	902, 974
69(70)	Vinde, ó Deus, em meu auxílio, sem demora	988, 1583
70(71)	Eu procuro meu refúgio em vós, Senhor . .	964
71(72)	Dai ao Rei vossos poderes, Senhor Deus . .	914

73(74)	Ó Senhor, por que razão nos rejeitastes para sempre	976
74(75)	Nós vos louvamos, dando graças, ó Senhor	989
75(76)	Em Judá o Senhor Deus é conhecido	439, 485, 859, 1039
76(77)	Quero clamar ao Senhor Deus em alta voz .	892
78(79),1-5.8-11.13	Invadiram vossa herança os infiéis . .	1000
79(80)	Ó Pastor de Israel, prestai ouvidos . .	906, 1002
80(81)	Exultai no Senhor, nossa força	908
81(82)	Deus se levanta no conselho dos juízes . . .	1051
83(84)	Quão amável, ó Senhor, é vossa casa	959
84(85)	Favorecestes, ó Senhor, a vossa terra	972, 1583
85(86),1-10	Inclinai, ó Senhor, vosso ouvido.	241
85(86)	Inclinai, ó Senhor, vosso ouvido 983, 1122, 1584	
86(87)	O Senhor ama a cidade	995
87(88)	A vós clamo, Senhor, sem cessar, todo o dia 425, 1064, 1132	
89(90)	Vós fostes um refúgio para nós	1046
90(91)	Quem habita ao abrigo do Altíssimo . . .	1119
91(92)	Como é bom agradecermos ao Senhor 932, 1109	
92(93)	Deus é Rei e se vestiu de majestade	946
93(94)	Senhor Deus justiceiro, brilhai	1077
95(96)	Cantai ao Senhor Deus um canto novo 490, 961	
96(97)	Deus é Rei! Exulte a terra de alegria	894
97(98)	Cantai ao Senhor Deus um canto novo 242, 985	
98(99)	Deus é Rei: diante dele estremeçam os povos	997

Índice dos salmos

99(100) Aclamai o Senhor, ó terra inteira . . . 832, 1012
100(101) Eu quero cantar o amor e a justiça. 1059
107(108) Meu coração está pronto, meu Deus. 1071
109(110),1-5.7 Palavra do Senhor ao meu Senhor
180, 244, 454, 602, 648,
659, 670, 681, 732, 772, 860, 953,
1041, 1190, 1226, 1317, 1365, 1421, 1427
110(111) Eu agradeço
a Deus de todo o coração 664, 682, 954
111(112) Feliz o homem
que respeita o Senhor . . 244, 1041, 1530, 1556
112(113) Louvai, louvai , ó servos do Senhor
170, 593 639, 653, 675, 727, 941, 1185,
1219, 1310, 1459, 1520, 1536, 1547, 1559
113A(l 14) Quando o povo de Israel
saiu do Egito 455, 649, 660, 773
113B(l 15) Não a nós, ó Senhor, não a nós 861
114(116A) Eu amo o Senhor, porque ouve 928, 1499, 1515
115(116B) Guardei a fé, mesmo dizendo 427, 441,
477, 671, 942, 1365, 1427, 1484, 1500, 1516
116(117) Cantai louvores ao Senhor,
todas as gentes 594, 727, 843, 1023, 1311, 1477
117(118) Dai graças ao Senhor, porque ele
é bom 451, 645, 768, 853, 950, 1033, 1488, 1504
118 I (119),1-8 Feliz o homem sem pecado
em seu caminho 471, 795
118 II (119), 9-16 Como um jovem
poderá ter vida pura? 476, 807
118 III (119),17-24 Sede bom com vosso servo,
e viverei 481, 819
118 IV (119),25-32 A minha alma está prostrada
na poeira 485, 834
118 V (119), 33-40 Ensinai-me a viver vossos preceitos
489, 845
118 VI (119), 41-48 Senhor, que desça sobre mim
a vossa graça 870

1608   Índice dos salmos

118 VII (119),49-56 Lembrai-vos da promessa
                          ao vosso servo. 884
118 VIII (119), 57-64 É esta a parte que escolhi
                          por minha herança 897
118 IX (119),65-72 Tratastes com bondade o vosso servo . 910
118 X (119),73-80 Vossas mãos me modelaram,
                          me fizeram 924
118 XI (119),81-88 Desfaleço pela vossa salvação 937
118 XII (119),89-96 É eterna, ó Senhor, vossa palavra . . . 963
118 XIII (119),97-104 Quanto eu amo,
                          ó Senhor, a vossa lei! 975
118 XIV (119),105-112 Vossa palavra é uma luz
                          para os meus passos 849, 987
118 XV (119),113-120 Eu detesto os corações
                          que são fingidos 1000
118 XVI (119),121-128 Pratiquei a equidade e a justiça . 1025
118 XVII (119),129-136 Maravilhosos
                          são os vossos testemunhos . . . 1050
118 XVIII (119),137-144 Vós sois justo,
                          na verdade, ó Senhor. 1063
118 XIX (119),145-152 Clamo de todo coração:
                          Senhor, ouvi-me. . . 842, 1022, 1076
118 XX (119),153-160 Vede, Senhor,
                          minha miséria, e livrai-me . . . 1089
118 XXI (119),161-168 Os poderosos me perseguem
                          sem motivo 1102
118 XXII (119),169-176 Que o meu grito,
                          ó Senhor, chegue até vós 1113
119(120)   Clamei pelo Senhor na minha angústia . . 1052
120(121)   Eu levanto os meus olhos
              para os montes 929, 1318, 1587
121(122)   Que alegria, quando ouvi
              que me disseram   1029, 1455, 1468, 1543, 1567
122(123)   Eu levanto os meus olhos para vós . . 967, 1135
123(124)   Se o Senhor não estivesse
              ao nosso lado. 968, 1135
124(125)   Quem confia no Senhor
              é como o monte de Sião 979, 1136

Índice dos salmos

1609

125(126)	Quando o Senhor reconduziu nossos cativos 991, 1485	
126(127)	Se o Senhor não construir a nossa casa 991, 1468, 1544, 1567	
127(128)	Feliz és tu se temes o Senhor 1090	
128(129)	Quanto eu fui perseguido desde jovem . . 1091	
129(130)	Das profundezas eu clamo a vós, Senhor 180, 1030, 1128, 1191, 1226, 1587	
130(131)	Senhor, meu coração não é orgulhoso . . . 979	
131(132)	Recordai-vos, ó Senhor, do rei Davi . . . 1004	
132(133)	Vinde e vede como é bom, como é suave 1102	
133(134)	Vinde, agora, bendizei ao Senhor Deus . . 1117	
134(135)	Louvai o Senhor, bendizei-o. . . 235, 1017, 1048	
135(136)	Demos graças ao Senhor, porque ele é bom 1053	
136(137),1-6	Junto aos rios da Babilônia 1067	
137(138)	Ó Senhor, de coração eu vos dou graças 1067, 1381	
138(139),1-18.23-24	Senhor, vós me sondais e conheceis 1080	
139(140),2-9.13-14	Livrai-me, ó Senhor, dos homens maus 1103	
140(141)	Senhor, eu clamo por vós, socorrei-me . . 759	
141(142)	Em voz alta ao Senhor eu imploro. 760	
142(143),1-11	Ó Senhor, escutai minha prece 428, 442, 1085, 1124	
143(144)	Bendito seja o Senhor, meu rochedo 1061, 1093	
144(145)	Ó meu Deus, quero exaltar-vos, ó meu Rei 733, 1105	
145(146)	Bendize, minh'alma, ao Senhor 676, 1074, 1521, 1548, 1579	
146(147A)	Louvai o Senhor Deus, porque ele é bom. 639, 1087, 1358, 1446	
147(147B)	Glorifica o Senhor, Jerusalém 171, 421, 653, 665, 922, 1100, 1186, 1220, 1358, 1421; 1447, 1460, 1477, 1537, 1560	
148	Louvai o Senhor Deus nos altos céus . . . 948	
149	Cantai ao Senhor Deus um canto novo 449, 767	
150	Louvai o Senhor Deus no santuário 434, 856, 1036, 1580	

D. ÍNDICE DOS CÂNTICOS

Antigo Testamento

Ex 15,1-4b.8-13. 17- 18	Ao Senhor quero cantar, pois fez brilhar a sua glória	842
Dt 32,1-12	Ó céus, vinde , escutai: eu vou falar	933
1Sm 2,1-10	Exulta no Senhor meu coração	893
1Cr 29,10-13	Bendito sejais vós, ó Senhor Deus	778
Tb 13,2-8	Vós sois grande, Senhor, para sempre	791
Tb 13,8- 11.1 3-14ab.l5-l6ab	Dai graças ao Senhor, vós todos, seus eleitos.	1099
Jt 16,1-2.13-15	Cantai ao Senhor com pandeiros	804
Sb 9,1-6.9-11	Deus de meus pais, Senhor bondoso e compaixão	1022
Eclo 36,1-7.13-16	Tende piedade e compaixão, Deus do universo	867
Is 2,2-5	Eis que vai acontecer no fim dos tempos	960
Is 12,1-6	Dou-vos graças, ó Senhor, porque estando irritado	907
Is 26 ,1-4.7-9.12	Nossa cidade invencível é Sião	973
Is 33,13-16	Vós que estais longe, escutai o que eu fiz!	984
Is 38,10-14.17-20	Eu dizia: É necessário que eu me vá	433, 880, 1578
Is 40,10-17	Olhai e vede: o nosso Deus vem com poder	996
Is 42,10-16	Cantai ao Senhor Deus um canto novo.	1047
Is 45,15-25	Senhor Deus de Israel, ó Salvador	830
Is 61,10-62,5	Eu exulto de alegria no Senhor	1073
Is 66,10- 1 4a	Alegrai-vos com Sião	1086
Jr 14,17-21	Os meus olhos, noite e dia	1010
Jr 31,10-14	Ouvi, nações, a palavra do Senhor	816
Ez 36,24-28	Haverei de retirar-vos do meio das nações	1110
Dn 3,26.27.29.34-41	Sede bendito, Senhor Deus de nossos pais	1060

Índice dos cânticos 1611

Dn 3,52-57	Sede bendito, Senhor Deus de nossos pais 855, 1035
Dn 3,57-88.56	Obras do Senhor, bendizei o Senhor 447, 765, 946
Hab 3,2-4.13a.5-19	Eu ouvi vossa mensagem, ó Senhor 420, 920

Novo Testamento

Lc 1,46-55	A minha alma engrandece ao Senhor . . 747
Lc 1,68-79	Bendito seja o Senhor Deus de Israel . . 739
Lc 2,29-32	Deixai, agora, vosso servo ir em paz 754, 1118, 1121, 1124, 1126, 1129, 1131, 1134
Ef 1,3-10	Bendito e louvado seja Deus . . . 654, 786, 875, 968, 1055, 1461, 1469, 1478, 1486, 1521, 1538, 1545, 1549, 1561, 1568
Fl 2,6-11	Embora fosse de divina condição 171, 429, 443, 683, 761, 851, 943, 1031, 1186, 1221, 1359, 1588
Cl 1,12-20 (cf.)	Demos graças a Deus Pai onipotente 181, 812, 903, 992, 1082, 1192, 1227, 1382
ITm 3,16 (cf.)	O Senhor manifestado em nossa carne 236, 1319, 1449
IPd 2,21-24	O Cristo por nós padeceu 774, 863, 956, 1043, 1490, 1506
Ap 4,11; 5,9.10.12	Vós sois digno, Senhor nosso Deus 677, 728, 800, 889, 980, 1068, 1366, 1428, 1500, 1517
Ap 11,17-18; 12,10b-12a	Graças vos damos, Senhor Deus onipotente 594, 603, 666, 825, 916, 1006, 1094, 1391
Ap 15,3-4	Como são grandes e admiráveis vossas obras 245, 640, 839, 929, 1019, 1107, 1457, 1530, 1557
Ap 19,1-2.5-7 (cf.)	Ao nosso Deus a salvação 456, 649, 661, 672, 734, 773, 862, 955, 1042, 1311, 1422, 1448, 1456

E. ÍNDICE DE SIGLAS
Siglas dos livros da Bíblia

Ab	Livro do Profeta Abdias
Ag	Livro do Profeta Ageu
Am	Livro do Profeta Amós
Ap	Apocalipse de São João
At	Atos dos Apóstolos
Br	Livro do Profeta Baruc
Cl	Epístola de São Paulo aos Colossenses
lCor	Primeira Carta de São Paulo aos Coríntios
2Cor	Segunda Carta de São Paulo aos Coríntios
lCr	Primeiro Livro das Crônicas
2Cr	Segundo Livro das Crônicas
Ct	Cântico dos Cânticos
Dn	Livro do Profeta Daniel
Dt	Livro do Deuteronômio
Ecl	Livro do Eclesiastes (Qohelet)
Eclo	Livro do Eclesiástico (Sirácida)
Ef	Carta de São Paulo aos Efésios
Esd	Livro de Esdras
Est	Livro de Ester
Ex	Livro do Êxodo
Ez	Livro do Profeta Ezequiel
Fl	Carta de São Paulo aos Filipenses
Fm	Carta de São Paulo a Filêmon
Gl	Carta de São Paulo aos Gálatas
Gn	Livro do Gênesis
Hab	Livro do Profeta Habacuc
Hb	Carta aos Hebreus
Is	Livro do Profeta Isaías
Jd	Carta de São Judas
Jl	Livro do Profeta Joel
Jn	Livro do Profeta Jonas
Jó	Livro de Jó
Jo	Evangelho segundo João
1Jo	Primeira Carta de São João
2Jo	Segunda Carta de São João

Índice de siglas

3Jo	Terceira Carta de São João
Jr	Livro do Profeta Jeremias
Js	Livro de Josué
Jt	Livro de Judite
Jz	Livro dos Juízes
Lc	Evangelho segundo Lucas
Lm	Lamentações
Lv	Livro Levítico
Mc	Evangelho segundo Marcos
1Mc	Primeiro Livro dos Macabeus
2Mc	Segundo Livro dos Macabeus
Ml	Livro do Profeta Malaquias
Mq	Livro do Profeta Miqueias
Mt	Evangelho segundo Mateus
Na	Livro do Profeta Naum
Ne	Livro de Neemias
Nm	Livro dos Números
Os	Livro do Profeta Oseias
1Pd	Primeira Carta de São Pedro
2Pd	Segunda Carta de São Pedro
Pr	Livro dos Provérbios
Rm	Carta de São Paulo aos Romanos
1Rs	Primeiro Livro dos Reis
2Rs	Segundo Livro dos Reis
Rt	Livro de Rute
Sb	Livro da Sabedoria
Sf	Livro do Profeta Sofonias
Sl	Livro dos Salmos
1Sm	Primeiro Livro de Samuel
2Sm	Segundo Livro de Samuel
Tb	Livro de Tobias
Tg	Carta de São Tiago
1Tm	Primeira Carta de São Paulo a Timóteo
2Tm	Segunda Carta de São Paulo a Timóteo
1Ts	Primeira Carta de São Paulo aos Tessalonicenses
2Ts	Segunda Carta de São Paulo aos Tessalonicenses
Tt	Carta de São Paulo a Tito
Zc	Livro do Profeta Zacarias

F. ÍNDICE GERAL

Promulgação 6
Apresentação 7
Decreto de aprovação da tradução da Congregação do Culto
    Divino e Disciplina dos Sacramentos (8 de julho de 1992) 8
Decreto da Sagrada Congregação para o Culto Divino
    (11 de abril de 1971) 9
Decreto da Congregação para o Culto Divino
    (7 de abril de 1985). 10
Instrução Geral sobre a Liturgia das Horas. 13
Tabela dos Dias Litúrgicos 53
Tabela Temporária das Celebrações móveis 56
Calendário Romano Geral 59

Próprio do Tempo. 71
    Tempo do Advento, até 16 de dezembro 73
    Tempo do Advento, após 16 de dezembro 141
    Tempo do Natal, até a solenidade da Epifania 167
    Tempo do Natal, a partir da solenidade da Epifania . . . 231
    Tempo da Quaresma I: Até o sábado da 5ª semana . . . 271
    Tempo da Quaresma II: Semana Santa. 395
    Tríduo Pascal da Paixão e Ressurreição do Senhor . . . 416
    Tempo Pascal I: Até a Ascensão do Senhor 459
    Tempo Pascal II: Depois da Ascensão do Senhor 606
    Solenidades do Senhor durante o Tempo Comum 652
    Tempo Comum 685
        Nosso Senhor Jesus Cristo, Rei do Universo . . . 726

Ordinário 737

Saltério 757
    I Semana 758
    II Semana 848
    III Semana 940
    IV Semana 1028
    Completas 1116
    Salmodia complementar 1135

Próprio dos Santos 1137
    Novembro (a partir do dia 30) 1138

Índice geral

Dezembro	1142
Janeiro	1170
Fevereiro	1185
Março	1207
Abril	1230
Maio	1242
Junho	1261
Julho	1285
Agosto	1308
Setembro	1351
Outubro	1386
Novembro	1420
Comuns	1445
Comum da Dedicação de uma igreja	1446
Comum de Nossa Senhora	1458
Comum dos Apóstolos	1477
Comum dos Mártires	1488
Para vários mártires	1488
Para um mártir	1503
Comum dos Pastores	1520
Comum dos Doutores da Igreja	1532
Comum das Virgens	1536
Comum dos Santos Homens	1547
Comum das Santas Mulheres	1559
Para Santos e Santas Religiosos	1570
Para os Santos e as Santas que se dedicaram às obras de caridade	1573
Para os Santos e Santas Educadores	1574
Ofício dos Fiéis Defuntos	1575
Índices	1591
A. Índice alfabético das Celebrações	1592
B. Índice dos Hinos	1598
C. Índice dos Salmos	1604
D. Índice dos Cânticos	1610
E. Índice de Siglas dos Livros da Bíblia	1612
F. Índice Geral	1614

PARA AS SOLENIDADES E FESTAS

Laudes

Salmos e cântico do domingo da I Semana

Salmo 62(63),2-9

Sede de Deus

– 2 Sois **vós**, ó Se**nhor**, o meu **Deus**! *
Desde a au**ror**a, ansioso, vos busco!
= A minh'**alma** tem sede de vós, †
minha **car**ne também vos deseja, *
como **ter**ra sedenta e sem água!

– 3 Venho, as**sim**, contemplar-vos no templo, *
para **ver** vossa glória e poder.

– 4 Vosso a**mor** vale mais do que a vida: *
e, por **is**so, meus lábios vos louvam.

– 5 Quero, **pois**, vos louvar pela vida, *
e eleva**r** para vós minhas mãos!

– 6 A minh'**alma** será saciada, *
como em **gran**de banquete de festa;

– cantar**á** a alegria em meus lábios, *
ao can**tar** para vós meu louvor!

= 7 Penso em **vós** no meu leito, de noite, *
nas vig**í**lias suspiro por vós!

– 8 Para **mim** fostes sempre um socorro; *
de vossas **a**sas, à sombra, eu exulto!

– 9 Minha a**lma** se agarra em vós; *
com po**der** vossa mão me sustenta.

Cântico   Dn 3,57-88.56

Louvor das criaturas ao Senhor

– 57 **O**bras do Senhor, bendi**zei** o Senhor, *
lou**vai**-o e exaltai-o pelos **sé**culos sem fim!

—[58] **Céus** do Senhor, bendi**zei** o Senhor! *
[59] **Anjos** do Senhor, bendi**zei** o Senhor!

(R. Louvai-o e exal**tai**-o pelos **séculos** sem **fim**!
Ou:
R. A Ele **glória** e lou**vor** eterna**mente**!)

—[60] **Águas** do alto céu, bendi**zei** o Senhor! *
[61] **Potências** do Senhor, bendi**zei** o Senhor!
—[62] **Lua** e sol, bendi**zei** o Senhor! *
[63] **Astros** e estrelas, bendi**zei** o Senhor!   (R.)

—[64] **Chuvas** e orvalhos, bendi**zei** o Senhor! *
[65] **Brisas** e ventos, bendi**zei** o Senhor!
—[66] **Fogo** e calor, bendi**zei** o Senhor! *
[67] **Frio** e ardor, bendi**zei** o Senhor!   (R.)

—[68] **Orvalhos** e garoas, bendi**zei** o Senhor! *
[69] **Geada** e frio, bendi**zei** o Senhor!
—[70] **Gelos** e neves, bendi**zei** o Senhor! *
[71] **Noites** e dias, bendi**zei** o Senhor!   (R.)

—[72] **Luzes** e trevas, bendi**zei** o Senhor! *
[73] **Raios** e nuvens, bendi**zei** o Senhor
—[74] **Ilhas** e terra, bendi**zei** o Senhor! *
Louvai-o e exal**tai**-o pelos **séculos** sem fim!   (R.)

—[75] **Montes** e colinas, bendi**zei** o Senhor! *
[76] **Plantas** da terra, bendi**zei** o Senhor!

—[77] **Mares** e rios, bendi**zei** o Senhor! *
[78] **Fontes** e nascentes, bendi**zei** o Senhor!   (R.)

—[79] **Baleias** e peixes, bendi**zei** o Senhor! *
[80] **Pássaros** do céu, bendi**zei** o Senhor!
—[81] **Feras** e rebanhos, bendi**zei** o Senhor! *
[82] **Filhos** dos homens, bendi**zei** o Senhor!   (R.)

—[83] **Filhos** de Israel, bendi**zei** o Senhor! *
Louvai-o e exal**tai**-o pelos **séculos** sem fim!

— [84] Sacerdotes do Senhor, bendizei o Senhor! *
[85] Servos do Senhor, bendizei o Senhor! (R.)

— [86] Almas dos justos, bendizei o Senhor! *
[87] Santos e humildes, bendizei o Senhor!
— [88] Jovens Misael, Ananias e Azarias, *
louvai-o e exaltai-o pelos séculos sem fim! (R.)

— Ao **Pai** e ao Filho e ao Espírito Santo *
louvemos e exaltemos pelos **séculos** sem fim!
— [56] Bendito sois, Senhor, no firmamento dos céus! *
Sois digno de louvor e de **glória** eternamente! (R.)

No fim desse cântico não se diz Glória ao Pai.

Salmo 149

A alegria e o louvor dos santos

— [1] Cantai ao Senhor **Deus** um canto **novo**, *
e o seu louvor na assembleia dos fiéis!
— [2] Alegre-se Israel em Quem o fez, *
e Sião se rejubile no seu Rei!
— [3] Com **danças** glorifiquem o seu nome, *
toquem **harpa** e tambor em sua honra!

— [4] Porque, de **fato**, o Senhor ama seu povo *
e coroa com vitória os seus humildes.
— [5] Exultem os fiéis por sua glória, *
e cantando se levantem de seus leitos,
— [6] com louvores do Senhor em sua boca *
e espadas de dois gumes em sua mão,

— [7] para exercer sua vingança entre as nações *
e infligir o seu castigo entre os povos,
— [8] colocando nas algemas os seus reis, *
e seus **nobres** entre ferros e correntes,
— [9] para aplicar-lhes a sentença já escrita: *
Eis a **glória** para todos os seus santos.

Ofício das Leituras

Hino Te Deum (A vós, ó Deus)

A vós, ó Deus, louvamos;
a vós, Senhor, cantamos.
A vós, Eterno Pai,
adora toda a terra.

A vós cantam os anjos,
os céus e seus poderes:
Sois Santo, Santo, Santo,
Senhor, Deus do universo!

Proclamam céus e terra
a vossa imensa glória.
A vós celebra o coro
glorioso dos Apóstolos,
Vos louva dos Profetas
a nobre multidão
e o luminoso exército
dos vossos santos Mártires.

A vós, por toda a terra,
proclama a Santa Igreja,
ó Pai onipotente,
de imensa majestade,
e adora, juntamente,
o vosso Filho único,
Deus vivo e verdadeiro,
e ao vosso Santo Espírito.

Ó Cristo, Rei da glória,
do Pai eterno Filho,
nascestes duma Virgem,
a fim de nos salvar.
Sofrendo vós a morte,
da morte triunfastes,
abrindo aos que têm fé
dos céus o Reino eterno.

Sentastes à direita
de Deus, do Pai na glória.
Nós cremos que, de novo,
vireis como juiz.

Portanto, vos pedimos:
salvai os vossos servos,
que vós, Senhor, remistes
com sangue precioso.
Fazei-nos ser contados,
Senhor, vos suplicamos,
em meio a vossos santos
na vossa eterna glória.

(A parte que se segue pode ser omitida, se for oportuno).

Salvai o vosso povo,
Senhor, abençoai-o.
Regei-nos e guardai-nos
até a vida eterna.

Senhor, em cada dia,
fiéis, vos bendizemos,
louvamos vosso nome
agora e pelos séculos.
Dignai-vos, neste dia,
guardar-nos do pecado.
Senhor, tende piedade
de nós, que a vós clamamos.
Que desça sobre nós,
Senhor, a vossa graça,
porque em vós pusemos
a nossa confiança.
Fazei que eu, para sempre,
não seja envergonhado:
Em vós, Senhor, confio,
sois vós minha esperança!

TEXTOS COMUNS

II

Laudes

Cântico evangélico: Benedictus   Lc 1,68-79

O Messias e seu Precursor

–⁶⁸Bendito seja o Senhor **Deus** de Israel, *
porque a seu **po**vo visi**tou** e liber**tou**;
–⁶⁹e fez sur**gir** um pode**ro**so Salva**dor** *
na **ca**sa de Da**vi**, seu servi**dor**,
–⁷⁰como fa**la**ra pela **bo**ca de seus **san**tos, *
os pro**fe**tas desde os **tem**pos mais an**ti**gos,
–⁷¹para sal**var**-nos do po**der** dos ini**mi**gos *
e da **mão** de todos **quan**tos nos o**dei**am.
–⁷²Assim mos**trou** miseri**cór**dia a nossos **pais**, *
recor**dan**do a sua **san**ta Ali**an**ça
–⁷³e o jura**men**to a Abra**ão**, o nosso **pai**, *
de conce**der**-nos ⁷⁴que, li**ber**tos do ini**mi**go,
= a ele nós sir**va**mos, sem te**mor**, †
em santi**da**de e em jus**ti**ça diante **de**le, *
⁷⁵en**quan**to perdu**ra**rem nossos **di**as.
=⁷⁶Serás pro**fe**ta do Al**tís**simo, ó me**ni**no, †
pois i**rás** andando à **fren**te do Se**nhor** *
para aplai**nar** e prepa**rar** os seus ca**mi**nhos,
–⁷⁷anunci**an**do ao seu **po**vo a salva**ção**, *
que es**tá** na remis**são** de seus pe**ca**dos,
–⁷⁸pela bon**da**de e compai**xão** de nosso **Deus**, *
que sobre **nós** fará bri**lhar** o Sol nas**cen**te,
–⁷⁹para ilumi**nar** a quantos **ja**zem entre as **tre**vas *
e na **som**bra da **mor**te estão sen**ta**dos
– e **pa**ra diri**gir** os nossos **pas**sos, *
gui**an**do-os no ca**mi**nho da **paz**.

– Gló**ria** ao **Pai** e ao **Fi**lho e ao Es**pí**rito **San**to. *
Como era no prin**cí**pio, **a**gora e sempre. A**mém**.

Vésperas

Cântico evangélico: Magníficat   Lc 1,46-55

A alegria da alma no Senhor

—[46] A minha'alma engrandece o Senhor *
[47] e se alegrou o meu espírito em Deus, meu Salvador,
—[48] pois ele viu a pequenez de sua serva, *
desde agora as gerações hão de chamar-me de bendita.

—[49] O Poderoso fez em mim maravilhas *
e Santo é o seu nome!
—[50] Seu amor, de geração em geração,*
chega a todos que o respeitam.

—[51] Demonstrou o poder de seu braço,*
dispersou os orgulhosos.
—[52] Derrubou os poderosos de seus tronos *
e os humildes exaltou.

—[53] De bens saciou os famintos *
e despediu, sem nada, os ricos.
—[54] Acolheu Israel, seu servidor, *
fiel ao seu amor,

—[55] como havia prometido aos nossos pais, *
em favor de Abraão e de seus filhos para sempre.
— Glória ao Pai e ao Filho e ao Espírito Santo. *
Como era no princípio, agora e sempre. Amém.

Completas

Cântico evangélico: Nunc dimíttis   Lc 2,29-32

Cristo, luz das nações e glória de seu povo

—[29] Deixai, agora, vosso servo ir em paz, *
conforme prometestes, ó Senhor.
—[30] Pois meus olhos viram vossa salvação *
[31] que preparastes ante a face das nações:

—[32] uma Luz que brilhará para os gentios *
e para a glória de Israel, o vosso povo.

— Glória ao Pai e ao Filho e ao Espírito Santo, *
Como era no princípio, agora e sempre. Amém.